Traité du désespoir
et de la béatitude

OUVRAGES D'ANDRÉ COMTE-SPONVILLE

AUX PRESSES UNIVERSITAIRES DE FRANCE

Traité du désespoir et de la béatitude, t. 1 : *Le mythe d'Icare*, 1984, 13ᵉ éd., 1999 ; t. 2 : *Vivre*, 1988, 6ᵉ éd., 1997.

Une éducation philosophique, 1989, 7ᵉ éd., 1998.

Valeur et vérité (Études cyniques), 1994, 3ᵉ éd., 1998.

Petit traité des grandes vertus, 1995, 4ᵉ éd., 1999.

Impromptus, 1996.

L'être-temps, 1999.

Dictionnaire philosophique, 2001.

CHEZ D'AUTRES ÉDITEURS

Pourquoi nous ne sommes pas nietzschéens (en collaboration), Grasset, 1991.

L'amour la solitude, Paroles d'Aube, 1992, rééd. Albin Michel, 2000.

« Je ne suis pas philosophe » (Montaigne et la philosophie), Honoré Champion, 1993, 2ᵉ éd., 1998.

Camus : De l'absurde à l'amour (en collaboration), Paroles d'Aube, 1995, rééd. La Renaissance du Livre, 2001.

Arsène Lupin, gentilhomme philosopheur (avec François George et Jean Rumain), L'Aiguille Preuve, 1995, rééd. Le Félin, 1996.

De l'autre côté du désespoir (Introduction à la pensée de Svâmi Prajnânpad), Accarias-L'Originel, 1997.

La sagesse des Modernes (avec Luc Ferry), Robert Laffont, 1998, rééd. Pocket, 1999.

Chardin ou la matière heureuse, Adam Biro, 1999.

Le bonheur, désespérément, Pleins Feux, 2000.

Présentations de la philosophie, Albin Michel, 2000.

Lucrèce, poète et philosophe, La Renaissance du Livre, 2001.

André Comte-Sponville

Traité du désespoir
et de la béatitude

QUADRIGE/PUF

Le *Traité du désespoir et de la béatitude* a d'abord été publié en deux tomes : *Le mythe d'Icare* (chapitres 1 à 3) et *Vivre* (chapitres 4 et 5). Ce sont ces deux volumes, qui ne constituent qu'une seule œuvre, qui sont ici réunis.

ISBN 2 13 052960 7
ISSN 0291-0489

Dépôt légal — 1re édition : 1984
1re édition « Quadrige » : 2002, octobre

Presses Universitaires de France, 1984
Perspectives Critiques
6, avenue Reille, 75014 Paris

A Claire-Lou
« Claire au plus clair de ton regard... »

Sommaire

Sommaire

1

Le mythe d'Icare

Avant-propos

Notre temps serait celui du désespoir. La mort de Dieu, le dépérissement des Eglises, la fin des idéologies... J'y vois l'œuvre plutôt de la fatigue. Parce qu'ils sont déçus, ils se croient désespérés... Mais s'ils étaient vraiment désespérés, ils ne seraient pas déçus. Notre temps n'est pas celui du désespoir, mais du désappointement. Nous vivons le temps de la déception.

Et chacun de chercher de nouvelles raisons de vivre et d'espérer. Il faut bien supporter le présent, et préparer les déceptions à venir... Ainsi la tristesse engendre la tristesse, et les consolations d'aujourd'hui préparent les déceptions de demain. Chaque nouvel espoir n'est là que pour rendre supportable la non-réalisation des espoirs précédents, et cette fuite perpétuelle vers l'avenir est la seule chose qui nous console du présent. « Ainsi nous ne vivons jamais, mais nous espérons de vivre... » [1] *L'espérance et la déception sont enfants tous deux du mal-vivre, et indéfiniment le reproduisent.*

Ce livre est une tentative pour sortir de ce cycle. Contre quoi je ne connais que deux dispositions de l'âme : le désespoir et la béatitude. Et deux dimensions seulement du temps : le présent et l'éternité. A bien y réfléchir, il m'a semblé que ces deux dispositions et ces deux dimensions n'étaient pas aussi séparées les unes des autres qu'on le pouvait croire, et qu'elles étaient même, en toute rigueur, impossibles à pen-

---

1. Pascal, *Pensées*, 47-172. (Toutes nos références pascaliennes seront empruntées à l'édition L. Lafuma des *Œuvres complètes*, Seuil, « L'Intégrale », 1972.)

ser autrement que dans leur rapport. C'est ce rapport que je voudrais à mon tour essayer d'explorer, dans ses différentes occurrences. « A mon tour... » Car l'originalité n'est pas mon propos. Mon but n'est pas de penser neuf, mais de penser juste.

Mon problème, s'il faut le dire d'une phrase, est de savoir si l'idée de sagesse aujourd'hui garde un sens, et lequel. Question anachronique, diront certains. Peut-être. Encore faut-il, pour le savoir, en parcourir le chemin. Essayons.

Un mot, avant de commencer.

Je parlerai peu du malheur. Je l'ai connu juste assez pour savoir ce qu'il est, et l'impuissance face à lui de la philosophie. Quand on souffre trop, on ne peut plus penser ; et quand on pense à nouveau, cela n'empêche pas de souffrir. A l'extrême de la douleur, il n'y a plus que le cri et les larmes ; et l'unique sagesse est de s'y résigner. Je n'aime pas les philosophes qui consolent.

Mais il n'est pas vrai non plus que la philosophie ne serve à rien. Elle n'est faite que de mots, c'est sûr, et ne change qu'eux, ou leur ordre, que l'agencement en nous des mots et des images, notre pensée, le murmure confus de notre âme. Les choses ne philosophent pas, et la philosophie les laisse comme elles sont. Leur silence les protège. Nous ne sommes pas Dieu, et notre discours n'est qu'un discours : production et déplacement de sens, point création d'être. Mais aussi ce sont les mots qui font problème, ce sont les images qu'il faut maîtriser. La souffrance, la mort, ne sont pas des problèmes d'abord, mais des faits. Contre quoi le corps sait se défendre, et combat ou meurt comme il peut. Les animaux n'ont pas besoin de philosophie. L'atrocité est ce qu'elle est, un point c'est tout, et la pensée n'y change rien.

A ceci près : qu'elle rend l'atrocité présente lors même qu'elle ne l'est pas, et, par la rémanence en nous qu'elle lui accorde, nous force à cohabiter avec elle. L'exception pensée devient la règle. D'où l'existence pour nous de notre mort et, en l'absence de toute peur, la torture continuée de l'angoisse.

L'humanité est à ce prix. Le langage nous libère du présent de l'être, et nous livre pieds et poings liés – esclaves du temps, prisonniers de nous-mêmes ! – au monde fantomatique des êtres qui ne sont pas. La mort, les dieux, le temps... L'imagination s'affole ici en devenant humaine. Le mythe joue sur les mots : Chronos est fils du Verbe, et le père de tous les dieux. Le langage et le temps sont nos limites, que nous hantons, et qui nous hantent. Vivre est un royaume d'ombres.

C'est ici que la philosophie peut être utile. Elle ne peut guère contre le malheur ; elle peut beaucoup pour le bonheur. Car notre exigence d'hommes n'est pas de vivre seulement, ou de ne pas souffrir, mais d'être heureux. Et la pensée même qui le permet le rend difficile. Il y a tant de problèmes à surmonter, tant d'obstacles en nous à vaincre, tant d'angoisses... L'échec est la pente. Il faut donc philosopher : ce qui le rend possible – la pensée – le rend aussi nécessaire. Le seul bonheur, c'est une pensée heureuse. La philosophie ne transforme pas le monde, mais elle est efficace en son lieu : parce qu'il n'est de problèmes que de pensée, et d'angoisses qu'imaginaires. Les morts ne savent pas ce que c'est que la mort. La philosophie ne transforme pas le monde, et n'y prétend point. Mais elle peut changer la vie. Car la vie est tout entière du côté du discours et de l'imaginaire. Il n'est de vraie vie que rêvée.

La philosophie est la vérité de ce rêve, et le rêve de cette vérité. Elle n'empêche pas d'être malheureux, du moins pour les apprentis que nous sommes. Elle ne dispense pas de souffrir. Mais elle peut nous apprendre le bonheur. Car celui-ci n'est jamais donné. Le bonheur n'est pas affaire de chance, ni un cadeau du destin. Ce n'est pas, par exemple, l'absence du malheur, sa simple négation. Le malheur est un fait ; le bonheur, non. Le malheur est un état ; le bonheur, non. A la limite : le bonheur n'existe pas. Il faut donc l'inventer.

Le bonheur n'est pas une chose ; c'est une pensée. Ce n'est pas un fait ; c'est une invention. Ce n'est pas un état ; c'est une action. Disons le mot : le bonheur est création. *Encore cette création ne crée-t-elle rien en dehors d'elle-même. C'est une* praxis, *dirait Aristote, et point une* poiésis. *Vivre, c'est*

*créer sans œuvre. La philosophie est la théorie de cette pra-
tique, qui serait le bonheur lui-même si nous pouvions réussir. Du moins pouvons-nous essayer, puisque Spinoza lui-
même,* « *le plus intègre de tous les sages* » [1], *nous y invite et
nous y accompagne :* « Si la voie que j'ai montré qui y
conduit paraît être extrêmement ardue, encore y peut-on
entrer. Et cela certes doit être ardu qui est trouvé si rarement.
Comment serait-il possible, si le salut était sous la main et
si l'on y pouvait parvenir sans grand-peine, qu'il fût négligé
par presque tous ? Mais tout ce qui est beau est difficile
autant que rare.* » [2]

Et le malheur, dans tout cela ?...
*Il est l'au-dehors de la philosophie : elle ne peut rien contre
lui peut-être ; mais il ne peut pas grand-chose non plus
contre elle. La mort n'infirme pas la vie ; les tempêtes ne
prouvent rien contre la navigation. Laissons le malheur à
son état de chose. L'atrocité n'est pas quotidienne ; la pensée,
si. Ou si l'atrocité est quotidienne dans le monde, elle ne l'est
pas dans ma vie. Il n'y a là ni gloire ni honte : ce n'est pas
toujours moi qui souffre ; c'est toujours moi qui dois penser.*
Travaillons donc à bien penser [3]... *La philosophie est ce travail. A quoi bon ? Nous n'avons pas le choix : puisqu'il faut
vivre et penser, autant bien que mal. Le salut est au bout,
s'il est possible ; et nous ne perdons rien s'il ne l'est pas. Ce
n'est pas un pari : il n'y a ni mise ni gain, que le jeu lui-même
de vivre. Ce n'est pas une religion : aucun Dieu ne nous
aidera, et toute mort est sans appel.* Mais c'est un espoir,
dira-t-on, et un nouveau piège... *Je le sais bien, mais qui
s'annulerait dans sa satisfaction. Le dernier espoir, c'est de
n'avoir plus à espérer. Et la philosophie, le dernier piège qui
nous sépare de la sagesse. Nous allons au bonheur par le*

---

1. Selon Nietzsche, *Humain, trop humain*, aph. 475.
2. Spinoza, dernier scolie de l'*Ethique*. Sauf précision contraire, nos citations de
Spinoza sont empruntées à la traduction de Ch. Appuhn (G.-F., 4 vol.) ou, pour le
texte latin de l'*Ethique*, à son édition bilingue (Garnier, 1953).
3. Pascal, *Pensées*, 200-347.

plus court chemin ; et quand nous y serons – il n'y aura plus de chemin. Car la béatitude est éternelle, dit Spinoza, et ne commence pas. Mais il faut bien dire au futur ce qui ne peut se vivre qu'au présent. Ici. Maintenant. Pour qu'un jour – aujourd'hui peut-être –, sans espoirs, sans regrets, la vie nous soit douce, légère, lumineuse et belle, comme un rêve d'enfant heureux perdu dans le plein ciel.

L'atrocité (en tant du moins qu'elle est la mienne) n'est pas quotidienne. Donc le bonheur peut l'être.

INTRODUCTION

Le labyrinthe :

désespoir et béatitude

> « *Les espoirs des sots sont dénués de raison.* »
>
> DÉMOCRITE

I

Courbet disait à ses élèves : « Cherche si, dans le tableau que tu veux faire, il y a une teinte encore plus foncée que celle-là ; indiques-en la place, et plaque cette teinte avec ton couteau ou la brosse ; elle n'indiquera probablement aucun détail dans son obscurité. Ensuite, attaque par gradations les nuances les moins intenses, en t'essayant à les mettre à leur place, puis les demi-teintes ; enfin tu n'auras plus qu'à faire luire les clairs... » [1] Cela vaut aussi pour la pensée. Il faut commencer par le plus sombre, chercher « le vide, et le noir, et le nu », et dégager progressivement la lumière. Car la nuit est première. On n'aurait pas besoin autrement de penser. Il faut commencer par le désespoir.

Cette « nuit obscure » de la pensée, c'est le silence. Il faut beaucoup de temps pour y atteindre, et beaucoup de courage. Car jeunesse est bavarde, par impatience, et vieillesse aussi, le plus souvent, par lâcheté. Il faut d'abord se taire, et rentrer en soi. Car la nuit est en nous, point ailleurs, et en nous aussi la lumière. Mais il faut commencer par la

---

1. Cité par Aragon, *L'exemple de Courbet*, p. 17.

nuit, vide et vague, comme dit la Bible, et y séjourner longtemps. Avant le premier jour et le premier matin, il y a
l'infini des nuits. Avant le premier mot, l'éternité du silence.

Il faut commencer par la solitude. Les autres nous dis-
traient, nous divertissent, et nous éloignent de l'essentiel.
Nous-mêmes ? Non. L'essentiel est en moi, mais n'est pas
moi. En moi (dans mon corps) : ce vide. Il faut commencer
par ce vide. Il faut commencer par l'angoisse. Et que serait
l'angoisse sans la solitude ? Les autres me donnent l'impression d'exister, d'être quelqu'un, quelque chose... Alors
que la solitude, pour qui la vit sans mentir, me révèle mon
néant, m'enseigne ma vanité, le vide en moi de ma présence. Vérité de l'angoisse. Je découvre alors que je ne suis
rien, qu'il n'y a rien en moi à découvrir, rien à comprendre,
rien à connaître, que ce *rien* même. Solitude et silence : la
nuit de l'âme. Nuit totale. L'âme n'existe pas.

Il faut commencer par cette nuit. S'y arrêter. Affronter
cette angoisse. C'est pourquoi beaucoup ne commencent
jamais, et tournent en rond aux portes d'eux-mêmes. Bavardage et divertissement, jeux du sens et de l'illusion, tours et
détours du monde et de l'âme : *labyrinthe*. Mais parfois certains s'en lassent. Il y a des jours, on ne supporte plus le
bavardage. On s'arrête. Enfin le silence. Enfin la solitude.
Et l'angoisse est là comme un grand miroir vide. Ainsi dans
le labyrinthe, quand il eut longtemps couru, quand il eut
traversé ces milliers de salles, de couloirs, quand il se fut
tellement perdu dans tous ces tours et détours, dans tous
ces coins et recoins, dans toutes ces sinuosités sans nombre, d'impasse en impasse, de faux-fuyant en faux-fuyant,
et toujours les mêmes portes, toujours les mêmes murs, il y
eut un moment sans doute où Icare, épuisé, à bout de forces
et de courage, hors de souffle et d'espérance, comprit qu'il
n'y avait pas d'issue, nulle part, que sa course était vaine et
folle, tous ses efforts inutiles, et tout espoir illusoire. Alors
il s'arrêta. Et je devine le bruit de son souffle, et ce silence
en lui comme une mort. Ou peut-être il n'eut pas besoin de
courir, connaissant d'avance le génie sans faille de son
père... Qu'importe. Je l'imagine assis par terre, le dos contre

un mur, la tête sur les genoux... Et soudain la sérénité étrange qui le saisit. L'angoisse qui s'annule à l'extrême d'elle-même. Le désespoir.

Commencer par l'angoisse, commencer par le désespoir : aller de l'une à l'autre. Descendre. Au bout de tout, le silence. La tranquillité du silence. La nuit qui tombe apaise les frayeurs du crépuscule. Plus de fantômes : le vide. Plus d'angoisse : le silence. Plus de trouble : le repos. Rien à craindre ; rien à espérer. Désespoir.

(Le désespoir – pas la tristesse. Et même : le désespoir *contre* la tristesse. Car la tristesse n'est jamais que la déception d'un espoir préalable. Et nul espoir qui ne soit déçu, qui n'ait son lot de tristesse et d'inquiétude. Pièges du temps. Labyrinthe de vivre. Alors que le vrai désespoir – s'il est possible – ne saurait être triste : sans quoi il ne pourrait qu'*espérer* la fin de sa tristesse, et s'annulerait dans cette contradiction. Si la tristesse est un état négatif, le désespoir, au sens où je le prends, est un état neutre. Il est le degré zéro de l'espérance. Rien de plus ; rien de moins. C'est une espèce d'état sans avenir (puisqu'il n'est pas d'avenir qui ne soit d'espérance), dont il s'agit précisément d'évaluer la possibilité et les conséquences. Le désespoir, c'est le présent lui-même. Autrement dit : l'éternité de vivre [1]. Le mot pourtant me gêne quelque peu, je l'avoue, pour ce qu'il évoque d'apparemment négatif ou triste, pour ses connotations de mélancolie, de vague-à-l'âme ou, pour tout dire, de romantisme. Si j'avais le goût des néologismes, j'eusse volontiers utilisé celui d'*inespoir*, comme faisait Mounier, et en un sens assez proche : « *non pas le deuil de l'espoir mais son constat de défaut...* » [2] Car c'est un peu cela – ce constat – que je voudrais après d'autres penser ; jusqu'au bout, si c'est possible, c'est-à-dire aussi jusqu'à sa limite, et jusqu'en cet extrême

---

1. Cf. Wittgenstein, *Tractatus logico-philosophicus*, 6.4311 : « Si l'on entend par éternité, non pas une durée temporelle infinie, mais l'intemporalité, alors celui-là vit éternellement qui vit dans le présent » (trad. P. Klossowski, « Idées » – NRF).
2. Emmanuel Mounier, *L'affrontement chrétien*, Seuil, p. 22.

où la béatitude à son tour devient pensable. Mais ce mot d'*inespoir* ne s'est pas imposé. C'est d'ailleurs justice. Car le désespoir, même le plus neutre, n'est jamais un état originel ; il suppose toujours la force préalable d'un refus. L'espoir est premier ; donc : il faut le perdre. Le *dés-espoir* indique cette perte, qui n'est pas d'abord un état, mais une action. Le désespoir vient toujours après. Il est l'*oiseau de Minerve* de l'âme, et son commencement. Ainsi, dans l'histoire des nombres, l'invention ultime du zéro. L'enfant, lui, croit d'abord au Père Noël...)

Oui, c'est un *Traité du désespoir* que j'entreprends ici ; mais point comme *maladie mortelle*, selon le titre que Kierkegaard lui donna. Je veux écrire un traité du désespoir comme santé de l'âme, et qui serait à l'espérance ce que la sérénité est à la peur. L'espérance, vertu théologale. Mais s'il n'y a pas de Dieu... Le désespoir est ma *vertu* à moi, et ma santé. C'est l'espoir qui est une maladie, et une drogue. L'avenir ne mesure rien que ma faiblesse présente. Plus ma puissance est grande, moins j'ai besoin d'espérer. Désespoir : force d'âme.

Lucrèce. Son acharnement à *désespérer* le lecteur. Les « nuits sereines » sont les nuits sans espoir. L'espérance est folie. Ni les dieux, ni la mort, ni la foule ne tiennent leurs promesses. Rien à espérer de rien. Mais aussi : rien à craindre. Tout se tient : espérer, c'est craindre d'être déçu ; craindre, c'est espérer d'être rassuré. Pièges de la superstition. Tout se tient, tout s'enchaîne, et nous sommes prisonniers – labyrinthe. Et tout cela est illusoire. L'enfer est pavé d'espérances déçues et de craintes sans objets. *Suave mari magno* [1]... La vie est la tempête de nos rêves. Le port est de ne plus rêver : désespoir.

Spinoza. « Il n'y a pas d'espoir sans crainte, ni de crainte sans espoir. » [2] Cercle fatal. La crainte est tristesse et prison,

---

1. Selon l'expression quasi proverbiale du *De rerum natura* (II, 1) ; on remarquera que les vers 7-14 indiquent clairement que la « tempête » en question est bien celle, avant tout, de l'espérance.
2. Spinoza, *Éthique* III, explication de la définition 13 des affections.

l'espoir en sort et y retourne : labyrinthe. L'imagination s'enchaîne à ses lubies ; l'enfer et le paradis torturent également. Labyrinthe des labyrinthes : espérer, craindre, le bien, le mal... La vie elle-même. S'arrêter. Comprendre que cela n'est rien : « L'expérience m'avait appris que toutes les occurrences les plus fréquentes de la vie ordinaire sont vaines et futiles... »[1] Faux plaisirs, vraie souffrance : de l'espérance déçue naît « une tristesse extrême »[2]. Et quelle espérance qui ne soit déçue ? Nul espoir qui ne soit « impuissance de l'âme »[3] et promesse de tristesse. Au lieu de quoi le sage n'espère rien. Qu'aurait-il à craindre ?

Pascal athée. Imaginer sa grandeur, débarrassé de ses breloques ! Le maître que c'eût été ! Le désespoir l'eût guéri de sa tristesse et de sa haine mauvaises. Il eût pardonné aux hommes l'inexistence de Dieu, au lieu de les torturer de sa crainte. Et l'espérance, comme une éponge de vinaigre... Le *pari* est un supplice. Avez-vous déjà vu des joueurs heureux ? L'espérance est leur mal. Les prêtres sont insupportables avec leurs promesses. Pour qui nous prennent-ils ? Marchands d'espérance, marchands d'illusions... « Le contraire de désespérer c'est croire », dit Kierkegaard[4]. Cela se retourne : le contraire de croire, c'est désespérer.

Ce que j'aime dans le matérialisme, c'est d'abord ce désespoir. Ne croire à rien. Considérer la nature « sans adjonction étrangère »[5] : la nature indifférente, sans espoirs ni craintes. Marx : renoncer aux bonheurs illusoires ; c'est « l'exigence que formule (le) bonheur *réel* », dit-il[6]. Mais le seul bonheur réel, c'est le bonheur présent. L'espoir est un opium aussi. Voyez comme certains surent

---

1. Spinoza, *Traité de la réforme de l'entendement*, § 1.

2. Spinoza, *ibid.*, § 1.

3. Spinoza, *Éthique* IV, prop. 47, scolie.

4. Kierkegaard, *Traité du désespoir* (trad. K. Ferlov et J.-J. Gateau, « Idées »– NRF, p. 114).

5. Engels, Fragment non publié du « Feuerbach », in *Études philosophiques* (Editions sociales, sans nom de traducteur), p. 68.

6. K. Marx, *Critique de la philosophie du droit de Hegel* (trad. G. Badia, P. Bange et E. Bottigelli, in *Sur la religion*, Ed. sociales, 1968, p. 42). C'est Marx qui souligne. (Sauf précision contraire, toutes nos citations de Marx et d'Engels renvoient aux traductions publiées par les Editions sociales.)

s'en servir. *Les lendemains chanteront*, disaient-ils... Tout culte, quel qu'il soit, fonctionne à l'espérance. Le bonheur à venir est un bonheur illusoire ; et l'optimisme, l'excuse des tyrans. Aragon le dit, qui est bien placé pour le savoir : « Je ne connais rien de plus cruel, en ce bas monde, que les optimistes de décision. Ce sont des êtres d'une méchanceté tapageuse, et dont on jurerait qu'ils se sont donné pour mission d'imposer le règne aveugle de la sottise... Laissez, laissez aux pédagogues du tout va bien cette philosophie que tout dément dans la pratique de la vie... »[1] Le matérialisme est une *désillusion*. Il faut désespérer Billancourt.

Freud. Le principe de plaisir contre l'univers[2] ; et l'univers est le plus fort. Le bonheur n'est qu'un rêve, dont la réalisation « est absolument irréalisable ; tout l'ordre de l'univers s'y oppose ; on serait tenté de dire qu'il n'est point entré dans le plan de la "Création" que l'homme soit "heureux"... »[3] D'ailleurs, il n'y a pas de création, pas de plan, et c'est la mort qui gagne.

Lucrèce, Spinoza, Marx, Freud... La ligne de Démocrite. « Les espoirs des sots sont dénués de raison »[4] ; et le sage n'a plus besoin d'espérer : le présent lui suffit. Matérialisme : descendre au plus bas, et puis remonter – si l'on peut. Mais il faut descendre. Parce que, dit Démocrite, « La vérité est au fond de l'abîme »[5].

II

Le difficile est d'être seul.

Sans Dieu. Sans amis. Sans amours.

L'athéisme est difficile, et plus d'un y échouent. Il ne suffit pas de ne pas croire, pas plus qu'il ne suffit, pour

---

1. Louis Aragon, La valse des adieux, in *Le mentir-vrai*, Gallimard, p. 541-543.
2. Cf. par ex. *Malaise dans la civilisation*, PUF, p. 20-21.
3. Freud, *Malaise*..., trad. Ch. et J. Odier, p. 20.
4. Démocrite, fragment 292, trad. J. Voilquin, in *Les penseurs grecs avant Socrate*, G.-F., p. 190.
5. Démocrite, fragment 117 (trad. J. Voilquin *op. cit.*, p. 175).

savoir ce que c'est que la nuit, de fermer les yeux... Le néant est un mystère d'abord, et l'on s'invente toujours des soleils. Je sais des athées de naissance plus religieux que certains prêtres. Il est préférable peut-être, pour *devenir* athée, d'avoir été croyant : on sait ce dont on parle, et cela rend vigilant contre les idoles. C'est la lucidité des apostats.

Faire le tour de l'athéisme. Comprendre qu'il ne reste alors ni beau, ni bien, ni vrai peut-être. Se perdre dans ce désert. Qui n'a pas fait ce voyage ne peut rien penser vraiment, pas même ce que c'est que Dieu, s'il existe. Simone Weil l'a bien vu, après Descartes : la foi suppose un athéisme préalable qu'elle dépasse, sans quoi elle n'est que superstition ou religiosité. Le vide est l'élément premier qui rend possible le plein. Dans la Bible, Dieu ne crée pas les ténèbres, mais constate leur préexistence ; et les atomes d'Epicure, éternels absolument, tombent dans un vide qui pourtant, en chaque lieu, les précède. Le néant existe d'abord. Il est la première vérité : la vérité du silence.

Faire le tour aussi de ses amis. Les perdre tous. Comprendre une bonne fois leur solitude égale à la mienne, et l'accepter. Toucher le fond de leur indifférence. Est-il besoin d'en parler ? Chacun sait ce que je veux dire, ou n'a pas eu d'amis – mais les rêve. Pascal est cruel ici, mais nécessaire. Il faut commencer par la solitude.

Et puis le désamour. N'être plus aimé n'est pas grand-chose, encore qu'il le faille vivre. Mais ne plus aimer soi-même, ne plus aimer du tout, comprendre que l'amour n'est rien, qu'il n'existe pas, ou qu'il n'est que sa propre illusion... Il faut avoir aimé pour comprendre cela, pour ne plus attendre de l'amour ce qu'il ne peut apporter, pour savoir que l'amour ne change rien à la solitude, ne change rien à rien, ne change rien même à l'amour... Toucher le fond de sa propre indifférence.

Enfin, la mort. Réaliser ce que c'est que mourir. Ce néant-là est aussi profond que l'autre, moins vaste peut-être, mais plus sévère. Narcisse s'affole à s'imaginer absent. Il faut être Narcisse un peu pour comprendre, car la mort est égoïste. Les autres ne meurent pas vraiment ; ils nous

quittent, ils s'en vont... Et la déchirure est atroce, je le sais,
et horrible la blessure. Mais justement : c'est une blessure.
Moi seul suis mortel ; ma mort est l'unique scandale. Point
besoin de raisonner : il suffit de l'imaginer pour la craindre,
et mon corps m'apprend assez qu'il la refuse. « *Je n'existe
pas* » : phrase impossible ; et pourtant, cela sera. Ceux qui
n'ont pas connu cette peur manquent d'imagination, voilà
tout, ou de lucidité. Ma mort est mon horizon et ma limite.
Elle est ce qui me définit, et les dieux sont immortels parce
qu'ils n'existent pas. Mourir est le prix à payer d'être soi.
La mort est solitude.

Ces découvertes sont banales, et vécues comme telles. Du
moins les vécus-je ainsi. D'autres peut-être connurent
transes et extases ; à peine puis-je parler de crises. Le
silence, je vous dis, des années de silence. Et la banalité de
vivre... Pourtant il y a des fins d'après-midi, c'est vrai, de
certaines fins d'après-midi, où l'angoisse semble insupportable, au point de ne pouvoir même rester chez soi. Le corps
en est malade. Le ventre qui se noue, une sensation de vide
au niveau du sternum, le cœur qui s'étouffe ou se noie, les
jambes molles, les mains moites... Oui, l'angoisse est un état
du corps, avec ses hauts et ses bas, ses accalmies et ses
tempêtes. Puis cela passe : le corps a sa santé, qui est d'oubli.
Mais l'angoisse est aussi un trouble de l'âme – et l'âme se
souvient. L'ennui est cette souvenance. On dirait une plaine
sans fin... Comme une angoisse qu'on ne sentirait plus à
force d'habitude... Ce n'est pas encore le désespoir. Mais
l'espoir s'est appauvri et comme dilué au maximum. Il n'est
plus que l'ombre de lui-même. Il n'a plus d'objet que le
temps seul, qui n'en est jamais un. Ce n'est pas le degré zéro
de l'espoir, mais sa réalité minimale. C'est un espoir vide.

III

L'ennui, le désespoir.

Je me souviens d'un livre que j'ai lu, très jeune, dont je
ne sais plus ni le titre ni l'auteur ; c'était un roman sur

l'ennui, d'ailleurs passablement ennuyeux lui-même et, je crois, d'assez médiocre qualité. Mais j'ai retenu cette phrase de l'un des personnages, ou citée peut-être en exergue : « Je n'ai pas peur de l'ennui ; l'ennui, c'est la vérité à l'état pur. » Il faut être passé par là, par cette « vérité »-là, pour savoir ce dont on parle. L'ennui, c'est l'expérience du vide ; et tout est vide pour qui s'ennuie. C'est la bonne voie. Le vide est un appel : il faut le combler. La mort le fait. Et le mensonge. Peut-être aussi la vérité.

Je ne suis pas sûr que le suicide soit une question vraiment sérieuse. Ni même que ce soit une question à proprement parler. Tout au plus peut-être une réponse, qui abolit jusqu'à la question dont elle se veut réponse... Pascal est ici plus profond que Camus : celui qui se pend, c'est toujours son bonheur qu'il recherche, et le vrai désespéré n'a pour cela nulle raison de mourir. C'est que le désespoir n'est pas le malheur, tant s'en faut. Celui qui souffre *espère* ne plus souffrir, l'homme malheureux *espère* la fin de son malheur. Ainsi celui qui se suicide : la mort est son espérance. Le vrai désespoir, au contraire, suppose l'indifférence. C'est pourquoi c'est un état limite, et plutôt luxueux. Maladie de riche, dit-on, et c'est peut-être vrai. Les pauvres ont assez à lutter. Mais il n'est pas dit que l'aisance n'ait pas aussi sa part de vérité. Chacun suit sa voie, et découvre ce qu'il peut. La vérité est une, peut-être, mais point réservée à quiconque. A chacun sa méthode et son cheminement.

La grande tentation, c'est le mensonge. Moins par volonté de tromper autrui que par peur de s'avouer à soi la vérité. S'il y a une vérité. Les félonies sont rares ; le mensonge le plus fréquent, c'est le bavardage. On ment par horreur du vide... Mais bavardage est lâcheté : peur du silence, peur de la vérité... C'est parole apeurée. Et nous sommes tous bavards en public, par cette peur. C'est pourquoi la solitude est une chance : pour, une fois au moins, aller au bout de son silence. Cette solitude est avant tout intérieure ; *nous sommes solitude*, comme dit Rilke, au cœur du couple ou de la foule. Mais cette solitude est difficile, et l'on n'y atteint pas d'un coup. Il est plus simple d'abord de s'isoler, au sens matériel du terme : l'isolement n'est pas la solitude, mais peut y mener. Pédagogie du désert : faire le vide autour de soi, pour le trouver en soi. N'entendre plus personne ; ne plus rien dire ; écouter son silence... Il faut se taire d'abord, pour ne plus mentir. L'hiver est la première saison de l'âme.

Mais ce silence, la vérité nue de ce silence, est-ce supportable ? Peut-on s'y tenir longtemps ? Je ne sais. Beaucoup y ont touché, puis s'en reviennent. Ils en gardent ce petit peu de brume au fond des yeux, tels d'anciens marins le rêve enfoui des grands voyages. A nouveau, ils bavardent... Mais ceux qui ne cèdent pas, ceux qui résistent, et même si ce n'est pas toujours, même s'il faut louvoyer parfois, ceux qui gardent en eux, immense et vide, ce continent sauvage – leur solitude –, ceux qui naviguent au plus près serré du néant, et tant pis pour qui se perd, et tant pis pour qui se noie – ceux-là, que trouvent-ils ? *Hic Rhodus, hic salta...* Que trouveraient-ils d'autre ? Au bord ultime du néant : le grand large de la vérité. « Je crois que deux et deux sont quatre », dit Don Juan[1], et c'est parole de désespéré. Mais aussi, c'est le monde entier qui se donne, et la mathématique, « qui s'occupe non des fins mais seulement des essences et des propriétés des figures »[2] – la mathématique désespérée –, enseigne un univers où le malheur n'existe pas, ni l'angoisse, ni la peur : un univers sans espoir ni crainte. Or la vérité est partout, non dans la seule pensée abstraite, mais ici, là, devant moi, dans le monde, dans la simplicité des choses. Il y a un bouquet de fleurs sur la table : vérité absolue. Ici. Maintenant. Vérité désespérée. Ou bien : il y a trois arbres dans le champ. Cela ne se discute pas, n'a pas besoin de preuves. Cela est. « *Habemus enim ideam veram* » : car nous avons une idée vraie[3]. Et même s'il n'y avait pas d'arbres : il serait vrai que je les vois. Et même si aucune vérité, jamais, nulle

---

1. Molière, *Don Juan*, III, 1.
2. Spinoza, *Ethique* I, appendice.
3. Spinoza, *Traité de la réforme de l'entendement*, § 27.

part, n'avait été dite : le silence en serait une. Vérité du silence : l'être même. Sans phrases.

Cette vérité n'a pas de sens. Elle n'a pas de valeur. Elle est ce qu'elle est : *insensée* et indifférente. Elle ne va nulle part, ne promet rien, n'annonce rien. La vérité n'est pas une parousie. Elle ne fonde aucune téléologie, ne cautionne aucun humanisme. L'avenir n'est pas son problème. Ni l'espérance. Ni la morale. Elle « ne s'occupe pas des fins ». Elle ne s'occupe pas non plus des hommes. Trois milliards de volontés ne bougeront pas d'un pouce la vérité d'un fait ou d'un théorème. La foule n'y peut rien, ni les tyrans : « la vérité n'obéit pas »[1], et Dieu même doit s'y soumettre. L'aurait-il créée, comme le voulait Descartes, qu'il ne pourrait plus faire que ce qui fut n'ait pas été[2]. « La vérité consiste en l'être »[3] : elle est l'être même, universel et absolu, sans commencement ni fin, sans projet ni espérance – l'être *désespéré*. Et qu'importe ici que nous la connaissions ou pas ! La terre n'a pas attendu Galilée pour tourner. Prétention des hommes, qui croient que la vérité a besoin d'eux pour exister ! L'être est ce qu'il est, voilà tout, les choses sont ce qu'elles sont, dans leur simplicité muette. Vérité d'un caillou : être ce qu'il est. « Car il est très évident que tout ce qui est vrai est quelque chose, la vérité étant une même chose avec l'être. »[4] La vérité objective, son nom l'indique assez, n'a pas besoin des sujets[5]. Elle n'a même pas besoin de Dieu, en tant que celui-ci serait un sujet. Spinoza le montre bien, contre Descartes : Dieu n'a pas à *créer* la vérité, parce qu'il *est* la vérité, éternelle et incréée. La vérité est tout entière du côté de l'être. L'ignorance ne l'atteint pas, ni le mensonge. C'est pourquoi les sceptiques ne lui retirent rien : dire qu'ils l'ignorent,

1. Alain, *Les saisons de l'esprit*, X, p. 134.

2. Cf. par ex. Descartes, *Lettre à Morus* du 5 février 1649 (Pléiade, p. 1316), et M. Guéroult, *Descartes*, II, p. 26-27.

3. Descartes, *Lettre à Clerselier* du 23 avril 1649.

4. Descartes, *Méditation V*.

5. Même si nos connaissances à nous ne sont que subjectives, cela ne retire rien à la vérité objective (l'être même), qu'il faut bien supposer, ne serait-ce que pour penser la subjectivité de nos connaissances.

c'est reconnaître qu'elle existe ; nier qu'elle existe, c'est avouer qu'ils l'ignorent. Et pas davantage les menteurs : la vérité qu'on cache ne cesse pas d'être vraie ; la travestir, c'est encore s'y soumettre. La vérité n'a pas besoin de prétendants. Elle n'a pas besoin de célébrants. Elle n'a pas besoin de défenseurs. Elle n'a pas de *besoins* du tout. L'être ne manque de rien.

La vérité n'a pas non plus d'histoire. Elle ne devient pas vraie, ni fausse ; elle ne *devient* pas : elle est. Et parce qu'elle est, elle est éternelle[1]. Le temps ne peut rien contre elle. Ni moi. Je peux déplacer le vase, le briser, le jeter... Je ne peux rien contre la vérité de ce qui fut, et Dieu lui-même ne peut, s'il existe, qu'éternellement la contempler. Il y a un bouquet de fleurs sur cette table, en cet instant que je dis, de toute éternité. Et cela sera vrai encore dans cent milliards d'années : le bouquet n'y sera plus, mais il sera vrai toujours qu'il y fut. On peut changer le monde, changer la société, changer les hommes peut-être ou se changer soi, mais point changer la vérité. Galilée le savait bien, et qu'elle se moque de toutes les inquisitions. A nous de faire avec, comme on dit, et si la vérité nous déplaît ou nous attriste – elle qui n'est jamais ni gaie ni triste, ni plaisante ni déplaisante –, à nous de changer. Car la vérité, elle, ne changera pas.

Oui, ces voyageurs du néant, ces explorateurs de l'abîme, ce qu'ils découvrent – quand ils découvrent quelque chose – c'est la vérité de l'être. Parce qu'il n'y a rien d'autre. Et lentement, difficilement, ils changent. Oui : ils changent. J'en entends déjà qui s'indignent ou protestent : « Comment !

---

1. Idée difficile, sur laquelle il faudra revenir comme, en général, sur tout ce qui concerne notre pensée de l'être et de la vérité. Un chapitre lui sera consacré. Disons seulement que Spinoza me semble ici d'une profondeur inégalée, qui montre que toute connaissance adéquate, rationnelle ou intuitive, est toujours connaissance « *sub specie aeternitatis* ». Cf. par ex. *Éthique* I, scolie 2 de la prop. 8, et II, prop. 44 et corollaires, ainsi que *Pensées métaphysiques*, II, 1 (G.-F., t. I, p. 357-358). Tous ces textes sont excellemment commentés par Martial Guéroult, dans son monumental *Spinoza*, notamment t. I, p. 78-83, et t. II, p. 609-615. L'auteur y écrit notamment (t. I, p. 80-81) : « Une vérité ne "dure pas", mais possède une éternité irréductible à tout temps et à toute durée... Vrai et éternel sont donc bien, en l'espèce, des termes quasi convertibles. »

Changer ?... Mais je ne serais plus *Moi* ! Si je change, je me perds... » Mais ceux-là dont je parle savent depuis long-temps qu'il n'y a rien à perdre. Un monde à gagner, peut-être, qui est en moi – un monde, mais point le moi. Et rien à perdre que nos illusions, que le labyrinthe fou de nos chimères. La vérité est un ciel ouvert. Narcisse est bien sot. Icare s'envole.

IV

Car le désespoir donne des ailes. Qui a tout perdu, il devient léger, léger... N'y voyez pas un éloge de la tristesse, au contraire. La tristesse est toujours lourde à porter. Le désespoir n'est pas le malheur, je l'ai dit. Allons jusqu'au bout : il est bien plus proche du bonheur lui-même. L'homme heureux est celui, comme on dit, qui « n'a plus rien à espérer », et Gide avait raison, qui voulait mourir « totalement désespéré » ; ce serait mourir heureux. La phrase fameuse que Dante inscrit à l'entrée de son Enfer – « Vous qui entrez ici, abandonnez toute espérance ! » – vaudrait bien mieux aux portes du Paradis : pas un damné qui n'espère un salut, fût-il impossible, alors que le bienheu-reux qui a tout obtenu – et lui seul – n'a plus rien à espérer. L'espoir est *l'attente* du bonheur – ce qui suppose qu'on ne l'a pas. On sait qu'on peut l'attendre longtemps, et d'autant plus qu'on l'espère davantage. Madame Bovary c'est moi, et nous tous. « Nous ne vivons jamais, nous espérons de vivre, et, nous disposant toujours à être heureux, il est inévitable que nous ne le soyons jamais... »[1] Espérer, c'est attendre ; le bonheur commence lorsque l'on n'attend plus. Le désespéré veut être heureux *tout de suite*, et il a raison : sa sagesse est d'impatience – ou il n'a de patience que pour la sagesse. Dieu a raison de tant aimer l'espérance[2] ; c'est elle qui le fait vivre.

1. Pascal, *Pensées*, 47-172.
2. Cf. Péguy : « La vertu que j'aime le mieux, dit Dieu, c'est l'espérance... » *(Le Porche du mystère de la deuxième Vertu).*

Mais pour l'homme : vivre d'espérances, c'est vivre d'illusions. D'où la religion. D'où la tristesse. « Les tristes ont
deux raisons de l'être, ils ignorent ou ils espèrent »[1] ; et le
plus souvent, ils espèrent *parce qu'*ils ignorent. Au lieu de
quoi la vérité sans espoir (puisqu'elle est la vérité) est toujours vérité du présent, vérité éternellement présente. On
peut avec Camus citer l'exemple de Don Juan : « Don Juan
sait et n'espère pas... Depuis le moment où il sait, son rire
éclate et fait tout pardonner. Il fut triste dans le temps où
il espéra. Aujourd'hui, sur la bouche de cette femme, il
retrouve le goût amer et réconfortant de la science unique.
Amer ? A peine... Cette vie le comble... »[2] Ce rire de Don
Juan fait écho, à travers les siècles, au rire légendaire de
Démocrite : il n'y a rien à espérer, rien à craindre – rions !
rions ! Le désespoir est tonique comme un grand vent, salu-
bre comme la mer !

C'est aussi la leçon d'Epicure. « Nous sommes nés une
fois, il n'est pas possible de naître deux fois, et il faut n'être
plus pour l'éternité : toi, pourtant, qui n'es pas de demain,
tu ajournes la joie ; la vie périt par le délai, et chacun de
nous meurt affairé. »[3] Alors que le désespoir fait place
nette pour le plaisir *présent* – ce plaisir qui est « le principe
et la fin de la vie bienheureuse »[4]. C'est la cigarette du
condamné, si l'on veut, mais toute la vie peut être cette
cigarette, unique et belle, suspendue sur le néant. « Il faut
rire et ensemble philosopher, disait Epicure, et gouverner
sa maison, et user de toutes les autres choses qui nous sont
propres... »[5] C'est Sisyphe heureux. D'ailleurs il n'y a pas
de rocher, ou bien imaginaire seulement. Lucrèce l'a bien
vu : le rocher est l'espoir lui-même, et la crainte[6]. L'un ne
va pas sans l'autre, et ce qu'on pousse devant soi retombe

---

1. Camus, *Le mythe de Sisyphe*, « Idées »-NRF, p. 98.
2. Camus, *ibid.*, p. 98-99.
3. Epicure, *Sentences vaticanes*, 14 ; sauf précision contraire, toutes nos citations
d'Epicure seront empruntées à l'édition et à la traduction de M. Conche (*Epicure,
Lettres et maximes*, Ed. de Mégare, 1977, rééd. PUF, 1987).
4. Epicure, *Lettre à Ménécée*, 128-129.
5. Epicure, *Sentences vaticanes*, 41.
6. Cf. Lucrèce, *De rerum natura*, III, 978-1023.

toujours. C'est cela qui est absurde, et triste, et tragique : le poids toujours de nos désirs insatisfaits et de nos craintes vaines. Sisyphe, c'est Tantale. Ce qu'il désire « n'est qu'illusion et n'est jamais donné »[1]. Et de même ce qu'il craint. Tout cela est « vide » (*inanis*[2]), ou rempli par l'imagination seule. Ce vide n'est si lourd que du poids de nos phantasmes. Le rocher est en nous ; c'est lui que le désespoir annule, en redonnant au vide la légèreté qui est la sienne. C'est le commencement de la paix. « L'ambition et les dieux meurent ensemble ; ensemble l'espérance et la crainte... »[3] Le désespoir s'inverse en ataraxie. Car le sage, qui a su se *désespérer* des hommes et des dieux, vit dans la plénitude. « Une fois cet état réalisé en nous, toute la tempête de l'âme s'apaise, le vivant n'ayant plus à aller comme vers quelque chose qui lui manque, ni à chercher autre chose par quoi rendre complet le bien de l'âme et du corps... »[4] Désespoir et ataraxie : celui qui n'espère rien, rien ne lui manque. Ataraxie et désespoir : là où rien ne manque, qu'irions-nous espérer ? Le *plaisir en repos*[5] est un plaisir désespéré, et le plus grand plaisir possible[6] : ce pourquoi le sage vit « comme un dieu parmi les hommes »[7]. Désespoir et béatitude : le plaisir en repos de l'âme est un état divin. Et si « c'est ici-bas que la vie des sots devient un véritable enfer »[8], c'est aussi ici-bas que, des « hauts lieux fortifiés par la science des sages »[9], « la victoire nous élève jusqu'au ciel »[10]. Jusqu'au ciel... Car Icare, lui, n'a pas de rocher ;

1. Lucrèce, *ibid.*, III, 998 ; sauf précision contraire, toutes nos citations de Lucrèce seront empruntées à l'édition et à la traduction d'A. Ernout (« Les Belles-Lettres », 1968).
2. *Ibid.*, par ex. III, 982 et 998.
3. Alain, *Abrégés pour les aveugles :* Epicure.
4. Epicure, *Lettre à Ménécée*, 128.
5. Cf. par ex. *Diogène Laerce (Vies, doctrines et sentences des philosophes illustres)*, X, 136, et Marcel Conche *(Epicure, Lettres et maximes)*, p. 70-74.
6. Cf. par ex. Epicure, *Maximes capitales*, 18-21.
7. Epicure, *Lettre à Ménécée*, 135.
8. Lucrèce, III, 1023.
9. Lucrèce, II, 8.
10. Lucrèce, I, 79 ; littéralement : nous égale *(exaequat)* au ciel (cf. M. Conche, *Lucrèce*, Ed. Seghers, p. 125). C'est un point important, sur lequel nous reviendrons : l'ascension matérialiste se fait dans un espace horizontal : le sage *s'élève*, si l'on peut dire, *ici-bas*. La sagesse est un salut sans transcendance.

c'est pour cela qu'il peut voler. Il n'a pas de bagages, et le ciel est vide.

A chacun ses ailes et son voyage, à chacun l'immensité de son ciel. Le tout est de désespérer du labyrinthe. Comprendre qu'il n'y a pas d'issue, nulle part. On peut bien déplacer des murs, ouvrir des portes, abattre des cloisons... Cela fait toujours un labyrinthe, c'est-à-dire une prison d'autant plus invincible qu'elle est sans limites. On peut y bouger autant qu'on veut, dans tous les sens, croire même que l'on est libre. Labyrinthe du libre-arbitre ! Mais on ne sort pas de soi, ni de sa société, ni du monde. On peut se déplacer dans le labyrinthe, mais point en sortir. On peut changer de lieu, point d'espace. On peut fuir ; pas se sauver. Pas dans le labyrinthe. Et pas non plus *ailleurs* : puisqu'il n'y a rien d'autre. Désespoir : il n'est de salut qu'à renoncer au salut. Le salut sera *inespéré* ou ne sera pas.

V

Le désespoir n'a pas de frontières. Cet enchevêtrement de sens et d'illusions que je nomme « labyrinthe », l'Inde, depuis toujours, lui donne le nom de « *samsâra* », qui est le labyrinthe des renaissances. Nul paradis, ici, nulle eschatologie[1]. On ne renaît que pour souffrir, et mourir à nouveau. « Il n'est d'autre chose qui naisse que la douleur, seule la douleur naît, seule la douleur cesse... »[2] Désespoir. Mais les hommes espèrent, pourtant, et tournent en rond dans la prison de leurs désirs. C'est pour cela qu'ils souffrent. « Il n'y a pas de feu comparable à la convoitise, pas d'étreinte telle que la haine, pas de filet comme l'illusion. Il n'y a pas de fleuve comme le désir. »[3] Le *samsâra*, c'est la vie elle-même, cette roue folle où tout est souffrance

---

1. Du moins dans la tradition bouddhique – et spécialement du bouddhisme primitif –, à laquelle nous nous référons.

2. *Samyukta-âgama* anonyme, cité par A. Bareau, *Bouddha* (Ed. Seghers), p. 116.

3. *Dhammapada*, cité dans le choix de textes présenté par Walpola Rahula, *L'enseignement du Bouddha d'après les textes les plus anciens*, Seuil, « Points », p. 177.

(dukkha), selon le Bouddha, parce que tout est désir, ce « tourbillon où la force vitale est fascinée par les passions polarisées de la crainte et du désir »[1]. Le salut est d'en sortir, mais on ne peut le faire qu'en y renonçant : pas de salut dans le *samsâra*, pas de salut dans le labyrinthe. Et pas de salut non plus *ailleurs*. Il n'y a pas de paradis pour le bouddhisme, pas d'au-delà. Le *nirvâna* n'est pas un autre monde, qui viendrait justifier celui-ci, lui donner un sens, sanctifier ou dépasser ses illusions. Ni paradis, ni justification, ni sanctification. Le monde est le monde, rien d'autre, et le ciel est vide. Il n'y a pas de dieux, ou rien à en attendre. Alors ?... Alors, le salut est ce vide lui-même, la compréhension de l'illusion, l'acceptation du non-sens – le désespoir. Le *nirvâna* n'est donc pas le contraire du *samsâra* : « Aussi longtemps qu'on regarde le *nirvâna* comme quelque chose de différent du *samsâra*, on a encore à franchir l'erreur la plus élémentaire touchant l'existence »[2]. « Le *samsâra* ne diffère en aucune manière du *nirvâna*, et le *nirvâna* ne diffère en aucune manière du *samsâra*. »[3] Le *nirvâna* n'est pas le contraire du *samsâra*, mais sa vérité : il est le *samsâra* lui-même, en tant qu'il est débarrassé des illusions qui nous y attachent, qui nous font croire qu'il a un sens, qu'il est quelque chose – alors qu'il n'est rien, que vide et non-sens. Vide aussi le *nirvâna* : extinction, non-être, vacuité... *Nirvâna* et *samsâra* sont donc à la fois identiques et opposés : le *samsâra*, c'est ce monde creux, dans l'illusion qu'il nous donne de sa plénitude ; le *nirvâna*, c'est ce monde – toujours aussi creux –, dans la plénitude que nous donne la juste perception de sa vacuité. « La même chose est *Samsâra* ou *Nirvâna* selon la manière de la voir – subjectivement ou objectivement. »[4] Ainsi le rêveur qui s'éveille et qui comprend – ô béatitude ! ô repos ! – que son cauchemar n'était rien, et qu'il n'y a rien d'autre que son cauchemar. L'Eveillé (le *Bouddha*)

---

1. H. Zimmer, *Les philosophies de l'Inde*, Payot, p. 377.
2. H. Zimmer, *op. cit.*, p. 378-379.
3. Nagarjuna, cité par W. Rahula, *op. cit.*, p. 63, note 19.
4. W. Rahula, *op. cit.*, p. 63.

connaît alors la sérénité. « Il vit paisible et heureux
puisqu'il a obtenu la paix de l'âme. » [1]

D'où ce que Zimmer appelle « le grand paradoxe du
bouddhisme » [2], qui est au fond que le salut suppose qu'on
cesse de croire au salut, et que le bouddhisme, philosophie
du renoncement, culmine dans le renoncement au bouddhisme. La doctrine, disait le Bouddha [3], n'est qu'un radeau
qui mène à la délivrance ; elle n'est pas la délivrance elle-
même. Une fois le fleuve traversé, il ne sert à rien de porter
le radeau sur ses épaules... Et « quand enfin le radeau est
abandonné, que la vision des deux rives et du fleuve sépa-
rateur a disparu, alors il n'existe en vérité ni royaume de
vie et de mort, ni royaume de délivrance. Bien plus, il n'y
a pas de bouddhisme – pas de bateau, car il n'existe ni rives
ni eaux entre les rives. Il n'y a pas de bateau et il n'y a
pas de passeur – pas de Bouddha. » [4] Qu'il y ait là du désespoir (ce qu'on appelle à tort le « nihilisme » bouddhiste),
c'est sûr. Ce désespoir peut être repéré à trois niveaux,
qu'énonce successivement le « sermon de Bénarès » [5]. Il y
a d'abord ce qu'on pourrait appeler un *désespoir descriptif*,
dont la formule (première « vérité sainte » [6]), est le fameux
sarvam dukkham, « tout est douleur » : « La naissance est
douleur, la vieillesse est douleur, la maladie est douleur, la
mort est douleur, l'union avec ceux que l'on déteste est
douleur, la séparation d'avec ceux que l'on aime est douleur, ne pas obtenir ce que l'on désire est douleur... » [7] La
seconde « vérité sainte » expose ce que l'on pourrait appeler un *désespoir étiologique*, puisqu'il porte sur la *cause* de
la souffrance. Or cette cause, c'est l'espoir lui-même qui
nous torture, ce que le Bouddha appelle « la soif » : « Voici

1. *Vinaya-pitaka*, II, 156-157, cité par H. Arvon, *Le Bouddha*, PUF, p. 71.

2. H. Zimmer, *op. cit.*, p. 378.

3. Cf. W. Rahula, *op. cit.*, p. 29-30.

4. H. Zimmer, *op. cit.*, p. 378.

5. C'est-à-dire le premier discours du Bouddha, après son illumination, dont on
pourra trouver le texte dans Bareau, *op. cit.*, p. 89-93.

6. « *Ariya-sacca* », que l'on traduit aussi (W. Rahula, par ex.) par « *noble vérité* ».

7. Cité par A. Bareau, *op. cit.*, p. 90 ; la traduction de *dukkha* par douleur ou
souffrance est traditionnelle (et justifiée), mais simplificatrice : cf. W. Rahula,
op. cit., p. 36-39.

encore, en vérité, ô moines, la sainte Vérité de l'origine de la douleur : c'est la soif qui conduit à renaître, (...) la soif du désir, la soif de l'existence, la soif de l'inexistence... »[1] On ne s'étonnera pas dès lors que la troisième « vérité sainte » expose une sorte de *désespoir programmatique* : si l'origine de la douleur c'est la soif, la suppression de la douleur suppose la *non-soif* – ce que j'appelle le désespoir. « Voici encore, en vérité, ô moines, la sainte Vérité de la cessation de la douleur : ce qui est la cessation et le détachement complet de cette même soif, son abandon, son rejet, le fait d'en être délivré, de ne plus s'y attacher... »[2] Bref, les trois premières « vérités saintes » sont les vérités du désespoir : la vie est désespérante (« tout est douleur ») ; la cause en est l'espoir (« la soif ») ; le remède en est le désespoir (la « cessation de la soif »)... Mais il n'y a là aucune tristesse, et ce désespoir est une paix immense : « Du désir naît le chagrin, du désir naît la crainte. Pour celui qui est complètement délivré du désir, il n'est plus de chagrin ; d'où lui viendrait la crainte ? »[3] Et cette paix est une paix *heureuse* : « Si, avec un esprit serein, on parle ou on agit, le bonheur nous suit alors comme l'ombre qui ne nous quitte pas. »[4] Ombre : image renversée. Et c'est bien d'un *renversement* qu'il s'agit, puisque, de la connaissance de l'universelle douleur *(sarvam dukkham)*, naît, comme son image en creux et sa négation, la paix bienheureuse qui l'abolit – « comme si on tournait face vers le haut ce qui est face vers le bas... »[5] Renversement : le désespoir s'inverse en *nirvâna*. « O ami, le *Nirvâna* est le bonheur. Le *Nirvâna* est le bonheur ! »[6]

Acceptons cela pour l'instant, sur quoi il nous faudra revenir. Acceptons cette rencontre étrange, par delà les siècles et les continents, du sage du Jardin et de l'Eveillé

---

1. *Sermon de Bénarès*, cité par A. Bareau, *op. cit.*, p. 91.
2. *Ibid.*
3. *Stances gnomiques relatives à l'origine de la douleur*, cité par A. Bareau, *op. cit.*, p. 137.
4. *Stances gnomiques...*, cité par A. Bareau, *op. cit.*, p. 137.
5. Cité par A. Bareau, *op. cit.*, p. 96.
6. Cité par W. Rahula, *op. cit.*, p. 67.

de Bénarès. Ce ne sera pas la seule, d'ailleurs, et nous aurons souvent l'occasion de mettre en parallèle le rire d'Epicure et le sourire du Bouddha. Mais l'essentiel n'est pas là, dans cette rencontre, ou convergence, de deux pensées anciennes. L'essentiel, c'est ce qu'elles peuvent nous aider, aujourd'hui, à penser. Car le désespoir, ce que j'appelle le désespoir, ce ne serait alors rien d'autre peut-être – pour qui saurait le traverser de part en part – que ce qu'Epicure appelait *ataraxie* (absence de troubles), et le Bouddha, *nirvâna* (extinction). Rien d'autre, et pourtant le contraire... « Comme si on tournait face vers le haut ce qui est face vers le bas... » La sagesse est le *renversement* du désespoir, et son apogée. Et le plus haut ciel d'Icare : le labyrinthe même d'où il s'envole.

Continuons. Le désespoir, ce que j'appelle le désespoir, ce n'est peut-être rien d'autre alors, en cet extrême où il s'inverse, que ce à quoi Spinoza, puisqu'il est temps d'y revenir, donnait le nom de *béatitude*. Oui : si le sage bienheureux vit sans crainte (puisque « la crainte est une tristesse »[1]), il vit aussi *sans espoir* – puisqu'il « n'y a pas d'espoir sans crainte »[2]. Sans doute Spinoza ne donne-t-il pas à cet état bienheureux (sans espoir ni crainte) le nom de *desperatio* (désespoir), qu'il réserve à un autre usage[3]. Mais l'idée y est, sinon le mot. Spinoza précise en effet que l'espoir ne peut être bon par lui-même[4], puisqu'il indique « un manque de connaissance et une impuissance de l'âme »[5], et qu'en conséquence « plus nous nous efforçons de vivre sous la conduite de la raison, plus nous faisons effort pour *nous rendre moins dépendants de l'espoir*... »[6]

1. Spinoza, *Ethique* III, déf. 13 des affections (cf. aussi *Ethique* IV, prop. 63 et démonstration).
2. Spinoza, *Ethique* III, déf. 13 des affections, explication.
3. Cf. *Ethique* III, scolie 2 de la prop. 18 et déf. 15 des affections et explication.
4. *Ethique* IV, prop. 47, démonstr. et scolie.
5. *Ibid*.
6. *Ibid*. (c'est moi qui souligne). La béatitude ne naît donc ni de l'espoir ni de la crainte, mais suppose au contraire leur commune absence : ce que j'appelle le désespoir. A dire vrai, la béatitude ne *naît* pas, à proprement parler, puisqu'elle est éternelle. C'est pourquoi on ne peut lui supposer un commencement que « fictivement » (*Eth.* V, prop. 33, scolie). Le *désespoir*, au sens où je le prends, n'est peut-être rien

La sagesse est de désespérer. Mais il est juste pourtant de changer de mot. Car quelque chose ici s'inverse, comme un ciel dans l'eau qui se mire, ou réciproquement. Le désespoir s'inverse en béatitude. Je veux croire avec Spinoza (avec Epicure, avec le Bouddha...) que ce renversement n'est pas un pur jeu verbal, mais l'effet d'une *connaissance*. Que ce qui est *renversant*, à tous les sens du terme, c'est la vérité : parce qu'elle remet les choses à l'endroit. Par exemple (mais c'est bien plus qu'un exemple), « dans la mesure où nous connaissons les causes de la tristesse... nous sommes joyeux » [1]. Renversement : descendre, puis remonter. Le désespoir est le point où ce renversement devient possible ; la béatitude, celui où il s'accomplit. Car « si la joie consiste dans un passage à une perfection plus grande, la béatitude certes doit consister en ce que l'âme est douée de la perfection elle-même » [2]. Perfection *désespérée* : l'âme n'ayant plus aucune joie à imaginer qui lui manque. La béatitude est l'accomplissement du désespoir ; le désespoir, le lieu de la béatitude – sa place vide : l'espace libre qui la rend possible, et qu'elle occupe tout entier.

VI

Nous voilà bien loin du « désespoir » sinistre où l'on veut voir le climat spirituel de notre époque, et qui n'est tissé que de fausses chutes et d'ascensions avortées. Mouvements de puce, point d'oiseau... Mais c'est qu'on ne descend pas assez bas, parce qu'on ne cesse d'espérer toujours mille et mille choses. Ce n'est pas un désespoir ; c'est une

d'autre, finalement, que le nom, puisqu'il en faut un, que, pour ma part, j'ai choisi de donner à cette « fiction » : qu'une béatitude *éternelle* puisse *commencer*... Cette aporie ne peut être levée, si tant est que ce soit possible, que par une théorie de l'éternité. Le mot de « désespoir » indique seulement que ce n'est pas encore fait, c'est-à-dire qu'il désigne comme de loin cette aporie elle-même, mais en creux : vue, si l'on peut ainsi s'exprimer, *du côté du temps*, ou, en d'autres termes, *sub specie temporis*... Proust appelait cela le *Temps perdu*, qui est, comme on sait, la même chose que le *Temps retrouvé*, mais aussi son contraire.

1. Spinoza, *Ethique* V, scolie de la prop. 18.
2. Spinoza, *Ethique* V, scolie de la prop. 33.

succession indéfinie d'espoirs déçus. Notre temps n'est pas celui du désespoir ; c'est celui de la déception. Et la déception suprême : de n'être pas immortels[1]. C'est que nous espérons trop, toujours trop. Nous poussons nos rochers, et les voilà qui retombent... Comment feraient-ils autrement ? Ce sont des rochers... Et nous redescendons avec eux, pleurant sur nos illusions perdues et déjà rêvant aux prochaines... « Tant que demeure éloigné l'objet de nos désirs, il nous semble supérieur à tout le reste ; est-il à nous, que nous désirons autre chose, et la même soif de la vie nous tient toujours en haleine... »[2] Cette folie tragique, c'est aussi ce que Camus pensa si bien sous le nom d'*absurde*, dont Sisyphe est le mythe, et Don Juan le héros. Ce livre voudrait essayer de penser, sous l'invocation d'Icare, une ascension d'une autre sorte, sans rocher ni montagne – oui, sans rochers qu'imaginaires, sans montagnes que rêvées ! –, dont il me semble, pour ne parler que de l'Occident, qu'Epicure et Spinoza – puis d'autres – ont fait plus qu'indiquer le chemin. Ma folie, si c'en est une, est d'y croire encore.

A chacun ses ailes et son voyage, disais-je, à chacun l'immensité de son ciel... Hasard des vies et des capacités : les ailes que je connais sont de pensées. Philosopher est mon voyage ; la sagesse, le ciel à quoi je tends. Il est d'autres voies sans doute, et peut-être de plus belles ou de plus courtes. Mais on ne choisit pas. Ou plutôt (car la volonté a son mot à dire : qui d'autre le dirait ?) on ne choisit pas son choix, mais seulement sa réponse. Et l'alternative pour moi fixée fut : *désespoir ou philosophie*. Hasard des jours... J'ai choisi successivement l'une ou l'autre, selon les moments et les circonstances de la vie, selon les intermittences du cœur et les hésitations de la raison, avant de m'apercevoir qu'à la fin les deux voies se rejoignaient, puisque l'une n'était que la connaissance vraie de l'autre. La

---

1. Déception qui donne à la mort une réalité qu'elle n'a pas : ce sur quoi Epicure (*Lettre à Mécénée*, 124-125), Lucrèce (III, 830-1094) et Spinoza (*Ethique* IV, prop. 67) sont d'accord. Nous y reviendrons.
2. Lucrèce, III, 1082-1084.

sagesse est le point bienheureux de cette rencontre, dont il va de soi que je ne parle pas par expérience personnelle (l'eussé-je atteinte, d'ailleurs, que je n'éprouverais plus le besoin d'en parler), mais simplement pour avoir pris au sérieux, dans ce qu'elle indique comme son but, la tradition philosophique qui est la nôtre. On me dit que c'est dépassé, anachronique, illusoire... Peut-être ; mais après tout qu'importe, puisqu'il n'y a rien d'autre. Au demeurant le bonheur, sinon la béatitude, n'est pas au bout seulement du chemin, mais dans la marche elle-même. Epicure le dit[1], Spinoza le dit[2], et de cela au moins j'ai fait l'expérience. Je l'avoue naïvement : j'aime la philosophie pour le bonheur – même fugace – qu'elle me procure.

On me demandera alors ce que c'est que la philosophie. Et sans doute n'est-ce plus clair pour grand monde, devant l'étrange disparate de ce qu'aujourd'hui ce mot recouvre, qui n'est trop souvent qu'érudition et jeu d'esprit, ou, en général, bavardage de la raison. Car la raison aussi bavarde... Je ne disputerai pas sur les mots, et laisse chacun s'appeler comme il l'entend. L'important est de se mettre d'accord sur les définitions. La mienne a plus de deux mille ans, et il me plaît d'en emprunter à Epicure, sans y changer un mot ni trouver quoi que ce soit à y redire, l'indépassable formulation : « *La philosophie est une activité qui, par des discours et des raisonnements, nous procure la vie heureuse* »[3]. On remarquera qu'il n'est pas fait référence ici à ce monstre protéiforme qui hante nos bibliothèques, grand avaleur d'offrandes et de sacrifices (thèses, mémoires, colloques...), avec ses messes et ses grands prêtres, ses vestales et ses inquisiteurs, avec ses livres sacrés, ses prophètes et ses martyrs... J'ai nommé *l'histoire de la philosophie* – discipline estimable, je le sais bien, mais qui finira un jour, si l'on n'y prend garde, par dévorer – dans un baillement ! – la philosophie elle-même, et que j'abandonne pour ma part

---

1. Epicure, *Sentences vaticanes*, 27.
2. Spinoza, *Traité de la réforme de l'entendement*, § 4.
3. Epicure, selon Sextus Empiricus (*Adversus Mathematicos*, XI, 169), cité par M. Conche (*Epicure...* p. 41).

– sans regrets – aux historiens. C'est aujourd'hui qu'il faut vivre. C'est aujourd'hui qu'il faut penser. Et ne compte, chez Epicure ou le Bouddha, chez Lucrèce ou Pascal, chez Marx ou Spinoza, que ce qui peut – aujourd'hui – nous y aider. Peu m'importe qu'ils divergent sur tant de points[1]. Ce qui m'intéresse, c'est ce qu'ils peuvent, ensemble, nous aider à penser. Mon problème n'est pas d'éclectisme, mais de stratégie.

Abattons les cartes. Cela, cette *ascension* dont j'emprunte à Icare la figuration mythique, mon « idée de derrière », comme dirait Pascal, est qu'elle n'est pas autre chose, dans son double cheminement – sa descente et sa remontée –, que ce qu'on appelle depuis des siècles, d'un mot dont l'ambiguïté elle-même me ravit, drapeau et injure, blasphème et cri de guerre : *le matérialisme*. J'eus le projet longtemps, je peux bien l'avouer, d'écrire un livre qui se fût nommé « *le matérialisme ascendant* », avant de comprendre que cette expression était pléonastique, dès lors qu'il s'agissait d'un matérialisme *philosophique*. Icare est l'emblème de ce pléonasme. On devine alors l'unique objet de ce livre, qui est de savoir si une philosophie matérialiste est possible aujourd'hui, qui serait fidèle à sa définition ancienne d'*amour de la sagesse*. Nizan l'avait en son temps évoquée[2], mais l'histoire et la mort l'empêchèrent d'en parler beaucoup. Le mouvement des idées en France voulut ensuite que le matérialisme contemporain, dans ce qu'il avait peut-être de meilleur, ait laissé cette question comme entre parenthèses. Et ceux qui récemment ont sem-

---

1. Encore que... Cet apparent désordre a aussi, nous le verrons, sa cohérence. Le rapprochement entre certains de ces auteurs est d'ailleurs (avec plus ou moins de bonheur) traditionnel : Epicure et Marx (Nizan, Cogniot...), Epicure et Spinoza (Guyau), Spinoza et Marx (Althusser)... Cf. aussi, sur le rapport Marx-Epicure (et sur la *Thèse* de 1841), F. Markovits, *Marx dans le Jardin d'Epicure* (Ed. de Minuit, 1974). Le rapprochement entre Spinoza et le Bouddha, concevable, a aussi été tenté ; cf. par ex. l'étude (intéressante mais souvent discutable) d'E. Reinisch, *Revue philosophique*, n° 1, 1979 : « La clef du spinozisme ».

2. Cf. Paul Nizan, *Les matérialistes de l'Antiquité*, Maspero, p. 33 : « Une sagesse matérialiste aujourd'hui ne serait pas fort différente par ses principes de celle d'Epicure, mais (...) elle serait beaucoup plus ambitieuse. » Idée que je partage, l'ambition en moins.

blé vouloir plus ou moins y revenir, c'était le plus souvent de biais, ou bien en s'éloignant du matérialisme. Il me semble qu'il est temps – mille signes l'indiquent – de reprendre ce problème au fond, et de penser ensemble, puisque c'est notre histoire, comme les deux faces d'une même médaille, la sagesse *et* le matérialisme. Ma thèse est que cela peut se penser selon l'axe vertical d'une *ascension*, qui, comme disait Lucrèce dans un vers que j'ai déjà cité, « *nous élève jusqu'au ciel* ». J'essaierai de montrer que l'idéalisme est pensable en termes inverses, selon l'axe d'une *descente* (d'une chute...), où le salut lui-même et la vérité *viennent d'en haut* (donc descendent...), sous la forme d'une *assomption* et d'une *révélation*. Matérialisme ou idéalisme : montée ou descente, ascension ou assomption, élévation ou révélation... Icare – ou la Pentecôte.

Qu'il y ait dans les deux cas *verticalité* (opposition d'un *haut* et d'un *bas*) n'est pas pour nous surprendre : il s'agit de philosophie, et la philosophie n'existerait pas sans cette dimension. L'horizontale est d'un corps qui se couche, quand le philosophe ne cesse au contraire de s'éveiller. Mais il nous appartiendra de voir dans quelle mesure le matérialisme est capable de rendre raison de cette « ascension » qui le définit : comment le *haut* peut naître du *bas*, le supérieur de l'inférieur, puisqu'aussi bien, Auguste Comte a raison là-dessus[1], c'est ce mouvement *de bas en haut* (Icare...) qui caractérise le matérialisme. Notre problème sera alors de comprendre comment la pensée du « bas » (le matérialisme) débouche sur l'idée (toujours déjà remise en cause, nous le verrons) d'une *montée*, alors que la pensée du « haut » (l'idéalisme, la religion...) ne cesse de théoriser l'idée (toujours déjà dépassée ou niée) d'une *chute*. Et pour que toutes choses soient claires – en ces temps où, fort heureusement, le voilà débarrassé des oripeaux de la mode et, bientôt, du poids des églises – laissons à Marx le soin de conclure, si l'on peut dire, cette intro-

---

1. Cf. Auguste Comte, *Système de politique positive*, 1ᵉʳ vol. (réédd. Anthropos, 1969, *OC*, t. VII), p. 50-53. Nous y reviendrons.

duction. Car « à l'encontre de la philosophie (idéaliste) allemande qui descend du ciel sur la terre, dit-il dans *L'Idéologie allemande, c'est de la terre au ciel que l'on monte ici* »[1].
De la terre au ciel... Me comprenez-vous maintenant ?
Icare ! Icare !

1. Marx et Engels, *Idéologie allemande*, p. 51 (c'est moi qui souligne). Il s'agit ici
du mouvement de la pensée historique, puisqu'en effet c'est le problème de Marx.
Mais nous verrons que cela peut se généraliser.

1

Les labyrinthes du moi :
le songe de Narcisse

« *La connaissance que nous avons du corps n'est pas telle que nous le connaissions tel qu'il est ou parfaitement, et cependant quelle union ! quel amour !* »

SPINOZA

I

On peut partir de Narcisse. D'ailleurs, de quoi partirait-on ? Il faut partir de soi, faute de mieux. Narcisse est notre « soi » à tous – plus beau, sans doute, mais qu'importe ? Il n'y a pas toujours de miroir.

On se trompe sur Narcisse. Sa faiblesse n'est pas de s'aimer. Ce serait là sa force, au contraire, s'il s'aimait vraiment, lui, lui-même. Car il n'est pas vrai qu'il faille se haïr, et Pascal, écrivant cela, est plus fou que ceux qu'il critique. L'amour de soi [1] est sagesse, et c'est aussi vertu : s'il faut aimer son prochain *comme soi-même*, se haïr est une faute, et le commencement de l'égoïsme. Mais oui : tout occupé à se haïr, il n'a que faire d'aimer les autres. Autrui est un « moi » aussi... Et voyez chez Pascal comme tout s'en-

---

1. Qu'on ne confondra pas avec l'amour-propre. L'amour de soi est un rapport de soi à soi ; l'amour-propre, un rapport de soi aux autres. Le premier est toujours solitaire ; le second ne l'est jamais. L'opposition a été clairement formulée par Rousseau (dans une problématique qui n'est pas la nôtre) : *Discours sur l'origine de l'inégalité*, note O.

chaîne : puisque « *le moi est haïssable* »[1], « *il faut n'aimer que Dieu et ne haïr que soi* »[2]. Folie, oui, folie de la croix, folie de la tristesse ! Contre quoi c'est Montaigne qui a raison, et plus encore Spinoza. Mais il n'est pas temps de monter à ces hauteurs, et le simple bon sens ici suffit. Toute haine est mauvaise, qui n'a de joie que dans la souffrance de ce qu'elle déteste. Haine de soi : masochisme. Allez chercher les fouets et les cilices !

Mais Narcisse ne s'aime pas. Il est amoureux, voilà sa folie. Et comme tout amoureux, c'est une image qu'il aime. Nous en sommes tous là ; du moins, c'est la pente. Aimer une femme, ou un homme, est trop difficile. Il faut accepter tellement de différence, tellement de solitude... Le cœur s'y use. Même une « femme facile » résiste : le corps s'ouvre, mais l'âme, c'est autre chose. Il n'y a pas d'*âme objet*, voilà le point, parce que les objets n'ont pas d'âme. D'ailleurs, on n'en serait pas amoureux : le fétichisme est tout ce qu'on veut, mais pas un sentiment. Bref, on n'aime que des personnes, et les personnes sont difficiles à aimer. Aimables, mais difficiles.

Il reste alors les images. Plus aimables que les objets, moins dérangeantes que les personnes, plus complaisantes, plus faciles... Les jeunes filles en savent quelque chose, qui aiment la photographie mise au mur de leur chambre. Elles n'ont pas tort : elles commencent par le plus facile... Puis elles découvrent qu'on n'a même pas besoin de photographie, que l'image en soi qu'on porte (d'une vedette, d'un ami, d'un inconnu...) suffit. Les amants ne font pas autre chose, et Lucrèce disait bien que l'amoureux n'aime jamais que des simulacres[3]. Aimer quelqu'un, chacun le sait, c'est aimer l'image qu'on s'en est faite, image toujours déformée, embellie, transfigurée... Il y a du rêve dans l'amour, ou pas de passion ; et c'est ce rêve d'abord qu'on aime. Car la passion est idolâtre.

1. Pascal, *Pensées*, 597-455 (cf. aussi 220-468 et 271-545).
2. Pascal, *ibid.*, 373-476.
3. Cf. Lucrèce, IV, 1058-1191, et spécialement 1094-1096.

Donc Narcisse ne s'aime pas, mais son image. Etre aveugle l'eût guéri. Il est amoureux de soi, idolâtre de son reflet, de son double spéculaire. Lui aussi n'aime que des simulacres. Il s'aime « à la folie », et c'est bien dit : le contraire de la sagesse. Comme le dit justement Alain, l'amour-propre – dont Narcisse n'est que l'extrême passionné – est un amour malheureux[1]. D'où ses larmes : « Hélas ! L'image est vaine et les pleurs éternels ! »[2] Narcisse inaccessible, Narcisse mortel ! « Entre la mort et soi, quel regard est le sien... »[3] Oui, comme Tristan, Narcisse ne sait vivre qu'un « beau conte d'amour et de mort »[4]. Encore n'est-il beau que dans les contes, justement, dans les songes et les mensonges. La vie est différente, et nous sommes Narcisse sans sa beauté. Point de nymphes pour nous, point d'Echo que nos phantasmes. Narcisse laid qui se croit beau, chacun de nous, tel un nouveau Tristan qui serait son Iseut, a bu le philtre funeste, et s'aime sans raison d'un amour sans joie. Sans raison, sans joie, sans objet : on ne possède pas des simulacres, et l'image se défait dans l'onde qui frissonne. Comment le moi s'aimerait-il, qui ne se connaît pas ? A peine existe-t-il... Autant aimer un songe ! Et c'est un songe en effet : le moi n'est rien que son propre rêve, que l'illusion de sa chère existence. Le narcissisme est l'amour de ce rêve, et rêve lui-même. Narcisse rêve en pleurant...

Chut ! Ne le réveillons pas ! Regardons-le dormir : il est si beau... Sa beauté est son piège, c'est vrai, mais aussi son excuse. Lequel d'entre nous y résisterait ? Contemplons-le, admirons-le, comprenons-le... Et puis regardons-nous. Prenons la mesure de notre laideur, de notre invraisemblable banalité, de notre platitude. Ce corps trop mou, ce visage fade et vide, cette peau terne... Narcisse sans beauté, Narcisse sans grandeur, Narcisse sans excuses ! Laissons-le

1. Cf. Alain, *Définitions*, déf. de l'amour-propre.
2. Paul Valéry, *Narcisse parle* (Ed. de la Pléiade, t. 1, p. 82).
3. P. Valéry, *Fragments du Narcisse, ibid.*, p. 130.
4. *Le roman de Tristan et Iseut*, dans la version qu'en a donnée Joseph Bédier, p. 1.

dormir – puisqu'il n'existe pas – du sommeil profond des mythes. Et puis réveillons-nous.

II

Nous avons perdu l'évidence du *cogito*. A l'inverse de Descartes, ce n'est pas du monde que nous doutons, mais de nous-mêmes : quel est ce « Je » qui pense ? Ou qu'est-ce qui pense à travers lui ? *Cogitatur*, disait Nietzsche, mais pour constater aussitôt que cette forme même, la plus neutre, n'échappe pas aux illusions du sujet et de la substance, ni aux pièges de la grammaire [1]. Labyrinthe du *je*, labyrinthe de la pensée, labyrinthe de la langue... A peine peut-on dire, selon la formule fameuse de Rimbaud, que « JE est un autre » – ce qui le laisserait exister malgré tout quelque part, étranger, inconnu sans doute mais réel, réel et singulier, par delà la multiplicité vague et comme fantomatique de ses apparitions. Une âme au fond, si l'on veut, un substrat, une substance [2]... Mais les sciences humaines nous ont appris, comme on dit, ou du moins nous ont aidé à penser que cette singularité elle-même était illusoire, qu'il n'y avait ni substance ni substrat, mais un jeu multiple et indéfini de structures diverses (physiques, psychiques, sociales, linguistiques...), dont « l'âme » ne saurait en aucun cas être le sujet, ou la cause, ou la somme, mais tout au plus l'effet. Or, si JE est *plusieurs* autres (dont aucun n'est un JE, et dont la somme elle-même ne le constitue pas en tant que réalité assignable), que reste-t-il du sujet ? Rien, sans doute, que l'illusion de soi. Tel Narcisse, il n'est *sujet* que de son rêve.

Cette remise en cause – voire cette négation – du sujet appartient à notre modernité : Marx, Nietzsche, Freud, de Saussure... Puis le structuralisme de notre temps. Mais ces grands personnages ne partirent pas de zéro. La critique du sujet, si elle fut en quelque chose « révolutionnaire »,

---

1. Cf. Nietzsche, *Volonté de puissance*, trad. G. Bianquis (Gallimard), t. 1. I, 98.
2. Cf. Nietzsche, *ibid.*, t. 1, I, § 147.

avait aussi ses traditions. Je ne veux ici en évoquer que deux, au moins pour commencer : l'épicurisme et le bouddhisme. Lumière des origines : quelque chose d'inouï s'est dit là, qu'on ne dépassera pas.

On sait que chez Epicure et Lucrèce, le *moi* n'est pas une substance, un être ou une essence, mais (pour utiliser une expression moderne) un effet de structure[1]. Il n'y a que la matière et le vide : des atomes sans vie dans un vide sans limites. Et ni le vide n'est un sujet, ni les atomes. La vie n'est pas leur propre, mais, leur accident[2] : accident mon corps, accident mon âme... La subjectivité n'est ainsi que déplacements et relations d'atomes, à l'intérieur *(animus, anima)* et à l'extérieur (simulacres) du corps. Audace singulière : ces mouvements d'atomes dans le vide commandent non seulement la perception, mais aussi le vouloir et la pensée[3]. En moi cela pense, en moi cela veut ; en moi, mais aussi : *hors de moi*[4]. Ce n'est pas moi qui pense ; c'est la nature qui pense en moi. Encore cette expression est-elle impropre. Car la nature elle-même n'est pas un sujet. C'est une nature « sans fin ni total »[5], sans pensée ni volonté : en moi, hors de moi, il y a de la vie ; mais la vie n'est pas un être. En moi, hors de moi, il y a de la pensée ; mais pas de penseur[6]. La vie, la pensée, ne sont pas des êtres mais des processus, pas des choses mais des mouvements, pas des sujets mais des accidents. En moi, hors de moi, partout, toujours : des atomes et du vide, du vide et des atomes, des atomes en mouvement dans du vide... Et rien d'autre. Le *moi* est alors *atomisé*, au sens

---

1. Sur le rapport épicurisme-structuralisme, cf. Jean Brun, *Epicurisme et structuralisme*, Actes du VIIIe Congrès de l'Association G. Budé, p. 354-360.

2. Cf. Lucrèce, I, 445-482.

3. Cf. Lucrèce, IV, 722-822 et 877-906.

4. Plus précisément : dans le rapport entre l'intérieur et l'extérieur : Lucrèce, IV, *ibid.*

5. « *Neque finis... neque summa...* » : Lucrèce, II, 339.

6. Du moins en tant que sujet substantiel, puisque les seules substances sont les atomes et le vide – qui ne pensent pas –, et que la pensée d'un sujet est toujours aussi (par les simulacres) *en dehors* de lui-même. En ce sens on pourrait dire, pour utiliser une expression de Louis Althusser, que la pensée, pour Epicure et Lucrèce, est un *procès sans sujet*.

strict. Le « JE » n'est qu'un JEU d'atomes, dans toutes les acceptions du terme : un ensemble (comme on dit un « jeu » de pièces détachées), un fonctionnement (comme on parle du « jeu » d'un mécanisme), une marge d'indétermination (comme on dit d'une pièce mal serrée qu'elle a du « jeu » : cf. le *clinamen* chez Lucrèce), enfin une activité qui n'a « d'autre but que le plaisir qu'elle procure »[1], puisque la volonté « nous fait aller partout où *le plaisir* entraîne chacun de nous »[2]. *Exit* alors la religion : les atomes sont incréés, la nature est aveugle, et les dieux, indifférents. *Exit* aussi la morale, du moins sous sa forme absolue : il n'est de mal que la souffrance, de bien que le plaisir, de vertu que le bonheur. Epicure laisse Narcisse à sa fontaine et à ses larmes, la religion à ses fantômes, la morale à ses frayeurs. Comme un nouvel Icare, il « s'avança loin au-delà des murs enflammés du monde », nous dit Lucrèce, et « parcourut le tout immense par l'esprit et par la pensée »[3]. Mais il n'y trouva ni esprit, ni pensée. Le sage, le fou, le saint... ce ne sont qu'atomes et vide. Le bonheur seul fait la différence : c'est donc de lui seul qu'il faut s'occuper. Pauvre Narcisse, qui préfère s'occuper de soi !

Démocrite, père de l'atomisme et maître ancien d'Epicure, fut, de tous les philosophes grecs, celui qui voyagea le plus, et le plus loin. Pour expliquer son savoir encyclopédique, écrit Léon Robin[4], les Grecs alléguaient « ses voyages dans l'Inde où il avait connu les Gymnosophistes (fakirs), en Chaldée et en Egypte auprès des Mages et des prêtres, en Perse et dans l'Ethiopie... » Si l'on se fie à cette tradition, il n'est pas interdit d'imaginer qu'il ait pu subir, dans cette Inde étrange où était né, un siècle ou deux plus tôt, son fondateur, l'influence de la pensée bouddhique. Cela pourrait contribuer à expliquer certaines convergences, sur des points nombreux et décisifs, entre deux courants de pensée pourtant si différents l'un de l'autre

1. *Dictionnaire Robert*, t 3, p. 857.
2. Lucrèce, II, 257-258. Ce *jeu* a bien sûr ses règles : les *foedera naturae*.
3. Lucrèce, I, 73-74 (trad. Marcel Conche).
4. *La pensée grecque*, Paris, 1928, p. 38.

mais qu'unit, nous l'avons déjà noté, comme un air de famille. C'est le cas notamment pour leur conception du moi. Pour le bouddhisme, le *moi* n'existe pas. Ce n'est pas une question de terme : l'*ego*, l'âme, le psychisme, l'*atman* ou le *soi* n'existent pas davantage[1]. Le sujet *n'est pas*. Il n'y a que des *agrégats*, comme dit le Bouddha, c'est-à-dire des combinaisons fugitives dont l'apparente continuité n'est qu'illusoire.

Cela est vrai du corps, qui n'est qu'un nom pour désigner la pluralité indéfinie de ses parties. Le *Milindapañha* nous transmet ainsi la discussion qu'eurent ensemble (au IIᵉ siècle avant Jésus-Christ) le sage bouddhiste Nâgasena et le roi grec Ménandre. Ce dernier veut savoir *qui* est Nâgasena :

« – Vénérable, quel est ton nom ?

– Sire, je m'appelle Nâgasena... Mais que des parents donnent à quelqu'un le nom de Nâgasena, ou de Sûrasena, ou de Vîrasena, ou de Sîhasena, ce n'est là néanmoins, Sire, qu'une façon de dénombrer, un terme, une appellation, une désignation commode, un pur nom, ce Nâgasena ; car il n'y a pas de Moi à trouver ici. »

Le roi reprend :

« – Qu'est alors ce Nâgasena ? Je t'en prie, Vénérable, les cheveux de ta tête sont-ils Nâgasena ?

– Nullement, en vérité. Sire.

– Les poils du corps sont-ils Nâgasena ?

– Nullement, en vérité. Sire.

– Les ongles, les dents, la peau, la chair, les nerfs, les os, la moelle des os, les reins, le cœur, le foie, la plèvre, la rate, les poumons, les intestins, l'urine, la cervelle..., sont-ils Nâgasena ?

---

1. Cette négation du *moi* par la pensée bouddhique est d'autant plus remarquable qu'elle se heurtait de front à la tradition brahmanique et aryenne, pour laquelle l'existence de l'*âtman* (l'âme individuelle, le *soi*) et du brahman (l'âme universelle, ou le *Soi* suprême) faisait partie des croyances fondamentales. C'est d'ailleurs peut-être l'une des raisons de l'échec final du bouddhisme, en Inde : il allait à contre-courant (« cette Vérité qui va à l'encontre du courant... », disait le Bouddha), et le courant finit par l'emporter... L'opposition du bouddhisme au brahmanisme n'est pas sans évoquer, de ce point de vue, l'opposition de l'atomisme antique (de Leucippe à Lucrèce) aux doctrines orphiques, pythagoriciennes, platoniciennes et stoïciennes, puis, pour finir, chrétiennes...

– Nullement, en vérité, Sire. »[1]

Mais cela est vrai _a fortiori_ de l'âme ou de la conscience. Voici ce qu'enseignait le Bouddha : « Il vaudrait mieux, ô disciples, que vous preniez pour le Soi le corps matériel plutôt que l'esprit. Le corps subsiste un moment, mais ce que vous nommez l'esprit se produit et se disperse en un perpétuel changement... De même qu'un singe qui prend ses ébats dans la forêt saisit une branche puis l'abandonne aussitôt pour se raccrocher à une autre, puis à d'autres encore, ainsi, ô disciples, ce que vous nommez esprit, pensée, connaissance, se forme et se dissout sans cesse. »[2] C'est qu'aucun des cinq agrégats composant l'homme n'est le soi. Le _Vinaya-Pitaka_ nous rapporte ces paroles du Bouddha : « Le corps, ô moines, n'est point le Soi, la sensation n'est point le Soi, la perception n'est pas le Soi, les constructions ne sont pas le Soi, pas plus que la conscience n'est le Soi... »[3] Et l'ensemble de ces cinq agrégats n'est pas le Soi non plus. Citons à nouveau le _Milindapañha_ :

« – Et alors, Vénérable, la forme, la sensation, la perception, les prédispositions et la conscience réunies sont-elles Nâgasena ?

– Nullement, en vérité, Sire. »

Or, il n'y a rien d'autre en l'homme que ces cinq agrégats :

« Y a-t-il donc, Vénérable, quelque chose d'autre que la forme, les sensations, la perception, les prédispositions et la conscience, qui soit Nâgasena ?

– Nullement, en vérité, Sire. »

Bref, le Soi n'est ni l'un des cinq agrégats, ni leur somme, ni autre chose. C'est qu'il n'est rien : le Soi n'est pas. Nâgasena conclut à nouveau :

« – Nâgasena n'est qu'une façon de dénombrer, un terme, une appellation, une désignation commode, simple nom pour mes cheveux, mes poils..., ma cervelle, la forme, la sen-

---

1. Cité par H. Arvon, _Le Bouddha_, PUF, p. 81-82.
2. Cité par Maurice Percheron, _Le Bouddha et le bouddhisme_, Seuil, p. 58.
3. _Ibid._, p. 57.

sation, la perception, les prédispositions et la conscience. Mais au sens absolu *il n'y a pas de Moi à trouver ici.* »[1]

L'individu n'est donc pas un être. D'ailleurs, les « êtres » n'existent pas. « Tu dis qu'il existe des êtres : ceci n'est qu'une opinion fausse, ô Mâra. Il n'existe que des agrégats vides, et non pas ce que tu entends par "être". De même qu'un assemblage de morceaux de bois est appelé "char" par les gens de ce monde, un assemblage de causes, de conditions et d'agrégats est désigné sous le nom d'"être"... »[2] Il n'y a pas d'individus, il n'y a que des agrégats : « Ce que l'on appelle "Je" ou "Etre" est seulement une combinaison d'agrégats physiques et mentaux qui agissent ensemble d'une façon interdépendante dans un flux de changement momentané, soumis à la loi de causes et d'effets, et il n'y a rien de permanent, d'éternel et sans changement dans la totalité de l'existence universelle. »[3] Ainsi, pas d'âme, pas de *moi*, pas de sujet : « Seule la souffrance existe, mais on ne trouve aucun souffrant. Les actes sont, mais on ne trouve pas d'acteur. »[4] L'homme n'est qu'un composé impermanent dans un océan d'impermanence – « comme une boule d'écume à la surface du Gange... »[5]

Il faut le dire, quitte à paraître céder aux modes orientalisantes ou à un accès de religiosité (mais le bouddhisme n'est pas tout l'Orient, et n'est guère religieux) : de telles paroles parlent encore à notre sensibilité, aujourd'hui, et à notre angoisse. Narcisse qui s'épuise à se chercher, qui s'affole de se perdre, trouve ici, dans l'idée de son inexistence, dans l'évidence de sa vacuité, comme un havre de paix, tranquille et serein. Dors, Narcisse, dors... Il n'y a que

1. Cité par H. Arvon, *op. cit.*, p. 85 (c'est moi qui souligne).
2. *Samyukta-âgama* anonyme, cité par A. Bareau, *op. cit.*, p. 115.
3. Walpola Rahula, *op. cit.*, p. 93.
4. Buddhaghosa, cité par Mircea Eliade (*Histoire des croyances et des idées religieuses*, 2, Payot, 1981, p. 98). W. Rahula, qui cite aussi ce texte (*op. cit.*, p. 46), ajoute ce commentaire : « Il n'y a pas de penseur derrière la pensée. La pensée est elle-même le penseur... Cette idée s'oppose diamétralement au *"cogito ergo sum"* cartésien » (p. 47).
5. Cité par Louise Chauchard, *Le bouddhisme*, Seghers, p. 47.

des reflets, et pas de Narcisse, pas de fontaine... Dors... Il
n'y a que des rêves, et pas de rêveur [1]... Dors... Et savoir
que l'on dort est l'Eveil lui-même, et que l'on rêve, le repos.
Repos bienheureux. Eveil serein. On croirait entendre la
fin de la *Lettre à Ménécée*, dans un autre monde et sous
une autre lumière : le sage qui, « dans une demeure solitaire, tranquillise son esprit, goûte une joie surhumaine
dans la claire vision de la Doctrine... Empli de joie, trans-
porté par le message du Bouddha, il atteint l'état tranquille,
l'apaisement heureux... » [2]

Pourtant, quelque chose manque pour nous au bouddhisme, qui est la capacité de penser, autrement que par
métaphore, la permanence comme effet (même illusoire)
de l'impermanence, l'unité comme effet (même contradictoire) de la multiplicité, la personnalité comme effet
(même fugace) de l'impersonnel, enfin la « boule d'écume »
comme effet du grand fleuve [3]... C'est à quoi s'attaquent de
nos jours les sciences humaines, et à quoi contribue,
comme on sait, la notion moderne de structure. Le propos
est autre, et la problématique, on s'en doute, complètement
différente. Il n'en reste pas moins qu'il y a, entre ces deux
pensées que tout sépare, bien des ressemblances et
d'étranges recoupements. Voici par exemple ce qu'écrit
Gilles Deleuze à propos du structuralisme : « Le structuralisme n'est pas du tout une pensée qui supprime le sujet,
mais une pensée qui l'émiette et le distribue systématiquement (« un assemblage de causes, de conditions et
d'agrégats... », disaient les textes bouddhiques), qui
conteste l'identité du sujet (« Il n'y a pas de moi à trouver
ici... », disaient les textes bouddhiques), qui le dissipe et le
fait passer de place en place (« comme un singe de branche

---

1. Cf. J.-L. Borgès, *Qu'est-ce que le bouddhisme*, « Idées »-NRF, p. 70 : « Pour les
Upanishads, le processus cosmique est le rêve d'un dieu ; pour le bouddhisme, il y
a bien un rêve mais il n'y a pas de rêveur. Derrière le rêve et sous le rêve il n'y a
rien. »
2. *Dhammapada*, cité par W. Rahula, *op. cit.*, p. 181-182.
3. Cette pensée existe pourtant, sous la forme et avec les limites qui sont les
siennes : c'est la théorie de la « Production conditionnée ». Cf. par ex. W. Rahula,
op. cit., p. 77-79.

en branche... »), sujet toujours nomade (« ce que vous nommez l'esprit se produit et se disperse en un perpétuel changement... »), fait d'individuations, mais impersonnelles (« le corps n'est pas le soi, la conscience n'est pas le soi... »), ou de singularités, mais pré-individuelles (« il n'existe que des agrégats vides, et non pas ce que tu entends par *être*... ») » [1]. Je sais bien qu'il y a quelque violence à rapprocher ainsi des textes d'horizons si lointains, dont le registre et le traitement théoriques sont si radicalement différents. Pourtant, je ne peux m'empêcher de trouver comme des accents bouddhiques, ou plutôt comme la résonance assourdie d'un écho lointain (« il n'y a que des agrégats vides... vides... vides... »), dans des phrases comme celles-ci, qui sont de Michel Foucault : « On ne peut plus penser que dans le vide de l'homme disparu. Car ce vide ne creuse pas un manque ; il ne prescrit pas une lacune à combler. Il n'est rien de plus, rien de moins, que le dépli d'un espace où il est enfin à nouveau possible de penser. » [2] Ou encore : « De l'intérieur du langage éprouvé et parcouru comme langage, dans le jeu de ses possibilités tendues à leur point extrême, ce qui s'annonce, c'est que l'homme est "fini", et qu'en parvenant au sommet de toute parole possible, ce n'est pas au cœur de lui-même qu'il arrive, mais au bord de ce qui le limite : dans cette région où rôde la mort, où la pensée s'éteint, où la promesse de l'origine indéfiniment recule. » [3] D'où cette sagesse d'aujourd'hui peut-être, ou qui voudrait en tenir lieu, d'opposer à tout discours sur l'homme « un rire philosophique – c'est-à-dire, pour une certaine part, silencieux » [4]. Et à la « boule d'écume à la surface du Gange », semble répondre, toutes choses bien différentes par ailleurs, cet homme transitoire et incertain – cet homme

---

1. Gilles Deleuze, A quoi reconnaît-on le structuralisme ?, *Hist. de la philosophie* (sous la direction de F. Chatelet, Hachette, t. 8, p. 331). Les références des textes bouddhiques intercalés par moi ont été données dans les pages précédentes.
   2. Michel Foucault, *Les mots et les choses*, p. 353.
   3. Michel Foucault, *Les mots et les choses*, p. 394-395.
   4. Michel Foucault, *ibid.*, p. 354.

impermanent – qui bientôt peut-être s'effacera, « comme à la limite de la mer un visage de sable... » [1]

Claude Lévi-Strauss avoue d'ailleurs cette filiation :

> « Qu'ai-je appris d'autre, en effet, des maîtres que j'ai écoutés, des philosophes que j'ai lus, des sociétés que j'ai visitées et de cette science même dont l'Occident tire son orgueil, sinon des bribes de leçons qui, mises bout à bout, reconstituent la méditation du Sage au pied de l'arbre ? Tout effort pour comprendre détruit l'objet auquel nous nous étions attachés, au profit d'un effort qui l'abolit au profit d'un troisième et ainsi de suite jusqu'à ce que nous accédions à l'unique présence durable, qui est celle où s'évanouit la distinction entre le sens et l'absence de sens : la même d'où nous étions partis. Voilà deux mille cinq cents ans que les hommes ont découvert et ont formulé ces vérités. Depuis, nous n'avons rien trouvé, sinon – en essayant après d'autres toutes les portes de sortie – autant de démonstrations supplémentaires de la conclusion à laquelle nous aurions voulu échapper. » [2]

Alors : le structuralisme comme religion ? Certainement pas ! Mais le problème n'est pas là : « Il n'y a pas d'au-delà pour le bouddhisme ; tout s'y réduit à une critique radicale, comme l'humanité ne devait plus jamais s'en montrer capable, au terme de laquelle le sage débouche dans un refus du sens des choses et des êtres : discipline abolissant l'univers et qui s'abolit elle-même comme religion. » [3] De fait, « cette grande religion du non-savoir » [4] est aussi le savoir d'une non-religion : pas de dieux, pas de cultes, pas de paradis [5]. C'est que l'essentiel est ailleurs. Dans la solitude. Voici la leçon ultime du Bouddha : « Aucune faute ne peut être rachetée. L'homme naît seul, vit seul, meurt seul. Et c'est lui seul qui pioche le chemin... N'attendez rien des dieux impitoyables... Attendez tout de vous-même. » [6] La seule réalité du moi, c'est sa solitude. Chacun n'a pour

1. Michel Foucault, *ibid.*, p. 398.
2. Claude Lévi-Strauss, *Tristes Tropiques*, p. 475-476.
3. Claude Lévi-Strauss, *Tristes Tropiques*, p. 472 et 476.
4. *Ibid.*
5. Du moins pour le bouddhisme primitif, selon lequel « les idées de Dieu et d'âme sont fausses et vides » (W. Rahula, *op. cit.*, p. 76), et qui constitue ainsi « une doctrine essentiellement athée où il n'y a ni croyant ni déité » (J.-L. Borgès, *op. cit.*, p. 112), si ce n'est comme illusions du *samsâra*.
6. Cité par M. Percheron, *op. cit.*, p. 34-35.

refuge que soi[1] – et le *soi* n'est rien. Narcisse n'existe que d'être seul.

III

Quel rapport avec le matérialisme ? Celui-ci d'abord, tout simple, que si l'âme n'existe pas, si le *moi* n'est rien, il n'y a *rien* à en attendre. Et le seul refuge : ce *rien* même. Solitude et désespoir : le moi est un labyrinthe aussi.

Où l'on peut revenir à Pascal, sans crainte : sa haine se dissout dans le vide de son objet. Allez haïr un *moi* qui n'existe pas...

> « Qu'est-ce que le moi ?
> Celui qui aime quelqu'un à cause de sa beauté, l'aime-t-il ? Non : car la petite vérole, qui tuera la beauté sans tuer la personne, fera qu'il ne l'aimera plus.
> Et si on m'aime pour mon jugement, pour ma mémoire, m'aime-t-on, *moi* ? Non, car je puis perdre ces qualités sans me perdre moi-même. Où est donc ce *moi*, s'il n'est ni dans le corps ni dans l'âme ? Et comment aimer le corps ou l'âme, sinon pour ces qualités qui ne sont point ce qui fait le moi, puisqu'elles sont périssables ? Car aimerait-on la substance de l'âme d'une personne, abstraitement, et quelques qualités qui y fussent ? Cela ne se peut, et serait injuste. On n'aime donc jamais personne, mais seulement des qualités. »[2]

Abîme : le moi n'est rien que ces « qualités » qui ne sont pas lui, comme le point de fuite où convergent – de manière illusoire – d'anonymes parallèles. Abîme et perspective : tout au fond de l'abîme, ce point. Mais l'abîme est sans fond.

Prenons-y garde. Il n'est pas question, dans ce texte, de l'indifférence ou de l'hypocrisie, et pas non plus de l'égoïsme. Pascal ne dit pas : « personne ne m'aime ». Il n'a plus seize ans. Et pas davantage : « personne n'aime qui que ce soit ». Il n'est ni cynique, ici, ni misanthrope. Il n'est pas question d'ignorer l'amour, de nier son existence, fût-

---

1. *Dhammapada* (XII, 4) : « Chacun est son propre refuge » (cité par W. Rahula, *op. cit.*, p. 85).
2. Pascal, *Pensées*, 688-323.

elle illusoire ; les illusions aussi sont réelles... Pascal ne dit
pas : personne n'aime, mais l'inverse : on aime, cela est sûr,
mais on (n') aime *personne*. Le problème n'est pas dans le
sujet qui aime, dans sa plus ou moins grande sincérité,
dans la profondeur ou non de son sentiment, mais dans
l'*objet* qui est aimé, dans ce que cet objet peut bien être, à
supposer qu'il soit quelque chose – en tout cas pas un *être*
justement. Ce n'est pas un texte de psychologue, à peine
de moraliste ; c'est un texte de métaphysicien. Métaphysique de l'amour, et d'une autre sorte que chez Platon. Car
cet objet qui est aimé, ce n'est pas *moi*, ce n'est jamais moi.
Et même lorsque c'est « moi » qu'on aime (et qu'on aime
sincèrement), ce qu'on aime en moi, ce n'est pas moi. Parce
que le moi n'est pas ? Pascal ne va pas aussi loin : il faut
qu'un salut reste possible, et que Dieu, comme le Roi, garde
ses *sujets*. Mais ce moi – réel peut-être – est insaisissable.
Il n'est nulle part (« ni dans le corps ni dans l'âme »), il
n'est personne (puisqu'en l'aimant, « on n'aime personne »), enfin il n'est rien, ou quasi rien : que l'illusion
d'être quelqu'un [1]. Ce pour quoi on le peut haïr : il est des
illusions haïssables ; mais point le peindre sans naïveté
(d'où le « sot projet » de Montaigne), ni l'aimer sans bassesse. Ce quasi-rien est un gêneur : la civilité humaine le
cache ou le supprime, la piété chrétienne l'anéantit [2].

Laissons de côté la religion. Ce qui compte ici, c'est en
quoi Pascal a raison. On n'est pas aimé, je vous dis, pas
aimé, et c'est justice : il n'y a rien en nous à aimer. Et qui
m'aime ne m'aime pas, moi, mais autre chose. Et qui me
déteste aussi. Et moi-même... Indifférence. Angoisse. Ou
bien sérénité. Cela dépend des jours et des heures, cela
dépend du temps et des saisons. Il y a des moments où l'on

1. Alors qu'il n'a d'être qu'en Dieu, en l'être universel de Dieu, comme la main
n'a d'être que dans le corps. Cf. par ex. les *pensées* 372-483 et 564-485. On voit ici
« l'utilité » de Pascal : il condense en Dieu toute valeur, afin d'en vider le monde et
l'homme ; retirez Dieu : vous avez le matérialisme ! En l'occurrence cette idée,
qu'exprima lumineusement Louis Althusser, qu'il n'est de sujet que pour et par
l'idéologie (notamment religieuse : cf. *Positions*, p. 110-122), c'est-à-dire qu'il n'est
de sujet qu'*illusoire*.

2. Cf. Pascal, *Pensées*, 1006.

a tellement conscience, tellement clairement conscience, de n'être rien, que l'on n'en souffre plus. Jours bénis d'indifférence ! Matins d'hiver, lucides et bleus ! Mais le plus souvent on s'y résigne mal, et, croyant être quelqu'un, on s'écœure d'être si peu... Jours gris d'automne, après-midi moroses... L'illusion n'est pas dans le *si peu*, mais dans le *quelque chose*.

Désespoir, solitude : on n'aime que son rêve, on n'est aimé qu'en songe. Et tout amour est Narcisse en cela, qui n'aime que reflets ou mirages, qu'insaisissables jeux dans l'eau, et fragiles, et changeants, de la lumière. *Car on n'aime jamais personne*... Et l'on aime pourtant. Qui ?... Quoi ?... Personne... *Personna* : un masque, en latin, un rôle, un personnage... On n'aime personne : on aime des *personnages*. Théâtre d'ombres : nous sommes tous Narcisse parce que nous jouons tous cette comédie du moi. Nous faisons semblant d'être quelqu'un.

IV

Oui, nous jouons tous un rôle, toujours, et autant de rôles différents que nous fréquentons de gens différents. Le public fait le spectacle... Et un rôle aussi, par conséquent, ou plusieurs, vis-à-vis de soi. Mensonges ? Même pas. Le mensonge suppose une vérité qu'on cache, et il n'y a rien ici à cacher. Ces rôles illusoires sont notre seule réalité, et rien ne reste de nous, en nous, nulle essence, que la fugacité pérenne des apparences. La vie est ce mirage, cette poussière de nos rêves. Ce que je suis à tel moment, à tel autre, pour tel individu, pour tel autre, ce que je suis pour moi-même, ce que je crois être... Tout change, tout passe, tout se défait ou se contredit. Et si quelque chose restait, cela n'aurait pas plus d'importance que le reste. Sable ou rocher, qu'importe ? Et l'océan lui-même se disperse et s'oublie – l'océan sans mémoire ! – au creux de chaque vague... L'écume est son destin, et le nôtre. Et la grande force anonyme du vent...

C'est pourquoi il est naïf, mais bon pourtant, de « se chercher », comme on dit. Naïf : puisqu'il n'y a rien à trouver. Mais bon : puisqu'il faut le temps de le comprendre. L'adolescence est cette période où la quête de soi s'épuise dans sa vanité (à tous les sens du terme), sans autre résultat – mais il est décisif – que cette quête elle-même. Chacun est son Graal, et le voyage n'en finit pas. Le Graal n'est rien d'autre que la course sans cesse qui le poursuit : objet imaginaire, qui n'existe que d'être aimé, désiré ou recherché... Il n'est de sujet qu'illusoire, il n'est de sujet qu'imaginaire. Labyrinthe et ligne de fuite, forêt de Brocéliande en nous, mirages et fantômes... Il n'y a de *moi* qu'imaginaire, parce que le *moi* n'est rien que l'objet mythique de sa quête, que le fantôme hypostasié de ses désirs. Nous ne sommes même pas des comédiens qui, derrière leurs personnages feints, existeraient malgré tout, seraient eux-mêmes – Monsieur X..., acteur –, ni je ne sais quels imposteurs gardant pour eux seuls leur identité véritable et secrète. Théâtre d'ombres ! Nous sommes des personnages sans comédiens, des imposteurs sans secrets. Nous sommes des masques sans visages.

Néant ? Non pas. Car ces masques sont réels.

Le moi n'est rien que l'illusion de soi. Mais une illusion, ce n'est pas rien.

Aussi nécessairement les parallèles ne se rejoignent pas, aussi nécessairement elles *semblent* converger.

Il est fou de prendre une ombre pour la réalité : folie de Narcisse (« *mon corps, mon cher corps...* »[1]), folie de l'égoïsme (*mon moi, mon cher moi...*), folie de la religion (*mon âme, ma chère âme...*). Folie et souffrance : les ombres ne se possèdent pas, et l'on n'embrasse que du vent. Jeux de masques et de miroirs : labyrinthe. Contre quoi la sagesse est d'accepter cette non-possession de soi : accepter de n'être, à jamais, que l'ombre de soi-même... Mais folie aussi, et pernicieuse, que de vouloir *supprimer* cette ombre. Illusion des illusions : vouloir vivre sans illusions !

---

1. Paul Valéry, *fragments du Narcisse*, (Pléiade, I, p. 129).

Il ne resterait rien...[1] Folie et souffrance : le fou souffre de n'être pas au summum de la sagesse. Contre quoi la sagesse est de se résigner à sa folie. Et pour cela d'abord : de la connaître. Les sciences de l'homme ne sont pas faites pour les chiens. Et savoir que l'on rêve n'interdit pas tout savoir. *Connais-toi toi-même* : c'est justement parce qu'il n'y a pas de *moi* à connaître (sans quoi l'introspection suffirait) que cette invite suppose une science des rêves, ou l'appelle. Pourquoi non ? L'illusion a sa vérité aussi, qui est d'être réelle et nécessaire. Les astronomes le savent bien. Le philosophe est l'astronome de ses rêves : la vérité est son ciel, qu'il contemple d'où il peut. Sa sagesse est de s'accepter point de vue. Sagesse et désespoir : comprendre que l'on n'est rien, et puis se résigner à être soi. Laissons rêver Narcisse.

Parce qu'un simulacre, comme dirait Lucrèce, c'est du réel aussi. Et l'imagination, dirait Spinoza, est une illusion, mais nécessaire. Et l'idéologie, dirait Marx, a aussi sa rationalité. Et le rêve, dirait Freud, ce n'est pas n'importe quoi... Il est sage d'accepter cette partie de soi, et d'y croire un peu. Car en elle, croyance est tout. Si je me *crois* heureux, je le suis ; *croire* aimer, c'est aimer ; et celui qui souffre, s'il *croit* à sa douleur, c'est qu'il a mal... Solitude du bonheur, de l'amour, de la souffrance... Tous les masques ne se valent pas. Chacun est prisonnier de soi, et les seuls masques qui comptent, finalement, sont ceux que les autres ne voient pas. Vérité du rêve, vérité de la solitude : ma vie est ma vie aussi sûrement que mon rêve. C'est pourquoi « Il ne faut pas faire semblant de philosopher, mais philosopher pour de bon ; car nous n'avons pas besoin de paraître en bonne santé, mais de l'être vraiment »[2]. *Vraiment ?* Oui : comme un cauchemar est *vraiment* affreux, et une vie *vraiment*

---

1. Du moins rien qui ait valeur et sens ; c'est pourquoi, comme Louis Althusser l'a indiqué (*Pour Marx*, p. 238-243), aucune société ne pourra jamais se passer d'idéologie : « Seule une conception idéologique du monde a pu imaginer des sociétés *sans idéologies* » (p. 238). Il est illusoire de vouloir supprimer l'illusion. On ne peut tout au plus – nous y reviendrons – que la *connaître*.

2. Epicure, *Sentences vaticanes*, 54.

belle. Théâtre d'ombres, en effet, mais sur une scène où chacun, auteur sans succès, n'a de spectateur que soi, soi seul, et s'applaudit ou siffle comme il peut. Il ne faut pas faire trop le difficile, mais point non plus tout accepter. L'enjeu est de taille : on n'a pas le choix du spectacle.

V

Ce qui s'apprend ici, c'est la miséricorde : leçons de tolérance et de pardon. Tolérance vis-à-vis des autres, bien sûr ; puisqu'il n'y a pas d'âme, puisqu'il n'y a pas de moi-substance, puisqu'il n'y a que des corps – que des corps et leur histoire –, chacun n'est que l'effet des circonstances[1]. Voyez les nouveaux-nés : de quoi sont-ils responsables ? Et nous, qui en sommes issus ? Tout se joue là, où rien ne se choisit, et tous les choix ultérieurs. *Il n'y a que l'histoire*, disait Marx, et cela vaut aussi pour les individus ; tout s'explique alors, et tout se comprend. *Il n'y a que la nature*, disait Spinoza, laquelle inclut l'histoire et les individus ; qui la comprend, inévitablement lui pardonne. *Il n'y a que des atomes et du vide*, disait Epicure ; à *qui* allez-vous en vouloir ? Les atomes sont innocents, et le vide n'est rien. Le matérialisme apaise les rancœurs. Nul méchant qui se soit voulu tel, nul imbécile qui l'ait mérité, nul lâche qui l'ait choisi. Tout enfant est innocent, donc aussi tout adulte : il n'a pas choisi son enfance, il n'a pas choisi d'être ce qu'il est. A chacun son histoire, dont nous sommes nés, à chacun le jeu sans fin des causes. Il n'y a pas d'âme ; il n'y a pas de moi ; et nulle volonté qui ne soit *déterminée*. Désespoir et sérénité. Il n'y a que l'histoire : à quoi bon *haïr* ses ennemis ? Il n'y a que la nature : paix à tous ! Il n'y a que des atomes et du vide : miséricorde !

---

1. Quelles qu'elles soient : physiques ou psychiques, sociales ou individuelles, conscientes ou inconscientes, héréditaires ou historiques, et même, si vous le voulez, astrales ou providentielles. Peu importe. Ce qui est sûr, c'est qu'on ne choisit pas d'être soi. En quoi le libre-arbitre est toujours, finalement, impossible à penser. Nous y reviendrons.

Mais tolérance aussi, tolérance surtout, vis-à-vis de soi. S'il n'y a pas de Dieu, s'il n'y a pas d'âme, à quoi bon la honte ou le remords, à quoi bon la tristesse ? Pourquoi torturer ce qui n'existe pas ? Il y a des crimes, sans doute, mais pas de criminels. Des fautes, mais pas de coupables. Et pas même de norme indiscutable : dans un univers sans juge suprême, le bien et le mal cessent d'être des références absolues. Il n'y a pas de commandements, et le péché n'existe pas. L'esprit humain est seul, et juge comme il peut. Dieu ne reconnaîtra pas les siens. La morale disparaît alors, qui n'était que le discours des prêtres et des censeurs. Epicure et Spinoza sont d'accord là-dessus : toute tristesse est mauvaise, toute joie est bonne. Cela suffit à détruire la morale, qui n'est leçon que de tristesse. Epicure écrit : « Il faut estimer le beau, les vertus et autres choses semblables s'ils nous procurent du plaisir, autrement non ». [1] Et Spinoza : « Par *bien*, j'entends tout genre de joie et tout ce qui y mène... Par *mal*, j'entends tout genre de tristesse... » [2] Le Bien en soi n'existe pas, ni le mal. Il n'y a que du bon et du mauvais *pour nous* – que de la joie et de la tristesse. Le matérialisme est un amoralisme : il y a du vrai dans cette « calomnie » [3]. Le matérialisme détruit la *morale* (comme théorie des devoirs), et la remplace par une *éthique* (comme théorie du bonheur). Les deux sont normatives [4], mais, de l'une à l'autre, la norme change de statut. Le tout est de savoir *comment vivre*. Aucun commandement ne l'enseigne ; aucun devoir ne l'impose. Il n'y a que des désirs

1. Epicure, selon Athénée, cité par Solovine (*Epicure, doctrines et maximes*, p. 154).
2. Spinoza, *Ethique* III, scolie de la prop. 39.
3. Cf. G. Politzer, G. Besse et M. Caveing (*Principes fondamentaux de philosophie*, Ed. sociales, 1954, p. 136) : « Le "matérialisme" ce serait l'immoralité... La *calomnie* n'est pas nouvelle... » Cf. aussi F. Engels (*Ludwig Feuerbach et la fin de la philosophie classique allemande*, Ed. sociales, 1966, p. 40), qui évoque à ce propos le « préjugé philistin contre le mot *matérialisme*, préjugé qui a son origine dans la vieille *calomnie* des curés... »
4. Ce pourquoi l'*Ethique* de Spinoza, par exemple, si elle n'est pas une morale, n'est pas non plus une simple *éthologie*, contrairement à ce que semble entendre G. Deleuze (*Spinoza, phil. prat.*, p. 168). Là encore, nous ne pouvons qu'indiquer le problème en passant : notre quatrième chapitre lui sera consacré.

– et nos désirs nous suffisent. Notre but n'est pas la sainteté, mais la sagesse.

La seule chose qui compte, encore une fois, c'est le bonheur. On ne le trouvera pas dans la haine de soi. Et pas
non plus dans l'amour-propre. Ni Pascal, ni Narcisse. Il n'y
a rien à haïr en moi, et rien à aimer. « Il n'y a pas de moi
à trouver ici », disait Nâgasena ; et c'est le commencement
de la paix. Mais aussi : cela ne suffit pas. S'il n'y a pas de
moi, il doit y avoir du moins *quelque chose* ; car si le moi
n'est rien, *rien*, cela ne fait pas un *moi*... Lévi-Strauss écrit :
« Le moi n'est pas seulement haïssable : il n'a pas de place
entre un *nous* et un *rien* »[1]. Mais alors : pourquoi le narcissisme ? Et qu'aimons-nous en nous de ce *rien* ? Et qui
l'aime ? Labyrinthes du narcissisme : un néant amoureux
d'un néant ? Ce n'est pas si simple. « Pourtant, j'existe,
reconnaît Lévi-Strauss. Non point certes comme individu ;
car que suis-je sous ce rapport, sinon l'enjeu à chaque instant remis en cause de la lutte entre une autre société,
formée de quelques milliards de cellules nerveuses abritées
sous la termitière du crâne, et mon corps, qui lui sert de
robot ? »[2] Il n'y a pas d'êtres, il n'y a que des agrégats...
Narcisse n'est pas un être (Narcisse n'*est* pas, en ce sens) ;
c'est un effet de structure(s). Il n'est que l'effet de l'amour
dont il se croit la cause, que l'illusion du corps dont il se
croit l'amant, que le fantasme du désir dont il se croit
l'objet. Ce que montre Freud, par exemple, pour qui l'auto-
érotisme (en tant que pure jouissance dispersée, antérieure
à la constitution du moi) précède le narcissisme, et l'engendre[3]. Le moi n'est qu'illusoirement premier. Naître n'est
rien pour lui, et à peine un commencement. *Il n'y a pas de
moi à trouver ici*... Le moi n'est pas à *trouver*, mais à produire. « *Wo Es war, soll Ich Werden* » : Là où *ça* était, *je* dois
advenir[4]... Désespoir et ascension : je n'existe pas ; je

---

1. C. Lévi-Strauss, *Tristes tropiques*, p. 479.
2. *Ibid.*
3. Cf. par ex. Freud, Pour introduire le narcissisme, in *La vie sexuelle*, PUF,
p. 81-105.
4. Freud, *Nouvelles conférences sur la psychanalyse*, III, « La personnalité psychi-

deviens. Ce qui est notre histoire à tous : l'enfant vit avant
d'exister ; il est quelque chose (« ça ») avant d'être
quelqu'un (« je »). Histoire interminable : *ça* ne disparaît
pas, jamais, et *je* n'en finis pas d'advenir. Narcisse est
second, et le demeure ; le désir est premier, et le reste.
« C'est la soif qui mène à renaître... »[1] Il n'est naissance
que du désir.

C'est pourquoi cet « *enjeu* » que *je* suis, effet structural
d'éléments qui ne sont pas moi, n'est pas neutre, indifférent, passif... Structure de structures, « l'enjeu » *joue* aussi :
puisqu'il désire. Il est l'enjeu, mais aussi le *jeu* du désir qui
(se) joue en lui. Il est l'effet de forces multiples – mais force
lui-même : voyez le boxeur. Il est résultat – mais cause
aussi : voyez l'artiste. Il est agi – mais agissant pourtant :
voyez chacun de nous, et le moindre de nos actes. Au
commencement était le désir, cela veut dire aussi : « Au
commencement était l'action »[2]. Car il n'est pas de désir
qui ne soit actif, d'une manière ou d'une autre, et pas
d'action qui ne soit désirée, directement ou indirectement.
Je marche : c'est que je *désire* avancer. Je m'arrête : c'est
que je *désire* me reposer, ou regarder cette vitrine, ou éviter
cette voiture... Et même si j'ai l'impression d'agir *contre*
mon désir (par exemple sous la menace), c'est qu'un autre
désir en moi l'emporte sur le premier : par exemple le désir
de vivre est plus fort que celui de garder mon argent ; ainsi
je donnerai mon argent (sous la menace, mais aussi conformément, dans l'instant, à mon désir le plus fort) à l'individu
qui me menace de son arme. On s'étonne, tant la chose est
simple, qu'on parle parfois du désir, de nos jours, avec tant
d'emphase ou de grandiloquence, comme d'une découverte
récente, et qui devrait à Freud presque tout de sa lumière.
Point de sujet, au contraire, plus banal, ni plus ancien, ni
plus quotidien. Je ne commencerais jamais un seul acte si
je ne *désirais* (directement ou indirectement, consciem-

_____

que ». La traduction de A. Berman (« Idées »-NRF, p. 107 : « Le moi doit déloger le
ça ») semble difficilement recevable.

1. Bouddha, *Sermon de Bénarès*, cité par A. Bareau, *op. cit.*, p. 35.
2. Cf. Freud, *Totem et tabou*, p. 185 (Payot).

ment ou inconsciemment...) la fin qu'il vise. Cette phrase que je commence, je *désire* l'achever. Ce coup que je porte, je *désire* qu'il fasse mal. Cette caresse que je donne, je *désire* qu'elle plaise... Si j'agis dans la société, c'est que je *désire* la transformer ; et si je n'agis pas, c'est que mon désir est autre, ou que d'autres désirs l'emportent sur lui : désir de repos, par exemple, ou de tranquillité... Si je travaille (ou si je cherche du travail...), c'est que je *désire* faire œuvre utile, ou bien gagner ma vie, ou bien les deux... Enfin je n'ai pas choisi de vivre, mais je vis, et je *désire* vivre : sans ce désir je serais mort. Et même celui qui se suicide : c'est qu'il *désire* ne plus être...

Occurrences innombrables du désir : l'amour est désir d'amour, la politique désir de pouvoir, la morale désir de vertu, l'éthique désir de bonheur, la science désir de vérité... En un mot : *vivre, c'est désirer vivre* – ce qu'on appelle aussi l'instinct de vie, ou le refus de la mort. Point besoin de longs détours, ni de lyrisme, ni de davantage d'exemples. Nous l'éprouvons tous, dans nos actes comme dans nos rêves : l'expérience du moi, c'est l'expérience du désir. Antérieur à la conscience du moi chez le nouveau-né, plus large qu'elle chez l'adulte, le désir est l'essence de notre vie et – au moins autant que le temps, et peut-être pour les mêmes raisons – son *sens* : « sens, comme on dit le sens d'un cours d'eau, d'une phrase, d'une étoffe, le sens de l'odorat... »[1] *Libido sentiendi, libido sciendi, libido dominandi*[2]... Le désir est la loi du monde[3]. Tous nos jours lui sont soumis, et même nos nuits, Freud l'a montré, lui obéissent. Le *cogito* est un rêve de philosophe. *Cupio* (je désire, et l'on pourrait dire : *cupitur*) est la vérité du corps et de la vie, la vérité du moi et de ses rêves, de ses passions

---

1. Selon ce que Claudel disait du temps. Les rapports entre ces deux notions sont bien sûr étroits : que serait le désir sans le temps ? que serait le temps sans le désir ? Tout le problème est que la temporalité transforme (inévitablement peut-être) le *désir* en *espoir*. D'où la recherche d'un problématique *désir présent* (un désir désespéré) qui, au lieu de s'aliéner dans l'irréalité de son avenir, jouirait de sa force actuelle. Problème capital, on s'en doute, et peut-être décisif. Nous y reviendrons.

2. Première épître de saint Jean, II, 16, cité par Pascal, *Pensées*, 545-458.

3. Cf. Pascal, *ibid.*

et de ses actes, de ses joies et de ses peines. Le moi n'est rien que le désir en lui, dans sa solitude et dans sa multiplicité. Désespoir : *Je* n'existe pas ; je ne suis que le lieu de mes désirs.

C'est déjà ce que montrait Lucrèce. Il n'y a que des atomes et du vide, il n'y a que des simulacres[1]. Le moi ne les produit pas mais (du moins en tant que sujet de ses actions) est produit par eux. En quoi alors est-ce un *moi* ? Par la présence en lui du désir. Regardons-y de plus près. Les simulacres ne sont pas l'effet de la volonté, mais sa cause ; par exemple : « des simulacres de mouvement viennent d'abord frapper notre esprit... De là naît la volonté de bouger (*inde voluntas fit*)... »[2] Mais cette volonté-effet-des-simulacres est cause à son tour ; de quoi ? des mouvements qu'elle entraîne : « et ainsi de proche en proche toute la masse s'agite et se met en mouvement... »[3] Reste à savoir comment l'individu *choisit* entre les flots de simulacres qui, perpétuellement, l'assaillent. Il ne peut le faire, explique Lucrèce, que par un effort (« *contendit* » : IV, 802) de l'esprit (*animus*, lui-même composé d'atomes), effort sélectif (803-804), ce qui suppose en lui la « légère déviation »[4] du *clinamen*, mouvement infime et spontané des atomes, d'où naît (II, 292, : *id facit*) la volonté. Il semble qu'on ait ici à faire à un cercle vicieux : ce sont les simulacres qui rendent possible la volonté (IV, 881-885) ; mais ces simulacres ne produisent d'effet que sélectionnés par la volonté (802-804)... qu'ils sont censés expliquer ! Ainsi l'action des simulacres expliquerait la volonté qui expliquerait l'action des simulacres... Il y a bien cercle : toute volonté renvoie aux simulacres, tout simulacre (du moins tout simulacre perçu clairement : *acute*, 802) renvoie à la volonté[5]. Mais point cercle vicieux : car il ne s'agit pas, dans les deux cas, de la

---

1. Les simulacres sont des flux d'atomes : cf. Lucrèce, IV.
2. Lucrèce, IV, 883.
3. Lucrèce, IV, 890-891.
4. Cf. Lucrèce, II, 216-293.
5. C'est en effet différent pour les fantasmes et les rêves : cf. par ex. Lucrèce, IV, 722-776.

même volonté. La volonté que les simulacres produisent (appelons-la volonté *déterminée*, même si elle est aussi déterminante) est une volonté ponctuelle : volonté de faire tel acte (par exemple : marcher, IV, 886-891) à tel moment. Alors que la volonté qui *sélectionne* les simulacres (qui *choisit* de faire tel acte plutôt que tel autre : marcher plutôt que s'asseoir) est une volonté (appelons-la *déterminante*, puisqu'elle est indéterminée : « *nec tempore certo nec regione loci certa...* [1]) actuelle certes comme tout ce qui existe, mais non ponctuelle : puisqu'elle est la capacité *perpétuelle* de choix (donc de liberté : II, 251-256) que laisse en l'homme l'*exiguum clinamen* des atomes. Or, cette volonté déterminante et libre, cette puissance innée (*innata potestas* : II, 286) de choisir *entre* différentes volontés déterminées possibles (entre différents simulacres), ne choisit pas pourtant n'importe quoi ni surtout pour n'importe quelle raison. Elle est indéterminée quant au temps et à l'espace (*nec tempore certo nec regione loci certa...*), mais point quant au principe de son choix. Lucrèce le dit fort clairement : « cette volonté (volu*n*tas) arrachée aux destins... nous fait aller partout où *le plaisir* (volu*p*tas) entraîne chacun de nous... » [2] Il y a là comme une formulation lucrécienne du *principe de plaisir* : la volonté n'est volonté que de jouir [3]. Elle ne peut que suivre « ce guide de la vie, le divin plaisir » (II, 172), qui, personnifié par la Vénus-voluptas [4], suffit seul « à gouverner la nature » (I, 21). Toutes mes actions ne sont que l'effet en moi d'une sélection entre les simulacres (c'est-à-dire d'un choix

---

1. Lucrèce, II, 259-260.
2. Lucrèce, II, 257-258. Les éditeurs hésitent ici, pour une lettre : volu*n*tas, volu*p*tas... Cf. le *Commentaire* d'Ernout et Robin, t. I, p. 250-251. L'hésitation est légitime, mais de peu de portée : pour Lucrèce, la *volonté* ne peut vouloir que la *volupté*. Cf. aussi, sur cette question, le livre à la fois original et pénétrant de Francis Wolff, *Logique de l'élément, clinamen*, PUF, 1981.
3. Même principe chez Epicure ; cf. par ex. *Lettre à Ménécée*, 129 : C'est le plaisir « que nous avons reconnu comme le bien premier et connaturel, c'est en lui que nous trouvons le principe de tout choix et de tout refus... » Cf. aussi Diogène Laerce, X, 137.
4. Cf. l'invocation à Vénus du Livre I : « *Hominum diuomque voluptas, alma Venus...* »

entre les possibles), effectuée selon la puissance (*potestas*) de la volonté (*voluntas*) comme *tendance indéterminée* (mais déterminante : II, 261-283) *vers le plaisir* (*voluptas*), *c'est-à-dire comme désir* (I, 16 et 20 : *cupide*). « Chacun te suit avidement (*cupide*) où tu veux l'entraîner »[1], dit Lucrèce à Vénus, et ce par une puissance innée qui est aussi une nécessité : cette puissance qui est la nôtre (et celle des animaux : II, 263-271) est aussi puissance de la nature, à laquelle nous appartenons et dont nous sommes l'effet. Nous déclinons certes (II, 259 : *déclinamus*) ; mais c'est Vénus qui nous gouverne (I, 21 : *gubernas*). Bref, l'*animus* (l'esprit) n'est pas le sujet du désir, ni sa cause, ni même vraiment son effet (puisque l'esprit peut, au moins abstraitement, être distingué de ses volontés), mais son *lieu. Déclinamus item motus...* Nous déclinons, nous aussi... Mais parce qu'en nous (*nobis* : II, 286) ça (les atomes) décline : *id facit exiguum clinamen principiorum...* (II, 292). Il y a une force en moi (*in pectore nostro*, II, 279) « capable de combattre et de résister » (II, 280). Cette force (*vim*, II, 265), c'est la volonté (*animique voluntate*, II, 270), en tant qu'elle est toujours volonté *de* volupté[2], c'est-à-dire (*vim cupidam*, II, 265) *force désirante*. Soit : le désir. Ou plutôt : *les* désirs. Car le clinamen n'est pas un *être*, lui non plus, ni une faculté, mais un mouvement, toujours nouveau en chacune de ses occurrences[3], et donc, bien que permanent et renvoyant à un principe unique (*Vénus-voluptas*[4]), toujours multiple. Le désir, comme la mer, est toujours recommencé. De même que mon corps n'est que la composition, dans l'espace, d'atomes perpétuellement mobiles, de même ma vie n'est que la succession, dans le temps, de désirs indéfiniment[5] variés. Désespoir et ascension : je ne suis qu'atomes et vide, mais qui produisent

---

1. I, 16, Trad. M. Conche.
2. Directement ou indirectement : cf. là-dessus Epicure, *Lettre à Ménécée*, 129.
3. Sans quoi il ne pourrait briser la chaîne des causes, c'est-à-dire « rompre les lois du destin ». Cf. Lucrèce, II, 251-260.
4. Sur l'*unité* de ce principe, c'est-à-dire sur l'unité du plaisir symbolisé par Vénus, cf. Marcel Conche, *Lucrèce*, Ed. Seghers, p. 8-12.
5. Mais non infiniment : les désirs peuvent en effet varier *indéfiniment*, mais dans

en moi, à chaque instant, quelque chose de nouveau. Le supérieur vient de l'inférieur, mais ne s'y réduit pas : point de vie sans atomes, mais ce ne sont pas les atomes qui vivent[1]. Il n'est de vie que *par* (I, 1-5) et *pour* (I, 10-21) Vénus. En moi la nature perpétuellement s'invente, et crée. Et je ne suis vivant que par ces désirs qui, à chaque instant, me traversent, me guident et me constituent. *Dux vitae dia voluptas*[2]... Pas de vie sans guide (I, 1-23), et nul autre guide que de jouir. Il n'est de vie que du désir.

C'est aussi ce que montrait Hobbes, d'une manière parfois étrangement voisine. Il n'y a que des corps en mouvement, et « l'esprit humain, *man's mind*, tout comme le corps humain, se définit seulement comme *le lieu où se composent les mouvements* »[3], mouvements matériels qui rendent compte, à eux seuls, de la totalité de la vie. La volonté par exemple n'est pas une faculté[4] mais un acte, et cet acte est indissolublement désir et mouvement. « Puisque *marcher*, *parler* et les autres mouvements volontaires semblables dépendent toujours d'une pensée antécédente du *vers où*, du *par où* et du *quoi*, il est évident que l'imagination est le premier commencement interne de tout mouvement volontaire. »[5] Or cela suppose, dans un espace « imperceptible à cause de sa petitesse »[6], des « petits commencements de mouvement qui sont intérieurs au corps de l'homme »[7]. On pense bien sûr au *clinamen* de Lucrèce : dans les deux cas, la volonté s'explique par des mouvements internes, infimes (*nec plus quam minimum*[8]), mais *décisifs*, au sens strict. Et dans les deux

le cadre (propre à chaque espèce) des *foedera naturae*. Chez l'homme, ce cadre est perverti par la culture ; ce sera donc la tâche du philosophe que de *re-définir* (c'est-à-dire de délimiter) ces désirs *indéfinis*. C'est ce que fit Epicure, qui « fixa des bornes (*-finem*) au désir comme à la crainte » (Lucrèce, VI, 25).

1. Cf. par ex. Lucrèce, II, 865-990.
2. Lucrèce, II, 172 ; il s'agit ici, expressément, du plaisir sexuel.
3. Raymond Polin, *Politique et philosophie chez Thomas Hobbes*, Vrin, p. 4 (c'est moi qui souligne).
4. Cf. Hobbes, *Léviathan*, trad. F. Tricaud, Ed. Sirey, p. 56.
5. Hobbes, *ibid.*, I, 6, p. 46. Comparer avec Lucrèce, IV, 883-885.
6. Hobbes, *Léviathan*, I, 6, p. 46 ; comparer avec Lucrèce, II, 243-250.
7. Hobbes, *Léviathan*, I, 6, p. 46-47.
8. Lucrèce, II, 244 ; chez Hobbes de même, le *conatus* est défini « comme un

cas, ces mouvements sont mouvements du désir. Hobbes écrit : « Ces petits commencements de mouvement qui sont intérieurs au corps de l'homme reçoivent communément, avant d'apparaître dans le fait de s'avancer, de parler, de frapper et dans d'autres actions visibles, le nom d'*effort* (*endeavour, conatus*). Cet effort, quand il tend à nous rapprocher de quelque chose qui le cause est appelé *appétit* ou *désir*... »[1] Il est vrai que « quand l'effort tend à nous éloigner de quelque chose, on l'appelle généralement *aversion* »[2]. Mais une aversion n'est jamais qu'un désir négatif : le désir de s'éloigner de l'objet détesté. Autrement dit, tout acte volontaire suppose toujours l'intervention d'un désir. Mieux : *la volonté n'est rien d'autre que le désir lui-même* (« *voluntas ipsa est appetitus* »[3]), comme cause immédiate de l'action[4], et la félicité elle-même, vers laquelle nous tendons tous, n'est qu'une « *continuelle marche en avant du désir*, d'un objet à un autre, la saisie du premier n'étant encore que la route qui mène au second... »[5] Labyrinthe donc, et poursuite sans fin : « Celui dont les désirs ont atteint leur terme ne peut pas davantage vivre que celui chez qui les sensations et les imaginations sont arrêtées »[6]. *Vivre, c'est désirer* : désirer vivre, désirer désirer... Toute « la vie humaine peut être comparée à une course... S'efforcer, c'est appéter ou désirer... Abandonner la course, c'est mourir »[7]. Désespoir. Il n'est de non-désir que dans la mort.

C'est encore, c'est surtout peut-être, ce qu'enseignait Spinoza. On en connaît le point de départ : « Chaque chose, autant qu'il est en elle, s'efforce (*conatur*) de persévérer dans son être »[8]. Ce qui est, je le veux croire, une expérience du réel : point de corps, point même d'idée, qui ne

mouvement à travers un espace et un temps moindres que tout espace et que tout temps assignables » (R. Polin, *op. cit.*, p. 56).

1. Hobbes, *Léviathan*, I, 6, p. 46-47.
2. *Ibid.*, p. 47.
3. Hobbes, *De Homine*, XI, 2, cité par R. Polin, p. 59.
4. Cf. Hobbes, *Léviatan*, p. 56.
5. Hobbes, *Léviathan*, I, 11, p. 95. Cf. aussi *De Homine*, XI, 15.
6. Hobbes, *ibid*.
7. Hobbes, *De la nature humaine*, trad. du baron d'Holbach, IX, 21, p. 110-112.
8. Spinoza, *Éthique* III, prop. 6.

résiste à sa propre destruction. Point d'être qui ne soit puissance d'être, c'est-à-dire force, action ou, au sens strict, *énergie*. L'âme se distingue en cela seul qu'elle a conscience de cet effort : « L'âme, en tant qu'elle a des idées claires et distinctes, et aussi en tant qu'elle a des idées confuses, s'efforce de persévérer dans son être pour une durée indéfinie et a conscience de son effort. »[1] Expérience de la vie : nous ne voulons pas mourir. Tout l'effort de Narcisse est de vivre le *plus* possible, c'est-à-dire à la fois le mieux et le plus longtemps possible : il s'agit d'éloigner indéfiniment la mort[2]. D'où *l'effort* perpétuel de vivre, que Spinoza, après Hobbes, appelle *conatus*[3], et qui est la vie elle-même, en tant qu'elle s'oppose à la mort[4]. Soit : en tant qu'elle *désire* vivre, et n'est rien d'autre que ce désir.

Désir conscient pour une part, inconscient pour une autre[5], et toujours pluriel et contradictoire. Car le désir n'existe pas indépendamment de la multiplicité fluctuante de ses occurrences : « J'entends donc par le mot de *désir* tous les efforts, impulsions, appétits et volitions de l'homme, lesquels varient suivant la disposition variable d'un même homme et s'opposent si bien les uns aux autres que l'homme est traîné en divers sens et ne sait où se tourner... »[6] Labyrinthe de vivre, tours et détours du désir : le désir est l'effort de vivre (ou la force d'exister : *vis exis-*

1. Spinoza, *Ethique* III, prop. 9.
2. Cf. Spinoza, *ibid.*, III, 8.
3. L'origine de la notion semble être galiléenne : cf. R. Polin, *op. cit.*, p. 56, note 5.
4. Bichat, dans sa célèbre définition de la vie (« la vie est l'ensemble des fonctions qui résistent à la mort », *Recherches physiologiques*..., I, 1), rejoint une inspiration fondamentale du spinozisme. On dira que pour Spinoza la mort n'est rien. Mais justement : « persévérer dans l'être » (le *conatus*), c'est, pour chaque être fini, résister à ce *rien*... qui fait qu'il n'est pas tout. La mort n'est rien, mais mon être n'est pas tout : *finitude*. Nous ne mourons que de n'être pas Dieu.
5. Auquel cas Spinoza parle plutôt (III, 9, scolie) d'*appétit*, tout en précisant qu'il n'y a en réalité *aucune différence* (« *nulla est differentia* ») entre l'un et l'autre : « Que l'homme, en effet, ait ou n'ait pas conscience de son appétit, cet appétit n'en demeure pas moins le même » (III, déf. 1 des aff., expl.). Cela ne veut pas dire que Spinoza soit un « précurseur » de Freud, mais peut-être, comme l'a écrit R. Misrahi, que le spinozisme contient « les fondements philosophiques les plus proches de ceux qu'il faudrait adopter si l'on voulait un jour esquisser une philosophie de la psychanalyse » (*Le désir et la réflexion dans la philosophie de Spinoza*, p. 28-29). Nous y reviendrons.
6. *Eth.* III, déf. 1 des affections, explication.

tendi [1]), dans la multiplicité indéfinie, variable et contradictoire de ses manifestations. Il est donc « *l'essence même
de l'homme* » [2], en tant que celui-ci veut « persévérer dans
son être » [3], c'est-à-dire vivre et rester homme [4]. Mais
l'homme n'est rien : il n'existe que des individus ; et nulle
essence qui ne soit singulière : « le désir est la nature même
ou l'essence *de chacun (uniuscujusque)*... et diffère du désir
d'un autre autant que la nature ou essence de l'un diffère
de l'essence de l'autre » [5]. L'essence de Narcisse est de désirer *rester* Narcisse ; en quoi son désir se désire lui-même.
Labyrinthe du moi : le désir est l'essence même de l'homme
en tant qu'il désire désirer.

Ce désir est puissance (puissance d'agir, force d'exister :
agendi potentia sive existendi vis [6]), mais point en tant que
virtualité. Ce n'est pas un espoir. Ou plutôt, l'espoir n'est
qu'une de ses modalités, et qui exprime plutôt ses limites
que sa réalité [7], son *impuissance* [8] plutôt que sa force. Le
désir, lui, pris en lui-même, est puissance, mais puissance
présente. Il est pour cela toujours en acte : il est l'acte même
de désirer, lequel n'est pas autre chose, ici et maintenant,
qu'une détermination à agir [9]. Le *conatus* est donc chez
Spinoza, comme le *clinamen* chez Lucrèce [10], le fondement

1. *Eth.* III, déf. générale des affections, explication.
2. *Eth.* III, déf. 1 des affections, explication.
3. Cf. *Eth.* III, 7, 9 et scolie.
4. Car le *conatus* est toujours persévérance d'un être *déterminé* : « Un cheval, par exemple, est détruit aussi bien s'il se mue en homme que s'il se mue en insecte... » (*Eth.* IV, préface).
5. *Ethique* III, 57, démonstration.
6. *Eth.* III, déf. générale des aff., expl.
7. *Eth.* IV, 47 et scolie.
8. *Ibid.*
9. Cf. *Eth.* III, déf. 1 des affections. Là encore, cette détermination est détermination *présente*. Comme le note R. Misrahi : « Persévérer dans son être, c'est très explicitement, pour Spinoza, agir ou s'efforcer d'agir : le conatus n'est rien d'autre que cette action même... Le conatus n'est pas une faim mystérieuse, mais la simple actualité de l'existence comme action » (*Spinoza*, Seghers, p. 70). Cf. aussi, du même auteur, « Le désir et la réflexion... », p. 27-29, et G. Deleuze, *Spinoza, philosophie pratique*, p. 134-143).
10. Le rapprochement a déjà été fait : « Le clinamen est la détermination origi-nelle de la direction du mouvement de l'atome. Il est une sorte de *conatus*... », (G. Deleuze, *Lucrèce et le simulacre*, *Logique du sens*, 10/18, p. 365). Sur le rapport

de la volonté, ou plutôt des volitions[1], en tant qu'elles sont toutes soumises au désir (ou, mieux, en tant qu'elles sont le désir lui-même, considéré comme détermination de l'âme), c'est-à-dire, dans le langage de Spinoza, en tant qu'elles tendent, dans la mesure du possible, à augmenter notre puissance d'agir, c'est-à-dire notre joie[2]. Le désir est puissance de jouir. Pour le corps comme pour l'âme, nulle jouissance qui ne soit du désir, nul désir qui ne soit de jouissance. Désespoir et ascension : il n'est volonté que du désir ; et désir, que de la joie[3].

Le désir est donc, pour Spinoza, tout entier du côté de l'être, de la vie, de l'affirmation – et point, comme le voudraient Platon[4] et tant d'autres[5], du côté du manque ou du néant. Mais comment expliquer alors qu'il soit perçu différemment, et comme hanté de négativité ? Car il faut bien reconnaître que c'est Platon qui semble avoir raison, sur ce point, quand il écrit que « celui qui désire désire une chose qui lui manque et ne désire pas ce qui ne lui manque pas »[6], et qu'en conséquence « ce qu'on n'a pas, ce qu'on n'est pas, ce dont on manque, voilà les objets du désir et de l'amour... »[7] Chacun peut reconnaître ici quelque chose de son expérience. Cela tient d'abord à la dimension temporelle du désir : dès lors qu'il porte sur l'avenir (dès lors qu'il se fait espérance), il porte en effet sur ce qui n'est pas, et qui manque – sur ce qui n'est, comme dit Platon[8], « ni

---

Lucrèce-Spinoza, cf. aussi, du même auteur, *Spinoza et le problème de l'expression*, p. 249-250.

1. Cf. *Ethique* II, 48 et scolie.
2. *Ethique* III, 11 et scolie. Et Deleuze (*Spinoza, philosophie pratique*), p. 138-139. Il est donc normal que la volonté soit aussi « la faculté par où l'âme affirme ou nie quelle chose est vraie ou fausse » (*Eth.* II, scolie de la proposition 48), laquelle n'est pas une faculté « absolue ou libre » (*ibid.*) mais une détermination de l'âme. Cela concerne bien toujours le *conatus* ; car toute connaissance est puissance (IV, 26). Connaître, c'est une joie aussi. (Cf. IV. appendice, chap. 32, ainsi que V. Delbos, *Le spinozisme*, p. 124-126.)
3. *Ethique* III, 28 et démonstration.
4. Cf. par ex. *Le Banquet*, 199-204.
5. Pour ne donner qu'un exemple, cf. J.-P. Sartre, *L'être et le néant*, p. 128-132.
6. Platon, *Le Banquet*, 200-201. (Sauf précision contraire, toutes nos citations de Platon sont empruntées à la trad. d'E. Chambry, publiée chez G.-F.)
7. *Ibid.*
8. *Ibid.*

actuel ni présent ». Nul espoir qui n'ait le néant pour objet.
Et quel désir qui ne soit espérance ? Désirer vivre, c'est
aussi désirer vivre *demain*. Or cela n'est jamais donné. D'où
l'impatience, d'où l'angoisse, et la succession indéfinie
d'attentes déçues dont Schopenhauer fera, bien plus tard,
ressortir la vanité[1]. L'avenir est labyrinthe.

Mais il y a aussi autre chose, qui concerne non plus les
structures de la temporalité mais le désir lui-même. Ce
désir est du côté de l'être, disais-je ; il faut préciser : mais
de l'être *fini*. Le désir est en cela toujours ambivalent,
comme on dit aujourd'hui, puisqu'il exprime une puissance, mais aussi ses limites et la conscience de ses limites[2].
Le « dur désir de durer », comme dira Eluard, n'a de sens
que pour qui se connaît mortel. Point de désir sans finitude. Et si tout désir est puissance, il n'est jamais que puissance *déterminée*, c'est-à-dire (cf le sens du mot latin *determinatio*) limitée. Or, « être fini est, en réalité, une négation
partielle »[3] : c'est aussi n'être pas ceci, n'être pas cela, n'être
pas tout ; en un mot : n'être pas Dieu. D'où l'ambivalence
du désir. Car c'est précisément cette limitation-négation de
notre puissance d'exister qui laisse place au manque et à
la mort, qui ne sont pas l'homme (le manque et la mort ne
sont rien, et l'homme est quelque chose), mais la marque,
en creux, de sa finitude. Vivre est une force toujours, mais
limitée ; ce pourquoi on peut vouloir indéfiniment l'augmenter. L'*illimité* de nos désirs (comme manque) s'appuie
ainsi sur leur *limitation* (comme force). Le faux infini (imaginaire) de nos désirs est l'expression de notre finitude
réelle : parce que nous ne sommes pas tout, nous désirons
toujours quelque chose. Telle est la dialectique du désir, et
sa négativité, dont Spinoza énonce si clairement le principe général, qui est celui de toute finitude : « *toute limitation est une négation* »[4]. Principe universel, mais qui vaut

1. Cf. par ex. *Le Monde comme volonté et comme représentation*, IV, 57-58.
2. Cf. *Ethique* III, 6 à 11 et scolies. D'où la joie et la tristesse, qui sont déplacements de limites : accroissement ou diminution de puissance.
3. *Ethique* I, 8, scolie 1.
4. Spinoza, *Letttre 50 à Jarig Jelles* : « *determinatio negatio est* ». Cette formule est

par conséquent aussi pour la puissance d'exister, en tant qu'elle est finie : « Cette détermination donc n'appartient pas à la chose en tant qu'elle est, mais au contraire elle indique *à partir d'où la chose n'est pas* »[1]. Où l'on retrouve le néant : « ce qu'on n'a pas, ce qu'on n'est pas, ce dont on manque... » Le désir, en tant qu'il est déterminé (comme degré *limité* de puissance), exprime cette puissance finie non « selon son être »[2], mais *selon son non-être* (« *ejus non esse* »[3]), de même qu'une vie est toujours délimitée (déterminée), non par elle-même, mais par le néant qui la borde. Tout être fini se *dé-finit* par l'infini de ce qu'il n'est pas ; et ma puissance n'est déterminée que par ses limites, qui sont d'impuissance. Mais il n'en reste pas moins que la puissance seule est réelle, et que le non-être n'est quelque chose que dans la mesure où il n'est pas. L'ambivalence du désir n'est ainsi pas autre chose que la dé-finition de son être fini (comme force) par l'infini de son non-être (comme manque), de même qu'une figure géométrique n'est dé-limitée (la figure ne pouvant être « autre chose qu'une négation »[4]) que par l'espace indéfini qu'elle n'occupe pas.

Mais la figure n'est qu'une image – au lieu que l'homme *imagine*. Il donne en cela au néant – ce qu'il n'est pas, ce qu'il n'a pas... – une réalité fantomatique (imaginaire) qui le fascine et qui le hante. Le désir, comme force finie (mais positive), se vit alors comme *manque indéfini*, parce que l'être vivant ne cesse de nier lui-même (dans son effort réel ou imaginaire pour accroître sa puissance) la limite (la « négation ») qui le détermine. Négation d'une négation[5],

---

à l'origine de commentaires innombrables, notamment de Hegel, dont M. Guéroult (*Spinoza*, I, p. 462-468) et P. Macherey (*Hegel ou Spinoza*, p. 139-180) ont bien montré les faiblesses et les partis pris. Il me semble en revanche que M. Macherey réduit quelque peu le sens et la portée de cette phrase, où s'ébauche une théorie de la finitude, présente aussi dans l'*Ethique*.

1. *Ibid.*

2. *Ibid.* Traduction de R. Misrahi (dans l'éd. de la Pléiade) pour « *juxta suum esse* », qu'Appuhn traduisait (cf *supra*) par « en tant qu'elle est ».

3. Appuhn traduit : « à partir d'où la chose n'est pas » ; et R. Misrahi : « selon ce qu'elle n'est pas ».

4. Spinoza, *ibid.*

5. Et non négation de *la* négation ; car chez Spinoza *la* négation n'existe pas.

le désir n'est ainsi rien d'autre que l'affirmation d'une force (le *conatus*), dans son effort indéfini [1] pour durer et s'accroître. Il est une affirmation qui s'affirme (comme force) en se niant (comme finitude). Le désir est ainsi la vérité de notre vie, et sa limite : l'homme n'est dé-fini que par le néant de ce qu'il n'est pas et qui, perpétuellement, lui manque. Sans quoi nous serions Dieu, et n'aurions plus de désirs. Mais ce néant (ce *manque*) n'est rien, et cette *négation* n'a de réalité qu'en tant qu'elle est l'envers d'une détermination positive, qui est celle de notre puissance d'exister. Il faut être quelque chose pour n'être pas tout ; il faut être vivant pour pouvoir mourir. Point de puissance, en l'homme, sans finitude ; mais point de finitude sans puissance. Quelqu'un qui est mort de soif n'a plus soif. Et seuls les vivants craignent de mourir. Le désir n'est pas impuissance ; il est puissance finie.

En tant que tel, il est certes le plus souvent perçu comme manque ou comme limitation (comme négativité). Mais cette *determinatio* du désir renvoie, encore une fois, non à la réalité de son être mais à sa finitude : non à ce qu'il est, mais à ce qu'il n'est pas. D'où un labyrinthe encore : on n'en finit pas de désirer, puisqu'on ne sort pas de la finitude. C'est parce que tout désir est fini (comme puissance de jouir) qu'on désire indéfiniment. Mais ne prenons pas la *limitation* de la chose pour la chose elle-même. Ou bien Platon est au bout, et l'ascétisme, et la religion... Ou bien l'angoisse et la tristesse... Au lieu que Spinoza ne cesse d'affirmer la *positivité* du désir comme effort pour maintenir et accroître notre être, c'est-à-dire pour éprouver de la joie. Cela suffit à condamner les moralistes et leur valorisation superstitieuse de la tristesse et de la crainte [2]. Ma force est finie certes – je ne suis pas Dieu –, mais réelle – je ne suis pas rien. Mon désir est cette force, en tant qu'elle s'efforce toujours de

---

1. Indéfini quant à sa visée (c'est-à-dire comme tendance ou appétit ; cf. par ex. *Eth.* III, 4, 6 et 8), mais point quant à sa force, qui est toujours finie.
2. Cf. par ex. *Ethique* IV, prop. 63 et scolie, et, dans l'appendice de cette même partie, le chap. 31.

s'affirmer et de s'accroître, et a conscience (au moins partiellement) de son effort. Car le désir excède ma conscience [1], mais aussi : il l'enveloppe. Le désir n'est pas intégralement conscient ; mais la conscience est intégralement désirante [2]. Le désir est « le *tout* de l'âme » [3]. Il est « le vrai et le seul moteur de notre vie » [4]. Il est la tension en moi de l'être dans son identité au vouloir-être [5], l'effort en moi de la vie dans son identité au vouloir-vivre [6], bref mon *essence* dans son identité à ma *puissance* [7]. Le *moi* n'est donc pas, absolument parlant, un *être* (ce n'est pas une substance), mais il tend à persévérer *dans* l'être. Ce n'est pas un tout ; c'est une partie *du* tout (un mode), et qui s'efforce de durer. Ce n'est pas un individu [8], c'est du *conatus*. Ce n'est pas un sujet [9], c'est une lutte [10]. Ce n'est pas un *moi*, c'est du désir. Soit : une pure force vitale, qui s'efforce (nécessairement) de se maintenir et de s'accroître, c'est-à-dire de jouir et de durer. Mon désir ne m'appartient pas ; je ne lui *appartiens* pas non plus : car s'il existe indépendamment de moi [11], je n'existe pas indé-

1. Cf. *Ethique* I, appendice, et (par ex.) III, déf. 1 des affections, explication. Cf. aussi G. Deleuze, *Sp. ph. prat.*, p. 82-84.
2. Y compris en tant qu'elle connaît ou raisonne : cf. par ex. *Ethique* IV, appendice, chap 3, 4 et 32.
3. R. Misrahi, *Désir et réflexion...*, p. 28.
4. V. Delbos, *Le problème moral dans la philosophie de Spinoza et dans l'histoire du spinozisme*, Alcan 1893, p. 103.
5. Cf. *Ethique* III, prop. 6.
6. Cf. *Ethique* IV, prop. 21 et démonstration.
7. Cf. *Ethique* III, 7 et démonstration.
8. Du moins au sens absolu du terme, puisque la notion d'individu, chez Spinoza, est toujours relative, et que le corps humain par exemple « est composé d'un très grand nombre d'individus (de diverse nature) dont chacun est très composé » (*Eth.* II, 13, postulat I ; cf. aussi le scolie du lemme VII). On n'est pas très loin de la notion d'agrégat...
9. En tant que sujet libre et librement finalisé. Sur la critique du sujet chez Spinoza, cf. P.-F. Moreau, *Spinoza*, Seuil, p. 35-52.
10. C'est-à-dire un degré de puissance (une essence singulière) entrant (puisque sa force est finie) dans un rapport de forces (ou plutôt dans *des* rapports de forces) qui conditionne son existence. Cf. par ex. *Ethique* IV, axiome. C'est pourquoi tout être fini *s'efforce* d'être : parce que son être ne va pas de soi. C'est bien sûr différent, là encore, pour l'être infini.
11. Indépendamment de moi en tant que sujet conscient : le désir déborde en effet ma conscience, non seulement par ses causes (*Ethique* I, appendice), mais par sa réalité même (*Ethique* III, déf. 1 des aff., explication).

pendamment de lui[1]. Je ne suis pas son sujet, ni son jouet :
je suis son *jeu*. Jeu de forces et de désirs, de désirs qui
s'efforcent contre d'autres forces, contre d'autres désirs...
Cela s'appelle *exister*, qui est l'*enjeu* même du *jeu* qui le
constitue. Désespoir : il n'y a que des forces et des rapports
de forces[2], que des désirs et des rapports de désirs. Mais
aussi – ascension : « car l'accroissement de la puissance,
c'est *ce mouvement ascendant du désir* qu'on peut appeler
joie »[3]. Désespoir et ascension : il n'y a que la lutte, et la
joie des victoires.

VI

Lucrèce, Hobbes, Spinoza... Clinamen, conatus, désir...
Nous pourrions continuer. Car Nietzsche n'est pas très loin,
sans doute, dans son exaltation de la *volonté de puissance*,
ni Marx, dans le domaine qui est le sien, lorsqu'il voit au
cœur de l'histoire le jeu conflictuel des *besoins* et des
intérêts, ni Freud enfin (avec la médiation éventuelle – et
ambiguë – de Schopenhauer) dans sa théorie de la libido...
Mais cela suffit, au moins pour l'instant, et l'on voit déjà
où je veux en venir. A ceci : que le matérialisme est toujours
philosophie du désir. Si rien n'existe que la matière, le bien
et le mal, le beau et le laid, le juste et l'injuste n'ont pas
d'existence réelle. Il n'y a que la nature, qui n'est ni bonne
ni mauvaise, ni belle ni laide, ni juste ni injuste – la nature
indifférente, sans valeur ni sens, sans norme ni finalité. Tout
se vaut, parce que rien ne vaut : désespoir et sérénité. Plus
de religion alors, et plus de morale, de politique ou d'esthétique *religieuses*, c'est-à-dire absolues. La vérité elle-même,
si elle existe et si on la peut connaître, est *sans valeur*, et

---

1. Puisqu'il est mon essence, ma puissance et mon existence : *ibid.*, et III, 7 et
démonstration (par ex.).
2. Cf. par ex., pour le principe général, *Ethique* IV, axiome, et, pour l'homme,
Traité politique, notamment chap. II (spécialement §§ 5 et 14).
3. Robert Misrahi, *Le désir et la réflexion dans la philosophie de Spinoza*, p. 68.
(c'est moi qui souligne).

aussi *indifférente* que le reste. Deux plus deux égalent quatre : que voulez-vous que cela me fasse ? Sept plus cinq
égalent douze : et alors ? Tout est indifférent dans l'univers,
tout est égal. La naissance d'une étoile, sa mort, une planète qui disparaît, un soleil qui s'éteint... Cela ne change
rien à rien, et le réel reste le réel : indifférent à tout, c'est-
à-dire à lui-même. Mais la *différence* est *en nous*. Tout se
vaut ; mais tout n'est pas également désirable. Rien ne
vaut ; mais il y a le plaisir et la douleur. Le bien n'est rien,
ni le mal ; mais il y a du désir. Rien n'est juste en soi ; mais
on peut *désirer* la justice. La beauté n'existe pas ; mais on
peut *aimer* ce qui est beau... Une dialectique s'instaure ici,
bien avant Hegel. Car dès lors qu'il y a une *tendance* (clinamen, conatus ou désir), il va en naître, selon son succès
ou son échec, sa force ou sa faiblesse, deux affections ou
sentiments opposés, qu'Epicure appelle *plaisir* et *douleur*
(qui peuvent être de l'âme aussi bien que du corps), et
Spinoza *joie* et *tristesse*. Tout est indifférent, certes ; mais
le désir est précisément ce qui (pour nous) *fait la différence*.
Etre matérialiste, c'est penser qu'il fait *toute* la différence –
parce qu'il n'y en a pas d'autre. A l'horizontale ou dans un
espace infini, toutes les directions se valent ; le réel est cet
espace. Mais dès lors qu'il y a une pente (une tendance,
une force, un désir...), il en naît une opposition entre un
haut et un *bas*. Voyez sur la terre : ce n'est pas le *bas* qui
détermine la gravitation ; c'est au contraire la gravitation
qui définit le *bas*, et conséquemment aussi le *haut*. Ainsi
en va-t-il pour les valeurs, qui ne sont pas ce qui détermine
le désir, mais ce que le désir définit. Le sujet est le lieu de
cette *définition*. Etre matérialiste, c'est penser que c'est la
pente (le désir) qui entraîne l'existence des deux pôles (le
haut, le bas, le bien, le mal...), et non pas la préexistence
des deux pôles, ou de l'un d'entre eux, qui rend possible la
pente. Spinoza écrit : « Il est donc établi par tout cela que
nous ne nous efforçons (*conari*) à rien, ne voulons,
n'appétons ni ne désirons aucune chose parce que nous la
jugeons bonne ; mais au contraire nous jugeons qu'une
chose est bonne parce que nous nous efforçons (*conamur*)

vers elle, la voulons, appétons et désirons. »[1] Renversement : ce n'est pas la valeur qui gouverne le désir, c'est le
désir qui détermine la valeur. Ce n'est pas le bien qui est
désirable ; c'est le *désiré* qui est bon. Et l'on comprend alors
qu'en même temps que meurt toute *morale* absolue
(puisqu'il n'y a ni Bien ni Mal en soi), naît la possibilité
d'une *éthique*, en tant que théorie du bon et du mauvais
pour nous. « Car j'aime à croire – dira Nietzsche – que
depuis longtemps on a deviné ce que je *veux*, ce que
j'entends par ce mot d'ordre dangereux que j'ai mis en tête
de mon dernier ouvrage : *"Par-delà le Bien et le Mal..."* Cela
ne veut du moins pas dire *"Par-delà le Bon et le
Mauvais"*[2]. » Et Nietzsche est spinoziste en cela[3], et nous-
même. L'esprit humain est seul et juge comme il peut,
disais-je ; mais il faut juger : puisqu'il faut vivre. Ce n'est
pas un devoir, c'est une nécessité : parce que nous ne
sommes *qu'une partie* de la nature (point le tout), et parce
que nous ne naissons pas libres mais soumis aux affections
de notre corps[4] – parce que nous pouvons mourir ou vivre,
souffrir ou jouir, être tristes ou bien être joyeux... Or, « la
connaissance du bon et du mauvais n'est rien d'autre que
l'affection de la joie ou de la tristesse, en tant que nous en
avons conscience »[5]. L'éthique, donc : la théorie de notre
joie. Pour que ma joie demeure.

Désespoir et simplicité : la vie n'a pas de sens, ni de but
en dehors d'elle-même. Rien ne la justifie, rien ne la pro-
longera. Mais qu'importe ? Il ne s'agit, comme disait déjà
Démocrite, que de « vivre avec le maximum de joie et le
minimum de tristesse »[6]. Ce truisme est celui de la vie,
et le matérialisme est ici fidèle à sa vocation, qui est de
considérer la nature « sans adjonction étrangère »[7]. « Ne

1. Spinoza, *Ethique* III, scolie de la prop. 9.
2. Nietzsche, *Généalogie de la morale*, I, 17, « Idées »-NRF, p. 71 (trad. H. Albert).
3. Comme le note G. Deleuze (*Spinoza, ph. pr.*, p. 34).
4. Cf. par ex. *Ethique* IV, 19, et 68, démonstr. et scolie.
5. Spinoza, *Ethique* IV, prop. 8.
6. Démocrite, fragment 189 (trad. J. Voilquin).
7. Engels, fragment non publié du *Feuerbach*, *Etudes philosophiques*, Ed.
Sociales, 1968, p. 68.

voyez-vous pas ce que crie la nature ? demande Lucrèce. Réclame-t-elle autre chose que pour le corps l'absence de douleur, et pour l'esprit un sentiment de bien-être, dépourvu d'inquiétude et de crainte ? »[1] Matérialisme et naturalisme : théorie du désir et pratique de la joie. Au lieu de quoi l'idéalisme comme la religion sont toujours théorie du devoir et pratique de la soumission : si l'idéal existe, je *dois* m'y soumettre. Et le premier devoir est de croire qu'il existe... Soumission : se mettre sous, s'abaisser, descendre... « La foi et l'humilité sont les seuls guides qu'il faut suivre, dit Bossuet, c'est-à-dire qu'il faut savoir que tout le bien vient de Dieu, et tout le mal de nous seuls. »[2] Et la foi elle-même est un « don de Dieu »[3], et l'humilité, et toute vertu... De fait, si tout le bien existe déjà (en Dieu), il ne nous reste plus guère à inventer que le mal. Toute « vie bonne n'est rien d'autre qu'une grâce de Dieu »[4] ; seul le mal – qui n'est rien[5] – nous appartient en propre. Il est donc juste de se haïr et de se mortifier : la religion se vit à genoux. Cela commence bien avant le christianisme, et continuera après lui. Si l'on admet, selon l'expression de Platon, « qu'il y a quelque chose de juste en soi... et aussi quelque chose de beau et de bon »[6], le *devoir* est de s'y plier. Nous sommes les esclaves des dieux : notre devoir est de leur obéir[7]. Le bien n'est pas à *faire*, il est à suivre. Toute vertu a son modèle dans le ciel, que l'intelligence peut connaître[8], c'est-à-dire (réminiscence) *re*-connaître. La vertu n'est pas à inventer, mais à retrouver. La sainteté est une anamnèse[9].

---

1. Lucrèce, II, 16-19.

2. Bossuet, *Traité de la Concupiscence*, VIII, cité par L.-L. Grateloup, *Anthologie philosophique*, 1978, p. 272.

3. Cf. par. ex. saint Paul, *Épître aux Éphésiens*, II, 8-10.

4. Saint Augustin, *De la grâce et du libre-arbitre*, cité par J.-C. Fraisse, *Saint Augustin*, PUF, p. 104.

5. Puisque « tout ce qui *est*, est bon » : Saint-Augustin, *Confessions*, VII, 12 (trad. J. Trabucco, G.-F., p. 145).

6. Platon, *Phédon*, 65 *d*.

7. Cf. *ibid.*, 62. (Et chez saint Paul de même, l'expression « esclaves du Christ » : *Épître aux Éphésiens*, VI, 6).

8. Cf. par ex. *Théétète*, 176-177, et, bien sûr, le *Ménon*.

9. Ou du moins l'anamnèse (la réminiscence) est la seule voie qui mène à la sainteté. Cf. par ex. *Ménon*, 81-82.

Il faut donc se détourner du corps et du monde, se débarrasser de « la folie du corps »[1], et reproduire dans sa vie, du mieux qu'on peut, cette valeur qui vient d'en haut (du *monde intelligible*), dont les rayons, comme ceux du soleil[2], *descendent*. Car la vertu ne peut alors être qu'une « faveur divine »[3], une grâce, et les individus vertueux sont hommes « divins et inspirés »[4] qui n'agissent « que grâce au souffle du dieu qui les possède »[5]. On comprend que le corps y soit un obstacle : il faut le vaincre. Le devoir est de renoncer au désir (ascétisme), et de s'en libérer (sainteté). C'est pourquoi le philosophe ne s'occupe pas du tout des « plaisirs comme ceux du manger et du boire »[6], ni de « ceux de l'amour »[7], ni des « soins du corps »[8]... Son âme « méprise profondément le corps, le fuit et cherche à s'isoler en elle-même »[9], pour mieux percevoir le Bien en soi avec « la pensée toute seule et toute pure »[10]... A l'extrême, cela s'appelle être mort, puisque « purifier l'âme » n'est pas autre chose que « la séparer le plus possible du corps »[11], et donc réaliser déjà ce que la mort accomplira. Pentecôte et Toussaint : « les vrais philosophes s'exercent à mourir » ; les sages « sont déjà morts »[12]. Activité tellement sérieuse, on l'admettra, qu'il est juste que le rire en soit banni, indigne qu'il est des hommes et des dieux[13]... Pentecôte et Tous-

1. Platon, *Phédon*, 67 *a*.
2. Cf. par ex. *République*, VI, 508, et VII, 515-517.
3. Platon, *Ménon*, 99-100.
4. *Ibid.*
5. *Ibid.*
6. Platon, *Phédon*, 63-68.
7. *Ibid.*
8. *Ibid.*
9. *Ibid.*
10. *Ibid.*
11. *Ibid.*
12. *Ibid.*
13. Cf. Platon, *République*, III, 388-389. Si l'on en croit Bakhtine (*Rabelais*, p. 82), la même condamnation du rire se retrouve dès les débuts du christianisme : « Tertullien, Cyprien et saint Jean Chrysostome s'élevaient contre les spectacles antiques, notamment le mime, le rire mimique et les plaisanteries. Saint Jean Chrysostome déclare tout de go que les plaisanteries et le rire ne viennent pas de Dieu, mais sont une émanation du diable ; le chrétien doit observer un sérieux constant, le repentir et la douleur en expiation de ses péchés... »

saint, religion et sérieux : tristesse, tristesse, quand tu nous
tiens !

A l'inverse, puisque, selon Démocrite, « le droit est une
invention des hommes »[1], et que donc (Epicure) « la justice
n'est pas un quelque chose en soi »[2], ni le bien[3], aucune
morale n'existe qui soit absolue, et aucune religion
n'impose ce qu'il faut faire. Ni ascétisme ni sainteté. Il faut
suivre au contraire la grande sagesse du corps, qui est de
rechercher le plaisir et de fuir la douleur[4]. Epicure, c'est
l'anti-Platon. Le sage n'est possédé que de son corps ; seul
le « divin plaisir » l'inspire. Mon corps en sait plus sur le
bonheur que les prêtres. Non pas qu'il n'y ait des « biens
spirituels » ni des « valeurs supérieures », mais ceux-ci
viennent d'en bas, de ce qu'Epicure appelle superbement
« *le ventre* ». Ce n'est pas un soleil dont les rayons descendent, c'est comme un arbre qui monte ; le ciel est son lieu,
mais c'est la terre qui le nourrit. « Le principe et la racine
de tout bien, c'est le plaisir du ventre ; c'est à lui que se
ramènent et les biens spirituels et les valeurs supérieures... »[5] Où l'on reconnaîtra ce processus de *sublimation* dont Marx et Freud, chacun à sa manière, feront la
théorie. Et l'on se doute que la mort n'a plus rien alors de
désirable : puisqu'elle n'est *rien* justement, que ce *rien*
même. La désirer est aussi vain (vide) que la craindre. Ce
sont phantasmes sans objet, dont les « vrais philosophes »
n'ont que faire. Philosopher, c'est apprendre à vivre ! Le
plaisir seul est notre maître, qui ignore la mort tout autant
qu'elle l'ignore[6]. Et au diable le sérieux ! au diable la tristesse ! Le rire de Démocrite était l'expression même de sa
sagesse, et la tradition le retint à bon droit comme l'essentiel de son message. Le désespoir est le contraire du

---

1. Démocrite, selon Diogène Laërce, IX (trad. R. Genaille, G.-F., II, p. 183).
2. Epicure, *Maximes capitales*, 33.
3. Cf. par ex. Diogène Laërce, X, 6.
4. Cf. par ex. Diogène Laërce, X, 137.
5. Selon Athénée, *Banquet des savants*, XII, cité par Solovine, *op. cit.*, p. 152. On
trouvera un bon commentaire de ce texte dans *La morale d'Epicure*, de Guyau (Paris,
1878), p. 32-35.
6. Cf. par ex. Epicure, *Lettre à Ménécée*, 124-125.

sérieux. Il n'y a que des atomes et du vide, et rien de sérieux, rien de grave : rions ! Cette folie est sagesse. Il n'y a que le hasard et la nécessité : rions ! rions ! Oui, « il faut rire tout en philosophant » [1], de ce rire « inextinguible » des sages et des dieux [2]. Cela vaut pour nous comme pour les Grecs, aujourd'hui comme il y a deux mille ans. « Car le rire – dit Spinoza – est une pure joie. » [3]

VII

Revenons alors à l'amour. Dans le *Banquet*, Platon fait en quelques pages, d'ailleurs éblouissantes, la description de ce qu'on appelle la « *dialectique ascendante* », qui est le chemin que doit suivre celui qui veut s'initier aux « mystères de l'amour ». On en connaît les étapes, qui sont comme autant de degrés vers le monde intelligible : passer de l'amour d'un seul beau corps à l'amour « de tous les beaux corps », puis de la beauté des corps à la « beauté des âmes », de là à la « beauté qui est dans les actions et dans les lois », puis à celle des sciences, « jusqu'à ce qu'enfin son esprit fortifié et agrandi aperçoive une science unique », qui est celle du Beau en soi : beauté éternelle, qui ne connaît ni la naissance ni la mort, qui ne souffre ni accroissement ni diminution..., beauté surnaturelle... beauté absolue... le beau tel qu'il est en soi » [4]. Et il s'agit bien d'une *ascension*, en effet : il faut « monter sans cesse », dit Platon.

1. Epicure, *Sentences vaticanes*, 41 (trad. Solovine ; M. Conche : « il faut rire et ensemble philosopher »).
2. C'est Homère qui parle (*Iliade*, I, 599-600) du « rire inextinguible des dieux bienheureux », expression que Platon jugea « inadmissible » (*Rép.* III, 388-389), mais qui devait plaire à Epicure (encore qu'il goûtât peu la poésie), lui pour qui le sage vit « comme un dieu parmi les hommes » (*Lettre à Ménécée*, 133) et ne cesse pour autant de rire... Sur le rire légendaire de Démocrite, cf. par ex. Bakhtine (*op. cit.*, p. 76 sq.) : « Le rire de Démocrite exprime une conception philosophique du monde, il a pour objet la vie humaine et toutes les vaines terreurs, les vains espoirs de l'homme relatifs aux dieux et à la vie d'outre tombe. Démocrite définit le rire comme une vue d'un seul tenant sur le monde, une sorte d'établissement spirituel de l'homme qui acquiert sa maturité et s'éveille... »
3. Spinoza, *Ethique* IV, scolie du cor. 2 de la prop. 45.
4. Platon, *Banquet*, 210-212.

Mais cette « ascension » n'est que pédagogique : ce qu'on parcourt, ce sont les degrés successifs d'une *initiation*. L'ordre réel est à rebours, et la « dialectique ascendante » n'est que le reflet inversé d'un processus descendant, d'une émanation ou, comme dira Plotin, d'une *procession*. Dialectique non de l'être, mais du connaître : l'esprit monte, peut-être, mais l'être descend. Car c'est le Beau en soi qui est premier, et toutes les choses aimables – des beaux corps aux belles âmes, des belles âmes aux belles actions – tirent de lui seul ce qu'elles ont de beauté, comme les choses terrestres tirent du soleil ce qu'elles ont de vie[1]. Mais, prisonniers dans la caverne où nous sommes tombés (chute...), nous devons, pour accéder à cette réalité suprême, *remonter* par paliers vers le monde intelligible, en parcourant à l'envers (ordre pédagogique) le chemin descendant de l'être (ordre ontologique). Il s'agit d'une *conversion*, au sens plotinien du terme : l'amour se retourne vers son origine, remonte (en pensée) vers ce point d'où il descend (en réalité). Ce qu'on perçoit en dernier existe donc d'abord ; la fin de la connaissance est l'origine de l'être. « Pour moi, telle est mon opinion : dans le monde intelligible l'idée du bien est *perçue la dernière* et avec peine, mais on ne peut la percevoir sans conclure qu'elle est la *cause* de tout ce qu'il y a de droit et de beau en toutes choses... »[2] L'amour est la pédagogie du Beau, et son apocalypse : par lui le Beau se révèle. Mais le Beau est la cause de l'amour, et sa genèse : par lui l'amour advient. S'il y a *ascension*, c'est donc la préexistence du *haut* (et sa prééminence objective) qui la rend possible. Sans le Beau, l'amour n'existerait pas. L'ascension n'est que l'effet récurrent d'une chute préalable : on ne *s'élève* pas, c'est le haut qui nous *enlève* ou nous *relève*. Ascension ? Non : *assomption*. Telle est la fonction de l'amour. Il est un « délire inspiré par les dieux »[3], un

---

1. Cf. par ex. Platon, *République*, fin du livre VI.
2. Platon, *République*, VII, 517 (sauf précision contraire, toutes nos citations de la *République* sont empruntées à la traduction de R. Baccou, éd. G.-F).
3. Platon. *Phèdre*, 245.

« enthousiasme »[1], « c'est-à-dire l'emprise sur nous-mêmes de ce qui est supérieur à nous »[2]. Les chrétiens diront « il n'est de salut que par la grâce », et l'amour en est une. Platon est chrétien ici, ou plutôt les chrétiens sont disciples de Platon. Mais Platon va plus loin peut-être : car, pour lui, cette assomption n'est qu'un *retour*, et la « conversion de l'âme »[3] est bien, littéralement, un *retournement*[4]. De même que l'œil ne voit que grâce au soleil, la vue étant « comme une émanation de ce dernier »[5], de même que l'âme humaine ne se connaît que dans « le miroir » de Dieu[6], de même « *l'ascension de l'âme vers le lieu intelligible* »[7] n'est possible que parce que *l'âme vient de ce lieu auquel elle retourne*. Le haut est premier, puis la chute, dont l'assomption n'est que la négation toujours recommencée. Au contraire d'Icare, qui se *crée* ses propres ailes, l'âme, quand elle revêt les siennes[8], ne fait que retrouver partiellement son état originel, lorsque, avant d'être tombée « sur la terre »[9], elle voyait la Beauté, pour ainsi dire, face à face. L'opposition est complète : Icare fabrique ses ailes, monte, puis tombe ; l'âme de Platon perd ses ailes, tombe, puis remonte. Icare : invention[10], ascension et chute. Platon : chute, réminiscence et assomption. Pour Icare, connaître, c'est découvrir ; monter, c'est créer. Pour Platon, connaître, c'est *re*-connaître ; monter, c'est *re*-monter. Par quoi la méditation et l'amour ne sont plus, au lieu de l'aventure icarienne, qu'un *flash back* de l'âme. « Car jadis, écrit Platon, l'âme était tout ailes. »[11]

Une théorie matérialiste de l'amour dira exactement

---

1. *Ibid.*, 249 (littéralement : transport divin, possession divine).
2. Léon Robin, *Platon*, PUF, 1968, p. 57.
3. Cf. par ex. *République*, VII, 518 *d*.
4. *Ibid.*.
5. Platon, *République* VI, 508.
6. Platon, *Alcibiade majeur*, 133.
7. Platon, *République*, VII, 517 *b*.
8. Qui sont les ailes de l'amour : *Phèdre*, 249-250.
9. Platon, *Phèdre*, 250.
10. Laquelle est toujours historiquement déterminée : Icare ne serait rien sans Dédale. La *transmission* du savoir est ainsi ce qui tient lieu (et dispense) de la théorie de la réminiscence.
11. Platon, *Phèdre*, 251.

l'inverse. Tout part du corps : au commencement était le désir [1]. La beauté – qui n'est rien en soi – n'est que la vision fantasmée de l'objet du désir. Lucrèce l'exprime clairement : « les amoureux sont dans l'amour le jouet des simulacres de Vénus » [2]. Ce n'est pas parce qu'un corps est beau qu'on le désire, c'est parce qu'on le désire qu'il paraît beau. Et c'est de ce « désir muet » (*muta cupido* : IV, 1057) que naît le verbiage des amants. La beauté n'est donc pas la cause de l'amour, mais son effet : on n'aime pas ce qui est beau, on trouve beau ce qu'on aime. Aussi dit-on que l'amour est aveugle, mais c'est trop dire ou pas assez ; plus juste serait de l'affirmer *visionnaire* : il ne voit pas toujours ce qui est, c'est vrai, mais surtout, *il voit ce qui n'est pas*. Il y a ici un effet spécifique d'illusion sans lequel l'amour n'existerait pas. Lucrèce, dans une satire célèbre, s'en donne à cœur joie, et tourne en ridicule « le défaut le plus fréquent chez tous les hommes aveuglés par la passion (*cupido*), qui est d'attribuer à celles qu'ils aiment des mérites qu'elles n'ont pas. » [3]

> « A-t-elle les yeux verts, c'est une autre Pallas ; est-elle toute de cordes et de bois, c'est une gazelle ; une naine, une sorte de pygmée, est l'une des Grâces, un pur grain de sel ; une géante colossale est une merveille, pleine de majesté. La bègue, qui ne sait dire mot, gazouille ; la muette est pleine de modestie ; une mégère échauffée, insupportable, intarissable, devient un tempérament de flammes ; c'est une frêle chère petite chose que celle qui dépérit de consomption ; se meurt-elle de tousser, c'est une délicate... Mais je serais trop long si je voulais tout dire... » [4]

C'est qu'en effet l'amour est infini, comme infini le désir : autant de corps, autant de cœurs, et même la femme la plus universellement admirée pour sa beauté ne l'est en

---

1. Cf. par ex. Lucrèce, V. 962-965 : « Et Vénus dans les bois accouplait les amants ; toute femme en effet cédait soit à son propre désir, soit à la violence brutale de l'homme et à sa passion impérieuse (*inpensa libido*), soit à l'appât de quelque gain : glands, arbouses ou poires choisies... »

2. Lucrèce, IV, 1101.

3. Lucrèce, IV, 1153-1154.

4. *Ibid.*, 1161-1170. Cette satire sera reprise par Molière, dans le *Misanthrope*, II, 5.

fait qu'en raison d'un accord universel des désirs, que les *foedera naturae* – ici les lois de l'espèce [1] – suffisent à expliquer. Un singe préférerait une guenon...

Le beau n'est donc pas l'origine, mais bien l'aboutissement du processus. On peut alors reprendre la *dialectique ascendante* du Banquet, mais en en changeant le statut : pour en faire une ascension *réelle*, et point l'effet récurrent d'une descente. Il faut pour cela faire de cette dialectique un mouvement matériel, c'est-à-dire non plus un simple parcours pédagogique, les phases d'une initiation, mais le mouvement même de la *production* du beau – sa *poièsis*. L'amour n'est pas la pédagogie du beau (ce par quoi le beau se révèle), mais sa *poésie* : ce par quoi le beau advient. Non son apocalypse, mais sa genèse. Et l'ascension en lui du désir n'est pas la négation toujours recommencée d'une chute, la reviviscence toujours compromise d'un souvenir, mais, ici et maintenant, la production réelle de quelque chose de neuf. Les atomes sont sans vie [2], et nous vivons ; les atomes ne rient pas [3], et nous rions ; les atomes n'aiment pas, et nous aimons. Le haut vient du bas, mais ne s'y réduit pas : puisqu'il est vrai que nous vivons, que nous rions, que nous aimons... Ainsi, il n'est d'amour que du désir, mais l'amour est autre chose que le désir : Lucrèce le regrette, mais aussi le constate [4]. L'amour est la *rançon* (*poena*, IV, 1074) du désir, son lot d'angoisses (1133-1140), d'illusions (1084-1120) et d'espérances (*spes*, 1086, 1096). C'est pourquoi l'amour survit à la satisfaction du désir, et ne connaît ni repos réel ni sérénité : « Enfin quand le désir amassé dans leurs veines a trouvé son issue, cette violente ardeur se relâche pour un moment ; puis un nouvel accès de frénésie survient, la même fureur les reprend ; c'est qu'ils ne savent eux-mêmes ce qu'ils désirent, et ne peuvent trouver le remède qui triomphera de leur mal : tant ils ignorent la

---

1. Qui font que le désir reste intra-spécifique : IV, 1039-1040.
2. Cf. Lucrèce, II, 865-990.
3. *Ibid.*
4. Cf. par ex. IV, 1072-1120.

plaie secrète qui les ronge ! »[1] C'est que le désir se satisfait de jouir, alors que l'amour veut posséder[2] et ne cesse de rêver sa propre soif[3]...

A nouveau, nous ne sommes pas très loin de Freud et de sa théorie de la *sublimation*, qui n'est pas le sentiment du sublime (puisque le sublime n'a pas d'existence en soi), mais le *devenir-sublime* du sentiment. Pour Freud comme pour Lucrèce – et contre Platon –, ce n'est pas l'âme qui a des ailes, mais bien (tels ces phallus ailés de l'Antiquité dont Freud évoque le souvenir[4]) le désir. Et il est beau qu'Icare ait aussi, dans sa redondance de mythe, cette signification symbolique : que le mythe emblème de la sublimation soit lui-même l'expression sublimée du désir ! Car c'est le sexe d'abord, par la pression en lui, matérielle, du sang et du désir, qui possède, comme dit Freud, « la remarquable propriété de pouvoir se redresser contre la pesanteur »[5]. Ce qui vaut pour les rêves vaut pour les mythes : le vol y traduit « une excitation sexuelle générale, le phénomène de l'érection »[6]. Matérialisme du phantasme : ce n'est pas le ciel qui rend le vol possible, c'est le vol (la sublimation) qui *crée* le ciel, comme l'horizon de son désir. Le ciel : ce vers quoi mon sexe se lève, ce vers quoi mon désir s'envole. Ciel du plaisir : « envoie-moi au ciel... », dit une chanson de Boris Vian ; ciel de l'amour : « mon ciel des étoiles sans nombre... », dit Aragon ; ciel de la politique : la Commune de Paris, dit Marx, « à l'assaut du ciel... » ; ciel de l'art : « un grand ciel immuable et subtil... », dit Flaubert ; ciel de la religion : « Notre Père, qui êtes aux cieux... », dit la prière ; d'autres encore...

Le beau et le bien sont donc fils du désir. « Pour ma part, disait déjà Epicure, je ne sais ce qu'est le bien, si l'on écarte les plaisirs de la table, ceux de l'amour, et tout ce qui

1. Lucrèce, IV, 1115-1120.
2. *Ibid.*, 1073-1140.
3. *Ibid.*, 1097-1104.
4. Cf. Freud, *L'interprétation des rêves*, PUF, p. 339.
5. Freud, *Introduction à la psychanalyse*, PBP, trad. S Jankélévitch, II, 10, p. 140.
6. Freud, *Ibid.*, p. 140.

charme les oreilles et les yeux. » [1] Tout vient du corps (du
« ventre »), et si les plaisirs spirituels sont supérieurs à ceux
du corps – ils le sont [2] –, ce n'est pas parce qu'ils *viendraient*
de plus haut (Platon), mais parce que, venant du plus bas,
ils *s'élèvent*. Mouvement paradoxal, puisque tout n'est
qu'atomes et vide, mais point impossible pourtant, comme
le montrent les oiseaux et comme le confirme la pensée
atomistique. Car pour Epicure, « les atomes se meuvent
tantôt verticalement, tantôt en déviant de côté ; d'autres,
par suite du choc et du rebondissement, se meuvent *vers le
haut* » [3]. Ainsi, de même que, pour les atomes, la chute vers
le bas et le clinamen produisent un mouvement paradoxal
vers le haut, de même, pour les hommes, le corps et le désir
produisent paradoxalement ces « valeurs supérieures » et
ces « biens spirituels », qui viennent du « ventre » [4] mais
sont plaisirs de l'âme. « En ce sens, soulignait Guyau [5],
l'inférieur précède le supérieur et le soutient. » Cela ne
signifie pas pour autant que l'inférieur cesse d'être inférieur, mais au contraire (sans quoi le principe se détruirait
lui-même) qu'il le reste. Il y a ici ce qu'on pourrait appeler
une *dialectique du sublime*, ascendante comme l'autre mais
matérielle, laquelle permet au sage de devenir *l'égal* – et non
plus l'esclave ! – des dieux. C'est la promesse que fit Epicure
à son disciple Ménécée : « Tu vivras comme un dieu parmi
les hommes. Car il ne ressemble en rien à un vivant mortel,
l'homme vivant dans des biens immortels. » [6]

Lucrèce le savait bien, qui ne cessa de chanter « le divin
Epicure », et qui plaça son œuvre propre – puisqu'il était
poète – sous la protection de Vénus : déesse du désir et de
la vie, mais aussi – *sublime* coïncidence – déesse de la
beauté. L'art appartient à la nature, et une même force (*vis*,
I, 13) les gouverne. « Veuille donc davantage, ô Divine,

1. Cité par Diogène Laërce, X, 6 (Solovine, *op. cit.*, p. 39).
2. Cf. par ex. Diogène-Laërce, X, 137 (Solovine, p. 163).
3. Selon Aetios, I, cité par Solovine, *op. cit.*, p 170.
4. Selon Athénée, cité par Solovine, *op. cit.*, p. 152.
5. *La morale d'Epicure*, Paris, 1878, p. 33.
6. Epicure, *Lettre à Ménécée*, 135.

donner à mes vers une éternelle beauté... » [1] Car l'art également n'est que désir. Orphée, c'est Icare aussi.

VIII

Lucrèce, le sombre Lucrèce [2], est sévère pour l'amour, et il semble qu'Epicure, qui préférait l'amitié, ne le fut guère moins. Point pourtant par moralisme ou pudibonderie : ils vantent au contraire la saine simplicité du plaisir sans phrases, du plaisir sans mirages, qui, comme les animaux, nous apaise sans nous enchaîner. « Eviter l'amour, écrit Lucrèce, ce n'est point se priver des jouissances de Vénus, c'est au contraire en prendre les avantages sans rançon. Assurément ceux qui gardent la tête saine jouissent d'un plaisir plus pur que les malheureux égarés... » [3] Faisons donc l'amour sans amour, conseille-t-il, et nous serons libres, tranquilles, apaisés. Au lieu que les amants – ceux qui *aiment* – « passent leur vie sous le caprice d'autrui » [4] et se gâtent jusqu'au plaisir qu'ils recherchent ; car pour eux, écrit superbement Lucrèce, « de la source même des plaisirs surgit je ne sais quelle amertume, qui jusque dans les fleurs prend l'amant à la gorge ! » [5] Oui, l'amour est une onde mauvaise à boire... « Il n'y a pas d'amour heureux », pense déjà Lucrèce, et c'est pourquoi il renonce à l'amour ; il fait bien : car renoncer au bonheur ne se peut. Reste alors, sereine et libre, cette joie partagée des corps, le pur plaisir [6], la « Vénus vagabonde »... [7] Le plaisir seul est pur,

---

1. Lucrèce, I, 28.
2. Lucrèce est sombre, en effet. On pourrait dire qu'Epicure et lui sont comme la personnification de la mise en rapport que j'ai tentée du désespoir et de la béatitude : Epicure serait alors le pôle de la béatitude, et Lucrèce celui du désespoir. C'est pourquoi Epicure seul prétend au titre de sage – et c'est pourquoi Lucrèce, lui, est si grand poète. « *L'homme crie où son fer le ronge*, dit Aragon, *et sa plaie engendre un soleil...* » Le sage n'a plus ni fer ni plaie.
3. Lucrèce, IV, 1073-1076.
4. *Ibid.*, 1122.
5. *Ibid.*, 1133-1134.
6. « *Pura voluptas.* » (*ibid.*, 1075 et 1081).
7. « *Volgivaga Venere* » (*ibid.*, 1071) Lucrèce insiste, ce qui est assez rare dans l'Antiquité, sur le fait que, souvent (*saepe*, 1195), « la volupté est partagée » (1207),

le plaisir seul est libre, le plaisir seul apaise l'âme et ras-
sasie le corps. L'amour, lui, s'épuise en vain et se déchire
dans la non-possession de son objet : « Vains efforts,
puisqu'ils ne peuvent rien dérober du corps qu'ils embras-
sent, non plus qu'y pénétrer et s'y fondre tout entiers. Car
c'est là par moments ce qu'ils semblent vouloir faire... »[1]
Alors que « d'un beau visage et d'un bel incarnat, rien ne
pénètre en nous dont nous puissions jouir, sinon des simulacres, d'impalpables simulacres, espoir misérable que
bientôt emporte le vent... »[2] Et nous verrons qu'en effet
cela est vrai.

Et pourtant...

Pourtant il existe une autre expérience de l'amour, qui
est de joie. Bien malheureux ceux qui ne la vécurent pas,
jamais. Et peut-être fut-ce le cas de Lucrèce : peut-être que
s'il théorisa si bien l'impossibilité de l'amour heureux, ce
fut par incapacité d'abord à le vivre. De la vie et de la
pensée, allez savoir ce qui gouverne l'autre. Et quel est le
poids de la solitude... Il est émouvant en tout cas que Spinoza, dont la seule histoire d'amour connue fut un échec,
se trouve sur ce point penser, pour une fois, à l'extrême
opposé de Lucrèce. C'est en effet Spinoza qui donna de
l'amour cette définition souveraine : « *L'amour est une joie
qu'accompagne l'idée d'une cause extérieure* »[3]. Ce qui veut
dire qu'un amour triste n'est plus tout à fait de l'amour, ou
bien mêlé de haine[4] : il n'y a pas d'amour malheureux. Et
je crois que cela *aussi* est vrai. J'essaierai plus tard de le
montrer, et comment ces deux vérités de l'amour, celle de
Lucrèce et celle de Spinoza – il n'y a pas d'amour heureux,

---

du fait de l'existence d'un plaisir sexuel féminin (cf. IV, 1192-1208). Le « hasard des
rencontres » s'appuie sur la convergence des désirs.

1. Lucrèce, IV, 1110-1112.
2. *Ibid.*, 1094-1096.
3. Spinoza, *Ethique* III, déf. 6 des aff. Il est vrai que Spinoza serait d'accord avec
Epicure et Lucrèce pour critiquer un certain « délire » de l'amour passionné ou,
comme on dit bien, de « l'amour fou », qui rend malheureux, « se change facilement
en haine » et favorise la discorde plus que la concorde. Spinoza préconise au
contraire un amour ayant pour cause principale « non la seule beauté, mais la liberté
de l'âme » (cf. *Eth.* IV, appendice, chap. 19 et 20).
4. La jalousie en est une : *Ethique* III, prop. 35 et scolie.

il n'y a pas d'amour malheureux – s'articulent l'une à l'autre. Mais il n'est pas temps encore. C'est de Narcisse que nous étions partis ; c'est à lui qu'il faut revenir.

Narcisse est amoureux de soi, et en souffre. Prisonnier de son image, incapable de se posséder, condamné toujours à se perdre... Car on ne possède que des objets, et le moi n'en est pas un, et mortel pourtant... Il n'y a pas de moi à posséder ici, et le voici qui meurt... Désespoir : Narcisse n'est saisissable que dans sa mort, qui l'abolit. Cet amour malheureux de Narcisse, c'est le même exactement, notons-le dès maintenant, que celui que condamne Lucrèce : « impalpables simulacres, espoir misérable... » Le même aussi que décrivait Pascal : on n'aime jamais personne, il n'y a personne à aimer... *Narcisse's story : my name is nobody...* Folie de Narcisse : vouloir *posséder* un moi qui n'existe pas ! Et le désir tourne en rond dans son labyrinthe : la non-possession de son objet. Nous ne sortirons de ce labyrinthe qu'en y renonçant. Mais il serait fou de renoncer au désir, suicidaire de renoncer au moi. La sagesse est de renoncer à la possession.

Oui, puisque le moi n'est rien et que j'existe pourtant (« non point, certes, comme individu... »), je n'aurai de joie, dans mon rapport à moi-même (ou à ce que je vis comme tel), qu'autant que je saurai aimer cela en moi qui n'est pas moi, cela en moi qui n'est pas un individu, non pas un sujet, non pas un objet, non pas une chose : cela... ce jeu de forces et de désirs, cette puissance en moi de jouir et de penser, cette force d'exister, c'est-à-dire de vivre et d'agir, que Spinoza appelait *conatus* ou *désir*. Soit : la nature en moi vivante (*Vénus voluptas...*), dont je ne suis, à jamais, qu'une partie [1]. L'égoïste est bien sot, qui prend cette partie pour un tout. Et bien malheureux : puisqu'elle meurt. Sa vie est amère comme un rêve mort-né. C'est le rêve de Narcisse, et l'amertume de ses espérances vaines... Au lieu de quoi il faut aimer non le moi mais la nature en moi (ma propre puissance en tant que partie de la puissance de la

---

1. Cf. Spinoza, *Éthique* IV, prop. 4, demonstr. et coroll.

nature), non le moi mais la vie. Cela ne se possède pas : la vague ne se possède pas elle-même, ni la mer. Mais être sage, répétons-le, c'est renoncer à la possession. En revanche, ce n'est pas renoncer au moi : puisque cette puissance propre – ce *conatus*, ce désir – est justement ce qui le fait vivre et « persévérer dans son être », fût-il illusoire et limité. Ce n'est pas renoncer au désir : puisque le *conatus* est ce désir même, sa force vivifiante. Ce n'est pas enfin renoncer à la joie : car si le conatus n'est pas une *chose* (ce pourquoi on ne le peut posséder), il est une *cause*, et plus précisément (en tant qu'il développe sa puissance d'agir) une *cause de joie*. Oui, cela même : la joie de l'effort et du désir ! Or cette joie, pour autant que je la puisse moi-même nourrir, sera accompagnée de l'idée d'une cause *intérieure* : en moi, cet effort de l'être, cette puissance du désir... Car le désir n'est pas un manque d'abord, nous l'avons vu, mais une force, dont le « manque » n'est que la limite. Or comment pourrait-elle *manquer* de soi ? Cela ne se peut qu'à *s'imaginer* autre. Qui se connaît, au contraire, intégralement se contente [1]. D'où un nouveau type d'amour (« une joie qu'accompagne l'idée de sa cause... »), qui est un amour de soi (puisque la cause en est « intérieure »)[2], et que Spinoza appelle *acquiescentia in se ipso* (termes qu'on traduit ordinairement par satisfaction intérieure ou contentement de soi), qui est le contraire de l'humilité. Spinoza en donne la définition suivante : Le contentement de soi est une joie « qu'accompagne l'idée d'une cause intérieure »[3], c'est-à-dire « une joie née de ce que l'homme se considère lui-même et sa puissance d'agir »[4]. Spinoza, c'est l'anti-Pascal : au lieu de nous abaisser par la dénonciation haineuse de notre « misère », il nous élève par la considération joyeuse de notre puissance. Ascension : puisque « la joie est le passage de l'homme d'une moindre à une plus

---

1. Cf. Spinoza, *Ethique* IV, appendice, chap. 32.
2. Spinoza, *Ethique* III, scolie de la prop. 30.
3. *Ibid*.
4. Spinoza, *Ethique* III, définition 25 des affections.

grande perfection »[1], l'amour de soi, quand il est bien compris, nous élève. Mieux : il est cette *élévation* même, en tant qu'elle est consciente de soi et de sa cause[2]. Icare : force du désir ! force de la joie ! force de la force !

Quand il est bien compris... Car cet amour de soi n'est ni l'amour-propre – qui pousse « à la haine et à l'envie »[3], donc à la tristesse –, ni le narcissisme – qui rend malheureux –, ni l'orgueil – « délire » qui nous fait, comme Narcisse, « rêver les yeux ouverts »[4]. Ce n'est pas l'amour-propre : il se moque du public et n'a que faire des comparaisons. Ce n'est pas le narcissisme : ce n'est point une image qu'il aime, l'objet fantasmatique de son désir (« moi »), mais *ce désir lui même*, en tant que puissance et que réalité qui, tout à la fois, me constituent et me dépassent. Enfin, ce n'est pas l'orgueil : il n'est pas fondé sur l'ignorance et la surévaluation de soi[5], mais au contraire sur la raison et la connaissance adéquate de soi-même[6]. Amour-propre, orgueil et narcissisme ne sont signes que de notre faiblesse, et amour que de nos illusions. Abandonnons tout cela. Laissons les pleurs à Narcisse, laissons l'amour-propre aux envieux et l'orgueil aux ignorants. Et puis laissons aussi l'humilité, le repentir et la honte, fausses vertus et vaines tristesses, cilices de l'âme, séquelles de la religion[7]. Tout cela se tient d'ailleurs : les joies illusoires mènent à la tristesse, par leur fragilité ; et les tristesses aux joies illusoires, par besoin de réconfort. Ainsi, par exemple, « bien que la mésestime de soi s'oppose à l'orgueil, celui qui se mésestime est cependant très proche

1. Spinoza, *Éthique* III, déf. 2 des affections.

2. En vertu des définitions de l'amour et de la joie : *Éthique* III, déf. 2 et 6 des affections.

3. *Éthique* III, scolie du corollaire 1 de la prop. 55.

4. *Ibid.*, scolie de la prop. 26.

5. Comme c'est le cas pour l'orgueil : *Eth.* III, déf. 28 des affections. L'orgueil est ainsi la forme illusoire (« délirante » : III, scolie de la prop. 26) du contentement de soi. Mais un contentement illusoire n'est que l'illusion d'un contentement, c'est-à-dire qu'il débouche sur la tristesse ; la réalité (sauf cas ou le *délire* serait total) finit toujours, peu ou prou, par s'imposer.

6. *Éthique* IV, prop. 52 et démonstration.

7. Cf. Spinoza, notamment *Éthique* III, déf. 26, 27 et 31 des aff., et *Éthique* IV, prop. 53, 54 et chap. 23.

de l'orgueilleux... » [1] Au reste, l'humilité vraie et la mésestime de soi sont très rares : « car la nature humaine, considérée en elle-même, leur oppose résistance le plus qu'elle peut, et ainsi ceux que l'on croît être le plus plein de mésestime d'eux-mêmes et d'humilité, sont généralement le plus pleins d'ambition et d'envie » [2]. Joies illusoires, fausses tristesses... Labyrinthe.

Au contraire, l'amour du sage pour lui-même est un amour heureux. Puisqu'il a renoncé à l'impossible possession, il est comblé simplement d'*être*, c'est-à-dire (puisque le moi n'*est* rien) d'agir et de connaître [3]. Sa joie est sa force ; sa force est sa joie [4] ; elle se nourrit d'elle-même, et se contente (*acquiescere* [5]) de soi. Le sage *acquiesce* à soi comme il *acquiesce* à la vie ; et ce *oui* est sa joie, et ce *oui* est sa sagesse. Son amour de soi est un amour heureux parce qu'il est généreux : il peut tout donner, puisqu'il ne *possède* rien ; la mort même ne le privera pas : que pourrait-elle lui prendre ? Et parce qu'il est heureux, c'est un amour généreux : ce qui ne se possède pas se partage sans perte, et même joyeusement. Rien n'est plus utile à un sage qu'un autre sage [6], et cette joie du bonheur partagé – du bonheur généreux – s'appelle *amitié*. Epicure y voyait « le plus grand de tous les biens » que la sagesse nous procure [7], et Spinoza en eût été d'accord, lui qui écrivait dans une lettre qu'entre « toutes les choses qui ne dépendent pas de moi, il n'en est aucune qui ait pour moi plus de prix qu'un lien d'amitié établi avec des hommes aimant sincèrement

1. Spinoza, *Ethique* IV, appendice, chap. 22.
2. *Ethique* III, déf. 29, explication. On voit que la Rochefoucauld n'est pas très loin, ni le Molière du *Tartuffe*. C'est que le XVII siècle est le siècle, non toujours des lumières, mais des lucidités.
3. Ce qui revient au même, puisque la connaissance est une action de l'âme ; cf. par ex. *Ethique* III, prop. 59 et démonstration, qui renvoie à III, 1.
4. Cf. par ex. *Ethique* III, prop. 59 et scolie.
5. Le verbe *acquiescere*, qu'Appuhn traduit par « être content », « trouver un contentement », et R. Caillois par « être satisfait », réunit, en latin, les trois idées de *repos*, de *calme* et de *plaisir* – soit, notons-le, le même contenu de pensée que le mot *ataraxie* chez Epicure. Pour l'usage de ce mot chez Spinoza, cf. par ex. *Ethique* III, déf. 25, IV, appendice, chap. 32, et V, scolie de la prop. 42.
6. *Ethique* IV, corollaire 1 de la prop. 35.
7. Epicure, *Maximes capitales*, 27.

la vérité » [1]. L'amour de soi s'enrichit de l'amour des autres : joie sur joie, bonheur sur bonheur. Le sage s'aime mieux d'être aimé de ses amis, et davantage encore de les aimer. Plus il aime, plus il est joyeux ; et plus il est joyeux, plus il s'aime [2] ! Les amis de ses amis sont ses amis : il est donc son propre ami – par l'amitié qu'il leur porte !

Ni Pascal, ni Narcisse : ni le *moi* de la religion, ni la religion du *moi*. Car la haine de soi conduit à la religion : *tu ne me chercherais pas si tu ne t'étais déjà perdu...* Mais le narcissisme *est* religion : Narcisse est le prêtre de son nombril. Et l'égoïsme, la religion des toutes petites âmes : on a le dieu que l'on peut... C'est l'opium des imbéciles. Le sage est guéri de ces deux religions. Athéisme et *a-narcissisme*, désespoir et béatitude : sans espoir de se posséder, sans crainte de se perdre – ici, maintenant, la simple joie d'exister. Le grand Montaigne le disait aussi : « C'est une absolue perfection, et comme divine, de savoir jouir loyalement de son être... » [3] Jouir de soi sans se posséder : l'enfant prodigue contre l'avare, le jeu contre la propriété, la sérénité contre l'angoisse. Rien ne se possède, rien ne se perd : il n'y a que la joie. Car la vie n'a pas d'autre but qu'elle-même [4]. « Notre grand et glorieux chef-d'œuvre, c'est vivre à propos. Toutes autres choses, régner, thésauriser, bâtir, n'en sont qu'appendicules et adminicules pour le plus... » [5] L'essentiel, « le sommet de la sagesse humaine et de notre bonheur » [6], est ailleurs : dans « l'amitié que chacun se doit » [7]. Où l'on retrouve encore une fois, contre les grimaces de Pascal et les pleurs de Narcisse, le rire de

---

1. Spinoza, *Lettre 19* à Blyenbergh.
2. L'amour, la joie, le contentement de soi et l'amitié se nourrissent ainsi mutuellement, et se renforcent : cf. *Éthique* III, en entier.
3. Montaigne, *Essais*, III, 13 (je cite d'après l'éd. de R. Barral et P. Michel, publiée au Seuil, coll. « l'Intégrale »).
4. Montaigne, III, 12 : la vie « doit être elle-même à soi sa visée ». Comparer avec Spinoza, IV, 25 : « Personne ne s'efforce de conserver son être à cause d'une autre chose. » La vie est donc *sans but*, et le bonheur même n'en est pas un : cf. M. Conche, *Montaigne ou la conscience heureuse*, Seghers, p. 94.
5. Montaigne, III, 13.
6. Montaigne, III, 10.
7. *Ibid.*

Démocrite[1]. Car « il faut étendre la joie, mais retrancher autant qu'on peut la tristesse »[2] ; et quelle pire tristesse que se haïr, quelle plus grande joie que s'aimer, et plus solide, si elle est libre ? Le sage, c'est l'anti-Narcisse, mais point par haine de soi. Se haïr, c'est se prendre trop à cœur[3] ; le rire correspond mieux à notre condition, qui est « vaine et ridicule »[4], mais qu'il faut aimer pourtant, et joyeusement : puisqu'elle est nôtre, et qu'il ne s'agit que de vivre et d'en jouir. L'anti-Narcisse, c'est Narcisse guéri : de ses fantasmes et de ses illusions, de ses espoirs et de ses craintes, des mirages de la possession et des vanités de l'orgueil... Narcisse *sauvé de soi*, et tout à la joie de ce salut.

L'anti-Narcisse : Narcisse guéri de son rêve, et qui s'éveille. Narcisse *désespéré*. Narcisse *heureux*.

---

1. Cf. Montaigne, I, 50. « Démocrite et Héraclite ont été deux philosophes, desquels le premier, trouvant vaine et ridicule l'humaine condition, ne sortait en public qu'avec un visage moqueur et riant ; Héraclite, ayant pitié et compassion de cette même condition nôtre, en portait le visage continuellement attristé, et les yeux chargés de larmes... J'aime mieux la première humeur... » La suite du texte montre que ce rire du sage s'appuie sur son *désespoir* : « Notre propre et péculière condition est autant ridicule que risible... »

2. Montaigne, III, 9 ; comparer avec le fragment 189 de Démocrite (cf. *supra*, p. 79).

3. Cf. Montaigne, I, 50 : « Ce qu'on hait, on le prend à cœur... »

4. Montaigne, *ibid.*

2

Les labyrinthes de la politique

« *A l'assaut du ciel...* »

> *« La classe ouvrière n'espérait pas des miracles de la Commune. Elle n'a pas d'utopies toutes faites à introduire par décret du peuple... Elle n'a pas à réaliser d'idéal... »*
>
> Karl MARX

I

Les amoureux sont seuls au monde, dit-on, et Narcisse n'y échappe pas. Il est seul, tout seul, car nul jamais ne l'aimera comme il s'aime, lui, de cet amour total, absolu, exclusif... que l'on n'a que pour soi. Narcisse, ô solitude... Mais solitude n'est pas unicité. Narcisse est seul mais innombrable. Chacun devant sa fontaine, dos à dos, côte à côte, nous sommes tous amoureux de nous-mêmes, tous solitaires, tous malheureux, et tous répétant la chanson de Narcisse, l'hymne de notre rareté. Tout seuls, mais tous ensemble. Chacun y va de son solo et cela fait un chœur, nécessairement discordant. Tous différents, tous semblables, tous Narcisse... « Mon nom est légion » pourrait-il dire, lui aussi, et cette « légion », ce « gros animal » comme disait Platon[1], c'est la société. *Narcisse* est le prénom, *Léviathan* le patronyme. Car il n'y a pas que la fontaine. Narcisse est citoyen aussi, ou bien esclave, ou bien sujet

---

1. Cf. Platon, *République*, VI, 492-493.

– enfin : pas tout seul. La politique est reine ici. Mieux, elle est cela même : ce jeu contradictoire des forces et des désirs, des rêves et des volontés, des puissances et des intérêts – le labyrinthe des égoismes. Car la politique n'est pas autre chose que la société, qui lui serait surajouté ou imposé, tare ou parasite, maladie ou supplément d'âme, mais la société elle-même, son essence, qui est d'être une somme d'individus, de sujets, d'*ego* – d'égoïsmes. « Les individus, n'ayant du reste pas le choix, ne partent jamais que d'eux-mêmes... » [1] La société – toute société – est donc toujours déraisonnable. Rationnelle, mais déraisonnable : elle est l'effet, non de la raison en nous, mais du désir. C'est le contraire qui serait irrationnel : une société raisonnable, c'est utopie ; et utopie est folie. Il n'est société que de Narcisses.

C'est pourquoi penser la société, c'est toujours expliquer comment on passe du JE au NOUS, c'est-à-dire non pas bien sûr de l'égoïsme à l'altruisme (penser n'est pas rêver), mais de l'égoïsme d'un seul à l'égoïsme de tous. Et qu'importe que l'ordre puisse être aussi (et soit) inverse : du NOUS au JE, de la société à l'individu... Que la conscience soit « d'emblée un produit social et le demeure aussi longtemps qu'il existe des hommes » [2], cela ne change rien à son statut de conscience individuelle : elle est aussi la conscience de ce corps-ci, qui souffre et qui désire, de ce corps solitaire... Il y a bien assez de vrais problèmes pour ne pas s'en poser de faux ; de l'œuf ou de la poule, ne cherchons pas l'origine. La société est là, et les individus, et l'égoïsme partout. C'est cela qu'il faut penser : ce jeu collectif d'intérêts singuliers, ce système des égoismes, cet équilibre dans la discorde, cette harmonie dans la haine, cette grande comédie du pouvoir et de l'argent – ce labyrinthe, le plus grand de tous et le lieu de tous les autres : la société.

La première chose est de comprendre que ce labyrinthe *est* un labyrinthe, c'est-à-dire qu'on n'en sort pas, jamais, et que tout chemin en reste prisonnier. Autrement dit ce

---

1. Marx-Engels, *L'Idéologie allemande* (Ed. sociales, 1971), p. 279.
2. *Ibid.*, p. 59.

truisme, que tout est social. Mais puisque la société et la politique sont une seule et même chose, ce truisme peut s'énoncer autrement, dans cette tautologie : toute politique est politique, c'est-à-dire luttes, conflits, antagonismes et affrontements. Une politique peut bien être *pacifiste*, mais point *pacifique* : elle peut avoir la paix pour but, mais non pas pour moyen. Et la non-violence elle-même, Gândhi l'a bien montré, est un *combat* – soit : le contraire de la paix. La politique, c'est la guerre ; non parce qu'on s'y tue (on ne s'y tue pas toujours), mais parce qu'on s'y affronte et qu'on ne peut faire autrement que s'y affronter. Il me semble que l'histoire est ici une confirmation suffisante, dès lors qu'on admet que la guerre ne se réduit pas à ses formes armées ou explosives. Car la guerre, dit Hobbes, « ne consiste pas (seulement) dans un combat effectif, mais dans une disposition avérée, allant dans ce sens... » [1], si bien qu'on peut parler de guerre dès lors que « chacun s'efforce de détruire ou de dominer l'autre » [2]. Et qui niera que ce soit le cas en politique ? C'est que toute politique n'a d'enjeu que le pouvoir (ou du moins que tout autre enjeu suppose le pouvoir, ou *un* pouvoir, au moins comme moyen), et qu'il n'est de pouvoir, dans une situation donnée de conflit, que *sur* ou *contre* quelqu'un. Désespoir : tout pouvoir est violence ; il n'est de pouvoir qu'oppressif.

Cela va de soi chez Hobbes, qui est le théoricien du pouvoir absolu, c'est-à-dire non pas seulement d'une forme historique de monarchie mais de l'absoluité de tout pouvoir : puisque le souverain reste extérieur au contrat qui le fait advenir, le pouvoir qu'il en reçoit, n'étant tenu par rien, ne peut qu'être sans limite [3]. Mais cela est vrai aussi chez Spinoza, dont les préférences vont pourtant, comme on sait, à la démocratie : car dire que l'on « n'accorde dans une cité quelconque de droit au souverain sur les sujets

1. Hobbes, *Léviathan*, I, 13, p. 124.
2. *Ibid.*, p. 122. En ce sens, *militants* et *militaires* sont bien les uns et les autres (de manière certes différente !) des *combattants*.
3. Cf. Hobbes, *Léviathan*, II, 17 et 18.

que dans la mesure où, par la puissance, il l'emporte sur eux » [1], c'est dire aussi qu'il l'emporte *effectivement* sur eux, et que « chaque citoyen ou sujet a donc d'autant moins de droit que la Cité l'emporte sur lui en puissance » [2]. D'où l'oppression : « On ne peut en aucune façon concevoir que la règle de la Cité permette à chaque citoyen de vivre selon sa propre complexion ; ce droit naturel, par lequel chacun est juge de lui-même, disparaît donc nécessairement dans l'état civil. » [3] Il disparaît du moins *en droit*, c'est-à-dire selon « la règle de la Cité » ; car *en fait* « le droit naturel de chacun (si nous pesons bien les choses) ne cesse pas d'exister dans l'état civil » [4]. Cela signifie que le *droit* de l'Etat, comme le *droit* des citoyens, n'est défini que par le *fait* de leur puissance respective, dans un système donné de conflits. « *Omnis determinatio est negatio* » : l'Etat, c'est du *conatus* aussi [5], et qui, en tant que tel [6], ne peut qu'être limité par d'autres *conatus*. Un pouvoir quel qu'il soit n'est défini (c'est-à-dire *déterminé* comme ce pouvoir-ci ou ce pouvoir-là) que par les limitations de fait (dans un rapport de forces donné) de sa propre puissance ; et inversement : les droits des sujets (ou des citoyens) ne sont définis (déterminés) que par leurs propres forces, en tant qu'elles sont toujours limitées par la force de l'Etat – sans quoi « la Cité n'existe plus et l'on revient à l'état de nature » [7]. C'est pourquoi tout pouvoir est toujours absolu en droit (en quoi Hobbes a raison), et jamais en fait (en quoi Hobbes a tort) [8]. Tout pouvoir est oppressif, mais toute oppression est *finie*.

---

1. Spinoza, *Lettre 50 à Jarig Jelles*, qui est, rappelons-le, la lettre où la *determinatio* est définie comme *negatio* : on va voir que ce n'est peut-être pas une coïncidence.

2. Spinoza, *Traité politique*, III, 2.

3. *Ibid.*, III, 3.

4. *Ibid.*

5. Cf. là-dessus Matheron, *Individu et communauté chez Spinoza*, notamment p. 329-330.

6. Cf. *Ethique* IV, prop. 3, « dont la démonstration est universelle et peut être appliquée à toutes les choses singulières » (*ibid.*, 4, démonstration).

7. *Traité politique*, III, 3. Il faut comprendre qu'on revient, *en droit*, à un état de nature que, *en fait*, on n'a jamais quitté.

8. Cf. à ce propos R. Polin, *op. cit.*, p. 244, note 1.

Cette oppressivité du pouvoir, on pourrait aussi (pour que toutes choses soient claires, et qu'amis et ennemis puissent s'y reconnaître) la penser à partir de Rousseau, qui n'a tant servi à la combattre que parce qu'il l'avait fort bien comprise, et qui, comme on l'a dit, n'a pu se débarrasser de Hobbes qu'en étant « plus *hobbessien* que Hobbes même »[1]. Mais montrer tout cela en détail, et confronter sur chacun de ces points Hobbes, Rousseau et Spinoza, serait pourtant trop long ; il est plus simple ici (et, peut-être, plus près des débats de notre temps) de suivre les textes de Marx, Engels et Lénine. On s'aperçoit vite qu'une *théorie de l'oppression* s'en dégage. En effet, quelles que soient les formes – qui ne sont certes pas indifférentes – sous lesquelles le pouvoir s'exerce, celui-ci est toujours[2] l'expression d'un rapport de forces, c'est-à-dire à la fois l'enjeu et le résultat d'une *lutte*, ou, comme le dit si bien Lénine, « *l'organisation de la violence* »[3]. C'est que, comme le notait Marx dès 1847, « le pouvoir politique est précisément le résumé officiel de l'antagonisme dans la société civile »[4]. Autrement dit l'Etat, puisque c'est de lui qu'il s'agit ici, est toujours « un organisme de *domination* de classe, un organisme d'*oppression* d'une classe par une autre »[5]. « L'Etat est le produit et la manifestation de ce fait que les contradictions de classes sont *inconciliables*. L'Etat surgit là, au moment et dans la mesure où, objectivement, les contradictions de classes *ne peuvent* être conciliées. Et inversement : l'existence de l'Etat prouve que les contradictions de classes sont inconciliable. »[6] Il n'est donc pas d'Etat neutre ni soumis, exclusivement, à la raison : puisqu'il n'est d'Etat que de classe, et de raison qu'univer-

---

1. Louis Althusser, Sur le Contrat social, *Cahiers pour l'analyse*, n° 8, 1972, p. 24.
2. Du moins dans toute société de classes. Nous y reviendrons.
3. Lénine, *L'Etat et la Révolution*, II, 1, Ed. sociales-Ed. du Progrès, 1969, p. 31. Il va de soi que cela ne vaut que pour ce qui est du ressort du pouvoir : en *délimiter* le champ sera un des enjeux du combat. Tout pouvoir est oppressif, mais tout pouvoir n'est pas sans limites.
4. Marx, *Misère de la philosophie*, Ed. sociales, 1972, p. 179.
5. Lénine, *op. cit.*, I, 1, p. 9 (c'est Lénine qui souligne.)
6. *Ibid.*, p. 8 (c'est Lénine qui souligne.)

selle. « Gouverner c'est choisir », dit-on à juste titre ; mais c'est toujours choisir *contre* quelqu'un, et en fonction de l'*intérêt* de quelqu'un d'autre. Il n'est de pouvoir que politique ; il n'est de politique que du désir. Engels avait bien raison de reconstituer ainsi, contre Hegel, la genèse et la nature de l'Etat :

> « L'Etat n'est donc pas un pouvoir imposé du dehors à la société ; il n'est pas davantage "la réalité de l'idée morale", "l'image et la réalité de la raison", comme le prétend Hegel. Il est bien plutôt un produit de la société à un stade déterminé de son développement ; il est l'aveu que cette société s'empêtre dans une insoluble contradiction avec elle-même, s'étant scindée en oppositions inconciliables qu'elle est impuissante à conjurer. Mais pour que les antagonistes, les classes aux intérêts économiques opposés, ne se consument pas, elles et la société, en une lutte stérile, le besoin s'impose d'un pouvoir qui, placé en apparence au dessus de la société, doit estomper le conflit, le maintenir dans les limites de l'"ordre" ; et ce pouvoir, né de la société, mais qui se place au-dessus d'elle et lui devient de plus en plus étranger, c'est l'Etat. »[1]

Ce pouvoir ne peut « estomper » le conflit des forces et des intérêts qu'en s'imposant comme pouvoir, c'est-à-dire, précise Lénine, qu'en créant « un "ordre" qui légalise et affermit cette oppression en modérant le conflit des classes »[2]. Bref, on ne peut « estomper » le conflit qu'en « affermissant » l'oppression. L'oppressivité du pouvoir n'est donc pas la caractéristique de tel ou tel Etat, ou de telle ou telle de ses formes, mais, dans toute société de classes (y compris le socialisme), son essence ou sa définition : « L'Etat est une machine qui permet à une classe d'en opprimer une autre, une machine destinée à maintenir dans la sujétion d'une classe toutes les autres classes qui en dépendent. Cette machine revêt différentes formes. »[3] Tout Etat, y compris le plus démocratique, est donc bien oppressif ou, comme dit Lénine, *dictatorial*. Oui :

1. Engels, *L'origine de la famille, de la propriété privée et de l'Etat*, Ed. sociales, 1971, p. 155-156.

2. Lénine, *op. cit.*, p. 9.

3. Lénine, *De l'Etat*, conférence de 1919, *Œuvres compl.*, t. XXIX, cité par E. Balibar, *Sur la dictature du prolétariat*, Maspero, 1976, p. 220.

y compris le plus démocratique ; car la démocratie elle-même n'est jamais qu'*une des formes possibles* – et, certes, la meilleure[1] – de la dictature de classe : « L'Etat n'est rien d'autre qu'une machine pour l'oppression d'une classe par une autre, et cela, tout autant dans la République démocratique que dans la monarchie »[2]. Lénine, comme à son habitude, enfonce le clou : « La démocratie, c'est un *Etat* reconnaissant la soumission de la minorité à la majorité ; autrement dit, c'est une organisation destinée à assurer l'exercice systématique de la *violence* par une classe contre une autre, par une partie de la population contre l'autre partie. »[3] Ce pourquoi l'Etat a, comme on dit, *le monopole de la violence légitime* : puisqu'il est la violence qui s'impose comme légitimité ou, du moins, comme légalité. Par exemple, poursuit Lénine : « Les formes d'Etat bourgeois sont extrêmement variées, mais leur essence est une : en dernière analyse, tous ces Etats sont, d'une manière ou d'une autre, mais nécessairement, *une dictature de la bourgeoisie* »[4]. Et tout Etat ouvrier, aussi démocratique soit-il : une « *dictature du prolétariat* »[5], c'est-à-dire, comme disait Marx, « le prolétariat organisé en classe dominante »[6]. Le

1. « La meilleure », non pas bien sûr du point de vue de la raison – qui s'en moque –, mais du point de vue du désir : le mien... et celui de quelques autres, dont Engels. « Une chose absolument certaine, écrit-il en effet, c'est que notre Parti et la classe ouvrière ne peuvent arriver à la domination que sous la forme d'une République démocratique. Cette dernière est même la forme spécifique de la dictature du prolétariat, comme l'a déjà montré la grande Révolution française... » (*Critique du programme d'Erfurt*, cité par Lénine, *L'Etat et la Révolution*, IV, 4, p. 92).
2. Engels, Préface à l'éd. allemande de 1891 de *La Guerre civile en France* de Marx, Ed. sociales, p. 301.
3. Lénine, *L'Etat et la Révolution*, p. 108.
4. Lénine, *ibid.*, p. 45 (c'est Lénine qui souligne).
5. *Ibid.*, p. 45. C'est Lénine qui souligne. On sait que, pour Lénine, cette dictature du prolétariat devait être « un million de fois plus démocratique que n'importe quelle démocratie bourgeoise » (*Œuvres complètes*, t. 28, p. 257). Si on confronte ce projet avec la réalité actuelle des pays se réclamant du léninisme, on peut, me semble-t-il, en conclure : soit que Lénine s'est trompé, soit que les pays en question ne sont pas des *dictatures du prolétariat*, mais peut-être, comme on l'a dit (cf. E. Balibar, *op. cit.*, p. 181), des dictatures *sur* le prolétariat. La solution de cette alternative (dont les deux termes ne sont d'ailleurs pas exclusifs l'un de l'autre) est à mon sens le problème politique majeur de notre temps.
6. Marx-Engels, *Manifeste du Parti communiste*, II, Ed. sociales, 1972 (bilingue), p. 85.

problème n'est donc pas, du moins à court ou moyen terme, de *supprimer* l'oppression, mais de remplacer une oppression par une autre. Le reste n'est que rêve ou utopie. Or, dit Lénine : « Nous ne sommes pas des utopistes. Nous ne "rêvons" pas de nous passer *d'emblée* de toute administration, de toute subordination ; ces rêves anarchistes... sont foncièrement étrangers au marxisme et ne servent en réalité qu'à différer la révolution socialiste jusqu'au jour où les hommes auront changé. Nous, nous voulons la révolution socialiste avec les hommes tels qu'ils sont aujourd'hui... »[1] Désespoir. On n'a le choix que de sa forme d'oppression.

Le désespoir, ici pas plus qu'ailleurs, n'est jamais donné, et toujours difficile. La tendance de beaucoup, par exemple, sera de *nier* cette oppression : soit parce qu'ils l'exercent (et d'autant mieux qu'elle est moins manifeste), soit parce qu'ils la subissent (et d'autant plus facilement qu'ils en nient l'existence). D'où un certain type d'apolitisme, qui n'est souvent que la *dénégation*, au sens freudien du terme, de l'oppressivité de tout pouvoir. C'est le cas notamment de ce qu'on pourrait appeler l'*apolitisme technocratique*, dont on peut reconstituer ainsi le discours moyen : « La politique, c'est dépassé. Le problème aujourd'hui n'est plus de *pouvoir* mais de *gestion* : que les militants cèdent la place aux *managers*... Nos sociétés modernes sont bien trop complexes pour en laisser la direction à des politiciens ; faites plutôt confiance à la compétence, au savoir et au savoir-faire !... » Mais un pouvoir non oppressif – à supposer qu'il pût exister – n'aurait pas besoin de nier son caractère politique, c'est-à-dire en fait (puisque tout pouvoir est politique, c'est-à-dire force et rapport de forces) sa nature de pouvoir. Un pouvoir non oppressif n'aurait pas besoin de se dénier *en tant que pouvoir*. Ainsi tout apolitisme est suspect, qui n'est jamais que le masque d'une politique honteuse. L'apolitisme, c'est le charme discret de la dénégation. Contre quoi il faut crier bien haut que tout est

1. Lénine, *op. cit.*, p. 63.

politique, et que c'est bien ainsi. Oui, *tout* : parce que tout
est pouvoir et jeu de pouvoirs, conflit d'intérêts et heurt de
désirs. Il n'y a pas de compétence qui tienne, ni de savoir,
ni de gestion : qui en sait plus que moi sur mon désir ? et
qui pourrait gérer ma force ? et quelle compétence pourrait
valoir, si ce n'est au service d'une politique qu'il faut
d'abord imposer ? Le matérialisme prend ici des accents
nietzschéens : « Nous n'admettons qu'une chose : les forces
et les rapports de forces »[1]. Et c'est très bien ainsi : cela
prouve que *nous avons de la force*, en effet, et des réserves
en nous, même sous l'oppression, de *puissance* ! Hobbes
l'a montré : le seul droit naturel, c'est celui de se battre, et
Spinoza a raison de le maintenir toujours[2]. La politique,
c'est la continuation de la « guerre de tous contre tous »[3]
par d'autres moyens. Seuls les vainqueurs du jour ont intérêt à le nier, pour s'assurer la perpétuation sans risques de
leur domination. « Mon pouvoir, c'est la paix », disent-ils ;
mais point : leur pouvoir, c'est notre défaite, et la guerre
continuée. Et notre pouvoir, si nous l'avons : leur défaite *à
eux*. Parce que les hommes sont « par nature ennemis les
uns des autres »[4], non parce qu'ils sont méchants, mais
parce qu'ils sont rivaux de fait dans la simple effectuation
de leurs désirs. On ne sort pas du droit naturel, parce qu'on
ne sort pas du désir ni de la force : si « le désir est l'essence
même de l'homme », la guerre est l'essence même de la
société[5]. C'est pourquoi il n'y a pas d'*origine* à chercher au
fait social : la société n'a jamais commencé parce qu'il n'y
a pas de commencement à la guerre – aussi ancienne que

1. François Fourquet, *L'idéal historique*, 10/18, p. 181. « Accents nietzschéens » :
ce livre est en effet une critique nietzschéenne (et freudienne) de « l'idéal militant » :
« Il n'existe que la *libido* et la *puissance*... Puissance de l'éros, éros de la puissance :
il n'y a pas d'autre matérialisme historique » (p. 8).
2. Cf. Spinoza, *Lettre 50 à Jarig Jelles*.
3. Hobbes, *Leviathan*, I, 13.
4. Spinoza, *Traité politique*, II, 14.
5. Puisque « les hommes sont conduits plutôt par le désir aveugle que par la
raison » (*Traité politique*, II, 5), et qu'en cela « ils sont traînés en divers sens et sont
contraires les uns aux autres » (*Eth.* IV, scolie 2 de la prop. 37, qui renvoie aux
prop. 33 et 34), c'est-à-dire, encore une fois, « ennemis les uns des autres » (*TP*, II,
14). Nous y reviendrons.

l'homme, aussi éternelle que le désir. Et la société ne finira pas non plus, ou bien par sa mort : la guerre ne connaît de fin que la fin des combattants. L'histoire est donc bien un processus « sans origine, sans sujet ni fin » [1], mais point pour n'être qu'un pur effet inerte de structures. L'histoire est un processus sans origine, sans sujet ni fin, parce qu'il n'y a rien en elle que l'éternité dispersée du désir et de la guerre.

Désespoir. L'histoire ne *va* nulle part. Elle avance peut-être, en tout cas elle bouge, mais n'a d'autre but, à chaque instant, que le pas (à supposer que ses mouvements innombrables, infimes ou grandioses, puissent, dans leur contemporanéité dispersée, se réduire à l'unité d'un *pas*) qu'elle effectue. En avant ? en arrière ? C'est selon votre point de vue, et l'*orientation* de vos désirs. Car l'axe temporel ne suffit pas : on peut faire un pas en avant *vers le passé* (Platon, nous le verrons, ne voulait pas autre chose), ou un pas en arrière *vers l'avenir* : c'est le propre des décadences. Il n'y a d'avant et d'arrière que ce que l'on définit tel, et par conséquent de progrès ou de recul que *relatifs*. Il n'est en effet aucun point de repère absolu ou fixe pour en juger, et pas de fin dernière. Labyrinthe : l'histoire n'avance jamais que vers elle-même. Aucun Dieu ne l'appelle, aucun but ne l'attire, aucune idée ne la guide ni ne s'y cache. L'histoire n'est que l'histoire. *Universelle ?* Si l'on veut ; encore faudra-t-il pour chacun définir (s'il veut qu'il ait un sens) *son* univers, c'est-à-dire, paradoxalement, le délimiter. Car l'univers lui-même, au sens strict, ne peut avoir aucun sens : puisqu'il les contient tous. *Rationnelle ?* Bien sûr : puisqu'elle est réelle [2]. *Sensée ?* Pourquoi pas ?

---

1. Selon les expressions popularisées par Louis Althusser : cf. par exemple Sur le rapport de Marx à Hegel (in *Lénine et la philosophie*, Maspéro, 1972, p. 67-71), et Remarque sur une catégorie : « *Procès sans Sujet ni Fin(s)* » (in *Réponse à John Lewis*, Maspéro, 1973, p. 69-76).

2. « Ce qui est rationnel est réel, ce qui est réel est rationnel... » La formule, sous cette forme, est de Hegel (*Principes de la philosophie du droit*, préface ; trad. A. Kaan, « Idées » NRF, p. 41), et dans le cadre d'une problématique qui, on s'en doute, n'est pas la nôtre. Mais l'idée est déjà présente, nous le verrons, chez Spinoza. On voudra bien m'autoriser à l'accepter ici comme postulat, avant d'y revenir, dans mon cinquième chapitre.

Mais si tout sens est historique (et comment en serait-il autrement ?), le sens de l'histoire ne peut être que relatif : compris *dans* l'histoire, il ne peut absolument la comprendre. Cette *relativité* est aussi *générale* que l'autre : pas de sens sans point de repère, pas de point de repère sans point de vue. Or le point de vue ne peut guère être, au maximum, que celui de l'humanité (et l'histoire *universelle*, celle qui la concerne toute). Mais l'humanité n'est rien (il n'existe que des individus) et n'est jamais pensée, elle non plus, que de manière relative : par un sujet, par une classe, par une époque. Si l'humanité se pensait soi (Auguste Comte n'était pas en cela si naïf), elle serait Dieu ; l'histoire est précisément ce qui nous en sépare. Et puis : il y a la mort. Celle de l'individu, bien sûr, mais aussi celle de l'humanité : le néant est son destin. De telle sorte que la *fin* (la finalité) de l'histoire, si elle existait, se résorberait dans sa finitude, son but disparaîtrait dans son terme, et son sens s'abolirait dans l'absolu de son silence – « nulle conscience n'étant plus là pour préserver fût-ce le souvenir de ces mouvements éphémères sauf, par quelques traits vite effacés d'un monde au visage désormais impassible, le constat abrogé qu'ils eurent lieu c'est-à-dire rien »[1].

La science moderne nous fut, parmi d'autres, cette leçon de désespoir. Mais le désespoir ne l'avait pas attendue. On retrouve ici, tout aussi bien, l'inspiration « bouddhique » à laquelle Lévi-Strauss, dans un texte que nous avons cité[2], reconnaissait se rattacher : désespoir, impermanence, vacuité... Et nous ne sommes pas loin non plus de la pensée de Lucrèce, dont on a pu à juste titre résumer ainsi la leçon :

> « Parce que l'univers n'a pas de structure, que l'homme n'est qu'un accident de la matière, que le monde est périssable et l'âme mortelle, parce qu'aucune intelligence, aucune finalité, mais seulement la causalité aveugle et le hasard président à toutes les créations de la nature, que les plus grands des maux qui accablent le monde et l'homme ne sont que des accidents voulus par personne et ne signifiant rien, parce

1. C. Levi-Strauss, *L'homme nu*, finale, p. 621.
2. Cf. *supra*, p. 54.

qu'il n'y a ni justice, ni morale, ni droits, ni devoirs autres que ceux résultant du pacte social de non-agression, parce que l'histoire, au moins en tant qu'il s'y passe quelque chose, est insensée, enfin parce que le plaisir ne peut être indéfiniment accru (de sorte que tous les efforts de la civilisation pour multiplier les biens et les plaisirs sont faits en pure perte puisqu'ils ne peuvent accroître la capacité humaine de joie), le sage, qui, sachant tout cela, s'est délivré des illusions qui produisent les craintes vaines et les faux désirs peut, conscient et calme, éprouver la joie pure, et, sans être éternel, vivre en éternité comme un dieu. » [1]

Désespoir et béatitude. L'histoire n'aura d'autre fin, au bout du compte, que la mort, et n'a d'autre but d'ici là (puisque nous vivons) que le plaisir, auquel même la guerre est soumise : Mars n'est jamais, parmi d'autres, qu'un amant de Vénus [2]. Jouir et mourir – rien d'autre ne nous est promis. Seule la mort est immortelle [3], seul le plaisir est désirable [4], et tout sens [5], tout progrès [6] s'inscrivent dans ces limites. Tout peut bien s'expliquer dès lors [7], mais non pas, absolument parlant, se justifier. Tout a une cause, rien n'a de sens – que le sens toujours relatif, multiple et contradictoire (même au sein d'une même espèce vivante [8]), des désirs et des craintes. La paix par exemple est désirable [9] ; mais elle n'a de sens (ou elle n'*est* un sens) que relativement à la peur qu'elle supprime et au plaisir qu'elle permet, c'est-à-dire finalement que relativement à la guerre, qui existe

---

1. Marcel Conche, *Lucrèce*, p. 119.
2. Cf. Lucrèce, *De rerum natura*, I, 31-40.
3. Cf. Lucrèce, III, 869 : *mors inmortalis...*
4. Cf. par ex. Lucrèce, II, 257-258, Epicure, *Lettre à Ménécée* 128-129, et *supra*, p. 66-68.
5. L'*insensé* étant celui qui l'oublie : cf. par ex. *Lettre à Ménécée*, 124-129, et Lucrèce, II, 1-61, et III, 931-977
6. Cf. Lucrèce, V, 925-1457 ; nous y reviendrons.
7. Puisque Lucrèce reprend (I, 150) ce qu'on peut appeler le principe épicurien (cf. *Lettre à Hérodote*, 38) de raison suffisante, et l'oppose à l'*inexplicable* de l'intervention divine : « Le principe que nous poserons pour débuter, c'est que rien n'est jamais créé de rien par l'effet d'un pouvoir divin. » (Le même principe se trouve chez Empédocle, Anaxagore et Démocrite : cf. Robin, *Commentaire...*, 1, p. 52.)
8. Mais *a fortiori*, bien sûr, *entre* les espèces : cf. par ex. Lucrèce, IV, 615-721 ; l'exemple de l'amour (cf. IV, 1149-1191) suffit à prouver que cela vaut aussi au sein de l'espèce humaine.
9. Lucrèce, I, 29-43.

d'abord[1] et est partout présente : guerre entre les éléments[2], guerre entre les espèces[3], guerre entre les hommes[4]... C'est pourquoi la raison n'a pas besoin de « ruser » pour que l'histoire soit rationnelle – le réel l'est toujours –, et ruserait en vain pour qu'elle soit raisonnable – la guerre, la guerre « horrible »[5], ne l'est jamais.

Il reste que cette guerre peut certes prendre des formes bien différentes : plus ou moins violentes, plus ou moins sanglantes, plus ou moins « guerrières ». La lutte des classes n'est pas la guerre civile, la guerre froide n'est pas la guerre atomique. Et loin de moi l'idée que cela ne change rien : la mort fait toute la différence, et la mort change tout. Mais l'absence de guerre violente – de guerre *effective* – n'est pas la paix, qui supposerait l'absence totale de lutte ou la résorption du conflit[6]. Elle est simplement la continuation de la lutte sous d'autres formes, dont la politique est précisément le dénominateur commun. En ce sens, la « paix » est toujours bonne et précieuse, cela va de soi, qui remplace la lutte à mort par le combat politique. La « paix » est toujours belle et excellente parce que la vie vaut toujours mieux que la mort ; et dire « Vive la politique ! », c'est aussi dire « Vive la paix ! » – Vive cette forme *paisible* (ou en tout cas non meurtrière) du combat ! Jaurès ne disait pas autre chose en 1914... Mais cela n'oblige pas

---

1. Non pas bien sûr la guerre rangée (V, 999-1000), mais, comme chez Hobbes, le libre jeu des rapports de forces : V, 958-961. L'amitié et la paix ne commencent qu'*après* (*postquam* : 1011) ; cf. V, 1011-1027.

2. Lucrèce, V, 380-415.

3. Lucrèce, V, 837-1010. Cf. Boyancé, *Lucrèce et l'épicurisme*, PUF, 1963, p. 239-241.

4. Cf., pour la guerre à l'état de nature, *supra*, note 1, et, pour la guerre « civilisée », Lucrèce, V, 1297-1349.

5. Cf. Lucrèce, V, 1306.

6. Si, comme le pense Hobbes (cf. supra, p. 101), il y a guerre, au sens le plus général du terme, dès lors que « chacun s'efforce de détruire ou de dominer l'autre », on peut penser que « guerre » et « paix » (au sens restreint) ne sont que deux modalités de cette guerre générale ; car l'histoire n'est rien d'autre que la succession de ces « destructions » (guerre) et « dominations » (« paix »). Ce en quoi Jambet et Lardreau n'ont sans doute pas tort de postuler (*Le Monde*, p. 281) « l'éternité du Maître » ; mais celle-ci n'est que l'effet de l'éternité de la guerre, dont la figure du Maître ne fait jamais qu'hypostasier le résultat. Qui remplace la pensée du Maître par la pensée de la guerre, il n'a plus besoin d'« Ange ». Sa force lui suffit.

à s'illusionner sur la réalité de cette « paix » : elle n'est pas la concorde, mais la forme douce de la discorde. « Douce » est d'ailleurs déjà trop dire : la misère, le chômage, les grèves, ce n'est pas la douceur ; l'exploitation, le racisme, les charges de CRS, ce n'est pas la douceur ; et douze millions d'enfants morts de faim en un an[1] – oui, *douze millions* : davantage que tous les soldats tués pendant toute la première guerre mondiale –, ce n'est pas la douceur... Voilà pourtant ce que c'est, en réalité, que leur « paix ». « Paix » est le nom que les vainqueurs donnent à la défaite des vaincus, pour se créer l'illusion qu'elle est définitive. Et elle l'est en effet – pour les morts. Mais ce sont les vivants qui font la politique, et nulle paix pour eux, nulle défaite sans lendemain. Car rien n'est définitif en politique que la guerre ; rien n'est définitif en politique que la politique.

C'était déjà la leçon que Marx tirait de la défaite des Communards : « Après la Pentecôte de 1871, il ne peut plus y avoir ni paix ni trêve acceptable entre les ouvriers de France et ceux qui s'approprient le produit de leur travail. La main de fer d'une soldatesque mercenaire pourra tenir un moment les deux classes sous une commune oppression. Mais la lutte reprendra sans cesse... »[2] Cela vaut depuis toujours : dire que « l'histoire de toute société jusqu'à nos jours est l'histoire de lutte de classes »[3], c'est dire qu'il n'est d'histoire que de la guerre[4], et que la « paix » n'est que la dénégation du combat que, sous une forme

1. Selon les chiffres officiels de l'UNICEF pour l'année 1979.
2. Marx, *La Guerre civile en France*, Ed. sociales, 1968, p 62.
3. Marx-Engels, *Le Manifeste...*, I, p. 31.
4. La guerre est même, selon toute vraisemblance, antérieure à la lutte des classes. Celle-ci en effet, comme Engels le précise d'ailleurs en note (*ibid.*, note 2), fut absente au moins pendant l'essentiel de la préhistoire. Il est ainsi vraisemblable que la lutte des classes ne soit qu'une des formes – ni la première ni, peut-être, la dernière – de la guerre, c'est-à-dire des conflits de forces et de désirs. On sait par exemple que les spécialistes de la préhistoire envisagent l'hypothèse d'une guerre effective (voire d'un génocide) antérieure même à l'apparition du genre *Homo sapiens*, entre les australopithèques *robustus* et *gracilis*, ou entre ceux-ci et les membres du groupe *Homo habilis*. Par ailleurs, si l'on admet avec Engels que « la première oppression de classe » coïncide avec « l'oppression du sexe féminin par le sexe masculin » (*L'origine de la famille...*, p. 65), on m'accordera qu'il est difficile d'en fixer le commencement...

moins violente, elle continue. L'apolitisme est la forme extrême de cette dénégation : il ne peut faire le jeu que des vainqueurs. Méfions-nous donc de ces politiciens qui se prétendent apolitiques : technocrates, bureaucrates, ploutocrates... S'ils veulent masquer leur pouvoir, c'est pour mieux supprimer le nôtre. Ne les laissons pas faire : la politique, c'est notre force ; la défendre, c'est défendre notre liberté, c'est-à-dire notre droit à la lutte[1], ici et maintenant, contre la « paix » des vainqueurs et des lâches. Car tout pouvoir est oppressif, mais toutes les oppressions ne se valent pas. Le pouvoir de la bourgeoisie n'est pas celui des salariés, un gouvernement civil n'est pas une junte militaire, une démocratie n'est pas une tyrannie, les libertés individuelles ne sont pas la terreur[2]... Notre désir fera le choix. Tout Etat n'est pas non plus totalitaire : à nous de l'empêcher de *tout* gouverner, à nous de lui imposer, comme son « dehors », l'espace libre de notre action – ce qu'on appelle les *droits de l'homme,* qui ne sont jamais que ce que nous en faisons, et d'abord les propres forces de l'individu telles qu'elles sont *limitées et protégées* par les forces de l'Etat contre toutes les forces (y compris étatiques) qui le menacent. Désespoir : le *droit* n'est qu'un *fait* de forces. Mais désespoir tonique : tout pouvoir est oppressif (puisqu'il est pouvoir), mais tout pouvoir n'est pas absolu. Il ne l'est même (Spinoza l'a montré[3]) jamais : à nous donc de *délimiter* (quantitativement et qualitativement) *l'oppression* que nous supportons[4]. C'est parce que

---

1. Qui n'est pas un droit, bien sûr, mais un fait.

2. On demandera : s'il y a des libertés individuelles, en quoi est-ce une oppression ? C'est que ces libertés n'existent qu'autant qu'elles sont défendues, de manière effective et, éventuellement, violente, par le pouvoir d'Etat (par « les forces de l'ordre »). Autrement dit : qu'autant qu'on opprime, le cas échéant, ceux qui veulent les supprimer. Comme disait Saint-Just : « Pas de liberté pour les ennemis de la liberté. » Principe dangereux peut-être, et dont on peut abuser : qui décidera quels sont les ennemis de la liberté ? Et de la liberté *de qui* ? Mais principe incontournable dès lors que les libertés sont *effectivement* en jeu. Qui en décidera ? Chacun d'entre nous, pour son compte, et les uns contre les autres. Voyez la France, sous Pétain. Nul ne peut se dispenser de choisir.

3. Cf. *supra*, p. 102.

4. On pourrait croire qu'il en faut simplement le moins possible : que *le moins* soit toujours *le mieux.* Ce n'est malheureusement pas si simple. D'abord parce que

tout pouvoir est oppressif qu'il n'est de liberté possible, pour l'individu, que dans la *limitation de fait* du pouvoir. Tout droit est à conquérir ou à défendre : la liberté *aussi* est un combat. A nous d'imposer – ou de maintenir – la nôtre. C'est la seule paix qui vaille. Car toute paix est la continuation d'une guerre, mais toutes paix ne se valent pas ; et la paix que nous voulons, belle et tranquille comme un enfant qui dort, joyeuse comme un enfant qui se réveille, cette paix pour laquelle nous nous *battons* : c'est la nôtre ! Désespoir et ascension : même la paix est un combat. « *We shall overcome, we shall live in peace...* » Il n'est de paix joyeuse que dans la victoire.

Finalement, c'est une question de *virtú*, au sens non-machiavélique que Machiavel donne à ce mot, et dont la traduction parfaite se trouve – coïncidence ? – chez Spinoza : « *Per virtutem et potentiam idem intelligo* »[1], ce qui signifie que la vertu n'est rien d'autre que l'affirmation du *conatus* (ou du désir), c'est-à-dire que l'effort en nous (en tant qu'il est actif) pour éprouver de la joie. L'action politique n'est qu'une manifestation parmi d'autres de notre puissance d'agir. La politique aussi, c'est notre *virtú* : question de force et de courage !

C'est pourquoi, autant les politiciens « apolitiques » vivent dans l'hypocrisie et le mensonge, autant les individus isolés qui se prétendent apolitiques vivent dans la faiblesse et l'illusion – ou bien dans la complicité. Leur apolitisme n'est qu'une forme, elle aussi honteuse, de politique. Ils ont la politique de leur défaite, qu'ils dénient en faisant mine d'ignorer le combat. Une seule situation pourrait, à nos yeux, justifier ce recul : quand toute victoire est

---

« le moins possible », c'est l'état de nature (et l'oppression de la peur généralisée) ; ensuite parce que, comme le notait Rousseau, entre le fort et le faible, c'est la liberté qui opprime, de telle sorte que l'absence d'oppression (en droit) en est toujours une autre (en fait). Par exemple, le libéralisme économique « sauvage » représente le moins d'oppression étatique possible dans l'économie. On en connaît les effets.

1. Spinoza, *Ethique* IV, déf. 8 : « Par vertu et puissance, j'entends la même chose. » Spinoza avait lu Machiavel, « auteur des plus perspicaces », dit-il, dont il est certain qu'il « aimait la liberté et qu'il a formulé de très bons conseils pour la sauve-garder... » (*Traité politique*, V, 7).

impossible, toute révolte vaine et tout combat suicidaire.
C'est peut-être en son temps ce qui expliqua « l'apolitisme » d'Epicure (« Vivons cachés ») face à la décadence
de la Cité grecque et à l'occupation macédonienne : quand
plus rien n'est possible, le plus sage est de ne rien tenter ;
la vie privée (c'est-à-dire, pour Epicure, la méditation et
l'amitié) peut alors être, pour l'homme lucide, un plus sûr
refuge[1]. Il n'est pas certain d'ailleurs que nous ne nous
enfoncions pas nous aussi, progressivement, en cette fin
d'un siècle et d'un monde, dans une situation de ce genre.
Auquel cas se vérifierait ce qu'écrit Spinoza, à savoir que
« la vertu d'un homme libre se montre aussi grande quand
il évite les dangers que quand il en triomphe », et que
donc, « dans un homme libre, la fuite opportune et le
combat témoignent d'une égale fermeté d'âme »[2]. Le sage
n'a que faire d'être un héros. Mais cette « fuite » traduit
toujours, néanmoins, un rapport de forces défavorable,
c'est-à-dire, quelle que soit la « fermeté d'âme », une faiblesse objective. C'est une politique pour temps de catas-
trophe – et une philosophie, comme dit si bien Nizan[3],
« de la part du feu ». Nous n'en sommes pas là. Nous ne
sommes pas encore assez faibles pour nous résigner à leur
« paix » qui assassine les enfants. Nous ne sommes ni
vaincus, ni réconciliés. Comme disaient les manifestants
de 1968, « nous continuons le combat ». Nous sommes
debout.

Matérialisme et ascension : la politique, elle aussi, permet de « persévérer dans son être », elle aussi est désir, elle
aussi peut être joyeuse, elle aussi peut être *virtú* : joie du
désir et désir de la joie ! Voyez le Front populaire, voyez
Mai 1968 : ce qu'il en reste finalement d'essentiel dans le
souvenir commun, outre d'importantes conquêtes sociales,
c'est une certaine qualité de *joie* – la puissance joyeuse d'un

---

1. Sur l'apolitisme d'Epicure (« Le sage ne s'occupera pas de politique » : Diogène
Laërce, X, 119), cf. les belles pages de Nizan : *Les matérialistes de l'Antiquité*, Maspero, 1971, p. 8-20.
2. Spinoza, *Ethique* IV, prop. 69 et corollaire.
3. *Op. cit.*, p. 13.

peuple en lutte, le vent fou du désir qui s'affirme et se bat !
L'histoire est un ciel ouvert.

D'ailleurs, les individus ont toujours tort qui veulent garder leur quant-à-soi en politique, qui se flattent – apolitisme
ou pas – d'avoir une position tellement personnelle, tellement originale, tellement précieuse, tellement rare, qu'aucun groupe jamais ne puisse en exprimer la singulière
essence... D'abord parce qu'ici non plus le *moi* n'est rien,
qu'illusion et absence – et les absents ont toujours tort.
Ensuite parce que faire de la politique, c'est toujours se
soumettre à un groupe. Il n'y a pas de politique individuelle,
non seulement parce que tout désir (humain) est social,
mais aussi pour cette raison qu'il n'est de politique que de
la force, et que l'individu, *tout* individu, est faible. Même au
« grand homme » il faut un peuple, un parti, une armée...
La politique est ce lieu où le désir solitaire s'affronte aux
autres désirs, dans un système toujours donné d'alliances et
de conflits. La politique, c'est la collectivité des désirs. On
n'y a donc le choix que de son groupe, et cela est vrai pour
ceux aussi qui les refusent tous : ils en forment ainsi un
autre, ou plusieurs, comme ceux qui « ne-font-pas-de-poli-
tique » en font pourtant, à leur façon, par ce refus même.
On n'a le choix que de sa soumission (même le chef se
soumet : il ne serait pas chef autrement), et la politique est
en cela maîtresse d'humilité[1].

Pas de politique individuelle, et pas d'individu sans politique. Le meilleur groupe, c'est le moins mauvais. Et l'on
a même le droit de se tromper.

II

C'est une façon de parler. Parce qu'il n'y a pas de
« droits » en politique, et pas non plus d'erreurs. Pas de

---

1. Laquelle n'est jamais une vertu (Spinoza, *Eth*. IV, prop. 53), mais souvent un
moindre mal (*Eth*. IV, scolie de la prop. 54). Narcisse (non le sage) a besoin de ses
leçons.

droits, pas d'erreurs, pas de vérités. « Les notions de légitime et d'illégitime, de justice et d'injustice, n'ont pas ici leur place. »[1] Désespoir : on ne sort pas de la nature. Matérialisme : il n'y a que la force et le désir. Toute politique est politique, et en ce sens elles se valent toutes. Il n'y a pas de *meilleur groupe* absolument parlant. La raison les comprend tous, et n'en préfère aucun. Autrement dit : *l'idéal* n'existe pas. Il n'y a pas de Dieu, ou bien il ne fait pas de politique. Tout se vaut ; rien ne vaut. Matérialisme et désespoir.

C'est en effet dans la politique que l'on peut le mieux montrer ceci : que *l'idéalisme* mérite bien son nom, qui est la croyance en tout que *l'idéal* quelque part *existe*. Cela se voit chez Platon, ici encore le plus grand des maîtres et le meilleur des ennemis. L'idéal, en politique, c'est la justice. Platon lui a consacré son grand livre, *La République*, sous-titré : *De la Justice*. Eliminons d'abord les faux problèmes. Peu importe que cet idéal soit réalisable ou pas, et par quels moyens concrets. Un peintre qui a peint « le plus beau modèle d'homme qui soit » et qui a donné à sa peinture « tous les traits qui conviennent », il n'a pas à démontrer qu'un tel homme puisse exister[2]. Il est pareillement sans importance que la Cité idéale soit sans doute irréalisable dans la pratique. Car cette Cité existe *déjà* : dans le monde intelligible. La *République* n'est donc pas le programme de ce qu'il faut faire, elle est le modèle de ce qu'il faut penser[3]. Ce n'est pas une utopie ; c'est un paradigme. Ce n'est pas la meilleure cité possible (pour nous) ; c'est la seule cité réelle (en soi) – la Cité intelligible. La Cité parfaite de la *République* est ainsi à la politique ce que le Beau en soi du *Banquet* est à l'amour : à la fois son but et son origine, sa cause et son accomplissement. Or, dans les deux cas, cet idéal (le Beau en soi, la Justice absolue) existe bel et bien. Au delà de toutes les formes concrètes de beauté,

---

1. Hobbes, *Leviathan*, I, 13, p. 126.
2. Cf. Platon, *République*, V, 472.
3. Cf. *République, ibid.*, 472-473.

écrit Platon, celles des corps et celles des âmes, celles des actions et celles des sciences, il y a une « beauté éternelle » et « surnaturelle », qui est « le beau tel qu'il est en soi », « le beau lui-même, simple, pur, sans mélange », « la beauté divine elle-même sous sa forme unique »...[1] De même, au delà de toutes les cités historiques et contingentes, plus ou moins justes, plus ou moins ordonnées, il y a « quelque chose de juste en soi »[2], c'est-à-dire un « ordre »[3] intelligible, « un modèle dans le ciel »[4], un « modèle divin »[5], c'est-à-dire à la fois « l'essence de la justice »[6] et celle de la Cité parfaite[7]. Sans doute cette Cité absolue n'est-elle fondée, semble-t-il, « que dans nos discours, puisque, aussi bien, je ne sache pas qu'elle existe en aucun endroit de la terre »[8]. Mais c'est l'inverse qui est vrai : c'est elle qui fonde tous nos discours, puisque, loin d'être irréelle, cette Cité parfaite est au contraire « l'être réel »[9] de toutes les cités effectives, c'est-à-dire leur essence intelligible, d'où – et d'où seulement – émane ce qu'il peut y avoir en elles d'ordre et de justice. C'est pourquoi « il n'importe nullement que cette cité existe ou doive exister un jour : c'est aux lois de celle-là seule, et de nulle autre, que le sage conformera sa conduite »[10]. Peu importe l'histoire. La seule cité qui compte, c'est la Cité idéale.

La pensée politique de Platon est donc *idéaliste*, au sens strict : elle est pensée de l'idéal. Mais cet *idéal* n'est pas un rêve ou un désir : il est la seule vérité, la seule réalité, auprès de laquelle, comme dit Alain, « c'est notre vie qui est un songe ». La seule vérité, mais aussi : la seule valeur, par rapport à quoi toute action humaine (et notamment toute politique) doit être jugée. Et comment pourrait-on

---

1. Platon, *Banquet*, 210-212, et *supra*, p. 83-84.
2. Platon, *Phédon*, 65.
3. Platon, *République*, VI, 500.
4. *République*, IX, 592.
5. *République*, VI, 500-501.
6. *Ibid.*
7. *Ibid.*
8. *République*, IX, 592.
9. Cf. *République*, VI, 506-507.
10. *République*, IX, 592.

autrement juger *en vérité* de la *valeur* de quoi que ce soit ?
Comment pourrait-on échapper à la sophistique « mercenaire »[1], qui ne sait que suivre et flatter les habitudes du
« gros animal », « appelant bon ce qui le réjouit, et mauvais
ce qui l'importune, sans pouvoir légitimer autrement ces
qualifications... »[2] Il faut que rien n'ait de valeur, ou que
la valeur soit. Le platonisme est la philosophie qui choisit
le second terme de l'alternative. La valeur *est* ; l'être *vaut*.
Et parce que le monde sensible (ce que nous appellerions,
mais point Platon, le monde *réel*) semble prouver perpétuellement le contraire, il faut que le monde intelligible (le
vrai monde, selon Platon) soit le lieu de cette conjonction.
Idéalisme : l'idéal (l'Idée), c'est à la fois la réalité et la
norme, l'être et la valeur. Et ce qui manque de valeur manque aussi d'être : ombres, ombres sinistres et pâles de la
caverne, fantômes et marionnettes, spectres livides... Notre
monde. Notre vie. Notre histoire. La lumière est ailleurs ;
la lumière *vient* d'ailleurs. Car il y a une lumière, sans quoi
il n'y aurait même pas d'ombres, et nul savoir nulle part.
D'où cette constante de la pensée platonicienne, que ses
jugements *normatifs* (portant sur la valeur) sont en même
temps des jugements *vrais* (portant sur l'être), mais qui,
dans les deux cas, ne peuvent s'appliquer au monde sensible que par le *détour* du monde intelligible. Cela admis, le
maximum de valeur est aussi le maximum d'être, et le mal
n'est jamais qu'une erreur : nul n'est méchant volontairement, et Dieu est innocent[3].

Cette conjonction de l'être et de la valeur, du Vrai et du
Bien, est au cœur du platonisme. Elle est son armature et
son noyau incandescent. C'est elle qui soutient sa métaphysique (l'Idée du Bien, « soleil » du monde intelligible[4]),
sa morale (la vertu est une science[5]), et son esthétique (la

1. *République*, VI, 492-493.
2. *Ibid.*
3. Cf. par exemple *Lois*, V, 731, et *République*, X, 617.
4. Cf. par ex. *République*, VI, 508-510.
5. Du moins la vertu véritable. Sur les problèmes d'interprétation que pose à ce
propos le *Menon*, cf. le commentaire de Koyré, *Introduction à la lecture de Platon*,
p. 22-35.

Beauté, la Proportion et la Vérité ne sont que des aspects du Bien[1]). Mais elle soutient aussi sa pensée politique (puisque « l'idée du Bien est la plus haute des connaissances, celle à qui la justice et les autres vertus empruntent leur utilité et leurs avantages »[2]). Il va en naître toute une série de conséquences, dont il serait trop long d'approfondir la trame, mais dont je voudrais rapidement esquisser l'enchaînement.

La première de ces conséquences, à quoi la théorie de l'amour nous a déjà habitués, c'est que cette politique sera *religieuse*, c'est-à-dire, dans la terminologie qui est la nôtre, *descendante*. Tout procède du Juste en soi et de l'Idée du Bien, comme toute vie, sur terre, nous vient du soleil[3]. L'Idée du Bien est « la cause de tout ce qu'il y a de droit et de beau en toutes choses »[4], donc aussi de la bonne politique, et nous ne pouvons y accéder que par le bénéfice d'une « protection divine »[5]. Les hommes politiques, comme les amants et les prophètes, sont donc « divins et inspirés, puisque c'est grâce au souffle du dieu qui les possède qu'ils obtiennent tant et de si grands succès »[6]. Le bonheur vient toujours d'en haut[7] ; c'est pourquoi « une cité ne sera heureuse qu'autant que le plan en aura été tracé par des artistes utilisant un modèle divin »[8]. C'est Dieu, et non l'homme, qui est « la mesure de toutes choses »[9] ; la Divinité « tient en mains le commencement,

---

1. Cf. *Philèbe*, 64-66.
2. *République*, VI, 505.
3. Cf. par exemple *République*, VI, 507-509, et VII, 514-17.
4. *République*, VII, 517.
5. *République*, VI, 493 (Robin traduit : « une grâce divine »).
6. *Ménon*, 99. Il y a ici, comme le note Koyré (*op. cit.*, p. 32), une certaine ironie, liée non seulement au décalage entre ces propos et la réalité politique athénienne, mais aussi au fait que cette « inspiration » n'est encore que très partiellement satisfaisante, tant qu'elle n'est pas accompagnée de la « science royale » qu'évoqueront la *République* et le *Politique*, et qui est la connaissance de la Cité intelligible. Mais cette « science royale », comme toute science, est aussi une émanation du Bien absolu (*Rép.*, VI, 508-510). On ne sort pas de la religion.
7. Cf. par ex. *Lois*, IV, 715-716.
8. *République* VI, 500-501.
9. *Lois*, IV, 716. (Nos citations des *Lois* sont extraites de la trad. Robin, dans la Pléiade.)

le milieu et la fin de tout ce qui existe »[1]. Ici encore, l'ascension n'est donc qu'heuristique et pédagogique : le « modèle » de la Cité se trouve « dans le ciel »[2], et si les philosophes-politiques doivent contempler, dans le ciel des Idées, « l'essence de la justice, de la beauté, de la tempérance et des vertus de ce genre »[3], c'est-à-dire en dernière analyse « l'idée du Bien »[4], cette « science sublime »[5] n'est ascendante qu'en tant qu'elle suppose une « conversion de l'âme »[6] ; elle ne fait en effet que parcourir à rebours les sentiers de l'être, par où toute politique réelle procède et s'éloigne en même temps de son modèle idéal. C'est là la justification du mythe de l'Atlantide et de la grandeur passée d'Athènes[7] : s'il est vrai que « c'est l'essence du mythe de dérouler dans le temps et d'étaler dans l'espace les éléments qu'a distingués une analyse purement logique »[8], il est clair que la décadence prétendument historique d'Athènes n'est que la traduction mythique de sa déchéance ontologique, qui est d'être cité sensible, simplement, cité matérielle, et non pure et parfaite idéalité. Preuve en est que la *République* elle-même, dans son livre VIII, expose les phases successives de l'inévitable dégénérescence de toute cité historique : « Comme tout ce qui naît est sujet à la corruption, ce système de gouvernement ne durera pas toujours, mais il se dissoudra... »[9] Bref, aussi éternellement parfaite que soit la Cité intelligible, et aussi ressemblante qu'en soit la copie sensible réalisée par le politique-philosophe, sa dégénérescence est malgré tout inscrite dans son être, ou plutôt dans son moindre être. L'histoire est le lieu de ce manque. Du simple fait d'être sensible, toute cité humaine tend vers sa dégénération progressive.

1. *Lois*, IV, 715.
2. *République*, IX, 592.
3. *République*, VI, 501.
4. *République*, VI, 505.
5. *République*, VI, 504.
6. *République*, VII, 518.
7. Cf. *Timée*, 20-27, et *Critias*, 110 sq.
8. L. Robin, *Platon*, p. 203.
9. Platon, *République*, VIII, 546.

C'est une espèce d'entropie : puisqu'il n'est d'ordre qu'intelligible, le désordre politique tend toujours, ici-bas, vers un maximum, qui est la démocratie déréglée ou la tyrannie. Il n'est donc d'histoire que décadente, puisqu'il n'est d'histoire que sensible. Le pire est toujours à venir.

D'où une deuxième conséquence de l'idéalisme platonicien, qui est l'incapacité de penser le progrès. Sans donner à ces mots d'accents péjoratifs, on peut dire que la pensée politique de Platon est toujours réactionnaire ou conservatrice. Puisque l'histoire n'est jamais que la déchéance de l'éternité, la décadence est son destin comme le vieillissement est le nôtre. Tel est le sens du mythe de Cronos : la dégénérescence politique comme le vieillissement individuel sont le signe d'un monde abandonné de Dieu, et laissé à son mouvement rétrograde, qui est de « marcher à rebours pendant plusieurs myriades de révolutions »[1]. L'idée de progrès est donc absurde, contradictoire : elle n'a de sens ni dans le monde intelligible (où rien ne progresse parce que tout est éternellement parfait), ni dans le monde sensible (où tout ne peut que se corrompre et dégénérer)[2]. Ou plutôt, le seul « progrès » envisageable dans notre monde, c'est de ralentir, peut-être de freiner provisoirement, voire, si c'est possible, de remonter quelque peu le courant toujours descendant de l'histoire. Pour Platon, l'âge d'or est toujours derrière nous. Non pas certes qu'il ait effectivement existé. Comme la Cité parfaite, il n'est, d'un point de vue historique, qu'une pure fiction, et Platon sans doute ne l'ignore pas. Mais cette utopie – ou cette *atopie*[3] – n'en est pas moins nécessairement *originelle*.

---

1. Platon, *Politique*, 268-270.
2. Cette idée n'appartient pas qu'à l'Antiquité. Elle nous semble au contraire consubstantielle à toute une part (peut-être la plus pure) de l'idéalisme. On la retrouve par exemple chez Simone Weil, cette grande platonicienne du XXᵉ siècle : « L'idée athée par excellence est l'idée de progrès, qui est la négation de la preuve ontologique expérimentale, car elle implique que le médiocre peut de lui-même produire le meilleur » (*La pesanteur et la grâce*, 10/18, p. 174).
3. Cf. A. Koyré, *op. cit.*, p. 133 : « Il est clair que la Cité juste n'existe pas, et n'a jamais existé dans le monde. En ce sens donc, elle est une utopie, ou plus exactement une *atopie*, puisqu'elle n'existe – comme idée – que dans le *topos atopos*, le lieu intelligible où "existent" les idées. »

D'abord parce qu'elle est éternelle, et à ce titre antérieure à toute cité effective. Ensuite parce que toute cité « réelle » est soumise à la loi du temps, qui est d'usure et de mort : la tendance naturelle de l'histoire est donc que la cité présente soit toujours plus éloignée de son éternelle et parfaite origine que la cité passée. Tout le travail du philosophe-politique sera d'arrêter – voire d'inverser provisoirement – ce mouvement temporel de dégradation, de faire de sa cité comme un îlot de « néguentropie » dans une histoire globalement « entropique ». Il y a donc *conservatisme*, au sens strict : « arrêt du mouvement de décadence »... L'essentiel pour Platon est que rien ne change, que « rien de nouveau » ne s'introduise « contre les règles établies », fût-ce en musique ou en gymnastique dont on ne change jamais les formes « sans ébranler les plus grandes lois de la cité... » [1] Mais il y a aussi *réaction*, bien que d'une manière plus paradoxale : il s'agit d'un retour vers le passé, mais vers un « passé » qui n'est pas vraiment du passé, vers un *passé atemporel*, si l'on peut dire, qui est l'origine éternelle de toute cité juste possible. Puisque le temps est « l'image mobile de l'éternité » [2] – et puisqu'il n'est d'histoire que temporelle –, la bonne politique visera à remonter le cours du temps pour se rapprocher, autant qu'il est possible, de sa source atemporelle [3]. Ainsi s'enchaînent l'un à l'autre les paradoxes platoniciens : de même que dans l'ordre gnoséologique, *connaître c'est reconnaître* (réminiscence), et que, dans l'ordre éthique, *monter c'est remonter* (dialectique

---

1. Platon, *République*, IV, 424.
2. Platon, *Timée*, 37.
3. Il n'est pas impossible, cela dit, qu'il y ait aussi chez Platon pure et simple nostalgie du passé, influencée peut-être par ses voyages en Egypte. Cf. à ce propos ce qu'écrit P.-M. Schuhl (*L'œuvre de Platon*, Vrin, 1971, p. 109) : « Si hardies que soient les mesures que Platon envisage, c'est d'une restauration qu'il rêve. De tous les pays qu'il connaît, seule l'Egypte, où fleurit alors une réaction archaïsante (régime saïte), lui paraît avoir évité toute dégradation par sa fidélité aux traditions héritées des ancêtres... » Mais c'est peut-être que le passé a en lui-même sa part d'éternité, s'il est vrai qu'il est, comme le pensait Simone Weil (*op. cit.*, p. 176), « l'image par excellence de la réalité éternelle, surnaturelle ». Ce pourquoi, disait-elle, le passé « peut nous tirer vers le haut, ce que l'avenir ne fait jamais... D'où nous viendra la renaissance, à nous qui avons souillé et vidé tout le globe terrestre ? Du passé seul, si nous l'aimons » (*ibid.*).

« ascendante » de l'âme qui recouvre les ailes qu'elle a perdues), de même en politique, *avancer, c'est reculer*. Le seul « progrès » possible, c'est la réaction.

Mais ce recul n'a de sens qu'à la condition de tendre effectivement vers son origine, c'est-à-dire vers la Cité intelligible. Or cela suppose une connaissance préalable du « modèle divin » : on ne peut remonter vers la source anhistorique de l'histoire qu'à la condition de la connaître. C'est pourquoi la troisième conséquence de l'idéalisme platonicien va être l'exigence d'une politique *vraie*, c'est-à-dire fondée sur un *savoir* – autrement dit une politique « scientifique » ou dogmatique. On sait que Platon est un des rares philosophes à avoir osé affirmer ceci : que tout le pouvoir politique doive appartenir aux philosophes. « Tant que les philosophes ne seront pas rois dans les cités, ou que ceux qu'on appelle rois et souverains ne seront pas vraiment et sérieusement philosophes... il n'y aura de cesse, mon cher Glaucon, aux maux des cités, ni, ce me semble, à ceux du genre humain... »[1] Ce n'est pas corporatisme ou esprit de caste. Si le pouvoir – tout le pouvoir – doit appartenir aux philosophes, c'est qu'il doit être fondé sur la vérité ; or *philosophe* est le nom de qui la connaît, et *roi* son titre légitime puisque « l'homme qui possède la science royale, qu'il règne ou non, a droit à être appelé roi »[2]. Sur quoi porte cette « science » ? Sur les essences[3], et spécialement sur l'essence de la justice[4]. Car dès lors qu'on admet qu'il existe « quelque chose de juste en soi »[5], une politique est possible et nécessaire qui serait fondée sur la connaissance du juste et de l'injuste, et qui serait donc une politique vraie en même temps que la meilleure politique possible. C'est cette connaissance déjà qui manquait à Alcibiade, et que Socrate, dans l'un des premiers dialogues de Platon,

1. Platon, *République*, V, 473.
2. Platon, *Politique*, 292-293.
3. *République*, VI, 499-500.
4. *République*, VI, 500-501.
5. *Phédon*, 65.

l'exhortait à acquérir[1]. C'est cette connaissance encore que
la *République* essaie d'établir, et dont le *Politique* et les *Lois*
tentent de programmer l'éventuelle et difficile application.
Nous sommes devant une constante de la pensée platonicienne. Or, par-delà un certain nombre d'hésitations ou de
nuances, ce qui reste commun à tous ces livres, c'est que le
seul régime parfait serait la dictature du savoir : « La distinction entre les formes de gouvernement ne doit pas être
cherchée dans le petit nombre, ni dans le grand nombre, ni
dans l'obéissance volontaire, ni dans l'obéissance forcée, ni
dans la pauvreté, ni dans la richesse, mais bien *dans la
présence d'une science* »[2]. Le seul bon gouvernement, ce sera
donc le « *gouvernement scientifique* »[3], c'est-à-dire fondé sur
le savoir. Tout le reste n'est que malheur[4], démagogie[5] ou
moindre mal[6]. Tout le reste n'est qu'histoire.

La quatrième conséquence politique de l'idéalisme platonicien coule alors de source : si le seul pouvoir juste est
celui du savoir, il ne peut être qu'absolu. « Il n'y a en effet
ni loi ni règlement quelconque qui ait une puissance supérieure à celle du savoir, et il n'est pas permis non plus de
soumettre l'intelligence à quoi que ce soit... »[7] Le roi-
philosophe est au-dessus des hommes et des lois, de même
que son gouvernement est « à part de tous les autres,
comme Dieu est à part des hommes »[8]. Lui qui a commerce
« avec ce qui est divin et soumis à l'ordre »[9], qu'irait-il
se plier aux désirs des ignorants ou à l'uniformité des

---

1. Dans l'*Alcibiade majeur*.
2. *Politique*, 292. La politique est en cela un « art » comparable à la médecine :
dans les deux cas, le savoir prime toute autre considération (*ibid.*, 293).
3. *Ibid.*, 303. Je suis toujours la trad. d'E. Chambry. Robin traduit « qui possède
le savoir ». Et il va de soi, en effet, qu'il ne s'agit pas d'une *science* au sens moderne
du mot. Peut-être vaudrait-il mieux prendre le risque du néologisme et traduire par
« *gouvernement épistémique* » ; mais l'emploi de l'adjectif « *scientifique* » est néanmoins licite, eu égard au rôle que joue, dans le platonisme, le modèle mathématique.
4. Cf. par ex. *République*, V, 473.
5. Cf. par ex. *République*, VI, 493.
6. Cf. par ex. *Politique*, 301-303.
7. Platon, *Lois*, IX, 875.
8. Platon, *Politique*, 303.
9. Platon, *République*, VI, 500.

lois [1] ? Lui qui doit « faire passer l'ordre qu'il contemple là-haut dans les mœurs publiques et privées des hommes » [2], qu'irait-il se soumettre au désordre qui règne ici-bas ? Bref, puisque le pouvoir est fondé sur la connaissance de la vérité, il ne saurait se partager : il n'y a qu'une vérité, il ne peut y avoir qu'un pouvoir. Sans doute n'est-ce pas une tyrannie, puisque le roi-philosophe, au contraire du tyran, n'a d'autre but que le bien commun. C'est pourquoi, alors que la tyrannie est le pire des régimes [3], le pouvoir du philosophe est le meilleur de tous : « car il n'y a rien de plus avantageux pour chacun que d'être gouverné par un maître divin et sage... » [4] Mais ce pouvoir non-tyranique n'en est pas moins dictatorial et absolu ; et la *République*, le *Politique* et les *Lois* dressent le tableau effrayant, il faut le dire, d'un Etat où *tout* – vie privée et vie publique, amour et famille, mœurs et opinions – est soumis au pouvoir sans limites du roi-philosophe. Oui, effrayant : car si tout pouvoir est oppressif (en tant que pouvoir), il est des pouvoirs qui se reconnaissent des limites (un « dehors »), c'est-à-dire qui acceptent (contraints ou non) de *délimiter* leur oppression. Mais la vérité est sans rivages, et rien ne la « délimite » que l'erreur – qui n'est rien. Totalitarisme : la vérité a tout pouvoir sur tout. « Et s'il en est qui ne puissent se former comme les autres à des mœurs fortes et sages, et à toutes les autres qualités qui tendent à la vertu, et qu'un naturel fougueux et pervers pousse à l'athéisme, à la violence et à l'injustice, (la science royale) s'en débarrasse en les mettant à mort, en les exilant, en leur infligeant les peines les plus infamantes... » [5] La cité parfaite est une dictature du savoir. La vérité ne pardonne pas.

---

1. Cf. *Politique*, 293-294. Les lois seront cependant utiles dans toutes les cités imparfaites ; leur respect ou leur non-respect sera même ce qui distinguera les gouvernements simplement imparfaits de leur forme corrompue : cf. *Politique*, 302-303.
   2. *République*, VI, 500.
   3. Cf. *Politique*, 302-303.
   4. *République*, IX, 590.
   5. *Politique*, 308-309.

D'où une cinquième et dernière conséquence, qui ne sur-
prendra pas. Ce pouvoir fondé sur la connaissance ne peut
appartenir qu'à ceux qui sont capables de connaître, c'est-
à-dire d'être philosophes. Ce n'est certes pas le cas des
esclaves[1], mais point non plus celui du grand nombre,
puisqu'il « est impossible que le peuple soit philosophe »[2].
Autrement dit, la cité juste ne saurait être démocratique,
mais seulement aristocratique ou monarchique. Car toute
science est difficile, et la science politique, « la plus difficile
peut-être »[3] de toutes. Elle doit donc être la plus rare. En
conséquence, « le gouvernement véritable, s'il en existe un
de tel, doit être cherché dans un seul, ou dans deux, ou
dans un tout petit nombre d'hommes... (Car) jamais un
grand nombre d'hommes, quels qu'ils soient, n'acquerront
une telle science et ne deviendront capables d'administrer
un Etat avec intelligence... »[4] Aristocratisme : il n'est pouvoir légitime que des meilleurs. La vérité ne pardonne pas,
mais elle choisit : *l'élite* est son parti. Dans la société aussi,
la vérité vient d'en haut.

III

Pourquoi ce long détour à nouveau par Platon ? Pour la
clarté d'en revenir. Soit pour montrer ceci : qu'en politique,
le matérialisme est toujours *anti-platonicien*, c'est-à-dire
négation de l'idéal. Où l'on retrouve la « vieille calomnie »
contre le matérialisme : de n'avoir pas d'idéal, d'être sor-
didement « réaliste »... Mais c'est moins une calomnie ici
qu'une bêtise. Que les philosophes matérialistes aient un
idéal, c'est au contraire, de Démocrite à Gramsci, l'évidence. Ils ne seraient pas *philosophes* autrement. Un idéal,
c'est-à-dire un ensemble d'aspirations « élevées », comme
on dit, d'exigences intellectuelles, esthétiques ou morales,

---

1. *Ibid.*, 289.
2. *République*, VI, 494.
3. Platon, *Le Politique*, 292.
4. *Ibid.*, 293 et 297.

bref, ce qu'on appelle « un but dans la vie », et qui excède
les simples appétits du corps ou le seul confort de l'individu. Encore une fois, la philosophie n'existe pas sans cette
visée, et cela se lit dans son nom : la *sagesse*, c'est un idéal.
J'irai même plus loin, ou plus haut : cet idéal concerne
toujours l'âme ; car pour le corps, comme Epicure l'a montré[1], la santé suffit, et conséquemment la médecine. Mais
le philosophe est orgueilleux ; je n'en sache pas qui ne se
mette plus haut que le médecin[2]. Démocrite aveugle,
Gramsci bossu et malade, savaient mieux que quiconque
« ce que peut le corps » (comme dit Spinoza) quand il
pense, et l'étendue de sa puissance, la portée inouïe de son
âme. Car le philosophe postule toujours, d'une manière ou
d'une autre, la *primauté* de l'esprit – ce que j'appelle la
verticalité. Epicure le fait, Spinoza le fait, Marx le fait[3].
Mais aussi bien Platon, Descartes ou Hegel... Autrement
dit, matérialistes ou idéalistes, tous les philosophes *ont* un
idéal, et le problème n'est donc pas là. La « ligne de démarcation », comme dirait Lénine, passe ailleurs. Ce qui est en
jeu, ce n'est pas la possession ou non d'un idéal, sa réalité
subjective, mais le statut qu'on lui reconnaît. Ce n'est pas
un problème de morale ; c'est un problème d'ontologie. Il
ne s'agit pas de savoir si l'on *a* un idéal, mais si l'on pense
que cet idéal *existe*, absolument parlant, ou pas. Etre *matérialiste*, c'est nier cette existence. Etre *philosophe* matérialiste, c'est donc savoir que l'idéal auquel on croit – et que
l'on pense – *n'existe pas*. Contradiction ? Si l'on veut, mais
où s'enracine une dialectique qui est au cœur de toute
philosophie matérialiste, contrainte qu'elle est toujours de
faire ainsi la théorie de sa propre illusion. *Dialectique*,
donc, en ces deux sens, de Kant et de Hegel, d'être à la fois

1. Cf. par ex. *Lettre à Ménécée*, 128, et Porphyre, *Lettre à Marcella*, 31, cité par Solovine, *op. cit.*, p. 151.
2. Cf. par ex. Epicure, *Ibid.* (et Diogène Laërce, X, 137), ainsi que ce qu'en dit Marc Aurèle (qui, pour une fois, l'approuve explicitement), *Pensées pour moi-même*, IX, 41.
3. Cf. par ex., pour Epicure, Diogène Laërce, X, 137 ; pour Spinoza, *Traité de la réforme de l'entendement*, §§ 1 à 4, pour Marx, *Le Capital*, I, t 1, p. 181. Cf. aussi Engels, *Ludwig Feuerbach...*, II, p. 39-41.

logique de l'illusion (Kant) et *théorie de la contradiction* (Hegel). Car si l'on admet avec Engels et la tradition marxiste que le matérialisme se définit par l'affirmation du *primat* de la matière sur l'esprit ou la pensée[1], et si l'on nous accorde que la philosophie – toute philosophie – se caractérise par la *primauté* de l'esprit sur la matière, il faut bien reconnaître que le *matérialisme philosophique* est en cela un paradoxe vivant, lui qui prétend défendre *à la fois* ces deux thèses : *primat* de la matière, et *primauté* de l'esprit. Mais sans cette tension, sans cet écartèlement, il ne serait plus ce qu'il est : s'il renonce au *primat*, il n'est plus matérialiste ; s'il renonce à la *primauté*, il n'est plus philosophique. En ce sens, qui n'est pas celui d'Engels, on peut bien dire que le matérialisme philosophique est *dialectique* ou qu'il n'est pas. La contradiction qui le traverse est cela même qui le définit.

D'où l'étrange figure du matérialisme philosophique : mi-ange mi-bête, lui aussi, mais point par faiblesse ou par hypocrisie[2]. On dirait Janus aux deux visages, ou le Dr Jekill et Mr Hyde de la pensée... Le matérialisme, c'est cette philosophie contradictoire pour laquelle « l'oiseau de Minerve » cher à Hegel prend la forme paradoxale d'une chauve-souris : *Je suis oiseau, voyez mes ailes... Je suis souris, vivent les rats !...* L'emblème me convient, et doublement, puisque ma conviction est que le matérialisme est en effet cette *contradiction* (descente et remontée...) qui s'instaure dans la *nuit* de la pensée (le désespoir). Icare est un oiseau de nuit, cela est sûr, puisque tout soleil est illusoire. Mais cette nuit est lumineuse pourtant, et quête perpétuelle du matin : le « radar » des chéiroptères fait ainsi surgir dans la nuit du monde cette *lumière* qui n'existe pas. Icare, oiseau de nuit, porte en lui son matin sans cesse qu'il invente.

---

1. Cf. par ex. Engels, *Ludwig Feuerbach*..., II, p. 25-27 ; et, sur l'interprétation de cette « thèse » reprise par Lénine, Dominique Lecourt, *Une crise et son enjeu* (Maspero, 1973).
2. Au contraire des « philistins » que dénonce Engels (*Ludwig Feuerbach*, II, p. 40-41).

Cette contradiction, si je m'autorise à l'évoquer ainsi par métaphore, c'est que son existence historique est indéniable et, d'ailleurs, mille fois notée. C'est Epicure, affirmant que le « plaisir du ventre » est l'origine et le fondement de tout bien, mais prônant finalement une éthique quasi ascétique fondée sur la prééminence des plaisirs de l'âme. C'est Lucrèce, affirmant que rien n'existe (*nihil est*, I, 430) dans la nature, si ce n'est les atomes et le vide, et ne cessant pourtant de chanter le bonheur absolu du sage, bonheur que ne connaissent ni les atomes, ni le vide... C'est Spinoza, « l'athée vertueux », pour qui le bien n'est rien, ni le mal, et qui pourtant part à la recherche d'un « souverain bien », et le trouve. C'est Diderot – Ci-gît un sage, ci-gît un fou... [1] – qui s'avoue « empêtré d'une diable de philosophie que mon esprit ne peut s'empêcher d'approuver, et mon cœur de démentir... » [2] C'est Marx, pour qui tout idéal n'est en dernière instance que le produit des conditions matérielles d'existence, mais qui n'en sacrifie pas moins les conditions matérielles de sa propre existence à *l'idéal* communiste. C'est Nietzsche, qui se définissait « un mystique qui ne croit à rien » [3] et pour qui rien n'a de valeur que *l'évaluation* elle-même, mais qui reconnaît que celle-ci « fait des trésors et des joyaux de toutes choses évaluées » [4]. C'est Freud enfin, pour qui la vie intellectuelle n'est jamais, finalement, qu'un avatar de la libido, mais qui consacre sa vie à cet avatar et ne cesse d'affirmer sa suprématie ou, pour tout dire, sa sublimité. Cette contradiction, sous les formes différentes qu'elle prend en chacune de ses occurrences, traverse ainsi toute la philosophie matérialiste, en opposant à l'intérieur d'elle-même son « haut » et son « bas » ou, comme disait Feuerbach a qui elle n'avait pas échappé, son « avant » et son « arrière ». Mais elle est aussi ce qui permet

---

1. Selon son *Portrait en vers*, en forme d'épitaphe (cité par C. Guyot, *Diderot*, Seuil, p. 26).
2. Diderot, *Lettre à Mme de Meaux*, 1769.
3. Cité par H. de Lubac, *La mystique et les mystiques*, Ed. Desclée de Brouwer, 1965, p. 15.
4. Nietzsche, *Ainsi parlait Zarathoustra*, I, « Des milles et un buts » (trad. M. Betz).

le mouvement – l'ascension – qui va de l'un à l'autre (*de l'inférieur au supérieur*) et qui, comme Auguste Comte l'a bien vu, définit le matérialisme dans ce mouvement même [1]. Or, si tout mouvement est contradictoire, sur quoi Zénon et Hegel sont d'accord, « il ne s'ensuit pas que le mouvement n'existe pas, mais plutôt que le mouvement est la contradiction même... » [2] Le matérialisme n'est *vivant* qu'à ce prix, s'il est vrai qu'une chose « n'est vivante que pour autant qu'elle renferme une contradiction et possède la force de l'embrasser et de la soutenir » [3]. Ce qui – cette « force » du matérialisme – est justement l'objet de ce livre que j'écris, et le problème que j'essaie d'y résoudre. Dialectique ici encore, si l'on veut, mais qui n'est jamais que la lutte du matérialisme avec (et peut-être contre) lui-même, autrement dit son effort (son *conatus*, qui est sa vie même) pour penser sa propre illusion sans l'annuler – il ne lui survivrait pas –, c'est-à-dire pour se désillusionner perpétuellement de soi sans s'abolir. Et c'est bien la vie même, en tant qu'elle affronte perpétuellement la mort qui, de partout et du plus profond d'elle-même, la guette, l'habite et (Bichat) la définit. Vivre, c'est lutter, et d'abord en soi. La dialectique, pour le dire d'un mot, n'est rien pour nous que l'effort de vivre (le *conatus*), en tant qu'il ne cesse de s'affronter à sa propre finitude, c'est-à-dire au néant qui le délimite et le hante. La dialectique, c'est le conatus, en tant qu'il est déterminé : *omnis determinatio est negatio*... La négativité n'est rien que la *determinatio* des êtres finis, dans les rapports de forces qui les opposent. Désespoir :

1. Cf. A. Comte, *Système de politique positive*, 1er vol. (rééd. Anthropos, 1969, *OC*, t. VII), p. 50-53. Auguste Comte définit comme *matérialiste* toute théorie qui explique le supérieur par l'inférieur, explication dont il constate à la fois l'importance croissante (dans les sciences) et le danger. Mais cette « réduction » dans la théorie n'est, pour les matérialistes, que le reflet d'un mouvement réel qui, lui, est *ascendant* Par exemple (Epicure, Diderot, Engels...), la matière inorganique produit la vie, la vie non consciente produit la pensée, etc. Plus près de nous, on peut caractériser comme matérialiste le projet qu'avoue C. Lévi-Strauss : « réintegrer la culture dans la nature, et, finalement, la vie dans l'ensemble de ses conditions physico-chimiques » (*La pensée sauvage*, p. 327).

2. Hegel, *Logique*, II, I, 2, C, note 3, trad. S. Jankélévitch, Aubier, 1971, t. III, p. 68.

3. Hegel, *ibid.*, p. 68.

toute finitude est conflictuelle[1]. Cela vaut aussi pour la philosophie, et au sein même de chaque doctrine ; le matérialisme, comme toute philosophie, se détermine aussi *contre* lui-même. Il est donc normal que cette contradiction en lui que nous évoquons (entre le *bas* et le *haut*, le *primat* et la *primauté...*) se retrouve aussi – et se résume – dans notre mythe emblématique. Car être matérialiste, finalement, c'est penser qu'il n'existe partout qu'une horizontalité sans norme – pas de ciel, pas de soleil –, et que rien n'existe, rien, que le labyrinthe, espace infini sans doute mais à deux dimensions seulement. Mais alors, semble-t-il, nul vol n'est possible. S'il n'y a pas de ciel, *Icare* est la contradiction même.

Cette contradiction, disais-je, n'avait pas échappé à Feuerbach, ou pas totalement, puisqu'il la prenait à son compte en écrivant : « Le matérialisme est pour moi la base de l'édifice de l'être et du savoir humains ; mais il n'est pas... l'édifice lui-même. Je suis complètement d'accord avec le matérialisme en arrière, mais non pas en avant. »[2] Mais c'est Engels qui a raison, quand il lui reproche de confondre ici le matérialisme philosophique avec sa forme « vulgaire »[3], la *vulgarité* étant précisément de ne retenir du matérialisme que son « arrière » (le primat), et point son « avant » (la primauté). La vulgarité, c'est la bassesse : pensée *horizontale* (« *plate* », dit Engels) d'un « arrière » sans « avant » (d'un *bas* sans *haut*), par quoi le matérialisme vulgaire est à peu près au matérialisme philosophique ce qu'un jouisseur est à Epicure, un physiologue à Lucrèce ou Diderot, un arriviste à Spinoza ou Nietzsche, et, aussi bien, un carriériste à Marx ou un érotomane à Freud. Au lieu que ce qui m'intéresse, dans le matérialisme,

---

1. Cf. par exemple Spinoza, *Ethique* IV, axiome : « Il n'est donné dans la Nature aucune chose singulière qu'il n'en soit donné une autre plus puissante et plus forte. Mais, si une chose quelconque est donnée, une autre plus puissante, par laquelle la première peut-être détruite, est donnée. » Ce conflit, dans son principe, est toujours externe (III, 4), mais peut aboutir (et aboutit effectivement) à des modifications internes : le suicide en donne un exemple (cf. IV, 20, scolie).
2. Ludwig Feuerbach, cité par Engels (*Ludwig Feuerbach...*, II, p. 32).
3. Engels, *ibid.*, p. 33.

ce n'est ni « l'arrière » ni « l'avant », mais *l'avancée* qui va de l'un à l'autre, ce que j'appelle son *ascension* : du *primat* de la matière à la *primauté* de l'esprit. Engels, sous ses dehors parfois balourds, donne peut-être la clef du problème lorsqu'il retient comme « pur matérialisme », chez Feuerbach comme chez quiconque, cette idée que « l'esprit n'est lui-même que le produit *le plus élevé de* la matière »[1]. La philosophie matérialiste n'est rien d'autre, me semble-t-il, que la théorie normative de cette « élévation ». Elle aussi monte, comme dirait Marx, « à l'assaut du ciel »[2], et Icare est ici chez lui. Car si rien n'existe que la matière et le vide, et si tout idéal est en cela illusoire, il n'en reste pas moins qu'aux yeux de cette illusion parmi d'autres qu'est la philosophie, tout ne se *vaut* pas, puisque entre les résultats ou manifestations de la matière en mouvement, il en est un qui est « *plus élevé* » que les autres, qui est son « produit suprême »[3] comme dit Engels, et qu'on appelle – « la pensée ». Contradiction, en effet, puisque, de cette *pensée*, le matérialisme affirme et nie tout à la fois une certaine prééminence. Mais contradiction qui n'est pas sophistique, puisque les deux thèses qui s'y opposent ne considèrent pas la pensée sous le même rapport, et que l'une affirme sa prééminence *quant à la valeur* (primauté subjective de l'esprit), alors que l'autre la nie *quant à l'être* (primat objectif de la matière). La *dialectique* (au sens de Hegel) du primat et de la primauté s'enracine ainsi dans une *dialectique* (au sens de Kant), qui est celle de la normativité : la contradiction entre ces deux thèses n'est que le résultat de l'illusion où nous sommes de leur conjonction, lorsque nous confondons la valeur et l'être, le subjectif et l'objectif, ou, en d'autres termes, nos désirs et la réalité. Cette contradiction est donc elle-même illusoire. Oui : parce qu'être matérialiste, c'est penser que l'être n'a

1. Engels, *ibid.*, p. 32.
2. Karl Marx, *Lettre à Kugelmann*, du 12 avril 1871 ; Marx utilise cette expression à propos de l'héroïsme des *communards* de 1871.
3. Engels, *Anti-Dühring*, Ed. Sociales, 1971, p. 393.

pas plus de valeur que la valeur n'a d'être[1]. Autrement dit :
que l'être ne *vaut* rien, objectivement parlant, et que la
valeur *n'est pas*, c'est-à-dire n'a d'être qu'illusoire ou subjectif. Bref, il s'agit de disjoindre ce que Platon conjoint :
la valeur et l'être, la norme et la vérité. Pour un matérialiste, la valeur n'est pas vraie, et la vérité n'a pas de valeur.
Désespoir et lucidité.

C'est ce que, à lire longuement Spinoza, j'ai cru comprendre, et que je crois encore. Longuement, patiemment,
difficilement. Car cette *Ethique* écrite du point de vue de
Dieu (du point de vue de la vérité), il peut sembler à première lecture qu'elle s'appuie sur une métaphysique de la
valeur s'enracinant dans la « perfection » de la Nature. Une
éthique *more geometrico*, n'est-ce pas en principe une éthique *vraie* ? Le spinozisme n'est-il pas alors, simplement,
un platonisme de l'immanence, c'est-à-dire en fait une
espèce de stoïcisme ? Et je le crus d'abord, en effet[2]. Je
peux bien l'avouer, encore que ce n'ait d'intérêt que bio-
graphique et contingent : il m'a fallu l'étrange et surprenant détour par la pensée bouddhique primitive – par ce
bain dissolvant de la négation de tout – pour comprendre
qu'il n'en était rien, que la principale vérité de l'*Ethique*
c'était la mise en lumière de l'illusion de toute éthique, et
que le point de vue de Dieu était celui, pour Spinoza, de
l'objectivité absolue, où le bien et le mal, le beau et le laid,
le juste et l'injuste, se donnent enfin pour ce qu'ils sont, à
savoir de simples produits de l'imagination des hommes,
de purs fantasmes de l'âme nés des affections du corps :

1. *Pas plus* et, nous le verrons, *pas moins*. Car nos désirs ne sont pas la réalité,
mais sont réels pourtant. Le mouvement entre ce « pas plus » et ce « pas moins »
est pensable dans les termes d'une *théorie de la valeur comme illusion réelle et nécessaire*, dont Spinoza a souverainement produit l'essentiel. Nous y reviendrons.

2. J'avais l'excuse, si c'en est une, de n'être pas le seul. L'assimilation de Spinoza
au stoïcisme est sans doute le contresens le plus fréquent qu'on trouve chez ses
commentateurs, même bienveillants et informés. Le fait est que Spinoza avait lu
les stoïciens, et que cela se sent, ici ou là. Il n'en reste pas moins que Spinoza refuse
(explicitement : *Eth.* V, préface) leurs principes, et que, pour l'essentiel, comme
J.-M Guyau l'avait déjà noté (*La morale d'Epicure*, p. 227-237), « le vaste système de
Spinoza » est surtout la continuation et le dépassement de « ceux d'Epicure et de
Hobbes », penseurs anti-stoïciens s'il en fut.

parce que les hommes ne sont pas libres, ni (ce qui revient au même) conduits par la raison[1]. D'où cette conséquence inouïe, que j'énonce ici dans sa simplicité brute, que la politique, l'art et la morale sont, tout entiers et à jamais, *du côté de l'illusion*. C'est à quoi, précisément, sert le Dieu de Spinoza, défini dans son identité à la nature. Car pour penser cela, cette illusion pour l'homme indépassable, il fallait un point de vue pourtant qui la dépasse et la saisisse en quelque sorte de l'extérieur, en exhibant la vérité de son illusoire intériorité : c'est le point de vue de Dieu ou, « ce que nous prenons pour une seule et même chose »[2], de la vérité, c'est-à-dire encore une fois le point de vue de l'objectivité absolue ou, en d'autres termes, la nature telle qu'elle est en elle-même, « sans adjonction étrangère »[3]. C'est à quoi sert aussi le modèle mathématique, ce paradoxe d'une éthique *more geometrico* : seul un discours vrai sur la morale, sur l'art et sur la politique peut montrer que la morale, l'art et la politique *n'ont pas de vérité*, et ne sauraient en avoir. « Car le vrai est à lui-même sa marque et il est aussi celle du faux... »[4] Vérité et désespoir : s'il n'est de valeur qu'illusoire, il n'y a que la vérité – la vérité sans valeur – qui puisse nous *désillusionner*. La « vraie philosophie », que Spinoza prétend à juste titre connaître[5], est ainsi celle, et vraie pour cela, qui fait la théorie de l'illusion de toute philosophie. Pour cette raison toute simple, qui est l'enjeu et l'effet de son panthéisme : *le Dieu de Spinoza n'est pas philosophe*. Parler de la philosophie du point de vue de Dieu, c'est donc en même temps montrer qu'elle n'a de sens (de valeur) que du point de vue des hommes. Spi-

---

1. Cf. le livre IV de l'*Ethique*, notamment la préface, le scolie 2 de la prop. 37 et la prop. 68 avec sa démonstration.

2. Spinoza, *Court Traité*, II, 5.

3. Comme dit Engels (*Et. Phil.*, p. 68). Ce Dieu panthéiste a donc une fonction matérialiste, qui est de permettre de penser « l'existence objective des choses en dehors de nous », comme dit à peu près Lénine quant il veut définir le matérialisme. Ce Dieu existe-t-il ? Bien sûr : puisqu'il est la nature elle-même ! Nier son existence serait nier l'existence de l'être : l'absurdité même. Le point de vue de l'objectivité existe objectivement.

4. Spinoza, *Lettre 76*, à Albert Burgh.

5. *Ibid.*

noza n'écrit ni pour les anges ni pour les chiens. S'il se place du point de vue de l'universel, c'est pour penser la particularité de tout point de vue – par exemple la particularité (humaine) de la philosophie. Et de même pour l'art, la morale ou la politique : Dieu n'est pas artiste ; il n'a pas de morale ; il ne fait pas de politique. Autrement dit la nature (puisque le Dieu de Spinoza n'est pas autre chose : *Deus sive Natura*...) est indifférente à tout, c'est-à-dire dénuée de toute normativité. Et il n'y a rien d'autre que la nature. Pas de norme, pas de valeur, pas de sens : la nature « sans adjonction étrangère », l'être « tout nu », si l'on peut dire, dans sa silencieuse simplicité. *Tout est, rien ne vaut*. Voilà ce que c'est qu'être anti-platonicien en politique, et de quel prix il le faut payer : aucune politique n'est vraie, aucune n'est juste, aucune n'est bonne, du moins si l'on prétend donner à ces mots un sens absolu ou objectif. Il n'y a d'absolu que la nature, et elle est indifférente à toute politique. Dieu n'est d'aucun camp, et toutes les politiques se valent, absolument parlant, parce qu'elles ne valent rien. Matérialisme et désespoir.

Détour par le bouddhisme primitif, disais-je... En effet, pour autant qu'on ait pu la reconstituer et la dégager du merveilleux des légendes et des superstitions, la pensée propre du Bouddha – ce qu'on a pu appeler « le bouddhisme primitif, athée et agnostique » [1] – se donne pour une longue méditation sur ce monde illusoire qu'est le *samsâra* (où tout prend valeur et sens parce que rien n'est vrai), opposé au point de vue de la vérité, qui est celui de la vacuité du sens (le *nirvana*), où le sage, se réveillant de son rêve normatif, comprend que rien n'a de sens ni de valeur, que tout est indifférent – désespoir et sérénité... –, parce qu'il n'existe « dans tous les univers, visibles et invisibles, qu'une seule et même puissance, sans commencement, sans fin, sans autre loi que la sienne, sans prédilection, sans haine... » [2] Rien n'a de sens, rien n'a de valeur, rien,

---

1. Henri Arvon, *Le bouddhisme*, puf, coll. « Que sais-je ? », p. 49.
2. Dernier sermon du Bouddha, cité par M. Percheron (*op. cit.*, p. 35)

pas même le bouddhisme, qui s'abolit ainsi en ce point où il culmine, et à quoi l'Eveillé renonce à l'instant qu'il l'accomplit. Le sage est détaché de tout – y compris de la sagesse – parce que plus rien ne l'attache. Il est totalement libéré, totalement *désillusionné*, totalement heureux. Désespoir et béatitude.

Sans doute est-ce l'exotisme de cette pensée, sa singulière et belle étrangeté qui, comme la distance pour l'ethnologue, me permit de la mieux comprendre, ou plus vite, que celle, trop proche d'abord, trop bien et trop mal connue, depuis trop longtemps familière et déformée, de Spinoza. En philosophie non plus « l'esprit n'est jamais jeune »[1], et, comme les vieillards presbytes, il voit plus clair de loin. Mais quand j'eus intériorisé quelque peu cette idée déroutante que tout ce pour quoi nous vivons (et le fait même de vivre *pour* quelque chose) était prisonnier du *samsâra* – c'est-à-dire au fond de ce que j'appelle à présent le *labyrinthe* –, il me fut plus facile, relisant Spinoza, d'y reconnaître une idée voisine, sous la forme, certes différente, de ce que la tradition occidentale appelle tout simplement – *trop* simplement peut-être, car ce mot peut laisser croire qu'il s'agit d'une simple erreur ou d'une pure apparence, alors qu'il désigne en fait la forme même de notre vie et le monde réel où nous vivons – *l'illusion*. Cette illusion dont il est bien naïf de croire qu'elle est réservée aux naïfs, et dont Spinoza sut penser la nécessité et montrer combien elle était pour chacun d'entre nous la trame – et le drame – de notre vie. Or je suis convaincu à présent qu'être matérialiste, par-delà ce que cela suppose d'orientations ontologiques et gnoséologiques, c'est aussi penser que tout ce qui *vaut* – l'art, la morale et la politique, et même la vérité en tant qu'on lui prête une valeur – est toujours *du côté de l'illusion*, c'est-à-dire finalement (et mettant entre parenthèses d'évidentes différences) du côté

---

1. Bachelard, *La formation de l'esprit scientifique*, Vrin, 1972, p. 14 : « Quand il se présente à la culture scientifique, l'esprit n'est jamais jeune. Il est même très vieux, car il a l'âge de ses préjugés... »

de ce que Marx appelait *l'idéologie*, et Freud, *mutatis mutandis*, la *sublimation*. Où le long voyage par l'Orient nous ramène chez nous... Car le matérialisme, ce serait alors, en chaque moment de son histoire, cette théorie qui s'applique à comprendre comment, par tel ou tel mécanisme spécifique d'illusion (dont les sciences humaines pourraient, au moins en droit, rendre compte), les hommes donnent (nécessairement) valeur et sens à ce qui, objectivement, n'en a pas. Le matérialisme comme théorie de l'illusion : solidaire en cela des sciences de l'homme comme il le fut plus tôt des sciences de la nature, point par scientisme mais pour leur charge de *désillusion*. Car « il n'est pas possible, sans la science de la nature, d'avoir des plaisirs purs » [1].

Ce faisant, le matérialisme n'annule pas l'illusion – nous ne sommes pas Dieu – mais la met à sa place et la pense comme telle. C'est en fait d'une *révolution copernicienne* qu'il s'agit, ici aussi, puisqu'il faut, comme le dit Kant de Copernic, « rechercher... l'explication des mouvements observés, *non dans les objets du ciel, mais dans leur spectateur* » [2], c'est-à-dire au fond comprendre que ce qu'on voit « *dans le ciel* » (Icare, Icare...) est affaire de point de vue seulement, et non de vérité : *Icare* est un *mythe*. Ce point de vue n'est pas rien, cependant ; il est rationnel, lui aussi, et nécessaire. De même, pour reprendre cette comparaison traditionnelle, l'astronomie qui nous enseigne que c'est la terre qui tourne autour du soleil ne supprime pas l'illusion inverse : nous *voyons* toujours le soleil tourner autour de la terre. Mais l'astronomie nous apprend néanmoins deux choses : d'une part que ce que nous voyons est une illusion (en ce sens, sans nous en guérir, elle nous en libère), et, d'autre part, que cette illusion obéit à des lois nécessaires, de telle sorte que, les choses étant ce qu'elles sont, il serait irrationnel que notre perception fût autre, et d'abord qu'elle fût vraie. L'illusion a aussi sa vérité, qui est d'être

---

1. Epicure, *Maximes capitales*, XII ; cf. aussi *Lettre à Pythoclès*, 85-87.
2. Kant, *Critique de la Raison pure*, préface de la seconde édition, PUF p. 21.

nécessaire. Protagoras avait raison, ici, contre Platon : c'est l'homme, et non Dieu, qui est la mesure de toutes choses, du moins de toutes choses humaines ou, mieux encore, de la valeur (humaine) de toutes choses. *Révolution coperni-cienne*, donc, mais bien différente de celle de Kant, puis-qu'il s'agit non de la raison théorique (où la notion même de vérité objective suppose au contraire, comme dirait Spi-noza, que l'entendement soit le même en nous et en Dieu), mais de la « raison » normative, ou plutôt *des raisons* (des causes) de la normativité. Il ne s'agit pas de la valeur de la raison (le spinozisme n'est pas un criticisme) mais des raisons de la valeur ; raisons que la raison peut compren-dre (elles sont rationnelles) mais point produire (elles ne sont pas raisonnables) ; raisons dont le lieu d'origine est le corps, et la force, le désir ; raisons de nos jugements nor-matifs, mais points jugements ni normes de la raison. Où l'on peut reprendre Spinoza, en son commencement : ce n'est pas parce qu'une chose est bonne que nous la désirons, c'est parce que nous la désirons que nous la jugeons bonne. Le désir est la vérité de la valeur, vérité qui lui interdit justement de prétendre à la vérité. Ce qui vaut, ce n'est pas ce qui est (en vérité) juste, beau ou bien, mais simplement ce que nous désirons et que, pour cette raison, nous jugeons être juste, beau ou bien. Toute détermination est négation : le point de vue de l'homme se définit ainsi en ce qu'il n'est pas le point de vue de Dieu. Non qu'il soit *irréel* (le désir existe bien) ni même *faux* (ce qui supposerait qu'il y eût, sur ces questions de valeur, une vérité). Mais s'il n'est ni faux ni irréel, ce point de vue humain est *illu-soire* : il ne manque ni d'être ni de vérité (en tant qu'il est réel, il ne manque de rien), mais il se prend *pour* la vérité. Si ce point de vue est illusoire, ce n'est pas parce qu'il est faux, c'est parce qu'il se croit vrai. Ce n'est pas parce qu'il est relatif, c'est parce qu'il se croit absolu. Ce n'est pas parce qu'il est humain (cette humanité est au contraire sa vérité), c'est parce qu'il se croit divin. L'homme est seul et juge comme il peut, disais-je ; l'illusion n'est pas dans ce jugement, mais dans la dénégation de sa solitude. Les jugements de valeur s'énoncent dans le silence de Dieu. L'illusion est de prendre l'écho formidable de notre voix (tout labyrinthe fait caisse de résonance) pour une autre voix, surhumaine et absolue, dont nous serions nous-mêmes l'indigne et faible – mais pourtant véridique – écho. L'illusion n'est pas d'être un homme et au centre de son monde, mais de se prendre pour Dieu (ou son image) et au centre de l'univers. Parce que l'univers n'a pas de centre, et qu'il n'y a pas de Dieu qui juge. Révolution copernicienne donc, dont Marx mieux que Kant nous donne, dans un texte célèbre, l'exacte formulation : « La critique de la religion détruit les illusions de l'homme pour qu'il pense, agisse, façonne sa réalité comme un homme sans illusions parvenu à l'âge de la raison, *pour qu'il gravite autour de lui-même, c'est-à-dire de son soleil réel*. La religion n'est que le soleil illusoire qui gravite autour de l'homme tant que l'homme ne gravite pas autour de lui-même ».[1] A ceci près qu'il est vain d'espérer que l'homme puisse un jour vivre « *sans illusions* », pour cette raison que son « soleil réel » – l'homme lui-même – est illusoire aussi, en ce qu'il se prend nécessairement pour un soleil, c'est-à-dire en ce qu'il hypostasie toujours l'objet de son désir en transformant ce qui est effectivement (mais subjectivement) désiré en valeurs objectivement désirables. Ce n'est pas seulement la religion, mais toute idéologie, qui est une « conscience inversée du monde »[2], une « *camera obscura* »[3], c'est-à-dire une chambre noire où, comme dans les premiers appareils photographiques, « les hommes et leurs rapports nous apparaissent placés la tête en bas »[4]. Même athées, les hommes ne peuvent se passer d'une « réalisation fantastique de l'être humain », comme dit Marx à propos de Dieu, c'est-à-dire d'un « *Au-delà de la vérité* »[5]. En quoi l'huma-

---

1. Marx, *Contribution à la critique de la philosophie du droit de Hegel*, Ed. sociales (« Sur la religion », p. 42).
2. Marx, *ibid.*, p. 41.
3. Marx-Engels, *L'idéologie allemande*, I, p. 50.
4. *Ibid.*
5. Marx, *Contribution à la critique de la philosophie du droit de Hegel*, op. cit., p. 42.

nisme est une religion aussi, et un platonisme de l'histoire.
Le labyrinthe n'a donc pas d'issues, nulle part, et si Dieu
se tait (et *parce qu'*il se tait), nous ne cessons d'entendre
partout (tels les paysans qu'évoquait Lucrèce, « de peur
qu'on ne croie leurs solitudes désertées par les dieux
mêmes »[1]) « l'écho trompeur »[2] de sa parole. Inutile de
fuir ; inutile de nous boucher les oreilles. Cette parole est
la nôtre.

IV

On dira : « nous voici bien loin de la politique... » Mais
point. Car il y a une illusion propre à la politique, sans
quoi elle n'existerait pas. Cette illusion, c'est celle qu'a tout
militant sincère, quel que soit son parti et sans qu'il puisse
rien contre, l'illusion tenace, universelle, *d'avoir raison*. Pas
besoin d'être fanatique pour cela. Je n'ai jamais vu personne, même chez les esprits les plus ouverts, qui pensât
avoir tort de penser ce qu'il pensait au moment où il le
pensait – car dès lors il eût pensé autre chose et eût été
convaincu d'avoir raison. « *J'ai tort* » ne se pense qu'au
passé : cela s'appelle *changer d'avis*, expression qui signifie
qu'on pense avoir raison de penser qu'on a eu tort. Labyrinthe de la conviction... Le « *je pense que...* » suppose toujours, tacite, un « *je pense que j'ai raison de penser que...* »
Ce qui est vrai de la connaissance l'est aussi de l'illusion
(sans quoi elle cesserait d'être illusoire en se dénonçant
comme telle) : de même que savoir, c'est savoir qu'on sait[3],
penser, c'est penser *ce* qu'on pense, et donc l'approuver.
Sans cette *bonne foi* fondamentale de la pensée, la *mauvaise foi* elle-même serait impossible : car elle dévie de la
bonne mais aussi la suppose. Or, en politique, cette *bonne
foi* est une *foi*, justement ; j'entends : une illusion à quoi

1. Lucrèce, IV, 591-592, puis 571.
2. *Ibid.*
3. Cf. Spinoza, *Ethique* II, scolie de la prop. 21, et *Traité de la réforme de l'entendement*, § 27

j'adhère. Cette foi est indéracinable. Elle est l'air même que nous respirons : pas moyen de s'en guérir, sauf à renoncer à penser. Mais qui le pourrait, sans penser ? Renoncer à penser suppose la pensée de ce renoncement, et l'annule. Renoncer à l'illusion, c'est la continuer. Désespoir. On peut se déplacer dans le labyrinthe, mais pas en sortir. On peut changer de foi, mais pas s'en passer.

Il y a ainsi un phénomène spontané d'autosuggestion par quoi chacun s'imagine défendre non seulement ses propres intérêts mais ceux du Bien, non ses seuls désirs mais les exigences de l'histoire, non ses opinions mais la vérité. Je ne connais pour ainsi dire pas d'exception. Chacun se bat pour la justice, pour le bonheur commun et pour la liberté, et chacun le fait, c'est ce qu'il faut comprendre avant tout, *sincèrement*. Je sais bien qu'il y a des démagogues, des arrivistes et des politiciens sans vergogne. Mais moins peut-être qu'on ne le croit, et surtout qui ne mentent que sur le détail – petites ruses, petites filouteries... –, et point sur l'essentiel à leurs yeux, qui est leur conviction profonde d'être les mieux à même, pour une raison ou pour une autre, de défendre l'intérêt commun [1]. Hitler, oui, même Hitler, s'il pouvait bien mentir à propos de l'incendie de Reichstag ou de tel ou tel point de son programme, n'en avait pas besoin quand il parlait de la grandeur de l'Allemagne. Sa folie criminelle était tout ce qu'on veut, sauf feinte. En politique, la sincérité est la chose du monde la mieux partagée. J'écris ceci au beau milieu de la campagne électorale d'avril 1981. Je vois bien que chacun des dix candidats s'autorise ici ou là de petits mensonges, et même

---

1. C'est bien pourquoi en politique cet « *essentiel* » est de peu de poids – puisqu'il est équitablement réparti. Il est plus sage de juger les politiciens sur ce qui compte vraiment, à savoir non pas l'essence de leur état d'âme, mais *le détail* de leurs programmes et de leurs réalisations. Or, c'est là-dessus qu'ils peuvent être tentés de mentir, et d'autant plus facilement qu'ils sont plus convaincus de leur sincérité sur « l'essentiel ». D'où les « pieux mensonges » qu'ils s'autorisent, à quoi l'Église nous avait déjà habitués. Le jésuitisme est l'hypocrisie des gens sincères, c'est-à-dire de tout le monde en politique, ou peu s'en faut. La méfiance est pour cela la première vertu des citoyens. Tout serait simple si seuls les cyniques mentaient. Mais l'histoire montre ce que n'est pas le cas, et que les peuples sont victimes aussi de leurs chefs les plus sincères... Vigilance.

parfois, pour tel ou tel d'entre eux, d'assez gros... Et je sais
bien que ce n'est pas bon, et qu'il faut combattre là contre.
Mais aussi, et nous le savons tous au fond, chacun d'entre
eux, dans les profondeurs de sa conscience, peut s'autoriser de sa conviction sincère de vouloir le bien de l'humanité
en général et des Français en particulier. Plusieurs même
peut-être seraient prêts, pour la cause qu'ils croient juste,
à sacrifier leur vie ou à en prendre le risque... Et c'est
sincèrement que le vainqueur, quel qu'il soit, pensera, le
soir de l'élection, que sa victoire est une bonne chose, non
pour lui seul ou ses amis, mais pour la France. Aura-t-il
tort ? Aura-t-il raison ? Ni tort ni raison : il n'y a pas de
Dieu pour en décider, et la raison s'en moque. Non que la
politique soit irrationnelle (le réel ne l'est jamais) ; mais
elle n'est pas raisonnable. La raison peut la comprendre ;
point la fonder. « Mais alors, personne n'a raison ?... » Personne... ou tout le monde. Plutôt : la politique n'est pas
affaire de raison, mais de désir ; et si personne n'a raison,
c'est que tout le monde désire. Tout au plus peut-on dire,
pour garder notre exemple, que le candidat vainqueur aura
tort de croire qu'il a raison, et qu'un Dieu quelque part,
réel ou fictif, se réjouit secrètement de sa victoire... Son
illusion sera de voir un triomphe de la vérité là où il n'y
aura que la satisfaction de son désir et l'expression de sa
force. Et ses adversaires s'illusionneront de même, qui
croiront à la victoire de l'erreur ou du mensonge. Personne
n'a tort, et tout le monde croit avoir raison. L'illusion n'est
pas le contraire de la vérité, mais sa prétention indue.

Cet exemple peut se prendre par les deux bouts. Je veux
dire : des deux côtés de l'urne. Car l'illusion que je décris
n'est pas l'apanage exclusif des politiciens professionnels.
Tout individu convaincu se trouve dans la même situation :
toujours sincère, toujours dans l'illusion. C'est pourquoi
chaque électeur, dans la mesure où il sera convaincu, aura
le sentiment (à l'instant qu'il mettra son bulletin dans
l'urne) d'avoir fait « le bon choix », objectivement parlant,
c'est-à-dire celui qu'un Dieu juste et bon, s'il existait, ne
saurait qu'approuver, celui que la morale commande,

celui-là seul que la raison puisse justifier. *Gott mit uns* est le *Credo* que chacun, même athée, se murmure en secret. D'où l'héroïsme des martyrs. Ce sont des témoins. Dieu est avec eux, ou, s'il n'existe pas, l'Histoire, la Justice ou la Liberté... Les héros ont toujours un Dieu quelque part. Les martyrs ne meurent jamais seuls.

Je ne mets là aucune ironie. Elle serait d'ailleurs mal venue. Car cet état d'esprit (la conviction) n'est nullement blâmable, au contraire, et, illusion pour illusion, je préfère cette tension de l'âme aux facilités fadasses et molles de l'apolitisme – illusoire lui aussi, et politique à sa manière. *L'illusion politique*, comme dit Marx[1], est aussi nécessaire qu'elle est inévitable. Mais une chose est de la vivre, autre chose de la théoriser. La vivre, cela s'appelle militer, ou avoir des opinions, ou « s'engager », comme on dit, et nul n'y échappe qu'au risque de subir la politique des autres. Mais la théoriser, c'est-à-dire défendre l'idée qu'il existe un bien politique discernable du point de vue de la vérité (une politique objectivement bonne), cela s'appelle *du platonisme*, et j'ai montré les conséquences qui en découlent : politique religieuse, conservatrice, dogmatique, autoritaire et élitiste... Cela n'est pas blâmable non plus, d'ailleurs, et je n'aurais rien à y redire si la moitié de ces platoniciens ne se disaient matérialistes et disciples de Marx. D'où la grande confusion qui naît ici, et le labyrinthe des slogans... Le platonisme est l'idéologie spontanée des militants.

Et à nouveau ce problème, à nouveau cette contradiction. Car le militant idéaliste (ce n'est pas un hasard si cette expression résonne à nos oreilles comme un pléonasme) peut jouir sans angoisse du double confort de la cohérence et de la foi : Dieu est avec lui (ou la Vérité, ou la Justice...), il y croit vraiment et combat pour cela. Son action, comme l'histoire, est finalisée, et cette fin justifie objectivement l'action que, subjectivement, elle motive. C'est l'idéologie chouanne, l'épée d'une main, le crucifix de l'autre : politique toujours religieuse (ou *descendante*),

---

1. Dans un contexte différent, cf. *Idéologie allemande*, Ed. sociales, p. 71

puisqu'elle est le bras séculier d'intérêts célestes, l'expression historique d'un ordre atemporel. Son combat est *apocalyptique*, au sens étymologique du terme : il est fondé sur une *révélation*, quelle qu'elle soit, divine ou pas, dont les visions johanniques expriment assez bien le climat et les prétentions : « Alors je vis le ciel ouvert, et voici un cheval blanc ; celui qui le monte s'appelle "Fidèle" et "Vrai", il juge et fait la guerre avec justice. Ses yeux ? une flamme ardente ; sur sa tête, plusieurs diadèmes ; inscrit sur lui, un nom qu'il est seul à connaître ; le manteau qui l'enveloppe est trempé de sang ; et son nom ? le Verbe de Dieu... »[1] Mais le militant matérialiste – s'il en existe – n'a pas les mêmes armes : pas de Dieu pour le soutenir ; pas de Vérité pour lui donner raison ; pas de Bien pour le justifier. Il se bat tout seul et fait ce qu'il peut. Il n'a ni diadèmes ni cheval blanc. Il sait qu'il n'a pas raison, ni tort, que sa force n'est au service que de son désir, et que son désir n'a de droit que sa force... Il est lucide et désespéré. Son action n'a pas de fin, et l'histoire n'a pas de sens. Ni finalisme, ni justifications. Il sait qu'il n'y a de finalité que du désir[2], et de sens que du discours[3]. Il ne se réclame d'aucune révélation. Point de ciel pour lui qui s'ouvre, point de Verbe qui résonne. Il n'a de ciel que celui qu'il s'invente, que l'espace vide de son action, que l'horizon de son rêve. Il n'a de verbe que sa parole, singulière et fragile... Il a compris qu'aucun combat n'est le bon – pas même le sien –, ni aucun parti le meilleur. Il n'est pas triste. Il n'est pas résigné. Il a le courage de son désespoir, et la joie de sa force. Dans le silence de Dieu et le brouhaha du monde, il assume jusqu'au bout la solitude de son désir.

Le militant matérialiste, *s'il en existe*... Car une illusion naît toujours de ce combat. Non qu'il y ait en politique un

---

1. Apocalypse de saint Jean, *Bible de Jérusalem*, XIX, 11-13, Ed. du Cerf, 1973, p. 1 797.
2. Cf. Spinoza, *Ethique* IV, déf. 7 : « Par fin pour laquelle nous faisons quelque chose, j'entends l'appétit. »
3. Cf. là-dessus les remarques pénétrantes de Claude Lévi-Strauss, polémiquant contre Jean-Paul Sartre, dans le chapitre 9 de *La pensée sauvage*, notamment p. 335-338.

« malin génie » qui s'acharne à nous tromper, mais parce que la force du désir ne devient *politique* qu'à ce prix. « Personne n'a raison parce que tout le monde désire... », disais-je. Mais si toute politique est désirante, tout désir n'est pas politique. Il ne devient politique que par cet effet spécifique d'illusion et de dénégation qui l'érige en revendication d'un bien universel, autrement dit qui subsume ce qui est subjectivement désiré sous l'invocation (illusoire) de ce qui est objectivement désirable. Puisque la politique est la collectivité des désirs, il n'est pas étonnant qu'elle se sublime dans l'hypostase idéologique d'un désir collectif : volonté générale, bien commun ou sens de l'histoire, liberté, égalité ou fraternité... C'était déjà la lecture que Saint-Just faisait de Rousseau : « La volonté générale... se forme de la majorité des volontés particulières, individuellement recueillies sans une influence étrangère : la loi, ainsi formée, consacre nécessairement l'intérêt général, parce que, chacun réglant sa volonté sur son intérêt, de la majorité des volontés a dû résulter celle des intérêts... La volonté générale est la volonté matérielle du peuple, sa volonté simultanée... »[1] Mais c'est Marx qui montrera qu'il s'agit, non d'un choix, mais d'une nécessité. Cela vaut pour la classe dominante : « chaque nouvelle classe qui prend la place de celle qui dominait avant elle est obligée, ne fût-ce que pour parvenir à ses fins, de représenter son intérêt comme l'intérêt commun de tous les membres de la société ou, pour exprimer les choses sur le plan des idées : cette classe est obligée de donner à ses pensées la forme de l'universalité, de les représenter comme étant les seules raisonnables, les seules universellement valables »[2]. Mais cela vaut aussi, par là même, pour la classe qui *aspire* à dominer : « Du simple fait qu'elle affronte une *classe*, la classe révolutionnaire se présente d'emblée non pas comme classe, mais comme représentant la société tout entière, elle apparaît comme

---

1. Saint-Just, *Discours sur la Constitution à donner à la France*, du 24 avril 1793 (*Œuvres*, « Idées » – NRF, p. 121-122).
2. Marx-Engels, *L'idéologie allemande*, I, p. 77.

la masse entière de la société en face de la seule classe dominante »[1]. Et Marx écrit en marge du manuscrit : « L'universalité répond... à l'illusion de la *communauté* des intérêts. Au début, cette illusion est juste... » Juste ou pas, cette illusion est au cœur de l'idéologie, et donc de la politique. L'idéologie, c'est un point de vue particulier qui prétend à l'universel, un point de vue relatif qui prétend à l'absolu, un point de vue subjectif qui prétend à l'objectivité – un désir qui prétend à la vérité. Or, s'il existe un bien politique universel et objectif, il doit être possible de le *connaître*. Dès lors la Raison vient assurer, en lieu et place de la révélation divine, le règne de la vérité en politique. Où l'on retrouve Platon et sa « science royale ». Le militant matérialiste vit alors les mêmes illusions que son frère-ennemi idéaliste : illusion d'avoir raison (« nous sommes le parti de la vérité... »), d'être au service de valeurs suprêmes (« nous combattons pour la Justice... »), ou de représenter l'universel (le Peuple, la Nation...), bref, de mener *le bon combat*, le seul légitime au fond, le seul qu'un Dieu, s'il en existait un, pourrait partager : on n'imagine pas un Dieu allant contre « le sens de l'histoire » ou voulant le malheur de l'humanité... Bref, il semble que le militant matérialiste ne puisse s'empêcher de penser sa propre pratique dans des termes et des concepts fondamentalement idéalistes. Paradoxe sans doute inévitable : si le militantisme est l'effet du désir, il n'en reste pas moins qu'il suppose nécessairement (en tant qu'il est politique) quelque chose comme un au-delà du désir, au-delà qui le justifie et qui ne peut être (puisqu'il n'existe pas) qu'un *idéal*[2]. Or je

---

1. Marx-Engels, *Ibid.*, p. 77
2. Cf. là-dessus les analyses souvent percutantes de François Fourquet, dans *L'idéal historique* (10/18), par exemple, p. 60 à 64. Mais ce que Fourquet sous-estime, à mon avis, c'est justement la *nécessité* de cette illusion, et donc sa vérité. A penser le désir à partir de Nietzsche, on s'interdit d'en sortir : d'où le nominalisme et le « libidinalisme ». « Il n'y a pas d'indifférence possible », dit Fourquet (p. 182) après Nietzsche. Spinoza montre au contraire qu'il faut penser l'*indifférence* de Dieu (de la vérité) pour pouvoir penser vraiment (en vérité) la *différence* de l'homme. D'où le rationalisme et « l'intellectualisme » de Spinoza. La politique n'est pas vraie, mais il y a une vérité de la politique. Le désir n'est pas vrai, mais on peut le penser en vérité. Si Spinoza et Nietzsche se rejoignent souvent, il n'en reste donc pas moins

l'ai déjà dit : si le militant est celui qui partage cette croyance, le matérialiste est celui qui n'y croit pas. Le militant matérialiste est donc, comme le philosophe matérialiste, condamné à cette contradiction de croire à quelque chose dont il ne cesse d'affirmer l'illusion, obligé (pour rester matérialiste) de se *désillusionner* sans cesse de sa propre croyance. C'est à quoi lui sert sa philosophie : non pas à se débarrasser de cette illusion (puisqu'elle lui enseigne au contraire sa nécessité) mais à la mettre *à sa place*, c'est-à-dire à la penser elle-même en tant qu'illusion nécessaire. Où Marx et Spinoza, me semble-t-il, s'accordent et se complètent : il s'agit de penser la politique comme appartenant à la sphère de l'idéologie (Marx) ou à la sphère du désir et de l'imaginaire (Spinoza). Soit : à la sphère de l'illusion. Cela ne retire rien à la politique que sa dénégation. La politique est politique : jeu de forces et de désirs, et point émergence d'une vérité. Vous pouvez rêver d'autre chose ; mais l'histoire – l'histoire désespérée, désespérante... – ne cessera de me donner raison. Il y a toujours des enfants qui meurent sous les bombes, et rien d'absolu qui le justifie, rien d'absolu même qui le sanctionne. Vous pouvez rêver d'autre chose ; mais ce rêve *aussi* est politique – puisqu'il est le désir qui rêve en vous. Labyrinthe. La politique n'a pas de sens qui ne soit lui-même politique. Le sens de l'histoire, c'est le sens de nos désirs, et le désir qu'ils aient un sens. Il n'y a pas de vérité en politique, pas de valeurs absolues, pas de finalité. Il n'y a que les nécessités de la lutte et les hasards de la victoire. Désespoir. Il n'y a que l'histoire.

C'est ainsi du moins que pense le philosophe matérialiste. Mais on ne peut pas toujours philosopher, et *penser* une illusion ne dispense pas de la vivre. D'autant qu'un autre phénomène intervient ici : l'illusion politique, du fait qu'elle est vécue dans le temps (et elle l'est toujours),

---

que partir de l'un *ou* de l'autre conduit à deux pensées, matérialistes toutes deux, mais bien différentes. Le problème de fond est sans doute ici le statut de la vérité. Partir de Nietzsche, c'est toujours un peu partir de Kant.

s'accroît et se redouble en une autre. Labyrinthe et jeux de miroirs : l'histoire est une galerie des glaces. Le temps est le creuset où l'illusion croît et se multiplie... Par exemple, on conçoit facilement que le militant, matérialiste ou non, ne puisse s'empêcher, durant son combat, de projeter dans l'avenir – donc d'hypostasier quelque peu – l'objet de son désir. Il faut bien rêver la victoire... Mais une nouvelle illusion naît de cette « temporalisation » du désir. Car cet objet du désir est irréel : ce qu'on désire, en politique, ce n'est pas ce qui est, mais ce qui devrait être ou qui sera, donc : qui n'est pas [1]. Mais le désir, dans la mesure où il anticipe toujours sa propre satisfaction, transmue cet objet irréel en un « quelque chose » qui n'est pas rien (mais qui n'est pas réel non plus) : un objet imaginaire. Soit : tel ou tel type de société, tel ou tel idéal, telle ou telle politique... Or, Spinoza l'a montré : dans la structure de méconnaissance propre à toute subjectivité, il nous semble toujours que si nous désirons tel objet, c'est (alors même qu'il n'existe pas) *parce qu'il est bon*. L'objet imaginaire (irréel) devient alors *la cause* (illusoire) du désir (réel). Renversement : l'effet fantasmatique du désir se fait passer pour sa cause. Si par exemple je désire la Révolution, c'est que cette Révolution est (déjà) bonne et nécessaire. Ce n'est plus mon désir qui produit le rêve de la Révolution, c'est la Révolution (réellement bonne) qui justifie mon désir. Ce renversement est déjà platonicien. Car si c'est son objet qui motive le désir, il faut bien accorder à cet objet idéal une certaine réalité indépendante du désir, puisque, comme dit Lucrèce, « de rien, rien ne peut naître ». Ainsi, chez Platon, le désir de justice suppose l'existence réelle (absolue) du Juste en soi... Le désir se transforme alors en *espoir* (puisqu'il porte sur l'avenir), et l'espoir en *foi* (puisque cet avenir est obscurément perçu comme déjà réel). C'est bien d'un *redoublement* de l'illusion qu'il s'agit : non seulement je suis sûr d'avoir

---

1. Y compris quand on ne désire que la *continuation* de ce qui est. Cette continuation n'est pas, puisqu'elle n'est pas encore. On peut reprendre ici l'analyse de Platon, dans *Le Banquet*, 200a-200e.

raison (première illusion), mais encore je suis sûr de vaincre (deuxième illusion), non pas parce que je suis le plus fort, mais parce que ma victoire est inscrite dans la nature des choses ou des idées. Dieu est avec nous, et les lendemains chanteront... La théologie débouche sur une eschatologie ; la révélation se fait messianisme. La victoire est *certaine* comme la vérité. Nous vaincrons parce que nous avons raison. Labyrinthe du militant...

Ainsi, au XIXᵉ siècle, le désir de révolution sociale (dont la réalité s'expliquait assez par la situation *présente* de la classe ouvrière) anticipe d'abord sa propre satisfaction (espoir), puis hypostasie celle-ci (foi) sous la forme d'une société de bonheur et de justice. On reconnaît là la structure de la pensée utopiste, et le renversement qui la caractérise : alors que, dans la réalité, c'est la situation présente (le capitalisme) qui produit le désir de son bouleversement, l'utopiste finit par croire que c'est la perfection (déjà pensable sinon déjà donnée) de la société à venir (le socialisme) qui la rend objectivement désirable. Ce n'est pas parce qu'on désire telle société à venir qu'on la trouve bonne, c'est parce qu'elle est (déjà) bonne qu'on la désire. L'avenir n'est plus le rêve du présent, mais sa justification. Ce finalisme, comme l'autre, « renverse totalement » l'ordre réel (Spinoza), car il « met après ce qui de nature est avant ». Le désir n'est plus l'origine du sens, mais son effet. L'histoire est comme un fleuve qui serait attiré par la mer – au lieu de suivre la pente...

Ce renversement est platonicien : l'action est soumise à un modèle idéal, modèle que l'on peut connaître en vérité, et dont la juste perception suffit à révéler l'excellence. Tout se tient ici, et une politique « vraie » est toujours idéaliste : puisque « la raison humaine ne crée pas la vérité » (Proudhon[1]), une politique raisonnable ne produit pas son objet mais le dévoile. Le socialisme n'est pas inventer, mais à découvrir. D'où, par exemple, ce qu'on a pu appeler « le

---

1. Cela est vrai, bien sûr – lorsqu'il y a une vérité. Ce n'est pas le cas en politique. La raison ne crée pas la vérité, mais le désir crée la valeur.

platonisme » de Proudhon [1], que Marx critiquait déjà et qui
consiste à « nier » l'histoire [2], ou à ne la penser que « selon
la succession des idées » [3] : « M. Proudhon, en vrai philosophe, prenant les choses à l'envers, ne voit dans les rapports réels que les incarnations de ces principes, de ces
catégories, qui sommeillaient, nous dit encore M. Proudhon le philosophe, au sein de la "raison impersonnelle de
l'humanité"... » [4] D'où ce fait aussi qu'Icare, qui nous sert
à désigner la pure productivité du désir, ait pu servir également à nommer son objet hypostasié, c'est-à-dire non
plus un acte mais un état (voire un Etat), non plus un
mouvement mais un lieu – non plus un *vol* mais un *ciel*.
Le *Voyage en Icarie* d'Etienne Cabet [5] est en effet l'illustration typique de ce renversement platonicien de la pensée
utopiste, où la production du sens par le désir s'inverse en
justification du désir par le dévoilement du sens. Ce n'est
pas un hasard si Cabet se réclame de Platon et de Jésus-
Christ... Je peux me tromper, mais il me semble qu'une
étude systématique du socialisme utopique au XIXᵉ siècle
montrerait partout, sous des formes bien sûr différentes,
cette structure et ce renversement. L'*Utopie* est alors le
nom de cette société toujours absente (puisqu'elle n'existe
en aucun lieu), mais réelle pourtant, ailleurs, en une espèce
de « monde intelligible » auquel la pensée peut accéder, et
dont ceux qui le connaissent s'autorisent pour justifier leur
action et garantir son succès. Puisque cet idéal est *vrai*, il
ne peut que triompher. Il suffit alors de *convaincre*, c'est-
à-dire de rendre « palpable », comme dit Cabet [6], ou de
« faire apercevoir », comme dit Proudhon [7], une vérité
préexistante. « L'absolu de la raison, dit Saint-Simon, doit
remplacer l'absolu de la foi, et l'unité de la science doit

1. C. Bouglé, *La sociologie de Proudhon* (A. Colin, 1911), p. 12 et 25.
2. Marx, *Misère de la philosophie*. Ed. sociales, 1972, p. 125.
3. Marx, *Ibid.*, p. 125.
4. Marx, *ibid.*, p. 118-119.
5. Paru en 1840, réédité récemment (1970) aux Editions Antrophos.
6. *Voyage en Icarie*, Préface, p. IV.
7. *Qu'est-ce que la propriété ?*, p. 135, cité par G. Gurvitch, PUF, p. 74.

remplacer l'unité de la théologie »[1]. Et les « vérités » découvertes par Fourier annoncent soixante-dix mille ans de
bonheur... La politique est donc bien, pour eux, question
de vérité. L'utopie est fille des Lumières : nul n'est réactionnaire volontairement, et être socialiste, c'est seulement
avoir *compris* ce qu'*est* le socialisme – alors même qu'il
n'existe pas encore. Platonisme : la valeur et l'être sont du
même côté (du côté de la vérité), et c'est le monde réel
(actuel) qui est dans l'erreur. Le capitalisme, c'est la
caverne... D'où, comme chez Platon, une politique religieuse ou descendante (puisqu'elle part d'un modèle
idéal)[2], une politique fondée sur un savoir (cf. la religion
de la science chez Saint-Simon, la « science religieuse ou
sociale » de Fourier, la « science sociale » de Proudhon...),
une politique totalitaire (au sens où l'Utopie n'a pas de
dehors, et englobe – de manière autoritaire ou non, mais
souvent maniaque – tous les aspects, publics ou privés, de
la vie...), enfin une politique élitiste (fondée sur l'action des
grands penseurs, des grands hommes ou des minorités
agissantes : Fourier juge que sa théorie est « plus importante à elle seule que tous les travaux scientifiques faits
depuis l'existence du genre humain », Saint-Simon affirme
que « l'Empereur est le chef scientifique de l'humanité,
comme il en est le chef politique », et Owen dédicace son
œuvre à la fois à « Sa Majesté Victoria, reine de l'Empire
britannique, et à ses conseillers responsables » et « aux

1. Cf. Jean Servier, *Histoire de l'utopie*, « Idées »-NRF, I, XIV, p. 237.
2. D'un modèle idéal ou de valeurs suprêmes : cf., chez Proudhon, le rôle de l'idée
de justice, qui est selon lui (en une phrase que Platon eût pu écrire) « l'astre central
qui gouverne les sociétés » et qui « n'est point l'œuvre de la loi ; au contraire, la loi
n'est jamais qu'une déclaration et une application du *juste*, dans toutes les circonstances où les hommes peuvent se trouver en rapport d'intérêts... » Au reste, ce n'est
pas une coïncidence si la plupart des socialistes utopistes (Fourier, Saint-Simon,
Cabet, Owen...) étaient croyants : seul un Dieu bon et connaissant l'avenir peut
garantir le statut moral, politique et ontologique de l'utopie. Proudhon y supplée
par l'éternité de la raison. Notons que cette politique est aussi *descendante* en un
autre sens, que définit Engels à propos du socialisme utopique et des débuts du
prolétariat qui, « dans son incapacité à s'aider lui-même, pouvait tout au plus recevoir une aide de l'extérieur, *d'en haut* » (*Anti-Dühring*, p. 294). Comparer avec ce
que nous disions de Platon, *supra*, p. 127.

républicains rouges, aux communistes et aux socialistes d'Europe »...). L'Utopie vient aux masses, mais d'en haut...

En un seul point, décisif il est vrai, l'utopisme se distingue du platonisme, et c'est ce point qui le définit en lui servant, si l'on peut dire, de différence spécifique : au lieu de situer leur Cité idéale dans une éternité antérieure à toute histoire (dans un passé atemporel), les utopistes la placent *dans l'avenir*, un avenir éternel peut-être dans son principe, mais susceptible d'une réalisation historique effective. L'âge d'or est devant nous. L'utopisme est en cela un platonisme renversé selon l'axe du temps, où l'histoire n'est plus l'inéluctable déchéance de l'éternité mais le lieu de sa possible effectuation. C'est un platonisme *c(h)ronologique* : platonisme du temps, où Cronos succède à Zeus, le progrès à la décadence, et la révolution à la réaction. Politiquement, cela change tout, et l'on sait le rôle historique que jouèrent les utopistes. Mais philosophiquement, c'est une victoire de l'idéalisme, puisqu'il investit une pensée qui, dans son principe, pouvait sembler devoir lui échapper. D'aucuns diront : « peu importe la philosophie... » Ils auront tort. Car c'est peut-être cet idéalisme philosophique qui explique, au moins en partie, l'échec historique du socialisme utopique. Engels a raison : si « le socialisme est l'expression de la vérité, de la raison et de la justice absolues » (ce que croyaient en effet les utopistes), « il suffit qu'on le découvre pour qu'il conquière le monde »[1]. « La société ne présentait que des anomalies ; leur élimination était la mission de la raison pensante. Il s'agissait à cette fin d'inventer un nouveau système plus parfait de régime social et de l'octroyer de l'extérieur à la société, par la propagande et, si possible, par l'exemple d'expériences modèles... »[2] Et Cabet s'écriait en effet : « À la Communauté l'avenir, par la seule puissance de la Raison et de la Vérité ! »[3] ... avant de fonder des « Commu-

---

1. Engels, *Anti-Dühring*, Ed. sociales, 1971, p. 387.
2. Engels, *ibid.*, p. 294-295.
3. Etienne Cabet, *Voyage en Icarie*, p. 565.

nautés icariennes » en Amérique... Et Fourier de même, et
Owen, et Saint-Simon... Las ! La propagande et l'exemple
ne suffirent pas ; la « vérité » continua d'être méconnue ;
et, après comme avant les utopistes, l'histoire continua
d'être désespérément déraisonnable... L'échec des utopistes est le même que celui de Platon, en Grèce ou en
Sicile. Il ne suffit pas de bien penser. L'impuissance de
l'utopie, en politique, c'est l'impuissance de la vérité. La
vérité n'est qu'un rêve, ici, comme le reste... Le labyrinthe
est un labyrinthe. Il n'est puissance que du désir.

V

Réunissant en brochure quelques chapitres de l'*Anti-
Dühring*, Engels leur donna pour titre : *Socialisme utopique
et socialisme scientifique*. Ce « *et* » voulait dire « *ou* ». La
science commençait là où s'achevait l'utopie. A Marx, tout
simplement. Pour Engels, il n'était d'utopie que pré-
marxiste. Après Marx, il suffisait de choisir : le rêve, ou la
réalité. « Pour faire du socialisme une science, il fallait
d'abord le placer sur un terrain réel »[1]. Et seule la science
donne les moyens de transformer le réel qu'elle connaît. A
l'impuissance de l'utopie répond la toute puissance de la
vérité. Lénine ne dira pas autre chose : « La théorie de
Marx est toute-puissante parce qu'elle est vraie... » Et puis
il y a le critère de la pratique. Cela vaut surtout pour aujour-
d'hui. L'URSS existe... Le « socialisme réel », ce n'est pas un
idéal. Puisqu'il est *réel*, justement, réel et scientifique... Les
marxistes ne sont pas des rêveurs.

Voire. Car ce qui caractérise le marxisme, ce qui le définit, n'est-ce pas d'un côté un *idéal* (le communisme), et, de
l'autre, une *science* (le matérialisme historique) ?

Un idéal : puisque le communisme n'existe pas, nulle
part (en aucun lieu), ni n'a jamais existé. Tout le monde le
reconnaît, et les communistes eux-mêmes, y compris sovié-

---

1. Engels, *Socialisme utopique et socialisme scientifique*, Ed. sociales, 1971, p. 77.

tiques, qui, d'une phase de transition à l'autre, ne cessent de préparer l'avènement d'un monde qui n'advient pas. Le communisme, c'est l'avenir... Et c'est bien dit ; *à-venir* : toujours à construire, jamais construit, toujours annoncé, jamais réalisé... Plus de soixante ans après la Révolution d'Octobre, le mot d'ordre est toujours : « En avant vers le communisme ! » Et l'on avance, pardi, mais sans se rapprocher du but. L'idéal, c'est l'horizon de mon désir ; il fuit devant nous à chaque pas...

Une science. C'est le B-A BA. Marx a fondé une science nouvelle, ouvert un « nouveau continent », découvert de nouvelles vérités... Cette science est à la fois science de l'histoire et théorie de la révolution. Avec les découvertes de Marx, dit Engels, le socialisme change de nature : « Sa tâche ne consistait plus à fabriquer un système social aussi parfait que possible, mais à étudier le développement historique de l'économie... et à découvrir dans la situation économique ainsi créée les moyens de résoudre le conflit... Le socialisme est devenu une science... »[1] Et Staline est marxiste quand il écrit : « Par conséquent, le socialisme, de rêve d'un avenir meilleur pour l'humanité qu'il était autrefois, devient une science... »[2] Plus besoin de *rêver* l'avenir – puisqu'on peut scientifiquement le *connaître*.

Mais le paradoxe est le suivant : cette prétention à la scientificité, par quoi les marxistes pensent s'opposer aux socialistes utopiques, est au contraire, nous le verrons, ce qui fait du marxisme, au moins sous cette forme, une *utopie* parmi d'autres. Ce qui se donne pour la différence spécifique du socialisme scientifique est au contraire ce qui le définit génériquement comme socialisme utopique. Il est donc vrai, comme l'écrit Camus, que « tout socialisme est utopique, et d'abord le scientifique »[3]. De fait, il n'est pour ainsi dire pas d'utopiste qui n'ait prétendu, d'une manière ou d'une autre, à la scientificité – pensant ainsi

1. Engels, *Ibid.*, p. 88-89.
2. Staline, *Matérialisme dialectique et matérialisme historique*, Ed. sociales, 1945, p. 16.
3. Albert Camus, *L'homme révolté*, « Idées »-NRF, p. 249-250.

se distinguer de tous ses prédécesseurs alors même qu'il les rejoignait. L'opposition subjective est ici la marque d'une conjonction objective. Or, cette conjonction se fait sur le terrain de l'idéalisme. Car dès lors que l'idéal auquel on croit est susceptible d'être connu scientifiquement (dès lors que « le socialisme devient une science »...), cet idéal est « vrai ». Mais il n'est de vérité qu'objective : cet idéal existe donc objectivement. On retrouve alors le renversement caractéristique de la pensée utopique : l'idéal n'est plus l'effet du désir mais sa cause, non plus son rêve mais sa justification. Sans doute cet idéal n'est-il plus, chez Marx, un pur produit de la raison éternelle, mais le résultat, historiquement déterminé, d'un double processus pratique et théorique. Marx prétend connaître ce qui est, non rêver ce qui sera. Mais cela ne change pas grand chose : puisque l'histoire obéit à un développement nécessaire, ce qui est *annonce* ce qui sera. Ce que j'ai *démontré*, dit Marx dès 1852, c'est que « la lutte des classes conduit nécessairement à la dictature du prolétariat, (et) que cette dictature elle-même ne constitue que la transition à l'abolition de toutes les classes et à une société sans classes... »[1] La science peut donc se faire prophétique. Le communisme est présent « en germe » dans le capitalisme, le vieux monde est « gros » du nouveau... Les métaphores biologiques succèdent aux descriptions volontaristes, mais l'essentiel demeure. Et cet essentiel, c'est l'existence objective (vraie) d'un *idéal* où coïncident l'être et la valeur. Donc : le même idéalisme, déjà repéré chez Platon et chez les utopistes, et qu'on peut appeler *le platonisme de Marx*. Norme et vérité sont du même côté. Le sens est vrai, la vérité fait sens. C'est donc l'idéal (le communisme) qui est vrai, et la réalité (le capitalisme) qui, une fois achevée sa mission historique, est dans l'erreur. Le communisme est « l'énigme résolue de l'histoire, et il se connaît comme cette solution »[2]. La vérité est à venir, et l'avenir est la vérité de

---

1. Karl Marx, *Lettre à Joseph Weydemeyer*, du 5 mars 1852.
2. Marx, *Manuscrits de 1844*, Ed. sociales, 1969, p. 87.

l'histoire. D'ailleurs, l'histoire réelle ne l'est pas vraiment ; elle n'est que la *préhistoire*, dit Marx[1], d'une *histoire* qui est à naître... Des utopistes à Marx, le changement de registre (politique, théorique et métaphorique) est seulement l'indice de ce que le platonisme de Marx est pensé dans une structure hégélienne, où l'Idée n'est plus norme transcendante d'un monde déchu mais vérité immanente d'un monde en devenir, où l'être et la valeur coïncident non plus dans une identité ontologique atemporelle mais dans le dépassement historique de leur opposition. La valeur est l'expression du devenir de l'être (l'Idée est la vérité de l'histoire), et l'être est le devenir-réel de la valeur (l'histoire est la réalisation de l'Idée). C'est que qu'a fort bien montré Leszek Kolakowski :

> « Il y a dans la conscience utopique un héritage, plus ou moins conscient, de la structure de pensée platonicienne (hégélienne dans le cas de Marx) ; il consiste dans la croyance selon laquelle une certaine figure imaginée incarne une essence, quelque chose qui est *déjà là*, sous la forme de cette réalité supérieure, quoique non empirique... (Marx) était certain de connaître la signification de l'Histoire, c'est cette certitude qui constitue la conscience utopique du marxisme et qui lui permet de nourrir en même temps des prétentions scientifiques. Connaître la signification de l'Histoire, c'est précisément abandonner la distinction entre jugements descriptifs et jugements de valeur, puisque dans chaque exposition du sens de l'Histoire, les valeurs sont déguisées sous forme de descriptions... »[2]

Bref, si la valeur et la vérité (le *normatif* et le *descriptif*, comme dit Kolakowski) sont du même côté, nos adversaires sont à la fois dans l'erreur et dans l'errance, hors du vrai et hors du bien. Ils sont donc battus d'avance, puisque la vérité (donc le bien) a pour elle l'éternité... Marx n'échappe pas aux deux illusions du militant : certitude d'avoir raison, certitude de vaincre. « Il ne peut y avoir de doute quant au vainqueur final », écrit-il[3]. Ce n'est pas du pragmatisme, Althusser a raison là-dessus : ce n'est pas

---

1. Dans sa célèbre *Préface* de 1859 (*Contribution...*, p. 5).
2. Leszek Kolakowski, L'anti-utopie utopique de Marx, in *L'esprit révolutionnaire*, Ed. Complexe, p. 131-132.
3. Marx, *La guerre civile en France*, p. 62.

parce que nous vaincrons que nous avons raison, c'est parce que nous avons (déjà) raison que nous vaincrons (un jour)... La pratique est le critère, mais c'est la vérité qui est la norme. Non pas pragmatisme, donc, mais dogmatisme : dictature d'une vérité (d'ailleurs impossible en ce lieu) qui fonctionne comme norme de toutes les pratiques possibles. Il est donc *normal* (c'est-à-dire naturel et conforme à la norme) que la victoire soit *hors de doute*. Si l'inéluctabilité du communisme est une certitude scientifique, si la science elle-même « est devenue révolutionnaire »[1], la classe ouvrière ne peut connaître de défaites que provisoires. Qu'aurait-elle à craindre ? L'avenir et la vérité sont dans son camp. Hors de la science, pas de salut ! dans la science, pas d'échec ! Le marxisme est une sotériologie de la vérité. Si le prolétariat est rédempteur, c'est grâce au « socialisme scientifique, expression théorique du mouvement prolétarien »[2] ; s'il peut accomplir sa « mission historique (de) libérateur du monde », c'est grâce au marxisme, qui lui donne « la conscience des conditions et de la nature de sa propre action »[3]. Messianisme et dogmatisme, science et prophétie vont de pair : la vérité annonce l'avenir, l'avenir confirmera la vérité. Labyrinthe de l'utopie...

On ne s'étonnera plus alors des conséquences historiques du marxisme, dont il est clair qu'elles ne sont ni contingentes ni sans rapport avec la pensée de Marx. Disons-le d'un mot : le stalinisme n'est pas un *greffon* extérieur au marxisme, ni même une dégénérescence de sa théorie. Ce n'est qu'à peine une déviation. Le stalinisme est l'application conséquente *d'une partie* du message de Marx, partie proprement philosophique (même si elle n'est pas *toute* sa philosophie), et que j'ai appelée son platonisme. Le stalinisme, c'est la version platonicienne du marxisme – version déjà présente chez Marx et exacerbée chez Sta-

1. Marx, *Misère de la philosophie*, II, 1, p. 134.
2. Engels, *Socialisme utopique et soc. sc.*, p. 121.
3. Engels, *ibid.*, p. 121.

line. Si l'être et la valeur sont du même côté, si l'idéal est pensable objectivement, si tout (politique, art, morale...) relève de la vérité, alors, inutile de discuter : la vérité est une, et qui la connaît *doit* l'appliquer. Toute erreur est une faute, et toute faute une trahison. Qui n'est pas avec la vérité est contre elle, et trahit l'universel auquel il devrait se soumettre au nom d'intérêts obscurément singuliers... La science n'a que faire de la démocratie. La vérité, cela ne se vote pas. Si le sens est *vrai* (puisque l'histoire a un sens objectif), celui qui ne le perçoit pas est *insensé* : un fou, un imbécile, ou bien un ignorant... Nul n'est réactionnaire volontairement, ou bien seulement les riches. Il faut donc supprimer les *koulaks*, enseigner le marxisme, contrôler les imbéciles, enfermer les fous... Puisqu'il n'y a qu'une vérité, il est juste qu'il n'y ait qu'un parti – puisqu'il est le parti de la vérité. Le parti unique est le signe de l'unicité de la vérité. Air connu : *unam, sanctam, catholicam*... L'erreur n'est pas un droit, et n'en donne aucun. La contre-révolution est un crime, et la dissidence, une maladie qui se soigne...

On peut reprendre ici les cinq conséquences politiques de l'idéalisme, déjà relevées à propos de Platon. La politique stalinienne, comme celle du philosophe grec, sera religieuse ou descendante : tout procède d'un monde intelligible, qui est à la fois celui de la vérité (le marxisme comme science), celui de la justice (le prolétariat, porteur des valeurs suprêmes de l'humanité), et celui du bonheur (le communisme). *Monde intelligible*, puisque ni la vérité, ni la justice, ni le bonheur ne sont jamais donnés *ici-bas*, si ce n'est comme promesse ou comme objet de contemplation[1]. Staline est le guide du peuple, parce que lui *voit déjà* ce que les autres ne voient pas encore. Il est le prophète

---

1. Y compris comme contemplation d'un monde réel mais lointain : l'URSS, patrie du socialisme, joua jusqu'en 1956 ce rôle paradoxal de *monde intelligible réalisé sur terre*, mais – bien sûr ! – ailleurs, très loin... Cette hétérodoxie naïve était en effet réservée aux militants des pays capitalistes. Les Soviétiques, eux, ne s'y trompaient pas, et ne pouvaient aimer le communisme (s'il l'aimaient) que dans sa pureté d'idéal.

du dieu Avenir. De fait, si l'histoire a un sens, il est clair que ce sens n'est jamais donné *dans* l'histoire (puisqu'elle serait alors achevée), mais simplement appréhendé, deviné, révélé... Le *sens* n'est jamais *sensible*, sauf à n'être que le symptôme du corps ; mais il faudrait alors qu'il renonçât à sa vérité... Si le sens est vrai, il ne peut être qu'intelligible. La politique procède de cette intellection du sens, dont Staline ou le Parti sont l'opérateur privilégié, voire unique et infaillible. Le pouvoir vient d'en haut (de l'Idée du socialisme : lois universelles, principes du léninisme, etc.), par la médiation d'un *guide* absolu. Le pouvoir descend. D'ailleurs, Lénine l'a dit : d'elle-même, la classe ouvrière ne peut aboutir qu'au *trade-unionisme*. C'est au Parti de lui révéler son destin (sa mission...), tel qu'il est inscrit dans le ciel de la vérité. « C'est de l'extérieur que la conscience politique vient aux masses », dit-il. La révolution s'enseigne. La pédagogie remplace la démocratie.

Démocratie : « libre » jeu (réglé par une loi) des forces et des désirs. Pédagogie : suppression de l'erreur par la révélation de la vérité. C'est pourquoi la généralisation de la pédagogie à toute une société sert toujours à occulter l'absence de toute véritable démocratie. La pédagogie (quel que soit le nom qu'on lui donne : éducation des masses, propagande, critique et autocritique...) est alors la dénégation de la politique et de ses conflits. Historiquement, s'il faut donner un exemple, c'est ce que l'on a appelé le *jdanovisme*. Non sans raisons :

> « Dans notre société soviétique – écrivait en effet Jdanov –, où les classes antagonistes ont été supprimées, la lutte entre l'ancien et le nouveau et, par suite, le développement de l'inférieur au supérieur, s'opère non pas sous forme de lutte entre les classes antagonistes et sous forme de cataclysmes, comme c'est le cas en régime capitaliste, mais sous forme de critique et d'autocritique, véritable force motrice de notre développement, arme puissante aux mains du Parti. C'est là assurément une nouvelle forme de mouvement, un nouveau type de développement, une nouvelle loi dialectique. » [1]

---

1. A. Jdanov, *Sur la littérature, la philosophie et la musique*, Ed. de la Nouvelle Critique, 1950, p. 62-63. Cette tentation « pédagogistique », si l'on peut dire, se

Renversement, là encore : le « développement de l'inférieur au supérieur » se fait par la *connaissance* anticipée du supérieur, qui précède ainsi sa propre réalisation. C'est ce qui distingue, selon Staline, le marxisme-léninisme de « la théorie du culte de la spontanéité », laquelle s'oppose « à ce que le Parti élève les masses jusqu'à les rendre conscientes »[1], et condamne ainsi la classe ouvrière à l'opportunisme, au trade-unionisme et à la défaite[2]. Mais on ne peut « *élever les masses* » qu'à la condition d'être *plus haut* qu'elles. Ce n'est pas une ascension ; c'est une assomption. Et le « développement de l'inférieur au supérieur » se fait, paradoxalement, *de haut en bas*. Religion : descente. Si les communistes (au contraire des spontanéistes[3]) peuvent et doivent marcher « en tête de la classe ouvrière »[4], c'est à la manière des Rois mages, précédant et annonçant la masse des fidèles : ils ont leur « *étoile conductrice* », comme dit joliment Staline[5], qui leur permet seule de savoir *où* ils vont, et grâce à laquelle l'avenir en eux ne cesse de se précéder. Cette « étoile » porte aussi un nom moins poétique. Elle s'appelle : « *la liaison entre la science et l'activité pratique* »[6].

Car si l'histoire a un sens, ce sens intelligible n'est pas l'objet d'une expérience mystique, cela va de soi, mais bien (comme chez Platon) d'un *savoir*. La science marxiste-léni-

---

retrouve aussi *à l'intérieur* des organisations léninistes. C'est ce que j'appelais, du temps où je militais au Parti communiste, *le syndrome de l'instituteur*, déformation qui consiste à penser (et à réduire) les divergences politiques en termes d'incompréhension ou d'ignorance. « Le camarade n'a pas compris... », « le camarade se trompe... », « il faut expliquer aux camarades... » Pas de conflits dans le Parti, pas de rapports de forces : les désaccords ne sont la marque que de l'inégal développement de la vérité dans la conscience des militants. Il n'y a donc pas à se battre ; il suffit d'expliquer. La direction est alors toute-puissante, et peut pour cela être tolérante : si toute critique relève de l'ignorance ou de l'incompréhension, il faut la tolérer comme un mal nécessaire, la combattre comme une erreur... et ne pas en tenir compte. Dans le jargon des directions, cela s'appelle : *faire passer la ligne*... Et elle passe, en effet.

1. J. Staline, *Des principes du léninisme*, III, Ed. de Pékin, 1970, p. 24.
2. *Ibid.*, p. 23-26.
3. *Ibid.*, et chap. VIII, notamment p. 105.
4. J. Staline, *Des principes du léninisme*, p. 24.
5. Staline, *Le matérialisme dialectique et le matérialisme historique*, Ed. sociales 1945, p. 16.
6. *Ibid.*

niste, « science de l'histoire de la société »[1], énonce les lois et les principes de la société à venir, lois et principes démontrés dans la théorie avant d'être vérifiés dans la pratique. Deux exemples : une loi, un principe. La loi, c'est Staline qui l'énonce : il s'agit de la « loi économique fondamentale du socialisme »[2] :

> « Les traits essentiels et les exigences de la loi économique fondamentale du socialisme pourraient être formulés à peu près ainsi : assurer la satisfaction maxima des besoins matériels et culturels sans cesse croissants de toute la société en développant et en perfectionnant sans cesse la production socialiste sur la base d'une technique supérieure. »[3]

Quant au principe, il est formulé par Marx lui-même :

> « Dans une phase supérieure de la société communiste, (...) quand, avec le développement multiple des individus, les forces productives se seront accrues elles aussi et que toutes les sources de la richesse collective jailliront avec abondance, alors seulement l'horizon borné du droit bourgeois pourra être définitivement dépassé et la société pourra écrire sur ses drapeaux : *De chacun selon ses capacités, à chacun selon ses besoins !* »[4]

Loi et principe, comme on le voit, bien compréhensibles et, à nos yeux, bien légitimes : la satisfaction des besoins, le perfectionnement de la production, l'abondance... Qui ne partagerait un tel désir ? Mais ce qui est intéressant ici, c'est que ce *désir* se dénie en tant que tel pour s'affirmer loi et principe *scientifiques*. Ou plutôt : *le désir et la vérité sont du même côté, la valeur et l'être s'accordent*. Platonisme : *le Bien, c'est le Vrai*. Il s'agit, disent après Staline les marxistes français qui citent sa « loi », d'une « loi économique fondamentale du socialisme, *loi objective, indépendante de la volonté des hommes...* »[5] Et le principe de Marx s'énonce de même, non comme un souhait, mais

---

1. *Ibid.*
2. Staline, *Les problèmes économiques du socialisme en URSS*, cité par Politzer, Besse, Caveing, *op. cit.*, p. 390.
3. Staline, *ibid.*, p. 390-391.
4. Marx, *Critique du programme de Gotha* (Ed. de Moscou : Œuvres en III volumes, t. III, p. 15).
5. Politzer, Besse, Caveing, *op. cit.*, p. 390.

comme une certitude positive. Engels pouvait bien, sans
trahir Marx (du moins sans trahir cette partie-là du
marxisme) appeler « socialisme *scientifique* » cette
« science » d'une société pourtant inexistante : puisqu'il
était « prouvé »[1] qu'elle allait advenir, et qu'on pouvait
d'ores et déjà en prévoir les principes et les caractéristiques[2]. Les « deux grandes découvertes »[3] de Marx – la
plus-value et la « conception matérialiste de l'histoire »[4] –
permettent de connaître non seulement ce qui est, mais ce
qui *sera* : « le socialisme est devenu une science »[5], science
qui démontre, entre autres choses, l'inéluctabilité de sa
victoire[6]. Le socialisme, le communisme, ce n'est plus le
désir qui les rêve, c'est la raison qui les annonce. Il se trouve
simplement que, par une bienheureuse coïncidence, nous
n'avons pas de désir plus ardent, sur ce point, que, précisément, ce que la raison (la « science ») nous dit qui sera.
On comprend alors la tranquille et douce certitude de Staline :

> « La science de l'histoire de la société, malgré toute la complexité des
> phénomènes de la vie sociale, peut devenir une science aussi exacte
> que la biologie, par exemple, et capable de faire servir les lois du
> développement social à des applications pratiques... Par conséquent,
> pour ne pas se tromper en politique, le parti du prolétariat, dans l'éta-
> blissement de son programme aussi bien que dans son activité prati-
> que, doit avant tout s'inspirer des lois du développement de la pro-
> duction, des lois du développement économique de la société. »[7]

La politique stalinienne, comme celle de Platon, est une
politique « vraie », « scientifique », c'est-à-dire fondée sur
un *savoir*, ou prétendu tel : ce que j'ai appelé une politique
« épistémique » ou dogmatique. Staline est ici d'une clarté
absolue : « La stratégie et la tactique du léninisme, c'est la

---

1. Engels, *Principes du communisme*, publié en annexe au *Manifeste*, Ed. sociales
(1972, bilingue), p. 211.
2. Cf. par ex. *ibid.*, 18 à 25, p. 217-237.
3. Engels, *Anti-Dühring*, I, p. 56.
4. *Ibid.*
5. Engels, *Ibid.*, p. 56.
6. Cf. par ex. Engels, *Anti-Dühring*, II, 1, p. 186.
7. Staline, *M. D. et M. H.*, p. 16 et 23.

science de la direction de la lutte révolutionnaire du prolétariat »[1]. Peu importent alors les formes du pouvoir ; ce
qui compte, c'est « *la présence d'une science...* »[2] Puisque
Staline était « le plus grand savant de son temps », et pos-
sédait à fond la « science » marxiste, son pouvoir était forcément légitime, qu'il gouvernât « suivant des lois ou sans
lois, du consentement ou contre le gré de (ses) sujets... »[3]
Il s'agit simplement de « *ne pas se tromper en politique* »[4] :
« Par conséquent, le parti du prolétariat, s'il veut être un
parti véritable, doit avant tout acquérir la science des lois
du développement de la production, des lois du développement économique de la société... »[5] Parti véritable, parti
véridique : « Pour ne pas se tromper en politique, il faut
regarder en avant, et non en arrière... Pour ne pas se tromper en politique, il faut être un révolutionnaire, et non un
réformiste... Pour ne pas se tromper en politique, il faut
suivre une politique prolétarienne de classe, intransigeante... »[6] Staline, c'est le philosophe-roi. L'URSS, c'est la
République, en cours de réalisation : patrie du socialisme,
patrie de la justice, patrie de la vérité...

D'où, bien sûr, le totalitarisme. Comme chez Platon, la
vérité a tout pouvoir sur tout. La dictature du prolétariat
est bien une dictature : puisqu'il n'y a qu'une vérité, il est
juste qu'il n'y ait qu'un pouvoir. Ce pouvoir n'est pas seulement un pouvoir de classe. Car on pourrait admettre que,
au sein même de la classe ouvrière, plusieurs courants
s'opposent et s'expriment. Une seule classe, ce n'est pas
forcément (et même : ce n'est jamais) un seul désir. Mais
puisque Staline a raison, les autres ont tort ; toute une part
du stalinisme tient dans cette tautologie. Puisqu'il s'agit de
« ne pas se tromper en politique », il faut éliminer ceux qui
se trompent : « La voie du développement et du renforce-

1. Staline, *Principes du léninisme*, VII, p. 85.
2. Cf. Platon, *Politique*, 292.
3. Platon, *Ibid.*, 293.
4. Staline, *M. D. et M. H.*, par ex. p. 12 et 23.
5. Staline, *ibid.*, p. 23.
6. Staline, *ibid.*, p. 12-13.

ment des partis prolétariens passe par leur épuration des opportunistes et des réformistes, des social-impérialistes et des social-chauvins, des socials-patriotes et des social-pacifistes... »[1] Mais cela vaut aussi, au-dehors du Parti, pour l'ensemble de la société : « Le Parti n'est pas seulement nécessaire au prolétariat pour la conquête de la dictature ; il est encore plus nécessaire pour maintenir la dictature, la consolider et l'étendre, afin d'assurer la victoire complète du socialisme... Mais, que signifie "maintenir" et "étendre" la dictature ? C'est inculquer aux millions de prolétaires l'esprit de discipline et d'organisation... C'est aider les masses à faire leur éducation... »[2] A nouveau, l'opposition du vrai et du faux sert à masquer (ou à justifier) les conflits de désirs et les rapports de forces. Je suis la vérité et la vie... Quant à ceux qui se trompent – les opposants –, il faut les aider à comprendre leur erreur, ou, s'il ne comprennent pas, les soigner et les empêcher de nuire. Politique de la vérité : pédagogie, thérapeutique et répression. « Après tout, chacun est libre... La révolution ne sait ni plaindre ni enterrer ses morts... »[3]

Cette dictature du savoir est réservée, comme c'est normal, à ceux qui savent. L'élitisme découle du dogmatisme : à toute religion, il faut des clercs. A théorie d'avant-garde, parti d'avant-garde : « Il faut que le Parti soit, avant tout, le détachement d'avant-garde de la classe ouvrière. Il faut que le Parti absorbe tous les meilleurs éléments de la classe ouvrière, leur expérience, leur esprit révolutionnaire, leur dévouement infini à la cause du prolétariat. Mais pour être vraiment un détachement d'avant-garde, il faut que le Parti soit armé de la théorie révolutionnaire, de la connaissance des lois de la révolution... Il faut que le Parti se trouve en tête de la classe ouvrière ; il faut qu'il voie plus loin que la classe ouvrière... »[4] On voit que là encore, la nature épis-

---

1. Staline, *Principes du léninisme*, VIII, p. 118 et 114.
2. *Ibid.*
3. Staline, article du 20 octobre 1917, cité dans les *Textes choisis* publiés par J.-F Kahn, Ed. Denoël, coll. « Médiations », p. 122.
4. Staline, *Principes du léninisme*, VIII, p. 104-105.

témique du pouvoir (« connaissance des lois de la révolution ») prime sa nature de classe (le Parti voit « plus loin que la classe ouvrière »). Cela explique qu'un intellectuel communiste soit considéré comme un militant ouvrier (s'il est d'accord avec la vérité du Parti), et qu'inversement un ouvrier dans l'erreur soit un agent objectif de la bourgeoisie... C'est pourquoi le vrai pouvoir de la classe ouvrière, ce n'est pas le pouvoir des ouvriers, mais le pouvoir du Parti *de* la classe ouvrière : le Parti « doit conduire le prolétariat, et non pas se traîner à la remorque du mouvement spontané »[1]. L'adéquation entre la classe ouvrière et son parti est sans mystère : le point de vue de classe, c'est le point de vue scientifique, c'est-à-dire le point de vue de la vérité. Or le Parti communiste est précisément *le* Parti de la vérité. Donc : pas de problèmes ! Le savoir légitime le pouvoir. C'est pourquoi aussi le pouvoir du Parti est toujours celui de ses dirigeants. S'ils dirigent, c'est qu'ils en savent plus que les autres. Leur petit nombre ne change rien à l'affaire : une vérité vaut mieux que mille erreurs. La structure du pouvoir reflète alors celle du savoir : puisque la vérité vient d'en haut et que le pouvoir vient de la vérité, les deux descendent. Ce n'est pas le peuple qui donne le pouvoir au Parti, c'est le Parti qui distribue le pouvoir *dans* le peuple. La *Nomenklatura*, comme on dit là-bas, est l'organisation explicite de cette descente et de cette distribution. Il est juste qu'il en soit ainsi. Le Parti est une avant-garde, une élite, une véritable « cité des savants ». Il serait démagogique (« bourgeois ») de soumettre la cité des savants à la cité des citoyens. D'ailleurs un jour, tous les citoyens seront savants. Les deux cités coïncideront alors dans l'universalisation de la vérité. Ce sera le communisme. Il n'y aura plus que la vérité ; chacun sera libre d'avoir raison. Lénine l'a dit : « Tant que l'Etat existe, pas de liberté ; quand régnera la liberté, il n'y aura plus d'Etat... »[2] Mais cela suppose la généralisation préalable

1. Staline, *ibid.*, p. 105.
2. Lénine, *L'Etat et la Révolution*, V, 4, p. 125.

de la vérité à toute la population. Si le pouvoir vient du savoir, il n'est pouvoir que contre l'erreur ou l'ignorance. Plus d'erreur, plus de pouvoir. L'Etat n'est que le symptôme (provisoire) de la rareté de la vérité. Il n'est pouvoir que de l'élite ; mais quand tout le monde sera l'élite, il n'y aura plus de pouvoir.

Reste un dernier point cependant où, semble-t-il, stalinisme et platonisme s'opposent : l'orientation historique selon l'axe du temps. Le stalinisme est une utopie ; il situe la Cité idéale dans l'avenir. Le contraire, en ce sens, d'une pensée réactionnaire. Mais ce n'est pas si simple. Car dans la mesure où l'avenir est susceptible d'être connu scientifiquement, il est déjà *présent*, d'une certaine manière. Toute vérité est éternelle. Qu'elle soit perdue (Platon) ou à venir (Staline), la Cité idéale, dès lors qu'elle est vraie, surplombe toute l'histoire, comme dirait Saint Augustin, du haut de son éternité toujours présente. D'où la possibilité, voire l'inéluctabilité, d'un *conservatisme stalinien*, qui n'est paradoxal qu'en apparence. La société idéale a beau être devant nous, tout changement historique concret risque néanmoins de nous en éloigner en *déviant* du modèle éternel (vrai) qui en exprime dès maintenant toute l'absolue perfection. Si l'avenir est déjà connu, le progrès ne peut être qu'une *réminiscence*. Le rêve s'inverse en anamnèse, et, comme dit joliment Ernst Bloch[1], le souvenir amollit l'espérance... Ce qui est banni alors, ce n'est plus le changement (comme chez Platon), mais l'imprévu. Philosophie de bureaucrates... Or, pour qu'il n'y ait pas d'imprévu, jamais, le mieux est encore que rien d'essentiel ne change. C'est ce que Kundera a si bien compris, et si bien dit : « C'est vrai qu'eux sont comme ça, ils savent tout d'avance. Le déroulement des choses à venir leur est déjà connu. Belle lurette qu'il a eu lieu, l'avenir, pour eux ce ne sera plus qu'un recommencement... »[2] L'âge d'or est devant nous, peut-être, mais la vérité est derrière. S'éloigner de

---

1. Ernst Bloch, *Le Principe Espérance*, I, p. 28.
2. Milan Kundera, *La Plaisanterie* (Folio), p. 403.

Marx, de Lénine ou de Staline, c'est s'éloigner de l'avenir. L'imprévu est toujours contre-révolutionnaire. Changer, c'est dévier ; et tout *déviationnisme*, qu'il soit « de droite » ou « de gauche », est réactionnaire et prépare « la défaite du prolétariat et la création de conditions facilitant la restauration du capitalisme »[1]. Paradoxes du dogmatisme : seul le conservatisme (dans la théorie) est révolutionnaire (dans la réalité). Cela se comprend : puisque la théorie marxiste-léniniste est la vérité de l'avenir, l'orthodoxie seule est progressiste. Ne pas bouger est la meilleure façon d'avancer.

Considéré en tant que théorie, le stalinisme n'est donc pas le contraire du marxisme, mais bien, comme je l'ai dit, l'exploitation de la part de *platonisme* – ou d'idéalisme – que celui-ci, dès les œuvres de Marx et d'Engels, comportait. Platonisme *renversé*, il est vrai, non seulement quant à son orientation temporelle (utopisme, progressisme), mais aussi quant à son orientation métaphysique ou ontologique : car le monde intelligible, dans la tradition marxiste, est présent *ici-bas*, et même *au plus bas* du monde sensible – dans « l'infrastructure », dans l'économie. C'est une tendance que Staline ne fera qu'accentuer (d'où ce qu'on a pu appeler son « *économisme* »[2]) :

> « L'histoire du développement de la société est, avant tout, l'histoire du développement de la production, l'histoire des modes de production qui se succèdent à travers les siècles, l'histoire du développement des forces productives et des rapports de production entre les hommes... »[3]

Mais cela (ce *renversement* du platonisme) ne change finalement pas grand chose ; car une fois ce « *plus bas* » connu, il ne fait qu'un avec le « *plus haut* » de la théorie. C'est alors à la réalité – et d'abord aux hommes – de s'y soumettre :

---

1. Staline, discours d'octobre 1928 (*Textes choisis* par J.-F. Khan, *op. cit.*, p. 178).
2. Cf. Louis Althusser, par ex. Note sur « la critique du culte de la personnalité », *Réponse à J. Lewis*, p. 79-98.
3. Staline, *M. D. et M. H.*, p. 22-23. L'idée est présente chez Marx et Engels, bien sûr mais on peut aussi, à les lire, comprendre que l'histoire est « avant tout » l'histoire des luttes de classes. Question d'accent...

> « La déchéance des "économistes" et des menchéviks s'explique, entre autres, par le fait qu'ils ne reconnaissent pas le rôle mobilisateur, organisateur et transformateur de la théorie d'avant-garde, de l'idée d'avant-garde... (Au contraire), ce qui fait la force et la vitalité du marxisme-léninisme, c'est qu'il s'appuie sur une théorie d'avant-garde qui reflète exactement les besoins du développement de la vie matérielle de la société, c'est qu'il place la théorie au rang élevé qui lui revient, et considère comme son devoir d'utiliser à fond sa force mobilisatrice, organisatrice et transformatrice. » [1]

Platonisme renversé, donc, mais platonisme : le sens de l'histoire est présent au plus bas (dans l'économie) mais n'agit efficacement que par l'intermédiaire de son « reflet » le plus haut – la théorie vraie. L'économisme débouche ainsi sur le dogmatisme, le volontarisme et l'autoritarisme, avec les conséquences historiques que l'on sait : collectivisation forcée, industrialisation à outrance, bourrage de crâne, purges, terreur... Et, au bas mot, dix millions de morts [2].

Tout cela ne signifie pas, bien sûr, que le marxisme dût *nécessairement* mener au stalinisme, comme une cause à ses effets ou un principe à ses conséquences. Les nécessités de l'histoire sont moins simples, moins simplement causales et moins simplement déductives. « Cette histoire serait par ailleurs de nature fort mystique, dit Marx, si les "hasards" n'y jouaient aucun rôle... » [3] Phrase que devraient méditer les inconditionnels de « l'analyse scientifique ». Il n'y a pas de contingence en histoire mais beaucoup de hasards, et le stalinisme en eut sa part. Mais si Marx ne menait pas *nécessairement* à Staline, il reste que Staline n'eût pas été *possible* sans Marx. Si Staline est coupable, Marx n'est donc pas totalement innocent. Et qu'il y ait eu d'autres marxismes possibles, qu'il y en eût d'autres même de réels, et même des variantes expressément antistaliniennes du marxisme, cela n'annule pas ce fait que

1. Staline, *ibid.*, p. 19.
2. Selon le « chiffre minimal » retenu par les auteurs (communistes) de *L'URSS et nous*, Ed. sociales, 1978, p. 62.
3. Marx, *Lettre à L. Kugelmann*, du 17 avril 1871.

toute une part du marxisme portait en elle la possibilité
– qui se réalisa – d'une dictature dogmatique et totalitaire.
Or, on vient de le voir, cette part « dangereuse » du
marxisme est double : elle réside d'une part dans sa prétention à la vérité (dogmatisme), et, d'autre part, dans la
saisie anticipée de l'avenir à laquelle il prétend (prophétisme). Mais ces deux aspects n'en font qu'un : c'est parce
que le marxisme est vrai qu'il peut être prophétique, et,
réciproquement, le prophétisme suppose (sauf à se dénoncer soi-même comme rêve) la vérité de son propre discours.
Savoir, c'est prévoir : tout dogmatisme est prophétique,
toute prophétisme est dogmatique. C'est pourquoi ces deux
traits de la pensée marxienne et, *a fortiori*, stalienne, peuvent se réunir en un seul, sous le nom commun *d'utopisme*.
On peut en effet appeler *utopie* toute pensée ayant pour
objet prétendu un avenir qui fonctionne à la fois comme
valeur et comme vérité. Utopie : connaissance *vraie* (dogmatisme) d'un *bien* à venir (prophétisme). Ce n'est pas la
prévision qui est en cause, car si l'avenir n'*est* pas et « ne
peut absolument pas se voir », il n'est pas impossible qu'on
puisse pourtant le prédire, comme l'explique saint Augustin[1], « d'après les signes présents qui *sont* déjà et qui se
voient ». La météorologie, par exemple, n'est pas une utopie. Ce qui est en cause, ce n'est pas la prévisibilité de
l'avenir, mais sa normativité. Gardons le même exemple :
le météorologue peut bien prévoir le temps qu'il fera
demain ; il n'a aucun titre à dire ce que c'est qu'un *beau*
temps. Il peut prétendre à la vérité – dans le meilleur des
cas. L'utopie serait de prétendre en outre à la valeur, et de
juger (normativement) le temps qu'il fait aujourd'hui au
nom du temps qu'il fera demain, érigé en norme absolue.
Inversement, chacun de nous peut bien *rêver* d'un temps
idéal et s'en servir comme norme pour juger le temps qu'il
fait ; l'illusion (l'utopie) serait de croire à sa vérité à venir,
et d'imaginer que ce temps idéal sera réel, demain, pour
toujours... Bref, l'utopie n'est pas dans la normativité (légi-

---

1. Saint Augustin, *Confessions*, XI, 18.

time) du rêve, ni dans la vérité (envisageable) de la prévision, mais dans la conjonction illusoire des deux. L'utopie n'est pas de prévoir, mais de prendre sa prévision pour un idéal ; l'utopie n'est pas de rêver, mais de prendre son rêve pour une prévision. L'utopie relève donc bien du platonisme (conjonction de l'être et de la valeur), mais en inverse, quant au temps, la perspective. C'est un platonisme de l'avenir : la conjonction du *vrai* et du *bien* (l'idéal) n'est plus à l'origine, comme chez Platon, mais à la fin du processus. Hegel est passé par là... Il n'en reste pas moins qu'il s'agit d'un idéalisme, puisque l'utopie suppose toujours, d'une manière ou d'une autre, l'existence objective d'un idéal qui vaut plus et mieux que la réalité présente. Etre idéaliste, c'est prétendre juger (et d'un jugement qui soit à la fois vrai et normatif) ce qui est (le réel) au nom de ce qui n'est pas (l'idéal). Platon le fait, Hegel le fait... Et Marx le fait. Cela suppose qu'en cela Marx accorde à la pensée (puisque ce jugement prétend à l'objectivité) un *primat* que, par ailleurs, il lui refuse[1]. La réalité se trouve alors rabaissée au rang d'ébauche ou de moindre être. L'histoire n'est plus que ruses et prémisses : ruses de la raison, prémisses de la liberté... L'histoire n'est plus que préhistoire[2]. Ici aussi, le capitalisme, c'est la caverne. Seul l'avenir est vrai, et nous serons heureux, demain... Notre vie présente n'est qu'un songe pâle.

D'où l'aspect critique et, pendant longtemps, révolutionnaire de l'utopie. Comme la religion, l'utopie est à la fois « *expression* de la détresse réelle et *protestation* contre la détresse réelle »[3]. Penser le communisme à venir, c'est invalider le capitalisme présent. Mais tout change dès lors que l'utopie prend le pouvoir. L'invocation de la société à venir devient alors non plus la condamnation mais l'excuse et la justification de la société présente. Le même idéal

---

1. Marx est donc, à la fois et contradictoirement, matérialiste *et* idéaliste. Cela n'étonnera pas ceux qui ont su lire Louis Althusser.
2. Cf. Marx, *Contribution...*, Préface : « Avec cette formation sociale (le capitalisme), s'achève donc la préhistoire de la société humaine. »
3. Marx, *Critique de la philosophie du droit de Hegel*, Introduction.

communiste qui servait à condamner le capitalisme sert à absoudre le socialisme. On peut sacrifier ainsi des générations entières. Vous souffrez, mais peu importe : vous *serez* heureux, ou vos enfants le seront... Il y a des erreurs, mais peu importe : elles tendent à la vérité... Il y a des crimes, mais peu importe : ils préparent la justice à venir... Il y a la terreur, mais peu importe : elle prépare la liberté, pour demain... Finalement, l'utopie au pouvoir reproduit l'escroquerie qui est au cœur de toute religion : puisque le paradis est à venir, il faut supporter patiemment les souffrances qui le méritent et l'annoncent. Tout est justifié, sanctifié, annulé. Tout est bien, puisque tout va *vers* le mieux. Tout est pour le mieux dans le meilleur des mondes possibles... en gestation. L'utopie, c'est la religion des athées. Pas étonnant qu'Ernst Bloch ait fait de la religion *l'utopie* des croyants[1] ! Mais cela, à nos yeux, condamne l'utopie, et ne sauve pas la religion. Peu nous importe qu'une utopie chasse l'autre ; le même piège renaît toujours, qui est le piège de l'espérance et de la foi. L'avenir est la terre promise de toutes les aliénations. Camus a raison : « L'utopie remplace Dieu par l'avenir. Elle identifie alors l'avenir et la morale : la seule valeur est ce qui sert cet avenir. De là qu'elle ait été, presque toujours, contraignante et autoritaire. Marx, en tant qu'utopiste, ne diffère pas de ses terribles prédécesseurs, et une part de son enseignement justifie ses successeurs... »[2] A chacun ses béatitudes. « Heureux les affamés et assoiffés de la justice, car ils *seront* rassasiés... »[3] Tout tient dans le futur. Demain, Dieu et Staline rasent gratis... L'utopie, c'est l'opium du peuple. Il s'agit d'apprendre à désespérer.

---

1. Cf. par exemple ses études sur Thomas Münzer « théologien de la révolution », et sur « l'athéisme dans le christianisme ».
2. Camus, *L'homme révolté*, « Idées »-NRF, p. 250.
3. *Nouveau Testament*, Matthieu, V, 6.

VI

Est-ce possible en politique ? Rien n'est moins sûr. Car enfin : on se bat dans le temps, aujourd'hui pour demain, demain pour dans un siècle, et c'est l'espoir qui nous guide. Qui veut avancer, il doit bien aller quelque part... Pas de politique dans l'instant ; pas de politique sous l'éternité. Toute politique est prisonnière du temps et en subit la loi, qui est d'attente. Le présent est son lieu, mais l'avenir son objet. Ce sont toujours les lendemains qui chantent... L'avenir est aussi consubstantiel à la politique que le passé l'est à l'histoire. Comme l'historien de faits et de documents, le militant se nourrit de rêves et d'espérances. Imaginez que l'on annonce la fin du monde, certaine, absolue, inévitable, pour dans un mois – l'anéantissement de l'avenir. La politique n'y survivrait pas. Et ce dernier mois de tout, sans projets, sans programmes, sans espoirs (au moins pour l'ici-bas), serait en-deçà de toute politique. Ce serait chacun pour soi, crûment, et Dieu pour tous... La politique a besoin d'avenir comme nous avons besoin d'air pour respirer. L'espoir est sa drogue, mais cette drogue est sa vie même. Une politique totalement désespérée, ce serait une politique morte. Ce qu'est l'histoire, je veux dire le travail de l'historien, en donne assez bien l'idée. Mais le militant est tout le contraire de l'historien, à peu près comme un rêve prémonitoire, ou prétendu tel, est le contraire d'un souvenir. Le militant est l'herméneute de ses propres rêves, et somnambule à sa façon. Comment faire autrement ? Il faut bien rêver l'avenir, puisqu'il n'existe pas. Le temps est la forme *a priori* de notre aliénation.

La politique a besoin d'avenir, elle a besoin d'idéal, elle a besoin de vérité. On se bat pour un idéal, et parce que l'on y croit (parce que l'on croit à sa vérité). Sans quoi l'on ne se battrait pas... On dira qu'on ne se bat pas non plus pour la géométrie, que l'on croit vraie pourtant... Mais c'est que le désir y trouve trop peu de prise, et que la vérité s'y avoue pour ce qu'elle est : indifférente et neutre. Ce pourquoi une vérité, en tant que telle, est toujours apolitique. Mais on ne se bat pas non plus, notons-le, pour un pur désir singulier : vous préférez le sel ou le sucre ? les brunes ou les blondes ?... Peu m'importe. Des goûts et des couleurs... Mais l'idéal, c'est autre chose : ni vérité indifférente, ni pur désir subjectif ; ou bien les deux : vérité désirable, désir véridique... C'est que la politique suppose toujours, on l'a vu, l'hypostase du désir, c'est-à-dire sa transmutation en normes objectives, en valeurs vraies. Dans la politique, le désir se dénie en tant que désir pour se sublimer (illusoirement) en idéal. Il se donne l'illusion de sa propre vérité, et n'est politique que par cette illusion. La puissance de jouir s'y veut puissance de connaître, et se croit telle. Un désir qui s'avouerait désir et n'en sortirait pas, qui ne prétendrait à aucune vérité, à aucun absolu, à aucun universel, un désir absolument lucide, absolument solitaire, ce ne serait plus vraiment de la politique. Car la politique suppose quelque intérêt universel qui vaille pour la Cité. L'individu qui pousserait jusqu'au bout une certaine logique bien connue, celle du cynisme et de l'égoïsme (« chacun pour soi »), et qui le ferait sans compromis ni mauvaise foi, celui-là pourrait se prétendre *apolitique*, légitimement. Personnage improbable, et peu sympathique au demeurant. La politique voit plus large, et vise plus haut. Mais plus haut il n'y a rien, que l'idéal. Soit : une idée à quoi je crois. Et qui pourrait croire à une idée qu'il saurait fausse ou même illusoire ? Cet idéal n'a de sens (donc : n'est idéal) qu'à se vivre comme vrai. La politique est donc *idéaliste* par essence. Le labyrinthe du militant est notre labyrinthe à tous. Nous pouvons bien le penser, mais pas en sortir. Grandeur de Platon : la politique est platonicienne ou elle n'est pas.

Pour la philosophie, en revanche, c'est autre chose.

Car si l'on ne peut *vivre* sans illusions, on peut *penser* sans mystifications. Mystifié n'est pas qui a des illusions (nous en avons tous), mais qui se fait des illusions... sur ses illusions. Se démystifier de ses illusions n'est pas les perdre – on ne le pourrait d'ailleurs, ou ce serait pour

retomber aussitôt dans d'autres –, mais les penser *comme
illusions*. Copernic nous a *démystifiés* de l'illusion géocentrique. Non pas ne plus rêver, donc, mais ne plus être dupe.
Tel est le but du matérialisme : s'éveiller d'un rêve qui continue pourtant. Au cœur du pire cauchemar, savoir que l'on
rêve, c'est déjà le commencement de la paix ; et l'on peut
devenir le spectateur tranquille de sa propre frayeur, qui
s'annule ainsi avant de disparaître. Car « toute notre vie se
débat dans les ténèbres. Semblables aux enfants qui tremblent et s'effrayent de tout dans les ténèbres aveugles, nous-
mêmes en pleine lumière parfois nous craignons des périls
aussi peu terribles que ceux que leur imagination redoute
et croit voir s'approcher. Ces terreurs, ces ténèbres de
l'esprit il faut donc que les dissipent, non les rayons du
soleil ni les traits lumineux du jour, mais l'examen de la
nature et son explication » [1]. *Naturae species ratioque*... La
contemplation rationnelle de la nature. Sans adjonction
étrangère... Le matérialisme.

   S'il n'y a pas de politique matérialiste, il peut donc exister une *philosophie* matérialiste *de* la politique. S'il n'y a
pas de politique sans illusions, il peut exister une philosophie politique sans mystifications. On peut en voir l'ébauche, me semble-t-il, chez Epicure, ici encore l'irremplaçable maître de la philosophie antiplatonicienne. La première évidence, dans la pensée politique d'Epicure, c'est
que *l'idéal n'existe pas*. « Rien n'est juste par nature » [2], « la
justice n'est pas un quelque chose en soi » [3], « l'action
injuste n'est pas un mal en elle-même... » [4] Désespoir : rien
n'est juste, rien n'est injuste ; il n'y a de réel que les atomes
et le vide, et point de justice pour eux, point d'injustice...
La philosophie politique d'Epicure est donc essentiellement matérialiste, mais aussi (et pour cette raison même)
ascendante : l'être matériel n'est pas la dégénérescence de
l'idéal (comme chez Platon), mais sa racine et son fonde-

   1. Lucrèce, II, 54-61.
   2. Epicure, selon Sénèque (Solovine, *op. cit.*, p. 158).
   3. Epicure, Maxime 33.
   4. Epicure, Maxime 34.

ment ; l'idéal n'est pas donné d'abord (par les dieux ou par la nature), mais produit (par l'histoire). La justice est une invention humaine. Il n'y a pas de droit divin ; il n'y a pas de droit naturel [1]. Il n'y a que l'histoire et l'évidence des corps. C'est pourquoi le commencement est toujours en deçà de toute valeur spirituelle ou sociale : il n'y a d'abord que la force et le désir. Les premiers hommes, dit Lucrèce, menaient une « vie vagabonde, semblable à celle des bêtes... Incapables d'envisager le bien commun, ils n'avaient ni coutumes ni lois pour régler leurs rapports ; mais chacun emportait la première proie que la fortune lui offrait, ins- truit qu'il était à vivre et à user de sa force à sa guise et pour lui-même... » [2] L'histoire commence au plus bas. Comme l'écrit Guyau à propos de ce passage de Lucrèce, « l'état de nature, que Hobbes peindra plus tard sous les mêmes couleurs, c'est l'état d'égoïsme, c'est la vie pour soi seul ; c'est aussi l'état de guerre... » [3] Et comme chez Hobbes, la peur et l'instinct de survie (*clinamen, conatus...*) jouent un rôle décisif. La justice n'est pas une essence dans le ciel (comme chez Platon), mais une pure et simple « convention utilitaire faite en vue de ne pas se nuire mutuellement » [4], c'est-à-dire le résultat, limité dans le temps et dans l'espace, d'un « contrat » [5]. A Platon qui affir- mait qu'il existe « quelque chose de juste en soi » [6], Epicure répond que « la justice n'existe pas en soi ; mais elle est déterminée dans les rapports des hommes entre eux, et en quelque pays que ce soit, par un contrat réciproque passé en vue de ne point se nuire mutuellement » [7]. Or le pire

---

1. Contrairement à ce que pourraient laisser croire certaines traductions de la Maxime 31 (notamment celles de Solovine et d'Ernout). Victor Goldschmidt (*La doctrine d'Epicure et le droit*, p. 165-172 et 246-247) montre qu'il n'en est rien, et que « *le droit selon sa nature* » n'a rien à voir, chez Epicure, avec un « *droit naturel* » au sens de la tradition, passée ou à venir (p. 246-247).

2. Lucrèce, V, 932 et 958-961.

3. J.-M. Guyau, *op.cit.*, p. 161. Sur le rapport Epicure-Hobbes, cf. aussi V. Goldschmidt, *op. cit.*, notamment p. 245-247.

4. Epicure, *Maxime 31* (trad. Solovine).

5. Epicure, Maxime 33.

6. Cf. *Supra*, p. 117-118.

7. Epicure, Maxime 33 (trad. Ernout).

dommage, du moins les hommes le croient-ils, c'est de mourir : un ennemi « ne diffère en rien d'un chien »[1], et tue volontiers qui le gêne[2]. La justice est l'antidote de la mort.

Désespoir, donc : il n'y a que la force et le désir, il n'y a que la peur et la prudence... Mais aussi : *ascension*. Puisque la justice n'existait pas, il fallut l'inventer. La justice n'est pas une Idée éternelle, mais un produit historique (pour cela relatif et changeant) de la vie des hommes. Pour tout dire, elle est même (puisqu'elle rend la vie plus facile en limitant la violence) un *progrès*[3]. Nous touchons là un point important. Au contraire de celle de Platon, la pensée politique d'Epicure est en effet essentiellement *progressiste*. Je ne dis pas cela pour enrôler Epicure dans je ne sais quelle chapelle contemporaine. Epicure est tout, sauf un militant. Il n'en reste pas moins que l'idée de progrès est centrale dans l'épi-curisme, et pour des raisons qui ne sont pas de conjoncture. L'essentiel sur cette question a déjà été dit, il y a plus d'un siècle, par un jeune philosophe de vingt-quatre ans – Jean-Marie Guyau – qui devait mourir dix ans plus tard. Je ne peux faire mieux ici que le citer longuement, et ce avec d'autant plus de plaisir que le livre en question – *La morale d'Epicure* –, édité en 1878, est à peu près introuvable.

Après avoir noté, comme beaucoup d'autres, que « l'idée de progrès fut presque absente dans l'Antiquité », Guyau avance une hypothèse :

> « Peut-être pourrait-on dire que l'idée de progrès est en antagonisme avec l'idée religieuse, et que, si l'une a été longtemps étouffée, c'est que l'autre a été longtemps dominante. »

Hypothèse qu'il soutient de la manière suivante :

---

1. Selon Maxime le confesseur (Solovine, *op. cit.*, p. 157).
2. Cf. là-dessus V. Goldsctmiidt, *op. cit.*, p. 246.
3. On dira que toute idée de progrès suppose une norme en référence à quoi on en juge. Certes. Mais cette norme est donnée, selon Epicure, non dans un monde intelligible (qui n'existe pas), mais, tout simplement, dans le corps et dans ses affections. La paix facilite le plaisir et diminue les risques de souffrance. Elle est donc *évidemment* meilleure que la guerre. De même le droit est bon, non en lui-même, mais par la sécurité qu'il procure.

« Croire au progrès, c'est croire à l'infériorité du passé par rapport au présent et à l'avenir... La plupart des religions, au contraire, placent à l'origine des choses une toute-puissance façonnant le monde et l'homme à son image : on comprend alors difficilement un monde qui, dès son origine et sortant des mains du créateur, serait imparfait, et mauvais ; il semble que, pour chercher le bien, il faut se retourner plutôt vers le commencement des choses, vers l'époque où le monde était en quelque sorte plus divin, étant plus jeune. Remonter les âges, c'est se rapprocher de Dieu. Toute religion est ainsi contrainte à expliquer le mal qui se trouve dans le monde par une décadence, au lieu d'expliquer le bien qui s'y trouve par un progrès... Toute religion tend ainsi à devenir l'adoration du passé. »

Bref, si tout vient d'un « haut » qui est à la fois l'origine et la perfection (la cause et la norme), tout descend et tout dégénère. D'où la *réaction*, qui consiste, on l'a vue à propos de Platon, à remonter ce courant descendant de l'histoire. Pour la religion, il n'est d'histoire que décadente. La chute est le destin de l'homme.

« La religion et la tradition semblent nous dire : – Pour contempler l'idéal cherché, ne regardez pas devant vous, regardez en arrière... L'homme, à lui seul, ne peut que faillir et tomber ; mais pour se relever et faire un pas en avant, il a besoin d'une aide supérieure. C'est la doctrine de la chute opposée à celle du progrès. »

Dès lors, s'opposer à la religion, ce sera défendre l'idée du progrès contre celle de la décadence. C'est ce que font Démocrite, Epicure et Lucrèce.

« Au contraire, une fois la religion écartée, on ne peut guère concevoir de théorie du monde qui n'ait pour principe ou pour conséquence la croyance à une évolution, à un progrès lent dans le temps... Du moment où l'homme ne reçoit pas des mains d'un Dieu créateur sa civilisation toute faite, il faut qu'il la fasse lui-même avec le temps... *Ainsi toute théorie du monde non religieuse suppose comme corollaire et comme confirmation une histoire des progrès de l'homme*... L'idée de progrès vient s'opposer à celle de création. »[1]

Tel est le « progressisme » d'Epicure. Position métaphysique, comme on le voit, qui n'est politique, si elle l'est,

1. Guyau, *La morale d'Epicure*, Paris, 1878, p. 154-157.

qu'indirectement, et par ses effets davantage que par ses intentions. Mais l'essentiel demeure : s'opposant à la théorie religieuse de la chute, la pensée épicurienne inaugure ainsi une pensée matérialiste de l'histoire, où, sans l'aide d'aucun dieu, sans modèle transcendant, l'humanité s'invente elle-même les moyens de sa propre ascension. Adieu Cronos ! adieu Prométhée ! Il n'y a que l'histoire.

Ce « progressisme » d'Epicure est d'autant plus remarquable qu'il ne s'appuie sur aucune téléologie historique. L'histoire n'a pas de sens. Elle ne poursuit aucune fin qui transcende en quoi que ce soit les désirs, individuels ou collectifs, de l'humanité. L'épicurisme n'est pas une utopie. Le progrès ne justifie rien, et l'histoire n'est promise qu'à la mort. Il n'y aura pas d'âge d'or. Le monde, comme tout ce qui vit, mourra[1]. C'est toujours le désordre qui a le dernier mot : « L'espace, l'immensité du vide ne manquent pas où puissent s'éparpiller les remparts du monde... »[2] Cette certitude quasi entropique – ce désespoir – interdit de trop rêver. L'entropie désamorce l'utopie. Ce pour quoi on n'imagine pas un terrorisme épicurien : si la fin du monde est inéluctable, tout fanatisme est dérisoire. Tout disparaîtra ; à quoi bon la terreur ? Il n'y aura pas d'âge d'or ; miséricorde. Car le seul âge d'or, mais il n'est qu'individuel, c'est la sagesse, qui n'est pas d'ordre politique... La pensée d'Epicure est donc, sur ce point, le contraire d'un dogmatisme. Il n'y a pas de vérité en politique mais seulement des intérêts. Nul ne peut donc prétendre dominer au nom d'un *savoir*. Il n'y a pas de « science royale ». Le seul savoir, c'est celui du plaisir, et le tien vaut le mien ou celui de n'importe qui. Il n'y a pas de point de vue du vrai, en politique, il n'y a pas de point de vue de Dieu ; les dieux sont hors histoire, et la vérité est apolitique. Le mieux est alors, pour éviter la souffrance et la peur, de respecter les lois de la société où l'on vit, lois dont le respect seul nous

---

1. Cf Lucrèce, V, 91-379 ; la « vie » du monde est bien sûr métaphorique : cf. V, 122-145.
2. Lucrèce, V, 370-371.

permet la sécurité du corps et la tranquillité de l'âme[1]. Ce qui invalide, on le remarquera, toute dictature qui, à l'instar de celle du philosophe-roi selon Platon, se voudrait au-dessus des lois communes. Personne n'est au-dessus des lois parce qu'aucune vérité d'aucune sorte ne peut être invoquée contre la communauté des désirs.

Parce qu'elle n'est pas dogmatique, la philosophie politique d'Epicure n'est ni totalitaire ni aristocratique. Elle n'est pas totalitaire : puisqu'il n'y a ni vérité ni norme absolue, le pouvoir ne renvoie jamais qu'à un rapport de forces (de désirs) qui, en tant que tel, exclut toute prétention à l'universalité[2]. Un rapport de forces est toujours singulier et ponctuel. C'est pourquoi il n'est jamais de pouvoir que de fait, c'est-à-dire (quelle qu'en soit la forme) limité et relatif. Au fond, le pouvoir ne renvoie jamais qu'à lui-même, et trouve sa limite dans sa définition. Risquons un anachronisme : Epicure n'est pas très loin d'Alain, ici, et dirait volontiers que tout pouvoir mérite obéissance (puisqu'il est pouvoir de fait) mais jamais respect (puisqu'il n'est pas pouvoir de droit, en tout cas pas d'un droit universel et absolu). D'ailleurs le sage n'a respect que de soi, des dieux, et de ses amis. Pour le reste il lui suffit, comme dira Lucrèce[3], « d'obéir paisiblement »...

Cette philosophie politique n'est pas aristocratique. Politiquement, tous les hommes se valent : une force vaut une force, un désir vaut un désir... Sans doute le sage vaut-il plus et mieux que le fou, mais cette supériorité (qui ne vaut d'ailleurs que du point de vue de la sagesse) n'est pas d'ordre politique ni même, à la limite, social. « Le sage ne peut être compris que par le sage »[4] et ne trouve qu'en soi – fût-ce « au milieu de la foule »[5] – une béatitude que la

---

1. Cf. par exemple Epicure, Maximes 34 et 35.
2. Du moins en droit. Il peut y avoir des universalités de fait, liées à « certaines conditions de vie communes à tous les hommes ». Cf. là-dessus R. Müller, Sur le concept de Physis dans la philosophie épicurienne du droit, in *Actes du VIIIe Congrès de l'Ass. G. Budé*, p. 305-317.
3. Lucrèce, V, 1129.
4. D'après Aetios, cité par Solovine, *op. cit.*, p. 157.
5. Cf. Sénèque, cité par Solovine, *op. cit.*, p. 157.

foule ignore. Tout occupé à être heureux, « le sage n'appro-
chera point des affaires publiques, à moins que quelque
circonstance ne l'y oblige »[1]. La communauté amicale des
sages n'est donc en aucun cas une élite politique mais, au
contraire, un groupe intime et marginal. *Vivons cachés*...
Quant aux hommes politiques, les épicuriens n'en par-
laient, nous dit Plutarque, « que pour s'en moquer et
réduire leur gloire à néant », pensant qu'ils feraient mieux,
comme ils l'ont dit d'Epaminondas, de « donner tous leurs
soins à leur ventre »[2] ... Il n'y a pas d'élite de la politique,
et pas de politique de l'élite. Non que la démocratie soit
forcément le meilleur des régimes : ce n'est guère le problème d'Epicure. Mais le pouvoir, quel qu'il soit, n'est
jamais qu'une force, et point une valeur[3]. La politique ne
connaît donc de hiérarchie que de fait, et de grandeurs,
comme dirait Pascal, que *d'établissement*. Des notables,
oui ; une élite, non. La seule élite, encore une fois, c'est la
communauté amicale du Jardin. Mais l'amitié est un rapport individuel et infra-politique. « Ceci n'est pas pour la
foule mais pour toi, dit superbement Epicure à l'un de ses
amis, car nous sommes l'un à l'autre un théâtre assez
grand. »[4] Grandeur et solitude de l'amitié... Une élite, oui ;
des notables, non.

En fait, il s'agit de disjoindre les ordres ; en dehors de
quoi il n'est, comme dirait encore Pascal, que tyrannie[5].
C'est ce que fait Epicure qui, rejetant tout pouvoir du côté
du désir et de la force, lui interdit de prétendre en outre à
la vérité. L'épicurisme rend impossible toute sacralisation
de l'Etat, c'est-à-dire toute justification d'une dictature
ou d'un pouvoir *de droit*, au sens absolu du terme. Puisque

---

1. Sénèque, cité par Solovine, p. 158. Il est clair que l'apolitisme d'Epicure a aussi
des raisons sociales et historiques. Cf. à ce propos Nizan, *op. cit.*, p. 8-20, et *supra*,
p. 115.
2. Plutarque, cité par Solovine, *op. cit.*, p. 159-160.
3. Ou, si c'est une valeur, c'est une valeur fausse et illusoire, puisque fondée sur
un désir *vain* (ni naturel ni nécessaire). Cf. Epicure, *Lettre à Ménécée*, 127-128, et
Maxime 29.
4. Rapporté par Sénèque, cité par Solovine, *op. cit.*, p. 139.
5. Pascal, *Pensées*, 58-332 : « La tyrannie consiste au désir de domination, universel et hors de son ordre... ».

rien n'est juste en soi, le juste est « simplement l'intérêt de la société sanctionné par la loi »[1]. Le seul droit (relatif), c'est donc l'intérêt de la communauté, et personne ne peut légitimement en décider à sa place. Pas besoin d'une « science royale » ; l'évidence des affections est commune à tous, et chacun en sait assez long sur son propre désir. Pas de tyrannie du savoir ; il n'est de tyrannie que de la force. Le roi est nu... Quant à la loi, elle n'est elle-même qu'une convention qui, comme telle, est toujours historique et provisoire[2]. De telle sorte que « si quelqu'un établit une loi sans aller dans le sens de ce qui est utile à la communauté des hommes dans leurs rapports réciproques, cette loi-là n'a point la nature du juste... »[3] La démocratie aussi est nue... Une question se pose pourtant : qui décidera de cette *utilité* commune ? Il faut interpréter les textes, ici, car Epicure, du moins dans les textes de lui qui nous sont parvenus, est peu explicite. On voit mal pourtant qui pourrait décider de ce qui est utile à la communauté, et de quel droit, si ce n'est la communauté elle-même. D'ailleurs, la notion de contrat suppose cette collectivité et cette réciprocité de la décision. C'est ce que montre Victor Goldschmidt : « Le droit, selon Epicure, se définit par l'intérêt. Cet intérêt n'est pas celui d'une seule personne (du plus fort, par exemple, comme le veut Thrasymaque), ni celui d'un groupe de personnes (des sages, par exemple, comme le voudrait, selon une exégèse très contestable, Epicure lui-même), ni celui d'une *Cité totale*, transcendante par rapport aux citoyens et insoucieuse du bonheur de chacun d'eux (comme l'enseigne Platon). Cet intérêt, dans une doctrine atomistique, ne peut-être que celui de tous et de chacun. Le concept de cet intérêt ne peut être déterminé que par celui de réciprocité »[4]. Cela ne constitue pas nécessairement, comme on pourrait le

1. Guyau, *op. cit.*, p. 151.
2. Cf. *Maximes capitales* 37 et 38.
3. Epicure, *Maxime 37*.
4. Victor Goldschmidt, *op. cit.*, p. 40. La référence à Platon renvoie à *République*, IV, 420*b*.

croire, le fondement d'une démocratie : la communauté peut bien trouver juste (conforme à ses intérêts) d'obéir à un roi. Mais le roi n'est roi que par cette *convention* sur quoi s'entendent ses sujets. Le roi n'est roi que parce que la royauté est jugée utile et conforme aux intérêts de la communauté. Quand il n'en sera plus de même, la force sociale changera de forme ou bien changera de nature : il faudra que le roi s'en aille ou devienne un tyran – une force régnant par la force, et point par convention. S'il y réussit, son pouvoir sera toujours un pouvoir (par définition), et toujours un pouvoir relatif et limité (par les rapports de forces), mais un pouvoir *injuste*, non parce que contraire au droit mais parce que *hors du droit*. La société serait alors retournée en-deçà du contrat commun : la tyrannie, c'est l'état de nature. Tout pouvoir ne fait donc pas droit. Le pouvoir vient de la force, le droit vient de la convention (de la force *conventionnellement organisée* du peuple). Ascension : la force commune se transforme en droit. Le pouvoir (légitime) vient d'en bas. Il est le devenir-droit du désir, le devenir-justice de la force. En-dessous de quoi il n'y a que la nature, la nature aveugle, sans justice ni droit, la nature indifférente, la nature désespérée – la guerre.

Cette théorie épicurienne fut enfouie durant deux mille ans sous les contresens, les calomnies ou, tout simplement, le silence et l'oubli. L'Eglise veillait, pour qui tout pouvoir vient de Dieu... Mais l'écho devait en renaître au XVIIᵉ siècle. Les deux commentateurs les plus pénétrants de la théorie épicurienne du droit – Jean-Marie Guyau et Victor Gold-schmidt – ont souligné tous deux, à un siècle de distance, une étonnante similitude entre la pensée politique d'Epicure et celle de Hobbes[1]. Comme, d'autre part, le rapport Hobbes-Spinoza est manifeste et, d'ailleurs, avoué[2], on peut donc affirmer qu'il existe ici une lignée – ou une *ligne*, comme dirait Lénine – Epicure, Hobbes, Spinoza, qui serait

---

1. Cf. J.-M. Guyau, *op. cit.*, p. 161 et 194-206, et V. Goldschmidt, *op. cit.*, p. 245-247. Cf. aussi Léo Strauss, *Droit naturel et histoire*, trad. fr., p. 184-185.
2. Cf. Spinoza, *Lettre 50 à Jarig Jelles*. Cf. aussi Deleuze, *Spinoza et le problème de l'expression*, p. 237-239 et 245-246, et Guyau, *op. cit.*, p. 227-237.

celle du matérialisme, et que Spinoza semble avoir pressentie [1]. Non qu'il n'y ait entre eux d'évidentes différences ; mais l'étude approfondie en serait fastidieuse et, au reste, inutile : je cherche ce qu'*est* le matérialisme, point le détail de ce qu'il fut ni le cheminement de son histoire. Ce qui m'intéresse, c'est donc ce que ces théories ont en commun. Cela tient en un mot – *matérialisme* – ou bien en deux – *désespoir* et *ascension*. Nous l'avons vu chez Epicure. Montrons-le, rapidement, pour Hobbes et Spinoza.

D'abord, le désespoir.

Désespoir chez Hobbes. *Homo homini lupus*... Tout est légitime ; rien ne l'est. Il n'y a que la force et le désir. « Cette guerre de chacun contre chacun, dit Hobbes, a une autre conséquence : à savoir que rien ne peut être injuste. » [2] Pas de monde intelligible ; pas de valeurs divines [3] ; pas même de valeurs *humaines* à strictement parler. Il n'y a de valeurs que sociales : « Justice et injustice ne sont en rien des facultés du corps ou de l'esprit... Ce sont des qualités relatives à l'homme en société, et non à l'homme solitaire » [4]. Et nous sommes toujours seuls, d'abord. Les hommes « naissent animaux » [5]. La justice ne naît que de la loi [6], la loi, que du pouvoir [7], et le pouvoir, que de la peur [8]. Mais il n'est peur que de la force, et force, que du désir [9]... « Ainsi, je mets au premier rang, à titre d'inclination générale de toute l'humanité, un désir perpétuel et sans trêve d'acquérir pouvoir après pouvoir, désir qui ne cesse qu'à la mort. » [10] Pas

---

1. Cf. Spinoza, *Lettre 56 à Hugo Boxel*. et Guyau, *ibid*.
2. Hobbes, *Léviathan*, XIII, p. 126.
3. D'où un athéisme de fait de la pensée politique hobbessienne. Cf. là-dessus R. Polin, *op. cit.*, p. 139-140 : « Quelque précaution oratoire que Hobbes ait prise, le Souverain, tel qu'il le définit, ne peut proposer, de façon cohérente, qu'un athéisme parfaitement conscient. La philosophie de Hobbes se passe de Dieu. Pour Hobbes, comme pour le Souverain, il n'y a pas de valeurs divines, il n'y a que des valeurs humaines. »
4. Hobbes, *Léviathan*, XIII, p. 126.
5. Hobbes, *De cive*, praefatio ; cité par R. Polin, *op. cit.*, p. 3.
6. *Léviathan*, XIII, p. 126.
7. *Léviathan*, *ibid*.
8. *Léviathan*, XX, p. 207.
9. *Léviathan*, VI.
10. *Léviathan*, XI, p. 96.

de vérité : « le monde est gouverné par l'opinion »[1], et l'opinion, par le désir[2]. Pas d'utopie : l'histoire n'a pas de sens parce que le désir n'a pas de fin : « Car n'existent en réalité ni ce *finis ultimus* (ou but dernier) ni ce *summum bonum* (ou bien suprême) dont il est question dans les ouvrages des anciens moralistes... »[3] Comme la vie humaine poursuivant la félicité, la politique n'est qu'une « continuelle marche en avant du désir »[4]. La paix n'est pas la fin du désir, mais le moyen de sa paisible effectuation. La paix n'est pas le contraire de la force, mais la stabilisation des *rapports* de forces. La paix n'est que l'organisation stable des désirs par le déséquilibre des forces[5].

Désespoir chez Spinoza. La nature n'ordonne rien, n'interdit rien. « Chaque individu a un droit souverain sur tout ce qui est en son pouvoir... Le droit naturel de chaque homme se définit donc non par la saine raison, mais par le désir et la puissance... »[6] Tout le désirable est légitime dès lors qu'il est possible. Le droit de nature « ne prohibe rien sinon ce que personne ne désire et ne peut »[7]. « Le principe est donc d'une simplicité brutale : c'est l'identification absolue du droit au fait... Tout acte se justifie donc par le seul fait que nous l'accomplissons, sans aucune référence à quelque norme que ce soit. »[8] Tout est légitime parce que tout est nécessaire, c'est-à-dire réel et rationnel. Dieu ne dit pas ce qui *doit* être, mais ce qui est ; non la valeur, mais la vérité. De son point de vue, tout est, tout se vaut : les frères de Witt et leurs assassins, les Français et les Hollandais, ou, aussi bien, Hitler et Staline, la droite et la gauche, vous, moi... Désespoir : il n'y a que la guerre, et Dieu n'est d'aucun camp. Les hommes sont « par nature

1. *Elements of law*, XII, 6, cité par Polin, *op. cit.*, p. 206. Cf. aussi *Léviathan*, XVIII, p. 184.
2. Cf. par ex. *Léviathan*, VI.
3. *Léviathan*, XI, p. 95.
4. *Ibid.*
5. Cf. *Léviathan*, XVII.
6. Spinoza, *Traité théologico-politique*, XVI, p. 261-262.
7. Spinoza, *ibid.*, p. 263.
8. A. Matheron, *Individu et communauté chez Spinoza*, Paris, 1969, p. 292-293.

ennemis les uns des autres »[1], et la paix civile elle-même n'est qu'un rapport de forces : « Je maintiens toujours le droit naturel, et je n'accorde dans une cité quelconque de droit au souverain sur les sujets que dans la mesure où, par la puissance, il l'emporte sur eux ; c'est la continuation de l'état de nature... »[2] La paix n'existe que par la peur[3]. La Cité se maintient « non par la raison, qui ne peut réduire les affections, mais par des menaces »[4] : car « la foule est terrible quand elle est sans crainte »[5] ... Il n'y a que la force ; il n'y a que le désir ; il n'y a que la peur. Le reste n'est que rêve ou fiction[6], chimère ou utopie[7].

Désespoir, donc. Mais aussi : *ascension*.

Ascension chez Hobbes. Si l'homme n'est pas naturellement sociable, il peut le devenir[8]. Si la justice n'*est* pas, elle peut advenir[9]. Si le pouvoir ne vient pas de Dieu, il vient des hommes[10]. L'homme est à la fois *la matière* et *l'artisan* de la société[11]. Puisque tous les hommes sont égaux (le plus faible pouvant toujours tuer le plus fort)[12], puisqu'ils ont tous « un droit sur toutes choses »[13], le pouvoir n'est jamais que le résultat d'un *contrat*, qui n'émane ni de Dieu[14] ni du souverain[15], mais bien du peuple[16],

---

1. En tant du moins (mais c'est la règle commune) qu'ils sont gouvernés par le « désir aveugle » et non par la raison : cf. Spinoza, *Traité politique*, II, 5 et 14 (d'où est extraite la phrase en question). C'est une des différences entre Spinoza et Hobbes : cf. Spinoza, *TTP*, note marginale XXXIII, p. 350.
2. Spinoza, *Lettre* 50 à Jarig Jelles.
3. Cf. Spinoza, *Éthique* IV, prop. 37, scolie 2. Ceci vaut pour tout le monde sauf, bien sûr, pour le sage (cf. *Eth*. IV, prop. 63). Mais la politique est faite pour – et par – le grand nombre, qui est rationnel, certes (*Eth*. III, préface), mais guère raisonnable (*Eth*. V, scolie de la prop. 42).
4. Spinoza, *Éthique* IV, scolie 2 de la prop. 37.
5. *Éthique*, IV, scolie de la prop. 54.
6. Spinoza, *TP*, I, 5.
7. *Ibid.*, I, 1.
8. Cf. Hobbes, *Léviathan*, XVII.
9. Hobbes, *Léviathan*, XV.
10. *Ibid.*, XVII.
11. *Ibid.* Préface, p. 6.
12. *Ibid.*, XIII, p. 121.
13. *Ibid.*, XIV, p. 129.
14. *Ibid.*, XIV, p. 137.
15. *Ibid.*, XVII et XVIII, p. 181.
16. *Ibid.*, XVII.

considéré au plus bas, non comme principe (ce n'est pas l'*Idée* du peuple), à peine comme force, mais comme *peur*[1]. Ascension : de ce *plus bas* naît le *plus haut*. La République, véritable *dieu mortel*[2], résulte de la volonté effrayée des hommes, contractant entre eux au bénéfice d'un souverain non-contractant[3]. Le souverain est donc bien *l'effet*, non la cause, de la multitude qu'il gouverne. En quoi tout pouvoir vient du peuple. La démocratie est « le premier » des régimes « selon l'ordre du temps »[4], et tous les autres le présupposent[5]. Mais si tout pouvoir vient du peuple, il est aussi pouvoir *sur* le peuple : la démocratie est différente de l'anarchie comme l'état civil de l'état de nature. Ascension : le *haut* vient du *bas*, mais ne s'y réduit pas. Et cela vaut pour tous les régimes. Le peuple *fait* son roi, mais c'est le roi qui gouverne. *Let us make man, let us make king*... Léviathan est un *artefact*.

Ascension chez Spinoza. De la peur naît la sécurité[6] ; de la force naît la paix[7] ; du désir naît le droit[8]. La sécurité, la paix, le droit ne sont pas donnés, mais produits. Il n'y a pas chute[9], mais progrès[10]. « Les hommes ne naissent pas citoyens mais le deviennent. »[11] C'est parce que les hommes partent de très bas (« s'ils ne s'entraident pas, les hommes vivent très misérablement »[12]) qu'il est nécessaire qu'ils s'élèvent.[13] D'où l'instauration d'un Etat, quelle qu'en soit la forme, dont la démocratie exprime le mieux la nature, qui est d'être défini par « la puissance du nom-

1. *Ibid.*, XX, p. 207.
2. *Ibid.*, XVII, p. 178.
3. *Ibid.*, XVII et XVIII.
4. Hobbes, *Le Corps politique*, II, 2, 1, p. 73.
5. *Ibid.*, II, 2, 6-9, p. 76-79.
6. Cf. par ex. Spinoza, *Eth.* IV, sc. 2 de la prop. 37, et *TTP*, XVI.
7. *Ibid.*, et aussi *TP*, V, 4-7.
8. *Ibid.*, (car tout cela se tient), et aussi *TP*, VI, 1.
9. *TP*, II, 6.
10. Cf. *Eth.* IV, scolie de la prop. 35, et prop. 73. Il va de soi que ce progrès n'a de sens que du point de vue des hommes. Du point de vue de Dieu, la perfection de la nature reste égale – égale à soi, c'est-à-dire égale à sa puissance – puisqu'elle est infinie.
11. *TP*, V, 2.
12. *TTP*, XVI, p. 263-264.
13. Cf. Spinoza, *TTP*, XVI.

bre »[1], c'est-à-dire « par la puissance non de chacun des citoyens, pris à part, mais de la masse conduite en quelque sorte par une même pensée »[2]. Le pouvoir vient du peuple. Mieux : il est le *devenir-pouvoir* du peuple ou, en d'autres termes, sa constitution en tant qu'Etat ou, comme dit Spinoza, en tant que « corps »[3]. Car « le droit de la Cité se définit par la puissance commune de la masse »[4] : ce pour quoi la démocratie est l'Etat « le plus naturel et celui qui est le moins éloigné de la liberté que la Nature reconnaît à chacun »[5]. Le plus bas (les individus, considérés selon le droit naturel, misérables et dominés par la peur) est donc, là encore, cause du plus haut (l'Etat, la communauté raisonnable et paisible des hommes, le droit civil...). Primat de la force, primauté du droit. Cette *ascension* se retrouve partout : c'est l'égoïsme qui pousse à la vie sociale[6], c'est la nature qui pousse à la culture[7], c'est le désir qui pousse à la raison[8].

Arrêtons-nous sur ce dernier point, un instant. L'enjeu est capital. Nous avons vu que c'est *le désir* – et point la raison – qui est à l'œuvre dans l'histoire ; que la raison peut pour cela *comprendre* l'histoire (le désir est rationnel), mais point la *faire* (le désir, dans son principe, n'est pas raisonnable). Ce que Spinoza formule ainsi : « Les hommes sont conduits plutôt par le désir aveugle que par la raison, et par suite la puissance naturelle des hommes, c'est-à-dire leur droit naturel, doit être défini non par la raison mais par tout appétit qui les détermine à agir et par lequel ils s'efforcent de se conserver. »[9] Désespoir : l'histoire n'est jeu que du désir. Mais alors : comment la raison peut-elle historiquement advenir ? Comment expliquer (d'un point de

1. Spinoza, *TP*, II, 17.
2. *Ibid.*, III, 2.
3. *Ibid.*, II, 15.
4. Spinoza, *TP*, III, 9.
5. Spinoza, *TTP*, XVI, p. 268.
6. Par le désir (comme chez Epicure et Hobbes) de sécurité et de bien être ; cf. par ex. *TTP*, XVI, et *TP*, II, notamment § 15.
7. *Ibid.*, notamment, *TP*, II, 5, et aussi *TP*, VI, 1.
8. *Ibid.*, et l'*Ethique*, en entier.
9. Spinoza, *TP*, II, 5.

vue matérialiste, c'est-à-dire *par le désir et non par la raison*)
le *désir* d'une société *raisonnable* ? Et comment nier que
ce désir existe, et qu'il joue un rôle dans l'histoire ? Il y a
une « ruse » ici, si l'on veut – une ruse, non de la raison,
mais *du désir*. Regardons-y de plus près.

En apparence, le problème est insoluble : le désir est
aveugle (il désire sans comprendre) et la raison est pur
regard (elle comprend sans désirer) ; comment pour-
raient-ils s'accorder ? Et même s'il est vrai qu'il existe des
désirs raisonnables (des désirs que la raison approuve) et
d'autres qui ne le sont pas, la raison, en tant que telle, ne
saurait *valoriser* les premiers ni *dévaluer* les seconds :
puisqu'il n'est de valeur que pour et par le désir [1]. Pour la
raison, rien n'est bien, rien n'est mal, et les désirs raisonnables n'ont ni plus ni moins de valeur, à ses yeux, que les
autres – parce qu'à ses yeux, il n'y a pas de *valeur* du tout [2].
Dès lors, s'il y a un privilège des désirs raisonnables, ce
privilège ne peut venir que *du désir lui-même*, et du désir
en tant qu'il n'est en lui-même ni raisonnable ni déraisonnable. Pour l'individu, cela pose le problème du statut de
la philosophie : le désir de sagesse n'est-il pas, typique-
ment, un désir raisonnable (le désir raisonnable d'une vie
raisonnable) ? Nous en reparlerons le moment venu. Mais
pour la société, cela pose le problème de l'être même de la
politique (raisonnable ou non, et dans quelle mesure ?), en
tant qu'elle est renonciation à la guerre ouverte, c'est-à-dire
au jeu a-normé (sauvage) des désirs. Problème qui peut se
formuler ainsi : comment le désir peut-il s'inventer une
norme qui lui soit extérieure (la raison), tout en étant *sa*
norme (sans quoi il ne serait pas désir raisonnable) ? Ou,
en d'autres termes (et puisqu'il s'agit de politique) :
« comment des hommes individuellement déraisonnables
peuvent-ils, collectivement, décider d'obéir à la raison ? » [3]
Ou encore : comment le désir peut-il désirer se soumettre

---

1. Cf. par ex. *Ethique* III, scolies des prop. 9 et 39.
2. Cf. par ex. *Ethique* IV, prop. 68 et démonstration.
3. A. Matheron, *op. cit.*, p. 310.

à autre chose qu'à lui-même ? La réponse est à chercher, bien sûr, dans la normativité même du désir. Car, pour tout désir, sa norme est en réalité donnée dans sa nature : tout désir est recherche de « l'utile propre » (il ne s'agit jamais que de « conserver son être »[1]), et la norme ne peut par conséquent être que d'efficacité. Or précisément, dans la société, l'efficacité (c'est-à-dire la probabilité maximale, pour chacun de nous, de persévérer dans son être et d'éprouver de la joie) suppose un *accord* des hommes entre eux, et la soumission de chaque individu aux exigences de cet accord. « Pour vivre dans la sécurité et le mieux possible, écrit Spinoza, les hommes ont dû nécessairement aspirer à s'unir en un corps et ont fait par là que le droit que chacun avait de Nature sur toutes choses appartînt à la collectivité et fût déterminé non plus par la force et l'appétit de l'individu mais par la puissance et la volonté de tous ensemble. »[2] Autrement dit, chaque individu a dû nécessairement désirer soumettre son propre désir à la volonté du groupe ; mais cette soumission elle-même était l'effet du désir individuel auquel l'individu, lors même qu'il le « soumet », ne cesse d'obéir (ce pourquoi, même dans l'état civil, on ne sort pas de l'état de nature[3]). En bref : le désir de communauté est strictement individuel et égoïste ; il ne s'agit, pour chacun, que de « vivre dans la sécurité et le mieux possible ». Mais il se trouve que ce désir-là (le désir d'une communauté *sécurisante*) ne peut se satisfaire qu'aux dépens d'autres désirs, auxquels il s'impose, non parce qu'il est plus raisonnable qu'eux, mais parce qu'il est plus fort (le désir de vivre l'emporte naturellement sur tous les autres[4]). C'est pourquoi, continue Spinoza, les hommes « l'eussent tenté en vain (ce projet d'une communauté politique) s'ils ne voulaient suivre d'autres conseils que ceux de l'appétit (en vertu de ses lois en effet chacun est entraîné

---

1. Cf. par ex. *Éthique* IV, prop. 20 à 25.
2. Spinoza, *TTP*, XVI, p. 264.
3. Cf. Spinoza, *Lettre 50 à J. Jelles*, et *supra*, p. 102 et 107.
4. Cf. *Éthique* IV, prop. 21 et 25.

dans un sens différent)... »[1] Nos désirs nous divisent et nous opposent les uns aux autres ; nous ne pouvons donc nous unir qu'en soumettant nos désirs à autre chose qu'à eux-mêmes, c'est-à-dire qu'en choisissant (par égoïsme) une autre norme de conduite que l'égoïsme. Or cette norme ne peut être – puisqu'il faut qu'elle les unisse – que *commune* à tous les membres de la collectivité. Cela ne laisse guère le choix. Puisque les hommes, en tant qu'ils sont soumis aux affections (c'est-à-dire aux fluctuations désirantes de leurs corps[2]), « sont traînés en divers sens et sont contraires les uns aux autres »[3], ils ne peuvent trouver que dans *la raison*, non pas certes le *pouvoir* de réduire les affections (c'est un pouvoir que la raison n'a pas : « nulle affection ne peut être détruite sinon par une affection plus forte »[4]), mais *la norme commune* en référence à quoi organiser, entre leurs désirs et sous la domination de la peur, le jeu pacifié de leurs rapports de forces. Cela n'est possible, les hommes étant ce qu'ils sont[5], que si « chacun s'abstient de porter dommage (à autrui) par la peur d'un dommage plus grand »[6], ce qui suppose que la société ait « le pouvoir de prescrire *une règle commune de vie*, d'instituer des lois et de les maintenir, *non par la raison qui ne peut réduire les affections, mais par des menaces*[7] ». Les hommes ne sont raisonnables (collectivement) que par force, et ne s'y résignent (individuellement) que par intérêt – pour ne pas êtres punis ou « paraître dément »[8]. Si la raison est supérieure à la déraison, ce n'est donc pas de son propre point de vue (pour la raison rien n'est supérieur à rien : le fou n'est pas moins rationnel que le sage), mais *du point de vue du désir*. Le désir de raison apparaît comme un effet

---

1. Spinoza, *TTP*, XVI, p. 264.
2. Cf. *Ethique* III, notamment déf., gén. des affections.
3. *Ethique* IV, scolie 2 de la prop. 37.
4. *Ibid.*
5. C'est-à-dire « nécessairement soumis aux affections, inconstants et changeants... » (*ibid.*).
6. *Ethique* IV, scolie 2 de la prop. 37.
7. *Ibid.* (c'est moi qui souligne).
8. Cf. *TTP*, XVI, p. 264.

de masse du désir égoïste : « La volonté d'une assemblée suffisamment nombreuse sera déterminée moins par l'appétit que par la raison »[1], et ce, « non parce qu'elle est la Raison, mais parce qu'elle est commune »[2] et peut seule fournir, face aux désirs qui divisent, une « pensée dirigeante commune »[3] qui rassemble. Où l'on retrouve le matérialisme de Spinoza : ce n'est pas parce que la raison est bonne (en soi) qu'elle nous unit ; c'est parce qu'elle nous unit (de fait) qu'elle est (politiquement) bonne. Le rationalisme est soumis au matérialisme : la *primauté* (ici politique) de la raison relève en fait du *primat* du désir, dont elle est un produit. Et la raison ne choisit entre les désirs *qu'au nom du désir lui-même*. Car pour la raison, tous les désirs se valent, qu'ils soient raisonnables ou déraisonnables : « les uns et les autres en effet sont des effets de la nature »[4] et sont donc rationnels. Mais pour le désir, il y a les désirs qui réussissent et ceux qui échouent, ceux qui produisent de la joie et ceux qui produisent de la tristesse. C'est là bien sûr, comme toujours, que tout se joue : le désir de sécurité, dont la satisfaction conditionne celle de tous les autres, ne peut, quant à lui, se satisfaire (réussir) qu'en soumettant (dans le cadre d'une collectivité humaine) les autres désirs à l'efficace de la raison. L'égoïsme, en ce qu'il a d'essentiel (la survie), suppose, non pas certes la renonciation à l'égoïsme (c'est impossible), mais sa soumission intéressée (égoïste) à la raison. Matérialisme et rationalisme : l'homme n'est soumis qu'au désir, mais le désir (dès lors qu'il s'affronte à la collectivité des hommes, c'est-à-dire à la pluralité conflictuelle et dangereuse des désirs égoïstes) ne peut que désirer sa propre soumission à la raison. C'est ainsi, répétons-le, le *primat* (individuel et collectif) du désir qui produit la *primauté* (collective, pour l'instant) de la raison. On ne sort pas du *conatus* : nous désirons la raison parce que nous désirons la sécurité ; et

1. Spinoza, *TP*, VIII, 6, p. 74.
2. A. Matheron, *op. cit.*, p. 310.
3. Spinoza, *TP*, VIII, 6, p. 74.
4. *Ibid.*, II, 5, p. 16.

nous désirons la sécurité parce que nous nous désirons nous-mêmes : « Personne ne s'efforce de conserver son être à cause d'une autre chose »[1]. Désespoir et ascension : Narcisse est le fondement de tout, en politique, y compris de ce qui le dépasse.

Ainsi l'histoire n'a pas de sens métaphysique ou absolu (désespoir : ni finalisme ni messianisme), mais elle a un sens humain, fondé sur l'appétit qui la détermine[2], c'est-à-dire, conscient ou non, le désir[3]. L'histoire a un sens humain, qui est de suivre la pente ascendante du désir. Ascendante ? Bien sûr : puisque le désir est à lui-même son propre ciel, qu'il définit comme sa fin alors qu'il est sa cause[4]. La téléologie de l'histoire n'est rien d'autre que l'expression (illusoire) de sa causalité. L'homme n'est pas *un empire dans un empire...* Or, ce désir, qui est le moteur de l'histoire, c'est d'abord le désir « de vivre dans la sécurité et de posséder certains avantages »[5]. Le sens de l'histoire, c'est-à-dire « le but poursuivi par l'état de société »[6] ou, en d'autres termes, « la fin (la finalité) de toute société et de tout Etat »[7], c'est donc, tout simplement, « *la paix et la sécurité de la vie* »[8]. Mais cette fin n'est pas un idéal transcendant au désir qui la vise ; cette fin, c'est *le désir lui-même* en tant qu'il nous fait agir[9] et persévérer dans notre être[10], le désir comme cause et comme but[11], comme puissance

---

1. Spinoza, *Ethique* IV, prop. 25.
2. Cf. *Ethique* IV, déf. 7 : « Par *fin* pour laquelle nous faisons quelque chose, j'entends *l'appétit* ».
3. *Ibid.*, et *Eth.* III, déf. 1 des affections, et explication.
4. Cf. *Ethique* I, Appendice, et IV, déf. 7 ; cf. aussi R. Misrahi (*Le désir et la réflexion...*), p. 65-70.
5. Spinoza, *TTP*, III, p. 73.
6. *TP*, V, 2.
7. *TTP*, III, p. 73.
8. *TP*, V, 2. Cela découle de la définition du conatus comme effort pour persévérer dans son être (*Eth.* III, 6-9). Spinoza, ici encore, rejoint Epicure et Lucrèce, comme le note d'ailleurs Goldschmidt, *op. cit.*, p. 246.
9. Cf. notamment *Ethique* I, Appendice ; III, scolie de la prop. 9 ; et IV, déf. 7.
10. *Ethique* III, 6-9.
11. Cf. par ex. (outre la déf. 7 d'*Eth.* IV) la Préface du livre IV de l'*Ethique* : « Ce qu'on appelle cause finale n'est... rien que l'appétit humain en tant qu'il est considéré comme le principe ou la cause primitive d'une chose... Cet appétit est en réalité une cause efficiente... »

et comme finalité – le désir, tendu ascensionnellement vers lui-même [1]. Or, il faut bien constater que, de fait et jusqu'à présent, cette fin a été (le plus souvent et *grosso modo*) atteinte – sans quoi nous ne serions pas là pour en parler –, et notre appétit, autant que le permettent l'ordre de la nature et les aléas de l'histoire, à peu près satisfait. Les guerres effectives, civiles ou non, sont malgré tout l'exception, et si elles firent des millions de morts, il y eut aussi de longs moments de paix qui laissèrent vivre des milliards de vivants. L'humanité est toujours là, qui continue de persévérer dans son être... L'histoire a donc un sens, non pas métaphysique ou absolu mais historique et humain ; ce sens, c'est *la recherche et la défense de la paix*, point par pacifisme (la paix pour la paix) mais *par amour de la vie*. A nous de faire en sorte que cela continue et s'accentue (la paix, n'étant jamais totale, peut toujours être accrue), puisque tel est, non pas la volonté de Dieu (il n'en a pas), mais, d'évidence et nécessairement, *notre désir*. Que l'histoire ait un sens et que ce sens soit atteint, c'est donc aujourd'hui de nous – de nous seuls – que cela dépend. Car si la guerre est réelle, la paix est possible. Si la guerre est donnée, la paix, on peut la *faire*. Si la guerre est toujours présente (au moins virtuellement : on ne sort pas de l'état de nature), la paix peut s'épanouir en elle, et de plus en plus, par la soumission (à la fois désirable et raisonnable) des désirs de chacun à la raison de tous [2]. S'il faut une oppression – et

1. Puisque « Personne ne s'efforce de conserver son être à cause d'une autre chose »(*Eth*. IV, 25), et que personne ne désire autre chose sans désirer d'abord conserver son être (IV, 21). Autrement dit : l'effort s'efforce de s'efforcer, le désir désire désirer, etc. Cela définit à la fois l'*horizontalité* de l'être (puisqu'un être, quel qu'il soit, ne tend jamais que vers soi) et l'*ascensionalité* du désir (puisque tout désir, nous l'avons vu, est désir de joie). Cette ascension, Spinoza l'appelle, quand il s'agit de l'homme, *vertu* (IV, 20 à 25), laquelle n'est qu'un autre nom pour sa puissance (IV, déf. VIII). Nous y reviendrons.

2. Demander plus, c'est-à-dire rêver d'une société entièrement raisonnable ou, en d'autres termes, constituée uniquement de sages, ce serait utopique et (donc) déraisonnable (*TP*, I, 5). Il est déraisonnable de vouloir que tout le monde soit raisonnable. Pour Spinoza comme pour Epicure, la communauté des sages sera toujours minoritaire et marginale (cf. par ex. *TP*, I, 5, *TTP*, XV p. 258, et le dernier scolie d'*Eth*. V). Du moins la société rend-elle la sagesse *possible* (cf. Matheron, *op cit.*, p. 278-287, qui renvoie à juste titre à *TTP*, XVI, et *TP*, II, 15). C'est déjà beaucoup ; et plus, ce serait trop : car la sagesse est l'œuvre de la raison, et l'« âme,

il en faut une, puisque « les hommes sont soumis à des affections qui surpassent de beaucoup leur puissance ou l'humaine vertu »[1] –, qu'au moins ce soit celle qui rend la paix possible, et une paix qui soit non pas « un effet de l'inertie de sujets conduits comme un troupeau, et formés uniquement à la servitude »[2], mais une paix qui soit voulue, c'est-à-dire instituée, respectée et défendue (au besoin par la guerre) par « une population *libre* »[3].

Paix et liberté sont en effet indissociables : pas de paix sans liberté (ce ne serait qu'inertie et servitude), pas de liberté sans paix (car le contraire de la liberté c'est la peur, et le contraire de la peur c'est la paix[4]). La « fin dernière » de l'Etat, comme dit Spinoza[5], ne saurait donc être la domination ou l'oppression. L'oppression n'est pas la *fin* de l'Etat, mais sa *réalité* (on ne sort pas de l'état de nature : « chaque citoyen ou sujet a donc d'autant moins de droit que la Cité l'emporte sur lui en puissance »[6]). La *fin* de l'Etat, c'est-à-dire ce que, à travers lui, nous désirons, c'est, ce ne peut être que notre sécurité et (donc) notre liberté. De même qu'il « ne faut faire la guerre qu'en vue de la paix »[7], il ne faut accepter l'oppression qu'en vue de la liberté :

> « La fin dernière de l'Etat n'est pas la domination ; ce n'est pas pour tenir l'homme par la crainte et faire qu'il appartienne à un autre que l'Etat est institué ; au contraire c'est pour libérer l'individu de la crainte, pour qu'il vive autant que possible en sécurité, c'est-à-dire conserve, aussi bien qu'il le pourra, sans dommage pour autrui, son droit naturel d'exister et d'agir... La fin de l'Etat est en réalité la liberté. »[8]

---

dans la mesure où elle use de la raison, ne relève pas du souverain mais d'elle-même (*TP*, III, 10). « La liberté de l'âme... est une vertu privée »(*TP*, I, 6). La sagesse est solitude.

1. Spinoza, *Ethique* IV, scolie 2 de la prop. 37.
2. Spinoza, *TP*, V, 4.
3. Cf. Spinoza, *Ibid.*, V, 6.
4. Cf. *TTP*, XX, p. 329 et *TP*, V, en entier.
5. *TTP*, XX, p. 329.
6. Spinoza, *TP*, III, 2. Cf. aussi *supra*, p. 101-102.
7. Spinoza, *TP*, VI, 35.
8. Spinoza, *TTP*, XX, p. 329.

Encore une fois, il ne faut voir là aucune téléologie : il n'est de fin que du désir[1]. Spinoza dit simplement : l'Etat que nous *voulons*, c'est celui où nous serons *le plus libres* possible, c'est-à-dire où l'oppression d'Etat (le pouvoir absolu du souverain, qui « n'est tenu par aucune loi (et auquel) tous doivent obéissance pour tout »[2]) sera, non le contraire, mais la garantie de notre liberté. Cet état porte un nom : « Le droit d'une société de cette sorte est appelé *Démocratie*, et la Démocratie se définit ainsi : l'union des hommes en un tout qui a un droit souverain collectif sur tout ce qui est en son pouvoir »[3]. Cet Etat est à la fois « le plus naturel »[4] – puisque le plus près de nos désirs, qui le sont toujours – et le plus raisonnable – puisque seule la soumission à la raison le rend possible. Désespoir et ascension : tout part de la force, mais tout tend vers la liberté. S'il faut nous soumettre – et il le faut, puisque « les hommes sont faits de telle sorte qu'ils ne puissent vivre sans une loi commune »[5] –, qu'au moins ce soit à nous-mêmes (en tant que communauté) c'est-à-dire aux désirs qui nous sont communs ou, si l'on préfère, à la partie commune (raisonnable) de nos désirs. Car la paix et la liberté (*dans* l'Etat comme *entre* Etats) sont à ce prix – or la paix et la liberté sont précisément, et au cœur même de la guerre et de l'oppression, ce que nous *désirons*. Matérialisme : la paix est un produit de la guerre, et non l'inverse. Et la liberté, une forme de la force, et non son contraire. Désespoir et ascension : tout part de la force, mais tout tend vers la liberté ; tout part de la guerre, mais tout tend vers la paix[6]. A jamais : car la paix, naissant de la guerre,

---

1. Cf. *Ethique* IV, déf. 7.
2. Spinoza, *TTP*, XVI, p. 266.
3. Spinoza, *Ibid.*, p. 266.
4. Spinoza, *Ibid.*, p. 268. C'est bien sûr une façon (polémique) de parler : tous les Etats sont naturels. Spinoza veut simplement dire que le droit naturel de chacun (c'est-à-dire sa force) y est le moins écrasé possible par l'organisation collective des rapports de forces.
5. Spinoza, *TP*, I, 3.
6. Ne serait-ce que sous la forme de la *victoire*. Cette *tendance* est causale et non téléologique (*Eth.* I, Appendice, et IV, Préface) : elle relève, non de la providence, mais de l'efficace du désir.

ne saurait définitivement l'annuler, ni la liberté supprimer la force sans laquelle elle n'est rien. Ainsi la vie naît de la mort mais ne la détruit pas – et doit pour cela toujours la combattre. De même, on n'a jamais fini de se battre pour la paix : la paix est toujours à faire (en nous et entre nous), toujours à défendre, toujours à étendre. On n'a jamais fini non plus de se battre pour la liberté : puisqu'elle n'est pas autre chose que ce combat même. Matérialisme : primat de la guerre, primauté de la paix ; primat de la force, primauté de la liberté. Icare : la paix et la liberté sont le ciel ouvert de notre histoire.

VII

Epicure, Hobbes, Spinoza... Tous les trois maudits, tous les trois rejetés... Si différents, en politique, et pourtant, dans leur *philosophie* politique, si proches... Je vois bien ce qu'on leur reproche au fond, à eux comme au « très pénétrant Machiavel »[1], et qui est aussi ce qui les réunit : leur « cynisme », ou supposé tel, et que j'aime mieux appeler leur désespoir. A savoir : dire ce qui est, et point ce qui doit être ; penser la politique, et point la morale ; chercher la vérité, et point la valeur[2]. Cynisme ? Non pas. Matérialisme. Car le cynisme n'est pas le contraire de l'idéalisme, mais son double inversé. Idéalisme : prendre la norme pour réalité. Cynisme : prendre la réalité pour norme. Mais Epicure, Hobbes et Spinoza ne font ni l'un ni l'autre. Tout leur effort est au contraire de disjoindre ces deux ordres, et de penser séparément, selon la rationalité spécifique qui

1. Spinoza, *TP*, V, 7.
2. Ce qui suppose d'abord qu'on les disjoigne l'une de l'autre. Comme l'écrit Hélène Védrine à propos de Machiavel (*Machiavel, ou la science du pouvoir*, p. 77) : « Le déplacement consiste à refuser le cercle du discours métaphysico-moral où valeur et vérité s'impliquent d'autant plus que la vérité est posée comme condition et fondement de la validité même de ce type de discours. En rejetant ce cercle de la politique des philosophes, Machiavel tombe sur les mécanismes sauvages qui régissent les rapports entre les hommes. » Spinoza appellera cela : maintien de l'état de nature. (Cf. aussi *TP*, I, notamment, 1, 2 et 4).

est la sienne, la réalité politique telle qu'elle est, « sans adjonction étrangère ». Il ne s'agit pas de valeur, mais de vérité. Il ne s'agit pas de juger, mais de comprendre. Il ne s'agit pas de « détester ou railler les affections et les actions des hommes », mais de « les *connaître* »[1]. Ce pour quoi, dit Spinoza, « pour apporter dans cette étude la même liberté d'esprit qu'on a coutume d'apporter dans les recherches mathématiques, j'ai mis tous mes soins à ne pas tourner en dérision les actions des hommes, à ne pas pleurer sur elles, à ne pas les détester, mais à en acquérir une connaissance vraie. »[2]

Où l'on voit réapparaître l'idée de vérité, mais sous une forme bien différente. Car cette vérité ne prétend plus juger de la valeur des faits, mais de leur réalité. C'est une vérité *objective*, et point normative. Dans son principe, elle est neutre : puisqu'elle est la vérité, et que tout le réel est vrai. Les propriétés du triangle ne sont pas plus vraies, ni moins, que celles du cercle ou du carré... Et de même, la démocratie n'est pas plus vraie que la monarchie, ni l'homme sain plus vrai que le malade ou l'homme sage plus vrai que le fou... Car « qu'il soit sage ou insensé [sain ou malade, démocrate ou monarchiste...], l'homme est toujours une partie de la nature, et (...) ne fait rien qui ne soit conforme à ses lois et à ses règles... »[3] Si tous les hommes ne sont pas également *raisonnables* (tous ne sont pas également conduits par la raison), ils sont donc tous pareillement *rationnels* (la raison peut tous intégralement les connaître). Du point de vue de la vérité, on ne peut reconnaître « aucune différence entre les désirs que la raison engendre en nous, et ceux qui ont une autre origine : les uns et les autres en effet sont des effets de la nature et manifestent la force naturelle par où l'homme s'efforce de persévérer dans son être. »[4] Les médecins de même savent bien que la maladie n'est pas moins rationnelle que la santé, ni la

---

1. *Ethique* III, Préface.
2. *TP*, I, 4.
3. *TP*, II, 5.
4. *Ibid.*

folie moins rationnelle que le bon sens... Et le météorologue sait que le temps qu'il fait, beau ou pas, a toujours sa
raison d'être : « Quel que soit le désagrément que puissent
avoir pour nous ces intempéries, elles sont nécessaires,
ayant des causes déterminées par lesquelles nous nous
appliquons à en connaître la nature... » [1] Spinoza veut être
en cela le météorologue de l'âme humaine : « J'ai aussi
considéré les affections humaines telles que l'amour, la
haine, la colère, l'envie, la superbe, la pitié et les autres
mouvements de l'âme, non comme des vices mais comme
des propriétés de la nature humaine : des manières d'être
qui lui appartiennent comme le chaud et le froid, la tempête, le tonnerre et tous les météores appartiennent à la
nature de l'air... » [2] On reconnaîtra sans peine, dans de
telles déclarations, le projet aujourd'hui des sciences
humaines dont la préface du livre III de l'*Ethique* constitue
en quelque sorte l'annonce et la promesse. L'homme, y dit
Spinoza, n'est pas « un empire dans un empire » [3] : il est
« une partie de la nature », dont il suit « l'ordre
commun » [4]. Il est donc connaissable au même titre que
toutes les choses naturelles [5]. A quoi feront écho, deux
siècles plus tard et pour ne citer ici que les sciences
sociales, les postulats méthodologiques de Durkheim (« la
sociologie ne pouvait naître que si l'idée déterministe, fortement établie dans les sciences physiques et naturelles,
était enfin étendue à l'ordre social... » [6]), Mauss (« Tout ce
que postule la sociologie, c'est simplement que les faits que
l'on appelle sociaux sont dans la nature, c'est-à-dire sont

1. *TP*, I, 4. Rappelons que « *nécessaire* », chez Spinoza, ne signifie pas utile ou
indispensable mais déterminé à exister par la nécessité de la nature. Ce n'est pas le
contraire de superflu, c'est le contraire de contingent. Dire que les intempéries sont
nécessaires n'est donc pas justifier téléologiquement leur existence (« il faut qu'il
pleuve *pour* faire pousser la végétation... »), mais expliquer scientifiquement cette
existence par la détermination de ses causes. Aucun finalisme, donc, mais un déterminisme strict et universel.
2. *TP*, I, 4.
3. *Ethique* III, Préface.
4. *Ethique* IV, Appendice, chap. 7.
5. *Ethique* III, Préface.
6. Durkheim, « La sociologie », cité par Bourdieu, Chamboredon, Passeron, in
Le métier de sociologue, p. 154.

soumis au principe de l'ordre et du déterminisme universels, et par suite intelligibles... »[1]), ou, aujourd'hui, Lévi-Strauss (« Le but dernier des sciences humaines n'est pas de constituer l'homme, mais de le dissoudre. La valeur éminente de l'ethnologie est de correspondre à la première étape d'une démarche qui en comporte d'autres... qui incombent aux sciences exactes et naturelles : réintégrer la culture dans la nature, et finalement la vie dans l'ensemble de ses conditions physico-chimiques »[2]).

C'est une autre question – d'ordre épistémologique plutôt que philosophique – que de savoir si ce projet des sciences humaines est susceptible d'être atteint, et à quel niveau de scientificité. En trancher nécessiterait une tout autre étude, dont je n'ai certes ni l'ambition ni les moyens, et dont il n'est pas sûr que quelqu'un soit aujourd'hui capable. Au demeurant, peu nous importe ici. Car que ces sciences soient ou non possibles *en fait* (c'est-à-dire à portée des hommes), elles n'en sont pas moins possibles *en droit* (à portée de ce que Spinoza appellerait l'entendement infini de Dieu), puisqu'elles sont toujours déjà comprises dans l'ensemble infini des idées vraies.

Quel que soit l'avenir des sciences humaines, et dussent-elles avorter, cela ne changera donc rien à leur possibilité théorique ni même, pourrait-on dire, à leur *légitimité*. Car tout ce qui est vrai est connaissable ; et tout ce qui est connaissable, il est légitime d'essayer de le connaître. Or tout est vrai, d'évidence, puisque tout est, et que l'être et la vérité sont une seule et même chose. Naturalisme intégral et rationalisme absolu[3] : *Deus sive Natura, Deus sive Veritas*... Un homme qui ne serait pas connaissable ne serait pas dans la nature ; mais alors, il ne *serait* pas. Rien n'est inconnaissable que le néant[4]. Etre, c'est être connais-

---

1. Mauss, *Essais de sociologie*, I, p. 7.
2. Lévi-Strauss, *La pensée sauvage*, p. 326-327.
3. Comme l'écrit à juste titre Martial Guéroult, *op. cit.*, I, p. 9.
4. C'est ici pour une part que s'enracine la cohérence de la pensée de Sartre. Car si l'homme, comme Pour-soi, n'a « d'autre réalité que d'être la néantisation de l'être » (*L'être et le néant*, p. 711-712), dans la mesure où il « se constitue comme réalité humaine en tant qu'il n'est rien que le projet originel de son propre néant » (p. 121),

sable. Les sciences humaines, dans leur programme et dans leur possibilité sinon dans leur réalisation, ne sont rien d'autre d'abord que la constatation – qui ne va pas toujours de soi – de l'existence objective de leur objet. C'est ce qu'avait par exemple compris Durkheim qui remarquait que les contestations faites à propos de la sociologie venaient le plus souvent « de ce que l'on se refusait à admettre, ou de ce que l'on n'admettait pas sans réserves, *notre principe fondamental : la réalité objective des faits sociaux*. C'est donc finalement sur ce principe que tout repose, et tout y ramène »[1]. Oui : on ne peut connaître que ce qui est, et l'être suppose, au moins en droit, la possibilité du connaître. Car comme le disait déjà « le solitaire et très haut Parménide », notre maître à tous, « même chose se donne à penser et à être... »[2] Ce qui, en langage spinoziste, se peut à peu près formuler ainsi : « L'ordre et la connexion des idées sont les mêmes que l'ordre et la connexion des choses »[3]. A cet ordre, l'homme n'échappe pas. La « chaîne infinie des causes finies » l'enveloppe, lui aussi, et le déter-

---

bref, si « l'homme est à lui-même son propre néant » (p. 63), comme « un trou d'être au sein de l'Etre » (p. 711), il est nécessairement *inconnaissable*, au sens strict du terme : il n'est pas de science du néant. Il fallait donc rejeter les sciences humaines en tant qu'elles prétendent à la scientificité, c'est-à-dire refuser la psychanalyse (il n'y a pas d'inconscient ni de déterminisme psychique, il n'y a que la liberté et la mauvaise foi), et faire du marxisme une *philosophie* qui peut bien être la philosophie « indépassable » de notre temps (*Critique de la raison dialectique*, p. 29), mais en aucun cas une science, puisque « la notion même de *praxis* et celle de dialectique – inséparablement liées – sont en contradiction avec l'idée intellectualiste d'un savoir » (*ibid.*, p. 107), et que l'affirmation que les hommes font l'histoire « rejette définitivement le déterminisme et la raison analytique comme méthode et règle de l'histoire humaine » (p. 131). Car les sciences humaines considèrent les hommes comme des choses (ou « des fourmis », p. 183), alors qu'ils sont au contraire le néant par et pour lequel *il y a* des choses. En ce sens et qu'on le veuille ou non, Sartre est bien un philosophe cartésien (idéaliste en cela), et les critiques de Spinoza contre Descartes valent aussi, par là même, contre Sartre. On comparera à ce propos la polémique de Lévi-Strauss contre Sartre dans *La pensée sauvage* (p. 324-357) à celle de Spinoza contre Descartes dans l'*Ethique* (par ex. I, appendice, et III et V, préfaces). Sur la polémique Sartre-Lévi-Strauss, cf. aussi H. Védrine, *Les philosophies de l'histoire* (Payot, 1974), p. 171-175.

1. Durkheim, *Les règles de la méthode sociologique*, p. XXIII (c'est moi qui souligne).

2. Parménide, fragment 5, traduit par Y. Battistini, qui est aussi l'auteur de la dénomination précitée.

3. Spinoza, *Ethique* II, prop. 7. Cf. aussi le scolie.

mine. Il est donc connaissable, au moins en droit, scientifiquement. L'homme aussi est vrai.

Nous pouvons alors revenir à Marx. Car tout n'est pas
qu'utopie dans le marxisme, et le « platonisme » (ou le stalinisme) n'est qu'une part de ses virtualités – historiquement dominante, peut-être, mais, me semble-t-il, philosophiquement *dominable*. Car il y a aussi, au sein même du
marxisme, une autre tendance, un autre courant, qu'on me
permettra, pour faire vite, d'appeler *spinoziste*, et dont
Althusser a su, l'un des premiers, indiquer la trace, en
tenant à juste titre Spinoza, « du point de vue philosophique, pour le seul ancêtre direct de Marx » [1]. Cela ne signifie
pas, à mon avis, qu'il faille lire Spinoza à partir de Marx
(pour y chercher je ne sais quels pressentiments ou germes
de la théorie marxiste), mais au contraire qu'il faut *lire
Marx à partir de Spinoza*, c'est-à-dire à partir d'une philosophie globale à la fois plus vaste et plus puissante que
celle de Marx et qui, seule, pourra débarrasser le marxisme
du platonisme qui, sous une forme plus ou moins hégélienne, ne cesse de le menacer et de le corrompre *de l'intérieur*. Oui, Spinoza contre Platon, cela veut dire aussi Marx
contre Hegel [2], Marx contre Staline, et, finalement, Marx
contre Marx – tant il est vrai que « toute philosophie est
toujours contradictoire » [3], et que le combat qu'elle mène,
inévitablement, la traverse. Choisir, dans Marx, entre Platon et Spinoza – ou entre Spinoza et Hegel [4] –, c'est aussi
une façon d'être marxiste jusqu'au bout. Pourtant, un problème surgit aussitôt : ces deux courants internes au
marxisme (platonisme, spinozisme) se rejoignent au moins
en un point, qui est la prétention à la vérité, à la scientifi-

1. Althusser, *Lire le Capital*, p. 128.
2. Car, et là encore Althusser a raison, si Marx est proche de Hegel, c'est « par ce
que Hegel avait ouvertement hérité de Spinoza » (*Positions*, p. 141). Pour le reste,
Marx pense au moins autant *contre* Hegel qu'*avec* lui. Inversement, il me semble
que le stalinisme sera souvent un retour masqué à Hegel, c'est-à-dire, sous la forme
triviale que l'on sait, à la téléologie et au savoir absolu.
3. L. Althusser, *Réponse à John Lewis*, p. 45.
4. Comme nous y invite plus ou moins P. Macherey, dans *Hegel ou Spinoza*,
Maspero, 1979.

cité, au savoir. N'est-ce pas alors, dans les deux cas, retomber dans l'idéalisme ou l'utopisme, s'il est vrai, comme j'ai
essayé de le montrer, qu'idéalisme et utopisme se caracté-
risent tous deux par la croyance en un *idéal* (passé, éternel
ou à venir) dont ils affirment la *vérité ?* Où l'on retrouve ce
soupçon que le spinozisme ne soit, lui aussi, qu'une
variante du platonisme, ce que j'ai appelé plus haut un
platonisme de l'immanence[1]. J'ai déjà répondu, concernant Spinoza. Venons-en à Marx.

Le premier point est que cette recherche de la vérité est
commune à toute la tradition occidentale, ou peu s'en
faut, et qu'en conséquence, si elle était idéaliste, toute
philosophie le serait. « Même chose se donne à penser et
à être... » Il n'y aurait pas de *vérité* possible autrement, et
cela vaut pour le matérialisme comme pour l'idéalisme.
Lucrèce disait d'Epicure : « Tu es, ô père, le découvreur
des choses »[2] ; et à son lecteur : « Prête à la *véritable doctrine (veram rationem)* une oreille libre... »[3] Et contre les
sceptiques : « Quant à ceux qui pensent que toute science
est impossible, ils ignorent également si elle est possible,
puisqu'ils font profession de tout ignorer. Je négligerai
donc de discuter avec des gens qui veulent marcher la
tête en bas... »[4] Marx est de ce courant. La mode, il est
vrai, est aujourd'hui au doute et au soupçon, au scintille-
ment des apparences... J'entends bien. Lucrèce ne disait
pas autre chose, à sa façon. Mais ces apparences ont
aussi leur vérité, sans quoi rien n'apparaîtrait, ou
n'importe comment – ce qui n'est pas. Spinoza est là-
dessus d'une lumière difficile mais, à ce que je crois,
indépassable. Le suivre pourtant nous ferait aller trop
loin pour ce chapitre où il n'est question, en principe, que
de politique. Alain peut nous suffire pour l'instant, dans
sa clarté tranquille :

---

1. Cf. *supra*, p. 134.
2. Lucrèce, III, 9 : *rerum inventor*. Ernout traduit : « c'est toi, ô père, l'inventeur
de la vérité ». Et en effet : la vérité, ce sont les choses elles-mêmes.
3. Lucrèce, I, 50-51.
4. Lucrèce, IV, 469-472.

« Je n'ai jamais fait grand cas des sceptiques. Car ils prouvent que
d'aucune manière on ne peut trouver la vérité ; c'est comme si on
prouvait que l'homme, bâti comme il est, ne peut pas du tout marcher ;
or l'homme marche. De même je me suis continuellement cassé le nez
sur des vérités, dont quelques-unes désagréables ; sans compter
qu'elles sont importunes par leur masse, et par la difficulté de les faire
tenir ensemble. On les a sur les bras ; on ne sait où les mettre. Dès
que l'on fait attention, l'on aperçoit que tout est vrai ; par exemple, le
célèbre bâton qui dans l'eau paraît brisé, il doit me paraître tel ; il n'y
avait qu'à chercher un peu ; les trop célèbres sceptiques n'ont pas
cherché du tout. »[1]

Epicure et Lucrèce sont tout près, comme on voit, et
Spinoza. Tout est vrai, tout est. On n'en sortira pas. Et
l'idéologie est comme ce bâton brisé : nous *devons* penser
ainsi. L'illusion aussi est vraie, puisqu'elle est. Mais c'est
une illusion. Le bâton n'est pas brisé ; il est dans l'eau. La
vérité rend raison de la vérité de l'illusion. Par exemple, il
est vrai que je vois la terre plate ; et il est vrai aussi qu'elle
est ronde ; cette seconde vérité, et d'autres, expliquent la
première. La terre n'est pas *tout à fait* ronde, pourtant ;
c'est une troisième vérité. Et ainsi de suite. Les vérités
s'enchaînent les unes aux autres. *L'ordre et la connexion
des idées...* Ainsi tout est vrai, mais pas de la même façon.

Marx ne fait pas autre chose. Quand il parle de l'idéologie, par exemple, c'est pour en dire la vérité. Mais cela
suppose qu'il en parle d'une manière non-idéologique
parce que vraie. Il s'agit de savoir ce qu'il en est du *bâton*
société. Sans quoi l'idée d'illusion elle-même devient
absurde. Si « les idéologues mettent tout la tête en bas »[2],
ce ne peut être que par rapport à une réalité (« la chose »,
comme dit Marx[3]) qu'on suppose sur ses pieds. La notion
d'idéologie n'a ainsi de sens que différentiellement. Elle
suppose l'existence de fait d'une réalité non idéologique (la
réalité « telle qu'elle est »), et la possibilité au moins théorique de sa connaissance vraie. Et même dans les registres

1. Alain, *Les saisons de l'esprit*, XL, p. 133.
2. Marx, notes pour *L'Idéologie allemande*, p. 603.
3. *Ibid.*, p. 603.

où aucune vérité n'est possible (où il n'existe « que des
différences sans termes positifs »[1], c'est-à-dire que des
points de vue, si l'on veut, et rien à voir), du moins ne
peut-on penser leur commune absence de vérité que d'un
point de vue *autre* (un point de vue sur les points de vue)
qui n'a de sens, lui, qu'à être vrai. Ou bien l'on ne peut plus
penser du tout... C'est ce que fait Marx, ou du moins ce
qu'il cherche : un point de vue objectif sur les points de
vue subjectifs, une positivité des différences, ou, en
d'autres termes, *une théorie vraie* (non illusoire) *de l'illusion*. D'où la recherche d'une science, qui n'est jamais que
le chemin – et le cheminement[2] – de la vérité. Il s'agit de
trouver, à partir et au-delà des apparences, une vérité qui
les explique et les dépasse. « Toute science serait superflue,
dit Marx, si l'essence et l'apparence des choses se confon-
daient. »[3] Cela suppose aussi que la science n'est possible,
si elle l'est, que par la supposition de cette *essence*, non pas
certes idéale ou spirituelle, mais *réelle*, au contraire, qui
soit l'être et la vérité. L'essence, c'est la réalité, c'est-à-dire
la chose elle-même, telle qu'elle est, fût-elle très différente
des apparences ou de nos observations journalières, et dût-
elle même nous paraître franchement paradoxale : « Il est
paradoxal aussi de dire que la terre tourne autour du soleil
et que l'eau se compose de deux gaz très inflammables. Les
vérités scientifiques sont toujours paradoxales lorsqu'on
les soumet au contrôle de l'expérience de tous les jours qui
ne saisit que l'apparence trompeuse des choses »[4]. La
vérité n'est pas le double de la réalité, son autre spéculaire ;
c'est la réalité elle-même, non pas telle qu'elle apparaît
mais telle qu'elle est. Par exemple : que « les profits pro-
viennent du fait qu'on vend les marchandises à leur
valeur »[5], et point d'un vol ou d'une escroquerie générali-

1. Comme dit de Saussure à propos de tout autre chose... Cf. *Cours de linguistique générale*, p. 166.
2. Cf. Engels, *Ludwig Feuerbach...*, p. 13.
3. Marx, *Le Capital*, III, t. 3 (Ed. sociales, t. 8), p. 196.
4. Marx, *Salaire, prix et profit*, VI, Ed. sociales, 1968, p. 89.
5. *Ibid.*, p. 89.

sée. Mais cette réalité est connaissable. Ce n'est pas un *noumène* ; c'est la vérité du phénomène. L'ennemi, ici, ce n'est pas Platon ; c'est Kant. Il s'agit de savoir si nous connaissons le monde ou notre esprit. Marx, comme Epicure, comme Spinoza, répond que nous connaissons le monde. J'entends : l'être même. Et que notre connaissance soit toujours partielle, relative et provisoire n'y change rien : elle ne l'est que par le mouvement même de sa vérité. Si rien n'était vrai, il n'y aurait pas d'histoire des sciences, ou elle ne serait ni normative ni récurrente[1]. Ptolémée vaudrait Copernic, Archimède vaudrait Galilée, et Newton, Einstein... Au lieu de quoi il y a progrès, les sciences cheminant d'une vérité approximative à une autre, qui l'est un peu moins, et qui rend raison des approximations (ou des illusions) qu'elle dépasse en les expliquant.

Tel est bien le projet de Marx : trouver la science qui dise la vérité de l'idéologie en rendant raison de ses illusions, c'est-à-dire en *expliquant*, comme il dit, les apparences de la conscience de soi de telle ou telle société : « Pas plus qu'on ne juge un individu sur l'idée qu'il se fait de lui-même, on ne saurait juger une telle époque de bouleversement sur sa conscience de soi ; il faut, au contraire, *expliquer cette conscience* par les contradictions de la vie matérielle, par le conflit qui existe entre les forces productives sociales et les rapports de production... »[2] Or, et c'est le second point où je voulais en venir, ce projet est matérialiste, ou aucun ne l'est. Non seulement parce que Marx explique « le supérieur par l'inférieur » (l'idéologie par la société matérielle), mais encore parce qu'il s'agit de connaître la société *telle qu'elle est*, « sans adjonction étrangère ». Ou bien il faut retomber dans Kant ; mais Kant n'écrirait pas *Le Capital*... Quant à ceux qui diront que la société est en elle-même « une adjonction étrangère », c'est qu'ils prennent l'homme pour un empire dans un empire ; à quoi Spinoza suffisamment répond. Autrement dit, et

---

1. Cf. Bachelard, *L'activité rationaliste de la physique contemporaine*, p. 24-28.
2. Marx, *Contribution...*, Préface, p. 5. C'est moi qui souligne.

tout le matérialisme est là, la recherche de la vérité, chez Marx, est recherche d'une vérité *matérielle* (et non idéale), c'est-à-dire non pas d'une société plus vraie que nature (la Cité idéale de Platon ou des utopistes), mais *de la société réelle*, telle qu'elle est, dans la matérialité objective de son fonctionnement. Le grand livre scientifique de Marx, ce n'est pas *Das Kommunismus* qu'il s'appelle, mais *Das Kapital*. La science ne dit pas ce qui doit être, mais ce qui est. Marx est en cela du côté d'Epicure, de Machiavel, de Hobbes et de Spinoza, contre Platon et les utopistes – et contre Hegel, ou du moins contre l'usage qui est fait de l'aspect « mystique » de sa dialectique « parce qu'elle semblait glorifier les choses existantes »[1] en faisant penser que ce qui est (le réel) était justement ce qui *devait* être (le rationnel, que l'on assimilait au raisonnable). Marx, lui aussi, disjoint les ordres. Le réel est rationnel, mais le rationnel n'est pas raisonnable : ce n'est pas la Raison (avec ou sans « ruses »...) qui est le moteur de l'histoire, ni l'Idée, mais, comme chez Hobbes, comme chez Spinoza, *le désir* (« les intérêts réels », tels qu'ils sont perçus à travers l'idéo-logie[2]) *et la force* (la lutte des classes). Matérialisme et désespoir. L'histoire n'avance que par son « mauvais côté »[3].

Le troisième point qu'il faut souligner c'est, comme on s'en doute, le mouvement ascendant de la pensée marxienne. Cela peut s'entendre de trois façons, et les trois sont vraies. Il y a d'abord ce qu'on peut appeler le mouve-ment ascendant de l'idéologie elle-même, que nous évo-quions dans notre introduction, et qui fait l'objet, chez Marx et Engels, de *l'Idéologie allemande*. La chose est tel-lement claire qu'il suffit de citer : « A l'encontre de la phi-losophie allemande qui descend du ciel sur la terre, c'est

---

1. Marx, *Le Capital*, Postface, p. 29 (t. I).
2. Cf. par ex. *Idéologie allemande*, p. 71, où les « intérêts réels » apparaissent comme « force motrice de l'histoire » à la place des « intérêts politiques » des Français et des Anglais, et des « idées pures » de la philosophie allemande (spécia-lement de Hegel).
3. Cf. Marx, *Misère de la philosophie*, II, 1, p. 130.

de la terre au ciel que l'on monte ici... Cette conception de l'histoire (...) n'est pas obligée, comme la conception idéaliste, de chercher une catégorie dans chaque période, mais elle demeure constamment sur le *sol* réel de l'histoire ; elle n'explique pas la pratique d'après l'idée, elle explique la formation des idées d'après la pratique matérielle... »[1] Bref, le « ciel » de l'idéologie est *l'effet* (en dernière analyse) de la « terre » socio-économique, et le demeure (ce pour quoi l'histoire reste toujours « sur le sol » : l'idéologie dispose bien d'une autonomie relative et d'une efficace propre mais, fondamentalement, elle n'a « pas d'histoire », comme dit Marx[2], c'est-à-dire pas d'histoire indépendante). La « détermination en dernière instance » par l'économie fait donc bien, de la « topique » marxiste[3], un axe orienté, et orienté *de bas en haut* : tout part de *l'infrastructure*, et ne s'élève aux deux niveaux de la *superstructure* (juridico-politique et idéologique) que par un processus lui-même matériel et objectif. Matérialisme : l'histoire se vit *de bas en haut*. Du moins, c'est le mouvement réel. Dans l'idéologie, au contraire, l'histoire se vit (imaginairement) *de haut en bas* : « Si, dans toute l'idéologie, les hommes et leurs rapports nous apparaissent placés la tête en bas comme dans une *camera obscura*, ce phénomène découle de leur processus de vie historique, absolument comme le renversement des objets sur la rétine découle de son processus de vie directement physique »[4]. L'histoire monte ; l'idéologie descend. Toute idéologie est religieuse.

C'est pourquoi il faut une théorie : pour penser l'histoire dans son mouvement réel, et point dans le *rebours* de l'idéologie. D'où l'émergence d'une *ascension* en un deuxième sens, qui ne désigne plus le mouvement (inconscient) de l'idéologie, mais celui (conscient et tout à fait délibéré) de la pensée *théorique* de Marx, c'est-à-dire de sa méthode, et qu'on pourrait appeler *l'ascension*, non plus idéologique,

1. Marx-Engels, *Idéologie allemande*, p. 51 et 69-70.
2. *Idéologie allemande*, p. 51.
3. Cf. Althusser, *Positions*, p. 74-75 et 138-140.
4. Marx-Engels, *Idéologie allemande*, p. 50-51.

mais *dialectique*. « Ma méthode dialectique, écrit-il dans la Postface mille fois citée du *Capital*, non seulement diffère par la base de la méthode hégélienne, mais elle en est même l'exact opposé. Pour Hegel, le mouvement de la pensée, qu'il personnifie sous le nom de l'idée, est le démiurge de la réalité, laquelle n'est que la forme phénoménale de l'idée. »[1] C'est ce que Marx appelle le « *mysticisme* » de Hegel, par lequel celui-ci « défigure la dialectique »[2], qui chez lui, marche ainsi « sur la tête »[3]. Il faut donc « la remettre sur les pieds »[4]. Ce qui signifie : respecter son mouvement ascendant, qui va « du mouvement réel » (matériel) à la pensée théorique (matérielle aussi, mais « dans le cerveau de l'homme »[5]), ou, si l'on préfère, de la *terre* du processus réel au *ciel* de la théorie. Mais, « après comme avant », dit Marx[6], « le sujet réel subsiste dans son indépendance en dehors de l'esprit... Par conséquent, dans l'emploi de la méthode théorique aussi, il faut que le sujet, la société, reste constamment présent à l'esprit comme donnée première. » Autrement dit, si l'on peut bien faire la théorie du mouvement historique, cette théorie ne saurait en aucun cas *tenir lieu* du mouvement réel, que ce soit pour le gouverner (Hegel et les utopistes) ou pour l'invalider (Platon). Bref : *il n'y a pas de monde intelligible*. Au contraire, c'est parce que la nécessité historique est ce qu'elle est (objective, matérielle, indépendante de l'esprit et extérieure à lui) qu'on peut la connaître : elle a des « lois », des « tendances » qui « se manifestent et se réalisent avec une nécessité de fer »[7], et que la science peut par conséquent exhiber mais en aucun cas juger ou régir. Le haut vient du bas mais ne l'annule pas (la société réelle « subsiste dans son indépendance en dehors de l'esprit »), pas plus qu'il ne s'y réduit (il y a un travail spécifique de

1. Marx, *Le Capital*, I, Postface, p. 29.
2. *Ibid.*
3. *Ibid.*, p. 29.
4. *Ibid.*
5. *Ibid.*
6. Marx, *Contribution...*, p. 166.
7. Marx, *Le Capital*, Préface, t. I, p. 18.

la théorie, différent de « l'apparence trompeuse des choses », qu'il dépasse, aussi bien que de leur essence réelle, qu'il n'atteint jamais que partiellement). La tension entre les deux (entre le haut et le bas, entre la théorie et le réel) est donc irréductible. Il n'y a pas de monde intelligible, mais il y a une intellection du monde, qui ne s'identifie jamais totalement avec celui-ci. Il va en naître quatre conséquences, ou quatre faisceaux de conséquences, qu'on peut, de manière forcément schématique, résumer ainsi :

1 / Pas de « science royale », pas de politique religieuse. Les hommes « font leur histoire eux-mêmes »[1] (non pas librement, mais déterminés qu'ils sont par les conditions objectives), et aucune science ne peut la faire à leur place. Le pouvoir est l'objet, non le sujet, de la science. Pas de monde intelligible, pas de Cité idéale. Il n'y a que la force et le désir, ou plutôt *les* forces et *les* désirs, qui se combinent, s'associent et s'opposent : il n'y a que la lutte des classes. Une lettre célèbre d'Engels éclaire fort bien ce point[2]. « L'histoire se fait de telle façon que le résultat final se dégage toujours des conflits d'un grand nombre de volontés individuelles... Il y a donc là d'innombrables forces qui se contrecarrent mutuellement, un groupe infini de parallélogrammes de forces... » Bien plus, et contrairement à ce qu'en croient les sujets, ces volontés ne sont pas gouvernées par un quelconque idéal ni même par la fin concrète qu'elles visent, mais bien par des conditions objectives contemporaines ou antécédentes : chacune de ces volontés « est faite telle qu'elle est par une foule de conditions particulières d'existence... Chacune veut ce à quoi la poussent sa constitution physique et les circonstances extérieures, économiques en dernière instance... » Bref, au contraire de ce qui se passe chez Platon ou les utopistes, la volonté n'est pas *tirée* vers (et par) *le haut* (inspirée, guidée, par un « modèle divin », un idéal, etc.),

1. Cf. par ex. Engels, *Lettre à H. Starkenburg* (*Et. ph.*, p. 163).
2. *Lettre d'Engels à Joseph Bloch*, du 21 sept. 1890.

mais bien *poussée par le bas*, c'est-à-dire déterminée, et d'abord par le plus « bas » de tout – l'économie. Il n'y a donc ni idéal ni modèle à connaître, mais simplement le jeu objectif des intérêts et des rapports de forces. Il n'y a même pas de *nécessité historique*, si l'on entend par là « une force agissant comme un tout » ; ou du moins, celle-ci n'est que la « *résultante* » apparente des forces individuelles, et ne se fraye son chemin « *comme* une nécessité » qu'à travers « la foule infinie des hasards » qui constitue de « façon inconsciente et aveugle » la trame de l'histoire concrète. L'histoire est ainsi l'effet des forces et des volontés individuelles, alors même qu'elle échappe totalement à leur contrôle – « Car ce que veut chaque individu est empêché par chaque autre et ce qui s'en dégage est quelque chose que personne n'a voulu... » Pas de « science royale », pas de politique religieuse. Désespoir : l'histoire est aveugle autant que la nature.

2 / Pas d'utopie. L'histoire est un mouvement objectif non téléologique, et le communisme lui-même fait partie de ce mouvement, qu'il ne commande pas et qui le détermine. « Le communisme n'est pour nous ni un *état* qui doit être créé, ni un *idéal* sur lequel la réalité devra se régler. Nous appelons communisme le mouvement *réel* qui abolit l'état actuel. Les conditions de ce mouvement résultent des prémisses actuellement existantes. » [1] En d'autres termes, le communisme n'est pas un idéal vers lequel l'histoire tendrait comme vers sa fin (à tous les sens du terme) mais, ici et maintenant, l'effet déterminé de la lutte des classes. Il n'est pas en dehors ou au delà de l'histoire, ni à la fin de je ne sais quelle *préhistoire*. Le communisme n'est ni une utopie, ni même (si on le considère dans sa réalité, et point dans la perception nécessairement inversée qu'en donne l'idéologie) un idéal. Le communisme, c'est un combat. D'où ce texte de Marx que je citais en exergue à ce chapitre, et qu'on peut reprendre ici plus longuement : « La classe

---

1. Marx-Engels, *Idéologie allemande*, p. 64.

ouvrière n'espérait pas des miracles de la Commune. Elle n'a pas d'utopies toutes faites à introduire par décret du peuple... Elle n'a pas à réaliser d'idéal, mais seulement à libérer les éléments de la société nouvelle que porte dans ses flancs la vieille société bourgeoise qui s'effondre... »[1] Et Marx continue, dans une formulation ambiguë qui montre à quel point, chez lui, des thèmes utopistes se mêlent facilement aux thèmes anti-utopistes : « Dans la pleine conscience de sa mission historique et avec la résolution héroïque d'être digne d'elle dans son action, la classe ouvrière peut se contenter de sourire des invectives grossières des valets de plume et de la protection sentencieuse des doctrinaires bourgeois bien intentionnés qui débitent leurs platitudes d'ignorants et leurs marottes de sectaires, sur le ton d'oracle de l'infaillibilité scientifique... »[2] Le thème de la « mission historique » du prolétariat comporte sans doute de redoutables connotations téléologiques, mais peu importe ; nous savons maintenant comment interpréter ce texte de manière matérialiste et en retenir l'essentiel à nos yeux, non selon la « vérité » du texte (qui n'existe pas en dehors de son ambiguïté même), mais selon notre *désir* matérialiste. Pas d'utopie, pas d'idéal – et pas même de « mission ». Il n'y a que le jeu conflictuel des intérêts. Désespoir et ascension : primat de l'économie, primauté de la politique. Il n'y a que la lutte.

3 / Pas de dogmatisme, pas de dictature du savoir. Car si *savoir* il y a, il est de l'ordre de la vérité, et non de la valeur. Il ne peut donc rien commander, rien imposer. Savoir n'est pas pouvoir. La science dit ce qui est, non ce qui doit être : dans son principe, elle est neutre. Tous les combats sont vrais (réels et rationnels) puisque tous renvoient également à des conditions objectives qui les déterminent. Or, si toute politique est vraie, aucune ne saurait être, du point de vue de la vérité, *la meilleure*. Objective-

1. Marx, *La guerre civile en France*, p. 46.
2. Marx, *Ibid.*, p. 46.

ment, toutes les politiques se valent, parce qu'elles ne *valent* rien : il n'y a de valeurs que subjectives. Toute politique est vraie, donc, mais la vérité est apolitique. Cela ne veut pas dire que la science ne puisse servir à personne, mais simplement que sa vérité, lorsqu'elle existe, n'est pas dans l'usage qu'on en fait. La neutralité axiologique de la science n'est donc pas forcément inutilité ou gratuité : ainsi la biologie est neutre concernant le cancer (elle dit ce qui est, et le cancer est aussi *vrai* que la santé ; en tant que science, la biologie n'est donc ni « pour » ni « contre » le cancer) ; cela n'empêche pas le médecin de se servir des vérités biologiques (neutres) pour mener son combat (normatif) *contre* la maladie. Mais ce n'est pas la science qui dit qu'il faut combattre le cancer ; c'est le désir. Et de même en politique : la science politique, à supposer qu'elle existe, ne dit pas *quelle politique* il faut faire. Il n'y a donc pas de « politique scientifique », mais tout au plus une connaissance scientifique (au moins possible) *du* politique. La politique, elle, ne peut être – au mieux – qu'une *technique* ou qu'un *art*, c'est-à-dire l'utilisation normative et pratique d'un savoir (ou même d'un savoir-faire) *par et pour le désir*. Pas de dictature du savoir, donc, mais (par exemple) un savoir de la dictature, dont Machiavel, contre Platon, esquissait déjà les premiers éléments, et qu'on peut utiliser – suivant son désir – pour ou contre telle ou telle dictature. Car la pire d'entre elles, il n'y a jamais que notre désir pour la combattre. Cela ne vous suffit pas ? Prenez-vous en à votre désir. Mais laissez la vérité tranquille. La connaître, c'est comprendre qu'elle nous ignore.

4 / Pas de totalitarisme, pas d'élitisme. Puisque toutes les politiques sont vraies, elles sont toutes légitimes. Puisqu'aucune n'est scientifique, elles sont toutes critiquables. Aucun pouvoir n'est de droit divin. La vérité ne justifie rien, et personne n'est au-dessus du désir. Pas de totalitarisme : il n'y a que la force et les rapports de forces. Pas d'élitisme : il n'y a que la lutte. Pas d'aristocratie : il n'y

a que les vainqueurs et les vaincus. Politique, maîtresse d'humilité : *nous nous valons tous*. Il n'y a que l'histoire.

La théorie marxiste telle que nous l'interprétons entraîne aussi, quant à la conception de l'histoire, une cinquième conséquence, mais qui rejoint (car tout cela se tient) le troisième sens de ce que j'ai appelé le « mouvement ascendant » de la pensée marxienne. Ce troisième sens concerne, non plus l'ascension idéologique, non plus l'ascension théorique ou dialectique, mais ce qu'on peut appeler *l'ascension historique*, c'est-à-dire le mouvement par lequel l'histoire elle-même, comme processus objectif concret, avance et se développe. Nous rejoignons ici ce que, à propos d'Epicure, j'appelais le *progressisme*, dont Guyau montrait qu'il est inséparable du matérialisme. Ce progressisme est tellement évident, chez Marx et Engels, qu'on peut aller vite et, à nouveau, se contenter de citer. L'histoire commence au plus bas[1]. « La présupposition première de toute existence humaine, partant de toute histoire, (est) que les hommes doivent être à même de vivre pour pouvoir "faire l'histoire". Mais, pour vivre, il faut avant tout boire, manger, se loger, s'habiller et quelques autres choses encore. Le premier fait historique est donc la production des moyens permettant de satisfaire ces besoins, la production de la vie matérielle elle-même, et c'est même là un fait historique, une condition fondamentale de toute histoire... »[2] Sans doute, « l'homme a aussi de la conscience »[3], mais cette conscience est d'abord « purement animale »[4] : « Ce début est aussi animal que l'est la vie sociale elle-même à ce stade ; il est une simple conscience grégaire, et l'homme se distingue ici du mouton par l'unique fait que sa conscience prend chez lui la

1. A supposer qu'elle *commence* à proprement parler. Le texte qui suit n'est pas une théorie de l'origine, mais une étude des conditions premières, tant synchroniques que diachroniques, de toute histoire. L'histoire ne cesse, tous les jours, de (re-)commencer au plus bas. Le progrès est sa loi, non seulement historique, mais, comme dirait Spinoza, éternelle.

2. Marx-Engels, *L'idéologie allemande*, p. 57.

3. *Ibid.*, p. 59.

4. *Ibid.*, p. 59.

place de l'instinct ou que son instinct est un instinct conscient... »[1] Ce qui vaut pour la production matérielle (liée aux « besoins » biologiques) et pour la conscience vaut aussi pour la liberté ; elle aussi est « nécessairement un produit du développement historique. Les premiers hommes qui se séparèrent du règne animal étaient... aussi peu libres que les animaux eux-mêmes ; mais tout progrès de la civilisation était un pas vers la liberté »[2].

Ascension : l'histoire naît des besoins, l'humanité naît de l'animalité, et la liberté naît d'une nature qui, dans son principe, l'ignore. Matérialisme : le supérieur naît de l'inférieur ; le bas produit le haut. D'où, chez Marx et Engels comme chez Epicure, le *progressisme* : le progrès n'est rien d'autre que l'émergence dans le temps de ce mouvement *de bas en haut* qui caractérise le matérialisme. Matérialisme et progressisme vont donc de pair : si le supérieur naît de l'inférieur, tout laisse supposer qu'aujourd'hui est supérieur à hier et inférieur à demain[3]. Inutile pourtant de rêver : le « progrès de la civilisation », comme dit Engels, ne s'effectue qu'à travers la lutte des classes et les différentes formes d'oppression qui en découlent. Le progressisme n'est pas un utopisme. Ce n'est pas l'avenir qui justifie le présent, c'est le présent qui invente l'avenir, et qui ne peut l'inventer (matérialisme, désespoir) qu'en partant du plus bas. Soit, le désir, et spécialement, comme dit Engels, « les instincts et les passions les plus ignobles de l'homme »[4] : « La basse cupidité fut l'âme de la civilisation, de son premier jour à nos jours, la richesse, encore la richesse et toujours la richesse, non pas la richesse de la société, mais celle de ce piètre individu isolé, son unique but déterminant. Si elle a connu, d'aventure, le développement croissant de la science et, en des périodes répétées,

---

1. *Ibid.*, p. 60.
2. Engels, *Anti-Dühring*, p. 143.
3. Non pas certes dans l'absolu mais relativement à nos désirs, lesquels sont eux-mêmes historiques. Ce « cercle » interdit de prendre le *progressisme* pour une métaphysique. Marx n'est pas Teilhard de Chardin. (Nous y reviendrons.)
4. Engels, *L'origine de la famille...*, p. 162.

la plus splendide floraison de l'art, c'est uniquement parce que, sans eux, la pleine conquête des richesses de notre temps n'eût été pas possible. »[1] Désespoir et ascension : le *plus splendide* de l'art et des sciences naît du *plus ignoble* de l'homme. Matérialisme : primat de la nature, primauté de la culture.

Mais il y a plus. Car cette « cupidité », si elle s'enracine dans « les instincts et les passions » de l'individu, n'a d'existence réelle que sociale : « Le fondement de la civilisation, continue Engels, est *l'exploitation d'une classe par une autre classe* »[2]. La civilisation elle-même naît de la guerre, et trouve comme elle dans l'Etat son expression condensée : « Le compendium de la société civilisée est l'Etat qui reste essentiellement, dans tous les cas, une machine destinée à maintenir dans la sujétion la classe opprimée, exploitée »[3]. Or cette exploitation même – donc aussi l'oppression politique qui en résulte – est cause de progrès. La bourgeoisie, par exemple, « a joué dans l'histoire un rôle éminemment révolutionnaire »[4], et ne peut, une fois au pouvoir et quoi qu'elle en ait, que continuer : elle sécrète elle-même ses propres fossoyeurs, comme dit Marx[5], et prépare la liberté qu'elle voudrait empêcher. Désespoir et ascension : l'histoire avance, mais c'est par son « *mauvais côté* »[6]. C'est du plus ignoble de l'homme que naît le combat contre l'ignominie, c'est du pire que naît le mieux, c'est du malheur que naît l'histoire[7] – et c'est de la lutte que naissent les victoires. Matérialisme et progressisme : primat de l'exploitation, primauté du progrès ; primat de l'oppression, primauté de la liberté.

Ce *progressisme*, répétons-le, n'est pas une utopie. C'est moins une manière de prévoir l'avenir qu'une façon de

---

1. *Ibid.*
2. Engels, *Ibid.*, p. 162.
3. *Ibid.*, p. 161.
4. Marx-Engels, *Manifeste...*, I, p. 39.
5. *Ibid.*, p. 49.
6. Cf. Marx, *Misère de la philosophie*, II, 1, p. 130 : « C'est le mauvais côté qui produit le mouvement qui fait l'histoire en constituant la lutte. »
7. *Ibid.*

penser le présent. Or, selon Marx et Engels, tout indique que ce progrès peut durer – « l'histoire de l'humanité est encore jeune »[1] –, mais aussi qu'il n'atteindra jamais la perfection. Le paradis n'est pas *derrière* nous, c'est sûr ; mais il n'est pas non plus *devant* nous : il n'y a pas de paradis du tout. La théorie matérialiste du progrès s'oppose à l'utopie autant qu'à la réaction : « L'histoire ne peut trouver un achèvement définitif dans un état idéal parfait de l'humanité ; une société parfaite, un "Etat" parfait sont des choses qui ne peuvent exister que dans l'imagination ; tout au contraire, toutes les situations qui se sont succédé dans l'histoire ne sont que des étapes transitoires dans le développement sans fin de la société humaine progressant de l'inférieur vers le supérieur... »[2] Il n'y a pas de fin de l'histoire. Il n'y a « rien de définitif, d'absolu, de sacré... »[3] Il n'y a que « le processus ininterrompu du devenir et du périr, de l'ascension sans fin de l'inférieur au supérieur... »[4] *Ascension sans fin*, et pour cela jamais *finie*. Sans fin, sans finalité, mais non sans finitude. Matérialisme et désespoir : l'homme n'atteindra jamais le *ciel* de son désir.

Notons enfin que, pour une telle conception du marxisme et contrairement à ce que nous avons vu de la pensée stalinienne[5], cette théorie du progrès n'est entachée d'aucun conservatisme de la théorie. Puisqu'il n'y a pas de monde intelligible, puisqu'il n'y a pas de politique scientifique, aucun dogme n'est éternel (Lénine : le marxisme n'est pas un dogme, c'est un guide pour l'action), et l'avenir, même s'il était prévisible (or, en raison de la complexité des phénomènes sociaux, il ne l'est guère – et encore – qu'à très court terme...), n'aurait aucune valeur. On a toujours le droit de changer de désir... C'est pourquoi, comme disait Lénine, « L'histoire en général, et plus particulièrement

1. Engels, *Anti-Dühring*, p. 143. Lucrèce dit à peu près la même chose : V, 330-337.
2. Engels, *Ludwig Feuerbach*..., p. 13.
3. *Ibid.*, p. 14.
4. *Ibid.*
5. Cf. *supra*, p. 167-168.

l'histoire des révolutions, est toujours plus riche de contenu, plus variée, plus multiforme, plus vivante, "plus ingénieuse" que ne le pensent les meilleurs partis, les avant-gardes les plus conscientes des classes les plus avancées... » [1] La dialectique n'est donc pas la connaissance anticipée de l'avenir (« belle lurette qu'il a eu lieu, l'avenir... »), mais simplement l'analyse du présent ; elle n'est que l'étude des contradictions réelles, toujours complexes et singulières (toujours « surdéterminées » [2]), ou, comme disait encore Lénine qui y voyait « la substance même, l'âme vivante du marxisme », « *l'analyse concrète d'une situation concrète* » [3]. Tout conservatisme est donc absurde, tout dogmatisme est donc vain : autant de situations, autant d'analyses... Car s'il y a bien une vérité de l'histoire, cette vérité n'est pas au-dehors ou au-dessus de l'histoire réelle, pour la juger ou pour la diriger. Cette vérité, c'est l'histoire elle-même (Lénine : « la vérité est toujours concrète »), dans sa complexité, dans sa singularité, et, pour tout dire, dans sa réalité extérieure à (et indépendante de) toute théorie, et dont l'analyse elle-même n'est jamais qu'un moment et qu'une approche. La réalité est inépuisable, et l'analyse, ici comme ailleurs, n'est jamais terminée. A *fortiori*, lorsqu'il s'agit de prévoir l'avenir : l'inépuisabilité du réel débouche sur son imprévisibilité de fait. Marx se faisait là-dessus moins d'illusions que beaucoup d'autres. Il savait bien que, dès lors qu'on entre dans le détail concret des événements – mais ce « détail » fait toute l'histoire –, la « vérité » des analyses, et d'autant plus qu'elles s'engagent davantage sur l'avenir, n'a plus grand chose de scientifique. Voyez par exemple cette lettre à Engels, que d'aucuns trouveront cynique, mais où je veux plutôt voir l'humour de qui connaît ses limites et a renoncé aux mirages des prophètes. Elle est datée du 15 août 1857 (mais oui, chers épistémologues, après, bien après la *coupure*...) :

1. Lénine, *La maladie infantile*..., Ed. sociales, 1968, p. 92.
2. Cf. Althusser, *Pour Marx*, p. 85-116 et 206-224.
3. Lénine, *Œuvres complètes*, t. 31, p 168.

« Ce que je vois dans l'affaire de Delhi, c'est que les Anglais seront obligés de battre en retraite dès que la saison des pluies aura sérieusement commencé... Il se peut que je me fourre le doigt dans l'œil, mais avec un peu de dialectique, on s'en tirera toujours. J'ai naturellement donné à mes considérations une forme telle qu'en ayant tort, j'aurais encore raison. »[1] Eh oui : la politique est ainsi faite, et le « doigt dans l'œil » est notre lot à tous. Le dogmatisme consiste à le vouloir obstinément garder, et à traiter d'aventuriste ou de révisionniste qui veut s'essayer à une nouvelle vision. Le dogmatisme, c'est le *doigt dans l'œil* érigé en vérité absolue. « Ils savent tout d'avance », disait Kundera... Le matérialisme, au contraire, refuse tout dogmatisme, tout prophétisme, tout conservatisme de la théorie. Il n'y a pas de modèle éternel. Il n'y a pas de théorie qui ne puisse varier. Il n'y a pas d'avenir déjà connu. L'histoire n'est pas à deviner, ni à préserver, ni à reconnaître. Elle est à *faire*. A chaque action son risque. Il n'y a d'histoire qu'*aventurée*.

VIII

Ainsi l'histoire avance « par son mauvais côté » – mais elle avance. Non vers la vérité (*vraie*, elle l'est déjà), mais vers la valeur, qu'elle n'atteindra pas avant d'en changer. Ciel merveilleux, ciel inaccessible... L'histoire est « une continuelle marche en avant du désir »[2], sans autre but que ce désir même, sans norme absolue, sans principe universel. Toute société est donc bien un labyrinthe, et le sera toujours : jeux de forces et de désirs, entrelacs du rêve et de la réalité, mirages du sens et de l'illusion... Mais ce labyrinthe est notre vie, et il n'y en a pas d'autre. Cette illusion « sociale » est la vérité de notre vie, comme son rêve « individuel » était la vérité de Narcisse. Et ces deux

1. Marx, *Lettre à Engels* du 15 août 1857.
2. Hobbes (à propos des mœurs et de la félicité), *Léviathan*, XI, p. 95.

vérités – toutes deux subjectives, toutes deux illusoires – se
mêlent : il n'est de société que de Narcisses, il n'est de
Narcisse que dans une société. Les rêves s'enchaînent les
uns aux autres, se mêlent, s'additionnent... L'histoire est
cette somme : chaîne de chaînes, somme de sommes, labyrinthe de labyrinthes... Et nul au-delà nulle part. Il n'y a
pas de monde intelligible, et aucun « modèle dans le ciel ».
Il n'y a pas de *chute* : l'histoire part de si bas qu'elle ne peut
que s'élever. Et aucun *sommet* où se reposer : pas d'âge d'or,
pas de *Cité du Soleil*... Icare : il n'y a que le ciel – vide – que
le désir s'invente. Il n'y a que l'action. Il n'y a que la lutte.
Le pouvoir n'est jamais fondé sur le savoir, mais toujours
sur la force ; jamais légitimé dans l'absolu, mais toujours
dans le désir. Le pouvoir est donc à tous et, en conséquence,
n'appartient à personne. Tout pouvoir est à prendre – ou à
défendre. A chacun de monter, comme il le peut et avec
qui il le veut, « *à l'assaut du ciel* », comme dit Marx[1], c'est-
à-dire – ici, maintenant – à l'assaut de son propre rêve. A
chacun d'être Icare autant qu'il le peut. A chacun son ciel
et sa Bastille, à chacun l'infini de ses rêves. Le tout est
d'être dupe le moins possible, et de rester libre. J'entends :
vis-à-vis des autres, et vis-à-vis de soi. Epicure dirait : *il
faut rire tout en militant...*
  N'asservis pas la force joyeuse de ton désir.

---

  1. Marx, *Lettre à Kugelmann*, du 12 avril 1871 (à propos des Communards).

3

Les labyrinthes de l'art :

« *Un grand ciel immuable et subtil...* »

« Il faut estimer le beau, les vertus et autres choses semblables s'ils nous procurent du plaisir, autrement non. »

ÉPICURE

I

Et puis le labyrinthe du beau – et le plus beau des labyrinthes. L'art. Oui, c'est un labyrinthe encore. Il en a tous les caractères : l'illusion, l'illimité, la fermeture.

L'illusion.

Les œuvres existent pourtant. Ce sont des choses, aussi réelles que toutes les choses, aussi vraies, et plus familières encore d'être nées de main d'homme. Un tableau est moins mystérieux qu'un coquillage. Mais l'illusion est ailleurs. Point dans l'œuvre : réelle. Point forcément dans l'artiste : il connaît le travail de ses mains, et sait le rêve qui le guida. L'art est un travail avant d'être une religion, un métier avant d'être un mystère. L'artiste le sait bien, qui mesure son effort à sa fatigue. « Dix pour cent d'inspiration, quatre-vingt-dix pour cent de transpiration... » Et Poussin expliquait ainsi ses chefs-d'œuvre : « Je n'ai rien négligé... »[1] Le génie devient modeste par le travail. Mais le spectateur oisif

---

1. Cité par H. Peyre, *Qu'est-ce que le classicisme ?*, Ed. Nizet, 1971, p. 187.

oublie ce labeur, ou l'ignore, et l'œuvre-travail devient œuvre-miracle. L'illusion naît ainsi de la contemplation paresseuse. Elle naît, et aussitôt se dédouble. Comme la politique, l'art est production et redoublement d'illusions.

Première illusion : l'objectivité et l'universalité du beau. Cette œuvre que j'admire sans la comprendre est d'une beauté telle que, me semble-t-il, elle s'impose et s'imposera à tous. La beauté de l'œuvre est vécue comme universelle, éternelle, absolue – et présente *réellement* dans l'œuvre que nous aimons. Kant a là-dessus dit l'essentiel. Trouver qu'une chose est *belle* n'est pas seulement reconnaître le plaisir qu'elle procure (car elle serait alors simplement *agréable*) ; c'est prétendre à l'objectivité et à l'universalité de ce plaisir. « Lorsqu'il dit qu'une chose est belle, il attribue aux autres la même satisfaction ; il ne juge pas seulement pour lui, mais pour autrui et parle alors de la beauté comme si elle était une propriété des choses. C'est pourquoi il dit : *la chose* est belle... Et ainsi on ne peut dire : A chacun son goût. Cela reviendrait à dire : le goût n'existe pas... »[1] Mais cette satisfaction (à prétention) universelle et objective, parce qu'elle est purement esthétique (« sans concept »), est condamnée à rester subjective. « Le jugement de goût détermine son objet (en tant que beauté) du point de vue de la satisfaction, en prétendant à l'adhésion de *chacun*, comme s'il était objectif... Et cependant il n'en est pas ainsi... »[2] Nous le savons bien, et plus encore sans doute, l'évolution de l'art aidant, aujourd'hui que du temps de Kant : tel trouvera belle une œuvre qui déplaira à son voisin, lequel s'enthousiasmera pour une autre qui laissera le premier indifférent. Tout le monde n'aime pas Picasso ou Kandinsky, Carton ou César, Balthus ou Tal Coat... Fréquenter les expositions entre amis, quand chacun juge sincèrement, est ainsi une source, parfois amère, d'étonnement. On se résigne mal à cette solitude du goût et, jusque dans l'amitié, à cette prison esthétique du moi. Ne pas

1. Kant, *Critique de la faculté de juger*, Vrin, p. 57 (trad. A. Philonenko).
2. Kant, *ibid.*, p. 117.

aimer les mêmes tableaux est plus cruel à l'amitié peut-être qu'aimer la même femme ; car mon désir amoureux n'est pas nié par celui de mon rival, mais exacerbé au contraire et comme justifié. Son désir s'oppose au mien, mais aussi le confirme. Alors que devant l'art, mon plaisir est comme rabaissé par celui qui ne le partage pas. Son goût dévalue le mien, ou le nie : j'étais face à l'absolu ; me voici face à mon goût, comme en matière de cuisine ou de boisson... Et comme on se sent seul parfois ! L'ami qui aime l'œuvre que je méprise me fait douter de moi autant que de lui, et de l'art qui nous sépare autant que de l'amitié qui nous unit. Il se pourrait que la sagesse fût de n'en point parler ; mais ce serait renoncer à la confirmation qui nous manque et que chacun ne peut obtenir, s'il le peut, que d'autrui. D'où ce labyrinthe des discours, où chacun cherche, dans l'aveu de l'autre, la vérité autrement insaisissable de son goût. C'est pourquoi, comme dit Kant, on *discute* tant [1] sur l'art, chacun prétendant à l'assentiment nécessaire d'autrui sans avoir les moyens jamais de le convaincre. Nul n'est tenu d'aimer Mozart ou Chardin ; l'art s'éprouve et ne se prouve pas. Le jugement de goût a ainsi cette caractéristique « que, ne possédant qu'une valeur simplement subjective, il prétend néanmoins valoir pour *tous* les sujets, comme cela pourrait se faire s'il était un jugement objectif, qui repose sur des principes de connaissance et qui peut être imposé par une preuve » [2]. Mais cela n'est pas, et l'on *discute* en vain. L'art aussi est solitude, et pas seulement pour l'artiste.

La seconde illusion, ou le second faisceau d'illusions, résulte de la première. Cette œuvre universelle (par la jouissance qu'elle est censée susciter), on se résigne mal à lui voir une origine purement singulière et ponctuelle. Ce qu'il y a en elle d'absolu, comment l'imaginer naissant du relatif ? Il semble qu'elle ne mourra jamais ; comment croire qu'elle ait pu naître ? On imagine plutôt qu'elle préexistait

---

1. Kant, Antinomie du goût, *op. cit.*, p. 163
2. Kant, *op. cit.*, p. 120.

en quelque sorte à sa propre création, et que celle-ci, sous une forme ou sous une autre, *devait* advenir, étant déjà inscrite quelque part et n'ayant plus, selon des modalités plus ou moins mystérieuses, qu'à « cheminer » jusqu'à nous. Création ? Plutôt : *révélation*. La *Neuvième symphonie* de Beethoven, par exemple, il ne nous semble pas qu'elle pût être autre chose que ce qu'elle est, ni qu'elle ait pu ne pas être. Elle était nécessaire à sa façon, et éternelle, non seulement *a parte post* mais *a parte ante* : Dieu, s'il existe, devait déjà l'entendre, il y a cent mille ans ; et Beethoven lui-même ne l'a pas créée, à proprement parler, mais (alors qu'elle était encore cachée à tous) devinée, perçue, transmise – ou même reçue et proclamée. L'art est pentecôte ; chaque œuvre annonce sa Bonne Nouvelle. L'artiste lui aussi est chevalier d'apocalypse ; comme le militant, il a son ciel qui s'ouvre et son cheval blanc, sa flamme ardente et son diadème... L'artiste n'invente pas ; il découvre. Il ne produit pas ; il dévoile. Il ne crée pas ; il divulgue. Comme les grands mystiques, il voit ce que les autres ne voient pas ; comme eux, il a sa nuit obscure et ses illuminations ; mais pas plus qu'eux, il ne crée l'objet de son extase : il le contemple simplement et, autant qu'il le peut, l'exprime et le manifeste. Ainsi l'artiste serait un *voyant*, en effet, mais de ses propres œuvres. On peut appeler cela l'inspiration, la grâce ou le génie. C'est une espèce de *maïeutique* du beau, en ce sens que le créateur semble *s'accoucher* lui-même d'une œuvre préexistante – son « enfant » –, qu'il portait en lui, à la limite, de toute éternité. L'art aussi serait réminiscence. Le travail de l'artiste ne serait alors que de rendre au mieux, à force d'humilité et de patience, la fulgurance de ce qu'il a vu, en se rapprochant le plus possible du modèle idéal et parfait qui lui fut révélé. Cela vaut pour l'art en général, et pour chaque œuvre en particulier. « Au-dessus de la vie, écrit Flaubert, au-dessus du bonheur, il y a quelque chose de bleu et d'incandescent, un grand ciel immuable et subtil dont les rayonnements qui nous arrivent suffisent à animer des mondes. La splendeur du génie n'est que le reflet pâle de ce verbe caché... »[1] L'artiste ne produit pas ; il *re*-produit. C'est un démiurge, les yeux toujours fixés, comme celui du *Timée*, sur le modèle éternel qui l'inspire. Et son œuvre, en tout art, n'est jamais que copie, traduction ou dévoilement. Braque écrit : « Quand je commence, il me semble que mon tableau est de l'autre côté, seulement couvert de cette poussière blanche, la toile. Il me suffit d'épousseter. J'ai une petite brosse à dégager le bleu, une autre le vert ou le jaune : mes pinceaux. Lorsque tout est nettoyé, le tableau est fini. »[2] Que cette *copie* soit celle du monde réel (la *mimêsis* de Platon et d'Aristote), celle d'un monde idéal (le « ciel » de Flaubert et des romantiques, ou celui de Plotin et des néoplatoniciens), ou bien le dévoilement d'une vérité (comme chez Novalis – « *Je poetischer, je wahrer...* » – ou, chez Heidegger, le « se mettre-en-œuvre de la vérité de l'étant »), ne change guère l'essentiel, qui est que quelque chose de l'œuvre – voire sa totalité – préexiste à sa naissance et la fonde. L'œuvre est ainsi sa propre cause : si le peintre peint, c'est qu'il connaît déjà le tableau qu'il veut faire, lequel existe donc avant que d'être peint ; si le poète écrit, c'est qu'il sait déjà ce qu'il veut dire – et s'il le sait, il ne l'invente pas. Pourtant, dira-t-on, ce tableau, ce poème, c'est bien l'artiste, un beau jour, qui le *fait*... Sans doute ; et un aristotélicien dirait à juste titre que l'artiste est la cause *efficiente* de son œuvre : pas d'*œuvre* sans *ouvrier*. Mais c'est qu'aussi il est une autre cause – l'œuvre elle-même –, qu'on peut appeler sa *cause finale* : ce vers quoi l'œuvre tend (sa « fin ») et sans quoi elle n'existerait pas – étant bien entendu qu'une œuvre d'art ne tend jamais que vers elle-même, et qu'en ce sens sa finalité est bien, comme le dira Kant, une *finalité sans fin*[3]. C'est peut-être ici le cœur de la seconde illusion que j'essaie de cerner, et qu'on pourrait appeler *l'illusion finaliste*. Elle consiste à croire que l'œuvre est gouvernée par une idée qui la précède et

1. Flaubert, *Correspondance*, cité par V. Brombert (*Flaubert*, Seuil, p. 11).

2. Georges Braque, *Mon tableau*, cité par Aragon (*Je n'ai jamais appris à écrire ou les incipit*, p. 129).

3. *Mutatis mutandis*. Cf. Kant, *op. cit.*, p. 63-76.

l'engendre, idée qui n'est rien d'autre que l'œuvre elle-même, mais antérieure à sa naissance, comme la *fin* l'est à l'action qu'elle commande ou comme la vue, selon le finalisme naturaliste, l'est à l'œil qui la permet. Une œuvre idéale et éternelle, donc, qui serait la cause (finale) de l'œuvre réelle, et sa vérité ultime. Disons-le tout de suite : mon « idée de derrière » est que le finalisme, ici comme ailleurs, « renverse totalement l'ordre des choses »[1], et que cette illusion débouche sur une esthétique, inséparable de l'art je crois bien, liée à lui comme au corps son ombre ou au dormeur son rêve... mais qui pourtant ne va pas de soi. Essayons d'y voir plus clair.

Le problème est celui de l'origine de l'œuvre d'art. Le bon sens répond que l'origine de l'œuvre, c'est l'artiste ; et cela sans doute n'est pas faux. Il y a un problème pourtant car l'artiste, lui, vit souvent la création de son œuvre comme un don d'origine étrangère, qu'il reçoit davantage qu'il ne le produit. Non seulement parce que le don est un *don*, justement, mais parce qu'il ne suffit pas. L'homme doué n'est pas toujours inspiré. C'est pourquoi Goethe pouvait affirmer à Eckermann qu'un chef-d'œuvre « n'est du ressort de personne et plane au-dessus des puissances terrestres. Ce sont là des présents inespérés que l'homme reçoit d'en haut, à considérer comme de purs enfants de Dieu, qu'il doit accueillir avec de ferventes actions de grâce et vénérer... »[2] Le public partage volontiers ce point de vue, d'autant plus que l'œuvre, dans son incompréhensible grandeur, lui semble dépasser de très loin les capacités humaines. Même Beethoven paraît petit au pied de la *Neuvième*... D'où ce thème de *l'inspiration*, à quoi l'on réduit souvent tout le mystère de la création artistique. Si l'œuvre est supérieure à l'artiste, comment pourrait-elle tirer de lui son être et sa valeur ? Il faut donc qu'elle vienne d'ailleurs...

1. Je traduis ainsi (approximativement) le vers 833 du livre IV du *De rerum natura* de Lucrèce (« ... *omnia perversa praepostera sunt ratione...* ») ; la même idée se retrouve chez Spinoza : *Éthique*, I, Appendice, p. 63-64.
2. Eckermann, *Conversations avec Goethe*, trad. J. Chuzeville, t. II, Gallimard, p. 361.

L'inspiration est cet *ailleurs*, ou en émane. Il n'est création que par le souffle, et souffle, que de l'Esprit. Il n'est d'inspiration que divine.

Dans son fond, c'est un thème platonicien : encore un. La position de Platon quant à l'art est pourtant, comme on sait, fort problématique. D'un côté l'art participe du Beau, dont le Banquet montrait la fonction mystique[1], qui est d'élever l'âme vers le monde intelligible, d'où vient toute beauté et vers quoi tend tout amour. D'où l'admiration... Mais, d'un autre côté, l'art n'offre jamais qu'une beauté, non seulement sensible et matérielle, mais encore *fantomatique*, c'est-à-dire imitant non la vérité de l'être mais les illusions de l'apparence. D'où le refus : l'art reste prisonnier de la caverne... Le Beau en soi est plutôt voilé que révélé par les artistes, et ce d'autant plus qu'ils s'éloignent davantage des traditions hiératiques dont l'Egypte seule, du temps de Platon, a conservé le respect et sauvegardé les règles[2]. Le conservatisme de Platon est sans rivages. *Exit* Apollodore, *exeunt* Zeuxis et Parrhasios... Et la *République* (III, 386-398) rend à Homère les hommages qu'il mérite... mais le chasse de la Cité. Car si toute beauté participe du Beau en soi et en émane, toute œuvre belle n'est pas digne de son origine. Le trompe-l'œil des peintres, par exemple, prostitue ce qu'il faudrait vénérer. La philosophie seule, qui est l'art du vrai et non des apparences, reste à la hauteur, autant que faire se peut, de l'essence éternelle – le Beau en soi – dont elle est l'expression et la contemplation. Elle est pour cela « la musique la plus haute »[3], et la seule absolument digne. Mais il n'en reste pas moins que, par-delà ces réserves, l'esthétique platonicienne obéit au même axe descendant (religieux) que nous avons déjà évoqué à propos de l'amour et de la politique[4]. Pour le dire d'un mot, et quelles que soient par ailleurs ses réticences philoso-

---

1. Cf. *Le Banquet*, 201-212, et *supra*, p. 83-85.
2. Cf. Platon, *Les lois*, II, 656-657, et P.-M. Schuhl, *Platon et l'art de son temps*, notamment p. 14-21.
3. Platon, *Phédon*, 61*a*.
4. Cf. *supra*, p. 83-85 et 117-127.

phiques, politiques et morales, Platon voit dans *l'inspira-tion* l'origine irremplaçable des belles œuvres. Or cette ins-piration paradoxale (puisqu'elle exprime le monde intelli-gible à travers les oripeaux du monde sensible) ne peut être que divine. Platon est ici fort clair : « Quiconque, dit-il par exemple dans le *Phèdre*, approche des portes de la poé-sie sans que les Muses lui aient soufflé le délire, persuadé que l'art suffit pour faire de lui un bon poète, celui-là reste loin de la perfection, et la poésie du bon sens est éclipsée par la poésie de l'inspiration. Tels sont [avec l'amour et la divination] les heureux effets du délire inspiré par les dieux... »[1] Et dans *Ion* : « Ce n'est pas en effet par art, mais par inspiration et suggestion divine que tous les grands poètes épiques composent tous ces beaux poèmes ; et les grands poètes lyriques de même... Ce n'est pas l'art, mais une force divine qui leur inspire leurs vers... Ces beaux poèmes ne sont ni humains ni faits par des hommes, mais divins et faits par des dieux... Les poètes ne sont que les interprètes des dieux... »[2]

Interprètes imparfaits sans doute – *traduttore, tradi-tore...* –, et concurrents mensongers de la philosophie, qui serait, elle, comme la vérité du texte... Mais peu importe ; l'idée centrale est exprimée, qui domine aujourd'hui encore toute une part de l'esthétique, et qui fait de l'œuvre le reflet second d'un « *quelque chose* = x », pourrait-on dire[3], qui serait à la fois son origine et sa fin, sa cause et son horizon, dont l'œuvre tout à la fois procède et tend à se rapprocher. Mouvement contradictoire, si l'on veut, mais à la façon dont sont contradictoires les *hypostases* de Plotin, définies qu'elles sont par un double et inverse mouvement de *pro-*

---

1. Platon, *Phèdre*, 244-245.
2. Platon, *Ion*, 534-535. Il s'agit d'une œuvre de jeunesse de Platon ; mais la même idée se retrouve dans sa vieillesse : cf. *Lois*, 682*a*.
3. Reprenant ainsi, dans un tout autre contexte, une expression célèbre de Kant, à propos de l'objet transcendantal (*C. R. pure*, PUF, p. 225). L'assimilation du *nou-mène* kantien à l'*Idée* platonicienne, discutable dans son principe, peut pourtant être tentée ; c'est ce que fera Schopenhauer (pour qui les Idées sont les degrés déterminés d'objectivation de la volonté nouménale, c'est-à-dire la volonté noumé-nale « soumise à la forme de la représentation » : cf. *Le Monde comme volonté et comme représentation*, III, 31-32), et, avec lui, toute une part du romantisme.

cession et de *conversion*, où chaque être ne se constitue que par la contemplation de son origine, qui l'engendre et dont il se souvient. L'œuvre d'art serait cette *hypostase* singulière, où « quelque chose » (l'inspiration, ou ce qu'elle révèle) à la fois s'épanche et se retrouve, se diffuse et se recueille. Ce « *quelque chose* = *x* » est donc à la fois antérieur et supérieur à l'œuvre, qui tire de lui son être et sa beauté. Descente, religion : l'inférieur naît du supérieur ; le beau s'engendre de haut en bas.

> « Il est clair, écrit Plotin, que la pierre en qui l'art a fait entrer la beauté d'une forme, est belle non parce qu'elle est pierre (car une autre pierre serait également belle), mais grâce à la forme que l'art y a introduite. Cette forme, la matière ne l'avait point, mais elle était dans la pensée de l'artiste, avant d'arriver dans la pierre ; et elle était dans l'artiste non parce qu'il a des yeux ou des mains, mais parce qu'il participe à l'art. Donc cette beauté était dans l'art, et de beaucoup supérieure ; car la beauté qui est passée dans la pierre n'est pas celle qui est dans l'art ; celle-ci reste immobile, et d'elle en vient une autre, inférieure à elle... Le premier agent, pris en lui-même, doit toujours être supérieur au produit : ce n'est pas l'absence de musique, c'est la musique qui fait le musicien ; et la musique dans les choses sensibles est créée par une musique qui leur est antérieure... » [1]

Prenons-y garde. Ce que Plotin énonce ici, sur quoi nous aurons l'occasion de souvent revenir, c'est peut-être le principe essentiel de tout l'idéalisme : « *Tout principe créateur est toujours supérieur à la chose créée.* » [2] Autrement dit : toute création est une dégradation ; tout descend. Principe omniprésent et multiforme. Descartes l'utilisera pour « prouver » l'existence de Dieu, Simone Weil pour « réfuter » l'idée freudienne de sublimation, et René Guénon (puisqu'on ne peut pas citer que des grands noms) pour réfuter, avec « une rigueur mathématique absolue » (*sic !*), à la fois le matérialisme et la démocratie ! [3] Mais il n'est pas temps encore de s'attaquer de front, au niveau métaphysique qui est le sien, à ce problème. Ce qui m'intéresse

1. Plotin, *Ennéades*, V, 8, 1, trad. Bréhier.
2. Plotin, *ibid.*, trad. Bouillet.
3. Cf. René Guénon, *La crise du monde moderne*, « Idées »-NRF p. 117-118.

pour l'instant, c'est l'usage qu'en fait ici Plotin en poussant à l'extrême sa conséquence esthétique. Sa logique est irréprochable : si l'agent producteur est toujours « supérieur au produit », alors il faut en conclure que « la musique dans les choses sensibles » est créée par une autre musique, qui lui est à la fois supérieure et antérieure. Ainsi la musique se précède toujours elle-même, à la fois comme sa cause (procession) et comme sa fin (conversion). L'artiste tend vers ce qui l'engendre. L'œuvre créée est donc toujours seconde par rapport au modèle éternel qui l'inspire ; et si « c'est la musique qui fait le musicien » et non « l'absence de musique », il faut admettre que l'artiste lui-même, en tant que tel, n'existe jamais que *postérieurement à son inspiration*, voire même à sa création. Idée à la fois paradoxale et profonde, que Maurice Blanchot, bien plus tard, poussera jusqu'à son terme : « L'inspiration ne signifie rien d'autre que l'antériorité du poème par rapport au poète... Le poète n'existe qu'après le poème. L'inspiration n'est pas le don d'un secret ou d'une parole, consenti à quelqu'un existant déjà ; elle est le don de l'existence à quelqu'un qui n'existe pas encore... Du poème naît le poète... »[1]

Ce paradoxe a sa vérité. Il correspond en quelque chose aux sentiments vécus du poète et du lecteur, à cette illusion d'*éternité* par quoi s'imposent les grandes œuvres, où chacun – créateur, amateur... – se découvre second, si l'on peut dire, et naît à l'art, obscurément, comme à son origine. Qui n'a connu cela, et le bouleversement en soi que cela fait, qu'a-t-il aimé, qu'a-t-il compris d'une œuvre d'art ? L'art est ce paradis perdu, redécouvert par miracle, et qui nous est rendu. *Petit pan de mur jaune, petit pan de mur jaune...* Mais ce paradoxe est aussi celui de tout finalisme. Si la création artistique s'explique par sa fin (ce qui est le présupposé de l'inspiration), elle est nécessairement postérieure à ce qu'elle crée. Ainsi, si l'on a des yeux *pour* voir (si la vue est cause que nous ayons des yeux), il faut que la vue existe antérieurement à l'œil qui pourtant la permet.

---

1. Maurice Blanchot, *La part du feu*, p. 106 et 117.

La doctrine finaliste, en art comme ailleurs, « renverse totalement la nature. Car elle considère comme effet ce qui, en réalité, est cause et *vice versa*. En outre, elle met après ce qui de nature est avant... » [1] Mais sans finalisme, il n'y a plus d'inspiration possible. Rien n'existe de l'œuvre avant sa création, rien ne l'appelle à être. Rien d'absolu ne la fonde, rien de transcendant ne la justifie. Il faut expliquer l'œuvre d'art, non plus par l'inspiration, mais par le travail solitaire de l'artiste, qui ne *révèle* rien, qui ne *dévoile* rien, que l'artiste lui-même, que sa vie et son désir, sa pauvre vie, ses pauvres désirs, que son travail et que ses rêves... Le pauvre Franz, tout seul, et le Quintette en Ut lentement qui se construit... Plus de pentecôte, plus d'apocalypse. L'artiste est seul, et crée ce qu'il peut. Ce n'est plus un mystique ; c'est un artisan. Icare est fils de Dédale. Comme son père, il fabrique lui-même les ailes de son désir. Rien dans les mains, rien dans les poches. Le contraire de l'inspiration, c'est le travail.

Ecrivant cela, je crains de paraître rabaisser l'art. Quoi ! Schubert artisan ? Pourquoi pas cordonnier ou maçon ? L'inspiration a quelque chose de divin ; mais le travail : quoi de plus platement, de plus simplement, de plus pauvrement humain ? Quoi de plus humble ? Le culte du génie n'y trouve pas sa dose de religiosité ou, comme dit Nietzsche, de « superstition entièrement ou à demi religieuse » [2], par laquelle nous attribuons aux créateurs, « grâce à leur merveilleux regard divinatoire, (...) une vue immédiate de l'essence du monde, comme par un trou dans le manteau de l'apparence... » [3] Chacun y trouve son compte. L'homme du commun puise dans cette conception du génie de quoi ménager sa vanité [4], comme l'artiste y rencontre de quoi conforter la sienne [5]. Il peut sembler que l'art aussi y gagne : « Personne ne peut voir dans l'œuvre de l'artiste

1. Spinoza, *Ethique* I, Appendice.
2. Nietzsche, *Humain trop humain*, aph. 164.
3. *Ibid.*
4. Cf. Nietzsche, *ibid.*, aph. 162 : « CULTE DU GENIE PAR VANITE. »
5. Nietzsche, *ibid.*, aph. 155 : « CROYANCE A L'INSPIRATION ».

comment elle *s'est faite* ; c'est son avantage, car partout où l'on peut assister à la formation, on est un peu refroidi... » [1] Mais rien n'est moins sûr. En réalité, un tel mépris du travail n'est-il pas aussi mépris de l'art ? Et n'est-ce pas plutôt le culte de l'inspiration qui rabaisse à la fois l'œuvre et son créateur, faisant de celle-là le reflet second d'une œuvre primordiale et absente, et de celui-ci, non plus l'origine mais l'effet de son art, comme le plagiaire de sa propre création ? L'artiste inspiré n'est-il pas dans la position de l'élève peu capable, à qui le maître souffle la solution de son problème ? Ou bien du prophète stupéfait et craintif, agenouillé devant son dieu ? Quoi de glorieux à tout cela ? Si l'œuvre est antérieure à sa création (inspiration, finalisme), il n'y a plus *création*, à proprement parler, ni créateur. L'art se fait religion, ou science, et le travail, prière ou contemplation. Il ne s'agit plus de créer, mais de voir ; l'art bascule du côté de l'observation. « L'inspiration, écrivait Valéry qui ne s'y fiait guère, est l'hypothèse qui réduit l'auteur au rôle d'un observateur » [2] ; c'est bien dit : si l'artiste est un *voyant*, ce n'est plus un *poète*, à étymologiquement parler (*poien* : créer) ; c'est un *théoricien* (*théôrein* : observer). D'où ce curieux paradoxe que les artistes qui se méfient le plus de la raison et du travail – les mages inspirés, les voyants, les prophètes... – seraient moins *poètes*, en un certain sens, que les sages et laborieux artisans du verbe. Rimbaud, moins poète que Racine ? Breton, moins créateur que Valéry ? Après tout, cela se peut.

On devine que ce qui se joue ici, c'est le choix entre deux esthétiques, qui seraient, l'une, l'esthétique de l'inspiration et de la « voyance », et l'autre, l'esthétique du travail et de la raison. Opposition abstraite, bien sûr, et terriblement schématique. On ne la verra que rarement présente en personne, et surtout pas dans les œuvres : ce qui s'y affronte, ce ne sont pas deux créations, pas même deux façons de créer, mais deux façons de *penser* la création. Opposition

---

1. Nietzsche, *ibid.*, aph. 162.
2. Paul Valéry, *Tel Quel*, I, Pléiade, II, p. 484.

esthétique, donc, davantage qu'artistique, dans laquelle on ne trouve les créateurs qu'autant qu'ils font eux-mêmes la théorie de leur pratique, et pensent ainsi, en quelque sorte, l'esthétique de leurs propres œuvres. La première de ces esthétiques, nous l'avons vu, est d'esprit finaliste. Ce qu'elle pense, sous le vocable d'inspiration, c'est l'antériorité de l'œuvre (au moins idéale) par rapport à l'artiste et à sa production. Esthétique platonicienne, encore une fois, et plotinienne. Mais esthétique *religieuse* aussi, à sa façon, puisqu'elle fait descendre l'œuvre de je ne sais quel ciel, et transforme l'artiste en prophète. Cela est de tout temps. Le premier vers d'Homère est pour citer sa source surnaturelle : « Déesse, chante nous la colère d'Achille... » Et dans l'Odyssée : « Viens, ô fille de Zeus, nous dire, à nous aussi... » A chacun sa bouche d'ombre. Il n'en reste pas moins que ce culte de l'inspiration et de la voyance relève aussi d'une esthétique qu'on pourrait appeler, sans trop forcer un terme il est vrai bien vague, une esthétique *romantique*. Qu'on songe à Hugo faisant tourner les tables ou aux visions extatiques du romantisme allemand... L'imagerie populaire ne s'y est pas trompée : l'artiste romantique, c'est l'artiste inspiré. Et s'il est vrai que « le romantisme est d'abord un avatar du phénomène religieux »[1], il n'est pas exagéré de dire que *l'inspiration* est son sacrement premier et ultime : à travers la multiplicité des prophètes et des dieux, une grâce unique pourtant s'y fait jour. Le poète est le confident de Dieu (Hugo : « Dieu parle à voix basse à son âme... ») ou de l'univers (Novalis : « L'univers aussi *parle* – tout parle... »). Ce n'est pas un créateur, c'est un visionnaire (« Les romantiques ont été *voyants* », dira Rimbaud). Ce n'est pas un artiste, c'est un prêtre (Hugo : « Pourquoi donc faites-vous des prêtres / Quand vous en avez parmi vous ?... Ces hommes, ce sont les poètes... »). Sa vérité est d'au-delà ; ses *choses vues*, dans ce qu'elles ont d'essentiel, sont d'outre-tombe. Que lui importe la raison ? Ce qu'il cherche est du côté du rêve,

---

1. Cl. Roy, *Les soleils du romantisme*, « Idées »-NRF, p. 32.

derrière « les portes d'ivoire ou de corne qui nous séparent du monde invisible » (Nerval), du côté du délire inspiré et de l'illumination mystique. Friedrich Schlegel abat ses cartes : « La philosophie de Platon est une majestueuse préface à la religion de l'avenir » [1]. Le romantisme sera cette religion. Le *Witz* est « divin » [2], et la *Phantasie*, « l'organe de l'homme pour la divinité » [3]. Comme toute divinité qui se respecte, celle-ci est toujours *ailleurs* ; le poème ne dit jamais que son absence, son exil ou son manque. D'où cette tristesse latente du romantisme, cette « maladie », comme disait Goethe, ce vague à l'âme, qui est d'être à soi-même, perpétuellement, sa propre déception. Le piège du platonisme se referme : on ne sort pas de la caverne... Et si « la vie éternelle et le monde invisible ne sont à chercher qu'en Dieu » (F. Schlegel [4]), si la poésie est « l'absolu réel » (Novalis), le poème est toujours comme la nostalgie de ce qu'il énonce – cendre, pour le poète, du feu qui le consume. La *religion de l'avenir* sera aussi *passéiste* que l'autre, et se retournera comme elle, à jamais, vers la contemplation de son origine. L'extase ne se dit qu'au passé. La *Phantasie* ne parle que par la bouche de la mémoire. « C'était une lumière, dira Hugo, avec deux ailes blanches... » L'absolu n'*est* pas ; il *a été* [5]. Et les prophètes ne sont que les historiens de leurs rêves, que les oracles du souvenir. « L'homme est un dieu tombé qui se souvient des cieux... » Le romantisme, c'est l'art comme nostalgie.

Cette esthétique finaliste, platonicienne, religieuse et « romantique » (mais d'un romantisme qui est de tous les temps, et que le XIXe siècle n'a fait qu'exacerber) est à mon sens l'esthétique dominante. Mieux : universelle. C'est

---

1. Fr. Schlegel, *Idées*, 27 ; cité par Ph. Lacoue-Labarthe et J.-L. Nancy, dans *L'absolu littéraire, théorie de la littérature du romantisme allemand*, p. 208.
2. Fr. Schlegel, *ibid.*, 26, p. 208.
3. Fr. Schlegel, *ibid.*, 8, p. 207.
4. *Ibid.*, 6, p. 206.
5. Ou il sera. Mais ce messianisme et cette espérance ne sont possibles que sur la base d'une expérience antérieure, au moins imaginaire. Pas d'espérance qui ne s'appuie sur un passé ; pas d'espérance sans mémoire. Il n'est d'impatience que sur fond de nostalgie.

l'idéologie spontanée des artistes et des amateurs d'art. Illusoire comme toute idéologie, et utile comme la plupart. On peut en voir un fleuron dans cette idée de *postérité* à quoi rêve tout créateur, du plus grand au plus médiocre, et qui aide chacun d'eux à supporter les difficultés de l'art et les aléas de la carrière – qui les aide à *vivre*, simplement : les idéologies, c'est à cela qu'elles servent... Ainsi la nostalgie s'inverse en espérance (à la manière dont les utopistes renversaient le platonisme), et *l'antériorité* de l'œuvre débouche sur la *postérité* de l'artiste. Idée fort curieuse pourtant, si l'on y regarde. Par quel improbable miracle les gens iraient-ils, dans deux ou trois siècles, lire les poètes que personne ne lit aujourd'hui ? Et les trois mille peintres de notre temps, quel destin pourrait les sauver ? Pourquoi parier systématiquement sur la victoire inéluctable du *bon* goût (le sien, bien sûr !), alors que tout semble indiquer au contraire, en ce domaine comme en d'autres, l'incertitude cruelle du sort et l'indifférence de l'histoire ? Je sais bien qu'il y a des précédents historiques : voyez, on lit toujours Stendhal, et plus que de son temps, on n'a pas oublié Virgile ou Rimbaud... Ne chicanons pas sur Virgile (qui le *lit* vraiment aujourd'hui ?), ni sur ce qu'il en sera de Stendhal ou Rimbaud dans deux mille ans. Ce qu'il faut comprendre va plus loin. C'est que, concernant la postérité, tout exemple est forcément sans valeur, puisque la postérité s'auto-définit comme *juge*, alors qu'elle est ici *partie* : elle ne peut donc que s'auto-confirmer, et chaque moment de son histoire a raison, singulièrement, contre tous les autres... Il faudrait, pour juger vraiment de sa valeur et de sa fiabilité, un autre critère qu'elle-même, critère qui justement, en art, fait défaut. L'histoire de l'art est récurrente elle aussi, mais sans objectivité, et normative, mais sans vérité. Ainsi la postérité a toujours raison mais cela ne signifie rien, sinon qu'elle est la postérité, en effet, et incapable à ce titre de se donner tort à soi-même. Les lunettes que nous chaussons nous montrent le monde, mais point les lunettes ; et nul regard ici qui soit naturel. Labyrinthe du goût et des modes, des abandons et de la gloire... Chaque siècle est aux précédents comme un regard solitaire : comment savoir s'il est daltonien ou s'il voit clair ? La question même n'a pas de sens. Ce qu'on pensera de Malévitch, dans trois cents ans, qui peut le dire ? Et de Soutine ? Et de Brayer ou Tal Coat ?... Peut-être qu'on ne pensera plus rien, d'ailleurs, de personne... Mais nous ne pouvons pas renoncer à cette dimension du temps, ni à cette *foi* dans l'avenir que l'idée de postérité suppose. L'avenir est comme un ciel immense qui nous attire ; comment admettre qu'il est vide ? D'autant que les deux illusions que je viens d'évoquer convergent en ce point, et s'y condensent. S'il est vrai que la beauté est une donnée objective (première illusion) et éternelle (seconde illusion), l'œuvre d'art a toujours tout le temps devant elle. Si elle est belle (ou intéressante, ou profonde..., peu importe le critère) *en vérité*, c'est-à-dire *du point de vue de Dieu*, comment douter de son triomphe ultime ? Même si Dieu n'existe pas, les hommes finiront bien par se ranger à son point de vue, absent, peut-être, mais vrai. Puisqu'elle est éternelle, la vérité a toujours l'avenir dans son camp. La postérité est ainsi aux artistes ce que l'utopie est aux militants : le culte du vrai (platonisme) hypostasié en religion de l'avenir. Si cette œuvre est *vraiment* belle, elle s'imposera nécessairement, demain... L'éternité de l'œuvre vaut *a parte post* (postérité) aussi bien qu'*a parte ante* (finalisme). Son origine atemporelle est gage de son immortalité : ce qui n'a pas commencé ne finira point... L'esthétique de l'inspiration débouche ainsi sur un messianisme de la postérité. Et il le faut ! Les artistes inspirés sont si nombreux, singulièrement de nos jours, qu'il faut bien une tierce instance entre l'œuvre et le public : pour faire le tri. Le temps est cette instance, qui se venge sur l'artiste de sa prétention à l'éternité. *Demain* tu seras grand, *demain* tu seras éternel, mais *demain* seulement. Patience, patience...

Pourtant, si cette esthétique de l'inspiration est dominante, elle n'est pas unique. Il en est une autre, qui à vrai dire ne la remplace pas, ni ne l'annule, mais s'y oppose de l'intérieur et fait, vis-à-vis d'elle, comme un contrepoint ou comme un contre-feu. Une esthétique sans beauté éternelle ni absolue, sans finalisme, sans monde intelligible, sans inspiration, sans romantisme et, pour finir, sans postérité. Le lecteur m'a deviné : une esthétique du désespoir.

II

(Je m'arrête ici, un instant. A placer partout ma petite opposition – religion, désespoir ; idéalisme, matéria- lisme... –, comme une idée fixe, une obsession, un *a priori* d'école ou je ne sais quel tic de ma pensée, à scander ainsi sur un simple rythme à deux temps, comme la plus humble des chansons, la grande musique des âmes et des peuples, à vouloir séparer ce qui partout se mêle, opposer ce qui toujours se rejoint, je crains de pécher par esprit de sys- tème, et de schématiser à tel point que je n'aie plus, au bout du compte, du grand fleuve de la culture, qu'un filet d'eau qui se dédouble en vain et disparaît dessous les sables... Et sans doute ne fais-je ici ni une histoire du beau ni une phénoménologie de l'esprit. L'œuvre géniale de Hegel, aussi bien esthétique que phénoménologique, n'aura pas plus d'imitateur qu'elle n'a eu de précédent, et ce n'est pas non plus ce que je cherche. *Ils sont trop verts, dit-il...* Sans doute. Mais ce que je cherche est en moi. Et si je connais la grandeur inépuisable de l'art, l'infini de la culture et du monde, je sais aussi la finitude d'un cœur d'homme et, quelle que soit sa grandeur, la petitesse de notre âme. Il ne faut pas se raconter d'histoires. L'Esprit, au sens où l'entend Hegel, n'est pas en nous ; c'est nous qui sommes en lui. Œuvre géniale, donc, mais démesurée : trop petite pour son objet, qui est infini, et trop grande pour son lecteur. Ce que je cherche est en moi : tout simple, tout petit. Ou compliqué, je veux bien, mais plus par accumu- lation ou répétition d'éléments simples en eux-mêmes, et pauvres, que par la foisonnante richesse qu'on se flatte parfois d'y voir. *Moi... Je...* Ne nous racontons pas d'his- toires. Presque rien.

Presque rien. Le désir.

Je ne sors pas de mon objet. Je le tourne. Je le retourne. Et si j'ai l'air de me répéter, si je me répète en effet, et ce petit système qui semble parfois en naître, c'est que cette opposition en moi du désir à soi-même – le haut, le bas ; la religion, le désespoir ; l'idéalisme, le matérialisme... –, ce rythme binaire, ce martèlement naïf des idées, c'est aussi le rythme même, pour ce que j'en ai reconnu – tout simple, tout bête – de la vie et du désir. Il est naïf aussi de vivre... Le relief le plus compliqué du plus beau paysage, ce n'est jamais qu'un *haut* et qu'un *bas* qui s'y opposent ; et s'il y a trois dimensions, c'est par la juxtaposition horizontale de tous ces points, et non par la multiplication verticale des directions : rien (à notre échelle) qu'on ne puisse inscrire sur une carte plane, dès lors qu'on se donne la convention des lignes géodésiques. Je sais bien pourtant que ce *haut* et ce *bas* sont des façons de parler, qui n'ont de sens que du point de vue d'un *géocentrisme* illusoire : dans un espace infini, toutes les directions se valent (ce que j'appelle l'horizontalité de l'être), et il n'y a ni haut ni bas nulle part. Bien plus, l'opposition d'un haut et d'un bas absolus supposerait, outre qu'elle fût au centre de l'univers, que notre planète fût plate, afin que toutes les verticales fussent verticales au même titre, c'est-à-dire parallèles. Au lieu de quoi le paradoxe des antipodes veut que, du nord au sud, de l'est à l'ouest, toutes les verticales s'opposent et s'annulent, ou bien se croisent et divergent. Bien plus qu'un *géo*centrisme, l'opposition d'un haut et d'un bas absolus suppose donc avant tout un *égo*-centrisme : le haut, c'est ce qui est au-dessus de moi ; le bas, ce qui est au-dessous [1]. Et mon corps est l'axe à quoi toute verticale se doit d'être parallèle. Illusion, donc, de bout en bout ou, si j'ose dire, de haut en bas... Mais justement : cette illusion (qui est,

---

1. C'est très net chez Epicure, pour qui le *haut* et le *bas* n'existent pas en tant que points absolus (ultimes), mais bien en tant que *directions*, définies relativement à l'individu qui en juge : cf. *Lettre à Hérodote*, 60, et le commentaire de M. Conche (*Epicure...*, note 1 du § 60, p. 154-155).

pour l'homme, la vérité de la station debout[1]) est aussi la
vérité de l'art, comme elle était celle de la politique, comme
elle sera, nous le verrons, la vérité de la morale. Parce que
la politique, l'art, la morale sont *géocentriques*, cela va de
soi (ils n'existent que dans l'histoire, et dans une histoire
humaine, donc terrestre : ce pourquoi les dieux d'Epicure,
pas plus que le Dieu de Spinoza, ne sauraient y prendre
part), mais aussi *égo*-centriques : il n'y a d'art, de politique,
de morale, que pour et par un *sujet*[2]. Le *haut* et le *bas* dont
je parle et que systématiquement j'oppose ne sont donc pas
les directions objectives d'un espace réel (qui sont en effet
inépuisables et infinies, et dont Spinoza, mieux que Hegel
selon moi, trace l'inassignable horizon), mais les pôles illusoires d'un axe subjectif qui est, qui ne peut être que celui
du désir, dont il faut bien avouer enfin, sous la multiplicité
indéfinie de ses occurrences et de ses simulacres, la formidable simplicité. *Quand je pense à Fernande*, chante
Brassens, *quand je pense à Lulu...* Non que tout désir soit
forcément sexuel dans son principe (ce qu'on peut bien
admettre avec Freud, mais point facilement démontrer),
mais parce que tout désir, me semble-t-il, partage avec les
choses du sexe une certaine polarisation binaire où s'opposent tout simplement – comme le dit Freud, là encore, mais
comme le disaient déjà Epicure et Lucrèce, Spinoza et
Diderot... – ces deux petites « choses » (dont le désir après
tout ne fait que constater la différence en même temps qu'il
l'engendre) : le plaisir et le déplaisir (comme dit Freud), le
plaisir et la douleur (comme disent Epicure et Lucrèce), la
joie et la tristesse (comme dit Spinoza), ou le bonheur et
le malheur (comme dit Diderot).

1. Cf. Epicure, *ibid.*, et la note de M. Conche, p. 154 : « Le haut et le bas se
définissent par rapport à nous : à l'homme debout. L'univers et l'espace étant infinis,
l'axe du corps peut se prolonger à l'infini au-dessus de la tête et au-dessous... »
2. Althusser l'a montré, après d'autres, et que Spinoza et Marx, là-dessus, s'accordent et se complètent. Cf. par ex. *Idéologie et appareils idéologiques d'Etat*, in *Positions*, notamment p. 110-122. Au contraire, « tout discours scientifique est par définition un discours sans sujet » (Althusser, *ibid.*, p. 111). Dans la terminologie de
Spinoza, nous dirions : il n'est d'art (ou de politique, ou de morale) qu'humain ; il
n'est de vérité que divine. Les sciences ne sont humaines que par leurs limites :
omnis determinatio est negatio...

Oppositions simplistes, je veux bien ; mais c'est ainsi : j'aime cette *simplicité*-là, et il me plaît de la retrouver chez mes maîtres. J'y reconnais la simplicité de la vie et des chansons, c'est-à-dire, pour ce que je cherche ici, la simplicité de la vérité. Ce que je cherche est en moi – et quoi d'autre en moi que la vie, quoi d'autre, et de meilleur, que des chansons ? Naïveté m'est vertu. Car la vérité est infinie toujours, et pour cela, je le sais, le plus souvent obscure. Mais cela ne signifie pas qu'elle soit toujours compliquée : ce que l'obscurité cache, rien n'en prouve la complexité ; et il y a des infinis infiniment simples... Le principe de plaisir est ainsi, selon Freud, « un des domaines les plus importants mais, malheureusement aussi, les plus obscurs de la psychanalyse » [1]. Et pourtant, quelle simplicité ! « La théorie psychanalytique admet sans réserves que l'évolution des processus psychiques est régie par le principe de plaisir. Autrement dit, nous croyons, en tant que psychanalystes, qu'elle est déclenchée chaque fois par une tension désagréable ou pénible et qu'elle s'effectue de façon à aboutir à une diminution de cette tension, c'est-à-dire à la substitution d'un état agréable à un état pénible... » [2] Et aussi bien pourrais-je citer Epicure ou Spinoza, Lucrèce ou Diderot... Mais tout cela, je l'ai montré déjà, du mieux que j'ai pu, dans le premier chapitre de ce livre. Ce que je veux dire ici, et qui justifie cette parenthèse, c'est que si je me répète, si je retrouve toujours la même et sempiternelle dichotomie, et retombe pour ainsi dire sur mes pieds – sur le matérialisme, sur le désespoir –, c'est moins par esprit de système ou goût forcené de la cohérence que parce que converge en ce point tout ce que je peux penser et vivre, c'est-à-dire les mille traces, pourtant différentes, de mes actions et de mes rêves. Je ne suis, à tous les sens du terme, que le *foyer* de mon désir. *Mon âme est un paysage choisi...* Mais ce paysage n'est rien d'autre, avec ses bosses et ses failles, ses fureurs et ses atermoiements, que le relief en

1. Freud, *Essais de psychanalyse*, p. 7.
2. *Ibid.*

moi du plaisir et de la peine ou, pour filer la métaphore, que les lignes géodésiques du désir. Ce désir une fois posé, constaté, vécu, que puis-je faire d'autre qu'opposer toujours, à l'irréalité désirable qu'il vise (le beau, le bien, le juste...), la réalité désirante qu'il est ? Mon idée fixe, s'il faut que j'en aie une, la voici : *la matérialité du désir*. Car si le désir est matériel, s'il n'est désir que du corps (ou de l'âme, mais dans la matérialité du corps), tout idéal n'est jamais que symptôme ou sublimation. Soit : un effet du corps (« *ce que peut le corps...* ») qui soit un effet de sens. Signe du corps, si l'on veut, et pris dans sa langue ; mais signe qui n'est jamais arbitraire, et dont le *symbolisme* est l'essence, doublement. Symbole : « Un signe qui, écrit Hegel[1], tel qu'il est extérieurement, comprend déjà le contenu de la représentation qu'il veut évoquer. » Ainsi l'idéal et le corps se *comprennent* l'un l'autre : le corps fait sens, et le sens tient au corps. L'idéalisme consiste à oublier ce lien, et à faire de l'herméneute l'interprète, non plus du corps et de ses désirs, mais des dieux et de leurs volontés, ou des idées et de leur vérité. L'idéalisme consiste à *autonomiser* le sens ; le matérialisme consiste à penser jusqu'au bout son hétéronomie. Car rien ne nous appelle ; rien ne nous attire ; c'est le désir qui nous pousse. Rien devant ; tout est derrière. Rien en haut ; tout est en bas. Ce que j'appelle le désespoir, qui est la vérité même. Vérité indifférente, on le comprend, et *insensée* : le sens n'est pas vrai ; la vérité n'a pas de sens. Objectivement, tout se vaut (et ne *vaut* rien), tout est indifférent, tout est horizontal. Mais le désir n'en a que faire. Puisqu'il désire, l'horizontalité de l'être (qui n'est rien d'autre que son absence d'*orientation* objective : pas de soleil, pas d'Orient...) bascule, et l'espace isotrope du réel s'oriente selon l'axe polarisé du plaisir et du déplaisir. Le soleil est en nous ; mais c'est bien un soleil. Il n'est d'Orient que du désir – et du désir seul, promesse de zénith. Mais c'est bien un Orient ; mais c'est bien un zénith. Le désir crée le ciel où il voyage. Dès lors il y a un

---

1. Hegel, *Esthétique*, trad. Jankélévitch, t. II, p. 13.

haut, qui est le désiré ; dès lors il y a un bas, qui est le non-désiré, c'est-à-dire aussi bien (ambiguïté sur laquelle nous aurons à revenir) l'objet qui n'est pas désiré que le désir lui-même, dans sa réalité matérielle, en tant qu'il désire toujours autre chose que lui-même – ce qui est le drame de Narcisse (il lui faut un miroir), et notre vérité à tous. D'où cette opposition partout qui se répète, ces dicho-tomies successives qui n'en font qu'une. Le désir, c'est l'univers qui bascule. Comment pourrais-je ne pas en retrouver partout la pente et la faille ?

La pente : le désir lui-même. La faille : entre les deux façons de le penser. Nous n'en sortirons pas. Ou bien, pre-mière hypothèse, vous pensez que le désir dans son être est l'effet de son objet, gouverné par ce qu'il vise et qui l'attire – j'aime cette femme parce qu'elle est aimable, j'aime ce tableau parce qu'il est beau, j'aime Dieu parce qu'il est bon... –, et donc soumis à la loi de son essence négative, qui est de *n'être pas*, de *n'avoir pas* (« ce qu'on n'a pas, ce qu'on n'est pas, ce dont on manque, voilà les objets du désir et de l'amour... », écrit Platon[1]), ou de n'être qu'un moindre être et de n'avoir en soi que le vide de l'absence de son objet ; bref, ou bien vous pensez le désir en tant que *manque* : et c'est la religion, c'est-à-dire à la fois l'idéalisme et le finalisme. Si le désir est le manque de son objet, il n'existe que *par* et *pour* celui-ci, qui est à la fois sa cause et sa fin ; tout désir renvoie alors à autre chose qui l'expli-que et le justifie, et finalement à l'Autre Chose ultime, objet suprême du désir, cause des causes et fin des fins : Dieu. Car lui seul est aimable en vérité, lui seul désirable abso-lument. Tout vient d'en haut, tout descend ; et le bas ne tend vers le haut qu'à proportion de son propre manque, parce que le haut l'attire et l'appelle, ou bien parce qu'il en vient et s'en souvient, s'en éloigne et le regrette... Proces-sion, conversion... Le fond de la religion, c'est le désir comme manque, c'est-à-dire (selon l'orientation temporelle que l'on se donne) comme espoir ou comme nostalgie. *Ce*

---

1. Platon, *Le Banquet*, 200.

qu'on n'a pas, ce qui n'est pas... Ce qu'on n'a plus, ce qui n'est plus... Ce qu'on aura, ce qui sera... Et souvent l'espoir et la nostalgie se conjuguent et se marient, comme la rose et le réséda sur la tombe des martyrs : ce qui sera, c'est ce qui fut ; ce qui viendra, c'est un retour. La Bonne Nouvelle, c'est le *come back* des premiers temps ; et l'eschatologie, le *remake* de la Genèse. *Je ne suis pas venu abolir la Loi ou les Prophètes : je ne suis pas venu abolir, mais accomplir...* Il y aura un soir, il y aura un matin... Alpha et Oméga : puisqu'il est éternel, le Royaume est toujours aux deux extrémités du temps. A la fin sera le Verbe qui était au commencement.

Ou bien, deuxième hypothèse, vous pensez que le désir n'est gouverné que par lui-même (par son essence positive), qu'il n'est pas un moindre être mais une puissance, qu'il n'est pas un manque mais une force – et qu'en conséquence la *désirabilité* d'un objet est l'effet, non la cause, du désir qui le vise : cette femme est aimable, puisque je l'aime ; ce tableau est beau, puisqu'il me plaît ; Dieu est bon... si je le veux. Rien ne nous appelle ; rien ne nous attire : c'est le désir en nous qui s'efforce ; c'est le désir en nous qui nous pousse. *Innata potestas*, écrit Lucrèce ; *potentia, conatus*, écrit Spinoza... Ce n'est pas parce qu'un objet a de la valeur que je le désire ; c'est parce que je le désire (ou parce que *nous* le désirons) qu'il a de la valeur. « Il est donc établi par tout cela que nous ne nous efforçons à rien, ne voulons, n'appétons ni ne désirons aucune chose, parce que nous la jugeons bonne ; mais, au contraire, nous jugeons qu'une chose est bonne parce que nous nous efforçons vers elle, la voulons, appétons et désirons... »[1] Le fond du matérialisme, c'est le désir comme force et comme affirmation, le désir comme puissance, le désir comme *présence*. Ici. Maintenant. L'amour physique nous enseigne cette joie pleine, dans l'instant, de deux corps qui se donnent, ou d'un seul qui exulte. Manquer ? Demain, peut-être, ou hier, ou tout à l'heure... Mais dans l'instant présent, il n'y a que

---

1. Spinoza, *Ethique*, III, scolie de la prop. 9.

cette joie en moi, cette force tendue et puissante : mon désir, l'allégresse triomphante de mon désir. Demain peut-être l'angoisse ou la nostalgie, demain peut-être l'amertume, demain, ou tout à l'heure, la tristesse à nouveau de la chair ou de l'âme... Mais que m'importe demain ? Que me font hier ou tout à l'heure ? Maintenant il n'y a que la joie. Maintenant il n'y a que la force. Maintenant il n'y a que le désir – le désir au maximum de sa puissance, et qui ne *manque* de rien. Adieu l'angoisse ! Maintenant il n'y a que l'être et le présent. Adieu l'espoir ! adieu la nostalgie ! Désespoir et plénitude : maintenant il n'y a que maintenant !

Ce primat du désir sur son objet, de la puissance sur l'absence, de l'être sur le manque (ce que j'appelle la matérialité du désir), c'est le matérialisme tout entier : sa lucidité (il n'y a que le corps, il n'y a que le désir), et sa dignité (ton désir est en toi, ta force est en toi ; en toi la joie et la peine ; tu es tout seul : pas d'excuses, donc, pas de pardon ; et nulle aide nulle part, nul secours...). Tout vient d'en bas (désespoir), et tout ne peut par conséquent que monter (ascension), d'un mouvement il est vrai paradoxal et illusoire (puisque le haut n'existe qu'en fonction de l'ascension même qu'il rend – et qui *le* rend – possible), mais réel pourtant à sa façon, puisque ce paradoxe et cette illusion (par quoi le *sublime* vient au monde) sont notre vie même, rêvée sans doute – mais d'un rêve *réel*, comme ils sont tous.

... Et s'il s'agit d'un rêve, comment pourrais-je ne pas me répéter, s'il est vrai, comme le veut Freud à nouveau et comme l'expérience le confirme, que non seulement les rêves souvent se répètent, mais encore qu'une même histoire, à travers les plus différents d'entre eux, obscurément, opiniâtrement, obstinément, se conte ? Une même histoire, simple, obstinée, obscure... Toute simple. Toute bête... Presque rien. Le désir...)

III

Reprenons. Une *esthétique du désespoir*, disais-je : une esthétique sans beauté éternelle ni absolue, sans finalisme, sans monde intelligible, sans inspiration, sans romantisme et, pour finir, sans postérité. Précisons rapidement chacun de ces points.

Une esthétique sans beauté éternelle ni absolue. C'est bien sûr l'essentiel : tout le reste en découle. Il ne s'agit pas cependant de nier *l'existence* du beau, ce qui serait nier non seulement l'art mais l'un des plus manifestes *plaisirs* du corps. Folie, donc, folie et tristesse. Epicure ne s'y est pas trompé. Si « toutes les sensations sont vraies et existantes »[1], il faut en dire autant des affections de plaisir et de déplaisir. Nier le beau serait nier le plaisir que j'y prends – contre quoi mon corps se suffit de son évidence. « Ce qui produit le plaisir ne peut jamais ne pas être agréable, ni ce qui produit la douleur ne pas être pénible. »[2] Le beau existe donc aussi *évidemment* que le plaisir sexuel ou gustatif, le laid aussi *évidemment* que la douleur. Il y a une vérité du beau, qui est la vérité du plaisir qu'il procure. Mais cette vérité n'est jamais absolue : rien d'absolu n'existe que les atomes et le vide, lesquels, étant imperceptibles, ne sauraient être ni beaux ni laids... Il n'y a de beauté que dans la rencontre de deux corps composés, dont l'un au moins est doué de sensibilité. Toute beauté est donc doublement relative, qui n'est belle que dans cette relation. Ainsi le beau n'est pas vrai (il n'existe pas en soi, indépendamment du corps et de ses affections), mais il y a une vérité du beau, qui est cette affection même. Sensualisme et hédonisme : le plaisir est la limite et le fondement (le fondement, donc la limite) de l'existence du beau, comme il l'est de toute valeur. Il n'y a pas de monde intelligible, il n'y a pas de Beau en soi. « Il faut estimer le beau, les vertus

---

1. Epicure, d'après Sextus Empiricus, Solovine, p. 144.
2. Epicure, d'après Sextus Empiricus, Solovine, p. 146.

et autres choses semblables s'ils nous procurent du plaisir, autrement non. »[1] Nul bien qui ne soit jouissance : « Pour ma part, je ne sais ce qu'est le bien, si l'on écarte les plaisirs de la table, ceux de l'amour, et tout ce qui charme les oreilles et les yeux... »[2] Si « le plaisir est le but de la vie »[3], il est aussi celui de l'art. La formulation épicurienne du principe de plaisir est absolue : c'est le plaisir qui est « *le principe de tout choix et de tout refus* »[4]. Or, il n'est d'art que par ses choix, et d'artiste, que par ses refus. Matérialisme : Il n'est d'art que de jouir.

Spinoza ne dit pas autre chose. Nulle beauté absolue : rien n'est beau pour Dieu, rien n'est laid. « La beauté, Monsieur, n'est pas tant une qualité de l'objet considéré qu'un effet se produisant en celui qui le considère. Si nos yeux étaient plus forts ou plus faibles, si la complexion de notre corps était autre, les choses qui nous semblent belles nous paraîtraient laides et celles qui nous semblent laides deviendraient belles. La plus belle main vue au microscope paraîtra horrible. Certains objets qui vus de loin sont beaux, sont laids quand on les voit de près, de sorte que les choses considérées en elles-mêmes ou dans leur rapport à Dieu ne sont ni belles ni laides... »[5] Il en va du beau et du laid comme du bon et du mauvais : « Ils n'indiquent rien de positif dans les choses, considérées du moins en elles-mêmes, et ne sont autre chose que des modes de penser ou des notions que nous formons parce que nous comparons les choses entre elles. Une seule et même chose peut être dans le même temps bonne et mauvaise et aussi indifférente. Par exemple la musique est bonne pour le mélancolique, mauvaise pour l'affligé ; pour le sourd, elle n'est ni bonne ni mauvaise... »[6] Relativisme « Chacun juge ainsi ou estime selon son affection. »[7] Mais cela ne signifie

---

1. Epicure, d'après Athénée, Solovine, p. 154.
2. Epicure, d'après Diogène Laerce, Solovine, p. 39.
3. Epicure, d'après Diogène Laerce, Solovine, p. 163.
4. Epicure, *Lettre à Ménécée*, 129.
5. Spinoza, *Lettre 54 à Hugo Boxel* (*Œuvres*, IV, p. 291).
6. Spinoza, *Ethique*, IV, Préface, (*Œuvres*, III, p. 219).
7. Spinoza, *Ethique*, III, scolie de la prop. 39.

pas qu'il n'y ait pas de belles musiques (relativement à nous) : nous ne sommes pas sourds, et tous les sons ne produisent pas en nous les mêmes affections. Le beau est donc relatif mais réel. Il n'est pas vrai, mais on peut le connaître en vérité. Et surtout : on peut en jouir[1], c'est-à-dire (puisque « l'amour est une joie qu'accompagne l'idée d'une cause extérieure »[2]) l'*aimer*. L'amour de l'art n'est rien d'autre que la *joie* qu'il nous procure. Est belle cette œuvre qui favorise en moi la contemplation joyeuse – ce que Poussin appelait si joliment la « *délectation* », en quoi il voyait à juste titre le but de la peinture et de tout art. Il n'est d'art que de jouir. Il n'est joie que d'aimer.

Parce qu'elle n'est pas absolue, la beauté n'est pas non plus éternelle. Elle dépend des corps, et les corps ont une histoire. Suivons à nouveau Epicure. Il n'est d'éternel que les atomes et le vide, au lieu que la beauté suppose la rencontre d'au moins deux corps composés. Toute beauté est donc doublement temporaire : par la mutabilité de l'objet senti, par la fugacité du sujet sentant. Cette temporalité de la sensation (elle suppose la co-présence de deux corps) est accentuée par l'historicité de l'affection : ce qui est agréable en un temps ou pour un peuple ne l'est pas forcément en un autre temps ou pour un autre peuple. On peut étendre aux arts ce qu'Epicure dit du langage (qu'il varie dans le temps et dans l'espace[3]), et c'est ce que fera Lucrèce. L'histoire des arts est aussi l'histoire des variations de nos plaisirs. Ainsi passe-t-on du « ramage limpide des oiseaux » à « l'art des chants harmonieux », et des « sifflements du zéphir » aux « douces plaintes » de la flûte et des pipeaux...[4] Toute valeur est historique : « La révolution des temps change le sort de toutes choses. Ce que l'on jugeait précieux finit par perdre tout honneur ; un autre objet prend sa place et sort de l'ombre et du mépris ; chaque jour il est recherché davantage, sa découverte est toute

---

1. Cf. par ex. *Ethique*, IV, scolie du corollaire 2 de la prop. 45.
2. Spinoza, *Ethique*, III, déf. 6 des affections.
3. Cf. Epicure, *Lettre à Hérodote*, 75-76.
4. Cf. Lucrèce, V, 1380-1457.

fleurie d'éloges, et il jouit parmi les mortels d'une estime étonnante. »[1] Cette variabilité des jugements humains est la seule chose qui ne varie pas, et Spinoza la constatera de même : « La foule est changeante et inconstante »[2], et toute gloire est vaine qui s'appuie sur le sable de ses opinions, de ses jugements ou de ses goûts. Pas de jugement de valeur qui ne renvoie à la multiplicité des corps et des désirs[3] et à l'historicité des cultures. Le bien, le mal, le beau, le laid... Chacun juge « selon sa complexion » et selon son histoire. Tout cela « dépend au plus haut point de l'éducation »[4] ; la soi-disant éternité du beau n'est trace en nous que de l'oubli.

Cette historicité de l'art exclut tout finalisme : l'œuvre ne saurait préexister à sa production. Ou plutôt, le finalisme est l'illusion à travers laquelle nous percevons (de manière nécessairement inversée) l'efficace de notre désir, lequel « est en réalité une cause efficiente »[5]. Autrement dit : l'œuvre est l'effet, non la cause, du désir, et ce désir ne tend que vers sa propre effectuation. Nulle inspiration, donc, ou qui n'est qu'illusion et méconnaissance. L'inspiration, c'est l'opacité du désir dans l'illusion de sa transparence. L'œuvre, « en tant qu'elle est considérée comme une cause finale, n'est rien de plus qu'un appétit singulier, et cet appétit est en réalité une cause efficiente, considérée comme première parce que les hommes ignorent communément les causes de leurs appétits. Ils sont en effet, je l'ai dit souvent, conscients de leurs actions et appétits, mais ignorants des causes par où ils sont déterminés à appéter quelque chose... »[6] L'inspiration n'est que l'envers du désir,

---

1. Lucrèce, 1276-1280.
2. Spinoza, *Ethique*, IV, scolie de la prop. 58.
3. Cf. *Ethique*, I, Appendice, notamment p. 66-67.
4. Spinoza, *Ethique*, III, explication de la déf. 27 des affections. Spinoza écrit cela à propos des jugements moraux, mais tout indique qu'on peut l'étendre aux jugements esthétiques.
5. Spinoza, *Ethique*, IV, préface.
6. *Ibid.* L'exemple pris par Spinoza est celui d'une maison dont *l'habitation* serait la « cause finale ». Mais cela vaut aussi pour les œuvres d'art dont la « cause finale » est un plaisir purement esthétique. Dans les deux cas, la *finalité* (l'habitation, le

sa face cachée. Il n'y a pas d'inspiration, à proprement parler ; simplement notre désir nous est à nous-mêmes mystérieux, et son pouvoir excède la conscience que nous en avons. C'est notre nuit qui nous éclaire. « On ne sait pas ce que peut le corps... » [1]

Point donc de monde intelligible. Tout vient du corps – ou de l'âme, mais en tant qu'elle exprime la puissance du corps. Et cette puissance étonne jusqu'au poète qui se croit inspiré ; mais il s'étonne alors lui-même : « Car le corps peut, par les seules lois de sa nature, beaucoup de choses qui causent à son âme de l'étonnement... » [2] Et quoi de plus *étonnant* que l'art ? Mais étonnement n'est pas raison. « Dira-t-on qu'il est impossible de tirer des seules lois de la nature, considérée seulement en tant que corporelle, les causes des édifices, des peintures et des choses de cette sorte qui se font par le seul art de l'homme, et que le corps humain, s'il n'était déterminé et conduit par l'âme, n'aurait pas le pouvoir d'édifier un temple ? » [3] Cette objection elle-même n'est effet que de l'ignorance : « J'ai déjà montré, continue Spinoza, qu'on ne sait pas ce que peut le corps ou ce qui se peut tirer de la seule considération de sa nature propre et que, très souvent, l'expérience oblige à le reconnaître, les seules lois de la nature peuvent faire ce qu'on n'eût jamais cru possible sans la direction de l'âme ; telles sont les actions des somnambules pendant le sommeil, qui les étonnent eux-mêmes quand ils sont éveillés... » [4] Nous sommes ici à l'opposé de Plotin. Ce n'est plus le monde intelligible que l'âme contemple, mais le corps, ce corps mystérieux et qui l'étonne... Non plus le soleil des idées mais la nuit en lui du désir. Pas de monde intelligible, pas d'inspiration. L'œuvre n'est pas le but du désir, mais son effet. Elle lui est donc toujours postérieure. C'est le désir

plaisir...) n'est que l'envers (illusoire) de l'*efficience* du désir. C'est toujours le *conatus* qui est premier.
1. Spinoza, *Ethique*, III, scolie de la prop. 2.
2. Spinoza, *ibid*.
3. *Ibid*.
4. *Ibid*.

qui produit l'œuvre, non l'œuvre qui « inspire » le désir. L'œuvre n'est pas l'objet du désir, mais son rêve. C'est le musicien qui fait la musique, non la musique qui fait le musicien... La création artistique n'est donc pas une *révélation* ; c'est une *production*. Créer est un *travail*, autrement dit une pratique qui transforme un donné en fonction d'un désir. Oui : le contraire de l'inspiration, c'est bien le travail. Rien dans les mains, rien dans les poches : le corps fait ce qu'il peut. Mais l'exemple choisi par Spinoza (le somnambule) nous invite à une conception fort large de ce « travail », qui ne le réduise pas à l'activité consciente et délibérée. Le travail, au sens où je le prends ici, ce n'est pas seulement la technique. Il y a travail dès lors qu'il y a transformation d'un donné (d'une « matière première ») sous l'efficace, fût-elle contradictoire, d'un désir. C'est en ce sens – nous y reviendrons – que Freud parlera de *travail du rêve*, pour désigner la production du rêve manifeste à partir des idées oniriques latentes. Et la création artistique est bien, le plus souvent, un *travail* de ce type : obscur à soi-même, opaque, surprenant dans ses effets, mystérieux dans ses origines... Le corps fait ce qu'il peut, mais ce qu'il peut, on l'ignore. Il a, lui aussi, ses portes d'ivoire ou de corne... C'est pourquoi l'artiste est un somnambule souvent, et qui se croit inspiré comme on a voulu pendant longtemps lire dans les rêves le message mystérieux et secret des dieux... *On ne sait pas ce que peut le corps*... Nul artiste, aussi lucide soit-il, qui ne soit un peu l'oracle de son propre désir.

Mais c'est un oracle sans religion. Point de dieu qui l'inspire, point de message d'au-delà. Sa bouche d'ombre est en lui, en lui son cri et sa souffrance, en lui son chant et son plaisir. Ce qui fait vibrer son âme ne vient pas du ciel mais des profondeurs de son être, de cette vie en lui qui l'excède et l'étonne, qui le soutient et le dépasse. Il est volcan plutôt que foudre. Il écoute gronder en lui « les puissances magiques et subversives du désir »[1]. Il est

---

1. René Char, *Fureur et mystère*, NRF, p. 65.

d'océan plutôt que d'air. Sa vérité est au fond de l'abîme.
L'orientation verticale demeure, mais change de sens :
rien d'élevé qui ne soit d'abord profond. Tout vient d'en
bas, tout s'élève. Il est oiseau plutôt qu'archange. Il ne
descend pas du ciel – il y monte. Matérialisme : le supérieur naît de l'inférieur ; le beau s'engendre de bas en haut.
Désespoir et ascension : il n'y a rien « au-dessus de la
vie » ; pas de « rayonnements qui nous arrivent », pas de
« ciel immuable et subtil », pas de « Verbe caché »... L'art
est de terre et d'abîme, d'océan et de grand fond. Le ciel
n'est pas son origine mais son résultat, non son but mais
son rêve, non sa cause mais son œuvre – non sa source,
mais sa création. L'artiste, comme le militant, monte *à
l'assaut du ciel* qu'à l'instant il s'invente. Mais plus heureux que lui, il peut l'atteindre parfois, et créer sans reste
le vol qui le hante. Le poète, dit Char, « construit sa route
dans le ciel »[1]. Icare est chez lui, une nouvelle fois. Le
chef-d'œuvre est ce vol (historique, mais qui serait comme
la métaphore de l'éternité) à quoi sa chute ne change rien.
« La ligne de vol du poème »[2], née de l'abîme (« le poète
tirant le malheur de son propre abîme »[3]), est aussi ce qui
conserve les « infinis visages du vivant... »[4] Et il suffit d'un
oiseau – il suffit d'un poète – pour qu'à jamais le ciel soit
autre chose qu'un rêve – pour que le songe soit un poème !
« D'une parcelle à l'autre du temps partiel, l'oiseau, créateur de son vol, monte aux rampes invisibles et gagne sa
hauteur... A des lieux sans relais il tend de tout son être.
Il est notre émissaire et notre initiateur. "Maître du Songe,
dis-nous le songe !..." »[5] Icare ! Icare ! « Le poème est
ascension furieuse. »[6] Du plus profond de l'homme, du
plus bas de ses désirs et de ses rêves (j'entends : de l'horizontalité de vivre, et qui n'est basse que relativement au

1. René Char, *Fureur et mystère*, p. 76.
2. *Ibid.*, p. 111.
3. *Ibid.*, p. 80.
4. *Ibid.*, p. 107.
5. Saint-John Perse, *Oiseaux*, NRF (*Amers*, suivi de...), p. 226-227.
6. René Char, *op. cit.*, p. 101.

ciel qui en éclôt), l'art est cet oiseau improbable qui s'envole...

IV

Cette esthétique matérialiste ou ascendante, il serait possible d'en reconstituer la trame et le devenir à partir de la pensée même, telle qu'elle nous est parvenue, de bien des créateurs – et les mêmes parfois qui nous ont servi à illustrer l'esthétique que j'ai appelée religieuse ou descendante. Tout n'est pas simple par exemple chez Flaubert. Les artistes n'ont que faire de cohérence systématique, et leur pensée parcourt souvent dans les deux sens les sentiers pentus de la création... Mais ce travail d'histoire des idées nous entraînerait trop loin, et justifierait à lui seul tout un livre, qui serait d'ailleurs d'esthétique plutôt que de philosophie. Il ne serait pas non plus très utile. Concernant ce que je cherche, qui est une façon immanente (non religieuse) de penser l'art, il est plus simple, comme nous l'avons déjà fait avec Epicure et Spinoza, de suivre les raccourcis de la théorie en acceptant sans honte ce que cela suppose d'abstraction et de généralité. Ces raccourcis, au vingtième siècle, passent par Freud, d'évidence, et par l'idée de sublimation.

Idée difficile, comme on sait, et dont l'importance chez Freud n'a d'égale que l'inachèvement de son élaboration théorique, dont aucun grand texte ne donne une formulation systématique mais qu'on trouve, morcelée, dans plusieurs... Peu importe ; l'essentiel est dit, malgré tout, qui tient en peu de mots – et peut-être en deux, ici encore : *désespoir* et *ascension*. Désespoir : parce que le fond de la théorie freudienne de la sublimation, c'est d'abord que le sublime n'existe pas, nulle part, qu'il n'est ni un autre monde – il n'y en a qu'un – ni même une capacité en l'homme, ou faculté, singulière et sacrée. Au contraire, dit Freud, il faut « renoncer à la croyance qu'il existe, inhérente à l'homme même, une tendance à la perfection », et admettre que « l'évolution de l'homme, telle qu'elle s'est effectuée jusqu'à présent, ne requiert pas d'autre explication que celle des animaux »[1]. Ce qu'on appelle le biologisme de Freud, son naturalisme ou son pansexualisme, qui n'est pas autre chose en fait que son matérialisme : tout vient d'en bas, tout vient du corps, tout vient du désir. Cela s'entend synchroniquement, sous le concept de pulsion : tout vient de l'animal en moi que je suis. Mais cela s'entend aussi diachroniquement : « à l'origine, dit Freud, tout était ça »[2]. Autrement dit : l'histoire de l'homme commence au plus bas de l'animalité, et si tout vient du corps, c'est d'abord que tout vient de l'enfance, de son désir immature et pervers, lorsque le corps n'était qu'une machine à jouir, sans objet et sans unité. Le « pervers polymorphe » qu'est l'enfant n'accède en effet à la sexualité adulte dite normale (génitale, hétéro-sexuelle et extra-familiale) qu'à travers une *histoire*, dans laquelle c'est la perversion qui est première : « la disposition à la perversion est bien la disposition générale, originelle, de la pulsion sexuelle »...[3] Prégénitale, autoérotique, homosexuelle et incestueuse... Au commencement était la perversion.

Or on sait que pour Freud on ne sort pas de l'enfance – ou qu'on n'en sort qu'en en payant le prix, qui est d'y retourner, d'une manière ou d'une autre, ou de n'en pas sortir, ou pas vraiment, ou pas tout à fait... Il y a un tel arriéré de désirs insatisfaits, une telle nostalgie de plaisirs perdus... Et nous ne savons pas renoncer : « A vrai dire, nous ne savons renoncer à rien, nous ne savons qu'échanger une chose contre une autre ; ce qui paraît être renoncement n'est en réalité que formation substitutive. »[4] Grandir n'est pas *renoncer* à l'enfance, mais s'y *substituer*. D'où l'importance en tout de la régression : devenir adulte, ce n'est jamais que choisir son moyen de rester enfant. Cela vaut bien sûr pour l'inconscient, qui est intempo-

1. Freud, cité dans *La sublimation, les sentiers de la création*, Ed. Tchou, p. 45.
2. Freud, *Abrégé de psychanalyse*, p. 26.
3. Freud, *Trois essais sur la théorie de la sexualité*, « Idées »-Gallimard, p. 146.
4. Freud, *Essais de psychanalyse appliquée*, « Idées »-Gallimard, p. 71.

rel[1] et par lequel nous restons perpétuellement le petit être désirant et faible que nous fûmes. Mais cela vaut aussi pour la vie en général, en tant qu'elle est gouvernée par l'inconscient ou, pour ainsi dire, par le passif qu'a laissé en nous l'aventure cruelle de grandir. On ne cesse pas d'en payer les intérêts, et chacun de nous subit le poids de l'enfant qu'il fut, qu'il est... et qu'il devient. On a le choix peut-être entre plusieurs voies ; mais toutes nous ramènent, par un biais ou par un autre, au champ clos de notre enfance. Labyrinthe de l'enfance : on n'en part que pour y rester ; on n'en sort que pour y revenir. On peut choisir, sans doute, et les voies sont multiples ; mais aucune qui ne retourne à son origine. Point d'issue nulle part : autant de voies, autant de tours et retours... On n'a jamais le choix que de sa forme d'infantilisme.

Quelles formes, par exemple ? Dans les *Trois essais sur la théorie de la sexualité*, Freud en retient trois, qui ne sont pas exclusives d'autres, nous le verrons, mais qui recouvrent pourtant à elles trois le champ entier de vivre[2]. La première de ces trois régressions ou, si l'on préfère, de ces trois *survivances* de l'enfance (puisque à travers elles, comme dit souvent Freud, *l'enfant survit dans l'homme*) est la *perversion* elle-même. Si l'enfant est un « pervers polymorphe », tout pervers est un enfant... Et du sadisme au masochisme en passant par l'homosexualité, le fétichisme ou l'auto-érotisme, le tableau des différentes perversions renvoie ainsi, selon Freud, à autant de régressions vers tel ou tel stade en principe dépassé de la sexualité infantile. Le pervers est cet adulte qui n'a pas renoncé à ses jouissances d'enfant ; sa sexualité est une sexualité *anachronique*. La seconde survivance infantile est la *névrose* : les tendances perverses de l'enfance sont ici refoulées et ne s'extériorisent plus que sous la forme de symptômes morbides ; de telle sorte que « la névrose se substitue à la per-

---

1. Cf. Freud, *Essais de psychanalyse*, Payot, 1981, p. 70.
2. Cf. *Trois essais sur la théorie de la sexualité*, p. 154-157 et aussi 61-62.

version »[1], dont elle constitue ainsi « le négatif »[2]. Mais *l'infantilisme* est le même : comme les pervers, « les névrosés sont restés à l'état infantile de la sexualité, ou sont retombés en cet état »[3]. Les névrosés sont prisonniers de leur enfance. Reste alors une troisième issue, si l'on peut dire, ou une troisième survivance en nous de l'enfant, qui, sans annuler ces tendances perverses de la sexualité infantile, fait la double économie de la névrose et de la perversion. Il s'agit bien sûr de la *sublimation*. Dans ce cas, les tendances infantiles ne sont plus ni refoulées (névrose) ni satisfaites (perversion) – ou plus seulement –, mais *déplacées* quant à leur but. Au lieu de jouir anachroniquement de son enfance (comme le pervers), au lieu d'en rester prisonnier (comme le névrosé), l'homme qui sublime emporte, si l'on peut dire, son enfance avec lui, investissant ailleurs, en un autre lieu et à un autre niveau, l'énergie inapaisée de ses désirs infantiles. « Au cours de ce développement (de la sexualité infantile à la sexualité adulte), une partie de l'excitation sexuelle fournie par le corps propre est inhibée en tant qu'elle est inutilisable pour la fonction de reproduction et, en mettant les choses au mieux, elle est assignée à la sublimation. Les forces utilisables pour le travail culturel sont ainsi acquises, pour une grande part, par la répression de ces éléments de l'excitation sexuelle qu'on appelle *pervers*. »[4] Cela vaut pour l'art, cela vaut pour la morale, cela vaut pour la science et la philosophie[5]. L'homme qui sublime est un pervers inhibé qui

1. Freud, *Trois essais...*, p. 156.
2. Freud, *ibid.*, et p. 53-54.
3. Freud, *ibid.*, p. 62. Il semble bien qu'on puisse dire la même chose des psychotiques : cf. le rôle des désirs homosexuels et narcissiques dans la paranoïa, ou de la régression auto-érotique dans la schizophrénie... La psychose se distingue de la névrose non pas par la régression (présente, *mutatis mutandis*, dans les deux cas) mais par une plus grande perturbation à la fois du *moi* et du rapport à la réalité (cf. *Névrose, psychose et perversion*, PUF, p. 283-286 et 299-303). Si le névrosé reste, au sein de la vie adulte, prisonnier de son enfance, le psychotique serait alors celui qui va jusqu'à perdre la réalité (et jusqu'à se perdre lui-même) pour ne pas perdre son enfance – ou pour la retrouver.
4. Freud, La morale sexuelle « civilisée », in *La vie sexuelle*, p. 34.
5. Cf. par ex. *Trois essais...*, p. 156-157, et *Malaise dans la civilisation*, p. 47 : « La sublimation des instincts constitue l'un des traits les plus saillants du développement

met les choses au mieux (au lieu de les mettre au pire : la névrose). Le sublime est le *mieux* de la perversion et de l'infantilisme. Ni anachronisme, ni prison : il est le legs de l'enfant à l'homme qu'il est devenu – son legs d'insatisfaction et d'exigence !

Matérialisme : cette aptitude à la sublimation est le propre, non d'une âme immatérielle, mais de la sexualité elle-même. Car ce qui distingue les pulsions sexuelles, dit Freud, « c'est leur possibilité, dans une large mesure, de se remplacer l'une l'autre, de façon vicariante, et d'échanger facilement leurs objets. De ces dernières propriétés il résulte qu'elles sont capables de réalisations éloignées des actions imposées par les buts originaires. (Sublimation). »[1] La sexualité en elle-même n'est donc pas sublime, et ne saurait l'être ; mais elle est capable – et elle seule, semble-t-il – de le *devenir*, lorsque (sublimation) les tendances sexuelles se déplacent vers des buts non sexuels, de telle sorte que le désir trouve pourtant à se satisfaire, quoique à un autre niveau et selon d'autres modalités. Désespoir : on ne sort pas du désir, on ne sort pas de la pulsion. Et le sublime lui-même n'est jamais qu'une occurrence en nous du principe de plaisir. Il n'est sublime que du corps. Il n'est sublime que de jouir.

Mais ce *désespoir* n'est que le premier mot de la sublimation ; *ascension* est le second. Car si le désir sublimé se satisfait *à un autre niveau*, ce niveau Freud le caractérise comme étant *supérieur, plus élevé*, ou d'une *plus grande valeur* que le niveau sexuel dont il est issu. Il n'est sublime que de jouir, mais toute jouissance n'est pas sublime. Les joies de la sublimation sont à la fois individuellement supérieures (« plus délicates et plus élevées »[2]), et socialement valorisées : les tendances sexuelles y sont « détournées de

culturel ; c'est elle qui permet aux activités psychiques élevées, scientifiques, artistiques ou idéologiques, de jouer un rôle si important dans la vie des êtres civilisés. »

1. Freud, *Métapsychologie*, « Idées »-NRF, p. 24-25.
2. Freud, *Malaise dans la civilisation*, p. 25 ; elles sont également plus sûres (« la destinée alors ne peut plus grand chose contre vous ») mais aussi plus rares (cette méthode suppose « des dispositions ou des dons peu répandus, en une mesure efficace tout au moins »).

leur but sexuel et orientées vers *des buts socialement supé-rieurs* et qui n'ont plus rien de sexuel »[1]. Autrement dit, il n'y a sublimation que là où « la valeur sociale entre en ligne de compte »[2], où « les désirs infantiles » manifestent leur énergie en substituant « au penchant irréalisable de l'indi-vidu *un but supérieur* situé parfois complètement en dehors de la sexualité..., un objectif *plus élevé et de plus grande valeur sociale* »[3]. Bref, il n'y a sublimation que là où il y a évaluation et élévation, c'est-à-dire norme et ver-ticalité. La sublimation est ce processus (à la fois psychique et social[4]) par quoi l'on passe de l'*inclination* du désir et de la perversion à la *verticalité* de la valeur et de la norme[5]. Elle est l'hypostase du désir, en son plus haut niveau. Elle est Dieu lui-même (un « père transfiguré », dit Freud, une « sublimation grandiose »[6]), et l'origine de la sainteté aussi bien que de la sagesse et, en général, « des œuvres cultu-relles les plus grandioses »[7] et des « plus nobles acquisi-tions de l'esprit humain »[8]. Surtout, pour ce qui nous occupe ici, elle est à l'origine des œuvres d'art et des jouis-sances qu'elles nous procurent, lesquelles « trônent », comme dit Freud, « *au sommet* » des joies de l'imagina-tion[9]. Ascension : la sublimation est ce par quoi l'on passe de l'abîme du désir au sommet de l'imaginaire. La « psy-

1. Freud, *Introduction*..., p. 13.
2. Freud, *Nouvelles conférences sur la psychanalyse*, p. 128.
3. Freud, *Cinq leçons*, p. 64.
4. Puisqu'il relève à la fois du devenir des pulsions infantiles et de l'évaluation sociale. C'est un problème difficile que de savoir ce qui est premier, des données strictement métapsychologiques ou de ce qui dépend de la société. Cela pose la question du statut exact du *surmoi*, qui est une instance intra-psychique (dans la seconde topique freudienne) tout en renvoyant explicitement au *passé de la société*, au même titre que le *ça* renvoie au *passé de l'espèce* (cf. par ex. l'*Abrégé*..., p. 5-6). L'articulation entre ces deux passés (hérédité et tradition) marque la place vide où se joue le rapport entre la nature et la culture ou, si l'on préfère, entre la biologie, la psychologie et l'histoire.
5. Verticalité culturelle, dont Freud émet l'hypothèse qu'elle serait fondée sur la *verticalisation* anatomique : *Malaise*..., p. 49-51 (note 1 de la p. 49).
6. Freud, *Un souvenir d'enfance de Léonard de Vinci*, « Idées »-Gallimard, p. 124-125.
7. Freud, *La vie sexuelle*, p. 65.
8. Freud, *Cinq leçons*, p. 64.
9. Freud, *Malaise*..., p. 26.

chologie abyssale »[1] débouche sur une esthétique de l'altitude. Primat du désir, primauté du sublime : le sublime est le plus haut rêve en moi du désir.

On dira : mais c'est un rêve. Bien sûr, puisque, du point de vue de la vérité (c'est-à-dire en mettant entre parenthèses « les jugements de valeur portés par les hommes, (qui) leur sont indiscutablement inspirés par leurs désirs de bonheur »[2]), l'être est sans valeur et sans hiérarchie. « En elles-mêmes, ou dans leur rapport à Dieu, comme dit Spinoza, les choses ne sont ni belles ni laides » ; et comparer la valeur de deux objets différents n'a de sens que du point de vue de notre imagination seule qui les compare. Rêve, donc. Mais rêve *réel* (mon rêve n'est pas vrai, mais il est vrai que je rêve), et surtout rêve *joyeux et sûr*, dont l'accomplissement, s'il donne des plaisirs moins intenses que « l'assouvissement des désirs pulsionnels grossiers et primaires »[3], a sur celui-ci la supériorité de nous protéger davantage (et plus longtemps...) des agressions du monde extérieur et des angoisses du monde intérieur. Le sublime – tel les « *hauts lieux fortifiés* » de Lucrèce – est un abri contre le malheur. C'est, face aux difficultés de la vie, une ruse du désir, et une fuite réussie. Si bien que « tout être sensible à l'influence de l'art n'estimera jamais assez haut le prix de cette source de plaisir et de consolation ici-bas »[4]. Le désir nous sauve en s'élevant. Le ciel d'Icare est le meilleur asile qu'offrent – et que produisent – les souffrances et les insatisfactions du labyrinthe... Le meilleur asile, et le meilleur exil. *Fuir ! là-bas fuir !*... Entre la perversion et la névrose, entre la souffrance et l'angoisse, il n'est d'issue que vers le haut. Icare ! Icare ! *Je sens que des oiseaux sont ivres*... Entre la terre et les murs, entre l'abîme et la prison – il n'est d'issue que vers l'azur !

« Mais pourquoi – interroge Freud – pourquoi tant d'hommes rêvent-ils qu'ils volent ? La psychanalyse répond

---

1. C'est-à-dire la psychanalyse ; cf. par ex. Freud, *Nouvelles conférences*..., p. 191.
2. Freud, *Malaise*..., p. 106-107.
3. Freud, *Malaise*..., p. 25.
4. *Ibid.*, p. 26.

à cette question en nous montrant que "voler" ou "être un oiseau" n'est que le déguisement d'un autre désir... Le désir de voler ne signifie rien d'autre, dans nos rêves, que le désir ardent d'être apte aux actes sexuels. C'est là un souhait infantile très précoce... Et alors ils rêvent de cette chose sous la forme du vol, ou bien préparent dès lors ce déguisement de leur désir pour leurs rêves de vol ultérieurs... »[1] Ce n'est pas le sexe qui est sublime ; c'est le rêve que s'en font les enfants. Icare – comme Léonard, comme tout artiste – est un enfant qui rêve de grandir – et le rêve en l'homme de cet enfant. Enfant qui rêve de grandir, adulte qui rêve son enfance, tout le sublime se joue dans ce double rêve et ce double rapport à l'enfance. « Le grand Léonard, continue Freud, resta d'ailleurs toute sa vie par divers côtés un enfant. On prétend que tous les grands hommes doivent nécessairement garder quelque chose d'enfantin. Lui, continua de jouer après avoir grandi... »[2] Pervers sans perversion, névrosé sans symptômes, l'artiste est celui qui a su préserver en lui, intacte et neuve, cette part rêvée de son enfance, au lieu de répéter (comme le pervers) ou de mimer (comme le névrosé) les plaisirs réels (mais disparus, et peut-être plus amers qu'on ne le croit) qu'en un autre temps il y goûta. Le pervers et le névrosé s'enferment dans leur enfance, mais en perdent l'essentiel, qui est le rêve et le jeu. Au lieu que l'artiste ne s'y enferme pas mais la prolonge : il continue son rêve – qui est de vol –, et son jeu – qui est de « faire comme les grandes personnes »[3]. Car « il ne semble pas que l'enfance soit cette délicieuse idylle en laquelle notre souvenir la métamorphose plus tard ; les enfants paraissent plutôt, tout au long de l'enfance, fouettés par le seul désir de devenir grands et de pouvoir faire comme les grandes personnes. Ce désir est l'aiguillon de tous leurs jeux. Quand, au cours de leur investigation sexuelle, les enfants soupçonnent que dans un domaine

---

1. Freud, *Un souvenir d'enfance de Léonard de Vinci*, p. 128-130.
2. Freud, *ibid.*, p. 131.
3. *Ibid.*, p. 129.

pour eux mystérieux et pourtant si capital, l'adulte est capable d'une chose merveilleuse qu'il leur est refusé et de savoir et de faire, en eux s'agite un violent désir d'en pouvoir faire autant... »[1] La sublimation prolonge ce désir, et l'accomplit. Le sublime est ainsi l'une des façons qu'a l'homme (avec la névrose et la perversion) de ne pas vieillir, ou plutôt de vieillir sans grandir, et de satisfaire, autant et du mieux qu'il le peut, les désirs en lui de l'enfant qu'éternellement il demeure. Mais si l'on veut aller jusqu'au bout de ce que semble indiquer l'analyse que fait Freud du « cas » Léonard, il faut dire que la sublimation est une régression, non seulement à tel ou tel désir infantile particulier (oral et œdipien, dans le cas de Léonard), mais encore à ce désir à la fois plus global et plus lointain (mais peut-être aussi plus puissant) de *devenir grand* et d'accéder ainsi à la pleine jouissance de la sexualité adulte. Le pervers et le névrosé, pour redevenir ou rester enfant, renoncent à grandir ; l'artiste au contraire réussit ce tour de force de *rester enfant sans renoncer à grandir*, c'est-à-dire de tout préserver de son enfance, y compris cette aspiration vers l'âge adulte. L'artiste, c'est celui qui ne trahit rien de son enfance, même pas la volonté d'en sortir. Il ne renonce pas à la vie adulte ; il la rêve. Le sublime serait alors l'enfance retrouvée, continuée, recréée, mais dans sa globalité, et en incluant en elle cette dimension projective ou rêvée qui la caractérise, c'est-à-dire sa part d'attente et d'impatience ou, pour dire le mot, d'*espérance*. Espérance déçue, bien sûr, dans la réalité, mais dont l'art crée *l'illusion*[2] qu'elle pourrait – ou aurait pu – ne pas l'être... nimbant ainsi l'œuvre d'art de ce halo déchirant de nostalgie et d'espérance (oui : comme d'un bonheur perdu qui serait à venir) qui fait une partie de sa poésie et de sa force fragiles. *De deux cents ans mon âme rajeunit*... Double jeu sur le temps, donc, aller et retour du désir, vers le passé et

---

1. *Ibid.*, p. 129-130.
2. Puisqu'elle est « dérivée des désirs humains » ; cf. *L'avenir d'une illusion*, p. 44, ainsi que *Malaise dans la civilisation*, p. 26.

vers l'avenir, la sublimation en général et l'œuvre d'art en particulier seraient, non la seule survivance de plaisirs passés mais, ici et maintenant, la nostalgie de l'espérance. L'art recule, mais vers l'avenir, vers cet avenir immense et vierge qu'ont devant eux les enfants. *Qu'il était bleu, le ciel, et grand, l'espoir !...* En ce sens, on peut dire que la sublimation est l'extrême (ou le positif...) de la perversion, et l'artiste, un *pervers sublime* ou un *névrosé réussi*.

Désespoir et ascension : le point ultime de l'homme et le plus haut de sa visée – le sublime – ce serait alors cette région aveugle en lui, en deçà de toute valeur et les fondant toutes, *alpha* et *oméga* de son histoire, originelle et indépassable, merveilleuse et obscène, simple et pure comme le désir, éternelle comme l'inconscient – ici mais d'ailleurs, maintenant mais d'autrefois : à jamais, son enfance. *Petit pan de mur jaune, petit pan de mur jaune...* L'art est ce paradis perdu, écrivais-je, redécouvert par miracle, et qui nous est rendu... Nous comprenons mieux maintenant de quoi il s'agit. Ce paradis, c'est l'enfance elle-même, ses désirs bien sûr, ses angoisses, mais aussi ses rêves, et d'abord ce rêve sacré de grandir. *Sacré* : parce qu'il fait norme. Le grand homme est celui qui ne déchoit pas de ses rêves d'enfant, et l'artiste, celui qui les recrée. Ni pervers, ni névrosé, ni adulte : *il n'a pas renoncé à grandir*. Et qu'est-ce qu'être adulte, sinon renoncer à grandir ? Il est pour chacun un point où l'on s'arrête, le point de la lâcheté et du renoncement. L'artiste (en tant qu'il est artiste) est celui qui ne s'arrête pas. Son voyage n'a pas de cesse. Il est ce miracle d'un enfant préservé dans le corps et le savoir d'un homme fait : petit sans être nain, grand sans être adulte. Son enfance, c'est maintenant. Oui, il y a bien de l'éternité, dans l'art, mais qui n'est pas celle de Platon. Le sublime, c'est l'éternité de l'enfance. Pas de monde intelligible, pas d'inspiration. Il n'est de sublime que rêve en l'homme de l'enfant.

La création artistique est ainsi comparable à trois autres activités, ou trois autres processus de notre vie imaginaire :

le jeu, le rêve, le fantasme[1]. Dans les trois cas se retrouve le même rapport à l'enfance et à l'avenir.

Le jeu. L'artiste, nous l'avons vu à propos de Léonard, « continue de jouer après avoir grandi »[2]. L'œuvre d'art est « une continuation et un substitut du jeu enfantin d'autrefois »[3]. Mais le jeu peut nous apprendre davantage, par une double fonction que nous retrouverons dans l'art : il est à la fois maîtrise de l'absence et création d'une présence. L'aspect créatif est le plus manifeste. L'enfant qui joue, écrit Freud, « se crée un monde à lui, ou plus exactement il transpose les choses du monde où il vit dans un ordre nouveau tout à sa convenance »[4]. C'est par cette création d'un monde que « tout enfant qui joue se comporte en poète »[5] ou, inversement, que « le poète fait comme l'enfant qui joue »[6]. L'un comme l'autre se donnent ludiquement la présence d'un monde imaginaire qu'ils prennent « très au sérieux »[7], sans pourtant le confondre avec la réalité : sans quoi ils auraient bien du mal, le plus souvent, à en jouir[8] ! Présence à soi de l'imaginaire : l'art, comme le jeu, est jouissance d'irréel. Et quoi de plus irréel, pour l'enfant, qu'être grand ? Car c'est là « le désir qui domine cette période de la vie : être grand, pouvoir faire comme les grands »[9] ... Où l'on retrouve le rêve d'Icare : « Le jeu des enfants est orienté par des désirs, à proprement parler par ce désir qui aide à élever l'enfant, celui de devenir grand, adulte. L'enfant joue toujours à "être grand"... »[10] Là encore, l'artiste est cet enfant qui ne grandit pas sans

---

1. Cf. La création littéraire et le rêve éveillé, in *Essais de psychanalyse appliquée*, p. 69-81.
2. Freud, *Un souvenir d'enfance de L. de V.*, p. 131.
3. Freud, *Essais de psychanalyse appliquée*, p. 79.
4. *Ibid.*, p. 70.
5. *Ibid.*, p. 70
6. *Ibid.*
7. *Ibid.*
8. « Car bien des choses qui, si elles étaient réelles, ne sauraient provoquer de plaisir, y parviennent cependant dans le jeu de la fantaisie et bien des émotions, en elles-mêmes pénibles, peuvent devenir une source de jouissance pour l'auditeur ou le spectateur » (Freud, *ibid.*, p. 71).
9. Freud, Au-delà du principe de plaisir, in *Essais de psychanalyse*, p. 55.
10. Freud, *Essais de psychanalyse appliquée*, p. 72.

pourtant y renoncer, et qui se crée le monde imaginaire
– son œuvre – dont il a besoin pour continuer de rêver qu'il
est grand... L'enfant joue à être grand, l'adulte renonce à
jouer[1] parce qu'il croit l'être. L'artiste, lui, s'amuse à devenir ce qu'il est (ou qu'il sera...) en redevenant ce qu'il était.
Il se donne magiquement un futur en voyageant dans le
passé.

Mais le jeu est aussi maîtrise de l'absence. C'est le thème
fameux du *fort-da*[2], à travers lequel un petit garçon d'un
an et demi ne cesse de répéter et de surmonter (ne cesse
de *jouer*) l'absence autrement insupportable de sa mère. Il
s'agit pour lui de redevenir actif, et de maîtriser ainsi,
autant que faire se peut, la situation qu'il subit. « Il était
passif, à la merci de l'événement ; mais voici qu'en le répétant, aussi déplaisant qu'il soit, comme jeu, il assume un
rôle actif. »[3] De sorte que « les impressions les plus douloureuses... peuvent le mener à un haut degré de jouissance »[4]. Ainsi fait l'artiste. Il y a toujours des mères
parties, toujours des absences à surmonter... Le travail
artistique est ici bien proche du travail du deuil : il s'agit
de supporter l'insupportable... « A ce stade du deuil, écrit
Mélanie Klein, la souffrance peut devenir productive. Nous
savons que les expériences douloureuses, quelles qu'elles
soient, stimulent quelquefois les sublimations, ou font
même apparaître des aptitudes tout à fait nouvelles chez
certaines personnes : celles-ci se mettent alors à peindre,
ou à écrire, sous la pression des épreuves et des frustra-
tions... »[5] Et si les vrais paradis, comme dit Proust, sont
ceux qu'on a perdus[6], l'art est le moyen (non pas le seul

---

1. Sauf quand il se livre à l'humour, lequel, comme l'art, est à la fois une attitude
régressive (cf. Freud, *Le mot d'esprit et ses rapports avec l'inconscient*, notamment
p. 397 et 403-404) et l'équivalent adulte du jeu enfantin (cf. *Essais de psychanalyse
appliquée*, p. 71, et *Le mot d'esprit...*, p. 408). L'humour fait du monde, dit Freud,
« un jeu d'enfant ». Il a en cela sa part de sublime (*Le mot d'esprit...*, p. 402)
2. Cf. Freud, Au-delà du principe de plaisir, *Essais de psychanalyse* p. 51-56.
3. Freud, *ibid.*, p. 54.
4. *Ibid.*, p. 54. La comparaison avec l'art est ici explicite.
5. Mélanie Klein, Le deuil et ses rapports avec les états maniaco-dépressifs, in
Essais de psychanalyse, Payot, 1968, p. 359.
6. Cf. aussi M. Klein, *op. cit.*, p. 359 : « Il semble que tout progrès dans le pro-

sans doute, mais celui qui le plus touche au réel, par l'*œuvre* qu'il y introduit) de surmonter cette perte tout en la déniant, c'est-à-dire de renoncer à l'enfance (et à tout ce qui s'y rattache d'amour et de plaisirs, d'angoisse et de détresse) sans y renoncer tout à fait. « Nous ne savons renoncer à rien... » L'artiste préserve ainsi son enfance, non dans ses idées ou dans ses souvenirs, non dans ses symptômes ou dans ses perversions, mais dans sa vie elle-même, en acte et, si j'ose dire, *à l'œuvre* dans le grand jeu de la création. L'art serait alors comme le *déni* de vivre ; et l'œuvre, le *fétiche* de l'enfance perdue, c'est-à-dire le substitut symbolique qui, tout à la fois, affirme et nie sa disparition[1]. Il s'agit de maîtriser ce que l'on perd, d'en *faire son deuil*, si l'on veut, et d'accepter enfin cette absence de soi à soi-même que sont la mort (où nulle enfance ne sera plus possible, ni aucun rêve) et, parce qu'il y mène, le vieillissement. Car grandir est un jeu, mais vieillir, c'est la mort. Il s'agit de *jouer* cela aussi, et de *devenir grand* (selon le double mouvement du *déni*) pour ne pas mourir tout en s'y résignant. Oui, l'art est le déni de vivre et de mourir. Créer, pour l'artiste, c'est le *fort-da* de soi-même. Présent dans sa création, absent dans son œuvre... *Madame Bovary c'est moi*, dit-il – *et pourtant, je n'y suis pas*... Cela vaut pour toute œuvre. Narcisse – « sa majesté le moi »[2] – s'amuse comme il peut à mimer son absence.

Ainsi existe-t-il un poète en tout homme[3], qui est l'enfant qu'il fut. Poète mort, en la plupart, ou inaccessible par l'art, mais que le rêve, comme on sait, permet de réveiller. Il y a une poésie dans nos songes, bien souvent notée, qui n'est pas le fait du hasard. Car le rêve a ceci de semblable à l'art qu'il renvoie lui aussi aux émotions et aux désirs de la

---

cessus du deuil provient d'un approfondissement de la relation aux objets internes, du bonheur de les retrouver après les avoir perdus ("Le Paradis Perdu et Retrouvé")... »

1. Si l'on peut ainsi transposer ce qu'écrit Freud à propos du fétichisme comme déni de la castration maternelle. Cf. Le fétichisme, in *La vie sexuelle*, (PUF, p. 133-138).

2. Freud, *La création, littéraire et le rêve éveillé, op. cit.*, p. 77.

3. *La création littéraire et le rêve éveillé*, p. 69-70.

petite enfance, réactualisés par les événements de la vie adulte. L'enfant *survit* d'autant mieux en nous que nous dormons, et la « voie royale » qui mène, comme dit Freud, à la connaissance de l'inconscient, chemine – elle aussi – vers la résurrection de l'enfance. Nous ne quittons pas le terrain de la régression. « Le rêve est en somme comme une régression au plus ancien passé du rêveur, comme une reviviscence de son enfance, des motions pulsionnelles qui ont dominé celle-ci, des modes d'expression dont elle a disposé... » [1] Dans le rêve comme dans l'art (comme dans la névrose, comme dans la perversion...), le passé reste « actuel dans le présent » [2] – et du *temps perdu* naît le *temps retrouvé*... Ce que le parallèle avec le rêve nous apprend de nouveau, concernant l'art, c'est que cette régression peut s'accomplir à un double niveau, de telle sorte que s'articulent en un même rêve (ou, pour l'art, en une même œuvre) les événements et les désirs récents de la vie adulte, d'une part, et, d'autre part, le fond immémorial des désirs infantiles. Car si l'on admet l'hypothèse freudienne que « le contenu manifeste de chaque rêve serait lié aux événements récents, (et) son contenu latent aux plus anciens événements de notre vie » [3], on peut admettre également que l'œuvre d'art renvoie doublement au passé, en satisfaisant (ou en sublimant) à la fois les désirs les plus récents et ceux, plus anciens et à jamais impossibles à satisfaire réellement, de la petite enfance. L'œuvre d'art serait donc, non pas bien sûr la répétition tel quel d'un passé disparu mais, comme le rêve, « un substitut d'une scène infantile modifié par le transfert dans un domaine récent » [4]. Ce qui est perdu est perdu, et l'on n'en peut jamais sauver que l'ombre. Où se conjuguent à nouveau, en l'art, travail du rêve et travail du deuil, accomplissement du désir et renon-

---

1. Freud, *L'interprétation des rêves*, p. 467. Freud va jusqu'à émettre l'hypothèse que cette régression renvoie, non à la seule enfance de l'individu, mais à « l'enfance phylogénétique » du genre humain, c'est-à-dire à la « préhistoire de l'esprit » (*ibid.*, p. 467).
2. Freud, *ibid.*, p. 193.
3. *Ibid.*, p. 193.
4. *Ibid.*, p. 464.

cement à sa satisfaction. Rêver un plaisir, c'est se dispenser de le vivre, ou (s'il fut autrefois vécu) se résigner à sa perte. Afin que, comme le rêve est « le gardien du sommeil »[1] – « le désir étant satisfait, le sommeil continue... »[2] –, l'art soit le gardien du sommeil de vivre (d'où la « légère narcose »[3] qu'il procure), c'est-à-dire à la fois de la mémoire et de l'oubli, du plaisir et du renoncement. Imaginer, dit Aragon, « c'est oublier jusqu'au fait de l'oubli même... »[4] Mais sans l'oubli, qui pourrait vivre ? Travail du rêve, travail du deuil, passé, avenir... Il n'est voyage que vers l'enfance ; il n'est voyage que vers l'oubli. « Les romans ont pour but de ramener l'homme à la situation de l'enfance »[5], ce temps d'avant la mémoire, cet au-delà de l'oubli. Car pour survivre, il faut sans cesse « oublier ce qui ne se laisse pas oublier »[6] ... A chacun sa vie et ses rêves, à chacun d'oublier l'inoubliable comme il le peut. « Dieu garde l'homme d'oublier d'oublier !... »[7] Temps perdu, temps retrouvé... L'un n'est jamais que le déni de l'autre : s'il faut retrouver le temps, c'est pour oublier qu'on l'a perdu, ou pour s'y résigner. « Les plus belles hypothèses sont des rêves abandonnés. Comme des enfants au porche des églises... »[8] Travail du rêve, travail du deuil... Il faut rêver sa vie pour s'en consoler. L'art est ce rêve, et cette consolation.

Enfin, le fantasme. Il s'agit de ce que Freud appelle aussi la *fantaisie* ou le *rêve éveillé*. C'est un autre fils de l'insatisfaction[9], qui renvoie lui aussi à l'enfance[10] et à l'avenir[11]. « Ainsi passé, présent et futur s'échelonnent au long du fil

---

1. Cf. par ex. Freud, *Abrégé de psychanalyse*, p. 35.
2. Freud, *Le rêve et son interprétation*, p. 101.
3. Freud, *Malaise dans la civilisation*, p. 26.
4. Louis Aragon, *Blanche ou l'oubli*. Folio, p. 55, 438, 437, 95 et 529.
5. *Ibid.*
6. *Ibid.*
7. *Ibid.*
8. *Ibid.*
9. « On peut dire que l'homme heureux n'a pas de fantasmes, seul en crée l'homme insatisfait... Le fantasme vient corriger la réalité qui ne donne pas satisfaction » (Freud, *Essais de psych. appliquée*, p. 73).
10. *Ibid.*, p. 74, et *L'interprétation des rêves*, p. 419.
11. Cf. par ex. *Essais de psychanalyse appliquée*, p. 74-75.

continu du désir... »[1] Mais le fantasme est plus proche
encore de l'art que le rêve (puisque, comme l'œuvre d'art,
il relève de l'imagination éveillée) et que le jeu (puisqu'il
est, comme l'œuvre d'art, ce que les adultes substituent aux
jeux d'enfants auxquels ils ont dû renoncer[2]). Le fantasme
est comme un jeu, mais adulte ; comme un rêve, mais
éveillé. Il est au plus près de l'art. Mais l'art s'en distingue
pourtant de trois façons.

1 / Par son rapport à la réalité. La fantaisie, chez l'artiste
comme chez tout homme insatisfait, se détourne de la réalité. Mais dans la création d'une œuvre, ce *détour* devient
un *retour*. L'art est « un chemin de retour qui conduit de
la fantaisie à la réalité »[3]. En ce sens, « l'art aboutit par
une voie spécifique à une réconciliation des deux principes »[4], c'est-à-dire du principe de plaisir (il n'est d'art que
de jouir) et du principe de réalité (il n'est d'œuvre que
réelle). Si les œuvres d'art sont « les satisfactions imaginaires de désirs inconscients »[5], tout comme les rêves et
les fantasmes, elles se distinguent d'eux par l'effectuation
concrète de cet imaginaire. Jouissance d'irréel, donc, mais
d'un irréel *réalisé*. Créer, c'est « façonner ses fantasmes en
réalités d'une nouvelle sorte »[6]. L'art est le devenir-réel du
fantasme. Et le rêve de l'enfant s'incarne dans l'œuvre de
l'adulte, *comme un rêve de pierre...* L'artiste joue, rêve et
fantasme... mais c'est pour de vrai.

2 / Par le masque qu'il impose aux désirs égoïstes de
l'individu (désirs qui s'expriment plus crûment dans les
fantasmes)[7], de telle sorte qu'ils « perdent tout caractère
personnel susceptible de rebuter les étrangers, et deviennent une source de jouissance pour les autres »[8]. C'est

1. *Ibid.*, p. 74.
2. *Ibid.*, p. 71-72.
3. *Introduction à la psychanalyse*, p. 354.
4. Freud (*GW*, t. VIII, cité par Grateloup, *op. cit.*, p. 265).
5. *Ma vie et la psychanalyse*, « Idées »-Gallimard, p. 80.
6. Freud (*GW*, t. VIII, cité par Grateloup, *op. cit.*, p. 265).
7. *Essais de psychanalyse appliquée*, p. 80.
8. *Introduction à la psychanalyse*, p. 354.

pourquoi, « à l'inverse des productions associales narcissiques du rêve, (les œuvres d'art) peuvent compter sur la
sympathie des autres hommes, étant capables de satisfaire
chez eux les mêmes inconscientes aspirations de désir »[1].
Par l'art, nous communions dans l'égoïsme. L'art est le
masque de notre solitude, qu'il exprime tout en la dépas-
sant. Il est la fontaine où tout Narcisse se reconnaît, et
reconnaît ses frères. *Hypocrite lecteur !*... Il est l'excuse de
notre égoïsme, et son prétexte. Il est notre rêve partagé.

3 / Par l'élaboration esthétique de l'œuvre d'art – sa
beauté. C'est là ce qui justifie tout le reste, peut-être : travail
du rêve, travail du deuil, travail de l'œuvre – pour que la
beauté soit. Mais cette beauté elle-même, que vise-t-elle ?
Un esthète répondrait qu'elle n'a d'autre but qu'elle-même ;
mais Freud n'en croit rien. Cette beauté, selon lui, a une
double fonction : de masque, à nouveau, et de séduction.
De masque : l'artiste sait « embellir (ses fantasmes) de
façon à dissimuler complètement leur origine suspecte »[2].
De séduction : grâce à la beauté de son œuvre, le créateur
« nous séduit par un bénéfice purement formel, c'est-à-dire
par un bénéfice de plaisir esthétique qu'il nous offre dans
la représentation de ses fantasmes »[3]. Mais cette « *prime
de séduction* », comme dit Freud[4], n'est pas l'essentiel de
la jouissance artistique. Elle ne nous est offerte qu'à titre
de « *plaisir préliminaire* »[5], lequel a pour fonction de « permettre la libération d'une jouissance supérieure, émanant
de sources psychiques bien plus profondes »[6]. Il y a ici
comme une ruse du principe de plaisir. Le beau n'est pas
le but de l'art, mais son moyen. Il ouvre la voie à une
jouissance plus profonde (d'origine infantile et inconsciente) qu'il prépare et rend possible (en court-circuitant,
pour ainsi dire, le refoulement[7]), et dont il est moins l'objet

1. *Ma vie et la psychanalyse*, p. 80-81.
2. *Introduction à la psychanalyse*, p. 354.
3. *Essais de psychanalyse appliquée*, p. 80-81.
4. *Ibid.*
5. *Ibid.*, p. 80-81.
6. *Ibid.*
7. Cf. *Introduction à la psychanalyse*, p. 354.

que la condition ou, en quelque sorte, le détonateur. « Je crois que tout plaisir esthétique produit en nous par le créateur présente ce caractère de plaisir préliminaire, mais que la véritable jouissance de l'œuvre littéraire provient de ce que notre âme se trouve par elle soulagée de certaines tensions. »[1] Or ces tensions sont les résidus de l'enfance, résidus dont la sublimation par l'artiste éveille en nous l'écho et fait naître comme une *sublimation* aussi chez le lecteur ou, en général, l'amateur d'art. Sublimation et communion : l'œuvre d'art me rend mon enfance par le *rêve* d'un autre. Elle me fait jouir d'une sublimation dont je suis pourtant incapable[2]. L'art fait écho toujours au rêve de Narcisse... Et le but véritable de l'art n'est pas la beauté (qui existe ailleurs : dans les corps et la nature), mais cette régression partagée, ce miracle d'une sublimation commune, ou, en d'autres termes, d'une communion dans l'enfance. *Petit pan de mur jaune, petit pan de mur jaune...* Le *beau* n'est que le préliminaire ; le *sublime* est le but. L'œuvre d'art est cet objet qui nous mène au sublime par la *séduction* du beau.

V

Nous comprenons mieux maintenant les illusions de l'art, ce qu'elles ont d'invincible (leur part de vérité), et ce qu'elles nous apprennent au moins sur le *sujet* qui les véhicule.

L'objectivité et l'universalité du beau : s'il n'est d'art que de jouir, cette objectivité et cette universalité renvoient, non à une essence absolue, mais, ici et maintenant, au fonctionnement nécessaire des corps (l'unanimité se fait

---

1. *Essais de psychanalyse appliquée*, p. 80-81. Cet article concerne la création *littéraire*. Mais cela vaut aussi pour les œuvres plastiques, musicales ou autres : il s'agit moins de raconter une histoire (avec des mots) que de recréer (par quelque moyen que ce soit) un *climat*, et plus que tout, peut-être, ce climat d'avant toutes les histoires, d'avant tous les mots – la vie elle-même, en son commencement – que l'enfant (l'*infans*) n'a pu vivre, malgré ses cris, que *silencieusement*.
2. *Malaise dans la civilisation*, p. 26.

aussi bien, et dans les mêmes limites, sur la beauté de Marilyn Monroe...) et aux constantes structurelles de l'inconscient. Universalité du désir, universalité de l'enfance... Je l'ai déjà dit : un singe préférerait une guenon. Et quelqu'un qui n'aurait pas eu d'enfance, que lui feraient l'amour et l'art ? L'illusion consiste à supposer réellement présente dans l'œuvre (qui n'en peut mais) ou dans un monde intelligible (le Beau en soi) l'universalité spécifique de nos désirs (ainsi croyons nous que Marilyn était *absolument* belle... parce que nous la désirons presque tous) et l'objectivité trans-subjective de notre inconscient. Mais comment faire autrement ? Il faudrait n'être plus un animal, ou n'avoir plus d'inconscient. Il faudrait être Dieu, ou ange, esprit pur ou pur esprit... Ou bien n'avoir plus d'esprit du tout. Objectifs démesurés... Kant l'a bien vu. Nous sommes prisonniers de l'art comme de l'humanité. La faute originelle s'avoue ici, et se dénie. L'art est l'impureté de l'esprit.

L'éternité du beau. Toujours antérieure à soi, toujours présente, toujours vivante : l'œuvre d'art a toutes les caractéristiques temporelles (ou *a*-temporelles...) de l'inconscient. Elle est éternelle comme l'enfance en nous qui perdure. Eternelle comme le rêve, donc, la fugacité en moins ; ou comme le désir, le sublime en plus. L'art est ce qui fait durer l'éternité de l'enfance par la sublimation de ses désirs.

D'où le finalisme. La fin préexiste bien au désir qui la poursuit : parce que le désir poursuit toujours autre chose que ce qu'il vise. Ainsi en amour, où tout nouveau sentiment n'est jamais que la répétition d'une histoire ancienne (« c'est là le propre même de tout amour, dit Freud, et il n'en existe pas qui n'ait son prototype dans l'enfance »[1]). Ainsi l'œuvre d'art poursuit-elle bien aussi quelque chose qui la précède (elle a, elle aussi, son *côté de chez Swann*...), et point dans l'avenir ni dans l'éternité d'un monde idéal. Sa fin n'est pas devant elle, mais derrière. Et ce n'est pas

---

1. Freud, *La technique psychanalytique* (« Observations sur l'amour de transfert »), p. 126-127.

l'œuvre qui préexiste à sa création ; c'est la nostalgie qu'elle exprime, c'est le deuil qu'elle dénie. Pas de temps retrouvé qui n'ait été perdu. Pas de paradis dont on ne fût chassé. Pas de terre promise dont on ne soit parti. Rien ne préexiste au désir que le désir lui-même et la trace en lui d'anciennes déchirures, d'anciens sourires et d'aubes abolies. « A chaque amour toute l'enfance », dit le poète, et cela vaut aussi pour la poésie. Il n'est de finalisme en l'art que poursuite de l'enfance. Ce n'est pas d'inspiration qu'il s'agit, mais de régression. L'art est la nostalgie de ce qu'il vise, l'espérance de ce qu'il a perdu. Sa fin, c'est son origine. Son but ultime, c'est son commencement.

Rencontre surprenante. Une idée voisine se trouve chez Marx, esquissée, dans un texte que Freud sans doute n'avait pas lu. Quand il veut réfléchir au problème de l'art, Marx, tout naturellement, débouche sur l'enfance. Il s'agit de comprendre ce qui, dans l'art, échappe à l'histoire, sa part de rêve et d'éternité. Par exemple l'art grec : « La difficulté n'est pas de comprendre que l'art grec et l'épopée sont liés à certaines formes du développement social. La difficulté réside dans le fait qu'ils nous procurent encore une jouissance esthétique et qu'ils ont encore pour nous, à certains égards, la valeur de normes et de modèles inaccessibles. »[1] Bref, comment être marxiste en esthétique ? Qu'est-ce que l'art pour un matérialiste ? Et Marx, tranquillement, sans précautions, sans transitions, avec la simplicité des ébauches et des à-peu-près, répond : l'art, c'est la nostalgie et la reproduction de l'enfance. « Un homme ne peut redevenir enfant, sous peine de tomber dans la puérilité. Mais ne prend-il pas plaisir à la naïveté de l'enfant et, ayant accédé à un niveau supérieur, ne doit-il pas aspirer lui-même à reproduire sa vérité ? Dans la nature enfantine, chaque époque ne voit-elle pas revivre son propre caractère dans sa vérité naturelle ? »[2] D'où le prestige toujours de l'antiquité grecque : « Pourquoi

1. Marx, *Contribution à la critique de l'économie politique*, Introduction, p. 175.
2. *Ibid.*, p. 175.

l'enfance historique de l'humanité, là où elle a atteint son plus bel épanouissement, pourquoi ce stade de développement révolu à jamais n'exercerait-il pas un charme éternel ? Il est des enfants mal élevés et des enfants qui prennent des airs de grandes personnes. Nombre de peuples de l'antiquité appartiennent à cette catégorie. Les Grecs étaient des enfants normaux. Le charme qu'exerce sur nous leur art n'est pas en contradiction avec le caractère primitif de la société où il a grandi. Il en est bien plutôt le produit et il est au contraire indissolublement lié au fait que les conditions sociales insuffisamment mûres où cet art est né, et où seulement il pouvait naître, ne pourront jamais revenir. » [1] Enfance de l'individu, enfance de l'humanité... L'art renvoie l'homme à ce qu'il fut. Il est sa patrie d'avant l'exil, son Nouveau Monde qu'il a perdu. Ce qui est passé ne passera plus. L'art est éternel parce qu'il est toujours d'autrefois.

Cela suppose qu'il soit plus indépendant qu'on ne le pourrait croire du « développement général de la société » [2]. Marx sait bien que la grandeur d'un art ne se mesure pas à l'aune de l'économie ou de la politique. Ses « matériaux » [3], la « terre » qui le nourrit [4], etc. sont moins la réalité objective (naturelle ou sociale) de son temps que « l'élaboration artistique inconsciente » [5] de cette réalité, avec, nous l'avons vu, ce que cela suppose de frustration ou de nostalgie. La matière première de la création artistique est donc toujours subjective, intérieure et, pour tout dire, imaginaire. L'artiste ne travaille que l'idéologie, telle qu'il la perçoit – ou ne la perçoit pas... –, telle qu'il la rêve : puisqu'elle est ce rêve même, à son niveau. Marx nous donne ici les moyens d'un matérialisme esthétique qui ne serait ni réducteur ni sociologisant. Car il n'est de matérialisme pertinent, en art, que du désir. Que celui-ci soit

1. *Ibid.*
2. Marx, *ibid.*, p. 173.
3. Marx, *ibid.*, p. 174.
4. *Ibid.*
5. *Ibid.*

social et historique, c'est l'évidence ; mais cela ne signifie pas qu'il se réduise à cette dimension, ni qu'il s'y dissolve. « Valéry est un intellectuel petit-bourgeois... mais tout intellectuel petit-bourgeois n'est pas Valéry. »[1] L'artiste travaille, non la nature ou la société, mais ses fantasmes. Plutôt : il ne travaille la nature, la société ou lui-même que *par l'intermédiaire* de ses fantasmes. Et l'intermédiaire est tout, ici ; ce n'est pas une vitre, c'est un écran. Il n'est de réalisme, en art, que de l'imaginaire. Par exemple, « l'art grec suppose la mythologie grecque, c'est-à-dire l'élaboration artistique mais inconsciente de la nature et des formes sociales elles-mêmes par l'imagination populaire. Ce sont là ses matériaux »[2]. Si l'on définit toute *production* par une *pratique* et toute pratique par la « *transformation* d'une matière première déterminée »[3], il faut alors dire que la *production artistique* (la « création ») est transformation avant tout d'une « matière première » fantasmatique (à la fois individuelle et sociale), et secondairement seulement d'une réalité extérieure. L'essentiel, dans la statuaire, ce n'est pas le marbre. Et la poésie n'est que *secondairement* travail sur le langage – ce qui fait toute la différence entre un poète et un virtuose, qu'il soit parnassien ou d'avant-garde... Il y a travail, disais-je, dès lors qu'il y a transformation d'un donné (d'une matière première) sous l'efficace, fût-elle contradictoire, d'un désir. Mais ce *donné* de départ (le fantasme, l'imaginaire) n'est rien d'autre que *le désir lui-même*, dans sa réalité psychique. La matière première, en art, c'est l'esprit ; et l'esprit, c'est le désir. La création artistique est donc travail de l'esprit sur l'esprit ou, en d'autres termes, *transformation du désir sous l'efficace du désir*. On peut bien parler de création. Rien dans les mains, rien dans les poches, et guère besoin de marbre. L'artiste ne travaille que ses rêves. L'art est un retravail du désir par lui-même.

---

1. Comme disait Sartre (*Critique de la raison dialectique*, p. 44).
2. Marx, *Contribution à la critique de l'économie politique*, Introduction, p. 174.
3. Louis Althusser, *Pour Marx*, p. 167.

Freud et Marx nous mènent peut-être ici, en ce point où ils convergent, tout près de l'essentiel. Car un problème reste posé. Si l'art est un plaisir (et point une contemplation), s'il est une jouissance, de quel *désir* est-il la satisfaction ? D'aucun sans doute qui lui soit spécifique. Et d'ailleurs : peut-on parler de *satisfaction* ? Cela a-t-il un sens en art ? Le plaisir de manger suppose la faim (désir) et la fait disparaître (satisfaction). Et de même pour le sexe, le plaisir n'est jamais que la satisfaction d'un désir qu'il annule en l'accomplissant. C'est que la finitude ici s'avoue comme manque[1], qui s'abolit quand on le comble. Mais pour l'art ? On ne *désire* pas une œuvre d'art (pas de *manque* esthétique), et la jouissance qu'on en tire n'annule rien. Point de dialectique ici du désirer et du jouir : le second n'est pas le contraire du premier, ni son dépassement. Et si *plaisir* il y a (comment le nier ?), il semble que ce soit sans désir ni satisfaction, du moins au sens plein du terme, c'est-à-dire sans satisfaction qui annule (par un « satis ») un désir (un *manque*) préalable. Mais est-ce possible ? Et faut-il alors voir dans l'art un monde à part, un au-delà du désir, un au-delà de la finitude, sans rapport aucun, ou d'exception, avec le reste de notre vie ? Un monde du plaisir pur, de la jouissance désintéressée ? Je n'en suis pas si sûr. Car qu'il n'y ait pas de désir esthétique spécifique (qu'il n'y ait pas de « pulsion artistique »), cela ne signifie pas que l'art naisse et vive hors du champ du désir. Je crois au contraire que c'est Lucrèce qui a raison quand il choisit d'invoquer Vénus (plutôt qu'Orphée ou Apollon) à l'orée de son poème. « Plaisir des hommes et des dieux, Vénus nourricière... (toi qui) inspires à tous les êtres le désir de propager leur espèce... *veuille donc, ô Divine, donner à mes vers une éternelle beauté...* »[2] Car c'est bien de cela qu'il s'agit, et l'art n'échappe pas plus au désir qu'il n'échappe à la vie. Comment le pourrait-il ? Rien n'échappe au désir que la mort et la vérité ; mais l'art n'appartient ni à l'une

---

1. C'est-à-dire comme désir *dé-terminé* : cf. *supra*, p. 73-75.
2. Lucrèce, I, 1-28.

ni à l'autre... Ou plutôt, ce sont elles qui ne lui appartiennent pas, n'appartenant à personne qu'à elles-mêmes. S'il n'y a pas de désir propre à l'art – et en effet, il n'y en a pas –, rien n'interdit donc de penser que l'art ait à sa source (comme son origine et son fondement : son point d'étiage et d'étayage) le désir lui-même, dans sa généralité (clinamen, conatus, vouloir-vivre ou libido...), dont nous avons vu qu'il était l'essence de l'homme et l'être même (fini) de sa puissance. Et je crois bien en effet (comme Lucrèce, comme Spinoza, comme Freud...) que l'art n'est rien d'autre, justement, que l'expression de ce désir, expression sublimée bien sûr, mais qui ne peut s'appuyer (*s'étayer*, comme dirait Freud) que sur cela qu'elle sublime, expression qui n'est désintéressée qu'en tant qu'elle traduit l'intérêt lui-même de vivre. Et si la jouissance esthétique n'est à proprement parler la satisfaction d'aucun désir, ou la suppression d'aucun manque, c'est qu'elle n'est pas autre chose, peut-être, que *le désir jouissant de lui-même*, et s'entretenant comme désir au lieu de s'abolir dans sa satisfaction. « Le poème, dit Char, est *l'amour réalisé du désir demeuré désir* » ; et toute œuvre d'art est un poème. Ainsi l'art serait bien jouissance *et* puissance – mais jouissance de la puissance elle-même (du désir), et point de sa satisfaction. Puissance de jouir, et jouissance de cette puissance : désir indéterminé donc, si ce n'est (*omnis determinatio est negatio*...) par cette *indétermination* même, et où la finitude ne s'exprime qu'en tant qu'elle s'y dénie. D'où sa faiblesse relative en l'homme – c'est un plaisir sans orgasme –, mais aussi son indéfinie durée. C'est un plaisir sans fin : parce que le désir n'y a d'autre objet que lui-même, et d'autre accomplissement que sa continuation. Sa satisfaction n'est pas de s'abolir mais de s'élever. Il jouit d'être, sans disparaître. Il est, du désir, l'exception qui confirme la règle, le cas extrême où s'exprime au mieux la vérité de sa nature : la *puissance* à l'état pur, enfin débarrassée du néant qui la hante, le *désir* enfin débarrassé du *manque* (le désir in-déterminé), la vie, enfin délivrée de la mort – Icare, libéré de sa chute. D'où la nostalgie encore :

l'art est un plaisir immortel, et amer souvent pour cela. Il est notre plus grande chance, et notre plus grand regret. Le désir y est seul, face à lui-même. Et nous laisse – seuls – face au reste.

L'art est un retravail du désir par lui-même, disais-je ; nous pouvons compléter : et jouissance de soi dans ce travail. Travail du rêve, travail du deuil, travail de l'œuvre, travail du désir... L'artiste trouve en soi le moyen de surmonter ce qui l'écrase, bonheur ou malheur, et de jouir de ce qui le tue aussi bien que de ce qui le fait vivre. « *Nous aurons des lits pleins d'odeurs légères...* » Il est des artistes heureux et gais, d'autres paisibles, d'autres sombres et tourmentés. Les uns chantent la vie, l'amour..., d'autres la mort et la souffrance. La différence n'est pas si grande. Car il n'est d'art – joyeux ou triste – que *vivant*. Et chanter sa mort, c'est une manière de la vivre – la seule, peut-être, à bien y réfléchir. « *Comme on voit sur la branche au mois de mai la rose...* » Que saurions-nous de la mort, sans les poètes, et qui ne soit d'atrocité pure ou d'absolu silence ? « *Ce peu profond ruisseau calomnié, la mort...* » Car la mort n'est *rien*, voilà toute sa réalité : impensable, invivable, indicible. L'art la rend vivante, pourtant, et la nie en même temps qu'il la crée. C'est là sa vérité et son mensonge. « La poésie me volera ma mort », dit Char. Mais il n'y a rien à voler. Le réel reste le réel, et nul ne manque au silence. Un tableau de Vermeer le dit mieux qu'aucune démonstration : qu'il n'est d'instant qu'éternel et silencieux, et de mort nulle part. Et dans le plus sombre des Rembrandt, le plus atroce des Goya, le plus inquiétant des Van Gogh ou des Soutine (comme dans le plus doux des Corot ou le plus apaisé des Matisse), il s'agit toujours de jouir, finalement, et de cela même qu'on ne supporte pas. « *O vers ! noirs compagnons... Voyez venir à vous un mort libre et joyeux...* » Plaisir et réalité s'épousent dans le deuil. Les deux principes coïncident ici, miraculeusement : tout le réel est vrai, et toute vérité est belle. « *Poésie et vérité, comme nous savons, étant synonymes...* » Cela ne vaut que pour le désir, par qui seul naît la beauté. Mais cela suffit, en ce lieu : puisqu'il n'y a rien d'autre. Retravail du désir par lui-même, et jouissance de soi dans ce travail... Solitude de l'art. Le désir est esthétique quand il ne jouit que de lui-même.

Le cas n'est pas sans exemple. On pensera peut-être à l'onanisme, pour ce retour sur soi du désir, cette espèce de réflexivité de la jouissance, de solitude maximale. Et l'on rejoindrait alors les jugements à l'emporte-pièce de ceux qui, étrangers à l'art, n'y voient, comme ils disent, que masturbation intellectuelle. Mais à tort. Car ce n'est pas du désir qu'on jouit dans la masturbation, mais du seul plaisir, et qui annule le désir dans la mesure même où il le satisfait. L'onanisme va au plaisir par le plus court chemin, et ne lui survit pas. L'inverse donc de l'art, qui ne connaît que des détours, et qui ne meurt jamais parce qu'il n'annule aucun désir mais le cultive au contraire et soigneusement l'entretient. Au reste, jouir est aisé ; qui ne vise que ce seul but n'a guère besoin d'un art. Le plaisir, pour chacun, est toujours à portée de main.

Mais si l'on suit jusqu'au bout la logique du désir, si l'on sait l'écouter jusque dans ses détours et ses raffinements d'esthète, il est bien un point de sa course, autre que l'art, où, sans plus chercher à s'abolir dans sa satisfaction, sans plus se contenter de disparaître, il s'efforce au contraire de jouir, non de son objet (de *cela* qu'il désire) ou de sa propre disparition, mais *de lui-même*, et renonce à se satisfaire pour mieux savourer sa puissance. Il arrive que le désir se préfère soi-même au plaisir, et déguste en quelque sorte sa propre faim. Qu'est-ce d'autre, pour le sexe, que l'érotisme ? Il ne s'agit plus ici d'orgasme, de satisfaction, à peine de plaisir... Sans quoi la masturbation, ou le plus fruste coït, y suffiraient. Si l'érotisme est un art peut-être, ou quelque chose qui s'en rapproche, n'est-ce pas plutôt pour rechercher autre chose que la satisfaction, autre chose que le plaisir, autre chose même (car l'érotisme peut s'en passer) que l'amour ou la tendresse ? Quoi ? Presque rien... Le désir... Oui, il s'agit de cultiver le désir pour lui-même, de l'entretenir, de l'exalter, plutôt que de le satisfaire. Si l'art est retravail du désir par lui-même, et jouissance de soi dans ce travail, l'érotisme est un art, et s'oppose à la simple jouissance comme la gastronomie à la simple absorption d'aliments. Et peut-être fut-ce là les premiers « arts », en effet, parce que les plus près des désirs les plus corporels (des « pulsions »), et qui, sans l'en libérer tout à fait, préservent pourtant le désir de sa trop rapide, trop facile, trop banale satisfaction... On dira : luxe d'homme bien nourri, et d'amant repu. Sans doute. Mais quel art qui ne soit un luxe ? La misère n'est jamais esthétique parce que le désir y est prisonnier du manque de son objet. Et il faut que ce *manque* n'en soit plus un, peut-être, pour qu'on en puisse jouir. Aimer sa soif, cela suppose qu'on ait à boire... Cela ne prouve rien contre l'art, sinon qu'il n'est pas vital. Et de fait, il ne l'est pas. Mais qui se contente de vivre ? On dira aussi qu'à la fin le désir succombe, que c'est toujours le plaisir (ou la mort) qui a le dernier mot. Je le sais. C'est pourquoi l'art n'est jamais, pour le corps et pour l'âme, qu'un chemin de détour, et provisoire. Le désir y fait l'école buissonnière, mais non pas indéfiniment. Et nous verrons que cela compte, en effet. Mais il n'en reste pas moins qu'il y a dans l'érotisme un renversement du rapport plaisir/désir (non plus désir du plaisir, mais plaisir du désir) qui suffit à le caractériser. Renversement : *perversion*, au sens étymologique. Si l'artiste est un pervers, pourquoi ne pas reconnaître au pervers quelque chose de l'artiste ? De fait, si « nous qualifions de perverse toute activité sexuelle qui, ayant renoncé à la procréation, recherche le plaisir comme un but indépendant de celle-ci »[1], il faut bien en conclure que *tout érotisme est pervers*, par définition, et renvoie ainsi, par ce *détour* qui le définit, à la même enfance d'où naissent aussi les œuvres d'art. La sexualité perverse, dit Freud, c'est la sexualité infantile continuée ; autrement dit : une forme encore de la régression. L'érotisme aussi est voyage vers l'enfance, et qui vise à nous rendre, par les détours que le

---

1. Freud, *Introduction*..., p. 296.

désir s'y impose, les plaisirs oubliés dont notre corps se souvient. Il avance à reculons, non vers sa fin (sa satisfaction, qu'il atteindra pourtant), mais vers son commencement. Il a lui aussi sa nostalgie et ses paradis perdus. Et si l'art vise à nous les rendre, l'érotisme en est un. Mais bien singulier pourtant. Non par l'absence d'*œuvre* : quelle différence avec la danse libre ou l'improvisation musicale ? Mais parce que la libido y reste au niveau qui est le sien, et, plutôt que de s'inventer un ciel qui la dépasse, se contente d'un regard qui l'enveloppe ou d'un autre désir qui lui répond. C'est Narcisse encore, plutôt qu'Icare. L'érotisme est un art, mais sans le sublime.

Car l'érotisme, s'il s'enracine dans l'évidence du corps et de ses pulsions, y trouve aussi ses limites, qui sont strictes. Le désir y cultive sa propre force ; mais aussi : il finit par y succomber. Et s'il est à ce point fasciné par la mort, c'est qu'il ne cesse de la vivre, à l'acmé de son achèvement – quand la puissance s'accomplit... et s'annule. Le désir ne tend que vers sa propre fin ; mais sa fin, c'est sa mort. L'érotisme trouve ainsi sa limite à l'extrême de sa force, et ne cesse pour cela de vivre, au lieu des développements d'une histoire, le piétinement d'un perpétuel *recommencement*. Le désir renaît de ses cendres, et renaît tel quel ; mais pour se consumer à nouveau. Phénix, mais sans avenir. Toujours neuf, toujours condamné. Et son point extrême est son point ultime. Don Juan, Casanova... le montrent. Et notre expérience à tous. L'érotisme ne débouche sur rien que sur sa propre répétition. Il est un bégaiement du désir. Il part toujours de zéro parce qu'il ne cesse d'y retomber. Il est prisonnier de soi et de sa fin. *Post coïtum*... Son œuvre, c'est son anéantissement ; sa création, c'est de disparaître. Il est esclave d'un combat où nulle victoire ne l'attend qui ne soit sa défaite. Il n'a d'adversaire que soi ; il n'a d'avenir que sa mort. C'est pourquoi les arts véritables sont ceux plutôt où toute satisfaction réelle est impossible, et fondés sur ce qui en nous échappe à cette alternance du désir et du plaisir, de l'excitation et du repos, du manque et de la satiété, et qui, parce que plus loin des besoins du corps, en est aussi plus libre, et laisse à l'âme, pour ainsi dire, l'espace nécessaire au déploiement de son rêve. Les yeux, l'ouïe, l'imagination, la pensée... ne *manquent* de rien, et ne jouissent que gratuitement. Ils ne connaissent de plaisirs que superflus. Le désir n'y rencontre aucune satisfaction qui l'abolisse. Il est *libre*, en ce sens. L'image, la musique, le poème... ne comblent aucun besoin, n'annulent aucune force. Le désir qui s'y complaît n'y éprouve nul orgasme, nulle satiété, nulle mort. Et de même que l'érotisme trouve ses limites dans sa force, l'art trouve sa force dans ses limites, c'est-à-dire dans l'incapacité où nous sommes de nous y satisfaire pleinement, dans cette *anorgasmie* du désir artistique. L'art, c'est ce dont je n'ai jamais assez (ce dont je ne peux me *satis*–faire) ; et s'il échappe à la répétition, c'est par cette incapacité de vivre sa mort dans la plénitude de sa satisfaction. L'art ne sait pas mourir. Sa limite, c'est l'illimité de son champ. Ce pourquoi c'est un labyrinthe... Mais aussi, il a tout son ciel devant lui, comme un avenir perpétuellement ouvert. Son éternité lui reste à jamais disponible. Il est comme l'enfance, là encore aussi loin qu'il aille dans le passé, aussi profondément qu'il s'y plonge, aussi absolument même qu'il s'y perde, le *sublime* lui est toujours à venir. Nostalgie de l'espérance... Qui marche à reculons vers sa source, ce qu'il a devant soi, c'est l'océan. L'art recule, disais-je, mais vers l'avenir. Cela vaut pour le créateur comme pour nous tous. Nous n'avons rien épuisé du *Quatorzième quatuor* de Beethoven ; le *Quintette en ut* nous reste indéfiniment disponible ; et le *Vingt-septième concerto* de Mozart nous précède toujours, comme on l'a dit, *à l'entrée du Ciel*... Car l'art avance, d'une certaine manière, mais sans reste ni progrès. Et tout poète commence au premier mot. C'est dans les musées qu'on apprend à peindre, je veux bien ; mais c'est au-dehors qu'on crée. Le passé ne sert jamais qu'à inventer l'avenir dont le présent a besoin. L'art comme l'enfance a son éternité devant soi. Son ciel se déplace à chaque pas.

VI

Reste alors le problème du romantisme. Ou de ce que j'ai appelé tel : une conception (et une pratique) religieuse de l'art, fondée sur le culte de l'inspiration comme porteuse de vérité et d'absolu, et révélatrice, en l'homme, des mystères de son origine, dont elle est à la fois le message et le regret, le témoignage et la nostalgie. On voit son lot de vérité : qu'il n'est pas d'art sans une part de mystère, en effet, sans un pouvoir qui dépasse en quelque chose les capacités humaines ordinaires, qui soit porteur de sens, et qui excède le simple travail volontaire et réfléchi. Ce que Kant exprimait à peu près en disant que les beaux-arts sont les arts du génie, c'est-à-dire d'un pouvoir à la fois original, exemplaire et mystérieux [1]. Ce que nul ne nie. La religion commence quand on fait de ce pouvoir l'effet d'une *grâce* : quand c'est un pouvoir qui *descend*. Cela n'est pas sans cohérence : si tout pouvoir vient de Dieu, pourquoi en exclure celui-ci ? Le romantisme va jusqu'au bout de l'idée de *don*. L'art lui est une religion révélée ; le génie est de droit divin. Et l'artiste ne prétend – rien de plus, rien de moins – qu'au rôle de prophète. Le romantisme traditionnel, d'Iéna à Guernesey, le vérifie. Mais cette conception religieuse de l'art lui préexistait, et elle lui survivra. Précisons notre terminologie. J'appelle *religieuse* (ou romantique) toute esthétique pour laquelle l'œuvre d'art est *donnée* plutôt que produite, et l'effet d'une *grâce* plutôt que d'un travail. *Religieuse*, autrement dit, toute esthétique de l'*enthousiasme*, comme disaient les Grecs, c'est-à-dire de l'inspiration et des transports divins, qui met les transes du génie plus haut que la lucidité de l'artisan, et les mystères sibyllins qui en émanent plus haut que la clarté humble et obstinée qui plaît à la raison. Où l'on reconnaîtra un romantisme éternel (dont le *baroque* est sans doute pour une part l'expression) qui n'est pas autre chose peut-être

---

1. Cf. Kant, *Critique de la faculté de juger*, § 46, p. 138-139.

que l'art protéiforme de Dionysos, moins selon la figure ambiguë [1] qu'en trace Nietzsche que selon l'image traditionnelle qu'en donnait la mythologie grecque, qui voyait en lui le dieu du délire extatique et de la possession, c'est-à-dire des forces en l'homme, mi-divines mi-bestiales, qui le dépassent. L'étrange est que ce romantisme éternel, qui culmine si l'on veut au XIXᵉ siècle, ait pu survivre au Dieu qu'il servait, et qu'on en retrouve, beaucoup plus tard et dans un champ théorique bouleversé, un avatar bien vivant, singulier sans doute mais, dans son principe, identique toujours à lui-même malgré l'athéisme dont explicitement il se réclame. Bien plus tard : au XXᵉ siècle. Dans un champ théorique bouleversé : après Marx, après Freud, et se réclamant ouvertement d'eux. Identique pourtant à lui-même : puisqu'il fait de *l'inspiration* (opposée au travail et à la raison) la source irremplaçable qui a pourvu « aux besoins suprêmes d'expression en tout temps et en tous lieux » [2]. On l'a compris : il s'agit du surréalisme.

Cette filiation avec le romantisme, les surréalistes ne l'ont jamais niée. « Ce romantisme dont nous voulons bien, historiquement, passer pour la queue... », dit Breton. [3] Et ailleurs : « ... cette ligne, qui part de Novalis et de Nerval (naturellement on pourrait la faire remonter beaucoup plus loin) passe par Gauguin, comme elle passe par Rimbaud. Il est clair qu'elle aboutit au surréalisme » [4]. Continuité multiforme : le goût de l'étrange et du bizarre, l'intérêt porté au rêve, la fascination du mystère et du merveilleux, le culte de « l'amour fou », le refus des règles et des contraintes, le souci de la modernité, la méfiance vis-à-vis de la raison, les tentations du surnaturel et de l'occultisme, les ambitions mystiques... On n'en finirait pas de développer les thèmes de convergence entre les romantiques et « les surréalistes, ces romantiques du XXᵉ siècle » [5].

---

1. Cf. par exemple *Le Gai savoir*, aphorisme 370.
2. André Breton, *Manifeste du surréalisme*, « Idées »-NRF, p. 120.
3. *Ibid.*, p. 110.
4. André Breton, *Entretiens*, « idées » NRF, p. 282.
5. Comme l'écrit Henri Peyre, dans *Qu'est-ce que le romantisme*, PUF, p. 205. La

Retenons-en un seul, pour faire vite, mais essentiel : le primat reconnu à l'inspiration.

Je ne reviens pas sur son rôle dans l'esthétique romantique[1]. Ce qui m'importe ici, c'est que c'est aussi sur l'inspiration, sur « son extraordinaire vertu »[2], que le surréalisme fonde la création artistique. Sur quoi d'autre ? Rejetant tout à la fois les règles (« la volonté d'ouvrir toutes grandes les écluses restera sans nul doute l'idée génératrice du surréalisme »[3]), le talent (« le propre du surréalisme est d'avoir proclamé l'égalité totale de tous les êtres humains normaux devant le message subliminal »[4]), le travail (le surréalisme s'oppose « à tout ce qui tente, esthétiquement comme moralement, de fonder la beauté formelle sur un travail de perfectionnement volontaire »[5]), le contrôle rationnel (« en l'absence de tout contrôle exercé par la raison »[6]) et le bon goût (« dans le mauvais goût de mon époque, je m'efforce d'aller plus loin qu'aucun autre »[7]), les surréalistes ne peuvent s'appuyer que sur *l'inspiration* pour garantir la dignité singulière – qu'ils veulent préserver – de l'art et de la poésie. Si « le surréalisme est à la portée de tous les inconscients »[8], l'inconscient n'est pas à la portée de n'importe qui – ou pas n'importe quand. Et la poésie n'est pas non plus n'importe quoi. Le plus doué d'entre eux le savait bien. « Sous prétexte qu'il s'agit de surréalisme, le premier chien

---

convergence a d'ailleurs été souvent relevée. Cf. par ex. H. Peyre, *op. cit.*, p. 272-276, Maurice Nadeau, *Histoire du surréalisme*, Seuil, 1964, p. 40-41, et G.-E. Clancier, *De Rimbaud au surréalisme*, Seghers, 1970. p. 339. De fait, Breton ne cessera d'admirer le « Splendide XIXᵉ siècle, en-deçà duquel il faut remonter d'un bond au XIVe pour fuser dans le même ciel redoutable en peau de chat-tigre ! » (Breton, *La clé des champs*, Ed. du Sagittaire, p. 7).

1. Cf. *supra*, p. 232-234. Sur les aspects « surnaturalistes » de l'inspiration au XIXᵉ siècle, cf. le chapitre que H.-B. Riffaterre consacre à « l'inspiration orphique », dans *L'orphisme dans la poésie romantique*, Ed. Nizet, 1970 (chap. III : « La quête : le regard du voyant »).

2. André Breton, *Manifestes du surréalisme*, p. 119-120.

3. André Breton, *Le point du jour*, « Idées »-NRF, p. 171.

4. André Breton, *ibid.*, p. 182.

5. André Breton, *L'amour fou*, Gallimard, p. 14.

6. André Breton, *Manifestes...*, p. 37.

7. André Breton, *Manifestes...*, p. 26.

8. « Papillon surréaliste », cité par Maurice Nadeau, dans son *Histoire du surréalisme*, p. 204 (dans l'édition de 1964 ; les *documents* ne sont pas repris dans l'édition de poche de 1970).

venu se croit autorisé à égaler ses petites cochonneries à la
poésie véritable, ce qui est d'une commodité merveilleuse
pour l'amour-propre et la sottise... Le surréalisme n'est pas
un refuge contre le style. On a trop facile à croire que dans
le surréalisme le fond et la forme sont indifférents. Ni l'un
ni l'autre, mon cher. » [1] D'où l'inspiration : il faut bien que
quelque chose advienne. Le surréalisme n'est pas autre
chose qu'une « forme consciente de cette faculté, (son)
interprétation moderne » [2]. Tout son effort « a tendu, avant
tout, à remettre en faveur l'inspiration » [3]. C'est-à-dire
quoi ? Le *second manifeste* répond : « Inutile de s'embarras-
ser à ce propos de subtilités, on sait assez ce qu'est l'inspiration. Il n'y a pas à s'y méprendre ; c'est elle qui a pourvu
aux besoins suprêmes d'expression en tout temps et en tous
lieux. On dit communément qu'elle *y est* ou qu'elle n'y est
pas et, si elle n'y est pas, rien ne peut nous guérir de son
absence. Nous la reconnaissons sans peine à cette prise de
possession totale de notre esprit... » [4] Et Aragon d'enfoncer
le clou : « Le surréalisme est l'inspiration reconnue, acceptée, et pratiquée » [5]. On n'est sauvé que par la grâce [6]. Breton
comme Socrate a son démon, sa « *voix* » [7], sa « mystérieuse
sonnerie » [8]. Et son Orient de lumière : « Toi qui es l'image
rayonnante de ma dépossession, Orient, bel oiseau de proie
et d'innocence, je t'implore du fond du royaume des
ombres ! *Inspire-moi*, que je sois celui qui n'a plus
d'ombre. » [9] Le surréalisme est un platonisme [10]. Il faut sortir de la caverne. « C'est vivre et cesser de vivre qui sont des
solutions imaginaires. L'existence est ailleurs. » [11] Et la réa-

1. Aragon, *Traité du style* (Gallimard, « L'Imaginaire »), p. 188-190.
2. Aragon, *ibid.*, p. 187.
3. André Breton, *Point du jour*, p. 169.
4. Breton, *Manifestes*..., p. 120.
5. Aragon, *op. cit.*, p. 187.
6. Le mot est chez Breton : *Manifestes*..., p. 9.
7. Breton, *Manifestes*..., p. 116.
8. Breton, *ibid.*, p. 120.
9. Breton, *Point du jour*, p. 29.
10. Comme l'a bien vu Ferdinant Alquié (*La philosophie du surréalisme*, Ed.
Champs-Flammarion, notamment p. 166 : « Breton apparaît, malgré lui, comme un
messager de la transcendance. Il s'inspire de Engels, mais il retrouve Platon »).
11. André Breton, *Manifestes*..., p. 64.

lité absolue – la *surréalité*[1] – est à la fois (comme dans le *Banquet*) le « grand mystère »[2], la grande lumière et la beauté souveraine. « Pure lumière : l'amour de l'amour... Je contemple enfin la beauté sans voiles, la terre sans taches, la médaille sans revers... »[3] Breton a raison. Le surréalisme continue la quête mystique[4], initiatique et ésotérique[5] du romantisme, de ce romantisme dont Platon constitue, comme disait Friedrich Schlegel[6], la « majestueuse préface ». Le surréalisme est le platonisme esthétique du XXᵉ siècle.

Platonisme renversé, bien sûr, comme l'étaient déjà en politique (et l'on sait l'attention que Breton ne cessa de leur prêter[7]), les théories utopistes. Mais non plus selon l'ordre du temps. Le renversement est ici plus essentiel, qui touche à la nature même (d'un point de vue topique aussi bien que dynamique) de l'inspiration. Breton et ses amis en donnent en effet une interprétation qui se veut strictement matérialiste[8]. S'il s'agit bien des « rayons transfigurants d'une grâce »[9], c'est une grâce que Breton tient « en tout point à opposer à la grâce divine »[10]. La « voix »[11] qu'il s'agit d'écouter et de transcrire vient, non des hauteurs du

---

1. *Ibid.*, p. 24. Sur le rapport avec le platonisme, cf. F. Alquié, *op. cit.*, p. 156.
2. Breton, *Manifestes...*, p. 23.
3. Breton, *Point du jour*, p. 10.
4. Cf. Breton, *Entretiens*, p. 84.
5. Cf. Breton, *Entretiens*, p. 266-267.
6. Cf. *supra*, p. 234.
7. Cf. par exemple *Entretiens*, p. 252-253 et 278 ; cet intérêt devient passion quand il s'agit de Charles Fourier, auquel Breton consacra une *Ode*.
8. Du moins dans les années trente. Breton prendra par la suite ses distances (sans jamais rompre tout à fait) avec le matérialisme aussi bien freudien que marxiste, pour se rapprocher de plus en plus d'une pensée ouvertement platonisante (Schopenhauer, Guénon...) dont il n'acceptera pourtant jamais complètement les principes. D'où le curieux mélange que cela donne parfois (à la cohérence, il est vrai, problématique), par exemple dans *Du surréalisme en ses œuvres vives* (1953), où les références freudiennes se mêlent à la tradition ésotérique, pour montrer que l'intuition poétique, fondée « en dernière analyse » sur le désir sexuel, débouche pourtant sur une connaissance d'un autre ordre, et qu'elle seule « nous pourvoit du fil qui remet sur le chemin de la Gnose, en tant que connaissance de la Réalité suprasensible, "invisiblement visible dans un éternel mystère" » (*Manifestes...*, p. 188.) Chassez le monde intelligible... il revient au galop.
9. Breton, *Manifestes...*, p. 9.
10. Breton, *Manifestes...*, p. 9.
11. *Ibid.*, p. 116.

ciel, mais des « profondeurs » [1] de cette « boîte à multiple
fond qui s'appelle l'homme » [2]. Breton, citation de Freud à
l'appui, rattache explicitement ce « mécanisme complexe »
de l'inspiration aux découvertes de la psychanalyse. Avec,
par moments, des accents *icariens* : « Il fallait s'attendre
que le désir sexuel, jusqu'alors plus ou moins refoulé dans
la conscience trouble ou dans la mauvaise conscience par
les tabous, s'avérât, en dernière analyse, l'égarant, le ver-
tigineux et inappréciable "en deçà" sur la prolongation
sans limites duquel le rêve humain a bâti tous les "au-
delà" » [3]. C'est la sexualité, c'est l'inconscient, c'est la sublimation (et non un souffle divin ou les pouvoirs d'un pur
esprit) qui expliquent les privilèges de la poésie et de la
féerie intérieure que l'art ne peut, dans le meilleur des cas,
qu'objectiver. Les surréalistes conçoivent l'inspiration
« non plus comme une visitation inexplicable, mais comme
une faculté qui s'exerce » [4]. Nous dirions : une occurrence
du *conatus*. Et Breton voit bien ce qu'il s'y joue de rêve et
d'enfance. De rêve : « L'homme, ce rêveur définitif... Je
crois à la résolution future de ces deux états, en apparence
si contradictoires, que sont le rêve et la réalité, en une sorte
de réalité absolue, de surréalité... » [5] D'enfance : « L'esprit
qui plonge dans le surréalisme revit avec exaltation la meilleure part de son enfance... C'est peut-être l'enfance qui
approche le plus de la "vraie vie"... Grâce au surréalisme,
il semble que ces chances reviennent... » [6] Car il n'est poésie
que du rêve ; et rêve, que de l'enfant. Ce pourquoi « il y a
des contes à écrire pour les grandes personnes, des contes
encore presque bleus » [7]. Ce qui est, ma foi, une assez belle
définition de l'art.

On se doute qu'à ces thèses, je n'ai rien à reprendre. Et
la question se pose de savoir en quoi un platonisme ren-

1. *Ibid.*, p. 118.
2. *Ibid.*, p. 122.
3. *Ibid.*, p. 184-185.
4. Aragon, *Traité du style*, p. 187.
5. Breton, *Manifestes...*, p. 23-24.
6. Breton, *Manifestes...*, p. 54-55.
7. *Ibid.*, p. 26.

versé se distingue d'un matérialisme ascendant. Question cruciale : car s'il suffit de *renverser* le platonisme pour avoir une philosophie matérialiste, cela ne signifie-t-il pas que celle-ci reste dépendante, dans son fond, de l'idéalisme qu'elle renverse ? Auquel cas il n'y aurait pas deux philosophies, mais une seule, qu'on pourrait simplement parcourir dans deux sens différents. Et en effet, c'est bien ce qui se passe, selon moi, dans le surréalisme. Pour cette raison bien simple : *le surréalisme maintient la thèse esthétique centrale de l'idéalisme, selon laquelle l'art n'est pas production mais révélation. Il n'y a pas de création artistique ; ou si création il y a, elle n'est pas le fait des hommes. L'artiste ne crée pas ; il contemple. Il ne produit pas ; il révèle.*

La chose est nette chez Platon, encore plus chez Plotin[1]. Elle est, nous l'avons vu, l'essence même de l'idée d'*inspiration*. « Ce n'est pas l'absence de musique, c'est la musique qui fait le musicien ; et la musique dans les choses sensibles est créée par une musique qui leur est antérieure... »[2] Ne nous étonnons pas alors si, fondée elle aussi sur l'idée d'inspiration, l'esthétique surréaliste en reproduit l'inversion caractéristique, selon laquelle l'œuvre existe avant sa « création » (qui n'en est plus une) et l'appelle. D'où le finalisme, à nouveau : l'œuvre surréaliste tend vers ce dont elle émane, qui est à la fois son but et son origine. Regardons-y de plus près. Si l'œuvre préexiste à sa création, ce n'est pas, on s'en doute, dans un Ciel intelligible. Matérialisme oblige : Marx et Freud sont passés par là... Si un ciel joue un rôle dans l'esthétique surréaliste, il s'agit plutôt de celui, matériel, des astres : Breton s'interroge, par exemple, sur le rôle que put jouer dans l'éclosion du surréalisme, « la conjonction d'Uranus avec Saturne, qui eut lieu de 1896 à 1898 et n'arrive que tous les quarante-cinq ans, de cette conjonction qui caractérise le ciel de naissance d'Aragon, d'Eluard et le mien... »[3] Tant il est vrai que l'univers

---

1. Cf. *supra*, p. 227-230.
2. *Ibid.*
3. Breton, *Manifestes...*, p. 143.

est un *cryptogramme*[1], et que cela vaut pour le ciel aussi bien que pour la terre. Mais l'essentiel n'est pas là. Ce qui caractérise le surréalisme, c'est la recherche d'une œuvre d'art qui ne serait ni travail ni création mais, comme dit Breton, « *révélation* »[2], « *dictée magique* »[3], c'est-à-dire, selon la célèbre définition du *Manifeste*, « *automatisme psychique pur* »[4] ; soit : pure passivité ou réceptivité[5]. Réceptivité à quoi ? Breton répond : au « fonctionnement réel de la pensée », (à la) « dictée de la pensée »[6]. L'artiste ne crée pas ; il transcrit ce qui existe ailleurs, qui est déjà de l'ordre (puisqu'on le peut *dicter*) de la pensée. Ce n'est pas un artiste, à proprement parler ; c'est un scribe. Cette « dictée », on en connaît le nom : l'inspiration ; le lieu : l'inconscient ; le moyen : l'automatisme ; un peu moins la nature ou l'origine : car si le désir y joue son rôle, il est aussi question chez Breton d'un « point suprême »[7] ou « point sublime »[8] qui, sans être transcendant ni vraiment surnaturel, est à la fois « un point de l'esprit »[9] et un point de la réalité – très précisément le point *surréel*[10] où esprit et réalité cessent de s'opposer. « Tout porte à croire, écrit Breton, qu'il existe un certain point de l'esprit d'où la vie et la mort, le réel et l'imaginaire, le passé et le futur, le communicable et l'incommunicable, le haut et le bas cessent de s'opposer. Or, c'est en vain qu'on chercherait à l'activité surréaliste un autre mobile que l'espoir de détermination de ce point... »[11] La chose reste bien vague, et pour cause : puisque c'est aussi le point où Breton refuse de choisir entre le matérialisme et l'idéalisme. Mais peu importe. Car tout tient ici dans l'idée de *passivité*, inséparable de la

1. *Ibid.*, p. 186.
2. Breton, *Les pas perdus*, « Idées »-NRF, p. 125.
3. *Ibid.*
4. Breton, *Manifestes...*, p. 37.
5. *Ibid.*, p. 42.
6. *Ibid.*, p. 37.
7. Cf. par ex. *Entretiens*, p. 153.
8. *L'amour fou*, p. 134.
9. *Manifestes...*, p. 76.
10. Cf. *Manifestes...*, p. 24.
11. Breton, *Manifestes...*, p. 76-77.

notion d'*inspiration* poussée à sa limite. C'est le principe de l'écriture automatique. « Placez-vous dans l'état le plus passif, ou réceptif, que vous pourrez... Ecrivez vite, sans sujet préconçu, assez vite pour ne pas retenir et ne pas être tenté de vous relire... Continuez autant qu'il vous plaira. Fiez-vous au caractère inépuisable du murmure... »[1] Peu importe alors l'origine de ce « murmure », de cette « voix ». Ce qui est sûr, c'est qu'elle est antérieure à l'œuvre, au moins en droit, et la constitue. Elle peut d'ailleurs exister sans elle : « il est parfaitement admis aujourd'hui qu'on peut être poète sans jamais avoir écrit un vers... », écrivait Tzara en 1934[2] ; et en effet, à quoi bon ? Puisque « la littérature est un des plus tristes chemins qui mènent à tout »[3], puisque tout travail est trahison, puisque toute correction est odieuse et toute élaboration mensongère[4], le surréalisme n'a pour but que de livrer *tel quel* le contenu réel de l'esprit humain (supposé présent dans l'inconscient, dans le « message subliminal »), ce que Breton appelle « le fonctionnement réel de la pensée ». Il n'y a plus création, mais *reproduction*. « La valeur documentaire d'un tel texte est celle d'une photographie », écrit Aragon[5], et c'est tout dire. Il s'agit d'atteindre « une objectivité analogue à celle du rêve, qui dépasse de beaucoup le degré d'objectivité relative des textes ordinaires, où les défaillances n'ont aucune valeur, alors que dans le texte surréaliste elles sont encore des faits *mentaux*, intéressants au même titre que leurs contraires... »[6] Encore la comparaison avec le rêve manque-t-elle, d'un strict point de vue freudien, de rigueur. Car elle passe sous silence le *travail du rêve*, c'est-à-dire l'efficace de la censure que les surréalistes prétendent justement supprimer. L'inconscient est censé parler *tel quel* – ce qui, cela va de soi, ôte au concept d'inconscient toute

1. *Ibid.*, p. 42-43.
2. Cité par Maurice Nadeau, *op. cit.*, p. 39 ; comment ne pas penser au personnage singulier de Jacques Vaché ?
3. Breton, *Manifestes...*, p. 42.
4. Cf. par ex. *Point du Jour*, p. 165.
5. Aragon, *Traité du style*, p. 188-189.
6. Aragon, *Traité du style*, p. 188-189.

rigueur, sinon tout contenu : ce pourquoi les surréalistes tendent à lui préférer celui, plus vague (et introuvable chez Freud, du moins dans les textes de la maturité), de *sub-conscient*. Car l'inconscient parle, peut-être, mais pas à notre oreille. Et aucune *œuvre* n'est présente en lui : il n'est d'œuvre (rêve ou création) que par l'efficace d'un *travail* qui *produit* ce qui n'existait pas précédemment, ni dans l'inconscient ni ailleurs. Mais cela annule jusqu'à l'idée d'inspiration, où la réduit au statut d'illusion. C'est au contraire pour lui être fidèle et défendre sa vérité que Breton refuse tout travail (conscient ou inconscient), tout contrôle, toute correction, toute élaboration. Etre surréaliste, c'est « puiser aveuglément dans le trésor subjectif pour la seule tentation de jeter de-ci de-là sur le sable une poignée d'algues écumeuses et d'émeraudes... »[1] Platonisme, donc, mais platonisme des profondeurs : on passe du ciel au fond des océans, du chercheur de dieux au pilleur d'épaves... Mais le résultat est le même : pas de production, pas de création, pas de travail. L'œuvre est un *donné*, un *déjà-là* ; et l'inspiration, une *dictée*. Platonisme des profondeurs, platonisme des écoliers... Même plus besoin d'interprètes : les dieux faisaient bien des manières ; l'inconscient parle directement, et à tous[2]. La « bouche d'ombre »[3] se démocratise. Le surréalisme, ou *De la dictée considérée comme un des beaux-arts*...

« Romantisme : conception religieuse de l'art », disais-je. On voit qu'ici la religion est athée. En quoi reste-t-elle *religion* ? En ceci, que l'œuvre tend vers son origine (finalisme) dont, dans un même mouvement, elle *descend*. Procession, conversion. « Tout principe créateur est toujours supérieur à la chose créée... » La « création » est révélation et nostalgie. C'est bien ce qui se passe dans le surréalisme. On « puise » dans le « trésor », mais le « trésor », dans sa masse, reste inépuisable. Et en tant que tel : inaccessible.

1. Breton, *Point du jour*, p. 165.
2. Cf. par ex. Breton, *Point du jour*, p. 182.
3. Breton reprend l'expression de Hugo, dans *Les pas perdus*, p. 125.

C'est que tout l'univers s'y condense ou s'y réfracte, et l'esprit humain dans son entier. Le *point suprême* n'est ni intérieur ni extérieur, ni individuel ni collectif : puisqu'il abolit toutes les oppositions, y compris – et peut-être d'abord – celles-là. « Tout ce qui est en dedans (est) comme ce qui est en dehors » [1], et l'inconscient de chacun est aussi celui de tous. D'où sa dignité, et le rôle irremplaçable de l'automatisme, « ce murmure qui se suffit à lui-même » [2] : « Je n'attends encore de révélation que de lui, écrit Breton dans *Entrée des médiums*. Je n'ai jamais cessé d'être per-suadé que rien de ce qui se dit ou se fait ne vaut hors de l'obéissance à cette *dictée* magique. Il y a là le secret de l'attraction irrésistible qu'exercent certains êtres dont le seul intérêt est de s'être un jour fait l'écho de ce qu'on est tenté de prendre pour la conscience universelle, ou, si l'on préfère, d'avoir recueilli sans en pénétrer le sens à la rigueur, quelques mots qui tombaient de la *bouche d'ombre...* » [3] Qui *tombaient...* Parce que tout poème inspiré naît de l'inconscient ; donc : l'inconscient les contient tous, et les dépasse. Il surplombe tout du haut... de sa profon-deur. La parole *tombe* de lui, comme d'un ciel. C'est une pluie qui monte. Autrement dit : un jet d'eau. « Devant nous fuse un jet d'eau dont elle paraît suivre la courbe. "Ce sont tes pensées et les miennes. Vois d'où elles partent toutes, jusqu'où elles s'élèvent et comme c'est encore plus joli quand elles retombent. Et puis aussitôt elles se fondent, elles sont reprises avec la même force, de nouveau c'est cet élan brisé, cette chute... et comme cela indéfiniment." » [4] D'où la nostalgie : c'est la même force toujours, mais qui retombe. Et il y a toujours, au moins pour nous, une perte. L'histoire de l'écriture automatique est celle, reconnaît Breton [5], « d'une infortune continue ». Il y a, dans l'écriture automatique comme dans l'écriture médianimique, une

---

1. Breton, *Manifestes...*, p. 186.
2. Breton, *Les pas perdus*, p. 125.
3. *Ibid.*
4. Breton, *Nadja*, Folio-Gallimard, p. 100.
5. Breton, *Point du jour*, p. 171.

« déperdition », un « regret », une « nostalgie »[1]. D'où la religion : le trésor reste, pour l'essentiel, inaccessible et secret ; tout vient de lui (par une « grâce »[2]), et n'y retourne que de son fait. « Placez-vous dans l'état le plus passif, ou réceptif, que vous pourrez... » Parole de catéchèse. Thérèse d'Avila dirait : *oraison de quiétude*, et soumission à la grâce. Et Breton : « Quelque chose de grand et d'obscur tend impérieusement à s'exprimer à travers nous... C'est un ordre que nous avons reçu une fois pour toutes et que nous n'avons jamais eu loisir de discuter... C'est comme si nous y avions été condamnés de toute éternité... »[3] Et de réutiliser le langage de la Gnose : la « Réalité suprasensible » reste « invisiblement visible dans un éternel mystère »[4] ... D'où le platonisme : cette *Réalité suprasensible*, ce *point sublime*, qui est à la fois en nous (dans l'inconscient) et hors de nous (dans l'univers), la poésie ne peut (dans le meilleur des cas : automatisme pur, sans travail ni censure, sans déperdition ni trahison) que l'égaler, par bribes. « Le langage de la révélation se parle certains mots très haut, certains mots très bas, de plusieurs côtés à la fois. Il faut se résigner à l'apprendre par bribes... »[5] L'essentiel reste toujours, comme la *vraie vie* de Rimbaud, ailleurs[6]. Et si « la vraie vie est absente »[7], il se peut que nous n'en soyons « ici bas » que les fantômes[8]. Réminiscence : « Il se peut, écrit Breton, que ma vie ne soit qu'une image de ce genre, et que je sois condamné à revenir sur mes pas tout en croyant que j'explore, à essayer de connaître ce que je devrais fort bien reconnaître, à apprendre une faible partie de ce que j'ai oublié »[9]. Même s'il n'y a pas d'antériorité réelle de moi sur moi, il n'en reste pas moins que l'incons-

1. Breton, *Point du jour*, p. 180. (Il s'agit ici, dans le contexte, de la « déperdition de la faculté médianique dans le temps ».)
2. Breton, *Manifestes...*, p. 9.
3. Breton, *Point du jour*, p. 44.
4. Breton, *Manifestes...*, p. 188.
5. *Ibid.*, p. 142.
6. Cf. par ex. *Manifestes...*, p. 64.
7. Arthur Rimbaud, *Une saison en enfer*, Délires I.
8. Cf. Breton, *Nadja*, p. 9-11.
9. *Nadja*, p. 10.

cient toujours en moi me précède, et m'appelle. D'où le plotinisme : le point suprême est l'alpha et l'oméga du sens. La poésie en naît (procession) mais ne tend qu'à s'en rapprocher (conversion). L'écriture automatique est à la fois son origine et sa fin, sa condition de possibilité[1] et « la limite à laquelle (elle) doit tendre »[2]. Platonisme des profondeurs, donc, mais aussi religion de l'inconscient, et plotinisme du surréel. Tout se tient, tout descend : puisque le *bas* (l'inconscient) surplombe tout le reste (la vie réelle, la poésie effective...) du *haut* de sa *surréalité*. C'est ici le cœur du surréalisme : *le plus bas est le plus haut*. Cela n'est contradictoire, selon Breton, qu'en apparence. Car l'opposition du *haut* et du *bas* n'est telle qu'*en deçà* du point suprême : le surréalisme n'est donc contradictoire que pour celui qui ne l'a pas atteint. Contradiction dans la caverne, contradiction illusoire. Du point de vue de la surréalité, « le haut et le bas cessent d'être perçus contradictoirement »[3]. Tout s'arrange à merveille (« il n'y a que le merveilleux qui soit beau... »[4]), et le surréalisme annule ainsi – » dialectiquement », dit-il – la contradiction qui le définit. La question est de savoir s'il ne s'annule pas, du même coup, lui-même.

Question ouverte, et que nous laisserons telle. Elle est d'ailleurs peut-être sans objet. Dans quelle mesure un mouvement littéraire a-t-il besoin de cohérence ? A chaque lecteur le soin, pour son compte, d'en décider. Notre problème n'est pas là, et, le concernant, nous en savons maintenant assez. Car ce qui m'intéresse ici, et qui justifiait ce détour par le surréalisme, c'est ce qu'il nous apprend à propos, non des œuvres d'art (car il eût mieux valu alors parler des poèmes que des essais, et des réussites d'Eluard plutôt que des tentatives de Breton...), mais de la philosophie esthétique qui, prétendument, les fonde. Or, ce que le surréalisme nous a appris d'essentiel de ce point de vue, et dans ses limites mêmes, tient en une phrase : *qu'il ne suffit pas*

---

1. Cf. par ex. *Manifestes...*, p. 38.
2. Breton, *Point du jour*, p. 181.
3. Breton, *Manifestes...*, p. 77.
4. Breton, *ibid.*, p. 24.

de renverser le platonisme pour en sortir. Où l'on retrouve,
par d'autres voies et sur un tout autre terrain, la leçon (à
la fois historique et philosophique) que nous avions déjà
retenue du stalinisme[1] : qu'il est plus facile d'être athée que
de se débarrasser de la religion ! Et en effet, malgré le matérialisme déclaré de Breton, le platonisme ne cesse de trans-
paraître chez lui sous la forme paradoxale (inversée) de ce
qu'on a appelé à juste titre son « matérialisme magique »[2],
qu'on pourrait appeler aussi bien sa *religion sans Dieu*. Car
si Breton reste jusqu'au bout hostile aux religions établies[3],
s'il ne renonce jamais à l'athéisme le plus explicite et même
à l'anticléricalisme le plus virulent, cela ne l'empêche nullement de glisser de plus en plus vers une pensée ouvertement magique, gnostique, occultiste et, en son fond
(comme je l'ai montré à propos de sa théorie de l'art et de
l'inspiration), religieuse[4]. Ce glissement était certes inscrit
dès le départ dans l'antirationalisme militant qui servit
d'étendard au surréalisme naissant, lequel se voulait
d'abord une remise en cause du « règne de la logique »[5] ;
il n'en reste pas moins qu'il ne va cesser par la suite de
s'accentuer et de se systématiser, autour principalement
des deux notions solidaires d'*inconscient* et de *surréalité*,
c'est-à-dire, pour reprendre une expression que Breton utilisera dans les années cinquante, à partir d'une « cryptes-
thésie lyrique des bas-fonds »[6]. Cet antirationalisme initial
et le glissement religieux qui le suit sont rendus possibles
tous les deux par l'interprétation à contresens que Breton
et ses amis font de la psychanalyse, dans laquelle ils voient,
non une science et une thérapeutique, mais, comme le dit

---

1. Cf. *supra*, p. 154-172.
2. Jean Starobinski, Freud, Breton, Myers, in *La relation critique*, NRF, p. 338.
3. Cf. par ex. *Entretiens*, p. 267-268 et 290.
4. Il serait trop long de citer tous les textes où Breton *flirte* ainsi avec l'ésotérisme et la religiosité. Cf. à ce propos M. Carrouges, *André Breton et les données fonda-mentales du surréalisme*, « Idées »-NRF, p. 21-96, C. Abastado, *Le surréalisme*, Hachette, p. 110-115, F. Alquié, *op. cit.*, p. 154-169, et J. Starobinski, *op. cit.*, p. 320-341 (qui met en lumière, de ce point de vue, le rôle de la psychanalyse, telle qu'elle est interprétée par Breton, et de la parapsychologie).
5. Breton, *Manifestes...*, p. 18.
6. Breton, *Entretiens*, p. 297.

Jean Starobinski[1], « une apologétique en faveur de l'inconscient », défini comme le lieu quasi mystique des
vérités *supra-* (beaucoup plus qu'*infra-*) rationnelles. Ce
pourquoi Freud avait bien raison de dire qu'il n'était quant
à lui « en rien fait pour comprendre le surréalisme »[2] :
parce qu'on ne peut « comprendre » le surréalisme qu'à la
condition de ne pas comprendre la psychanalyse, et notamment de ne pas penser dans leur rigueur des concepts
comme ceux d'inconscient, bien sûr, mais aussi de refoulement, de résistance, de travail ou de sublimation... Ce
qui était en effet beaucoup demander à Freud. Les surréalistes le savaient bien d'ailleurs qui, comme je l'ai déjà noté,
préféraient au concept d'inconscient celui, plus vague, de
subconscient, à Freud, la figure équivoque de Myers, et, à
la psychanalyse, théorie rationaliste s'il en fut, « la parapsychologie spirite, lointaine héritière de l'orphisme et des
mystères néo-platoniciens »[3]. D'où l'intérêt passionné que
Breton ne cessa de porter aux médiums : si l'on admet (à
la différence des spirites traditionnels) *l'endogénéité* du
« principe dictant »[4], le médium est un poète, et le poète,
un médium. Et le plus important des deux n'est pas forcément celui qu'on croit[5]. Les deux en tout cas sont des
voyants, chez qui *perception et représentation* sont enfin
réunifiées, comme elles le sont « chez le primitif et chez
l'enfant »[6] ... mais pas seulement chez eux :

> « Cet état de grâce..., je dis que c'est l'automatisme seul qui y mène...
> « Par le seul fait qu'elle voit sa croix de bois se transformer en crucifix
> de pierres précieuses, et qu'elle tient tout à la fois cette vision pour
> *imaginative et sensorielle*, Thérèse d'Avila peut passer pour commander

---

1. *Op. cit.*, p. 323.
2. Freud, *Lettre à André Breton* du 26 décembre 1932, publiée par Breton dans
Les vases communicants, « Idées »-NRF, p. 176.
3. J. Starobinski, *op. cit.*, p. 340.
4. Cf. Breton, *Point du jour*, p. 178.
5. Cf. Breton, *Manifestes...*, p. 141 : « Je demande, encore une fois, que nous nous
effacions devant les médiums qui, bien que sans doute en très petit nombre, *existent*,
et que nous subordonnions l'intérêt – qu'il ne faut pas grossir – de ce que nous
faisons à celui que présente le premier venu de leurs messages. »
6. Breton, *Point du jour*, p. 188.

cette ligne sur laquelle se situent les médiums et les poètes. Malheureusement ce n'est encore qu'une sainte. » [1]

Bel aveu. Le poète surréaliste est une bigote sans Dieu,
un mystique sans mysticisme, un saint, moins la sainteté.
Freud est bien loin. Et la religion, bien près... Mais aussi :
bien petite. Car Breton évacue de la religion tout ce qu'elle
comportait de grand : Dieu, le mysticisme et la sainteté. Il
ne garde que la religion. Ou si l'on préfère : le romantisme,
mais enfermé dans son sous-sol. En un mot, il est le
contraire de ce que j'appelle le *désespoir* (puisque l'inconscient porte en germe tous les triomphes à venir : le surréalisme, pessimiste « en ce qui regarde la maladie de notre
temps..., se double d'un optimisme largement anticipa-
tif » [2]), sans aller pourtant jusqu'au bout de l'espérance, qui
est la foi. Son destin se résume en un prénom. « Elle me
dit son nom, celui qu'elle s'est choisi : *"Nadja, parce qu'en
russe c'est le commencement du mot espérance, et parce que
ce n'en est que le commencement..."* » [3] Le surréalisme est
une religion inachevée.

VII

Le surréalisme est ainsi l'équivalent en art de ce qu'était
la pensée utopique – et spécialement sa variante stalinienne – en politique [4]. D'où un rapport historique de fascination qui connut, dans le groupe surréaliste, les développements que l'on sait. Et le côté *Pape* de Breton : il s'agit
toujours, ici comme là, du règne de la vérité, lequel ne se
partage pas, ni ne se négocie. Si la vérité fait norme, l'infaillibilité est de rigueur. Voyez le second *Manifeste*... Breton
comme Staline (puis *contre* Staline) assume comme il peut

1. Breton, *Point du jour*, p. 188-189.
2. Breton, *Entretiens*, p. 251.
3. Breton, *Nadja*, p. 75 (folio).
4. Continuant peut-être ainsi un parallélisme qui existait déjà, semble-t-il, entre
le romantisme du XIXᵉ siècle et l'utopisme. Cf. à ce propos le livre de Paul Benichou :
Le temps des prophètes, par ex. p. 566 : « Le mal de l'avenir fut le vrai mal du siècle...
Les auteurs de systèmes sont en cela les frères des poètes. »

le poids de son savoir. Philosophe-roi, artiste-roi... A chacun son platonisme, à chacun son monde intelligible : là où l'être et la valeur se confondent – dans la *science* marxiste, dans l'inconscient –, là où le sens, dirait Staline, *est* l'histoire, là où le désir, dirait Breton, *est* la réalité. Fausse lecture de Marx (même si...), fausse lecture de Freud : lectures platoniciennes, qui conjoignent ce que le matérialisme, dans sa rigueur, disjoint. Contre quoi il faut penser que l'histoire n'a pas de sens (puisqu'elle le produit), et que la réalité ne correspond pas au désir (puisqu'elle l'englobe). Ce que j'appelle le désespoir, qui est le contraire de la foi. On peut appeler *Dieu* toute vérité qui fait sens, tout réel qui fait norme, tout être qui vaut. Ainsi l'histoire chez Staline, et l'inconscient (ou le surréel) chez Breton. Et *athée* seulement, en toute rigueur, celui qui s'acharne à penser que la vérité n'a pas de sens, que la réalité est sans norme, et l'être sans valeur. Et par conséquent : que la valeur n'*est* pas, que la norme est sans réalité, et le sens sans vérité (si l'on prend ces mots d'*être*, de *réalité* et de *vérité* au sens absolu – objectif – qui est le leur). Autrement dit : qu'il n'y a de subjectivité que pour un sujet, et de *point de vue* que pour un regard ; ce qui est à la fois le B-A BA du matérialisme, et sa limite. Nous y reviendrons. Mais on voit déjà que la religion est la règle pour l'homme, et l'athéisme, l'exception. Cela fut toujours vrai, mais l'est aujourd'hui singulièrement : par l'absence du Dieu autrefois vénéré ! L'histoire du XXᵉ siècle est ainsi celle, à la considérer du point de vue des idées, de l'invention continue de religions sans Dieu, c'est-à-dire à la fois du *renversement* de la religion et de la *sacralisation* du profane. Double mouvement, comme on l'a vu, qui nie d'abord l'existence du *haut* (Dieu est mort...) pour le retrouver, à peu près tel quel, dans le *bas* (vive l'inconscient ! vive l'histoire !). D'où une religion inversée, ou un matérialisme religieux. Dieu est mort, peut-être, mais *le mort saisit le vif*. Notre temps est celui de cet héritage.

On comprend alors la place éminente qu'occupe, dans l'art de ce siècle, le surréalisme. Il en résume à la fois l'esprit et les limites, qui sont d'être « athée » sans s'être libéré de la religion, d'être « matérialiste » sans s'être libéré du platonisme, d'être « moderne » sans s'être libéré du romantisme. Bien plus, mon idée est que ce romantisme est à la fois exacerbé et perverti par la disparition du Dieu qui lui servait de fondement : la religion sans Dieu, en art comme ailleurs, est la plus encombrante qui soit. Voyez Staline, dont le pouvoir n'était même pas limité par le droit divin. Et de même en art : car l'artiste occupe alors, sans frein, sans pudeur, la place vide du Dieu absent. « *Abîme, abîme...* écrivait Nerval, *Le Dieu manque à l'autel où je suis la victime...* » Le XXᵉ siècle ne s'en fait pas pour si peu. L'artiste sera ce Dieu, s'il en faut un. Et son romantisme : un culte de soi-même. Postérité du surréalisme : le platonisme des profondeurs débouche sur une religion du moi. Le XXᵉ siècle est sans complexes. Narcisse s'assoit tranquillement sur l'autel.

Est-ce la faute du seul surréalisme ? Certainement pas. Le mouvement l'excède et l'englobe davantage qu'il n'en résulte. Et la psychanalyse n'y est pas non plus, fût-ce malgré elle, totalement étrangère. De même que Marx portait, nous l'avons vu, une part de responsabilité dans la naissance et le développement du stalinisme, de même, peut-on penser, Freud, dans cette éclosion d'une religion narcissique. A voir en chacun un abîme, et même sans s'illusionner soi-même dessus, on donne à Narcisse, toujours prompt à croire ce qui le flatte, comme l'équivalent d'un ciel en profondeur mais qu'il contiendrait tout entier : comme un poisson qui serait à soi-même son propre aquarium, et y verrait un monde... Cela suppose, davantage que chez Marx me semble-t-il, une compréhension fausse de la pensée freudienne. Mais le danger existait dès le départ, et Freud, selon toute vraisemblance, l'avait au moins sous-estimé. J'en veux pour preuve cette anecdote quelque peu surprenante que Jung raconte dans ses mémoires :

« J'ai encore un vif souvenir de Freud me disant "Mon cher Jung, promettez-moi de ne jamais abandonner la théorie sexuelle. C'est le plus essentiel ! Voyez-vous, nous devons en faire un dogme, un bastion inébranlable.” Il me disait cela plein de passion et sur le ton d'un père disant. “Promets-moi une chose, mon cher fils : va tous les dimanches à l'église !” Quelque peu étonné, je lui demandai “Un bastion – contre quoi ?” Il me répondit : “Contre le flot de vase noire de...” Ici il hésita un moment pour ajouter : “...de l'occultisme !” » [1]

Jung semble sourire de l'anecdote. Je la trouve pour ma part singulièrement émouvante et belle, pour ce qu'elle exprime chez Freud (dont on veut faire l'apôtre de la nuit) d'amour de la lumière, d'intelligence claire et de passion rationaliste – et la même haine de la superstition qu'on trouvait déjà, parmi d'autres, chez Lucrèce ou Spinoza... Mais elle est révélatrice aussi (et émouvante encore en cela) d'une certaine forme de suffisance, chez Freud, et, il faut le dire, de naïveté philosophique. Encore un qui croyait avoir à jamais triomphé des dieux et des démons... Ce que nous apprend le surréalisme, dans son errance, c'est que les dieux ne désarment pas pour si peu, et que le primat accordé à la sexualité (qui définit le matérialisme freudien : l'inférieur commande le supérieur) ne suffit pas, tant s'en faut, à dissiper les démons ni à endiguer à jamais « le flot de vase noire » de l'occultisme. Cela se comprend : peu importe qu'on affirme le primat du *bas* sur le *haut* (du corps sur l'esprit, de l'inconscient sur le conscient, de la sexualité sur tout le reste...), si c'est pour accorder aussitôt au *bas* toutes les qualités désormais refusées au *haut*. On n'a jamais affaire alors qu'à une permutation, qui laisse, après comme avant, le rapport inchangé. Si l'inconscient, si la sexualité deviennent le réceptable de toutes les vertus arrachées à l'âme ou aux dieux, la religion est bien renversée (mise *sens dessus dessous*), mais reste une religion : puisque tout continue alors de procéder suivant une *descente* (fût-elle paradoxalement orientée *de bas en haut*), c'est-à-dire suivant un axe à la fois ontologique et normatif où, comme l'a dit une fois pour toutes Plotin et quels que soient les modèles spatiaux utilisés, « le principe créateur

1. C. G. Jung, *Ma vie*, p. 177 ; cité par J. Starobinski, *op. cit.*, p. 341.

est toujours supérieur à la chose créée ». L'occultisme, comme disait Freud, et en général la religion reviennent alors en force en ce point précis où l'on prétendait les chasser – en cet abîme où le ciel s'engloutit mais aussitôt renaît. Et la sexualité, l'inconscient, le corps (ou l'histoire, ou l'économie, ou le prolétariat...) deviennent alors ce *principe créateur* supérieur à ce qu'il crée, auquel un culte doit être rendu, et vis-à-vis duquel l'individu ne peut que se soumettre. « Soyez le plus passif, ou réceptif, que vous pourrez... » disait Breton au nom de l'inconscient ; et Staline eût pu le dire aussi au nom de l'Histoire ou de la détermination en dernière instance par l'économie. Le *primat* se double d'une *primauté* : le plus bas *est* le plus haut. Le mot même de *surréalisme* est en ce sens bien révélateur, qui met au-dessus de tout une *sur*réalité dont il ne cesse pourtant d'affirmer l'origine abyssale. Renversement caractéristique qui met la réalité, comme la dialectique mystifiée de Hegel selon Marx mais en un autre sens, pieds par-dessus tête. Hegel nous faisait marcher sur le ciel ; Breton nous fait voler dans l'abîme, cet abîme qui, tout le surréalisme est là, est *au-dessus de nous*. Car l'abîme aussi est un ciel pour celui qui l'adore, et le surréalisme, avec son flot de vase noire ou d'aniline, en est le culte et ne cesse d'en célébrer le mystère. Ce n'est pas Icare, c'est Orphée – mais Orphée qui ne rêverait que d'enfer et jalouserait Eurydice. Ou Thésée, si l'on veut, « mais Thésée enfermé pour toujours dans son labyrinthe de cristal » [1] et vénérant le Minotaure. La religion triomphe, encore une fois. *Abîme, abîme...* Des profondeurs du moi comme des profondeurs de l'histoire ne cessent de sourdre des dieux nouveaux.

La leçon à en tirer est à mon sens la suivante : le matérialisme ne peut échapper à la religion qu'à la condition, non seulement d'affirmer le primat du bas sur le haut (ce qui le définit comme matérialisme), mais encore de penser ce bas *en tant que bas*, c'est-à-dire dans sa bassesse même – ce que j'appelle le désespoir – et sans lui donner aucun

---

1. André Breton, *Point du jour*, p. 7.

des caractères élevés qui en feraient immanquablement, quel que soit le lieu où on le situe, « Enfer ou Ciel qu'importe », un principe religieux (surréel ou surnaturel) parce que supérieur à ce qui procède de lui, dont il serait à la fois la source et l'idéal, l'origine et l'accomplissement – ce qui est, nous l'avons vu, à la fois l'illusion de l'art et sa vérité. Dès lors, une esthétique matérialiste devra affirmer non seulement l'origine immanente de l'art (le corps, l'enfance...), mais encore sa *supériorité* sur son origine. Léonard « continua de jouer après avoir grandi », je veux bien ; mais l'artiste qu'il est devenu est supérieur à l'enfant qu'il était, comme son œuvre est supérieure encore à l'homme qu'il fut. Matérialisme : ascension. Ce qui suppose, encore une fois, qu'on pense *le bas dans sa bassesse* (l'enfance est l'origine de la poésie, mais elle n'est pas, en tant que telle, poétique : ce ne sont pas les enfants qui font les poèmes), mais aussi *le haut dans sa hauteur* (l'art est supérieur, du point de vue qui est le sien, à l'enfance dont il est issu). Et de même : c'est toujours un individu qui crée, avec ses faiblesses et ses limites, sa pauvre vie, ses pauvres désirs, ses angoisses et ses rêves – mais son œuvre lui est, du point de vue de l'art, supérieure. Le génie n'est pas tant celui qui dépasse les autres hommes que l'homme qui crée ce qui le dépasse. Cela veut dire aussi, pour prendre un exemple plus général, qu'on ne pourra faire une théorie vraiment matérialiste du corps qu'à la condition de lui dénier toutes les qualités de l'esprit, et d'affirmer à la fois le *primat* du premier (tout vient du corps) et la *primauté* du second (tout vient du corps, mais c'est l'esprit qui vaut) – ce qui n'est contradictoire que pour qui confond l'être et la valeur que, justement, le matérialisme disjoint. Et nous dirons de même : primat de l'économie, primauté de la politique ; primat de l'inconscient, primauté de la conscience ; et ici : primat de la sexualité, primat de l'enfance... mais primauté de l'art. L'essentiel pour la philosophie n'est pas l'opposition topique de deux lieux (le haut, le bas), mais l'opposition de deux *mouvements*, l'un ascendant (matérialisme : Icare), et l'autre descendant (religion, y compris quand cette descente se fait – surréalisme – *de bas en haut*). C'est le mouvement qui compte parce que c'est lui qui définit les lieux, dans leur vérité, et non l'inverse. D'où l'importance en tout du désespoir : qui est descendu au plus bas, il ne peut plus que monter – ce qui exclut toute idée de chute et, par conséquent, de religion.

Cette opposition métaphysique de la religion et du désespoir, je ne fais ici, une nouvelle fois, qu'en esquisser les contours. Notre cinquième chapitre lui sera consacré. Mais on voit déjà ce qu'elle suppose, concernant l'art : qu'on peut appeler *religieuse* toute esthétique qui fait émaner l'œuvre d'art d'un *quelque chose* = x qui lui est supérieur, que ce *quelque chose* soit Dieu lui-même (inspiration de type platonicien), une œuvre idéale (inspiration de type plotinien), l'inconscient ou la surréalité (inspiration de type surréaliste), mais aussi (inspiration de type narcissique) l'artiste lui-même, si on le pense comme supérieur à sa création – ce que j'appelle la religion du moi. Et matérialiste seulement, s'il en existe, l'esthétique qui met le résultat final – l'œuvre réelle – au-dessus de tout : sans modèle divin ou idéal, bien sûr, mais aussi plus haut que l'inconscient, plus haut que la sexualité, plus haut que l'enfance – et plus haut même, d'un point de vue esthétique, que l'artiste qui la crée. Tout vient de lui pourtant – puisqu'il n'y a rien d'autre ; mais, créant son œuvre, il crée quelque chose qui le dépasse. Primat de l'artiste, primauté de l'œuvre : d'un point de vue esthétique, la *Neuvième symphonie* est supérieure à Beethoven – mais elle ne serait rien sans lui. Et la *Recherche* ne serait rien sans Proust, mais le dépasse. D'où l'humilité des génies, qui connaissent leur petitesse à la grandeur de ce qu'ils créent. Ascension : le supérieur naît de l'inférieur (l'œuvre naît de l'artiste) mais lui est *effectivement* supérieur. Nous touchons là à ce qu'aucune religion ne peut accepter (la pierre de touche autrement dit de l'athéisme absolu), qui tient en une phrase : *la création est supérieure au créateur*. Matérialisme : c'est le musicien qui fait la musique, mais c'est la musique qui est belle. C'est l'artiste qui fait l'art ; mais l'art est plus grand que l'artiste.

Il y a bien *création*, en ce sens. Non pas certes que l'artiste produise quelque chose, absolument, « à partir de rien ». L'idée même en serait contradictoire. Si l'artiste produit, c'est qu'il transforme. Pas d'art sans matériaux, à la fois extérieurs (marbre, peinture, langage...) et intérieurs (perception du monde et de la vie, culture, souvenirs, fantasmes...). Mais cette transformation – qui est un *travail*, à tous les sens du terme – a pour effet de produire quelque chose qui *n'existait pas*. Quoi ? *Les premiers mots d'un vers*, comme dit Rilke, ou un tableau, ou la ligne d'une mélodie... Soit : du sens et de la valeur.

Du sens : c'est-à-dire de la pensée, en tant qu'elle renvoie, dans un double rapport, au monde qu'elle représente (indépendamment de la vérité de cette représentation) et au sujet qui la pense, de telle sorte que le monde (intérieur ou extérieur) *signifie* quelque chose *pour* le sujet [1]. Et s'il faut *produire* du sens : c'est qu'il n'existe pas. Ou hors du monde seulement [2] : mais hors du monde, il n'y a rien. L'art s'élève sur fond d'*insignifiance*. Plus exactement : s'il faut produire du sens (« créer »), c'est que le sens qui existe (relativement aux hommes : dans l'idéologie, dans la culture...) est perçu par l'artiste comme inadéquat à ce qu'il voit, sent, pense ou vit. L'artiste est celui qui sent en lui (ou, illusoirement, dans le monde) un surcroît ou un défaut de sens par rapport à ce qu'on peut appeler le *sens commun*, c'est-à-dire, si l'on veut, la moyenne des significations socialement reconnues. Ou si l'on préfère : l'artiste est celui qui constate, dans l'univers spirituel de son temps, une déperdition ou un excès de sens par rapport à ce qu'il sent en

---

1. Définition tautologique, bien sûr, mais peut-il en exister une, du sens, qui ne le soit pas ? Le sens se suppose toujours lui-même. Mais ce qui m'importe ici, c'est qu'il n'est de sens que *pour* et *par* un sujet – ce qui le distingue de la vérité : il n'est de sens que subjectif, et de vérité (au *sens* strict) qu'objective. Nous y reviendrons.

2. Cf. Wittgenstein, *Tractatus*..., 6-41 : « Le sens du monde doit se trouver en dehors du monde. Dans le monde toutes choses sont comme elles sont et se produisent comme elles se produisent : il n'y a pas *en lui* de valeur – et s'il y en avait une, elle n'aurait pas de valeur. » Mais justement, le matérialisme postule qu'il n'y a pas de *dehors* du monde. L'immanence et le monisme définissent un monde où tout, par définition, est *dedans*. Cf. Spinoza, bien sûr, mais aussi, par ex., Epicure, *Lettre à Hérodote*, §§ 39-44.

lui ou (illusoirement) dans le monde. *Créer* vise alors à *rétablir l'équilibre du sens*, en en rajoutant là où il en manque (création positive) ou bien en déniant sa validité là où il est en excès (création négative : critique), c'est-à-dire, dans les deux cas, dans la culture des hommes (dans l'esprit) par opposition au monde (intérieur ou extérieur) pris comme référence. Mais cet *équilibrage* du sens est en lui-même toujours signifiant (quel qu'il soit : dire « le monde est sans signification », c'est énoncer une proposition qui, vraie ou fausse, a un sens ; et dire « cette proposition est *insensée* », c'est en produire une autre) : le retour à l'équilibre du sens est lui-même un effet de sens. Autrement dit : rajouter ou supprimer du sens, c'est toujours en produire. Il n'y a d'art, même critique, que créateur. Or, cet équilibre du sens que l'art crée et, perpétuellement, recrée entre l'esprit (la culture) et le monde, c'est aussi ce qu'on appelle : sa vérité. Créer, c'est donc établir (ou rétablir) la vérité du sens (son rapport au monde) alors même (désespoir) qu'elle n'existe pas – non pas parce que le sens est faux (ce qui supposerait encore que le monde en ait un, différent de celui qui est dans notre esprit), non pas parce que le monde est absurde (ce qui supposerait encore la validité – négative – du sens), mais parce que le monde (y compris l'esprit en tant qu'il est réel (la culture), y compris le sens en tant qu'il est dans le monde donc – Wittgenstein – sans valeur) est en lui-même *insignifiant*, c'est-à-dire dépourvu de toute signification possible (en tant qu'elle aurait une valeur objective), ce qui interdit à jamais qu'aucune lui soit réellement adéquate. Mais seul le monde est réel ; et le sens lui-même n'a de réalité qu'en tant qu'il n'a pas de sens (qu'en tant qu'il est « dans le monde »). Seul le monde est réel, seul le sens est sensé. Désespoir et ascension : primat du monde, primauté du sens [1]. Créer, c'est produire ce qui n'est pas. Ce qui est la grandeur de l'art (en lui se joue la vérité de l'esprit), mais aussi sa limite (cette vérité n'est jamais qu'illusoire : vérité subjective mais

---

1. Donc aussi : primat du signifiant, primauté du signifié. Nous y reviendrons.

non objective, vérité pour l'esprit mais non pour le monde, vérité du désir mais non de la réalité). L'art est l'illusion de la vérité, et la vérité de l'illusion. L'esprit s'y donne pour ce qu'il est en fantasmant ce qui n'est pas. Le sujet s'y réalise en projetant son désir sur la réalité, faute de pouvoir adapter la réalité à son désir. Le sens s'y mire dans son absence : l'art est ce reflet, et le monde ce miroir.

L'art crée du sens. Il crée aussi de la valeur. Ce sont choses voisines, mais différentes : si toute valeur suppose du sens (c'est-à-dire, pour faire bref, la pensée d'un sujet) tout sens n'est pas également valorisé. Et bien des phrases *sensées* me sont complètement indifférentes. Disons que ce que le sens est à ma pensée (à la fois son objet, son effet et sa condition[1]), la valeur l'est à mon désir. Et si toutes les valeurs ne se valent pas, c'est que tout n'est pas également désirable, ou plutôt désiré. Ce qui renvoie, encore une fois, non à des différences objectives (selon lesquelles telle chose aurait, en vérité, plus de valeur que telle autre), mais à des différences *intra-* (et, éventuellement, *inter-*) subjectives (tel sujet, ou les hommes en général, ou certains d'entre eux, désirent davantage ceci que cela). En un mot : il n'est pas de valeur absolue. Un objet quelconque n'a de valeur que *relativement* à nous, à nos besoins ou, en général, à nos désirs. C'est pourquoi « aucun objet ne peut être une valeur s'il n'est une chose utile »[2], c'est-à-dire conforme à nos besoins ou (ce qui revient au même : « Que ces besoins aient pour origine l'estomac ou la fantaisie, leur nature ne change rien à l'affaire »[3]) à nos désirs. Il n'est de valeur que *pour* et *par* le désir, avant même qu'intervienne le problème du travail ; car si l'objet produit « est inutile, le travail qu'il renferme est dépensé inutile-

---

1. Ce qui suppose que le sens (comme la valeur) se précède toujours lui-même : cela parce que les hommes ont une histoire, à la fois sociale et individuelle, où le sens précède chacun d'entre nous du fait que, comme l'ont dit Descartes, Freud et quelques autres, « nous avons tous été enfants avant que d'être hommes » (*Discours de la Méthode*, II). L'enfance est le lieu, pour chacun, de la précession du sens.

2. Karl Marx, *Le Capital*, I, t. I, p. 56.

3. *Ibid.*, p. 51.

ment et conséquemment ne crée pas de valeur »[1]. Autrement dit : toute valeur (d'échange) suppose d'abord une valeur d'usage, c'est-à-dire une valeur *pour le désir*, tel qu'il s'est historiquement constitué. Ce pourquoi, par exemple, tout ce qui brille n'est pas d'or. Ou aussi bien : ce pourquoi tous les tableaux ne se valent pas, ni toutes les mélodies, ni toutes les phrases. « La marquise sortit à cinq heures », cela manque, non de sens, mais de valeur. Ma pensée peut bien s'y reconnaître, mais point mon désir s'y exalter. D'où une vérité à nouveau qui se joue, et qui est vérité du désir. Cette vérité (subjective) est ce qu'on appelle le *goût* : « Je vous parle en toute autorité. Je sais quand une phrase est belle, et je sais ce qu'elle signifie »[2]. Mais cette phrase, cette beauté et cette signification, il fallait d'abord les *produire*. La vérité de l'art n'est pas l'origine de l'œuvre (qui en serait la révélation), mais son effet en nous. Nous ne connaissons rien quand nous reconnaissons sa valeur, sinon, précisément, ce qu'elle crée. La création est première : l'artiste produit une valeur qui n'existait pas – son œuvre – que nous pouvons alors (et alors seulement) reconnaître comme conforme à notre désir ou à notre vision du monde. L'ascension est plus qu'un voyage : Icare *crée* le ciel où nous l'admirons. Et il y a bien, ici comme ailleurs, une *plus-value*, c'est-à-dire une *valeur en plus* qui, comme l'autre[3], renvoie au travail, mais considéré non plus sous sa forme abstraite de temps de travail (dont le contenu concret est « tout à fait indifférent » (Marx), ce qui, en art, n'est jamais le cas), mais sous sa forme concrète et singulière (laquelle n'est interchangeable avec aucune autre) de production de *cette œuvre-ci* : puisque toute valeur d'usage est ici unique, la valeur d'échange ne saurait s'établir sur la base d'aucune moyenne objective (le temps de travail moyen socialement nécessaire à la production de telle ou telle marchandise), mais seulement sur la base *du désir lui-même*, c'est-à-dire

---

1. *Ibid.*, p. 56.
2. Aragon, *Traité du style*, p. 62.
3. Cf. Marx, *Le Capital*, t. I, p. 160-209.

de la valeur d'usage, telle qu'elle est subjectivement perçue et désirée. Si « comme valeurs d'usage, les marchandises sont avant tout de *qualité* différente, (alors que) comme valeurs d'échange, elles ne peuvent être que de différente *quantité* » [1], il est clair qu'en art la seule *quantité* pertinente est celle de la *qualité*. En art, valeur d'usage et valeur d'échange se confondent : il n'est moyenne que du désir [2]. Mais il n'en reste pas moins qu'il y a bien, ici aussi, *plus-value*, c'est-à-dire création d'une valeur nouvelle (plus ou moins grande selon les œuvres) ou, en d'autres termes, d'un nouvel objet désirable (qui n'est valeur qu'en tant qu'il est effectivement désiré), irréductible aux matériaux (y compris culturels) utilisés pour sa production. Ici aussi, la force de travail humaine produit davantage de valeur qu'elle n'en consomme – ce qui distingue par exemple la création du plagiat, et l'artiste de l'esthète. Du point de vue de la valeur comme du point de vue du sens, il n'est d'art que créateur.

Ainsi l'artiste ne se contente pas de reproduire ce qui existe, de révéler ce qui est : en transformant ce qui existe (travail), il produit ce qui n'existait pas (du sens, de la valeur) et qui, objectivement, n'*est* pas. S'il reproduit, c'est pour transformer ; s'il imite, c'est pour créer. Création de sens, création de valeur – ascension. Sans doute, c'est le réel qui est premier, et qui conditionne tout le reste, y compris la valeur qu'il produit. Réalité du monde, réalité de l'artiste, réalité du désir. Ce qu'on appelle *création* n'est jamais qu'une transformation du réel par lui-même. Mais le monde, l'artiste et son désir (le réel) sont en eux-mêmes sans valeur artistique. Schubert n'était pas une œuvre d'art, ni la grand-mère de Proust, ni les trop célèbres chaussures de Van Gogh... Du point de vue de l'art, il n'y a que l'art qui vaille. Or l'art n'est art que par cette *valeur* en lui,

---

1. Marx, *Le Capital*, I, t. I, p. 53.

2. Du moins si l'on fait abstraction des phénomènes, notamment spéculatifs, propres au *marché* de l'art, phénomènes qui jouent aujourd'hui, comme on sait, un rôle décisif, mais qui n'a plus grand chose à voir avec l'esthétique. *Business is business...*

objectivement sans réalité, mais subjectivement irremplaçable. Primat du réel, primauté de la valeur : l'art élève sur fond d'insignifiance et d'objectivité sans valeur le monument gigantesque – signifiant et normatif – de l'esprit. « *L'esprit est plus grand que l'esprit* », disait joliment Breton, et cela n'est pas faux ; mais point, comme il le voulait, parce qu'il se contient toujours lui-même (comme une « boîte à multiple fond » ou une poupée russe) et ne cesse de se révéler à soi : l'esprit est plus grand que l'esprit parce qu'il ne cesse de se créer soi-même dans le même mouvement qui l'engendre et le constitue. L'esprit est plus grand que l'esprit parce qu'il est le fruit, perpétuellement, de son propre travail – parce qu'il n'est d'esprit que créateur. L'esprit ne se découvre pas ; il s'invente. Il ne se révèle pas ; il se produit. Sa Pentecôte, c'est Noël, et Noël – « dans la plus longue nuit de l'année, ou presque »[1] –, c'est la fête, non pas de l'espérance comme le voulait Alain[2], mais – ici et maintenant – du présent qui advient. Noël : fête de l'enfance, fête de l'esprit qui naît. Mais point de naissance sans travail, point d'esprit sans labeur. Icare ! Icare ! L'esprit n'*est* pas ; il se *crée*. L'art est cette création : dans la nuit du monde, la lumière de l'esprit.

VIII

L'art, disais-je au début de ce chapitre, a tous les caractères d'un labyrinthe : l'illusion, l'illimité, la fermeture. L'illusion, nous l'avons vue, ce me semble, suffisamment ; précisons seulement qu'elle n'interdit pas la vérité. Car toutes les illusions ne se valent pas : il en est, Freud l'a montré[3], de vraies et de fausses. « Le soleil se lève à l'est »,

1. Alain, *Propos sur la religion*, p. 102.
2. *Ibid.*
3. *L'avenir d'une illusion*, p. 44-45 : « Une illusion n'est pas la même chose qu'une erreur, une illusion n'est pas non plus nécessairement une erreur... » Et suivent des exemples d'illusions vraies. Précisons pourtant que la définition freudienne de l'illusion (« une croyance dérivée des désirs humains ») est plus restrictive que la nôtre. J'appelle *illusion*, pour ma part, toute idée (qu'elle soit ou non dérivée de désirs)

c'est une illusion sans doute mais aussi, dans le cadre de l'illusion géocentrique, une vérité ; alors que « le soleil se lève à l'ouest » serait illusoire encore, mais en outre faux. J'appelle *vérité subjective* celle qui est vraie *dans le cadre d'une illusion* ; et *objective*, la vérité... sans illusions. Du point de vue de Dieu, c'est la deuxième qui compte. Mais pour l'homme, la première importe bien davantage : puisque nous sommes « *une partie* de la nature entière » (Spinoza), et point le tout. Le navigateur ne s'y trompe pas, qui cherche l'Orient, et le trouve. Sans cette « vérité »-là, il serait perdu ; sans cette illusion, il serait Dieu. Illusion et vérité : l'art nous est cet Orient de vivre. Il est la vérité d'être homme.

L'illimité. Nous l'avons abordé : l'art ne sait pas mourir ; sa limite, c'est l'illimité de son champ... Inutile d'en dire beaucoup plus. L'histoire parle d'elle-même : si l'art, « dans sa plus haute destination », comme disait Hegel [1], est pour

---

qui est prisonnière d'un *point de vue*. Ainsi l'illusion qui nous fait voir le soleil tourner autour de la terre : le désir n'y est pas pour grand-chose. Mais le point de vue entre tous qui domine : c'est celui du désir. (Nous y reviendrons).

1. Cf. Hegel. *Esthétique*. (Flammarion, 1979, trad. Jankélévitch), t. I, p. 32-34. C'est la destination qui (p. 32) « lui est commune avec la religion et la philosophie » (mais où elles le dépassent), à savoir : exprimer le divin, exprimer l'absolu, exprimer la vérité. Il va sans dire que je n'accepterais pour ma part aucune de ces formulations. L'art exprime selon moi, non le divin mais l'humain (Dieu n'est pas artiste), non l'absolu mais le désir (l'absolu n'est pas créateur), non la vérité mais l'illusion (la vérité n'est ni belle ni laide). Ou si l'art exprime le divin, l'absolu ou la vérité (l'être, en un mot), ce n'est que du point de vue des hommes, de leurs désirs et de leurs illusions – ce qui n'est en aucun cas une « synthèse », ou ne l'est, à nouveau, qu'illusoirement. L'art s'oppose donc en tout, selon moi, non pas certes à la philosophie en général (nous verrons même qu'elle lui ressemble par bien des aspects), mais à la « destination suprême » (métaphysique) de cette dernière, qui est bien, pour elle, d'exprimer *l'être dans sa vérité* (ou *l'être, c'est-à-dire la vérité* : si la vérité n'était pas l'être, elle ne serait pas la vérité) – ce qui est Dieu lui-même (comme dit Spinoza) et le seul absolu. A quoi l'art peut bien préparer, mais en aucun cas conduire : puisqu'il n'est d'art que prisonnier du sens, et d'un sens qui ne saurait en aucun cas *contenir* la vérité, puisque c'est elle, d'évidence, qui le contient. Mais cessons ; il n'est pas temps encore d'en parler. J'espère seulement que cette note suffira à faire comprendre pourquoi j'ai si peu parlé, dans tout ce chapitre, de l'*Esthétique* de Hegel : aussi imposante dans sa masse qu'inépuisable dans son détail, je vous l'accorde, elle n'en relève pas moins d'une problématique qui est en tout incompatible avec la mienne. Voilà qui a l'air bien prétentieux ; mais penser l'est toujours. On me répondra que la problématique de Hegel, elle, a fait ses preuves. C'est ce dont je doute, précisément, et qu'il faudra bien un jour, avec le moins de partis pris possible, élucider.

nous « une chose du passé » – ce qui est possible : voyez les difficultés de l'art contemporain –, s'il « a perdu pour nous tout ce qu'il avait d'authentiquement vrai et vivant » [1], force est pourtant de constater qu'il survit – et, quantitativement, fort bien – à sa propre mort, et que « *l'art posthume d'aujourd'hui* » [2] fait vivre, bien ou mal, davantage de gens que l'art vivant du *quattrocento*. Illimité par nature, l'art, s'il meurt, est condamné perpétuellement à se survivre. Cette prétention à l'illimité, Jérôme Deshusses prétend l'invalider en la taxant de contradiction : « L'idée d'un champ artistique inépuisable est fondamentalement contradictoire : l'art est choix, le choix est exclusion, l'exclusion est limite, la limite est finitude » [3]. Mais de ces quatre propositions, seules les deux premières sont recevables ; car l'exclusion n'est limite que dans un champ *déjà* limité : exclure une partie d'un tout infini ne retire rien à son infinité ; et la limite n'est réellement finitude que dans la mesure où on la peut atteindre : ce ne sont pas les limites de notre galaxie, par exemple, qui nous condamnent à la finitude (puisque nous ne les atteindrons jamais), mais celles de la terre plutôt, ou du système solaire, ou de la vie... Et de même le langage, pour limité qu'il soit dans son principe, n'en fonctionne pas moins pour nous comme un illimité : on n'a jamais fini de parler. Cela vaut aussi pour l'art : on n'aura jamais fini de créer. Et il existe encore, dans les limbes si l'on veut, une quasi infinité de chefs-d'œuvre possibles. Si Purcell, Mozart ou Schubert avaient vécu chacun, ne serait-ce que quelques années de plus, ils auraient, plus abondamment encore qu'ils n'ont pu le faire, continué de nous le montrer. Mais le temps n'est plus où de telles œuvres étaient *effectivement* possibles. Ce n'est pas l'art qui est limité : c'est chaque époque, en ce qu'elle peut

---

1. Hegel, *Ibid.*, p. 34.

2. Selon l'évocatrice expression de Jérôme Deshusses (*Délivrez Prométhée*, Flammarion, 1978, p. 222), qui défend strictement la thèse hégélienne de la « mort » de l'art, dans un chapitre rageur – mais qui change heureusement des platitudes à la mode – contre « l'art moderne, bouture postiche de l'art réel dont l'histoire, *grosso modo*, s'arrête vers 1920... ».

3. Jérôme Deshusses, *Ibid.*, p. 228.

produire. Il n'y aura plus jamais de Mozart ; il y aura toujours des musiciens. Les hommes se résignent à tout, la musique contemporaine le prouve, sauf au silence. Il faut que le sens – même absurde, même fou, même grotesque – advienne. Cela ne finira pas. L'art est illimité comme le désir.

Et *fermé*, comme le désir, sur lui-même. Parce qu'on n'en sort pas, jamais, pas plus qu'on ne sort de soi, de sa vie ou de son monde. Prisonniers de l'art, prisonniers de l'esprit : c'est notre lot. On ne sort pas de l'enfance, ni de son rêve. Là encore, l'art contemporain spectaculairement le montre qui, à force de vouloir « dépasser » l'art, ne cesse de tourner en rond dans ses balbutiements. Le *lettrisme* en est une illustration particulièrement nette, mais guère plus peut-être que l'art abstrait ou la musique concrète. S'il est vrai qu'il n'est pas de littérature sans lettres (ou sans signes), ni de peinture sans abstraction, ni de musique sans bruits, ces formes d'art, loin de *dépasser* le sens, ne font qu'exhiber ses conditions premières ; et ces artistes, loin de *dépasser* l'art, ne font que régresser à ses premiers pas. Les enfants aussi commencent par le bruit plus ou moins aléatoire, le graphisme libre et l'abstraction... On ne sort pas de l'art : on avance... ou on recule. Ainsi l'art est une prison, comme le reste. Simplement : la plus belle des prisons, la plus proche (avec l'amour, et pour les mêmes raisons) de notre cœur. « Mais comment, demandera le lecteur naïf, comment une *prison* peut-elle être *illimitée* ? C'est contradictoire... » C'est qu'il n'a pas compris ce qu'est un labyrinthe – cette prison dont *l'illimité* est la fermeture, entre toutes, la plus invincible. Icare même, lorsqu'il s'envole, n'y échappe pas. Le cas n'est pas unique : on ne sort pas non plus de la politique. Les labyrinthes du désir sont plus invincibles encore que celui de la légende ; le ciel même qui les surplombe leur appartient. Ils sont *illimités* dans toutes les directions.

Donc, même si l'art est pour nous « une chose du passé », il n'en reste pas moins condamné perpétuellement à se survivre. Et à affronter comme il peut le climat spirituel de notre temps, marqué comme on sait par la mort de Dieu – car la religion aussi est maintenant pour nous « une chose du passé » – et par l'invention de religions sans dieux. L'art en est une, au XXᵉ siècle, et j'ai déjà évoqué l'idée que cette religion est aujourd'hui une religion du *moi*. Qu'on me permette, pour finir, d'en esquisser le *Credo*.

Donc, Narcisse s'assoit sur l'autel, et célèbre le divin mystère de sa propre existence. *Je suis celui qui suis*... Son œuvre est son sacrement : *prenez et buvez en tous*... De là le règne, dans l'art contemporain, d'un certain nombre de valeurs religieuses (ou romantiques), mais détachées de leur justification théologique, et rétroversées, en quelque sorte, sur le moi. En faire le tableau complet serait œuvre passionnante, mais démesurée. Je n'en retiendrai pour ma part que cinq, à titre d'exemples, et moins pour dresser le panorama esthétique d'un siècle que pour faire comprendre ce qui, en lui, me paraît discutable. J'irai d'autant plus vite, sur ce sujet, que je connais mieux les limites, en art, de tout jugement, et l'indémontrable de tout refus comme de toute préférence. Mais me taire complètement serait aussi trop simple. D'où ces cinq remarques, dans leur brièveté, dans leur incomplétude, dans leur subjectivité. Cette subjectivité, je l'assume, comme on dit aujourd'hui, bien volontiers. S'il n'est d'art que du désir, il n'est jugement que du goût. Ma prétention, comme nous tous, est de l'avoir bon ; mais pas plus qu'un autre je ne le puis prouver. Et ce n'en serait pas non plus le lieu : il s'agit ici de penser, en quoi nous pouvons au moins essayer de nous comprendre. A chacun ensuite, solitairement, d'aimer ce qu'il aime, et d'ignorer ce qu'il méprise. Laissons l'art à sa solitude. Et la pensée, à ses exigences.

Commençons. *Credo in unum deum* : je crois en un seul Dieu... Mais c'était le même pour tous – facteur en cela de communion et, au sens premier, de catholicité. Les religions monothéistes sont les plus universelles, ou ont vocation à l'être. Mais si *Je* suis Dieu, son unicité au contraire nous sépare : chacun pour soi, et Dieu pour chacun. Et cela donne, en art, le culte de *l'originalité*. Vertu suprême, pour beaucoup. C'est pourtant une valeur relativement récente. Les grands génies du passé visaient plutôt l'universalité. Ils se copiaient sans honte, s'imitaient sans opprobre. Ce que l'un avait réussi, pourquoi ne pas le tenter à nouveau ? Mais Narcisse met plus haut que tout sa propre singularité. Dès lors, imiter, ce serait déchoir. C'est à peine s'il accepte, et de loin, comme des influences. On le comprend : si Narcisse n'est pas unique, que reste-t-il du narcissisme ? Et que reste-t-il même de Narcisse ? Sa rareté fait son prix. D'où l'originalité, qui est cette rareté cultivée, entretenue, exacerbée. Ce qui laisse des doutes, semble-t-il, sur son ampleur : quelqu'un de vraiment rare, qu'a-t-il besoin d'être original ? Roger Caillois l'avait bien compris : « Je ne vois que les talents médiocres pour fuir tout modèle et mettre leur effort à chercher l'inédit. Un génie a plus d'audace... Il provoque la comparaison précisément parce qu'il se sent ou se sait incomparable... »[1] Oui : puisque l'originalité est en lui, il n'a pas besoin d'en inventer une pour son œuvre. Son originalité est bien plutôt ce qu'il combat. La singularité n'est pas une vertu d'abord, mais un fait. Elle n'est qu'un autre nom de la solitude. En faire le but de l'art, c'est ne pas comprendre qu'elle est son origine : ce dont l'artiste part – et qu'il veut dépasser – plutôt que ce qu'il vise. *Moi = moi*, cela ne fait pas une esthétique. Pour tout artiste digne de ce nom, son propos n'est pas d'être singulier (point besoin de l'art pour cela !), mais *universel* au contraire, ou digne de l'être. *Moi = nous*, voilà son pari. Et si c'est en lui qu'il trouve la vérité de ce *nous* (où la trouverait-il, si ce n'est en lui ?), il n'a qu'une hâte, c'est d'en exhiber ce qui le dépasse, qui est cette vérité même. Car elle est en moi, en effet, mais aussi : je suis en elle. L'art est ainsi ce point (qui n'appartient pourtant ni à l'une ni à l'autre) où la psychologie touche à la métaphysique. Le singulier est son objet ; l'universel, son propos. C'est pourquoi, comme Aristote l'a dit, la poésie

---

1. Roger Caillois, *Vocabulaire esthétique* (publié avec *Babel*, « Idées »-NRF, 1978), p. 49-50 (article « Originalité »).

est « plus philosophique et d'un caractère plus élevé »[1] que l'histoire, qui reste davantage prisonnière du particulier. Mais cela n'est pas vrai de la seule poésie. Tout artiste est comme un point de condensation de l'universel dans le singulier, et tout homme... Nous ne pourrions pas autrement nous comprendre. Voyez Montaigne : « Chaque homme porte en lui... » S'il fut de tous le plus universel, c'est qu'il fut le plus vrai. Et puis, *original*, qu'est-ce que cela veut dire ? Je vois bien en quoi Mozart est unique, mais guère en quoi il est original. Et Bach ne l'est guère plus que Dieu même. Inversement, que m'importe l'originalité des médiocres et des imbéciles, l'originalité des menteurs et des hypocrites ? Le tout est d'être vrai, non pas certes absolument, mais relativement à soi[2]. C'est là la seule originalité qui vaille. Cela se voit dans Montaigne encore, qui n'est original que par l'indifférence à l'être, et le refus du mensonge. Car original, tout le monde l'est, ou peut l'être ; mais vrai, c'est une autre affaire. Le courage n'y suffit pas. Tout le monde n'est pas capable « de retrouver, de ressaisir, de nous faire connaître (comme dit Proust) cette réalité loin de laquelle nous vivons... et qui est tout simplement notre vie... Cette vie qui, en un sens, habite à chaque instant chez tous les hommes aussi bien que chez l'artiste. Mais ils ne la voient pas, parce qu'ils ne cherchent pas à l'éclaircir... »[3] Ainsi, l'originalité est en tous : parce que la solitude est chose universelle. Mais l'artiste seul sait *communiquer* cette singularité solitaire, et partager avec tous ce qui n'appartient qu'à lui et qui, « s'il n'y avait pas l'art, resterait le secret éternel de cha-

---

1. Aristote, *Poétique*, 9, 1451*b* (trad. J. Hardy).
2. Cela ne vaut pas que pour la seule littérature. Ce que nous aimons tant, chez Schubert, ce qui nous bouleverse, c'est bien une vérité, et d'autant plus émouvante qu'elle est plus subjective : voici ce qu'est la vie... vécue par Schubert. Et de même en peinture : il y a chez Chardin ou Vermeer, par exemple, une vérité que ne donnerait aucune reproduction photographique « objective » (à supposer qu'elle puisse l'être), et qui est la vérité de leur âme, telle qu'elle s'est, en un moment précieux, saisie elle-même, si l'on peut dire, dans le miroir changeant du monde. Ce pourquoi l'œuvre dépasse l'artiste, mais aussi lui ressemble. Voyez Boucher, par exemple : ce qui lui manque, ce n'est pas le talent.
3. Proust, *La Recherche du temps perdu*, Pléiade, III, p. 895.

cun »[1]. Alors, et alors seulement, l'originalité est une vertu : parce qu'elle est gage de nouvelles découvertes sur nous-mêmes, sur notre vie, sur nos désirs, sur nos angoisses ou nos rêves. Et loin de devoir lui être sacrifiées, la beauté, la vérité et la profondeur garantissent seules sa validité. Un chef-d'œuvre, ce n'est pas son originalité qui fait sa grandeur ; c'est sa grandeur qui fait son originalité. Voyez Proust par exemple, puisque j'en parlais, ou Montaigne encore, ou Beethoven... Mais cette originalité-là n'est pas à la portée de n'importe qui. Narcisse n'y trouve pas son compte. C'est une question, non d'unicité, mais de puissance. Il ne suffit pas d'être soi...

Continuons. *Credo in unum Deum, Patrem omnipotentem*... Cette toute-puissance du créateur, appliquée à soi-même, c'est ce que Narcisse appelle, l'œil brillant d'émotion, sa *spontanéité*. Valeur sacrée, aujourd'hui, et qui ne me déplaît pas. Mais regardons-y de plus près. *Toute-puissance* : cela ne va pas, s'agissant d'un artiste, sans un renversement. Car nul artiste, aussi grand soit-il, ne fait tout ce qu'il veut. A chacun ses limites, qui brisèrent jusqu'à Michel-Ange. Mais l'artiste spontané s'y prend autrement : il veut tout ce qu'il fait. Ainsi, point de décalage, point d'échecs, point d'insatisfaction. L'artiste spontané est un artiste heureux. Il est content de lui et de son œuvre comme les stoïciens l'étaient de Dieu, et pour les mêmes raisons. Il est le fataliste de soi-même ; son œuvre est son destin. C'est que sa spontanéité n'est pas autre chose que de la passivité vis-à-vis de soi. Il est libre parce qu'il se soumet. Et parce que ce à quoi il se soumet est lui-même... il croit qu'il est libre. Nous sommes en terrain connu : cette passivité est indissociable, le surréalisme nous l'a montré, de l'idée d'*inspiration*, poussée à sa limite. Car même si l'on voit l'inspiration « non plus comme une visitation inexplicable, mais comme une faculté qui s'exerce »[2], il n'en reste pas moins que cette faculté s'impose à moi (comme une

---

1. *Ibid.*
2. Aragon, *Traité du style*, p. 187.

voix, pour parler comme Breton, s'impose à l'ouïe), et que je n'en suis ni maître ni responsable. C'est une faculté, peut-être, mais une faculté que je subis. C'est même là la condition de sa validité : tout contrôle rationnel l'annule, tout travail la pervertit, toute volonté la ruine[1]. Le surréalisme et ses suites se situent ici, comme Eluard et Breton l'ont bien vu[2], à l'exact opposé du volontarisme d'un Valéry – qui était, lui, trop fasciné par Narcisse pour en être la dupe. Celui-ci préférait écrire un vers, même médiocre, dont il fût intégralement responsable, que toute une œuvre, même grandiose, qui lui serait donnée « à la faveur d'une transe » et hors de son contrôle[3]. Ceux-là n'aimeront que les transes, cultiveront l'irresponsabilité et haïront le contrôle. Aragon l'écrira, bien plus tard : le surréalisme, c'était « le lyrisme de l'incontrôlable »[4]. Où l'on retrouve le principe de l'écriture automatique : « Placez-vous dans l'état le plus passif, ou réceptif, que vous pourrez... »[5] Le surréalisme doit évacuer, dit Breton, « tout ce qui n'est pas *la vie passive de l'intelligence* »[6], c'est-à-dire tout ce qui n'est pas inspiration, « prise de possession totale de notre esprit »[7], automatisme, rêve ou délire. Le créateur surréaliste semble bien humble. Il ne se tolère que passif. Il n'est là qu'à la condition de n'y être pas. Il subit son art. Il crée « à son corps défendant »[8]. Il est médium[9]. Il est femme[10]. Il écrit dans l'enthousiasme, comme disait Platon. Il est « possédé ». *Ce n'est pas l'absence de musique, c'est la musique qui fait le musicien...* Breton dirait de même : c'est la

1. Cf. *supra*, p. 283-285.
2. Cf. leur *Notes sur la poésie* (*in* Eluard, *Œuvres complètes*, Pléiade I, p. 471-482), qui renversent les thèses de Paul Valéry (*Tel quel*, Pléiade, II, p. 546-570).
3. Cf. P. Valéry, *Lettre sur Mallarmé*, Pléiade, I, p. 640.
4. Aragon, *Je n'ai jamais appris à écrire, ou les incipit*, Skira, 1969, p. 21.
5. Breton, *Manifestes...*, p. 42.
6. *Ibid.*, p. 121.
7. *Ibid.*, p. 120.
8. *Ibid.*, p. 120.
9. Cf. *Manifestes...*, p. 139-143.
10. Au sens freudien du terme, qui n'est sans doute pas le meilleur (« Nous appelons mâle tout ce qui est fort et actif, féminin tout ce qui est faible et passif... », *Abrégé*, p. 59), mais auquel répond, chez les surréalistes, un singulier éloge de l'hystérie. Cf. par ex. *Manifestes...*, p. 141.

poésie qui fait le poète, une poésie qui préexiste au poème et le sauve seule de la « littérature ». Romantisme, donc, mais sans Dieu. Et dès lors : médium... de quoi ? De son inconscient. Possédé... de qui ? De lui-même. A l'écoute... de quoi ? De son « moi subliminal » ... Le surréalisme n'est qu'une ruse de Narcisse. Il ne s'absente que pour mieux s'écouter ; il ne se tait que pour mieux s'entendre. Sa *passivité* n'est soumission qu'à soi. Et son humilité : une forme extrême de l'orgueil. On comprend que la spontanéité devienne alors la valeur première : Narcisse est à lui-même sa propre norme, voire son unique exigence. Il faut ainsi renoncer au travail – qui ne peut qu'altérer la ressemblance spéculaire de moi à moi, que nuire à l'authenticité de mon *reflet...* –, renoncer à « la rature odieuse »[1], à « la vieille maison de correction »[2]. *Cent fois sur le métier...*, c'est un précepte que le surréalisme vomit. « Corriger, *se* corriger, polir, reprendre, trouver à redire... tel est l'ordre auquel une rigueur mal comprise et une prudence esclave, dans l'art comme ailleurs, nous engagent à obtempérer depuis des siècles. Tel est aussi l'ordre qui, historiquement, s'est trouvé enfreint dans des circonstances exceptionnelles, fondamentales. Le surréalisme part de là. »[3] « Perfection, c'est *travail* », disait Valéry[4]. Eluard et Breton répondent : « Perfection, c'est *paresse* »[5]. Esthétique *prométhéenne*[6] : puisqu'on peut *voler* le feu, à quoi bon l'inventer ? On n'est artiste que quand on cesse d'être artisan. Dédale est bien vulgaire, avec ses mains calleuses, et Icare, bien compromis. On ne naît pas sans péril fils d'un artisan et d'une esclave... « Horreur de tous les métiers », s'écrie Breton après Rimbaud[7]. Le travail, la lucidité, la patience...

---

1. A. Breton, *Point du jour*, p. 165.
2. *Ibid.*
3. *Ibid.*, p. 165.
4. P. Valéry, *op. cit.*, Pléiade, II, p. 553.
5. Eluard et Breton, *op. cit.*, Pléiade, I, p. 482.
6. Cf. Breton, *Entretiens*, p. 84.
7. Cf. Breton, *Entretiens*, p. 18, où Breton cite aussi la « fameuse formule de non-recevoir de Rimbaud » : « La main à plume vaut la main à charrue. Quel siècle à mains ! Je n'aurai jamais ma main... »

voilà qui est bon pour « les vieux littérateurs, du type Caillois »[1] ou Valéry[2]. Les surréalistes n'ont que faire du travail parce qu'ils n'ont que faire de la littérature[3]. Seule les intéresse la poésie, et la poésie *donnée*. Valéry écrivait : « La poésie n'est que la littérature réduite à l'essentiel de son principe actif... Le lyrisme est le genre de poésie qui suppose *la voix en action*... »[4] Breton et Eluard corrigent : « La poésie est le contraire de la littérature... Le lyrisme est le genre de poésie qui suppose *la voix inactive*... »[5] Esthétique de l'inspiration, esthétique de la passivité, esthétique de la paresse... Il y avait là, c'est vrai, de quoi briser bien des interdits, interrompre bien des routines, démasquer bien des maniérismes... Et le surréalisme fut pendant vingt ans, en effet, cette entreprise de salubrité esthétique, ce réveil de l'audace, cet élan nouveau de liberté. Mais quand tout fut brisé, interrompu, démasqué, il y eut alors, dans les mêmes idées, de quoi encourager bien des lâchetés, sacraliser bien des licences, magnifier bien des facilités, grandir bien des petitesses... Et cela dans tous les arts. Le problème, avec la paresse, c'est qu'on s'y habitue. Combien alors prendront leurs ébauches pour des œuvres, leurs esquisses pour des tableaux, leurs brouillons pour des livres, leurs à-peu-près pour de la poésie ?... L'inspiration, chacun peut y prétendre, mais elle ne prouve rien. Surtout quand il n'y a plus de Dieu : Dieu *choisissait* ses élus ; on ne peut pas demander à Narcisse le même discernement. Si l'inspiration vient du moi, conscient ou inconscient, elle est universelle. Breton l'avait compris, là encore : « le propre du surréalisme est d'avoir proclamé l'égalité totale de tous les êtres normaux devant le message subliminal »[6]. Le génie est la chose du monde la mieux partagée... Et chacun de se demander : « *Pourquoi pas moi ?* »

1. Breton, *Entretiens*, p. 263.
2. « Elément attardé et même rétif (intéressant d'ailleurs en tant que tel)... » : Breton, *Entretiens*, p. 32.
3. Cf. par ex. Breton, *Entretiens*, p. 51.
4. Paul Valéry, *op. cit.*, Pléiade, II, p. 548-549.
5. Eluard et Breton, *op. cit.*, Pléiade, I, p. 476-477.
6. A. Breton, *Point du jour*, p. 182.

La passivité devant l'inspiration devient alors complaisance pour soi. Narcisse *s'écoute*, à tous les sens du terme. Sa spontanéité perd toute mesure. Toute parole est sacrée, puisque toutes *M'*expriment. La moindre de mes pensées vaut son pesant d'âme, le moindre de mes fantasmes son pesant d'inconscient, le moindre de mes gestes son pesant de sens. Et de publier ses gribouillis intimes... Dès lors, les « créateurs » vont se multiplier. Voyez la poésie contemporaine, qui compte davantage d'auteurs que de lecteurs ! Narcisse est légion, et *s'exprimer* est tâche tellement plaisante, tellement facile... Merveilleuse spontanéité : à tous les coups l'on gagne ! C'était déjà le cas avec la loterie de Dieu, quand on y croyait. Du moins chacun ne prétendait pas en être le gros lot ; il fallait que tous les chiffres sortent, pour que l'ensemble soit parfait. Narcisse fait mieux : il ne sort qu'un numéro, le sien, et gagne – puisque c'est le sien ! Il n'est pas sûr en revanche que l'art, lui, y ait gagné. Le problème, avec la spontanéité, c'est qu'elle est à la portée de tous, sans efforts. Voyez le rêve... Mais sans efforts : elle n'est pas grand-chose. Et « l'égalité de tous » se fera, spontanément, au niveau le plus bas. Narcisse se contemple au ras de la fontaine... Il n'a même plus besoin d'être beau : il lui suffit d'être soi, là encore. Ce qui est à la portée de n'importe qui... Conception démocratique de l'art, je veux bien, et qu'on peut approuver. Mon point de vue est autre, qui n'engage que moi. La passivité en toutes choses m'ennuie, et Narcisse me fatigue. Et tant pis pour la démocratie. En art, je n'aime que les élites.

« *Je crois en un seul Dieu, le Père tout-puissant, créateur du ciel et de la terre, de l'univers visible et invisible...* » Merveille de l'invisible : il y a toujours plus à admirer que ce que l'on voit, davantage à aimer que ce que l'on comprend. On appelle cela : *mystères*. Notion bien commode, qui transforme l'incompréhensible en merveille, l'insensé en profondeur, l'absurde en vérité. Elle est l'écran de fumée de Dieu, son voile pudique ou ténébreux, sa timidité de vierge ou sa sublimité d'absolu. La religion en use et en abuse : *credo quia absurdum...* Les prêtres ont alors tou-

jours raison : « Qu'on ne nous reproche donc plus le manque de clarté puisque nous en faisons profession... »[1] *Deus
absconditus*[2]. L'absurde serait d'y comprendre quelque
chose. Si vous n'y comprenez rien, c'est la preuve de sa
grandeur, et la marque de votre petitesse. Les mystères
donnent toujours raison à Dieu contre la raison. Ils sont
la botte secrète de la divinité, son arme imparable. On
comprend que Narcisse en raffole. Ce qui est bon pour
Dieu, pourquoi se le refuserait-il ? Pourquoi n'aurait-il pas,
lui aussi, sa pudeur et ses ténèbres, son obscurité sublime
et son impénétrable profondeur ? A chacun ses fumées, à
chacun ses mystères... « Les athées doivent dire des choses
parfaitement claires », notait Pascal[3] ; mais Narcisse est à
soi-même son Dieu : l'athéisme le tuerait – et la clarté aussi,
peut-être. L'obscurité le protège. De là ces arcanes de l'art
contemporain, cet ésotérisme, et ces mystères fulgurants
dans nos musées. Le moi se cache derrière ses œuvres. Le
public n'y comprend rien, et s'y est habitué. Pourquoi
comprendrait-il ? Il n'est que le public[4]... Aux dieux cachés,
il faut toujours des tièdes et des sceptiques. Mais les spécialistes, eux, comprennent, et font profession d'expliquer :
aux dieux cachés, il faut toujours des herméneutes. Et les
artistes créent, obscurément : aux herméneutes, il faut toujours des dieux cachés... Tout s'explique alors : puisque le
sens est caché, il est normal que l'œuvre *paraisse* insensée.
C'est signe de sa profondeur. Plus le sens est obscur, plus
l'artiste est grand, et plus l'herméneute a de mérite. *Critiquer* devient alors une œuvre ; et une obscurité seconde
vient éclairer la première... Là encore, le surréalisme joua
un rôle décisif. Point tout seul, bien sûr, ni absolument le

1. Pascal, *Pensées*, 228-751.
2. Cf. par ex. Pascal, *Pensées*, 242-585 et 781-242, qui cite la Bible, Is. XLV, 15 :
vere tu es deus absconditus, en vérité tu es un Dieu caché...
3. *Pensées*, 161-221.
4. On dit : il comprendra plus tard, comme toujours... Mais non. Hugo n'a pas
attendu, ni Racine. Et cent ans après sa mort, ou peu s'en faut, Mallarmé attend
toujours : quel public aujourd'hui comprend quelque chose au *Coup de dés* ou à *A
la nue accablante tu*... ? Et devant telle toile abstraite de 1910, que comprenons-nous
de plus... qu'en 1910 ?

premier. Le symbolisme, et singulièrement Mallarmé, jouè-rent ici, dans l'évolution de l'art, un rôle dont Breton, mal-gré ses réserves, ne cessera de souligner l'importance[1]. Mais c'est au surréalisme qu'il revint de systématiser, au-delà même de l'art, le goût du mystère, du bizarre, de l'étrange et du merveilleux, qui est une des pierres d'angle de son esthétique. Je ne connais pas d'anecdote plus révé-latrice, de ce point de vue, que celle-ci, que raconte Roger Caillois, qui en fut, avec Breton, le principal protagoniste. C'était dans les années trente. Caillois appartenait alors au groupe surréaliste. Voilà qu'on trouve – ô merveille ! – des *haricots sauteurs*, tout droit venus du Mexique. Imaginez : des haricots qui sautent ! Du mystère à l'état pur... On devine la joie de Breton : un légume surréaliste ! Comme hasard objectif, on ne pouvait espérer mieux... Caillois, positif, propose : *on ouvre, et on regarde*. Patatras ! Voici comment Caillois raconte la chose :

> « Le 27 décembre 1934, je saisis l'occasion d'une discussion survenue la veille au café de la place Blanche où nous nous réunissions chaque soir, pour informer André Breton que je renonçais à faire partie du groupe. Nous n'avions pas été d'accord sur l'attitude à tenir en face de fèves agitées de soubresauts dont la turbulence nous déconcertait. Je supposais qu'elles contenaient quelque larve et qu'il suffisait d'en ouvrir une pour s'en assurer. Breton s'indigna d'une proposition qu'il tenait pour sacrilège. Je m'indignai de son indignation, estimant que le merveilleux, pour rester digne de ce nom, devait offrir un peu plus de résistance à l'investigation. L'échange de vue en resta là... »[2]

Le mystère avait gagné, au sein du groupe, contre l'intel-ligence... Tout ce qu'il y a de petit chez Breton se révèle ici : sa mentalité de pape ou d'adjudant (« cet air de chef, comme dit Aragon, et l'aspect *majoritaire* de son compor-tement... »[3]), son esthétique de pacotille (« le merveilleux est toujours beau, n'importe quel merveilleux est beau, il n'y a même que le merveilleux qui soit beau... »[4]), et les

---

1. Cf. par ex. A. Breton, *Entretiens*, p. 18-19.
2. Roger Caillois, La querelle des haricots sauteurs, in *Rencontres*, PUF, p. 290.
3. Aragon, *Les incipit*..., p. 57.
4. Breton, *Manifestes*..., p. 24.

limites même de sa grande intelligence (tout le monde n'est pas Hugo, dont Breton disait qu'il « est surréaliste quand il n'est pas bête »[1] ; il arrive à Breton d'être bête même quand il est surréaliste), tout se condense ici, et s'avoue : clinquant, toc, faux mystère et merveilleux de bazar ! Quand les religions ne croient plus en Dieu, les haricots sauteurs remplacent les sacrements, et le *marché aux puces*[2] tient lieu de pèlerinage... On a la religion que l'on mérite. Narcisse a le mystère facile, et le culte petit. D'où l'obscurité encore : la clarté ferait ressortir cette petitesse que l'obscurité a pour fonction de voiler. Ce serait ouvrir les *haricots sauteurs* du moi... N'y voyez pas pourtant hypocrisie ou mensonge. Narcisse est sincère, bien sûr, comme nous tous. Convaincu lui-même de sa propre sublimité, il ne comprend pas qu'on puisse ne pas l'admirer ; c'est donc qu'on ne l'a pas compris ; mais si on ne le comprend pas : c'est preuve encore de sa sublimité. Labyrinthes du mystère... La religion est au bout, comme elle était au commencement. A trop vouloir se méfier de la raison, à trop suspecter la clarté, on se donne à peu de frais un « philtre d'absolu »[3]. A peu de frais, mais aussi : sans grands résultats. « J'annonce au monde ce fait divers de première grandeur : un nouveau vice vient de naître, un vertige de plus est donné à l'homme : le *surréalisme*, fils de la frénésie et de l'ombre... »[4] On pouvait y croire en 1924. Mais on y gagna davantage d'ombre, en effet, que de lumière, plus de vertige que de grandeur, et davantage de frénésie, pour finir, que d'absolu. Encore ceux-là surent-ils s'en libérer ; et c'est bien ce qui est singulier, dans le surréalisme : qu'il ne mène à quelque chose qu'à la condition d'en sortir. Voyez Eluard, Char ou Aragon, et Breton lui-même dans ses réussites, et d'abord dans cette prose somptueuse qui est la moins *automatique* qui soit. Et puis cela aussi : qu'il servit d'excitant au début d'un siècle, puis d'excuse en son

1. Breton, *Manifestes*..., p. 38.
2. Cf. Breton, *Nadja*, p. 62, et *L'amour fou*, p. 33-46.
3. Aragon, *Le paysan de Paris*, Folio, p. 81.
4. Aragon, *Le paysan de Paris*, p. 81.

milieu, enfin de nostalgie en son crépuscule. Autres temps, autres mœurs. Nous avons maintenant l'incontrôlé sans le lyrisme, et l'obscur sans la poésie.

C'est qu'on se lasse de tout, et que, de mystère en mystère, l'art se doit d'*avancer*, comme on dit, vers son avenir. Pas de religion sans eschatologie. Narcisse ne veut pas mourir. Lui aussi attend, comme dit le *Credo*, « *la résurrection des morts et la vie du monde à venir...* » La *postérité* est ce paradis des artistes, leur providence spécifique et ultime. Mais s'il n'y a plus de Dieu, point non plus de juge suprême, que *l'avenir* seul. Il faut donc qu'il ait raison, non peut-être ou par chance, mais nécessairement et à tout coup : ce qui suppose que l'histoire *avance*, en effet, et qu'il y ait, en art aussi, un *progrès*. Demain n'aura raison contre aujourd'hui qu'à la condition qu'aujourd'hui ait raison contre hier. D'où le modernisme, qui est un culte de l'avenir. Si l'histoire avance, seule l'avant-garde sera sauvée. Narcisse se veut prophète ici, pour annoncer sa propre gloire. Aujourd'hui est toujours déjà dépassé ; créer est une course vers l'avenir. La modernité seule est gage de survie. Idée paradoxale pourtant, et qui se détruit elle-même. Car la modernité, comme le notait déjà Caillois, « ne dure pas, c'est l'évidence »[1]. De là ce conseil qu'il donnait : « Ne spéculez pas sur le temps. Vous perdriez à coup sûr. Vous vous voulez en avance sur votre époque. C'est vous vouloir en retard sur celle qui vient. »[2] De fait, si l'art progressait, toute *avant-garde* d'un jour serait l'*arrière-garde* du lendemain. C'est ce qui se passe dans les sciences, où le premier professeur de physique venu en sait plus, de nos jours, que Newton ou Galilée. Mais cela n'est pas vrai en art. Qui, dans la sculpture d'aujourd'hui, surpasse Michel-Ange ? Quel musicien vaut mieux que Mozart ? L'art n'avance pas. C'est aussi pourquoi il est éternel : l'art du passé n'est jamais un art dépassé. Sans doute, nous ne pouvons plus le faire, ni indéfiniment le répéter ; mais c'est que nous

1. Roger Caillois, *Vocabulaire esthétique*..., p. 51.
2. Roger Caillois, *Vocabulaire esthétique*..., p. 51.

sommes autres ; la même raison nous interdit l'avenir. L'art n'avance pas ; il change. Et il ne peut changer que *sur place*, si l'on peut dire : parce qu'il ne sort pas du présent. Aussi la notion d'*avant-garde artistique* est-elle vide de sens : qu'est-ce que l'avant-garde d'une armée qui n'avance pas ? Et à force de se vouloir toujours de demain ou d'après-demain, les artistes finissent par n'être d'aucun temps : ce qui n'est pas l'éternité, mais le néant. A trop miser sur le futur, ils ont perdu le sens du présent. Mais le présent seul est nôtre ; lui seul est réel. Et la seule modernité qui vaille – parce qu'elle est à la fois nécessaire et suffisante – est celle d'aujourd'hui. C'est aussi la seule vérité. Tout art qui veut échapper à son temps (dans un sens ou dans un autre : cela vaut pour tous les académismes, « passéistes » aussi bien que « futuristes ») est mensonge, artifice ou camouflage : car l'artiste veut alors échapper à soi, et n'y parvient pas, et le mime. Il est le caméléon de son anachronisme. La vérité, en art – donc aussi l'éternité, puisque rien n'est éternel que le vrai – n'est vérité que du présent. Il s'agit, non de dépasser son temps, mais de l'exprimer. Mozart ou Bach, Chardin ou Vermeer, Racine ou Shakespeare... n'avaient pas d'autres soucis. S'ils ont survécu au temps qui fut le leur, ce fut pour avoir su discerner en lui ce qui le dépassait, et qui était la vie même. Mais quelle autre vie que présente ? L'avenir n'est rien. Et le prophétisme, en art comme ailleurs, n'est culte que de la mort.

C'est d'ailleurs le propre de toute religion que ce mépris de la vie, ce dédain du monde réel, de l'aujourd'hui des hommes et des choses. Voyez Platon, dans le *Phédon*, et ce dénigrement de vivre. La religion de l'art n'y échappe pas. Elle suppose que l'art vaut plus et mieux que la vie, qu'il lui donne seul son sens et sa valeur. A l'extrême, elle annule la vie – ou constate que d'elle-même elle s'abolit –, et revendique pour l'art seul le tout de l'être, du sens et de la valeur. Mallarmé peut servir ici de point de repère : « Au fond je considère l'époque contemporaine comme un interrègne pour le poète qui n'a point à s'y mêler : elle est trop en désuétude et en effervescence préparatoire pour qu'il ait autre chose à faire qu'à travailler avec mystère en vue de plus tard ou de jamais, et de temps en temps à envoyer aux vivants sa carte de visite, stances ou sonnet, pour n'être point lapidé d'eux, s'ils le soupçonnaient de savoir qu'ils n'ont pas lieu. » [1] Phrase terrible, comme on le voit, et qui, croyant condamner le monde qu'elle rejette, condamne l'art, hors du monde et de la vie, aux ratiocinations vaines des dieux reclus et délaissés. « Sait-on ce que c'est qu'écrire ? Une ancienne et très vague mais jalouse pratique, dont git le sens au mystère du cœur. Qui l'accomplit, intégralement, se retranche. » [2] Seuls y trouvent leur compte les esthètes fatigués, qui n'aiment l'art que parce qu'il les dispense de vivre. « Vivre ! s'écriait Villiers de L'Isle-Adam, les serviteurs feront cela pour nous... » [3] Et « le poète las que la vie étiole » [4] s'exerce au dédain [5]. Que lui font les hommes, la société, le monde ? Il « s'isole pour sculpter son propre tombeau » [6]. Le platonisme triomphe : les vrais artistes, eux aussi, « sont déjà morts » [7], et l'esprit, libéré du monde, peut célébrer enfin son impossible pureté. « Heureusement, je suis parfaitement mort, et la région la plus impure où mon esprit puisse s'aventurer est l'Eternité, mon esprit, ce solitaire habituel de sa propre Pureté... » [8] La question n'est plus « Pourquoi l'art ? », mais « A quoi bon le monde ? » On connaît la réponse inouïe de Mallarmé : « *Le monde est fait pour aboutir à un beau livre* » [9]. L'art devient le salut du monde, ou plutôt, devant

1. Mallarmé, *Lettre à Verlaine* (« autobiographie »), *Œuvres complètes*, Pléiade, p. 664.

2. Mallarmé, *Conférence sur Villiers de l'Isle-Adam*, Pléiade, p. 481.

3. Villiers de L'Isle-Adam, *Axël*, IV, 5 ; cité par Mallarmé, dans sa conférence sur Villiers (Pléiade, p. 505).

4. Mallarmé, *Les Fleurs*, Pléiade, p. 34.

5. Cf. Mallarmé, *Hérésies artistiques*, *l'art pour tous*, Pléiade, p. 260 : « O poëtes, vous avez toujours été orgueilleux ; soyez plus, devenez dédaigneux. »

6. Mallarmé, *Réponses à J. Huret*, Pléiade, p. 869.

7. Cf. Platon, *Phédon*, 64.

8. Mallarmé, *Lettre à Henri Cazalis*, du 14 mai 1867.

9. Mallarmé, *Réponses à J. Huret*, Pléiade, p. 872. Gilles Deleuze a donc bien raison de noter que, malgré des ressemblances superficielles, la pensée de Mallarmé s'oppose profondément à celle de Nietzsche : « Lorsque Nietzsche parlait de la "justification esthétique de l'existence", il s'agissait de l'art comme "stimulant de la vie" : l'art affirme la vie, la vie s'affirme dans l'art. » Chez Mallarmé, au contraire, « c'est

l'impossibilité du salut, sa justification ultime. Il est l'apocalypse de vivre, le millénium de notre temps. Narcisse
secrètement exulte : voici que l'univers entier l'attendait,
l'espérait, le guettait, obscurément même le préparait... Le
voici promu Messie. Son œuvre est une parousie. Et lui qui
voulait d'abord se sauver, voilà qu'il sauve le monde par
surcroît ! « *Vrai Dieu, né du vrai Dieu, lumière née de la
lumière... Pour nous les hommes et pour notre salut, il des-
cendit du ciel...* » Platonisme esthétique, et en cela (dans
son domaine) exacerbé : l'art n'est plus *religieux*, il est la
religion même. Non plus au service de Dieu, ou le célébrant,
mais *divin* lui-même, dans son essence, et *objet* de culte.
D'où l'aspect volontiers sacré, sibyllin, solennel ou mystique de l'art moderne. Le *hiératisme* semble être une de ses
dimensions obligées. Les musées sont des temples ; les
œuvres, des reliques. L'art est l'asile des dieux morts. Il est
la hiérophanie de notre temps [1]. De là le mystère encore :
« Toute chose sacrée et qui veut demeurer sacrée s'enveloppe de mystère. Les religions se retranchent à l'abri
d'arcanes dévoilés au seul prédestiné : l'art a les siens. » [2] Il
faut donc inventer, pour cet art-religion, « une langue
immaculée, – des formules hiératiques dont l'étude aride
aveugle le profane... O fermoirs d'or des vieux missels ! ô
hiéroglyphes inviolés des rouleaux de papyrus !... » [3] Ce

---

encore une justice accusatoire qui nie la vie, qui en suppose l'échec et l'impuissance.
Il n'est pas jusqu'à l'athéisme de Mallarmé qui ne soit un curieux athéisme, allant
chercher dans la messe un modèle du théâtre rêvé : la messe, non le mystère de
Dionysos... En vérité, on poussa rarement aussi loin, dans toutes les directions,
l'éternelle entreprise de déprécier la vie. Mallarmé, c'est le coup de dés, mais revu
par le nihilisme, interprété dans les perspectives de la mauvaise conscience ou du
ressentiment » (*Nietzsche et la philosophie*, p. 38-39.)

    1. Comment est-ce possible, si l'art est « *une chose du passé* » et pourtant, nous
venons de le voir, tout entière tendue *vers l'avenir* ? Il semble que le présent (*notre
temps*, donc...) ne puisse que lui échapper. Oui et non. Car c'est le propre de toutes
les religions que de renvoyer ainsi à la fois aux prestiges d'un temps primordial et
aux merveilles d'un royaume à venir. Le passé et l'avenir sont les deux pôles toujours
de la pensée religieuse. Le « Temps hiérophanique », comme dit Mircéa Eliade
(*Traité d'histoire des religions*, p. 326), est le temps de l'espoir et de la nostalgie. Le
présent, lui, n'est bon qu'à vivre... Et l'art est bien en cela la religion de notre temps,
lequel ne peut, pour cette raison même, que lui échapper.

    2. Mallarmé, *Hérésies artistiques...*, Pléiade, p. 257.

    3. *Ibid.*

n'est pas un hasard si cette religiosité d'esthètes remonte pour l'essentiel au dix-neuvième siècle : la mort de Dieu devait susciter des ersatz, et ne pouvait qu'entraîner cette floraison d'artistes pontifes ou pontifiants. Le surréalisme n'eut qu'à poursuivre, dans cette « voie mystique »[1] qu'avaient ouverte romantiques et symbolistes, l'ambition « prométhéenne... de forcer les portes du mystère »[2]. L'art est une « initiation »[3] dit Breton, et c'est « l'honneur des poètes et des artistes que de ne pas forfaire à cette tâche »[4]. Pas question donc de reprendre « un rang subalterne »[5]. La beauté, le plaisir, l'émotion, le divertissement, tout cela est dépassé. Et dépassée la vérité. Un artiste croirait déchoir qui ferait une œuvre simplement agréable ou plaisante, émouvante ou vraie. Le sens du monde doit se jouer à chaque mot, à chaque touche, à chaque son... Et à chaque œuvre, tout le destin de l'art. L'absolu seul est digne de moi, se répète à mi-voix Narcisse – sans comprendre (sauf justement Mallarmé, dont c'est la grandeur) que l'absolu le tuerait, et serait inaccessible à l'art. Il est bien loin le temps où Mozart composait sans honte divertissements, fantaisies, danses et sérénades, et mettait, jusque dans son *Requiem*, tant d'humble et souveraine beauté. Il est aujourd'hui question non de plaire mais de sauver, non de dire mais de sacraliser, non de chanter enfin mais d'*être* – ce dont le cri, plutôt que le chant, assume, bref et primordial, à la limite extrême du silence, l'élémentaire tâche. Voilà que chaque artiste se croit obligé pour cela de réinventer l'art, le monde et soi. L'art, montrait Freud, nous mène au sublime par la séduction du beau[6]. Ceux-là voudront qu'il soit le sublime lui-même, et n'ait plus besoin de séduire. Et en effet, à quoi bon ? L'absolu est ce qu'il est, beau ou pas, et le sacré n'a nul besoin de plaire. Il peut

1. Breton, *Entretiens*, p. 84.
2. *Ibid.*
3. Breton, *La clé des champs*, p. 104.
4. *Ibid.*
5. Breton, *Entretiens*, p. 84.
6. Cf. *supra*, p. 269.

328   Les labyrinthes de l'art

être indifférent, ou bien atroce, ou bien absurde... Il lui suffit d'être – et comment ne serait-il pas ? Puisqu'il est le sacré... Adieu la beauté ! adieu le plaisir ! adieu la *délectation* !... Adieu Poussin, Mozart, Vermeer... Voici venu le temps austère des hiérophantes.

Mais de quel sacré sont-ils porteurs, demandera-t-on, eux qui n'ont plus ni dieux, ni mythes, ni héros ? C'est tout le problème de Mallarmé, à partir de 1866 : une fois qu'il a triomphé de « ce vieux et méchant plumage, terrassé, heureusement, Dieu »[1], il semble que le sacré de l'art s'écroule, et qu'il n'en reste – « devant le Rien qui est la vérité »[2] – que de « glorieux mensonges »[3] ... Point de salut dès lors qu'à *sacraliser* ces mensonges mêmes : « Après avoir trouvé le Néant, écrit Mallarmé, j'ai trouvé le Beau »[4]. Soit : l'absolu lui-même, éternel et *créé* pourtant. Autrement dit : *le Livre*. « Quoi ? C'est difficile à dire : un livre, tout bonnement, en maints tomes, un livre qui soit un livre, architectural et prémédité, et non un recueil des inspirations de hasard fussent-elles merveilleuses... J'irai plus loin, je dirai : le Livre, persuadé qu'au fond il n'y en a qu'un, tenté à son insu par quiconque a écrit... »[5] Et l'absolu, qui n'était *rien*, devient ce *tout*, qui est l'art : car « il n'y a que la Beauté – et elle n'a qu'une expression parfaite, la poésie »[6]. Mallarmé n'est qu'un exemple, sans doute, mais *exemplaire* justement : car une fois supprimé Dieu, les artistes n'auront plus, en guise de sacré, qu'eux-mêmes, ou le néant (ce qui revient au même : Narcisse, tel Hérodiade, n'a rien à célébrer que sa vanité : « Oui, c'est pour moi, pour moi, que je fleuris, déserte !... »), ou l'œuvre elle-même... C'est une hiérophanie qui tourne à vide, sans objet,

---

1. Mallarmé, *Lettre à H. Cazalis*, du 14 mai 1867, *Correspondance*, Gallimard, p. 241.
2. Mallarmé, *Lettre à Cazalis* d'avril 1866 (*Correspondance*, p. 208).
3. *Ibid.*
4. Mallarmé, *Lettre à Cazalis* de juillet 1866, (*ibid.*, p. 220).
5. Mallarmé, *Lettre à Verlaine* (« autobiographie »), Pléiade, p. 662-663.
6. Mallarmé, *Lettre à Cazalis* de mai 1867 (*Correspondance*, p. 243). « Adieu la beauté », disais-je, et la voici à nouveau : mais en tant qu'absolu cette fois, et non plus en tant que plaisir. Pour la religion de l'art, sacraliser la Beauté est la seule façon de la sauver. La *délectation* s'inverse en ascétisme.

sans contenu, et qui ne renvoie qu'à elle-même. Narcisse est seul dans un monde vide. « Moi seul – moi seul – je vais connaître le néant... » [1] Et l'œuvre est d'autant plus sacrée qu'elle ne signifie rien. Car *signifier* – « fonction de numéraire facile et représentatif » [2] – n'est bon qu'au « reportage » [3], et point à l'art. Il n'est d'art, en effet, pour Mallarmé, qu'*essentiel* [4], et de signification digne, si c'en est encore une, que de la « notion pure » [5]. Mais cette pureté est celle du vide : l'essence n'est rien qu'absence [6], et l'être se dissout dans l'esprit qui le pense. Abîme, abîme... La religion de l'art est un platonisme du néant. Il ne s'agit plus de dire le monde, ni même de le changer (Rimbaud), mais de le remplacer. C'est « le Rien qui est la vérité... » [7] Nous sommes les prêtres du néant.

IX

Cinq valeurs, disais-je, romantiques, mais *rétroversées* en quelque sorte sur le *moi*. C'est la foi de Narcisse, en art : culte de l'originalité, de la spontanéité, du mystère, de l'avenir, enfin de l'art lui-même. Religion de l'art, religion du moi : puisque c'est le *moi* qui est créateur... Les formes en sont diverses, innombrables sans doute ; et si je n'en ai

---

1. Mallarmé, *Igitur*, scolies, Pléiade, p. 451.
2. Mallarmé, *Crise de vers*, Pléiade, p. 368.
3. *Ibid.*, p. 368.
4. *Ibid.*
5. *Ibid.*, p. 368 : « A quoi bon la merveille de transposer un fait de nature en sa presque disparition vibratoire selon le jeu de la parole, cependant ; si ce n'est pour qu'en émane, sans la gêne d'un proche ou concret rappel, la notion pure. Je dis : une fleur ! et, hors de l'oubli où ma voix relègue aucun contour, en tant que quelque chose d'autre que les calices sus, musicalement se lève, idée même et suave, l'absente de tous bouquets... » On évitera d'assimiler trop vite cette « notion pure » au *signifié* des linguistes. Car le signifié, outre qu'il appartient au signe (et n'en « émane » pas), est rien moins que « pur » : matériel, au contraire, tant par le signifiant auquel il est indissolublement uni que par le système linguistique global qui en fait seul un être positif (cf. par ex. de Saussure, *Cours de linguistique générale*, Payot, 1972, p. 166-167). La linguistique aboutirait plutôt à montrer que l'idée même de « notion pure » est contradictoire dans les termes. De Saussure, lui, n'était pas platonicien.
6. *Ibid.*
7. Mallarmé, *Lettre à Cazalis* d'avril 1866 (*Correspondance*, p. 208).

évoqué que deux – Breton et Mallarmé, ce que j'ai appelé le platonisme des profondeurs et le platonisme du néant [1] –, c'est qu'il fallait choisir, et le faire, à tout prendre, parmi les initiateurs. Ces cinq valeurs n'épuisent pas, c'est l'évidence, ce qu'il est convenu d'appeler *l'art moderne*. Je serai heureux simplement si j'ai pu en éclairer quelque peu ne serait-ce qu'une partie, et surtout si j'ai pu montrer que Narcisse est bien, en ces temps désertés des dieux, plus peut-être qu'il ne le fut jamais, *chez lui*, et triomphant. Ainsi Ulysse, après son long voyage... Mais c'était pour mourir. Narcisse ne s'y résigne pas. *Le dur désir de durer*... L'art moderne est son Ithaque, qu'il prend pour son voyage. Et nulle Pénélope que lui seul, nul enfant que son murmure... Ainsi les vieillards, près du rivage, rêvent sans fin leurs souvenirs... Nous sommes ces vieillards. Narcisse est le héros de notre temps.

Et le dilemme aujourd'hui de l'art : s'inventer une jeunesse, ou se résigner à mourir.

On se doute que je n'aurai pas le ridicule de trancher à la place des artistes ou du public, ni la naïveté d'opposer à cette esthétique romantique ou religieuse, sous les formes narcissiques de sa modernité, une *autre* esthétique, si l'on entend par là un ensemble de règles et de principes, de valeurs et de cultes, et qui serait, contre une religion, une *autre* religion. Non que le matérialisme n'ait rien à dire sur l'art : Epicure, Lucrèce, Spinoza, Freud et Marx nous ont montré le contraire [2]. Mais ce qu'il a à dire est explicatif davantage que normatif, et critique plutôt que dogmatique. Une esthétique du désespoir ne peut s'ériger en loi : ce serait renoncer au désespoir. Elle ne peut que renvoyer l'art

---

1. Il peut y avoir un rapport entre les deux, qui tient non seulement à leur commune religiosité mais également au fait que le surréalisme doit, lui aussi, sinon annuler le monde réel, du moins le mettre, comme dit Sartre (*Qu'est-ce que la littérature ?*, « Idées »-NRF, p. 225), « entre parenthèses ». De telle sorte que « les surréalistes, une fois le monde détruit et miraculeusement conservé par sa destruction, peuvent se laisser aller sans vergogne à leur immense amour du monde. Ce monde, le monde de tous les jours, (...), mais hanté par l'impossible et le néant, c'est ce qu'on appelle le merveilleux surréaliste... » (*ibid.*, p. 225).

2. Cf. *supra*, notamment p. 245-269.

à l'historicité désirante de sa production et du goût qui le juge. Une esthétique matérialiste ne peut définir un idéal, sauf à le dénoncer immédiatement comme illusion : ce serait autrement renoncer au matérialisme. Une esthétique matérialiste ne peut que renvoyer à la matérialité de l'*aisthêsis*, c'est-à-dire au corps et à ses désirs, à l'histoire et à ses normes, au sujet et à ses rêves. Il serait vain pour cela – et contradictoire – de lui demander de légiférer pour l'universel. Ce qu'Icare nous enseigne ici c'est au contraire qu'aucune valeur ne vaut indépendamment de l'œuvre qui la porte, qu'aucun principe n'a de sens coupé de l'acte qui le pose. Et que cela n'a lieu qu'au sein d'une histoire, qui en définit à la fois la possibilité, la valeur et les limites. Une *religion icarienne* – matérialiste, ascendante, et pourtant religieuse – serait, en art comme ailleurs, contradictoire dans les termes [1]. A chaque artiste, solitairement, d'inventer – ou de *ré*inventer – les valeurs de son œuvre, les principes de son travail, les règles de son art. Icare est seul et crée ce qu'il peut. Il n'y a pas de monde intelligible. Et le passé même de son art ne le guide que dans la mesure où il s'y reconnaît. L'histoire de l'art, pas plus que l'histoire générale, n'impose quoi que ce soit. Elle dit ce qui est, ou ce qui fut, point ce qui doit être ou ce qui vaut. Ou, lorsqu'elle prétend juger, elle ne peut le faire que du point de vue d'une normativité elle-même historique, et pour cela (puisqu'elle repose sur une pétition de principe : l'histoire s'y juge elle-même, présupposant ainsi sa propre valeur, qu'elle prétend évaluer) objectivement sans valeur et subjectivement discutable et temporaire. Il n'y a pas de providence en art *non plus*, pas de juge suprême, ni passé ni à venir, pas de sens absolu, pas de valeur définitive. Le ciel est vide. Icare est seul, et en cela – en cela au moins – il est libre.

Le public peut alors, une fois l'œuvre faite, tranquillement en juger. Tranquillement, provisoirement, contradic-

---

1. Cela ne veut pas dire qu'elle soit strictement impossible : la contradiction ne l'est pas toujours. Nous aurons donc à en envisager expressément l'éventualité quand nous aborderons le problème de la métaphysique.

toirement... Affaire de goût, affaire de désir. Nulle vérité ici, nulle objectivité. Chateaubriand fut-il vraiment (comme le prétendait il y a peu un placard publicitaire vantant l'ouvrage d'un de ses récents biographes) « le plus grand écrivain français » ? Je suis convaincu du contraire. J'en peux citer au moins dix qui, selon moi, incontestablement le surpassent. Et je ne puis même m'empêcher de mépriser un peu qui ne lui préférerait pas Montaigne ou Proust, Hugo ou Stendhal... Mais je sais bien que c'est la question elle-même qui est mal posée, que nul artiste n'est *vraiment* le plus grand parce que nulle *vérité* ici n'est possible – si ce n'est celle, toujours singulière et subjective, de *mon* désir. Autant vaudrait dire quelle femme est *vraiment* la plus belle... Il n'y aurait d'objectif ici qu'une étude technique, historique, psychologique ou sociologique : telle œuvre fut réalisée de telle façon, à telle époque, par tel individu, et joua tel rôle, dans telle situation, pour telle ou telle raison... Mais cette étude serait sans valeur esthétique. On peut apprécier à sa juste valeur l'importance historique de Malherbe, sa maîtrise technique, sa représentativité culturelle... et ne pas l'aimer pourtant. Et on peut aussi l'aimer pour des raisons qui n'ont rien à voir avec ces critères objectifs[1]. De même, l'importance historique de Schoenberg, qui fut grande, n'interdit pas de lui préférer Sibélius ou Satie, qui en eurent moins. Et rien d'objectif ne m'empêchera de préférer Ravel à Debussy, ou, à *Pelléas*, le *Concerto pour la main gauche* : puisqu'il s'agit de juger la *valeur* des œuvres, et qu'il n'est de valeur, à jamais, que subjective. Dieu, pour parler comme Spinoza, n'est pas davantage critique d'art qu'il n'est militant politique ; et pas plus qu'il n'est de droite ou de gauche, il n'a d'avis sur l'art abstrait, la musique dodécaphonique, le nouveau roman ou la *Recherche du temps perdu*... Solitude du désir : « Nous appelons bonne la chose que nous désirons ; consé-

---

1. Lesquels critères au demeurant, même s'ils servent effectivement de normes, ne prennent valeur et sens que *pour le désir* : ce que Francis Ponge appelle « *le goût, revenu de tout* » (*Pour un Malherbe*, NRF, p. 299).

quemment nous appelons mauvaise la chose que nous avons en aversion ; chacun juge ainsi ou estime selon son affection quelle chose est bonne, quelle mauvaise, quelle enfin la meilleure ou la pire... » [1] Désespoir : il n'y a pas de vérité esthétique [2]. « Les choses considérées en elles-mêmes ou dans leur rapport à Dieu ne sont ni belles ni laides... » [3], et seule « l'extravagance des hommes » a pu leur faire croire « que Dieu aussi se plaît à l'harmonie » [4]. Désespoir et ascension : la beauté n'*est* pas ; tu la *crées* à chaque instant que tu en jouis. Ou plutôt : tu es le lieu de sa production, dont l'œuvre – mais en toi – est la cause [5]. Tu es seul juge – et seul en toi, ton plaisir. Il n'est d'art que de jouir, et de goût que d'aimer.

C'est pourquoi l'on a toujours raison d'aimer une œuvre d'art. La beauté qu'on y voit, dès lors qu'on est sincère, ne peut pas, subjectivement, ne pas y être : puisqu'elle n'est que dans le fait qu'on l'y voit. C'est là une justification suffisante – et il n'y en a pas d'autre. Aussi aurait-on bien tort de reprocher leur plaisir aux amateurs de Guy des Cars ou de Claude François : tout plaisir est bon, ici, puisqu'il est à soi-même sa norme. Tout au plus peut-on penser qu'il y a davantage de plaisir possible (dans telle société, à telle époque, etc.) à lire Proust ou Stendhal, à écouter Pergolèse ou Schubert. On peut même penser – c'est mon avis – qu'une généralisation de la culture littéraire et musicale rendrait cette préférence (dans une société donnée) universelle. Rien n'interdit que les désirs entre eux s'accordent. L'histoire de l'art (comme aussi celles de l'érotisme, de la cuisine ou de la politique) en donne des exemples. Mais cette préférence universelle n'en serait pas moins *sub-*

---

1. Spinoza. *Ethique* III, scolie de la prop. 39.
2. C'est-à-dire, rappelons-le encore une fois, pas de vérité *objective* ; cela n'empêche pas de dire la vérité *d'un sujet*, vérité qui n'est rien d'autre, pour parler comme Spinoza, que ses affections mêmes.
3. Spinoza, *Lettre 54 à Hugo Boxel*.
4. Spinoza, *Ethique* I, Appendice (p. 66).
5. Cf. Spinoza, *Lettre 54 à Hugo Boxel* : « La beauté, Monsieur, n'est pas tant une qualité de l'objet considéré qu'*un effet se produisant en celui qui le considère...* » (C'est moi qui souligne).

jective pour autant : des désirs qui s'accordent sont toujours des désirs ; et l'universalité n'est jamais le fait, en art,
que de *sujets* [1]. Il n'y a pas de beauté objective. Il n'y a que
le goût, c'est-à-dire le désir (dans toutes ses déterminations
physiques, psychiques, sociales et historiques), tel qu'il est
constitué dans une culture donnée ou (sous la forme du
« bon goût ») tel qu'il y est dominant. Aussi renvoie-t-il
d'abord à cette culture, où il trouve à la fois ses limites et
(dans le cadre de ces limites) sa légitimité. C'est ainsi que
tout individu cultivé, selon les normes qui dominent
aujourd'hui, préférera vraisemblablement Mozart ou
Schubert à Claude François. Préférence légitime. Mais
cette légitimité n'a de sens que relativement à des normes
culturelles qui sont historiquement déterminées, et qu'on
peut fort bien – l'expérience le prouve – ne pas partager.
C'est une légitimité de fait, non de droit. Elle ne vaut que
pour qui la reconnaît telle. Cela est vrai à l'intérieur d'une
société donnée, mais aussi, *a fortiori*, entre sociétés différentes : d'où un « *relativisme sans appel* » [2], qui est une
autre forme du désespoir. Car le fait qu'un goût soit dominant dans une culture donnée (voire, à terme, dans la
culture planétaire) ne prouve pas qu'il est le meilleur, mais
simplement... qu'il domine. Identification du droit au fait,
ici aussi [3]. Et l'avenir lui-même ne prouvera rien. Il n'est
pas impossible qu'un jour, la musique contemporaine évo-
luant comme elle évolue, tout le monde finisse par trouver
Mozart, comme on me l'a dit, « inodore et sans saveur,
léger et superficiel... » Ou bien au contraire que ce soit la

---

1. On pourrait se demander pourtant si certains critères objectifs, comme la
complexité de l'écriture, la richesse de l'harmonie, l'ampleur de la conception, etc.,
ne constituent pas, concernant par exemple Schubert et Claude François, une supériorité *objective* du premier sur le second. Et de fait, ces différences sont objectivement discernables voire démontrables. Mais ce qui ne l'est pas, c'est que la
complexité soit supérieure à la simplicité, la richesse à la pauvreté, l'ampleur à
l'étroitesse, etc. On peut tout aussi bien apprécier en Claude François un art plus
direct, plus efficace, plus populaire... A la fin, c'est toujours le goût (le désir, historiquement déterminé) qui tranche. Et cela sera encore vrai le jour, s'il vient, où tout
le monde préférera Schubert...

2. Cl. Lévi-Strauss, Race et histoire, in *Anthropologie structurale deux*, Plon, 1973,
p. 401. Cf. aussi p. 396-401.

3. Cf. *supra*, p. 185.

musique d'aujourd'hui, ou telle de ses composantes, qui paraisse à tous, demain, grotesque et plate, criarde et ennuyeuse... Mais cela ne retirera rien – rien du tout – à notre plaisir ou déplaisir d'aujourd'hui. A un imbécile qui lui disait : « L'avenir me donnera raison ! », Valéry répondit joliment : « Vous me faites peur. » Mais il avait tort d'avoir peur, autant que l'autre d'être confiant. Il n'y a rien à attendre de l'avenir, et rien à en craindre. Cultive plutôt la joie de ton plaisir présent.

Donc : pas d'esthétique matérialiste, ou bien seulement critique et négative. Je n'ignore pas pourtant qu'on ne peut critiquer des valeurs qu'au nom *d'autres valeurs*, fussent-elles implicites, et que tout discours négatif en suppose un autre, même tu, dont la positivité seule justifie la négativité du premier. On ne peut critiquer un idéal qu'au nom d'un autre idéal. Car la matérialité (historique) de l'*aisthêsis* peut bien fonder en fait le plaisir (mieux : elle est ce plaisir même, dans sa réalité), mais point, en droit, le justifier. Il faut donc se taire – jouir en silence –, ou bien inventer, pour ce plaisir concret et singulier, des normes idéales qui le fassent valoir comme universel. Il s'agit, là encore, d'hypostasier le désir, afin de sublimer sa satisfaction en idéal, et de subsumer, sous l'universalité d'une *valeur*, le plaisir même qui, en réalité, la fonde. Logique de l'illusion, donc, mais (pour qui ne se résigne pas à l'absolue solitude du silence) inévitable. Et cela vaut aussi pour des valeurs qui se voudraient matérialistes : aucun *fait* ne *vaut* ; la valeur ne peut donc fonctionner comme valeur qu'à la condition de se dénier en tant que fait. Refuser cette dénégation, c'est refuser la valeur, mais aussi s'interdire de lui en préférer une autre. En d'autres termes : tout discours qui prétend récuser l'universel de la valeur se récuse lui-même comme normatif, et ne peut aboutir qu'au silence – qui est, nous le verrons, la vérité de tout, mais sans valeur. Or, ce silence serait la fin, sinon du plaisir esthétique, du moins de sa spécificité *esthétique*, qui est cette illusion d'un plaisir universel et vrai. La fin de l'art, donc, en ce sens que l'art n'existe (comme tel) que par ce rêve qui le hante,

d'une *vérité* qui serait *belle*. Grandeur de Platon : l'esthétique – quels qu'en soient la forme et le contenu – est platonicienne ou elle n'est pas.

C'est ainsi que les cinq valeurs religieuses, romantiques
et narcissiques dont je viens d'esquisser la critique en laissent deviner au moins cinq autres, tout aussi subjectives
et critiquables, et même (puisqu'elles ne peuvent pas ne
pas prétendre, elles aussi, à l'universel[1]) tout aussi illusoires. Les reconnaître telles ne nous en libère pas – nul
ne le peut, sauf à renoncer à l'art – mais nous libère de la
mystification : nous ne nous faisons pas d'illusions sur nos
illusions[2]. Nous n'avons pas la *religion* de notre idéal.
Qu'est-ce que cela change ? Beaucoup de choses, pour
nous. Notre désir est de lucidité.

Ces cinq valeurs positives qui me servent (puisqu'il en
faut un pour juger) d'idéal esthétique, je peux bien, rapidement, les désigner : plus haut que l'originalité, je l'ai déjà
dit, je place l'*universalité* ; plus haut que la spontanéité (qui
est passivité vis-à-vis de soi), je place l'*exigence*, qui est
sévérité et travail ; plus haut que le mystère, ses charmes
et ses mensonges, je place la *clarté*, la clarté lucide et désespérée, la clarté sans pardon ; plus haut que l'avenir, je place
le *présent* – seul réel, seul vivant, seul vrai ; et plus haut
que le sacré des dieux vivants ou morts, le *profane* des
hommes et des choses, et la simplicité de vivre. Oui, c'est
ainsi : j'aime les œuvres universelles, exigeantes, claires,
actuelles et profanes – et plus que le romantisme de tous
les temps, un *classicisme* qui serait d'aujourd'hui. Mais ces
valeurs positives qui me servent d'idéal, j'en connais trop
l'illusion et l'infondé (si ce n'est dans l'historicité de mon
désir) pour vouloir les défendre. Et je n'ai pas plus envie
de convaincre, en ce domaine, que je n'en aurais, si je le
voulais, les moyens. Solitude du désir. Solitude de l'art. Ce
que j'aime, dans l'art, c'est bien une *vérité*, mais point
n'importe laquelle. Haute et claire comme un grand vent,

---

1. Comme Kant l'a montré ; cf. *supra*, p. 222.
2. Cf. *supra*, p. 174-175.

joyeuse et grave, légère et simple : la vérité – subjective, solitaire – de notre vie. « La vraie vie, la vie enfin découverte et éclaircie, notre vie... » J'aime la beauté qui ne ment pas.

« Et si la vie n'est pas belle ?... » C'est ici que tout se tient. On a l'esthétique que l'on mérite.

Pour l'art contemporain, en revanche, c'est autre chose. On a le choix de sa philosophie, mais point celui de son époque. Et nul n'est tenu d'aimer ce avec quoi il coïncide. C'est d'ailleurs sans importance : car l'art se survit, et le passé nous reste présent (le passé, point l'avenir) dans l'effectivité du plaisir – ici, maintenant – qu'il nous procure. Il est plus facile d'écouter Schubert aujourd'hui que de son temps. Ce qui fut actuel, pour qui le veut, le demeure, et disponible à son désir : nous sommes, en art, les contemporains de l'éternel. Et le *Quintette en ut* reste, pour tout vivant qui l'écoute, tel qu'en lui-même l'éternité le préserve... D'où cette remarque profonde d'Auguste Comte, et qui vaut pour toute culture, que « les vivants sont toujours, et de plus en plus, dominés par les morts »[1]. Car l'art vivant (quant à sa production) c'est, cela va de soi, celui d'aujourd'hui. Mais il n'existe que par et dans une culture qui lui vient du passé, laquelle qui ne cesse, quantitativement, de s'accroître. Il y a là comme une accumulation sociale et historique de ce qu'on a pu appeler le *capital culturel*[2], et qui ne peut que modifier progressivement sa composition et son évolution. C'est ainsi que, dans la production des biens matériels, le travail productif passé (« du travail passé, mort, devenu chose... »[3]) devient, sous forme de capital et en incorporant « la force de travail vivant »[4], ce que Marx appelle une « valeur grosse de valeur, monstre animé qui se met à travailler comme si elle avait le diable

1. Auguste Comte, *Système de politique positive*, II, Ed. Anthropos.
2. Cf. par ex. P. Bourdieu et J.-C. Passeron, *La reproduction*, I, p. 46.
3. Marx, *Le Capital*, I, t. I, p. 195.
4. *Ibid.*

au corps »[1]. Le travail passé produit alors – sous l'action
du travail vivant – une nouvelle valeur, qui pourra à son
tour se transformer en moyens de production, lesquels, à
nouveau, sous l'action du travail, produiront de la valeur...
et ainsi de suite. Mais cette accumulation du capital sous
forme de forces productives nouvelles ne va pas sans modifier sa propre composition. Elle a pour effet, selon Marx,
d'accroître la partie du capital qui « ne modifie pas la grandeur de sa valeur »[2], et que Marx appelle, pour cette raison,
le « *capital constant* »[3]. Si l'on accepte de poursuivre ici le
parallèle esquissé plus haut[4], je dirais volontiers de même
que la culture passée (« devenue chose »), telle qu'elle s'est
historiquement accumulée, représente en quelque sorte le
capital constant de l'art[5], c'est-à-dire une valeur certes
indispensable à la production de biens culturels nouveaux,
mais incapable par elle-même d'ajouter la moindre valeur
à celle déjà accumulée. Seule pourra le faire la « force de
travail vivant »[6] des artistes, laquelle ne cesse de produire,
outre son propre équivalent, « un excédent, une plus-value,
qui peut elle-même varier et être plus ou moins grande »[7].
Cette force de travail vivant des artistes, nous pouvons, du
point de vue de la formation de la valeur artistique, l'appeler le *capital variable* de l'art[8]. Or, montre Marx, « l'accumulation qui fait grossir le capital social réduit simultanément la grandeur proportionnelle de sa partie variable »[9].
Il s'ensuit que la partie créatrice de valeur du capital (le
capital variable) tend (même s'il grandit en valeur absolue)
à baisser proportionnellement à sa partie non créatrice (le

---

1. *Ibid.*
2. Marx, *ibid.*, p. 207.
3. Marx, *ibid.*, p. 207.
4. Cf. *supra*, p. 305-307.
5. Ce qui n'empêche pas des changements dans la façon dont cette culture est
jugée, des réévaluations, etc. « La notion de capital constant n'exclut en aucune
manière un changement de valeur de ses parties constitutives » (Marx, *Le Capital*,
I, t. I, p. 207).
6. Marx, *Le Capital*, I, p. 195.
7. Cf. Marx, *Le Capital*, I, t. I, p. 207.
8. *Ibid.*
9. Marx, *Le Capital*, I, 3, t. III, p. 70.

capital constant). D'où, comme on sait, la « *baisse tendan-cielle du taux de profit* »[1], qui est le résultat des effets de l'accumulation du capital sur sa composition organique. Si l'on admet que ces deux ordres différents (production des biens matériels, production des biens culturels) ne sont pas pourtant sans rapport, et peuvent par conséquent être au moins comparés, nous pourrions alors dire, ne serait-ce qu'à titre d'hypothèse ou d'analogie provisoire, qu'en art, du fait de l'inévitable accroissement de la culture passée proportionnellement au travail vivant, nous sommes confrontés à quelque chose comme une *baisse tendancielle du taux de création*, baisse tendancielle qui se manifeste concrètement en ce que chaque œuvre nouvelle (et quelle que soit sa valeur propre) ajoute proportionnellement de moins en moins de valeur à la valeur culturelle déjà don-née. Pour donner un exemple : il est exclu qu'aucune œuvre aujourd'hui (et ce, quel que soit le génie de son auteur) puisse ajouter proportionnellement autant de valeur artis-tique nouvelle au capital culturel déjà disponible que ne le firent, en leur temps, Homère, Michel-Ange ou Bach... Et cela pour une raison bien simple : l'existence (et la conser-vation) de leurs œuvres, qui interdit que « la grandeur qui s'attache aux commencements », comme dit Lévi Strauss[2], s'attache pareillement à ceux qui les suivent. D'où peut-être ce sentiment de piétinement, de répétition, de lassitude... Si « l'homme ne crée vraiment grand qu'au début »[3], que nous reste-t-il d'autre, à nous qui venons si tard, que la petitesse ?

On dira qu'on n'a pourtant jamais créé autant d'œuvres d'art, et qu'il n'y eut jamais autant d'artistes. Mais c'est aussi un des effets de « cette loi à double face », comme dit Marx[4], qui fait que « les mêmes causes provoquent la diminution du *taux* de profit et l'augmentation simultanée

---

1. Cf. Marx, *Le Capital*, III, 1, t. VI, p. 225-244.
2. Cl. Lévi-Strauss, *Tristes tropiques*, p. 472.
3. *Ibid.*
4. Marx, *Le Capital*, III, 1, t. 6, p. 233.

de la *masse* absolue de celui-ci » [1], du fait notamment de
« l'augmentation croissante de la masse totale de force de
travail employée » [2]. Il est donc normal qu'on crée *de plus
en plus*, dans l'absolu, mais aussi, relativement à ce qui
existe déjà, *de moins en moins* – que des artistes de plus
en plus nombreux produisent de plus en plus d'œuvres,
mais pour un « profit culturel » qui, tout en augmentant
dans sa masse, ne peut, proportionnellement et œuvre par
œuvre, que baisser. Bref, plus on crée, moins on crée. D'où,
ici aussi, peut-être, « des crises » [3] ...

Alors l'art serait bien pour nous « une chose du passé »,
mais point pour avoir été, comme le voulait Hegel, remplacé par la philosophie. L'art serait une chose du passé
parce que son passé ne cesse de dominer – nécessairement
et de plus en plus – son présent, et ce d'autant plus que le
capital culturel accumulé (les œuvres du passé) reste, en
art, *effectivement disponible et consommable* (au moins en
droit) *par tous*. Concurrence difficile, on le conçoit, pour
les producteurs, et d'autant plus que rien n'empêche alors
les consommateurs de produire à leur tour... Or, si chacun
peut être son propre « capitaliste » (dès lors qu'il s'est
approprié une partie du capital culturel), son propre tra-
vailleur (s'il crée) et son propre client (puisqu'il peut jouir
lui-même de son œuvre), que reste-t-il du marché culturel
de l'art, que reste-t-il des artistes et de leurs œuvres ? Il
semble que cette gigantesque *suraccumulation* ne puisse
pas aller, elle non plus, sans *dévalorisation*, et qu'elle tende
en cela vers une remise en cause radicale du mode traditionnel de production des œuvres d'art, lequel n'aurait plus
le choix qu'entre la crise permanente et sa propre disparition... Un jour viendra peut-être – par exemple « dans la
société communiste, où chacun n'a pas une sphère d'activité exclusive, mais peut se perfectionner dans la branche
qui lui plaît... » [4] – où tout homme sera artiste :

1. *Ibid.*
2. *Ibid.*
3. Cf. Marx, *ibid.*, p. 270.
4. Marx-Engels, *Idéologie allemande*, I, p. 63.

« La concentration exclusive du talent artistique chez quelques indi-
vidualités, et corrélativement son étouffement dans la grande masse
des gens, est une conséquence de la division du travail... Dans une
société communiste, il n'y aura plus de peintres, mais tout au plus des
gens qui, entre autres choses, feront de la peinture. » [1]

Jour heureux, peut-être, mais, à ce que je crois, peu
propice à l'art, du moins sous la forme traditionnelle
qu'aujourd'hui nous aimons : car des œuvres à ce point
innombrables ne pourraient que se recouvrir les unes les
autres (chacune disparaissant sous la masse de toutes), et
n'auraient plus de consommateurs que ceux qui les ont
produites et le cercle restreint de leurs intimes... Le marché
actuel de la poésie en donne une idée : des millions de
poètes anonymes, de par le monde, recopiant à la main ou
éditant confidentiellement des œuvres, inégales certes
mais (relativement à la poésie déjà accumulée et toujours
disponible) de plus en plus insignifiantes... et de moins en
moins lues. Valéry l'avait pressenti peut-être : « Si tout le
monde écrivait, qu'en serait-il des valeurs littéraires ? » [2]
L'art est un domaine où la rareté enrichit (puisque l'œuvre
rare peut être consommée par tous), et où l'abondance
appauvrit (puisque chacun ne consomme plus, dans une
masse écrasante d'œuvres excédentaires, que des parcelles
infimes). « Tout ce qui est beau est difficile autant que
rare », disait Spinoza [3] ; là où il n'y a plus de rareté, que
reste-t-il de la beauté ? Et comment concevoir que la difficulté puisse y suffire ? L'art du passé nous est ainsi précieux, entre autres raisons, par cette *rareté* préservée des
commencements, qui restaure, contre l'inflation du sens et
des valeurs, le charme irremplaçable de l'exception. Or, en
art, l'exception ne confirme pas la règle : elle *est* la règle [4].
Un art surabondant tend ainsi à devenir un art *déréglé*, qui

1. Marx-Engels, *ibid.*, III, 434.
2. Paul Valéry, *Tel quel*, Pléiade, II, p. 630.
3. Spinoza, *Éthique* V, scolie de la prop. 42.
4. Cf. Kant, *Critique de la faculté de juger*, § 46, p. 138-139. Ce sont en effet les
œuvres « *exemplaires* » du génie qui, en tant qu'elles sont exceptionnelles, « doivent
servir aux autres de mesure ou de règle du jugement ».

ne peut par conséquent que chercher partout, « comme s'il avait le diable au corps », l'*exception* qui lui manque et qu'aucune audace, qu'aucune nouveauté, qu'aucun scandale ne peut lui rendre – puisque toute nouveauté, toute audace, tout scandale ne peut qu'accroître la suraccumulation culturelle et la dévalorisation des œuvres qui en résulte. Rien de plus banal, à la fin, que le scandale. Désespoir. L'art, aussi *néguentropique* qu'il se veuille et qu'il soit (il crée de l'ordre), n'échappe pas à l'*entropie* fondamentale qui est la loi des sociétés humaines – l'anthropologie est une « entropologie » [1] –, et qui veut que, plus le sens s'accumule et circule, plus il accroît le désordre insensé que pourtant il combat. Car l'art – comme la vie [2] – consomme davantage d'ordre qu'il n'en produit. Il s'agit, comme disait si joliment Guyau, de « redevenir rayon de soleil » [3] ; mais cela ne se fait pas sans perte. Ce pourquoi « A la fin (comme disait Staline, qui s'y connaissait), c'est toujours la mort qui gagne ». Voici que l'art – l'art immortel [4] – le confirme, qui tend tout entier vers la mort qu'il dénie.

Pessimisme ? Certes pas : le désespoir l'exclut. Qui n'attend rien ne craint rien. Et si tout n'est promis qu'à la mort, et l'art lui-même, si le désordre ne peut que s'accroître, cela n'est inquiétant que pour qui compare le présent à autre chose qu'à lui-même, et condamne ce qui est au nom de ce qui n'est pas. Le désespoir, tel que je l'ai défini [5], est au contraire le meilleur rempart contre le pessimisme, et ne mène – sans angoisse, sans nostalgie – qu'à la célébration joyeuse du présent. Or, rien n'est présent, en art, que les

---

1. Cf. Lévi-Strauss, *Tristes tropiques*, p. 478.
2. Qui n'est *néguentropique* que localement et provisoirement : cf. par exemple François Jacob, *La logique du vivant* (Gallimard, coll. « Tel », p. 211-213), et Jacques Monod, *Le hasard et la nécessité*, (Gallimard, coll. « Tel », p. 160-161). On remarquera que l'application de la notion d'entropie à la culture humaine n'a de sens que dans la mesure où celle-ci peut-être considérée comme un système isolé. L'idée d'une inspiration divine (transcendante) l'invaliderait... ou serait invalidée par elle.
3. J.-M. Guyau, *L'irréligion de l'avenir* (Alcan, 1921), p. XXIV : « Notre cerveau est de la chaleur solaire transformée ; il s'agit de répandre cette chaleur, de redevenir rayon de soleil. Cette ambition est très douce... »
4. Cf. *supra*, p. 274-280.
5. Cf. *supra*, p. 19-20.

œuvres (quelle que soit leur ancienneté [1]) et le public. Rien n'est présent en art, à chaque instant, que ton plaisir. Peu importe la mort : puisque ton plaisir – ici, maintenant – est vivant ! Peu importe le désordre : ton désir est ordre qui te suffit.

« Cultive plutôt la joie de ton plaisir présent », disais-je. L'art est cette *culture*, ou peut l'être. Ne demande pas aux artistes plus qu'ils ne peuvent te donner, ni moins. L'art ne *vaut* rien, absolument parlant, et la beauté n'*est* pas. C'est pourquoi il faut des artistes, c'est pourquoi il faut aimer l'art : pour *créer* ce qui n'est pas, et qui nous manque. Conduite de deuil, ici aussi, mais singulière : puisque l'art doit surmonter perpétuellement, pour être, le drame de n'être pas. Sa vérité est dans son illusion, et dans la dénégation de cette illusion. Déni de vivre et de mourir, déni de créer... Et c'est bien parce que l'art est une conduite de deuil qu'il ne peut avoir pour but que la joie [2]. Epicure le disait déjà : c'est parce que nous souffrons que nous avons besoin de plaisir [3], et les dieux ni les sages n'ont besoin de poètes. Désespoir et ascension : primat du deuil, primauté de la joie. Et il te faut faire ton deuil aussi de l'art.

Pour que ta joie demeure.

---

1. Une œuvre contemporaine, en effet, n'est pas plus *présente*, pour nous, c'est-à-dire pas davantage offerte à notre désir, que le *Scribe accroupi* du Louvre ou, à chacune de ses exécutions, la *Neuvième symphonie* de Beethoven.

2. Les œuvres d'art tristes posent en ce sens un problème du même type que celui posé, dans la théorie freudienne du rêve, par l'existence des cauchemars (et qui pourrait sans doute trouver, analytiquement, une solution du même genre : cf. par ex. *L'interprétation des rêves*, IV, p. 123-147). D'un point de vue plus général, on peut dire que toute création est une joie : par l'accroissement d'être qu'elle suppose. Cela ne signifie pas qu'il ne puisse exister de grandes œuvres tristes, mais qu'elles ne sont pas conformes à l'élan qui les suscita. Une œuvre d'art triste va à contresens. Elle remonte son propre courant (c'est-à-dire le descend), et s'épuise à dire ce qu'elle n'est pas : le malheur dont, même torturée, elle est la négation. L'œuvre joyeuse seule *coule de source* (Mozart, Matisse, Eluard). S'il veut rester fidèle à l'élan qui le porte, l'artiste doit donc chanter la joie et la lumière. C'est aussi sa plus grande utilité. Car, pour le malheur, point besoin de l'art. La vie suffit.

3. Cf. Epicure, *Lettre à Ménécée*, 128. Chez Spinoza, la problématique est différente, mais l'essentiel demeure : point de joie sans finitude (cf. *Ethique* III, déf. 2 des affections et explication).

CONCLUSION PROVISOIRE

> « *Toujours nous tournons dans le même
> cercle sans pouvoir en sortir...* »
> LUCRÈCE (III, 1080)

Le matérialisme, le désespoir. Il s'agissait de penser
ensemble ces deux notions, et d'en tirer, s'il s'avérait que
ce fût possible, les éléments d'une *sagesse*, conforme à
notre désir, à notre époque et à notre philosophie. Cette
sagesse matérialiste, telle que nous la désirons, nous nous
en sommes approchés, me semble-t-il – sans déjà l'atteindre, certes, mais sans non plus la perdre de vue. Nous ne
savons pas encore ce qu'elle est ; nous commençons à percevoir ce qu'elle n'est pas.

Elle n'est pas, elle ne peut pas être, un salut du *moi*, au
sens où Narcisse peut en rêver : parce que le moi n'est rien,
parce que Narcisse n'a d'autre avenir que sa mort, d'autre
salut que sa disparition. Elle n'est pas non plus, elle ne
peut pas être, un *salut de l'âme*, au sens où Platon l'enten-
dait, c'est-à-dire comme ascétisme, comme religion et
comme contemplation : parce qu'il n'y a pas d'âme, pas de
dieux, et rien à contempler[1].

Elle n'est pas, elle ne peut pas être, un *salut collectif*, au
sens où l'utopisme l'espère : parce que la collectivité des
hommes n'est soumise qu'au jeu conflictuel de leurs désirs,

---

1. Du moins rien qui soit une *valeur* : pas de monde intelligible.

ici et maintenant, et qu'aucune norme absolue (aucun idéal vrai) n'est susceptible de légiférer pour l'universel, c'est-à-dire de transcender – si ce n'est illusoirement – la relativité des enjeux toujours multiples, contradictoires et provisoires dont l'histoire est tout à la fois le lieu, l'effet et la sanction. Et aussi parce que nous mourrons, et qu'en cela le temps de notre vie et celui de l'histoire n'ont ni le même rythme, ni les mêmes exigences.

Elle n'est pas, elle ne peut pas être, un *salut artistique* ; parce que l'art, né de la vie, ne peut qu'en reproduire les limites en même temps qu'il les dénie. Sans inspiration, sans beauté absolue, sans norme universelle, l'art est prisonnier des illusions qui font son prix. Il aide à supporter la vie davantage qu'il ne la transforme. Il apaise sans guérir ; il console sans sauver.

Bref, le salut – s'il est possible – ne peut être ni *psychologique*, ni *politique*, ni *esthétique*. Et nous avons vu que même le matérialisme, appliqué à ces trois ordres, ne peut que constater son impossibilité. Ce que j'ai appelé le désespoir. Narcisse, Prométhée et Orphée, même s'ils sont trois formes d'Icare, restent prisonniers du labyrinthe : ils ne peuvent ni s'*en* sauver, ni s'*y* sauver. « Toujours nous tournons dans le même cercle sans pouvoir en sortir... » [1] Point de ciel qu'illusoire, point de fuite que rêvée. Et la mort au bout. Le réel reste le réel – *eadem sunt omnia semper* [2] –, et rien ne t'attend que la mort – *mors aeterna* [3] –, la mort éternelle.

Non pourtant que le matérialisme ne change rien au problème. Ce que j'ai appelé la dialectique du *primat* et de la *primauté* (par quoi le matérialisme se pense lui-même comme *ascension* [4]) introduit un renversement, sinon des valeurs elles-mêmes (encore que cela puisse se produire), du moins de leur statut, et permet de les penser, sinon toujours de les vivre, de manière non religieuse. Le maté-

---

1. Lucrèce, III, 1080.
2. Lucrèce, III, 945.
3. Lucrèce, III, 1091.
4. Cf. *supra*, p. 127-134.

rialisme est une entreprise de *démystification* : il s'agit de penser l'illusion en vérité. « Car semblables aux enfants qui tremblent et s'effraient de tout dans les ténèbres aveugles, nous-mêmes en pleine lumière souvent nous craignons des dangers aussi peu terribles que ceux que leur imagination redoute et croit voir s'approcher dans la nuit. Cette terreur et ces ténèbres de l'âme, il faut donc que les dissipent, non les rayons du soleil et les traits lumineux du jour, mais la vue de la nature et son explication. »[1] Il s'agit de « pouvoir tout regarder d'un esprit que rien ne trouble »[2], et cet « esprit » (*mens*) ne peut être en paix (« *pacata* ») qu'autant qu'il connaît une vérité (« *vera ratio* »[3]). Matérialisme et rationalisme : il y a bien « la pensée qui guérit et celle qui ne guérit pas »[4] ; mais la pensée qui guérit, c'est la pensée qui connaît.

Cela est vrai chez Epicure, chez Lucrèce, chez Spinoza, chez Marx, chez Freud. Mais ces illusions démystifiées par eux (dans la pensée) ne disparaissent pas (dans la vie) : une valeur illusoire n'est pas une absence de valeur (sans quoi il n'y aurait plus d'illusion), et la vérité peut bien supprimer des peurs – et d'autant mieux qu'elles sont sans objet –, mais point annuler le désir – ce serait supprimer la vie elle-même – ni les objets qu'il s'invente. Primat du désir, primauté de la raison ; mais la primauté de l'une n'annule pas le primat de l'autre. Icare *crée* le ciel où il s'envole ; mais il s'envole. Et son désir – qui est d'altitude – lui suffit : la raison, de même qu'elle lui prouve l'*inexistence* du ciel, ne peut que constater la *réalité* (fût-elle imaginaire) de son vol. Car il est vrai que nous vivons, que nous désirons, que nous rêvons. Et cette *vérité* suffit : la beauté n'*est* pas, mais nous aimons effectivement le beau ; la justice n'*est* pas, mais nous nous battons réellement pour elle ; la vérité n'a pas de valeur, mais nous désirons vraiment la connaître. René Char a fort bien dit l'essentiel, et le défi que cela

---

1. Lucrèce, III, 87-93
2. Lucrèce, V, 1203
3. Par ex. Lucrèce, I, 51 (« veram rationem »).
4. Comme disait Nizan, à propos d'Epicure (*Les matérialistes de l'Antiquité*, p. 15).

suppose : « Obéissez à vos porcs qui existent. Je me soumets à mes dieux qui n'existent pas. » Soit : il n'est d'ailes que du désir, et de ciel que rêvé. Mais ce sont ailes qui nous suffisent, et rêves qui nous comblent.

Il faudra bien sûr y revenir, mais on voit déjà se dessiner la *ligne* que nous voulons défendre : ligne de feu, et ligne de crête. Car le matérialisme, du moins celui que nous désirons, tient tout entier dans ce mouvement paradoxal : dans un espace *horizontal* (puisqu'il est infini, toutes les directions s'y valent), introduire un axe qui soit celui d'une *ascension*. Simone Weil y voyait « la grande erreur des marxistes » [1] ; nous n'y voyons que le *défi* (et bien avant Marx) du matérialisme philosophique. Mais il reste que ce défi doit être pensé, et ce paradoxe résolu. La solution, s'il en est une, ne pourra être trouvée que sur la base d'une métaphysique dont nous n'avons pu encore, de loin en loin, qu'évoquer la possibilité et l'exigence. Du moins commençons-nous à voir plus clairement l'*ascension* qu'il s'agit de penser : du *primat* (de la matière, de la nature, de l'économie, de la force, de l'inconscient, du monde...) à la *primauté* (de la pensée, de la culture, de la politique, du droit, de l'art, du sens...). Entre les deux : le mouvement ascendant du désir, qui nous fait passer de l'un (primat du primat : tout part du corps) à l'autre (primauté de la primauté : rien ne vaut que l'esprit). C'est cette *ascension* qu'Icare nous a paru pouvoir symboliser : Icare, prisonnier d'un labyrinthe horizontal, mais créant lui-même (primat du travail...), guidé par son père (tout désir est historiquement et biographiquement déterminé), les ailes de son désir et de son vol.

> « Le ciel fut son désir, la mer sa sépulture :
> Est-il plus beau dessein, ou plus riche tombeau ? » [2]

---

1. Cf. ses *Cahiers*, t. III (Plon, 1956), p 55 : « La grande erreur des marxistes et de tout le XIXe siècle a été de croire qu'en marchant tout droit devant soi, on monte dans les airs... »

2. Philippe Desportes, *Icare*.

Désir et sépulture, mer et ciel : matérialisme et désespoir.

Ce *désir* est un effort (*conatus*...), une tension, un *acte*[1].
On ne passe du *primat* à la *primauté* qu'à la condition de
le *vouloir*. Qu'un instant l'effort se relâche, que le désir se
fatigue ou se lasse... on n'a plus qu'un « matérialisme »
vulgaire, plat, avachi, un matérialisme qui redescend – et
qui ne saurait par conséquent être *philosophique*.

Nous en avons déjà rencontré au moins deux exemples,
l'un politique et l'autre artistique :

– primat de l'économie sans primauté de la politique :
   économisme[2] ;
– primat de l'artiste sans primauté de l'œuvre : narcissisme[3].

Mais on pourrait sans peine les multiplier : primat de la
nature sans primauté de la culture, primat du désir sans
primauté de la raison ou du sublime, primat de la guerre
et de l'oppression sans primauté de la liberté et de la paix,
primat de l'inconscient sans primauté de la lucidité, primat
du réel sans primauté de la valeur, primat du corps sans
primauté de l'esprit... On voit bien à quelle « pensée » – si
tant est que ce soit une pensée – ce « matérialisme » aboutirait. Ce serait un mélange de « naturalisme » et de « réalisme » cyniques[4], d'hédonisme à courte vue et d'égoïsme
misérable... Ce serait, et *c'est* : non dans la philosophie,
sans doute, mais dans la vie, et plus peut-être aujourd'hui
que jamais. Dieu en partant fit un grand vide, où beaucoup
perdirent le peu d'âme dont ils étaient capables. « Obéissez
à vos porcs qui existent... » Ce sont gens qui se vautrent

1. Cf. *supra*, p. 71-72.
2. Cf. *supra*, p. 168.
3. Cf. *supra*, p. 312 et suiv. Ce narcissisme trouve son frère ennemi dans le
technicisme : primat du travail sans primauté de l'œuvre Les deux sont plus proches
l'un de l'autre qu'on ne le pourrait croire : il s'agit toujours de mettre les *conditions*
de l'art plus haut que l'art lui-même.
4. Au sens courant (non philosophique) du terme.

dans leurs caves. Mieux vaudrait encore la religion : mieux vaut vivre à genoux que couché.

« Au nom de quoi ? » Au nom du désir même, au nom du goût et du dégoût : notre désir est d'altitude, notre corps se veut esprit. Il s'agit de vivre *debout*. Parce qu'il s'agit de *vivre*, simplement :

> « Notre devoir est de construire une morale avant que l'homme cesse. (...) La fin est proche, et nous devons refuser d'être la fin. Impératif minimum, sans la position duquel nous ne refuserions plus rien. Or il s'agit de dire au moins non. Pour que la morale puisse exactement dire plus que non. Refuser d'être le terme...
>
> « Quelque chose, qui nous ressemble déjà, vaut encore la peine.
>
> « Laissons l'imbécile dire que nous sommes d'ores et déjà détruits. » [1]

Oui : une morale. Et une éthique. Et une métaphysique. « Refuser d'être le terme, il nous faut des moyens. » [2]

Nous devrons donc continuer : la morale, l'éthique et la métaphysique doivent être susceptibles, elles aussi, d'une approche matérialiste qui en examine les enjeux et en critique les illusions. On peut d'ailleurs en deviner déjà quelques thèses, qu'il suffit pour l'instant de désigner de loin, mais dont il nous faudra vérifier la validité : primat du corps, primauté de l'âme ; primat de la peur, primauté du courage ; primat du plaisir, primauté du bonheur ; primat de la matière, primauté de l'esprit ; primat de la mort, primauté de la vie...

J'allais écrire : enfin, et peut-être surtout, primat de la vérité, primauté du désir. Mais je crois déjà savoir que l'inverse *aussi* sera vrai (ou sera nôtre) – primat du désir, primauté de la vérité –, et que nous trouverons peut-être en ce lieu – ou en cet espace – notre point d'équilibre et de bascule.

Le salut sera peut-être ce *basculement* et cet *équilibre* – vérité du désir, désir de la vérité –, où la disjonction même de ces deux ordres et de ces deux discours s'annule enfin

---

1. Marc Wetzel, L'avenir de la morale. *Cahiers philosophiques*, n° 7, juin 1981, p. 33 et 56.
2. *Ibid.*

dans un même silence qui, tout à la fois, les dissout et les réunit. Notre *Traité du désespoir* déboucherait alors sur un *Traité du silence*, et notre *philosophie* paierait de sa propre extinction, si nous pouvions l'atteindre, la *sagesse* qu'elle visait. Voyage au bout de la nuit, voyage au bout de la lumière... La béatitude est de l'autre côté du désespoir – et pourtant ce désespoir même.

Car *l'espoir* du salut – nous le savions dès le départ[1] – sera le dernier obstacle à nous en séparer ; et nous n'atteindrons la sagesse, si nous en sommes capables, qu'en renonçant à la philosophie.

Il s'agit que le désespoir désespère aussi de lui-même.

Y parviendrons-nous ? C'est sans importance réelle. A la fin, c'est toujours le silence qui a le dernier mot.

---

1. Cf. *supra*, p. 14-15.

2

Vivre

Avant-propos

Il s'agit de vivre : la philosophie n'a pas d'autre but ni, d'ailleurs, d'autre chance.

Mais comment *vivre ? C'est la question, à quoi la philosophie veut répondre et qui la justifie. Sans cette exigence vitale (ou existentielle, ou éthique, peu m'importe le mot), la philosophie ne vaudrait pas une heure de peine, et ce serait Pascal qui aurait raison. A quoi bon multiplier les concepts et les preuves (concepts toujours approximatifs ! preuves toujours incertaines !), s'ils laissent le malheur intact ou l'angoisse inchangée ? La philosophie est un art de vivre avant d'être un métier, une discipline spirituelle plutôt qu'universitaire, une aventure plutôt qu'une spécialité. Les Grecs, qui inventèrent le mot, ne s'y sont pas trompés : s'il faut penser mieux (philosopher), c'est d'abord pour mieux vivre, et cela seul importe, qui sauve la philosophie du bavardage et les philosophes du ridicule. « Il ne faut pas faire semblant de philosopher, disait Epicure, mais philosopher pour de bon ; car nous n'avons pas besoin de paraître en bonne santé, mais de l'être vraiment. »* [1]

Il s'agit, on l'a compris, de « la santé de l'âme », comme dit ailleurs Epicure [2]*, autrement dit du bonheur ou de la sagesse, et c'est de quoi, à mon tour, j'ai voulu m'enquérir. D'où cette question que j'ai posée dans* Le mythe d'Icare, *et à laquelle j'essaie, à présent, de répondre :* une sagesse est-

---

1. Epicure, *Sentence vaticane* 54 (trad. M. Conche).
2. *Lettre à Ménécée*, 122.

elle possible pour notre temps, et laquelle ? *Qu'un tel projet ait pu paraître anachronique ou incongru en dit long sur notre époque et sur l'état, à quelques exceptions près, de la philosophie. J'ai eu de la chance : quelques maîtres, quelques amis, quelques critiques, enfin des lecteurs (et beaucoup plus que je n'en aurais rêvé !) m'ont encouragé et, dans les moments de fatigue ou de doute, soutenu. J'ose donc présenter la suite – et la fin – de ce travail, entrepris il y a maintenant sept ans, avec un sentiment mêlé d'urgence et, en effet, d'incongruité. Ce que la philosophie peut apporter, il n'a jamais été plus nécessaire, sans doute, de le dire ; mais jamais, peut-être, l'on n'a été moins préparé à l'entendre. Est-ce une raison pour y renoncer ? C'est ce que je ne crois pas. La philosophie est* intempestive, *et doit l'être. Il s'agit* de remonter le courant, *disait le Bouddha, non de suivre la pente.*

Il y a philosophie et philosophie. La mienne, je m'en suis expliqué dans Le mythe d'Icare, *est matérialiste ou irréligieuse. C'est le sens de ce que j'ai appelé le désespoir, qui est le contraire de la foi. Il ne s'agit pas d'inventer de nouveaux rêves, mais d'aller jusqu'au bout de leur effondrement. La philosophie ici mise en œuvre est donc conçue comme travail* de désillusion, *tel qu'on le trouve à la fois dans une tradition philosophique ancienne (Epicure, Lucrèce, Spinoza...) et chez les auteurs qui fondent notre modernité (Nietzsche, Marx, Freud...). « La vérité, disait Démocrite, est au fond de l'abîme. »* [1] *Le désespoir est cet abîme même.*

Désespoir allègre pourtant, et d'autant plus tonique qu'il est plus radical. On voudra bien ne pas le confondre avec l'espèce d'avachissement que trop d'espérances déçues ont répandu dans notre époque. Le désespoir n'est pas le désappointement, et se définirait plutôt comme son antidote ou son refus. On parle du courage du désespoir, et c'est bien dit. Le matérialisme est le courage de la raison.

---

1. Démocrite, fragment 292 (trad. J. Voilquin).

Il s'agit en effet de vivre et de lutter : monter à l'assaut du ciel, *comme disait Marx, même si ce ciel n'existe pas. Matérialisme* ascendant, *donc. Désespoir n'est pas renoncement ; matérialisme n'est pas bassesse. La victoire sur la religion, écrivait déjà Lucrèce, loin de nous abaisser,* «nous élève jusqu'au ciel» [1]. *J'ai montré dans le tome 1 ce qu'il en était de cette* ascension *à l'intérieur de chacun des trois* «labyrinthes» *du moi, de la politique et de l'art. J'en viens maintenant, comme prévu, aux* «labyrinthes» *de la morale et du sens. Après Narcisse, Prométhée et Orphée, voici Icare – chacun d'entre nous – face aux autres et au réel. Après la vie rêvée, la vie vraie.*

---

1. Lucrèce, *De rerum natura*, I, 79.

4

Les labyrinthes de la morale :
par-delà le bien et le mal ?

> « *Que nous agissions librement ou en vertu d'une nécessité, c'est toujours l'espérance et la crainte qui nous mènent. Mon détracteur a donc tort d'affirmer que je ne laisse aucune place aux préceptes et aux commandements...* »
>
> SPINOZA

> « *Plus donc nous nous efforçons de vivre sous la conduite de la raison, plus nous faisons effort pour nous rendre moins dépendants de l'espoir...* »
>
> SPINOZA

I

Le plus difficile, c'est la morale.

Difficile à vivre : sans cette *difficulté*-là, la morale ne serait pas ce qu'elle est, exigeante et sévère, et promise à l'effort seulement. Pour une pente donnée, on peut monter ou descendre. Monter est plus difficile. Cette difficulté est la morale même.

Mais difficile aussi, pour le matérialisme, à penser. Les religions sont davantage à leur aise, ici comme ailleurs, et c'est normal : puisqu'elles existent pour cela, pour cette *aise* maximale de vivre et de penser. « La foi sauve, disait

Nietzsche, donc elle ment. » Le matérialisme est plus difficile. Il est peut-être aussi plus moral.

Ce que nous avons vu de la politique et de l'art nous permet d'aller plus vite à présent vers l'essentiel. Concernant la morale aussi, il y a plusieurs façons d'être religieux, plusieurs façons de croire. Mais une seule croyance peut-être : que le Bien *existe*. Cela suffit, et toute religion s'y reconnaît : c'est parce que le Bien *existe* (en Dieu) qu'il ne faut pas *faire* le mal. Et toute religion est morale en cela. La question est de savoir si toute morale est religieuse. Une morale véritablement athée dirait exactement l'inverse : c'est parce que le bien *n'existe pas* qu'il faut le *faire*. Morale du désespoir. Sa possibilité est ce qu'il s'agit ici de penser.

« A quoi bon ? diront certains ; laissez ces vieilles lunes... Si le bien n'est pas, que vous importe ce néant ? Pourquoi réveiller les craintes anciennes, pourquoi ranimer remords et tremblements ? Plus de Loi, plus de commandements... La morale est morte en même temps que le Dieu. Laissez sa dépouille aux prêtres nécrophages... »

J'entends bien. Cela peut se défendre. Et ces paroles d'aujourd'hui ne datent pas d'hier. Il y eut toujours des gens pour dire que la morale n'existait pas, qui justifiaient par là leur immoralité. Les méchants ne le sont jamais assez pour ne pas se chercher de justifications, et rendre ainsi à la vertu l'hommage de leur dénégation. Contre quoi un seul homme de bien suffit à rétablir l'évidence de sa valeur. Leur rareté n'est pas telle qu'on puisse faire comme s'ils n'existaient pas.

Homme de bien, vertu... Nous voilà dans le piège des mots. Les réticences de notre époque, concernant la morale, sont d'abord de vocabulaire. Le bien, le mal, la faute... Cela vous a un de ces airs vieillots ! Et beaucoup croient avoir résolu le problème parce qu'ils ont renoncé aux mots qui servaient autrefois à le poser. La vertu, pour eux, est une langue morte.

J'ai souvent remarqué par exemple, dans les classes, que les adolescents, ou beaucoup d'entre eux, étaient convaincus, du moins le disaient-ils, de n'avoir pas de morale, et que les mots de « vice » ou de « vertu », de « bien » ou de « mal »... étaient pour eux comme dépourvus de signification : ils leur semblaient inutiles et démodés autant que vieilleries dans un grenier. Et de me trouver soudain, parce que je les utilisais, bien désuet. « Moi, me disaient-ils le regard clair, je n'ai pas de morale... » Peut-être. Mais trahirais-tu un ami ? Torturerais-tu un enfant ? Ferais-tu condamner un innocent ?... Je n'en ai guère connus qui m'aient répondu oui (et en effet, même cachés de tous, ils ne le feraient pas), et qui ne doivent avouer finalement qu'ils n'étaient séparés de la morale, ou de ce que j'appelais ainsi, que par des *mots*. C'est que le langage moral, pour des raisons historiques que l'on pourrait ana-lyser, a vieilli, et plutôt mal. La morale elle-même a changé, et plus encore la manière de la dire. Ce qui était vice ne l'est plus, et certaines vertus ne passent plus pour l'être. Mais le *fait* moral demeure, qui est un fait en cela qu'il résiste aux mots aussi bien qu'à leur disparition ou désué-tude. On peut toujours appeler « héros » un tortionnaire, et célébrer des menteurs ou des assassins. Ou bien se taire, et parler d'autre chose... Mais cela n'annule ni la torture, ni le crime, ni le mensonge. Et pas non plus, quels que soient les mots que nous utilisons pour la dire ou la mas-quer, l'horreur – plus ou moins forte – qu'ils nous inspirent. Cette horreur est un fait, où commence la morale. « Il s'agit de dire au moins non. »[1]

Ainsi, chacun a sa morale dès lors qu'il n'accepte pas tout. Et beaucoup, qui prétendent n'en avoir pas, s'y réfè-rent pourtant quotidiennement, et en cela même qu'ils font mine de l'ignorer. Les adolescents en donnent mille exemples, là encore, et leur prétendue amoralité est une vertu souvent : ils sont le contraire d'un Tartuffe. Mais laissons. Cette existence du *fait* moral, une seule question suffit à l'attester, pour chacun de nous, ou plutôt une seule réponse à une question qu'on peut, pour être compris de

1. Marc Wetzel, L'avenir de la morale, in *Cahiers philosophiques*, n° 7, juin 1981, p. 33.

tous, formuler familièrement : *fais-tu une différence entre un salaud et un type bien ?* Si oui, tu as une morale (en référence à quoi tu évalues cette différence), et ce que je dis te concerne. Si non... Si non, tu n'aurais pas lu ce livre jusqu'ici.

Mais si *différence* il y a, reste à savoir quelle est sa légitimité. Après tout, cet « homme de bien » dont nous parlons, n'est-ce pas par peur, ou bien par intérêt, qu'il évite de commettre des crimes que d'autres, plus audacieux ou moins calculateurs, ont le courage d'accomplir ? Et loin d'être *meilleur* que les autres, n'est-il pas plutôt plus lâche ou plus hypocrite ? Ou bien simplement plus maladroit, et incapable de mal faire sans se faire prendre ? La morale est-elle autre chose que l'alibi de la faiblesse ?

Ce genre de discours a ses lettres de noblesse, et depuis plus longtemps qu'on ne le croit. Platon déjà en donnait deux beaux exemples : Gygès[1] et Calliclès[2]. Les deux hommes sont bien différents, mais s'accordent au fond sur l'essentiel : la morale n'est pour eux que le discours hypocrite des faibles et des lâches, qui appellent « mal » ce qu'ils n'ont pas la force de faire ou craignent qu'on leur fasse, et « bien » le respect de lois qui n'ont d'autre fonction que de les protéger. La morale n'est expression que de la peur, disent-ils, et n'a d'autre légitimité qu'elle. Que la peur disparaisse, la morale disparaît aussi. Les bons ne sont pas *meilleurs* que les méchants ; ils sont moins courageux (Calliclès) ou moins habiles à se cacher (Gygès). L'exemple de ce dernier, tel que Platon l'évoque, a la clarté cruelle d'une épure.

Gygès est berger, il serait aujourd'hui employé de banque ou coiffeur, et ni meilleur ni pire qu'un autre. C'est chacun d'entre nous. Mais voici qu'il trouve, dans des cir-

---

1. Cf. *République*, II, 357-368. Pour la commodité de l'exposé, nous ferons comme si Gygès, personnage mythique, défendait lui-même une thèse qu'il ne sert en réalité qu'à *illustrer*, dans le discours (lui-même au second degré) de Glaucon.

2. Cf. *Gorgias*, 481-527. (Sauf précision contraire, nos références et citations renvoient aux mêmes éditions déjà utilisées dans le tome 1.)

constances étonnantes que Platon raconte avec force détails, une bague : anneau miraculeux qui, à volonté, le rend invisible ! C'est l'envers d'Œdipe : celui-là se creva les yeux pour ne plus voir le mal qu'il avait fait ; Gygès a le moyen qu'on ne voie plus celui qu'il fera. Pour le reste, les deux histoires curieusement se ressemblent :

> « Dès qu'il fut sûr de son fait, il fit en sorte d'être au nombre des messagers qui se rendaient auprès du roi. Arrivé au palais, il séduisit la reine, complota avec elle la mort du roi, le tua, et obtint ainsi le pouvoir. »[1]

La conclusion philosophique de l'histoire, telle que Glaucon la tire, est la suivante :

> « Si donc il existait deux anneaux de cette sorte, et que le juste reçût l'un, l'injuste l'autre, aucun, pense-t-on, ne serait de nature assez adamantine pour persévérer dans la justice et pour avoir le courage de ne pas toucher au bien d'autrui, alors qu'il pourrait prendre sans crainte ce qu'il voudrait sur l'agora, s'introduire dans les maisons pour s'unir à qui lui plairait, tuer les uns, briser les fers des autres et faire tout à son gré, devenu l'égal d'un dieu parmi les hommes. En agissant ainsi, rien ne le distinguerait du méchant : ils tendraient tous les deux vers le même but. »[2]

J'ai toujours trouvé ce texte plus effrayant que les rodomontades de Calliclès, et autrement profond. Car le problème est bien là, en effet. Y a-t-il dans la morale quelque chose – et quoi ? – qui échappe au jeu collectif des forces et des désirs, et distingue, non dans son apparence ou dans son insertion sociale, mais en lui-même (*seul et nu*, comme dit ailleurs Socrate), le bon du méchant ou le meilleur du pire ? Glaucon, dans ce texte, veut prouver que non, et reprend pour cela (et annonce...) bien des analyses critiques dont le matérialisme ne pourra guère dépasser la rigueur. En deux mots : il n'y a pas de fait moral, parce que le juste et l'injuste, le bon et le méchant, poursuivent tous les deux le même but (là où, dit Glaucon, « *les mène le*

---

1. *République*, II, 359-360. Tout le texte, qui est fort beau, serait à étudier d'un point de vue analytique.
2. *Ibid.*

désir »)[1], et ne divergent que par le choix, purement tactique, des moyens. L'anneau magique, dispensant qui le porte de toute préoccupation tactique (quant aux moyens), ferait paraître l'identité des buts, si l'on peut dire, au grand jour. La force de cet exemple réside dans la possibilité qu'a chacun, solitairement, d'en éprouver la rigueur en en réitérant pour son compte l'imaginaire et cruciale expérience. Imaginons donc, et, si nous le pouvons, sans mentir. Vous êtes Gygès. Vous avez l'anneau. Vous êtes invisible quand vous le voulez, aussi longtemps, aussi souvent que vous le voulez. Personne ne vous observe que vous. Aucun homme ne vous voit ; aucun dieu ne vous juge. Réfléchissez : que ferez-vous ? que ne ferez-vous pas ? Votre âme a sa pierre de touche. Tout ce qu'aujourd'hui vous vous interdisez, du meurtre au vol, du viol à l'indiscrétion (« prendre sans crainte, s'introduire dans les maisons, tuer qui l'on veut, s'unir à qui nous plaît... »), mais que vous feriez, peut-être, si vous aviez ce pouvoir merveilleux de Gygès, cela en vous n'est pas honnêteté, douceur, discrétion ou respect (n'est pas *moralité* en un mot), mais peur, prudence, amour-propre ou lâcheté. Vertu ? Non pas. Hypocrisie.

Faites l'expérience une fois, je veux dire intérieurement, avec tout le sérieux dont vous êtes capable. Et puis considérez l'image de vous qu'elle vous renvoie. L'anneau de Gygès est un singulier miroir. Et qui ne vous mentira, à chaque fois, qu'autant que vous vous mentirez vous-mêmes. Alors ? Que ferez-vous ? Que ne ferez-vous pas ? Réfléchissez bien. Gygès fit tout, et le pire, et mourut roi. Et vous ? Glaucon dit : le bon et le méchant feront les mêmes choses, commettront les mêmes crimes. Le bon n'est donc pas vraiment bon, et le méchant n'est pas plus méchant qu'un autre. Il n'y a pas de morale. Tout se réduit au principe de plaisir (quant aux buts) et au principe de réalité (quant aux moyens). Il n'y a que le désir : chacun le suit selon qu'il le peut. Il n'y a pas de vertus : il n'y a que des précautions. Pas de morale : de la prudence. Il n'est de

---

1. *Ibid.*

règles que d'efficacité, et de lois, que civiles. Désespoir : nous ne valons rien.

Soit. Mais Glaucon n'y croit pas. Nous non plus. Affrontons le problème. Vous êtes Gygès ; vous avez l'anneau. Voici que vous allez faire maintenant plusieurs choses que vous ne faisiez pas, jusqu'ici. Et cela n'est pas moralité, mais prudence. Nous en sommes tous là. A chacun d'avouer à soi ses exemples ; à chacun d'éprouver ses faiblesses et ses ignominies. Si nous avions l'anneau, toute notre vie changerait, nul n'en doute, et beaucoup de nos comportements « moraux » disparaîtraient, révélant par là leur amoralité de toujours. Oui. Mais Glaucon n'est pas convaincu. Nous non plus.

La raison finalement en est simple. Si nous avions l'anneau nous ferions beaucoup de choses, c'est sûr, qu'aujourd'hui nous ne faisons pas ; et nous cesserions d'en faire d'autres, sans doute, auxquelles nous nous sentons aujourd'hui tenus. Soit. Mais ce n'est pas tout. Il y a aussi des choses que, même alors, nous nous interdirions de faire ; et d'autres, désagréables, auxquelles, même alors, nous nous sentirions obligés. L'anneau de Gygès est un singulier miroir : il nous renvoie nos vices à nu ; mais nos vertus n'en apparaissent aussi que mieux. Nous sommes moins bons que nous n'essayons de le paraître : c'est à savoir ; mais aussi meilleurs qu'on ne le pourrait craindre : il ne faut pas non plus l'ignorer. Plusieurs d'entre nous, s'ils avaient l'anneau, s'en serviraient pour faire *plus de bien* qu'ils ne peuvent ou n'osent en faire aujourd'hui, et n'ajouteraient à celles qu'ils commettent déjà que des fautes, ma foi, plutôt insignifiantes. J'en connais quelques-uns que la royauté même ne ferait pas mentir. N'est pas Gygès qui veut. Ou plutôt, tout le monde n'est pas capable de le *vouloir*. A moins d'être invisible aussi pour soi... Mais qui le peut ? Dostoïevski se trompe : même si Dieu n'existe pas, il n'est pas vrai que tout soit permis. Car – invisible ou non – je ne me permets pas tout : tout, ce ne serait pas digne de moi. Ma morale est cette dignité, et cette exigence.

Gygès n'y peut rien, ni Calliclès. Même invisible, même invincible, il y a des actes que je ne m'autorise pas, et d'autres auxquels je me sens obligé. Au point, commettrais-je ceux-là, me dispenserais-je de ceux-ci, et tout invisible que je fusse, que je n'en saurais pas moins distinguer, entre mes actes, ceux dont je puis, fût-ce pour moi seul, être fier ou satisfait, de ceux dont, même ignoré de tous, je reste comme blessé ou amoindri. J'ai là-dessus quelques exemples que je ne dirai pas, mais qui amplement me suffisent. « La morale, écrit Alain, consiste à se savoir esprit et, à ce titre, obligé absolument ; car noblesse oblige. Il n'y a rien d'autre dans la morale que le sentiment de la dignité. »[1] Et en effet toute faute est indigne, et *faute* pour cela. Gygès n'y peut rien, ni la foule. Chacun est nu, ici, et seul devant soi. Solitude de la morale. Narcisse a changé de miroir.

La morale marque ainsi la limite d'un certain matérialisme, cynique ou destructeur, dont Sade, après d'autres, fournit un assez suggestif exemple. Dolmancé est un maître d'école, on l'a dit, pontifiant à souhait et naïf comme il le faut[2]. Et certes on peut toujours invoquer la nature contre la morale, et ses lois contre nos principes. Mais en vain. Les premières n'annulent pas plus les seconds que ceux-ci ne sauraient annuler celles-là. Que la torture, par exemple, soit réelle (donc naturelle) ne change rien au fait (réel, lui aussi, et naturel en ce sens) que nous la jugeons immorale ou mauvaise. Ce sont deux ordres différents sans doute ; mais cette différence même garantit leur indépendance réciproque. Et s'il est vrai qu'ils appartiennent tous deux à un ordre commun (qui serait l'ordre entier de la nature), cette communauté interdit à son tour que l'un puisse récuser l'autre : ce n'est possible ni en fait (puisque, dans la nature, tout est réel), ni en droit (puisque, dans la nature, tout se vaut). La culture fait partie de la nature ;

---

1. Alain, *Lettres à S. Solmi sur la philosophie de Kant*, Hartmann, 1946, p. 63.
2. Voir *La philosophie dans le boudoir*, ainsi que les remarques de Lacan, dans *Kant avec Sade* (*Ecrits*, VI, p. 765 sq.).

l'esprit aussi est réel. Il est pour cela aussi vain de vouloir nier la morale au nom de la nature, qu'il le serait de vouloir nier la nature au nom de la morale. Sade est un Cathare au fond, mais inversé. Et ce « réalisme »-là se choisit bien facilement la *réalité* qui l'arrange. Philosophie de boudoir, en effet, et confortable. Au lieu que le *fait* moral doit d'abord être considéré avec le même sérieux que, par exemple, les *faits* physiques, artistiques ou politiques. Qui les nie prouve tout au plus qu'il les ignore. Il n'est ainsi pas plus matérialiste de nier la réalité (fût-elle illusoire) de l'expérience morale, qu'il ne le serait, nous l'avons vu [1], de nier celle des expériences politiques ou esthétiques. Qui n'aime pas l'art ne l'empêche pas d'exister ; et qui ne-fait-pas-de-politique est pris dedans, malgré tout. Pourquoi voudriez-vous qu'il en aille ici différemment ? Un salaud n'annule pas la vertu. Il a au contraire besoin d'elle, c'est assez clair, pour être ce qu'il est. Labyrinthe : on peut sortir de la vertu, mais point de la morale. Tous les chemins, le bon comme le mauvais, en restent prisonniers, et l'enfer autant que le ciel. Il ne suffit pas de se vouloir coupable pour être innocent, ni de violer la loi pour s'en libérer. Tours et détours de la morale : qui veut en sortir, par là même il s'y enferme. L'esprit nous tient autant que la nature. L'âme est un destin autant que le corps.

II

Donc la morale, et d'abord comme fait.

Mais un fait ne prouve jamais que lui-même. Que nous ayons une morale ne nous dit pas ce qu'elle vaut ; qu'elle soit un fait ne garantit pas sa valeur. Pourquoi respecter ce fait davantage que d'autres ? Pourquoi s'y soumettre quand on peut l'éviter ? Une pierre qui tombe, on ne ferait pas tant d'histoires. Les gendarmes (qui sont les pierres-

---

1. Cf. *supra*, t. 1, chap. 2 et 3.

qui-tombent de la moralité) ne sont pas toujours là, ni le regard d'autrui, ni son jugement. Pourquoi respecter une loi qu'on peut violer sans risques ? Pourquoi dire vrai quand on peut mentir ? Pourquoi donner quand on peut prendre ? La morale est un fait, mais l'immoralité aussi : fait contre fait, pourquoi choisir celui-là plutôt que celui-ci ? C'est l'aporie morale du matérialisme : la morale est un fait, mais qui ne peut trouver dans sa facticité le fondement de sa moralité.

D'où la tentation de chercher autre chose : autre chose que le réel, et qui le juge.

Il s'agit en effet, non de ce qui est, mais de ce qui *doit* être ; cela seul est moral strictement. Les faits ne sont que les faits, qui ne font pas normes. Le réel ne dit pas ce qui vaut. Toute morale de fait (que la sociologie, la psychologie, l'histoire... peuvent étudier objectivement : ce qu'on appelle les morales positives) est ainsi justiciable d'un jugement critique qui en évalue la moralité ; mais ce jugement n'est possible qu'au nom d'une autre morale (une morale de droit), qui pourrait à son tour être jugée par une troisième qui la considérerait comme un fait... et ainsi à l'infini. Cercle, donc, où toute morale s'enferme et se débat. Car il n'est de morale, pour l'homme, que réelle ; mais le réel est moralement sans valeur. Il faut donc toujours autre chose.

Les ethnologues le savent bien : on ne peut juger une morale qu'en référence à une culture donnée (qui comporte elle-même sa morale implicite ou explicite), et qui peut pour cela être soumise au même type de jugement qu'elle prétend énoncer. A chacun ses barbares et ses barbaries, ses anthropophages et ses anthropoèmes [1]... Comment juger une culture, si ce n'est en référence à une autre – ou à elle-même ? Et pourquoi celle-ci plutôt que celle-là ? Il n'est pas de culture *meilleure* qu'une autre, si ce n'est du point de vue de l'une des deux, ou bien d'une

---

1. Cf. Cl. Lévi-Strauss, *Anthropologie structurale deux*, p. 383-384, et *Tristes tropiques*, p. 446-448.

troisième – mais qui pourrait être la pire aux yeux de la première. Labyrinthe des mœurs et des coutumes... Ce qui est vertu pour les uns est crime pour les autres ; et l'on n'est jamais innocent ni coupable absolument. L'anthropophagie, l'esclavage, la peine de mort, la chasteté, l'homosexualité, la guerre, l'avortement, l'euthanasie... Louables ici, condamnables là, indifférents ailleurs... L'excision nous révolte, et nous punissons ceux, en France, qui l'accomplissent ; mais cela en révolte d'autres qui punissent, ailleurs, ceux qui s'y refusent. Vertu en deçà, crime au-delà... Et nulle culture absolue : l'absolu serait le non-culturel par excellence. Toute culture donnée, fût-elle un jour planétaire, est prisonnière de l'historicité de ses normes, et d'autant plus qu'elle les perçoit moins[1]. Une culture unique (mondiale) serait pour cela la plus relative qui soit. « Relativisme sans appel », donc, ici aussi[2]. L'esprit est prisonnier de lui-même. Il faut s'avouer chose ou bien juger sans cesse. Mais toute morale-chose en appelle une autre (une morale-esprit), qui la juge. Et tout jugement peut être jugé. Ou bien nous serions morts. Ou bien nous serions Dieu. Labyrinthe : l'esprit est prisonnier de lui-même, et s'enferme en se fuyant.

D'où la tentation de chercher une issue, ailleurs. Mais il n'est qu'un ailleurs aux choses de ce monde : hors du monde, hors des choses – Dieu. Il faut y croire, semble-t-il, ou renoncer à la morale. Si le monde n'a pas de *dehors*, la morale n'a pas de place *dans* le monde : puisqu'elle ne peut y être qu'en tant qu'elle n'y est pas. Wittgenstein l'a bien vu, après Kant : la morale n'est possible que s'il existe autre chose que les faits, autre chose que les phénomènes, et qui échappe au mécanisme de la nécessité naturelle (comme dit Kant) ou à l'être-tel du monde (comme dit Wittgenstein)[3]. Un livre qui contiendrait la description complète et

1. Cf. par ex. *Anthropologie structurale deux*, p. 395-417.

2. *Ibid.*, p. 401. Cf. aussi *supra*, t. 1, chap. 3, p. 334.

3. Cf. par ex. Kant, *Critique de la raison pratique*, I, 1, notamment p. 42-50 (trad. F. Picavet, PUF, 1971), et *Critique de la faculté de juger*, § 86 (« De la théologie morale ») ; Wittgenstein, *Leçons et conversations, suivies de Conférence sur l'éthique*,

exacte du monde, avec tous les mouvements de tous les
corps, toutes les propositions de toutes les sciences, toutes
les idées et tous les sentiments de toutes les âmes, bref un
livre qui serait le recueil exhaustif de tous les faits (l'ensemble de toutes les propositions vraies) – ce livre ne contiendrait « aucun jugement de valeur absolu »[1] ni par conséquent (« tout jugement de valeur relative [étant] un simple
énoncé de faits »)[2] aucun jugement proprement moral ou,
dans le langage de Wittgenstein, *éthique*[3]. Kant le disait
déjà, et Wittgenstein en est bien convaincu : il ne suffit pas
de « contempler le monde » pour lui donner un sens, « car
le seul fait d'être connu ne saurait conférer à l'existence du
monde aucune valeur »[4]. Si bien qu'il y aura là (dans cette
« contemplation », dans ce livre...) « seulement des faits,
des faits – des faits mais non de l'éthique »[5]. Décrire un
meurtre, par exemple, « avec tous ses détails physiques et
psychologiques », ce n'est pas le juger : « la pure description de ces faits ne contiendra rien que nous puissions
appeler une proposition éthique », et le meurtre « sera
exactement au même niveau que n'importe quel autre événement, par exemple la chute d'une pierre »[6]. Sans doute
trouverait-on dans ce « gros livre » la description psychologique des personnages du monde, et donc notamment
(un peu à la façon de certains récits de Borgès) nos propres
réactions et jugements de valeur devant les faits que ce
livre raconte (par exemple devant tel ou tel meurtre) ; mais

p. 145-147 (trad. J. Fauve, « Idées »-NRF, rééd. 1982). Sur le rapport Wittgenstein-
Kant, concernant la morale, cf. J. Bouveresse, *Wittgenstein, la rime et la raison*, Ed.
de Minuit, 1973, p. 77-78. Enfin, sur le problème – épineux – du rapport, chez Kant,
entre le *fait* et la *valeur* (ou le *sens*), cf. Eric Weil, *Problèmes kantiens*, 2ᵉ éd., II,
« Sens et fait », p. 57-107.

    1. Wittgenstein, *Leçons et conversations*..., p. 145.
    2. Id., *ibid.*
    3. Wittgenstein utilise en effet de préférence le terme « *éthique* », mais en un sens
absolu qui n'est pas celui que nous lui donnerons, et qui correspond plutôt à ce que
nous appelons ici « morale » : l'investigation du bien en tant que valeur absolue
(*Leçons et conversations*, p. 143-147) et en tant que devoir (*Tractatus*, 6.422 : « Tu
dois... »). Nous y reviendrons.
    4. Kant, *Critique de la faculté de juger*, § 86 (trad. A. Philonenko, Vrin, p. 250-251).
    5. Wittgenstein, *Leçons et conversations*, p. 146.
    6. Wittgenstein, *ibid.*, p. 145-146.

ces réactions et ces jugements seraient alors eux-mêmes considérés en tant que faits, et conséquemment n'auraient pas de valeur. La description du monde, le compte rendu de « tout ce qui arrive » [1], ne comportera jamais de propositions du type « c'est bien » ou « c'est mal » (ce que Wittgenstein appelle des « jugements de valeur absolus », et qui seraient des propositions morales, strictement), mais seulement des propositions du type : « je dis (ou untel dit) que c'est bien », « je dis (ou untel dit) que c'est mal »... qui ne sont jugements que de faits. Et de même : « je dis que je dis que c'est bien », « je dis que je dis que c'est mal »... Labyrinthe : chaîne des faits, chaîne des propositions... Et à l'infini. « Toutes les propositions sont d'égale valeur » [2], et il ne peut pour cela exister de « propositions éthiques » [3]. Décrire le monde (y compris décrire les morales qui existent dans le monde), ce n'est pas le juger. Car on ne peut décrire que des faits, et les faits ne valent rien. Ainsi la morale chrétienne traditionnelle condamne l'avortement : c'est un fait, mais qui ne dit rien sur la valeur de cette condamnation ; et la morale actuellement dominante, en France, le tolère : c'est un autre fait, mais qui n'en dit pas davantage sur la valeur de cette tolérance... Tous les faits se valent, en tant que faits, parce qu'ils ne valent rien. Or le monde n'est fait que de faits ; le monde est horizontal : « Une pierre, le corps d'un animal, le corps d'un homme, mon propre corps, tout cela est sur le même plan. C'est pourquoi tout ce qui arrive, que ce soit par le fait d'une pierre ou de mon propre corps, n'est ni bon ni mauvais. » [4] Désespoir : le monde ne nous dit rien qui vaille, et rien ne vaut d'être dit. D'où ce texte lumineux du *Tractatus*, où se joue comme le destin du sens et de Dieu :

« Le sens du monde doit se trouver en dehors du monde. Dans le monde toutes choses sont comme elles sont et se produisent comme elles se produisent : il n'y a pas *en lui* de valeur – et s'il y en avait une,

1. Cf. *Tractatus*, 1 et 1.1.
2. *Tractatus logico-philosophicus*, 6.4.
3. *Ibid.*, 6.42.
4. *Carnets*, en date du 12 octobre 1916 (Gallimard, trad. G.-G. Granger, p. 156).

elle n'aurait pas de valeur. S'il existe une valeur qui ait de la valeur, il faut qu'elle soit hors de tout événement et de tout être-tel *(So-sein)*... Il faut que cela réside hors du monde. » [1]

Car la valeur n'est une valeur qu'à la condition de n'être pas un fait ; mais si elle n'est pas un fait, elle n'est pas *dans le monde* [2]. Il faut qu'il y ait autre chose, ou bien qu'elle ne soit rien. « L'éthique, si elle existe, est surnaturelle. » [3] Désespoir ou religion.

Religion : voie de Platon, puis de Kant. Je voudrais aller vite ici ; c'est le point fort de l'idéalisme, et on peut le montrer sans grands détours. Les prêtres y sont chez eux : la morale est l'église de l'esprit.

Platon. Il n'ignore pas l'immoralité du monde. La caverne est la caverne : le crime paie, souvent, et Socrate fut condamné à mort. Le « gros animal » a ses instincts et ses appétits, ses colères et ses faiblesses, qu'on peut apprendre à connaître et à utiliser [4]. Mais cela ne fait pas une morale. On peut certes « appeler bon ce qui le réjouit, et mauvais ce qui l'importune » [5] : ce ne sont qualifications que de fait, qu'il est impossible de légitimer. C'est *nécessité*, comme dit Platon, ce n'est pas *valeur* [6]. On peut ainsi décrire ce qui se fait et ce qui ne se fait pas, ce qui est bien vu et ce qui est mal vu, ce qui est puni et ce qui est récompensé... Morale de sociologue. Mais cela ne nous apprend rien sur ce que l'on *doit* faire. Socrate fut condamné à mort, et Gygès devint roi ; mais c'est à Socrate qu'il faut ressembler. Au nom de quoi ? C'est tout le problème de la morale ; mais il n'y a pas de morale autrement. Nécessité ne fait pas loi. Les faits ne prouvent rien contre la vertu.

---

1. *Tractatus*..., 6.41. Sur le rapport *sens-Dieu*, chez Wittgenstein, cf. aussi ses *Carnets*, notamment p. 139 (11.6.16) et 141 (8.7.16), ainsi que les remarques de J. Bouveresse (*op. cit.*, p. 92-94).

2. Cf. *Tractatus*..., 1, 1.1 et 6.41.

3. *Leçons et conversations*..., p. 147.

4. Cf. Platon, *République*, VI, 493. Le « gros animal » est le peuple, considéré dans sa masse : la foule.

5. Cf. Platon, *ibid.*, 493.

6. Cf. Platon, *ibid.*, 493.

Ces deux ordres – la nécessité et la vertu, le « gros animal » et l'homme de bien – cohabitent ; et c'est le rôle de la politique, on l'a vu[1], d'organiser cette cohabitation sous la domination du Bien. Fonction du roi-philosophe : imposer sa vertu comme nécessité. Ce qui est une dictature, exactement, de l'ordre moral. Mais la politique est en cela incapable de *fonder* la morale : puisque c'est la morale qui doit au contraire légitimer la *bonne* politique. Un cercle, ici, nous enfermerait dans la nécessité ; nous serions prisonniers de la caverne et du gros animal. Si la morale échappe à la politique (et il le faut, pour qu'elle puisse la juger), c'est qu'elle vient d'ailleurs. La transcendance seule nous sauve du cercle vicieux (du labyrinthe, qui est le cercle des vices), et nous libère de la caverne. Icare ? certes pas ; mais le *fil d'Ariane* du bien, qui est le « fil d'or »[2] de la Divinité. Car il faut sortir de la caverne (religion) pour y revenir (politique)[3]. La morale fait le lien entre ces deux mondes, et l'on pourrait croire qu'il y a pour cela deux morales : une morale politique et une morale religieuse. Mais ce serait trop dire ; car ces deux morales n'en font qu'une, qui est le platonisme même : tout entier politique, tout entier religieux, et passant perpétuellement de l'un à l'autre de ces ordres. Et pour cela : tout entier (et avant tout) *moral*, par cet aller-retour. S'il y a deux mondes, il faut en payer le prix. Mais s'il n'y en avait qu'un, il n'y aurait pas de morale.

Notre monde est celui des ombres et de la nuit, le monde du mal et du malheur. C'est pourquoi il faut une morale : des êtres parfaits n'en auraient que faire, et le mal seul, qu'elle combat, justifie son existence. La morale n'a de sens, c'est assez clair, que par l'*absence* du Bien[4]. Cela posé,

---

1. Cf. *supra*, t. 1, chap. 2, p. 117-127.
2. *Lois*, I, 644-645.
3. Cf. le texte fameux du « Mythe de la caverne » : *Rép.*, VII, 514-541. Rappelons que cette *ascension* vers la lumière n'est que le rebours d'une *descente* préalable : il faut monter vers le Bien, d'où tout descend.
4. Ou, ce qui revient au même, par la *présence* du mal : cf. par ex. *Théétète*, 176. Il y a ainsi, chez Platon, l'équivalent de ce que Kant appellera un *mal radical*, dont il faut admettre la réalité « si l'on veut comprendre la nécessité et l'existence d'une

tout le reste en découle. Car si le Bien était absolument absent, s'il n'existait pas, nous ne pourrions pas le savoir (ignorant même sa possibilité et conséquemment son absence : il ne nous manquerait pas plus qu'à Louis XIV le téléphone) ; et toute morale serait impossible. Il faut donc que le Bien existe, mais existe *ailleurs*. Tout le platonisme est là, et c'est peut-être ici qu'il commence : dans l'absence du Bien, dont le manque désigne, comme de loin, comme en creux, l'absolue, la souveraine, l'inaccessible *présence*. Où Dieu s'éprouve dans son manque, et se prouve en se cachant. Le divin ne brille, ici-bas, que par son absence. Il ne donne un sens au monde qu'en tant qu'il s'en retire. L'idée de *modèle*, telle que le *Timée* l'évoque [1], l'exprime assez bien : le modèle est présent dans le tableau, à sa façon, mais par son absence seulement (le tableau *n'est pas* le modèle, sans quoi il n'y aurait pas de tableau). Si bien que ce qui fait l'être du tableau, c'est à la fois le modèle (sans lequel le tableau, selon Platon, ne serait rien et surtout ne vaudrait rien) et l'absence du modèle (sans lequel le tableau ne serait pas un tableau mais la réalité elle-même). « Ceci n'est pas une pipe », dit une toile célèbre de Magritte. Le monde de Platon pourrait dire de même (et *dit*, par Platon interposé) : *ceci n'est pas Dieu*. D'où la nostalgie toujours : le Divin, qui est à l'origine de tout, n'est présent nulle part. Et le monde n'est intelligible que par le *vide* du sens. D'où, sans doute, le mythe du *Politique* : ce monde « laissé à lui-même », comme dit Platon, ce monde « abandonné de Dieu » [2] et s'abîmant dans un désordre toujours plus grand – c'est le nôtre. Nous sommes les contemporains du pire. Car tout procède du Bien en soi, mais aussi s'en éloigne. Religion : descente. C'est le jusant de la création, le grand reflux du sens et de l'être. Notre monde n'est monde qu'en tant qu'il n'est pas le *vrai* monde. Il n'est réel que par son moindre-être, et tout entier englouti dans

morale » (Eric Weil, *Problèmes kantiens*, 2e éd., Vrin, 1970, p. 166). Nous y reviendrons.

1. *Timée*, 27-29.
2. *Politique*, 268-274.

cet abîme – lui-même – qui le mine et le submerge. Monde sous-marin, si l'on veut, comme l'Atlantide[1], et pourtant toujours à marée basse, et toutes ces épaves, et cette odeur partout de vase et de néant, et ce vague souvenir en nous comme un remords, l'écho lointain (on dirait d'au-delà la mort) d'une éternité de vagues... Notre monde c'est l'Atlantide, mais en pire. Nous sommes submergés d'absence, engloutis dans une mer disparue.

C'est peut-être le point le plus profond de Platon, et qui dut l'effrayer lui-même je crois. Le monde ne vaut que par ce qui lui manque ; il n'existe, comme monde, que par défaut. La morale suppose, pour qu'un monde puisse juger l'autre, cette scission du réel, cette faille en lui où s'engouffre notre monde. Abîme du platonisme : *l'être est ailleurs, l'être est ce qui manque !* Et c'est ce grand effondrement de tout – notre monde, notre caverne – qui rend le ciel au moins possible et, pour qui le veut, crédible. L'être c'est le Bien, et le Bien n'est pas là. Absolument réel pourtant, absolument vrai, mais (puisque nous sommes ici-bas prisonniers du mal et du néant) *ailleurs*. Et d'autant plus éclatant peut-être de n'être jamais là, comme prouvé par défaut (s'il nous manque c'est qu'il existe, s'il n'est pas là c'est qu'il est ailleurs...), merveilleux de distance et d'absolu, éblouissant d'absence ! Le Bien c'est le vrai, et le vrai nous échappe. La valeur et l'être sont du même côté – et nous de l'autre. Le prix à payer, on le voit, n'est pas mince. Mais il fallait cela pour expliquer le mal – on a tué Socrate – tout en le combattant, et justifier par là l'existence (et même la possibilité) d'une morale. On a tué Socrate, et Gygès devint roi. La morale part de là. Mais précisément : elle en *part*. « Il faut tâcher de fuir au plus vite de ce monde dans l'autre », dit Platon[2], et cette fuite définit la vertu en même temps qu'elle la rend possible. Si notre monde était le seul monde, les sophistes auraient raison, et le *gros ani-*

1. Cf. *Timée*, 24-25.
2. *Théétète*, 176. Plotin a donné de ce texte un bien beau commentaire : *Ennéades*, I, 8 (6 et 7).

mal serait l'unique loi. Il n'y aurait partout que des faits, et nulle valeur nulle part : monde plein de la nécessité. Il faudrait désespérer du bien et de la vertu, et se soumettre à la force seule. Gygès serait Gygès, un point c'est tout, et Socrate serait mort *pour rien*. Il n'y aurait plus de morale, mais tout au plus des *mœurs*. Plus d'homme de bien, mais tout au plus des gens *respectables*... parce que respectés. Si une morale est possible, c'est au contraire, comme dit partout Platon, parce qu'il existe « quelque chose de juste en soi », de « bon en soi », de « beau en soi » – les Idées du monde intelligible, et d'abord le Bien en soi –, dont l'absence dans ce monde-ci fait à la fois tout le mal et l'exigence du bien. Notre monde est une toile vide ou plutôt chaotique, mais qu'il s'agit, les yeux fixés sur le modèle que le *ciel* des Idées nous présente[1], de remplir et d'ordonner. La vertu est un art figuratif, si l'on veut, mais aussi surnaturel : elle est l'imitation, dans ce monde-ci, de l'autre monde. C'est une *mimêsis* de la transcendance. C'est en quoi morale et religion sont indissociables : il s'agit dans les deux cas (qui n'en font qu'un) de « se rendre, par la pratique de la vertu, aussi semblable à la divinité qu'il est possible à l'homme »[2]. On pourrait reprendre ici les développements esquissés à propos de la politique platonicienne : puisque le Bien *est* (puisque l'être est bon), la vertu véritable, comme la politique véritable, est science, au sens que Platon donne à ce mot[3]. C'est ce qu'on appelle traditionnellement l'intellectualisme de Platon, qui est le pendant de son dogmatisme politique : nul n'est méchant volontairement, et le mal n'est qu'une erreur. Cette science morale (qui « a pour objet le bien et le mal »)[4], comme toute science, peut et doit être enseignée : Socrate ne faisait pas autre chose[5], et cette pédagogie de l'âme définit assez la philosophie. Mais elle est comme on sait réservée à une

---

1. Voir par exemple *République*, VI, 500-501, et IX, 592.
2. *République*, X, 613. Voir aussi VI, 500.
3. Voir *République*, V, 476-480, et VII, 533-534.
4. *Charmide*, 174.
5. Voir à ce sujet Koyré, *Introduction à la lecture de Platon*, p. 34 et 55.

élite. Pour les autres, Platon précise qu'il existe malgré tout une autre vertu, vertu d'opinion (elle n'est donc « ni science ni ignorance », mais « quelque chose d'intermédiaire » entre l'une et l'autre) [1], inférieure bien sûr à la première, et qui résulte soit d'une inspiration divine [2], soit d'un apprentissage « par l'habitude et l'exercice » [3]. Il y a donc deux types de vertu, si l'on veut, l'une philosophique et l'autre populaire (laquelle se divise elle-même en deux, selon qu'elle résulte de l'inspiration ou du dressage), mais une seule morale, dont l'unité est garantie, par-delà la diversité de ses formes possibles, par l'*unicité* du Bien. Il y a plusieurs façons de devenir bon, sans doute, plusieurs manières même, peut-être, de le rester ; mais un seul Bien, dans tous les cas, en juge et le permet. L'idéalisme impose sa loi : ce qui *doit* être (la valeur, l'idéal) *est* déjà, en vérité – mais ailleurs. Et rien ne vaut ici-bas que par la présence en soi de cette absence [4]. Platonisme, religion : la vie ne vaut que par ses trous, la vie ne vaut que par la mort.

Où se fonde la morale mortifère de Platon : la vertu n'est pas de ce monde, et rien n'est vertueux que de le quitter [5]. Il s'agit d'une *mortification*, au sens strict : « purifier l'âme (c'est) la séparer le plus possible du corps », et « cet affranchissement et cette séparation, (c'est) exactement ce qu'on appelle la mort » [6]. Les vrais philosophes sont donc « déjà morts » [7], qui sont pour cela – et eux seuls – les vrais saints et les vrais bienheureux. « Apologie de la mort » [8], oui, et

1. *République*, 478.
2. *Ménon*, 99-100.
3. *République*, VII, 518. On ne confondra pas cette pédagogie du corps avec la pédagogie de l'âme qu'est la philosophie.
4. Ainsi le tableau, par la présence en lui (et non dans la toile blanche ou le chaos) de l'absence du modèle. En ce sens, on peut dire que l'absence du Bien n'est présente dans la matière que depuis la création (démiurgique) du monde. Le chaos, lui, « sans raison ni mesure » (*Timée*, 53), étant absence absolue de Dieu, ne manquait de rien. Cela donne une idée de ce que j'appelle le désespoir.
5. Cf. *Théétète*, 176 ; cf. aussi *Phédon*, 61-70.
6. *Phédon, ibid.*
7. *Ibid.*
8. Selon l'expression d'A. Diès, *Autour de Platon*, p. 172-175 (rééd. Les Belles-Lettres, 1972). C'est ce que Jankélévitch appelait « la sagesse thanatologique du *Phédon* » (*Bergson*, Paris, PUF, rééd. 1975, p. 245).

pas seulement pour Socrate. Seule l'âme libérée « de la folie du corps » est sainte absolument. A la limite : vivre est un péché, sauf à désirer la mort[1]. Et l'on sait combien la religion – et toute religion peut-être – trouve là, dans ce désir de mort, l'horizon à jamais de sa moralité. Il faut deux mondes pour que la morale soit possible, et nous vivons dans l'un : il n'y aurait rien à attendre de la vertu s'il n'y avait rien à espérer de la mort. C'est l'esprit de la Toussaint, qu'on retrouvera chez Kant[2], mais qui soufflait déjà chez Platon. Le salut est d'au-delà ; la sainteté est d'outre-tombe. Il n'est jamais question, ici-bas, que de gagner sa mort ; et si le suicide est interdit, c'est qu'il faut d'abord s'en rendre digne, et laisser aux dieux (dont nous sommes, tels des esclaves, la propriété) le soin d'en juger[3]. La mort se mérite. Elle est la récompense suprême et la suprême espérance.

On comprend pourquoi : puisqu'il est exclu que la mort soit jamais présente, l'espérance épuise sa réalité et suffit à la définir. « Le prix est beau et l'espérance est grande... »[4] Mais on ne sait rien du prix, que l'espérance qu'on en a. La mort n'existe que par la foi. Impossible à vivre, impossible à expérimenter, elle est ce qu'on attend, ce qu'on ne peut qu'attendre. La mort, c'est l'espérance même – et toute espérance est de mort peut-être. On voit en quoi la morale en a besoin : l'espérance (comme la mort), c'est ce qui ne sera jamais un *fait*, jamais *de ce monde*, jamais réel. Ou plutôt (car il faut distinguer ici l'espérance et son objet), l'espérance c'est, dans ce monde, la pensée de ce qui n'y est pas – et qui n'est dans ce monde *qu'en tant* qu'il n'y est pas. Espérance réelle, en ce sens, mais dans la mesure où son objet ne l'est pas : espérer le réel, ce serait contradictoire. En quoi toute espérance (comme toute mort) est de foi, qui fait être (ailleurs : dans un autre monde) ce qui n'est pas (dans celui-ci). Une valeur, donc : « Il faut que

1. *Phédon, ibid.*
2. Premier postulat de la raison pratique (p. 131-133 de la trad. Picavet).
3. *Phédon*, 61-62.
4. *Phédon*, 114.

cela réside hors du monde... » L'espérance est cela même :
ce *dehors* perpétuel du monde, cet au-delà de tout en deçà,
cette négation du réel, ce halo, sur toutes choses de ce
monde, de rêve et de néant... La mort même, je vous dis.
Oui : le contraire de la vie, présente et indocile – la vie,
désespérément vivante – c'est cet avenir rêvé qui nous gouverne et qui nous obéit (qui nous gouverne en nous obéis-
sant), et qui n'est *dans le monde*, lui aussi, qu'en tant qu'il
n'y est pas, qu'en tant qu'il n'est « ni actuel ni présent » [1],
et qu'on en manque. Le néant ? Si vous voulez, mais tel
qu'on l'imagine. Faux néant, donc, et faux réel : un fantôme, strictement. La morale est son règne sanctifié et
ultime, son ciel de gloire et de vertu. « Grand espoir » [2],
« belle espérance » [3] ... S'il faut ici-bas « vivre dans un état
aussi voisin que possible de la mort » [4], c'est moins en raison de ce que nous savons de sa réalité – car ce qu'elle est
vraiment, « nul ne le sait, hormis le dieu » [5] –, que par un
acte de foi qui résume toutes nos espérances [6], aussi bien
intellectuelles (connaître) que spirituelles (être pur),
éthiques (être sage) ou affectives (retrouver ceux que nous
aimons) [7] ... Espérance elle-même et porteuse d'espérances,
la mort est une espérance purifiée (tous les désirs bas en
sont éliminés) et comme concentrée. C'est une espérance
quintessenciée. Vivre dans la proximité de la mort, c'est
ainsi vivre au plus près de son espoir le plus haut, et s'en
montrer digne. La morale et la mort sont un « beau risque »
à courir [8] ; et la vertu : un espoir sans concessions.

---

1. *Banquet*, 200. C'est pourquoi, selon Platon, l'avenir peut (et doit) être désiré :
désir de sagesse, désir de mort... C'est la logique – religieuse – du *manque* : cf. *supra*,
t. I, chap. 3, p. 242-243.
2. *Phédon*, 67.
3. *Rép.*, VI, 496. Voir aussi *Apologie*, 40 (« espérer fermement que la mort est un
bien »).
4. *Phédon*, 67.
5. Comme disait Socrate, dans l'*Apologie*, 42.
6. Du moins toutes nos espérances *morales*. Mais ce n'est pas un cercle vicieux :
la mort n'est pas ce qui *fonde* la morale (c'est le rôle du Bien en soi) mais ce qui
l'illustre et la résume. Elle doit à ce titre (en tant qu'espérance) en faire partie.
Désespérer de la mort, pour Platon, ce serait une faute.
7. *Phédon*, 65-68.
8. *Phédon*, 114 (trad. Robin).

Qu'on ne s'y méprenne pas. Il ne s'agit pas de reprocher à Platon de fonder la morale sur l'immortalité de l'âme ou sur je ne sais quel jugement dernier. C'est au contraire dès maintenant, dès cette vie, que la vertu est supérieure au vice et promet à l'homme davantage de bonheur que le mal. Les récompenses divines ne sont jamais données, pour Platon aussi, que *par surcroît*[1]. Mais il n'en reste pas moins que le choix moral est, dans cette vie, un choix de mort ; et dès maintenant : un acte de foi et d'espérance. Il suppose en effet (pour être fondé, c'est-à-dire pour être autre chose qu'une illusion) qu'il existe « quelque chose de juste en soi », de « bon en soi », de « beau en soi » – le Bien même –, et qui, ici-bas, n'est jamais donné[2]. Un autre monde, donc, ici et maintenant peut-être, mais ici en tant qu'il est ailleurs, maintenant en tant qu'il est éternel – présent, en un mot, en tant qu'il est absent. Ce qui est le Divin même, et son plus haut secret. Pas de foi sans espérance, pas d'espérance sans foi. Dieu, comme la mort, est toujours *ailleurs*. Mais cet ailleurs est l'unique Présence.

Cela ne va pas, on s'en doute, sans un renversement. La négation de la vie n'est rendue possible que par la dénégation de la mort. Il faut que la mort ne soit pas *tout à fait* la mort, et plus vivante à sa façon que la vie même. Platon reprend ici un vieux thème pythagoricien, dont il emprunte la formulation à Euripide :

> « Qui sait si vivre n'est pas mourir,
> Et si mourir n'est pas vivre ? »[3]

L'espérance, nous l'avons vu, opère ce miracle : que le néant de ce qui nous manque soit la réalité même, demain. Cela suppose que le réel soit un néant. « Notre corps est un tombeau, notre vie actuelle est une mort... »[4] C'est pourquoi l'espérance et la nostalgie ne sont pas chez Platon

---

1. Cf. par ex. le *Gorgias*, et *Rép.*, II et X.
2. Les références seraient innombrables. Pour rester au plus près de l'espérance et de la mort, cf. par ex. *Apologie*, 40-42 ; *Phédon*, 65-66 et 99-101 ; *Théétète*, 176-177 ; et *Rép.*, VI, 496.
3. Euripide, cité par Platon dans le *Gorgias*, 492.
4. *Gorgias*, 493.

deux thèmes séparés, mais un seul – qu'on pourrait appeler le thème de l'absence –, qui peut se présenter selon les deux directions possibles du temps[1]. Et ces deux directions elles-mêmes à la fin se rejoignent : ce qu'on espère, on l'a déjà connu ; ce qu'on regrette, on le retrouvera... Le commencement reviendra ; la fin *sera* l'origine. Alpha et Oméga : c'est le cercle du manque, où nous sommes prisonniers. Thème de l'absence, donc, mais comme présence à la fois perdue (nostalgie) et promise (espérance). La mort est le lieu de cette conjonction, et le secret pour cela de la foi. La mort, en effet, n'est pas seulement, pour Platon, ce qui clôt la vie et lui succède, mais aussi ce qui la précède et l'engendre. Dialectique du vivre et du périr : « Les contraires naissent les uns des autres..., les vivants naissent des morts tout comme les morts naissent des vivants... »[2] D'où la réincarnation et la réminiscence : vivre, c'est revivre ; mourir, c'est renaître. Notre commencement était une fin ; notre fin sera un commencement.

Er, qui nous l'apprend[3], nous enseigne aussi que nous sommes libres, et que Dieu est innocent. « La vertu n'a point de maître... La responsabilité appartient à celui qui choisit. »[4] Il faut suivre cette idée jusqu'au bout. Si la vie résulte d'un choix, elle ne peut le contenir : il faut donc qu'il existe ailleurs. Et quel ailleurs de vivre, autre que la mort ? Génie de Platon, d'avoir découvert cela, d'où vont suivre deux mille ans de philosophie idéaliste : s'il existe une liberté de l'âme, elle n'est pas de ce monde. Mais si

---

1. Cf. par ex. *Politique*, 269-273, et *supra*, t. 1, chap. 2, p. 120-124.

2. *Phédon*, 71-72.

3. Cf. *Rép.*, X, 614-631. Le Mythe d'Er, qui est à lire, clôt le dernier livre de la *République*. Er est le *Lazare* de Platon : il est revenu du royaume des morts. Il y a vu les âmes, entre deux incarnations, *choisir* leur destin. Le récit d'Er illustre ainsi (non sans poser de difficiles problèmes d'interprétation, qu'il n'est pas possible d'évoquer ici) la liberté de l'âme, sans laquelle il n'y aurait pas de responsabilité morale. Nous y reviendrons. Alain, qui n'a cessé d'être fasciné par ce « mythe surhumain », en a donné de beaux commentaires : cf. par ex. *Les passions et la sagesse* (dans la Pléiade), p. 797-798 et 912-919. Sur le problème de la liberté de la volonté chez Platon, et notamment dans son rapport avec l'intellectualisme, on lira le très remarquable article d'Hugo Perls, La philosophie platonicienne du droit (*Revue philosophique*, janv.-févr. 1936), notamment p. 86-91 et 104-107.

4. *République*, X, 617.

elle n'existait pas, y aurait-il une morale ? Tout se tient ici :
la mort, la liberté, l'espérance... C'est le nœud gordien de
la morale : chacun le tranche à sa façon, puis renoue les
fils, comme il peut... Et il est vrai sans doute qu'il faut
choisir sa vie, et que toute âme, comme dit Alain, « fait ce
terrible choix à chaque moment »[1]. Mais c'est que toute
âme, répondrait Platon, même ici-bas, appartient à l'au-
delà (elle ne serait pas *libre* autrement), et que la mort vit
en elle, nous l'avons vu, par la foi et l'espérance. C'est pourquoi Alain pouvait écrire aussi que Platon « laisse finalement à l'homme seul et sans secours, mais non sans foi ni
espérance, la garde de la justice »[2]. C'est que la foi et l'espérance suffisent, qui sont toute la religion et (avec la justice
selon Platon, avec la charité selon d'autres) l'essentiel de
la morale religieuse.

Car si Dieu est innocent, comme dit Platon et comme le
répétera Pascal, c'est que l'homme est coupable[3]. Toute la
morale part de là.

III

Le cœur du problème, c'est la liberté. Un méchant n'est
méchant, moralement parlant, qu'autant qu'il est libre de
l'être. Un fou par exemple, aussi cruel qu'il puisse être ou
paraître, est légitimement tenu pour moralement non responsable de ses actes – puisque la folie lui ôtait, lorsqu'il
les a commis, la capacité, au moins hypothétique, de ne
les pas commettre. Il fait le mal, certes, mais sans le vouloir ; ou le veut, mais sans vouloir cette volonté. On ne
choisit pas d'être fou, ou pas librement. Le fou est donc
innocent, toujours, des crimes dont il est coupable : dangereux, peut-être ; méchant, non. On sait que le Code

---

1. Alain, *Abrégé pour les aveugles*, Pléiade, p. 798. C'est en quoi « le futur du mythe
traduit notre condition présente » : V. Goldschmidt, *La religion de Platon*, p. 85.
2. Alain, *ibid.*
3. Voir Platon, *République*, X, 617, et Pascal, *Pensées*, 205-489 (« Il faut que nous
naissions coupables, ou Dieu serait injuste »).

pénal, dans son article 64, légalise la chose : « Il n'y a ni crime ni délit lorsque le prévenu était en état de démence au temps de l'action, ou lorsqu'il a été contraint par une force à laquelle il n'a pu résister. » Et même chose pourrait se dire de l'animal ou du petit enfant. Nul n'en veut au nouveau-né qui mord ; et l'on se protège des bêtes fauves – parce qu'elles n'ont pas choisi d'être telles – sans les haïr. La *possibilité* de la vertu, et elle seule, fait ainsi du criminel un méchant (et non simplement un criminel, au sens juridique du terme) ; et elle n'existe, comme possibilité effective, qu'autant que l'individu est *libre* de la vouloir. C'est le paradoxe de la morale : il faut pouvoir être bon pour être méchant, et choisir librement de ne l'être pas. « Le principe de l'action morale est ainsi le libre choix », comme disait déjà Aristote[1], et la liberté du vouloir est bien en cela « le fondement négatif de la morale », c'est-à-dire « ce sans quoi l'exigence morale n'aurait pas de signification »[2]. Nul ne fait le mal, moralement parlant, s'il n'était libre de faire le bien. Nul n'est méchant involontairement.

Reste alors à savoir si on peut l'être volontairement. Il semble que cela fasse partie de la définition du mot : le méchant n'est tel, on vient de le voir, qu'autant qu'il est responsable de ses actes ; et il n'en est responsable qu'autant qu'ils dépendent de sa volonté. Mais ce n'est pas si simple. Qu'on soit responsable de ses actes, c'est possible ; mais l'est-on de soi ? De deux choses l'une en effet : ou bien le méchant a choisi d'être méchant (ce qui suppose qu'il ne l'a pas toujours été et aurait pu ne pas le devenir), ou bien il est méchant par essence, d'une méchanceté obligée, qu'il subit, pourrait-on dire, comme une nature ou un destin. Je m'arrête d'abord à ce second cas. En apparence, c'est le pire : notre homme est méchant, absolument méchant, tellement méchant même qu'il ne peut faire *que*

---

1. *Ethique à Nicomaque*, VI, 2, 1139 *a*.
2. Marcel Conche, *Le fondement de la morale* (Ed. de Mégare, 1982, p. 25). Cela est vrai, *s'il existe une morale qui soit fondée.*

le mal, et qu'il le fait, c'est en quoi il est diabolique[1], *pour*
le mal. Mais on voit aussitôt que l'absoluité même de sa
méchanceté lui sert aussi d'excuse, et légitime. Puisqu'il
est absolument méchant, il est exclu qu'il fasse le bien ;
pourquoi lui reprocher dès lors – puisqu'il n'a pas le choix –
de faire le mal ? Autant lui reprocher d'exister... Or qui
choisit de naître ? S'il est né méchant, est-ce sa faute ?
Choisit-on son corps ? Et s'il l'est devenu, est-il coupable
des circonstances qui l'ont fait tel ? Choisit-on son enfance,
son éducation, sa famille, son inconscient ?... Un vieillard
méchant, ce n'est jamais qu'un nouveau-né qui a mal
tourné. Mais que reprocher à un nouveau-né ? Et quel
enfant choisit de tourner mal ? S'il n'est pas né méchant
et le devient, c'est qu'il fut mal élevé, ou mal aimé, ou
victime à sa manière d'une société trop dure ou trop
injuste. C'est Socrate qu'on assassine... A qui la faute, s'il
devient Gygès ? Bref, que le méchant soit né méchant ou
qu'il le soit devenu du fait des circonstances, ce n'est pas
sa faute, et sa méchanceté même l'absout, qui s'abolit
(comme faute) à proportion de son existence (comme fait).

On dira que c'est trop facile, et que, famille ou pas, éducation ou pas, chacun est libre, toujours, quels que soient
son corps ou les circonstances, et responsable de soi.
Admettons. Cela nous renvoie à la première hypothèse.

Donc, notre homme est méchant et a choisi de l'être. Sa
méchanceté n'est ni une nature ni un destin, pas même un
fait ou un résultat. Il n'est pas né méchant, et il ne l'est pas
non plus *devenu*, si l'on entend par là qu'il se soit constitué
une essence ou une personnalité qui serait méchante
comme on est brun ou blond. Non, il *s'invente* méchant, à
chaque fois, il se *choisit* tel. Sa méchanceté n'est pas une
donnée, un fait, mais, à chacun de ses actes, une création.
Il est méchant et libre : coupable, donc.

Soit. Mais je m'intéresse à ce moment du choix. Gygès
a l'anneau ; il est invisible. Passe un enfant qui joue. Va-t-il

---

1. Au sens que Kant donne à ce mot (*La religion dans les limites de la simple
raison*, I, 3, p. 56-58 de la trad. Gibelin, Paris, Vrin, 1972).

le laisser passer ? Non : il tend la jambe, et l'enfant tombe, et pleure. Gygès est méchant, dira-t-on, mais libre, et méchant pour cela : il *aurait pu* ne pas faire tomber l'enfant. Sa méchanceté, en cet instant précis, n'est pas le résultat déterminé d'une histoire (de son enfance, de son éducation...), mais la création spontanée d'une liberté. Essayons pourtant de comprendre : pourquoi Gygès a-t-il tendu la jambe ? Et certes il ne s'agit pas de trouver une *cause* (car cela nous réintroduirait dans un déterminisme qui, peu ou prou, excuserait à nouveau Gygès), mais bien une *raison* ou un *motif*. Gygès a-t-il ici fait le mal, comme on dit, *pour le mal* ? C'est possible, mais cela supposerait une méchanceté diabolique, à vrai dire peu concevable, et qui de toute façon nous renverrait à l'hypothèse précédente : une volonté diabolique ou maligne (« une volonté absolument mauvaise », comme dit Kant)[1], c'est une manière d'excuse. Etre un diable, si cela pouvait se prouver, pour tout tribunal honnête, ce serait une circonstance atténuante. Nos psychiatres ici voient plus loin que les inquisiteurs d'autrefois. Mais laissons. Il est plus vraisemblable que Gygès soit un homme, comme vous et moi : il ne fait pas le mal *pour le mal*, mais, comme tout le monde, *pour le plaisir* – qui est un bien. Egoïste, donc. « L'amour de soi, écrit Kant, pris comme principe de toutes nos maximes, est précisément la source de tout mal. »[2]

J'entends bien que Gygès a le choix : il aurait pu renoncer à ce plaisir (pervers) de faire pleurer un enfant. Et, librement, il choisit son plaisir, et le mal ; et cela est la méchanceté même. Mais comment comprendre ce choix, sans supposer à nouveau une méchanceté antécédente qui le rend possible ? Un brave homme aurait agi autrement. « Mais il a choisi, et librement... » Justement : il faut être bien méchant pour vouloir l'être. C'est en quoi Gygès est Gygès : Socrate, anneau ou pas, serait resté tranquille ou

---

1. *La religion...*, p. 56. Kant bien sûr ne me suivrait pas sur ce terrain, mais il a besoin, pour y échapper, du *caractère intelligible*. Nous y reviendrons.
2. Kant, *ibid.*, p. 68.

aurait souri à l'enfant... Un choix libre, ce n'est pas un choix sans sujet : la liberté suppose au contraire *quelqu'un* qui choisit, et qui le fait, Bergson a raison sur ce point, en fonction de ce qu'il est[1]. Le problème n'est donc pas résolu par la liberté du choix, mais seulement déplacé : si le méchant choisit d'être méchant, il ne peut le choisir (sauf à n'être pas libre, mais soumis seulement aux vicissitudes hasardeuses d'un indéterminisme interne : si le moi joue sa vie aux dés, il n'est pas plus libre que les dés) qu'à la condition de l'être déjà. D'où un labyrinthe encore : car cette méchanceté antécédente, si elle résulte elle-même d'un choix, en suppose à son tour une autre qui la précède et l'engendre, et ainsi, bien sûr, indéfiniment... Nul n'est méchant sans le vouloir ; mais nul ne veut l'être, qui ne le soit déjà.

Résumons-nous. La question est de savoir comment l'on devient méchant. *Par naissance ?* Mais cette méchanceté innée cesserait par là, moralement, d'en être une : naître méchant, ce serait une fatalité, pas un crime, une tare, pas une faute. *Du fait des circonstances ?* Mais ce sont alors les circonstances qui sont coupables, et chacun trouvera (ou pourrait trouver, en droit), dans l'historicité concrète de son devenir, le déterminisme qui l'explique et l'absout. *Librement ?* Mais ce choix libre supposerait une méchanceté antécédente qui l'explique, et qui devrait elle-même, à son tour, être choisie ou expliquée... De là – si l'on admet qu'il existe des méchants – une aporie singulière : nul n'est méchant volontairement (puisqu'il faut l'être déjà pour vouloir le devenir) ni involontairement (puisqu'une méchanceté involontaire n'en serait plus une). On ne peut donc ni naître méchant, ni le devenir : la méchanceté est inintelligible selon l'ordre du temps.

C'est ce que Platon et Kant ont bien vu, par des voies certes différentes, mais où, avec une profondeur égale, et également effrayante, ils se rejoignent. Reprenons notre

---

1. Voir Bergson, *Essai sur les données immédiates de la conscience*, III, spécialement p. 110-145 de l'éd. du Centenaire.

exemple initial. Gygès trouve une bague magique, et devient un tyran sanguinaire. Socrate, s'il eût trouvé la bague, serait resté Socrate. C'est du moins le pari de la morale : qu'il y a, entre le bon et le méchant, une différence qui ne tient pas seulement aux circonstances. Socrate n'est vertueux, moralement parlant, qu'autant qu'il le décide, à chaque fois, librement. Oui. Mais c'est qu'il était Socrate. Et Gygès était Gygès... J'entends : l'un solide et droit, et l'autre, brave homme peut-être en apparence, mais faible devant la tentation, et vertueux seulement par peur. Oui. Mais c'est qu'il était Gygès... Et que Socrate était Socrate... Et alors ? Alors cette question : *quand* Socrate a-t-il choisi d'être Socrate ? Et *quand* Gygès, d'être Gygès ? Attention ! Si vous répondez « Jamais, bien sûr ; chacun est soi, cela ne se choisit pas... », vous les enfermez l'un et l'autre dans la nécessité. Non qu'il n'y ait alors plus de choix : Gygès décide bien de ses actes, et tue ou torture (il n'est pas fou) *volontairement*. Aussi aurait-il pu, peut-être, choisir d'utiliser différemment sa bague, ou bien de la jeter... Mais c'est qu'il eût été autre. S'il n'a jamais choisi d'être ce qu'il était, s'il n'a jamais choisi d'être Gygès – et peu m'importe ici que ce soit nature ou histoire –, il est innocent en cela de tous les choix dont il est coupable : puisqu'il n'a pas eu le choix d'abord de celui qui choisissait. Autant accuser, à la guerre, le bourreau qu'un officier désigne... On dira qu'ici l'officier et le bourreau sont un seul et même individu ; mais c'est précisément pourquoi, toute révolte ou désobéissance étant impossible, les choix restent soumis, toujours, à la personnalité de celui qui choisit. Le *moi* serait un destin alors, et une circonstance, dans chaque cas, absolument atténuante. Après tout, Gygès peut toujours rétorquer à ses juges éventuels (peut-être le pourrait-il même sans mentir) qu'il aurait préféré être Socrate, et que ce n'est pas sa faute, n'ayant pas eu le choix, s'il fut Gygès... C'est que dans le monde, encore une fois, il n'y a jamais que des faits ; et toute vie est en cela comme une chaîne sans faille : un fait entraîne un autre fait, qui en entraîne un autre... Monde plein de la nécessité. C'est toujours le problème du gros animal ; chacun en est un aussi pour soi, et prisonnier de ses instincts et de ses habitudes. On retrouve là notre vieillard méchant. S'il était méchant à sa naissance, ce n'est pas sa faute ; et s'il ne l'était pas, il n'a pu le devenir (étant incapable, sans l'être déjà, de vouloir l'être) que du fait des circonstances. Mais alors il n'y a plus de morale, et Gygès est innocent.

Ou bien – et c'est la position de Platon – il faut que Gygès ait choisi *aussi* d'être Gygès ; et Socrate, d'être Socrate. L'exemple vous parle peu ? Prenez Hitler, si vous préférez, et Jean Moulin. Si tout s'explique dans leur vie par l'enchaînement des faits (dont pourraient rendre compte, au moins en droit, la biologie, la psychologie, la sociologie ou l'histoire...), ils sont innocents tous deux, n'ayant choisi ni de vivre ni d'être ce qu'ils furent – n'ayant choisi, pour le dire autrement, ni leur corps ni leur âme, ni leur hérédité ni leur éducation, ni leur famille ni leur époque, ni leur enfance ni leur pays, ni leur inconscient ni leur intelligence... Et qu'y a-t-il d'autre pour faire un homme ? Imaginez le petit Adolphe naissant chez les parents de Jean Moulin. « *Ce ne serait plus Adolphe Hitler*... » Vous brûlez. Et avec le corps, n'est-ce pas, et le cerveau, du petit Jean Moulin... « *Mais ce serait... Jean Moulin !* » Vous y êtes. Condamner un homme, disait un biologiste, ce n'est jamais que condamner des chromosomes ou des circonstances [1]. Et les chromosomes ne sont eux-mêmes qu'une *circonstance* parmi d'autres... Ou bien il faut que Hitler ait choisi *aussi* d'être Hitler. Mais où ? Mais quand ? Dans cette vie ? Dans ce monde ? Cela ne se peut. Il faut donc, pour que la morale soit possible, que ce choix ait été fait *ailleurs*. Mais quel ailleurs aux choses de ce monde, si ce n'est *l'autre* monde ? Ce monde d'avant le monde, ce monde d'au-delà (et d'en deçà) la vie, l'autre monde : le monde de la liberté et de la mort.

Ce n'est pas moi qui le dit, c'est Platon ; et il parle selon le témoignage de quelqu'un, à ce qu'il raconte, qui en

1. Voir Jean Rostand, *Pensées d'un biologiste*, p. 27-29 (rééd., Paris, Stock, 1978).

revient. C'est un mythe bien sûr, comme celui de Gygès, et que j'ai déjà évoqué ; mais il mérite qu'on s'y arrête. Platon lui réserva l'honneur, qui n'est pas rien, de clore le dernier livre de *La République*. C'est le mot de la fin, si l'on veut, mais qui porte aussi, comme il se doit, sur le commencement.

Donc, notre homme s'appelait *Er*. Soldat comme l'autre était berger, et nullement invisible, il était mort comme meurent les soldats, à la guerre. Voici comment Platon raconte la chose :

> « Il était mort dans une bataille ; dix jours après, comme on enlevait les cadavres déjà putréfiés, le sien fut retrouvé intact. On le porta chez lui pour l'ensevelir, mais le douzième jour, alors qu'il était étendu sur le bûcher, il revint à la vie ; quand il eut repris ses sens, il raconta ce qu'il avait vu là-bas... »[1]

Or ce qu'il y a vu, pour une part, c'est un jugement. Des âmes arrivent là pour être jugées, puis s'en vont, les unes vers le ciel, les autres vers l'enfer... Mais ce n'est en aucun cas un jugement *dernier*. Car d'autres âmes arrivent, montant des profondeurs de la terre, « couvertes d'ordure et de poussière », ou bien descendant au contraire, pures, du ciel. Et tout commence pour elles, ou plutôt recommence. Mortes – mais plus vivantes que les vivants – et destinées à renaître, elles sont rassemblées, en vue de leur prochaine réincarnation, pour choisir leur vie et (dans un lot de vies disponibles, précise Platon, dont le nombre excède de beaucoup celui des âmes présentes : on n'a que l'embarras du choix) pour la choisir librement. « Ce n'est point un génie qui vous tirera au sort, c'est vous-même qui choisirez votre génie... »[2] C'est pourquoi la morale est possible : « La vertu n'a point de maître ; la responsabilité appartient à celui qui choisit[3] ». Et son âme même, pour chacun, ne sera pas une excuse : elle doit en effet « changer suivant le choix qu'elle fait »[4], et chacun est ainsi coupable aussi de

1. *République*, X, 614.
2. X, 617.
3. *Ibid.*
4. X, 618.

soi. « Dieu n'est point responsable »[1], proclame le hiérophante – donc l'homme peut l'être. La morale commence où la nécessité s'arrête : quand Gygès, librement, choisit d'être Gygès.

Ce mythe, à vrai dire, pose autant de problèmes qu'il aide à en résoudre. Le choix, même dans la mort, suppose quelqu'un qui choisit, et qui ne peut le faire (sauf, là encore, à tomber dans une totale indétermination, un hasard pur, qui serait le contraire de la liberté) qu'en fonction de ce qu'il est. Chacun reste ainsi prisonnier de soi et de ses vies passées... On n'est pas très loin du Karma des Orientaux. Ulysse reste Ulysse, jusque dans le rôle à contre-emploi qu'il se choisit...[2] Et tant d'ignorance, de la part de Gygès ou de ses pareils, des conséquences de leur choix, limite bien malgré tout leur liberté. Si nul n'est méchant volontairement, mais seulement, comme le pense Platon, par ignorance, en quoi les méchants sont-ils coupables ? Et pourquoi les punir ? Ou bien ont-ils choisi d'être ignorants ? Est-ce seulement possible ?... Mais passons. Ce qui m'importe ici, et en quoi ce mythe est irremplaçable, c'est la lumière qu'il projette sur le problème central de la morale, qui est celui de la liberté du vouloir ou, comme on dit aussi, du libre arbitre.

De quoi s'agit-il ? Non de la liberté de *faire ce qu'on veut* (liberté d'action, par exemple liberté politique ou religieuse), mais de la liberté de le *vouloir*, c'est-à-dire de vouloir ceci *ou* cela (liberté de la volonté : libre arbitre), sans y être déterminé par rien, si ce n'est par un (libre) choix de sa volonté. Un homme de droite ou de gauche, par exemple, dans une démocratie, peut exprimer librement son opinion (liberté d'action) ; cela ne prouve pas qu'il ait choisi librement d'être de droite ou de gauche, c'est-à-dire que ses choix politiques soient l'effet de son libre arbitre : plus d'un pourrait y voir, et sans grand mal souvent, l'action de tel ou tel déterminisme social ou familial, qui l'ont fait

1. X, 614.
2. X, 620.

ce qu'il est (par exemple un intellectuel de gauche) sans qu'il ait jamais eu, à proprement parler, à le choisir, ou sans que ce choix ait dépendu de la liberté de sa volonté. N'est pas de droite qui veut – ou s'il veut l'être, ce n'est pas par hasard. Et chacun, dans une démocratie, s'il est libre de voter pour qui il veut, serait bien en peine, le plus souvent, de vouloir voter pour quelqu'un d'autre...

Cette distinction – traditionnelle – entre les deux sens du mot *liberté* est politiquement sans grande portée : il s'agit de combattre, pas de juger, et un adversaire reste un adversaire, qu'il ait choisi ou non son camp librement... Chacun voit bien, simplement, que la liberté d'action est ici l'essentiel, et le bien premier des démocraties. Mais il en va tout autrement en morale. La liberté d'action n'y importe guère : une tentative de meurtre n'est pas moins grave, moralement parlant, qu'un meurtre réussi ; et le méchant qu'on empêche de nuire n'en devient pas pour autant meilleur. Ce qui compte, en morale, c'est la libre orientation du vouloir (*l'intention* de Kant) ; le reste (la liberté d'action) n'est qu'affaire de conjoncture, d'habileté ou de prudence. D'où l'épure de Platon, qui met tout cela, pour ainsi dire, à plat. Parce qu'il est invisible, Gygès est libre de *faire* le mal, s'il le désire (sa liberté d'action est à peu près sans limites) ; mais il n'est méchant, moralement parlant, qu'autant qu'il choisit librement de le *vouloir* (libre arbitre). Or, sauf à rester soumis à des déterminismes antérieurs qui le conditionnent (son hérédité, son enfance, son éducation...), il ne peut faire ce choix, on l'a vu, qu'en se choisissant lui-même : sans quoi Gygès, prisonnier de soi – et bien incapable, le pauvre, d'être Socrate ! –, serait innocent des actes, quels qu'ils soient, qui découlent de ce qu'il est. Comme un tel choix de soi par soi ne saurait exister dans cette vie (puisque c'est elle, au contraire, qui doit résulter), il ne peut avoir lieu qu'*ailleurs* (dans un lieu qui n'est pas un lieu : le *tópos atópos*) et *avant* (si l'on peut dire, s'agissant d'un temps qui n'est pas un temps). Soit : dans l'éternité.

D'où l'espérance et la nostalgie, à nouveau : ce ne sont jamais que deux façons – temporelles donc inadéquates –

de vivre l'éternité dans son absence, de l'éprouver dans son manque. Et si la nostalgie domine en un sens (le Bien est derrière nous, pour Platon, plutôt que devant), c'est que nous vivons comme antériorité chronologique (« transportant mal à propos » à une réalité éternelle « le passé et le futur (qui) sont des espèces engendrées du temps »)[1] une priorité qui est en réalité *ontologique* : l'éternité ne « précède » le temps, c'est assez clair, que du point de vue de ce dernier. Mais c'est pourtant cette antériorité qui rend possible la liberté : nulle liberté sans choix, nul choix qui ne porte sur l'avenir. Si bien que, pour tout présent donné, le choix a toujours *déjà* eu lieu. Un méchant n'est méchant, disais-je, qu'autant qu'il a choisi de l'être ; mais s'il a pu (librement) le choisir : c'est qu'il ne l'était pas encore. La morale suppose partout cette béance de l'avenir, qui est la liberté même. Et cette béance à son tour suppose, pour tout présent donné, un choix libre qui le précède et l'explique. Il n'a pu avoir lieu pourtant dans le passé ; car il s'expliquerait alors par un autre choix, et, les choix s'enchaînant aux choix, nous serions prisonniers du temps : il n'y aurait partout qu'une chaîne de nécessités. Si l'avenir n'est pas tout entier contenu dans le présent (s'il est un avenir ouvert : espérance), il faut que le présent n'ait pas été non plus tout entier contenu dans le passé, mais lui échappe au contraire et s'explique, puisqu'il doit être intelligible, par *autre chose*. Telle est la liberté du vouloir : quelque chose comme une précession éternelle des choix, en vertu de laquelle un acte ne s'explique jamais totalement par sa situation temporelle ou causale (dans une chaîne donnée d'événements) mais par un choix préempirique et prétemporel, c'est-à-dire indéterminé. Si la liberté est possible, c'est donc qu'il existe quelque chose en nous qui échappe au temps, à l'enchaînement des causes et à la succession indéfinie « des hasards et des circonstances »[2]. On sait ce qu'il en est : cette part éternelle en nous, selon

---

1. *Timée*, 37.
2. Voir par exemple *Lois*, IV, 709.

Platon, c'est notre âme. L'homme n'est libre dans le temps (c'est-à-dire dans son corps) que par cette part d'éternité qui le définit et vis-à-vis de laquelle le corps, comme le temps vis-à-vis de l'éternité, n'est jamais qu'une *image*, qu'un *semblant*[1]. Où l'on retrouve la religion : l'éternité, pour Platon, ce n'est pas le présent perpétuel du monde ou de la vie (car au présent le réel n'est jamais que ce qu'il est, non ce qu'il *doit* être : au présent, il n'y a que des faits), mais l'ailleurs de tous les ici, l'autre de tous les maintenant. Ainsi commence le récit de la morale : « Il était une *autre* fois... » Et la boucle se referme : l'éternité ne peut exister (comme *autre* du temps) qu'à la condition qu'il existe *autre chose* que le monde. La transcendance seule la rend possible. Ici-bas, tout devient, change, disparaît... Labyrinthe des faits, chaîne des causes... Nulle vertu n'y peut trouver son principe ni sa lumière. Il faut donc qu'il existe autre chose : l'âme pour le corps, l'éternité pour le temps, l'autre monde pour celui-ci. Religion, descente : tout le bien vient du Bien.

Tout s'explique alors : choisir le bien (la vertu), ce n'est jamais que choisir l'éternité (en soi et hors de soi), c'est-à-dire, pour l'âme, *se choisir soi-même* (et non son corps) dans le rapport au Bien qui, éternellement, l'engendre et la constitue. D'où l'ascétisme et la mortification : l'âme prend le parti de l'âme, contre le corps[2], l'âme prend soin d'elle-même[3]. D'où l'espérance et la nostalgie, d'où le culte de la mort : cette éternité, cette pureté que le corps nous a fait perdre, la mort nous les rendra. D'où enfin le libre arbitre et l'intellectualisme, et la conciliation peut-être des deux : car l'âme seule est libre, qui ne l'est que dans son rapport au bien ou (ce qui revient au même pour Platon) à la vérité. Si nul n'est méchant volontairement, c'est qu'il n'est méchanceté que du corps[4], et volonté que de l'âme.

---

1. Cf., sur l'âme et le corps. *Lois*, XII, 959, et, sur l'éternité et le temps, *Timée*, 37-38.
2. Cf. par ex. *Phédon*, 64-67.
3. Cf. par ex. *Apologie*, 29, et *Premier Alcibiade*, 132.
4. L'âme méchante, en effet, ou qui semble telle, ne l'est que parce qu'elle est

Or l'âme est toujours libre (et n'est libre *que*) lorsqu'elle est libérée du corps, c'est-à-dire (puisque tout le mal vient de lui) vertueuse. Toute vertu est libre, en conséquence, et seule la vertu peut l'être. Le reste – le mal – est esclavage du corps, mauvaise éducation ou ignorance[1]. Le reste : la caverne et le gros animal...

L'éternité est ainsi le lieu central de la morale, où tout converge et se condense – son foyer de lumière et de rayonnement. Mais nous sommes prisonniers du temps et de la nuit. La morale est pour cela toujours excentrée, ici-bas (son lieu central, c'est « *l'autre lieu* »)[2], toujours centrée sur son absence : « le principe du salut, c'est le sentiment d'un manque »[3]. Et c'est pourquoi il n'est de vertu que religieuse. La boucle se referme, si l'on peut dire, mais sur l'impossibilité de sa clôture. Tout le bien vient du Bien, mais le Bien est toujours ailleurs ; et l'homme le plus vertueux n'atteint jamais, dans cette vie, que son « vestibule »[4]. La morale butte ainsi sur la transcendance qui la fonde. Le mal est notre lot parce que le Bien seul est absolument le Bien. La différence n'existe que par l'identité, mais celle-ci lui est pour cela interdite. Et puisqu'on ne peut jamais *atteindre* le Bien (ni, absolument, le *faire*), il ne reste qu'à s'y soumettre, et à l'aimer. Vertu, c'est obéissance ; amour, c'est manque[5]. La seule façon de monter, c'est de reconnaître notre bassesse, absolue (pour le corps) ou relative (pour l'âme). Toute la morale tient ainsi en une hiérarchie acceptée et voulue, qui est la justice : l'harmonie

---

soumise au corps, et non à sa propre volonté. C'est une âme hétéronome. Cf. par ex. *Timée*, 86-87. Voir aussi H. Perls, art. cité, p. 105.

1. Cf. par ex. *Timée*, 86 : « Personne n'est volontairement méchant. Ceux qui sont méchants le deviennent par suite d'une mauvaise disposition du corps et d'une éducation manquée... » Mais la mauvaise éducation elle-même renvoie à un mauvais état du corps : comme le note L. Robin (*La morale antique*, p. 152), « la maladie propre à l'âme, la "déraison", qu'elle soit folie ou ignorance, a toujours une origine physiologique ».

2. *Phédon*, 80 *d* : « *tópos eteros* », qui n'apparaît guère dans la trad. Chambry ; Robin traduit : « *un lieu autre* ».

3. Comme le note A.-J. Festugière, *Contemplation et vie contemplative selon Platon*, Paris, Vrin, 1937, p. 368.

4. Cf., dans un contexte un peu différent, *Philèbe*, 64.

5. Cf. *Banquet*, 200-201.

« entre le supérieur et l'inférieur »[1] n'est possible que par la soumission de celui-ci à celui-là. Il s'agit, dans la cité comme dans l'individu, de savoir « qui doit commander »[2], et seul le plus haut y a titre légitime : l'âme rationnelle en l'homme, le philosophe en la cité. Le bonheur, pour l'un comme pour l'autre, n'est pas autre chose que cette harmonie et cette soumission[3]. Religion, descente : il s'agit de respecter *l'ordre descendant* du réel. Le divin est premier, bien sûr, puis l'âme. Et ce que l'âme est au Dieu (son esclave)[4] le corps l'est à l'âme. Il faut monter, certes – « se tenir toujours sur la route ascendante... »[5] –, mais rien ne le permet qu'une *descente* : du Bien à l'âme, de l'âme au corps... La grande disciple le dira aussi : « C'est un mouvement descendant, jamais montant, un mouvement de Dieu, non de nous »[6]. Tout vient du Bien en soi, y compris la route qui y mène. Nulle montée qui ne soit le rebours d'une descente préalable, nulle ascension qui soit première. Puisque le Bien c'est l'être, la vertu est science ; et puisque l'être est éternel, la science est réminiscence. Le Bien n'est pas à faire mais à contempler, non à inventer mais à reconnaître. La « route ascendante » est celle (comme le « fil d'or et sacré » par lequel les dieux tiennent et dirigent les « marionnettes » que nous sommes)[7] qui *vient* d'en haut, et qui n'y *va* qu'autant qu'elle en *vient*. Pour nous, elle monte ; mais c'est que nous ne cessons en réalité de la descendre. Et le corps est au bout. D'où la morale : c'est parce que l'âme est tom-

---

1. Cf. par ex. *Rép.*, IV, 430-442.
2. *Ibid.*, 432.
3. Cf. par ex., pour la cité, Rép., V, 473, et, pour l'individu, *Rép.*, IX, 586-587. Cf. aussi Brochard, La morale de Platon, in *Etudes de philosophie ancienne*..., Paris, Vrin, rééd. 1954, p. 192-193 : « Comparons maintenant l'individu à l'Etat ; pour l'un comme pour l'autre, le bonheur résultera de *l'ordre, c'est-à-dire de la subordination de l'inférieur au supérieur, en d'autres termes de la justice...* » (C'est moi qui souligne.)
4. Cf. *Phédon*, 62, et *Lois*, V, 726-727.
5. *Rép.*, X, 621.
6. Simone Weil, *La pesanteur et la grâce*, rééd. 10-18, p. 55. Cf. aussi p. 13 : « La grâce, c'est la loi du mouvement descendant... » Sur le rapport S. Weil-Platon, cf. (outre les textes de S. Weil elle-même) V. Goldschmidt, *Questions platoniciennes*, p. 251-258.
7. Cf. *Lois*, I, 644-645.

bée [1] qu'elle peut (et doit) remonter. Seule la chute rend le salut possible, et nul ne peut tomber que d'en haut. L'espérance est fille de la nostalgie. Connaître c'est reconnaître, monter c'est remonter. L'ascension est une assomption ; la vertu, un retour.

IV

J'ai pris l'exemple de Platon, une nouvelle fois, parce qu'il est clair et beau : c'est la lumière grecque, et celle des commencements. Et sans doute pourrait-on multiplier les références, et faire là-dessus bien des livres. Mais c'est la chose même – la morale – qui m'intéresse, et Platon, ou d'autres, qu'autant seulement qu'ils y mènent. Or l'essentiel ici tient en peu de mots : pas de morale sans libre arbitre ; pas de libre arbitre sans choix, par le sujet, de lui-même ; pas de choix du sujet par lui-même s'il n'existe qu'un seul monde. C'est ici bien sûr que Platon et Kant se rejoignent, par-delà deux mille ans d'histoire et bien des divergences de doctrine : la morale n'est possible, pour l'un comme pour l'autre, que parce que l'homme, comme dit Kant, « *appartient à deux mondes* » [2]. Et elle est en cela indissociable de la religion, qui la fonde (Planton) ou qu'elle fonde (Kant).

La morale a ainsi partie liée avec l'espérance. Il faut qu'autre chose existe – autre chose que le réel ou le présent –, en quoi, faute de pouvoir le connaître, nous puissions *croire*. L'espoir, dit Kant, est « à l'ordre pratique et à la loi morale ce que le savoir et la loi naturelle sont à la connaissance théorique des choses. L'espoir aboutit, en définitive, à cette conclusion que quelque chose *est* (qui détermine le dernier but possible), *puisque quelque chose doit arriver* » [3]. Non, certes, que Platon ou Kant voient dans

---

1. Cf. *Phèdre*, 248-251, et, sur la théorie de la réminiscence, par ex., *Ménon*, 80-86.
2. Kant, *Critique de la raison pratique*, tard. F. Picavet (Paris, PUF, rééd. 1971) p. 91.
3. *Critique de la raison pure*, « De l'idéal du souverain bien », PUF, p. 543-544.

une survie de l'âme ou dans un quelconque paradis la condition de la moralité : c'est ici-bas que la vertu est bonne (et elle le serait aussi bien sans récompense divine), ici-bas que la faute est mauvaise (et elle le resterait, fût-elle à jamais sans châtiment). Mieux, ce que Kant montre, et avec quelle netteté, c'est qu'une action n'est morale qu'à proportion de son désintéressement : quand elle est accomplie non seulement *conformément au devoir* (ainsi le commerçant qui ne serait honnête que pour conserver ses clients) mais *par devoir*, c'est-à-dire, indépendamment de toute promesse ou espérance, par pur respect de la loi morale. On sait que cette loi, pour Kant, n'est pas autre chose que la raison en nous qui légifère : se soumettre au devoir, c'est donc ne se soumettre qu'à soi (autonomie), et la seule vertu est d'être libre.

Les naïfs seuls trouveront cela facile. Point de liberté, au contraire, plus exigeante : puisqu'il s'agit de vaincre tout ce qu'il y a en nous d'égoïsme et de petitesse (tout ce qui n'est pas universel, et d'abord, comme dit Kant, « *le cher moi* »[1]), pour ne plus se soumettre qu'à la partie de nous-mêmes qui est *libre*, oui, mais ce qui veut dire d'abord, pour chacun d'entre nous, *libérée de soi*, et *élevant l'homme*, c'est Kant qui l'écrit, « *au-dessus de lui-même* »[2]. Ce qui est une manière d'être soi, pourtant, et la seule qui totalement y parvienne. Car le « *cher moi* » ne doit qu'au monde extérieur (dont le corps fait partie) les limites qui l'enferment en le définissant ; et cette *hétéronomie* le laisse perpétuellement comme étranger à soi... Paradoxes de l'autonomie : tu n'es vraiment toi-même qu'en te libérant de toi ; tu ne te possèdes vraiment qu'en cessant de t'appartenir... Mais tous les méchants le savent, en vérité : seule la vertu est sans excuses.

Ce Kant-là, finalement, ne me déplaît pas ; et pas seulement pour cette *élévation* au-dessus de soi-même, où Icare peut sembler (nous verrons que ce n'est pas si simple)

---

1. *Fondements...*, p. 113 (trad. Delbos, Paris, Delagrave, 1966).
2. *CR Pratique*, p. 91.

retrouver l'air des cimes et le goût de l'envol. Non, ce qui me paraît précieux ici, où Kant n'a pas été dépassé je crois et peut-être n'a pas à l'être, c'est autre chose, et qui est moins son ciel que son abîme : car il a le sien, lui aussi, qui est le devoir même. Ce *devoir* en effet, sur quoi se fonde toute la morale, ce devoir austère, qui s'impose sans séduire, qui commande sans menacer, ce devoir *désinté-ressé*, comme dit Kant, qui n'attend rien, ni plaisir ni récompense, qui ne craint rien, ni châtiment ni blâme (car plaisir, récompense, châtiment ou blâme ne pourraient engendrer que des impératifs *hypothétiques*, qui ne sont règles que de prudence ou d'habileté, et jamais le moindre impératif *catégorique*, qui seul est moral strictement)[1] – ce devoir, donc, qu'est-ce d'autre, pour le dire d'un mot, qu'un devoir *désespéré* ?

Il l'est d'abord dans son principe même : puisqu'il relève de la liberté (qui est sa *ratio essendi*)[2] c'est-à-dire de la personnalité nouménale, il échappe à toute temporalité et donc à toute visée d'un *avenir* quel qu'il soit[3]. Un devoir qui ne serait pas *désespéré* (dans son principe) serait un devoir qui relèverait d'autre chose que de la loi morale, et cesserait par là d'être un devoir. Ainsi, par exemple, « c'est

---

1. Cf. *Fondements...*, II, p. 124-128. Kant appelle *impératifs hypothétiques* ceux qui sont soumis à une condition. Par exemple : *Si* tu veux éviter la prison, respecte la propriété d'autrui. Ou bien : *Si* tu veux le paradis, obéis aux commandements divins. De telles maximes (qui ne sont que les préceptes de l'égoïsme bien compris) n'ont, pour Kant, rien de moral. L'*impératif catégorique*, au contraire, est celui qui commande absolument, sans condition et « sans rapport à un but quelconque ». Par exemple : *Respecte la propriété d'autrui*. Ou bien : *Ne tue pas*. Il n'est pas autre chose que la loi morale elle-même, dans son énoncé inconditionnel, et se ramène toujours, selon Kant, à une forme unique : « *Agis uniquement d'après la maxime qui fait que tu peux vouloir en même temps qu'elle devienne une loi universelle* » (*ibid.*, p. 136). Le *cher moi* n'y trouve pas son compte, qui n'est jamais que singulier. Mais la raison (qui est universelle) ne peut *vouloir* autre chose : puisqu'elle ne prescrit jamais qu'elle-même.
2. *CR Pratique*, Préface, p. 2, note 2.
3. Le devoir est en effet, pour Kant, un « fait de la raison » (*CR Pratique*, p. 31), laquelle « n'étant pas elle-même un phénomène » ne comporte « relativement à sa causalité, aucune succession dans le temps » ; si bien que, « au point de vue du caractère intelligible..., il n'y a ni *avant*, ni *après* » (*CR Pure*, p. 405 ; cf. aussi, *ibid.*, p. 61-75 et 394-408). Nous abordons ici un passage singulièrement difficile de la philosophie kantienne, qui est rarement simple. Le lecteur que cette technicité rebute pourra se reporter directement à la p. 420.

le devoir de tout homme d'être bienfaisant » [1] ; mais c'est que la bienfaisance, comme vertu, consiste à aider autrui « *sans rien espérer pour cela* » [2] : le désespoir, au sens où je le prends, fait partie de sa définition. Et pas seulement en tant qu'il s'oppose aux espoirs égoïstes. Un espoir altruiste (la notion n'en est pas nécessairement contradictoire), s'il peut bien *accompagner* une action morale, ne peut la *motiver* sans lui faire perdre de sa moralité. Par exemple, il est juste de souhaiter le bonheur de l'humanité, et la vertu peut trouver dans cet espoir comme un encouragement. Mais aucun devoir ne naît de là, ni aucune action par conséquent absolument morale : puisque l'impossibilité de ce bonheur, si elle venait à apparaître, supprimerait cet espoir sans rien changer, cela va de soi, aux exigences inconditionnelles (selon Kant) de la moralité. Mentir serait toujours mentir, et la véracité ne cesserait pas d'être due. L'espoir n'a donc rien à voir avec le principe du devoir : un mourant est une personne au même titre qu'un jeune homme, et la proximité immédiate de la fin du monde ne changerait pas d'un iota (puisqu'elle est telle « indépendamment de toute intention ultérieure ») [3] ce qui fait qu'une volonté est bonne, c'est-à-dire sa seule conformité à l'impératif catégorique. C'est pourquoi, dans son principe, il n'y a pas de vertu politique : la vertu des militants n'en est pas une – ou ne l'est que chez ceux, s'il en existe, qui sont militants par vertu (et non par espérance).

Mais le devoir est aussi *désespéré* en un autre sens (quoique lié au premier), qui concerne non plus seulement son principe (l'atemporalité de la loi morale), mais les conditions subjectives (empiriques) de son respect. Un texte, à vrai dire un peu effrayant, de Kant le laisse bien voir. Il s'agit de savoir si le fait de vivre a, en lui-même, une valeur morale. Or, le plus souvent, répond Kant, il n'en est rien : car s'il est vrai que « conserver sa vie est un devoir..., c'est

---

1. *Mét. des mœurs*, t. II, p. 130. Cf. aussi *Fondements*..., I, p. 96-97.
2. *Mét. des mœurs*, t. II, p. 130. Cf. aussi *Fondements*..., I, p. 96-97.
3. *Fondements*..., I, p. 94.

en outre une chose pour laquelle chacun a encore une inclination immédiate »[1] ; si bien que la plupart des gens conservent la vie *dans l'espoir* de plaisirs à venir, c'est-à-dire qu'ils « conservent la vie *conformément au devoir*, sans doute, mais non *par devoir* »[2]. Et c'est pourquoi « la sollicitude souvent inquiète que la plupart des hommes y apportent », comme dit si bien Kant, est « *dépourvue de toute valeur intrinsèque*, et leur maxime n'a *aucun prix moral* »[3]. Ce n'est qu'un effet de l'égoïsme. Qu'est-ce donc qui pourra faire de la vie elle-même un mérite moral ? La réponse de Kant est d'une clarté sévère : le désespoir. « En revanche, écrit-il, que des contrariétés et un chagrin *sans espoir* aient enlevé à un homme tout goût de vivre, si le malheureux... désire la mort et cependant conserve la vie sans l'aimer, non par inclination ni par crainte mais par devoir, alors sa maxime a une valeur morale. »[4] Autrement dit : vivre est un devoir pour tout le monde (le suicide est une faute, selon Kant), mais n'est une vertu que pour celui qui *n'espère plus rien* de la vie. On peut rêver longtemps sur ce qu'il fallut à Kant de souffrance – de souffrance et d'ennui[5] – pour pouvoir simplement penser ceci : que le désespoir est la condition de possibilité d'une vie *en elle-même* vertueuse.

Entendons-nous bien. Il ne s'agit pas de faire de ce désespoir global *la* vertu par excellence, ni même *une* vertu : il n'est ici qu'une forme de tristesse, en elle-même sans valeur morale, et un sentiment, comme dirait Kant, *pathologique*. Mais ce qui est moral, en revanche, c'est de continuer à vivre *malgré le désespoir*, c'est-à-dire non parce qu'on attend quoi que ce soit de la vie mais pour cette seule raison que conserver sa vie est un devoir. C'est pourquoi la vie du désespéré – et de lui seul – est *en elle-même* ver-

---

1. *Fondements...*, p. 95.
2. *Ibid.*, p. 96 (c'est Kant qui souligne). Sur la distinction entre les deux, cf. *ibid.*, p. 94-97 et *CR Pratique*, p. 85.
3. *Fondements...*, p. 95-96 (c'est moi qui souligne). Cf. aussi *CR Pratique*, p. 92-93.
4. *Fondements...*, p. 95-96 (c'est moi qui souligne). Cf. aussi *CR Pratique*, p. 92-93.
5. Sur *l'ennui* chez Kant, cf. Philonenko, *L'œuvre de Kant*, t. II, p. 22-24.

tueuse : « il ne vit plus que *par devoir*, non parce qu'il trouve le moindre agrément à vivre »[1]. Et si c'est le seul cas où la conservation par chacun de sa propre vie a une valeur morale, c'est que, dans tous les autres cas, l'espoir du bonheur ou de tel ou tel plaisir à venir (ou, ce qui revient au même, la crainte de la mort) constitue, en tant qu'inclination égoïste, une détermination suffisante pour que la conservation de la vie relève, non plus de la moralité, mais de l'amour de soi : pour que la *vertu* qu'il y aurait à vivre ne soit, parmi d'autres, qu'un leurre de Narcisse, une ruse du « cher moi »... La même exigence vaut donc pour tout acte quel qu'il soit : il n'est vraiment moral (vertueux) qu'à la condition d'être totalement *désintéressé* (dans ses motivations empiriques), et cesse en conséquence de l'être dès lors qu'un espoir ou une crainte – l'un ne va pas sans l'autre – en deviennent le principe déterminant. C'est que « tout espoir tend au bonheur »[2], lequel est certes « *le désir* » (d'ailleurs légitime) de tout homme[3], mais ne saurait être pris comme principe déterminant de la volonté sans « *détruire complètement la moralité* »[4]. Etre honnête *pour être estimé* (ou par crainte de la prison...), être bon *pour être aimé* (ou par peur de la solitude...), être pieux *pour être sauvé* (ou par crainte de l'enfer...) : ce n'est pas vertu, mais prudence ou habileté – c'est-à-dire, et chacun en serait d'accord, une forme encore de l'égoïsme. Ainsi, dit Kant, un commerçant qui ne serait honnête que pour garder ses clients... Il respecterait certes la *lettre* de la loi morale (la *légalité* : agir *conformément* au devoir), mais non son esprit (la *moralité* : agir *par* devoir) ; et il n'y aurait là, en conséquence, aucune vertu[5]. C'est toute la différence qu'il y a entre « *un homme de bonnes mœurs* » (qui conforme ses actes à la loi morale, mais pour d'autres raisons que le pur respect de cette loi : par exemple par

---

1. *CR Pratique*, p. 92-93.
2. *CR Pure*, p. 543.
3. Cf. *CR Pratique*, p. 24-25.
4. Ce qui est d'ailleurs impossible : *CR Pratique*, p. 35.
5. Cf. *Fondements...*, p. 95, *CR Pratique*, p. 85, et *La religion...*, p. 50.

amour-propre ou par intérêt) et « un homme moralement bon » (à qui la loi morale « suffit seule comme motif »)[1]. Car dans ce dernier cas seulement « tout reste désintéressé et simplement fondé sur le devoir, *sans que la crainte ou l'espérance puissent, comme mobiles, être prises pour principes, car dès qu'elles deviennent des principes, elles détruisent toute la valeur morale des actions* »[2]. Ce qu'on appelle à juste titre le *rigorisme* kantien : l'homme vertueux n'est tel qu'à la condition de ne rien espérer (en tout cas dans la motivation de ses actes) du devoir auquel, « en dehors de toute pensée d'effet attendu et de résultat espéré »[3], il se soumet. Et Kant va ici jusqu'au bout, en effet, de sa rigueur : celui qui ne respecte la loi morale que pour « d'autres motifs que la loi même, ... alors même qu'il n'accomplirait que de bonnes actions, est cependant mauvais »[4]. C'est que l'espérance (non le devoir) est sa loi, cette espérance qui est le *pousse-au-crime* de l'humanité[5], et, comme mobile, le contraire de la vertu. *Misérable*, dit Kant[6], qui s'y soumet. Ainsi, encore une fois, qui est honnête par intérêt ou généreux par amour-propre... Ce sont des tartuffes de la moralité. Et qui serait vertueux *pour être saint* : il ne serait ni l'un ni l'autre.

Or, n'est-ce pas toujours le cas ? N'avons-nous pas toujours, même dans nos actions en apparence les plus méritoires, quelque « *secrète impulsion de l'amour-*

1. *La religion...*, p. 50-51.
2. *CR Pratique*, p. 139 (c'est moi qui souligne). Kant rejoint ici une inspiration fondamentale du stoïcisme, pour lequel la vertu véritable est celle qui « est adoptée pour elle-même, *et non par crainte ni par espoir* » (Diogène Laërce, VII, 89).
3. Comme l'écrivait Delbos dans son introduction aux *Fondements* (p. 40).
4. *Religion...*, p. 50-51.
5. Au point que tout nouvel espoir (résultant par exemple d'une prolongation de la vie) s'accompagnerait d'une augmentation de la criminalité : « Si l'on réfléchit seulement au nombre d'injustices commises *dans l'espoir d'une jouissance future*, si brève soit-elle, il faut admettre raisonnablement que si les hommes pouvaient compter sur une vie de 800 ans et plus, c'est à peine si le père se sentirait en sécurité pour son existence en face de son fils, le frère en face de son frère, ou un ami en face d'autres amis » (Conjectures sur les débuts de l'histoire, in *La philosophie de l'histoire*, rééd. Médiations, 1984, p. 125-126). Seule la proximité de la mort, en ce qu'elle a de désespérant, nous sauve de la barbarie.
6. Est « misérable » en effet qui accomplit son devoir, « soit par peur, soit dans l'espoir d'une récompense » (*Critique de la faculté de juger*, § 87, p. 258).

propre »[1] qui, sans que nous puissions jamais le savoir (puisque « nous ne pouvons jamais, même par l'examen le plus rigoureux, pénétrer entièrement jusqu'aux mobiles secrets » de nos actes), nous détermine à agir et explique ainsi, par un motif en vérité tout égoïste, des actes que nous croyions vertueux et désintéressés ? Si bien que nos vertus n'étant alors, comme disait La Rochefoucauld, que « des vices déguisés », on peut légitimement se demander si la moralité n'est pas en vérité tout à fait absente de notre monde, et, sans cesser par là d'être due, condamnée à n'être jamais qu'une pure idée de la raison, pratiquement nécessaire, certes, mais empiriquement sans objet et peut-être sans réalité. De là le grand pessimisme de Kant, concernant la morale[2] : l'homme est « mauvais par nature », l'expérience le prouve, soumis à (et pourtant responsable de) « un *mal radical* inné dans la nature humaine »[3] ; au point que tout « observateur de sang-froid » doute parfois, tant le cœur humain est tortueux, que « quelque véritable vertu se rencontre réellement dans le monde »[4]. C'est que, « quand il s'agit de valeur morale, l'essentiel n'est point dans les actions, que l'on voit, mais dans ces principes intérieurs des actions, que l'on ne voit pas »[5]. Et de citer saint Paul : « Il n'est ici aucune différence, tous sont pécheurs également ; – il n'y en a aucun qui fasse le bien (selon l'esprit de la loi), *pas même un seul...* »[6] Ce qui est une autre forme du désespoir, peut-être : s'il n'est de vraie vertu qu'indépendante de l'espérance et de la crainte, comment ne pas désespérer de la vertu elle-même, qui n'a peut-être jamais existé, ici-bas, et jamais peut-être n'existera[7] ?

---

1. *Fondements...*, p. 112.

2. Encore qu'un *progrès* moral, par le biais notamment de la politique et de l'éducation, demeure possible, si bien que la « sévérité pessimiste » de Kant, comme dit Delbos (*La philosophie pratique de Kant*, p. 620), se mêle aussi à une vision optimiste du devenir humain.

3. *Religion...*, p. 52-53.

4. *Fondements...*, p. 112-113.

5. *Ibid.*, p. 112.

6. *Religion...*, p. 60. Le texte de saint Paul se trouve dans l'Epître aux Romains, III, 12.

7. Voir par ex. *Fondements...*, p. 112-114.

La grandeur de Kant est de comprendre que cela ne change rien, moralement parlant[1] – qu'il suffit à la vertu d'être possible pour être due, et d'être due pour être possible. *Tu dois donc tu peux*[2]... et tu le dois. « Mais si c'est sans espoir ?... », demandera-t-on. Que t'importe l'espérance ? Ton devoir *doit* te suffire.

On peut se demander alors pourquoi Kant n'en reste pas là ; et pourquoi ce devoir qui *doit* suffire, en fin de compte ne suffit pas. En d'autres termes : pourquoi ce retour en force de l'*espérance*, là où on l'attendait le moins (comme postulat découlant d'un devoir *désespéré*), et au premier rang (il s'agit d'affirmer l'immortalité de l'âme et l'existence de Dieu, pas moins) d'un système qui semblait d'abord devoir exclure ses prétentions ? Ce qui, en langage kantien, revient à se demander : *pourquoi les postulats de la raison pratique ?* Ou aussi bien : s'il n'y a pas de *morale théologique*[3], pourquoi une *théologie morale*[4] ? Ou encore, et plus simplement : *pourquoi la religion ?*

Allons à l'essentiel. La *Critique de la raison pure*, on le sait, a démontré l'impossibilité, pour la raison théorique, de sortir du cadre de l'expérience possible, et spécialement de prouver quoi que ce soit de positif concernant les « trois objets » principaux de la spéculation métaphysique : la liberté de la volonté, l'immortalité de l'âme et l'existence de Dieu[5]. Ce sont des objets, dit Kant, sur lesquels la raison ne peut atteindre aucun savoir, mais seulement « des raisonnements trompeurs et sans fondement »[6] qui, loin de conduire à la vérité, ne produisent qu'une « dialectique » vaine, dans laquelle la raison se trouve perpétuellement « en contradiction avec elle-même » et prisonnière à jamais

---

1. *Ibid.*, surtout la p. 114.
2. Voir par exemple *CR Pratique*, p. 30.
3. Puisque ce serait une morale *hétéronome*, ce qui s'oppose au principe même de la moralité : cf. par ex. *CR Pratique*, p. 33 et suiv., et p. 138.
4. Cf. par ex. *CR Pratique*, p. 147 et suiv., et *CFJ*, § 86.
5. *CR Pure*, p. 539.
6. *Ibid.*, p. 452.

de ses propres illusions[1]. Le « pays de la vérité », comme dit Kant, est ainsi « entouré d'un océan vaste et orageux, véritable empire de l'illusion, où maints brouillards épais, des bancs de glace sans résistance et sur le point de fondre offrent l'aspect trompeur de terres nouvelles, attirent sans cesse par de *vaines espérances* le navigateur qui rêve de découvertes et l'engagent dans des aventures auxquelles il ne sait jamais se refuser et que, cependant, il ne peut jamais mener à fin... »[2] Où l'on voit que la *Critique* n'est pas sans rapports, et je ne crois pas forcer les textes, avec ce qu'on pourrait appeler une forme de *désespoir théorique*. Il s'agit de savoir « s'il y a *quelque chose à espérer* »[3] de cet usage transcendant de la raison, et Kant répond qu'il ne faut en tout cas en attendre aucun *savoir* : « l'*espoir* d'arriver par-delà les limites de l'expérience dans les attrayantes contrées de l'Intellectuel » est une « *espérance fantastique* », qui nous abuse toujours et à laquelle il faut renoncer entièrement[4]. Ce désespoir théorique (ou épistémique) définit en quelque sorte le criticisme, qui renvoie toute métaphysique dogmatique aux poubelles, si l'on ose dire, de l'histoire de la philosophie. Kant est ici aussi clair que catégorique : « Je ne partage pas cette opinion... que l'on peut *espérer* trouver un jour des démonstrations évidentes des deux propositions cardinales de la raison pure : il y a un Dieu, il y a une vie future. *Je suis certain*, bien plus, *que cela n'arrivera jamais*. »[5] Le désespoir théorique de Kant est en cela aussi radical que son désespoir moral : puisque la connaissance est limitée par cela même qui la rend possible (les formes *a priori* de la sensibilité, les catégories de l'entendement...), il serait tout aussi contradictoire d'espérer franchir ces limites qu'il le serait de vouloir fonder sur

---

1. Cf. *CR Pure*, « Dialectique transcendantale », notamment p. 251-260, et Préface de la seconde éd., p. 24-26.
2. *CR Pure*, p. 216. De là le « discrédit général » où est tombée la métaphysique, et qui n'est jamais qu'un effet de la déception : « après s'être bercé des plus belles espérances, on s'est trouvé déçu dans son espoir... » (p. 567).
3. *CR Pure*, p. 216.
4. *CR Pure*, p. 500.
5. *Ibid.*, p. 509.

l'espérance ou sur la crainte une vertu qui n'est telle, nous l'avons vu, qu'à la condition de leur échapper.

Ces deux désespoirs se conditionnent l'un l'autre : si nous pouvions connaître le monde suprasensible (si nous pouvions échapper au désespoir théorique), nous ne pourrions jamais nous libérer de l'espérance et de la crainte (il n'y aurait pas non plus de désespoir pratique ni, partant, de morale). Connaissant Dieu, en effet, nous ne pourrions éviter de le craindre, et resterions à jamais prisonniers de l'espérance. Toute morale disparaîtrait alors : la conduite des hommes ne serait plus (« comme dans un jeu de marionnettes ») qu'un simple « mécanisme » de l'intérêt [1]. C'est là le sens, qui n'est paradoxal qu'en apparence, de « l'atroce IXe et dernière section » [2] de la dialectique de la raison pratique. « Supposez, dit Kant, que la nature se soit conformée à notre souhait » [3], et nous ait donné cette connaissance qui nous manque. Alors, dit-il, « Dieu et l'éternité, avec leur majesté redoutable, seraient sans cesse devant nos yeux » [4] ; et dès lors tous nos actes seraient *légaux* sans doute (« la transgression de la loi serait sans doute évitée, ce qui est ordonné serait accompli... »), mais aucun ne serait *moral*. C'est que « *la plupart des actions conformes à la loi seraient produites par la crainte, quelques-unes seulement par l'espérance, et aucune par devoir* » [5]. « Page sinistre », écrit Philonenko [6]. Soit. Mais c'est peut-être aussi – à chacun son abîme – le point le plus profond de Kant : seule l'ignorance (en ce qu'elle a de désespéré et de désespérant) permet la morale. Le désespoir théorique (l'impossibilité de la connaissance du suprasensible) est la condition de possibilité du désespoir pratique (du devoir désintéressé) et, partant, de la vertu : l'absence (pour notre esprit) de Dieu permet seule le res-

1. *CR Pratique*, I, II, 9, p. 157. On comparera avec Platon, *Lois*, I, 644-645.
2. Comme dit Philonenko, *op. cit.*, II, p. 175.
3. *CR Pratique, ibid.*, p. 156.
4. *Ibid.*, p. 157.
5. *Ibid.*
6. *Op. cit.*, p. 177.

pect désintéressé du devoir ; et nous ne sommes vertueux, ou ne pouvons l'être, que par ce désespoir en nous que la critique de la raison pure (aussi bien théorique que pratique) à la fois constate, délimite et impose. C'est l'abîme de la raison : pas de vertu sans désespoir pratique ; pas de désespoir pratique sans désespoir théorique. Et ces deux désespoirs font, dans la pensée kantienne, comme deux blocs austères et compacts où l'on pouvait croire que la religion viendrait se casser les dents.

On sait qu'il n'en fut rien. Et que ces réponses *désespérées* aux deux premières questions que Kant se pose et nous pose (*Que puis-je savoir ? Que dois-je faire ?*)[1] préparent au contraire, pour la troisième et dernière d'entre elles (*Que m'est-il permis d'espérer ?*), une réponse qui sera la religion même – laquelle, et c'est le génie de Kant que de l'avoir compris, se cristallise ainsi tout entière *autour de l'espérance*. Il fallait donc que le désespoir, puisque désespoir il y a et il doit y avoir, soit limité. La question est : par quoi ? La réponse : par le désespoir. Ce tour de force (qui caractérise, de notre point de vue, le criticisme) vaut qu'on s'y arrête.

Il s'effectue en deux temps. Le premier, qui concerne la connaissance, repose sur une idée bien simple : ce qu'on ne peut pas *espérer* (franchir les limites de l'expérience), il n'y a pas lieu non plus de le *craindre*. On ne peut, disait Kant, « *espérer* trouver un jour des démonstrations évi-

---

1. Cf. *CR Pure*, p. 543. Réponses *désespérées*, précisons-le, non parce qu'elles seraient *négatives* (il n'est pas vrai pour Kant que je ne puisse *rien* savoir, ni que je ne doive *rien* faire), mais parce qu'elles imposent à notre pouvoir de connaître et d'agir librement (à notre raison théorique et pratique) des limites strictes, en nous ôtant (par la critique de la raison) tout espoir de pouvoir jamais les franchir. Une connaissance des choses en soi, une vertu fondée sur l'espérance, voilà des perspectives dont Kant pourrait dire, comme il le faisait à propos des preuves de l'existence de Dieu ou de l'immortalité de l'âme, « *je suis certain que cela n'arrivera jamais* ». *Désespérées* en ce sens, donc, que les *réponses* kantiennes (le *criticisme*) montrent que le combat du dogmatisme aussi bien que la négativité du scepticisme sont, comme l'a bien vu G. Krüger, l'un et l'autre « sans espoir » (*Critique et morale chez Kant*, trad. M. Régnier, Paris, Beauchesne, 1961, p. 172). Kant est ainsi le philosophe qui met en évidence ce double désespoir, tout en donnant, nous allons le voir, les moyens de le limiter et d'en sortir.

dentes » de l'existence de Dieu ou de la vie future[1] ; mais, du même coup, « il est aussi apodictiquement certain qu'il ne se trouvera jamais d'homme qui puisse affirmer le contraire avec la moindre apparence de raison ni *a fortiori* dogmatiquement... Nous n'avons donc aucunement à *craindre* que personne puisse jamais nous prouver » que Dieu n'existe pas ou que l'âme n'est pas immortelle[2]. En d'autres termes, ce qui fonde le désespoir (le criticisme) limite aussi sa portée : désespérer de notre connaissance nous interdit de désespérer de l'être. C'est que « l'expérience, dit Kant, ne se limite pas elle-même... Ce qui doit la limiter se trouve nécessairement tout à fait en dehors d'elle... »[3] C'est pourquoi, s'il est vrai que « ce serait une absurdité d'*espérer connaître* d'un objet quelconque plus que ne comporte l'expérience possible »[4] (désespoir épistémique), il en découle nécessairement que « ce serait une absurdité encore plus grande » que de « faire des limites de notre raison, les limites de la possibilité des choses mêmes »[5] (ce qui serait un désespoir ontologique ou, comme dirait Kant, transcendant). Le désespoir critique se limite ainsi nécessairement lui-même. C'est précisément parce qu'il « n'y a pas lieu d'espérer »[6] pouvoir *connaître* autre chose que les phénomènes, qu'il est légitime d'espérer (puisqu'on ne pourra jamais prouver le contraire) qu'il *existe* autre chose qu'eux : un monde intelligible (un Dieu, une âme immortelle, une volonté libre...) lequel, parce qu'il ne sera jamais objet de *science*, pourra toujours être objet de *foi*. C'est là le point où tout bascule : ce qui ferme la connaissance est ouverture à l'être ; l'immanence (du savoir) permet la transcendance (de la foi). De là la déclaration fameuse de la seconde préface : « Je dus donc abolir le *savoir* afin d'obtenir une place pour la *croyance* »[7]. C'est

1. *CR Pure*, p. 509.
2. *Ibid.*
3. *Prolégomènes...*, § 59, p. 150.
4. *Prolégomènes...*, § 57, p. 137.
5. *Ibid.*, p. 137-138.
6. *Ibid.*, p. 143.
7. *CR Pure*, Préface de la seconde éd., p. 24.

en effet le désespoir théorique (« abolir le savoir ») qui permet l'espérance pratique (« obtenir une place pour la croyance ») et, par là, religieuse : ce que l'homme « *ne peut jamais espérer* »[1] obtenir dans l'ordre théorique (l'accès au monde supra-sensible), il peut « *espérer avec raison* »[2] le trouver dans « le champ pratique » (moral). La raison, dit encore Kant, peut ici « *espérer plus de bonheur* »[3], c'est-à-dire atteindre enfin (par la foi) ces objets qui, lorsqu'elle veut les connaître, « fuient devant elle »[4] : Dieu, la vie future, la liberté... C'est le premier paradoxe du criticisme : le désespoir théorique (« notre inévitable ignorance par rapport aux choses en soi »)[5] permet seul l'espérance religieuse. Et la « révolution totale » que Kant effectue dans la métaphysique[6], aboutit, dans la morale et dans la religion, à ce résultat grandiose : « *tout reste dans le même état avantageux qu'auparavant* »[7].

Ce désespoir théorique n'est pourtant que la condition de possibilité de l'espérance religieuse : il la permet, il ne la fonde pas. Quel sera alors le fondement positif de cette espérance ? Le devoir *désespéré*. C'est le deuxième temps du *tour de force* que j'évoquais.

Il concerne, non plus la connaissance, mais la morale, et repose sur ce que Kant appelle les « postulats de la raison pratique ». De quoi s'agit-il ? De propositions (portant sur l'existence de Dieu, l'immortalité de l'âme et la liberté de la volonté) dont la raison pratique, sans pouvoir bien sûr les démontrer (ce serait le travail de la raison théorique, et la première *Critique* a prouvé que c'était impossible), ne peut, dans son usage moral, s'empêcher de supposer la validité, hypothétique (pour la raison théorique) et pour-

1. *Prolégomènes...*, p. 143.
2. *CR Pure*, p. 517.
3. *Ibid.*, p. 538.
4. *Ibid.*, p. 538.
5. *Ibid.*, p. 24.
6. *Ibid.*, p. 21.
7. *Ibid.*, p. 25.

tant subjectivement nécessaire (pour la raison pratique). Ces postulats instaurent donc une conviction qui, pour être seulement morale et subjective, n'en est pas moins absolue : ce que Kant appelle une *foi*[1], une « croyance pure pratique de la raison »[2]. « Je crois infailliblement, écrit-il, à l'existence de Dieu et à une vie future, et je suis sûr que rien ne peut rendre cette foi chancelante, parce que cela renverserait mes principes moraux eux-mêmes auxquels je ne puis renoncer sans devenir digne de mépris à mes propres yeux. »[3]

Je ne veux pas entrer dans les détails, ni examiner les problèmes – considérables – qu'une telle démarche soulève. Pour ce qui nous occupe, il importe seulement de bien comprendre que ces postulats ne sont en aucun cas le *principe* de la moralité – ce qui serait un vice logique (puisqu'ils se fondent sur elle, ils ne peuvent la fonder) et moral (puisque le devoir serait alors *intéressé*) –, mais seulement sa *conséquence* : non ce qui fonde la moralité, mais ce qui résulte d'elle et trouve en elle seule la garantie (d'ailleurs uniquement subjective) de sa réalité. Ces postulats ne changent donc rien à la morale, considérée en elle-même, mais beaucoup à sa perspective. Ils n'ajoutent rien au devoir, mais beaucoup à notre vie. Quoi ? L'espérance. Sans eux, en effet, je devrais désespérer d'atteindre ce que pourtant je *dois* vouloir atteindre (la sainteté, le bonheur, le souverain bien...) ; et ce hiatus ferait en moi comme un gouffre sans fond. Au lieu de quoi, ce que les postulats de la raison pratique ajoutent à la conscience (en elle-même désespérée) de la loi morale, c'est « l'*espoir* d'arriver à une destination inaccessible (ici-bas), c'est-à-dire à une possession espérée et complète de la sainteté »[4], « l'*espoir* d'arriver au souverain bien »[5], « l'*espérance* de participer un jour

---

1. Cf. *CR Pure*, p. 552-557, et *CFJ*, p. 274-275.
2. *CR Pratique*, p. 151-156.
3. *CR Pure*, p. 555-556. Sur les postulats de la raison pratique, voir *CR Pratique*, p. 131 sq.
4. *Ibid.*, p. 132. Sans les postulats, cet espoir ne serait qu'une exaltation extravagante, toujours démentie par la connaissance de soi *(ibid.)*.
5. *Ibid.*, p. 138.

au bonheur dans la mesure même où nous avons essayé de n'en être pas indignes... »[1] C'est le deuxième paradoxe du criticisme : la morale est à la fois *désespérée* (dans son principe) et *le seul fondement possible de l'espérance*. Mais il n'y a là aucune contradiction. C'est au contraire parce que la morale existe indépendamment de tout espoir (désespoir pratique : pas de morale théologique ou fondée sur l'espérance), qu'elle peut, sans tomber dans un cercle, *fonder l'espérance* (espérance religieuse : théologie morale). Le rigorisme mène à la foi : c'est parce que la morale n'est pas religieuse (dans son principe) qu'elle peut fonder la religion (dans sa visée). Le désespoir moral se limite donc bien lui-même, non seulement négativement (comme le désespoir épistémique), mais positivement : par l'affirmation, non d'une simple possibilité, mais d'une exigence absolue (quoique uniquement subjective) de la raison, exigence qui lui permet – et en même temps lui impose – de postuler l'existence de ce sans quoi elle n'aurait pas de sens (n'ayant ni but ni signification) et devrait perpétuellement *désespérer d'elle-même*[2]. « Les principes pratiques, écrit Kant, s'ils ne trouvaient devant eux un tel espace *pour l'attente et l'espérance* qui leur sont nécessaires, ne pourraient atteindre cette universalité dont la raison pour sa fin morale ne peut absolument se passer. »[3] La morale nous sauve donc du désespoir, non pas certes en elle-même (par le devoir), mais (par les postulats) *hors d'elle-même : dans la religion*. Car « la religion dans les limites de la

1. *Ibid.*, p. 139.
2. Cf. par ex. *CR Pratique*, « Sur les postulats de la raison pure pratique en général », p. 141-143. Il faut lire ici l'important article de Paul Ricœur, « La liberté selon l'espérance » (in *Le conflit des interprétations*, p. 393-415), qui montre que ces postulats apportent ainsi à la raison une ouverture qui « est *l'équivalent philosophique de l'espérance* ». Telle est, pour Kant, la fonction de la métaphysique : si elle « ne peut pas être le fondement de la religion, elle doit cependant en rester toujours comme le rempart » (*CR Pure*, p. 567). L'arbre du criticisme ne doit pas cacher la forêt de la religion : s'il faut une métaphysique, selon Kant, « c'est que l'homme, être moral et fini à la fois, l'exige *pour ne pas désespérer* du sens de son existence et pour pouvoir être moral, *sans désespoir*, dans sa vie finie et dépendante » (Eric Weil, Préface au livre de Krüger) ; or, et tout le kantisme est là, ce *ne-pas-désespérer* (« Que m'est-il permis d'espérer ?... ») est la religion même.
3. *Prolégomènes...*, § 60, p. 153.

simple raison », c'est malgré tout la religion hors des
limites de la connaissance (ce qui va de soi) mais aussi
hors des limites de la morale (ce qui était plus audacieux,
car cela supposait qu'un athée, par exemple Spinoza[1], pouvait, au moins en droit, être vertueux). Il n'en reste pas
moins que c'est bien le *désespoir pratique* qui (comme le
désespoir théorique mais cette fois positivement) nous
sauve du *désespoir métaphysique*[2]. « De cette manière, souligne Kant, la loi morale conduit, par le concept du souverain bien comme l'objet et le but final de la raison pratique,
à la religion... »[3] Si le devoir est en lui-même désespéré
(puisque « c'est seulement lorsque la religion s'y ajoute, dit
Kant, qu'entre en nous l'espérance... »)[4], il n'est donc pas
désespérant. Il est même ce qui nous sauve du désespoir :
« *l'espoir* d'obtenir ce bonheur (du souverain bien) ne
commence qu'*avec la religion* »[5], certes, mais il ne peut le
faire que *grâce à la morale* (sans laquelle la religion resterait
sans contenu). Grâce à la morale, comme dit Kant à propos
de sa forme la plus pure (la morale chrétienne), « *nous
pouvons espérer* que, si nous agissons aussi bien que cela
est en notre pouvoir, ce qui n'est pas en notre pouvoir nous
viendra *ultérieurement d'un autre côté*, que nous sachions
ou non de quelle façon... »[6]

Loin que la religion fonde la morale, comme chez Platon, c'est donc la morale qui fonde la religion. Mais les
mêmes personnages se retrouvent : il y a bien, entre Kant
et Platon et malgré le fossé historique qui les sépare, une

---

1. Voir *CFJ*, § 87, p. 258.
2. C'est-à-dire du matérialisme ou du naturalisme, dont Kant, avec une lucidité
étonnante (vu sa connaissance toute relative des textes), a bien vu qu'ils reposaient
sur deux socles : Epicure et Spinoza. Nous y reviendrons.
3. *CR Pratique*, « L'existence de Dieu comme postulat de la raison pure pratique »,
p. 138.
4. *Ibid.*, p. 139.
5. *Ibid.*, p. 140.
6. *Ibid.*, p. 137. Voir aussi *Religion*..., I, remarque (« recevoir une aide venue de
plus haut et pour nous insondable... »).

« réelle analogie » [1]. La morale n'est possible, disions-nous, pour l'un comme pour l'autre, que parce que l'homme « appartient à deux mondes ». Il faut ajouter : *l'espérance est la visée, dans ce monde-ci, de l'autre monde*. Et elle est en cela, à nouveau, la religion même.

Car cet « *autre côté* » dont parle Kant, c'est le côté de Dieu bien sûr : dès lors qu'on admet l'existence en l'homme d'un « mal radical inné » [2], l'individu ne peut espérer se sauver qu'à la condition de « compter sur la grâce divine qui seule peut suppléer à son manque ontologique » [3]. Alors seulement, dit Kant, l'homme « peut espérer que ce qui n'est pas en son pouvoir sera complété par une collaboration d'en haut... » [4] Religion : descente. Dieu n'est pas seulement un but (un idéal), mais une cause. Il est « l'idéal du souverain bien originaire » [5], l'idéal d'une « cause première pratique du monde » [6]. C'est que l'homme, dira Kant dans la *Critique du jugement*, a toujours besoin « d'avoir, pour la fin en vue de laquelle il existe, un être qui, conformément à cette fin, soit la cause du monde et de lui-même » [7]. L'espérance donne ainsi à la morale son « but » [8], et à la religion, sa « signification » [9]. Il en va, en effet, « du sens de l'existence et de l'existence du sens » [10] : le sens du monde doit se trouver hors du monde... La morale fonde la religion par le *sens* qu'elle introduit (en pensant un objet qui pourtant n'y est pas [11] : « un Dieu et un monde actuellement invisible pour nous, mais que nous espérons... ») [12]

---

1. Comme disait Krüger, *op. cit.*, p. 266. Alain, dès 1917, l'avait bien vu : chez Kant comme chez Descartes (mais chez Kant, me semble-t-il, davantage que chez Descartes) « c'est toujours Platon qui refleurit » (*Abrégés pour les aveugles*, Pléiade, p. 815-816).

2. *Religion...*, I, 3, p. 52-60.

3. Eric Weil, *Problèmes kantiens*, IV, p. 160.

4. *Religion...*, I, remarque générale, p. 76. C'est l'idée même de la grâce qui, dira Simone Weil, « est la loi du mouvement descendant » (*La pesanteur et la grâce*, p. 13).

5. *CR Pure*, De l'idéal du souverain bien, p. 546.

6. Kant, dans les *Reflexionen*, cité par Krüger, *op. cit.*, p. 268, note 204.

7. *CFJ*, § 86, remarque, p. 253.

8. *CR Pratique*, I, II, 6, p. 142.

9. *Ibid.*, p. 143.

10. Eric Weil, *Problèmes kantiens*, p. 8.

11. *CFJ*, § 86, remarque, p. 253.

12. *CR Pure*, « De l'idéal du souverain bien », p. 547.

dans un monde qui, autrement, « serait un simple désert
inutile et sans but final »[1], où l'homme n'aurait d'avenir
– comme dans le système de Spinoza[2] – que « l'abîme du
chaos sans fin de la matière... »[3] Religion ou désespoir.

Mais cet *autre côté*, c'est aussi, comme chez Platon, le
côté de la mort : d'une mort déniée, cela va de soi, c'est-
à-dire, « au-delà de cette vie »[4], une autre vie, et, au-delà
du désespoir, l'espérance même. C'était le sens, on l'a vu,
du premier postulat : ce que la créature « *ne peut espérer*
d'être jamais, ni ici-bas ni en aucun moment de son existence future, (...) elle peut seulement *espérer de l'être* dans
l'infinité de sa durée (que Dieu seul peut embrasser) »[5].
Espérance : culte de la mort. Par la religion, disais-je, la
morale se sauve elle-même du devoir désespéré qui la
fonde ; mais la mort est le lieu de ce salut. Comment en
serait-il autrement ? Dieu « n'est pas dans le monde »[6], ni
le bonheur dans cette vie[7]. L'espérance, ici comme ailleurs,
n'a jamais que néants pour objets, et la mort les contient
tous. Espérance et religion, morale et eschatologie : la sainteté, si elle est possible (et elle doit l'être), est du côté de
la mort. Kant, disciple de Platon : le salut est d'outre-
tombe.

Du même côté, donc, que la liberté. C'est peut-être là
l'essentiel. Car cet *autre côté*, c'est aussi, et dès maintenant,
le côté du libre arbitre : de l'autre côté des phénomènes...
l'être libre des noumènes. Puisque l'homme « appartient à
deux mondes », en effet, il peut être totalement déterminé
dans l'un... et pourtant tout à fait libre dans l'autre[8]. Cela

---

1. *CFJ*, § 86, p. 250.
2. *Ibid.*, § 87, p. 258.
3. *Ibid.*
4. *CR Pratique*, I, II, 4, p. 133.
5. *Ibid.*
6. *CFJ*, § 86, remarque, p. 253.
7. Cf., par ex., *CR Pratique*, I, II, 5, p. 133-141. C'est précisément pourquoi
« *l'espoir* d'obtenir ce bonheur ne commence qu'avec la religion » (*ibid.*, p. 140).
8. Voir par exemple *CR Pratique*, I, I, p. 101-113, et *CR Pure*, p. 394-408. Cf. aussi
le commentaire de Schopenhauer, qui voit dans cette conciliation de la liberté et de
la nécessité « le très grand et très éclatant mérite de Kant en morale » (*Le fondement
de la morale*, II, 10, p. 80-84 de la trad. Burdeau).

suppose simplement que *l'autre monde* n'est pas seulement *devant* nous (la mort, l'espérance), mais aussi *derrière* (la liberté, comme pouvoir de détermination intemporel, et donc antérieur, si l'on peut dire, à toute historicité). La liberté est bien, en effet, « ce pouvoir d'être déjà comme mort » [1], et suppose en cela comme une mort préalable. C'est ce que Kant appelle le « caractère intelligible » [2], lequel est libre absolument et, n'étant soumis à aucune condition de temps (en lui, dit Kant, rien ne naît ni ne périt, rien n'arrive ni ne change), échappe à tout enchaînement causal (à tout déterminisme), pour ne plus connaître que la pure spontanéité du vouloir. L'acte libre suppose donc toujours un choix intemporel (ou « pré-temporel ») [3], par lequel seul il échappe à la « nécessité des événements se produisant dans le temps d'après la loi naturelle de la causalité » [4]. Où l'on retrouve le mythe d'Er [5] : pour tout acte donné, et quelle que soit l'empiricité de ses déterminations, le choix n'est libre qu'à la condition d'avoir déjà eu lieu, avant, ailleurs, dans un autre monde, dans une autre vie... Puisqu'on ne choisit jamais que l'avenir (« le passé, observait déjà Aristote, ne peut être objet de choix : personne ne choisit d'avoir saccagé Troie ») [6] et puisqu'il n'est pas de choix sans un sujet qui choisisse, le choix par le sujet de lui-même (sans lequel le choix de ses actes ne serait qu'illusoirement libre) n'est possible qu'à la condition que le sujet existe, si l'on peut dire, avant d'exister : le

---

1. Comme le note, dans un autre contexte, Marcel Conche, *Le fondement de la morale*, p. 26. C'est en quoi il y a « une sorte de connivence entre la liberté et le rien » *(ibid.)* ou, comme disait Sartre, le néant. Mais la liberté n'est quelque chose que si le néant, précisément, n'est pas rien, ou, plus précisément, que si le rien est déjà quelque chose (ce qui est l'espérance même).

2. *CR Pure*, p. 398 ; *CR Pratique*, p. 101-110.

3. Voir Eric Weil, *Problèmes kantiens*, p. 160.

4. *CR Pratique*, p. 103.

5. La remarque a souvent été faite, et d'abord par Schopenhauer, *Le fondement de la morale*, II, 10, remarque, p. 84-86 de la trad. Burdeau. Voir aussi Léon Brunschvicg, *Écrits philosophiques*, t. I, p. 253, et Eric Weil, *Problèmes kantiens*, p. 166. Mais le plus beau texte est bien sûr celui d'Alain qui, commentant le mythe d'Er, débouche sur « le moderne platonisme, qui est le kantisme » (Platon, in *Les passions et la sagesse*, Pléiade, p. 912-922).

6. *Ethique à Nicomaque*, VI, 2, 1139 *b* (trad. Tricot).

choix de soi par soi suppose une antériorité de soi sur soi. D'où le succès toujours, et contre le bon sens, des théories de la métempsycose. Je ne suis libre qu'à la condition de me choisir ; je ne peux me choisir qu'à la condition de me précéder. Kant évacue ici la part proprement supersti-tieuse : il est clair que cette « antériorité », étant atempo-relle, n'en est pas vraiment une. Mais cela ne fait que renforcer (parce qu'elle est ontologique et non pas chro-nologique) son absolue et irréductible *antécédence*. On n'est libre, pour Kant, qu'à la condition d'échapper à l'enchaînement temporel des causes. Si l'adulte, par exem-ple, ne faisait que subir le poids de son passé (chaque fait renvoyant à une cause qui le précède, et chaque cause à une autre), il ne serait pas plus libre, étant soumis perpé-tuellement à son enfance, qu'un « tournebroche qui lui aussi, quand il a été une fois remonté, accomplit de lui-même ses mouvements... »[1] Mais alors, n'étant pas libre, il ne serait pas responsable de ses actes ; et, parce que nous serions tous innocents de tout, il n'y aurait plus ni vertu ni faute. C'est en quoi la morale nous transporte, comme dit Kant, « au-delà du monde des sens »[2] (dans lequel tout est soumis à la nécessité naturelle), dans « un ordre supra-sensible »[3] (où chacun est libre). Le sens du monde doit se trouver en dehors du monde... La liberté est ce *dehors*, et le suppose. « La liberté, si elle nous est attribuée, nous transporte dans un ordre intelligible des choses... »[4] Mais si elle ne l'était pas, il n'y aurait pas de morale.

La constellation est donc, dans un ordre différent, la même que chez Platon : Dieu, la mort, la liberté... Trilogie du néant, trilogie de l'espérance. Tout cela se tient, et fait un monde (intelligible) dont la liberté est certes la « *clef de*

1. *CR Pratique*, I, I, Examen critique, p. 103.
2. *CR Pratique*, I, I, Examen critique, p. 112.
3. *Ibid.*
4. *CR Pratique*, I, I, 1, p. 42.

voûte »[1], mais dont l'espérance est... la voûte. « Abolir le savoir, obtenir une place pour la croyance... »[2] Le désespoir théorique (abolir le savoir), en s'appuyant sur le désespoir moral (le respect désintéressé), débouche ainsi sur l'espérance religieuse (obtenir une place pour la croyance). Le « labyrinthe » de la raison pure[3] nous conduit comme par miracle là où nous sommes déjà, et nous révèle la vérité enfin de ce que nous espérions : « un ordre de choses plus élevé et immuable, dans lequel nous sommes déjà maintenant... »[4] C'était la fin des Lumières. Le long voyage de la critique n'aboutissait finalement qu'à la foi ; et Kant n'était allé si loin... que pour rentrer chez soi.

Il y a là davantage qu'une formule. Non seulement Kant ne vise qu'à défendre (contre le fanatisme et le scepticisme) ou à restaurer (contre le matérialisme et l'athéisme)[5] « l'espérance d'une vie future..., la conscience de la liberté (et) la croyance en un sage et grand auteur du monde »[6] – c'est-à-dire, comme il le reconnaît lui-même, la religion traditionnelle de « la grande foule »[7] –, mais encore il ne peut penser le voyage moral (la vie, en tant qu'elle a le bien pour but) que comme un *retour*, au sens strict ; et l'espérance, chez lui comme chez Platon, n'est vraiment intelligible que sur fond de nostalgie. Le mal radical en l'homme n'est en effet pensable (pour autant qu'il puisse l'être) qu'en termes de « *chute* »[8] : « Le mal n'a pu provenir que du mal moral (non des simples bornes de notre nature) et pourtant notre disposition primitive est une disposition au bien... »[9] C'est qu'on ne voit pas autrement comment la morale serait seulement possible : celle-ci suppose en effet à la fois la loi (la liberté comme autonomie : la liberté pour le bien) et la

1. *CR Pratique*, Préface, p. 1.
2. Voir *CR Pure*, seconde Préface, p. 24.
3. *CR Pratique*, I, II, 1, p. 115.
4. *Ibid.*, p. 116.
5. *CR Pure*, seconde Préface, p. 26.
6. *Ibid.*, p. 25.
7. *Ibid.*, p. 25.
8. *Religion*..., p. 65 et 67-68.
9. *Ibid.*, p. 65.

faute (au moins comme tentation : la liberté pour le mal) sans laquelle la loi ne prendrait jamais la forme du devoir ni *a fortiori* celle, si importante pour Kant, du remords. Or il est clair que la loi ne peut qu'être antérieure, en droit et en fait, à la faute qui la transgresse et, par là même, la suppose. L'homme ne peut *faire* le mal, tout est là, que parce qu'il est fait *pour* le bien. C'est pourquoi la morale est à la fois nécessaire (puisque nous faisons effectivement le mal) et possible (puisque nous devons – donc pouvons – faire le bien). Mais dès lors le bien est à la fois premier (la disposition au bien est « originelle »[1]) et pourtant toujours déjà perdu (le mal est « radical »)[2]. L'ascension morale n'est donc pas une ascension, véritablement, mais une remontée : le « *relèvement du mal au bien* »[3], comme dit Kant, suppose d'abord « la *chute du bien dans le mal* »[4]. Et *l'espérance morale* (par laquelle l'homme « peut espérer... se trouver sur la bonne voie, bien qu'étroite, d'un progrès constant du mal au mieux »)[5] n'est vraiment intelligible – c'est en quoi il s'agit de religion et non d'utopie – qu'à partir d'une nostalgie préalable. « Ainsi, dit Kant, en l'homme qui malgré la corruption de son cœur garde encore la bonne volonté, demeure *l'espérance d'un retour au bien* dont il s'est écarté. »[6]

Espérance d'un retour, retour de l'espérance... Tout le kantisme tient dans cet *aller-retour* de l'espoir à lui-même. Il passait, nous l'avons vu, par le désespoir – mais c'était pour en sortir. Il semblait renoncer à la religion – mais c'était pour y revenir. Seule la foi sauve la morale du désespoir que, dans sa radicalité, la morale suppose. « On ne pourra jamais parvenir au but »[7], moralement parlant, mais on peut toujours, grâce à la religion, « *espérer* »[8] un

1. *Religion*..., I, remarque, p. 76.
2. *Religion*..., I, 3, p. 52 et suiv.
3. *Religion*, I, remarque, p. 68.
4. *Ibid.*, p. 67-68.
5. *Ibid.*, p. 71.
6. *Religion*..., I, 4, p. 66.
7. *Religion*..., II, 1, p. 92.
8. *Ibid.*, p. 93. Voir aussi p. 76.

salut à jamais immérité. Chute et rédemption, espérance et nostalgie... Le mal est *radical*, mais c'est le bien qui est *premier*. Il ne s'agit que de retourner – c'est le long chemin de l'histoire... – vers ce lieu où nous sommes déjà (comme personnalités du monde intelligible : autonomie) et que nous ne cessons pourtant de quitter (comme individus du monde sensible optant pour « le cher moi » : mal radical). Procession, conversion... Le règne des fins, comme idéal, est en même temps originel : tout homme en est membre ; Dieu seul en est le chef[1]. Et si le progrès est un « devoir inné »[2], c'est que chaque génération le reçoit, comme devoir, de la génération précédente, et, comme espérance, de la foi[3]. Le progrès lui-même se fait « de haut en bas »[4] et serait impossible sans la providence[5]. Le cercle se referme, où nous sommes enfermés. La « fin de la création » (l'humanité, dans sa perfection morale) est en Dieu « de toute éternité »[6]. Cet idéal de perfection, écrit Kant, « nous n'en sommes pas les auteurs », et il vaut mieux dire qu'il est « *descendu* du ciel vers nous, qu'il a revêtu l'humanité » en « *s'abaissant* jusqu'à elle »[7]. Religion, descente. Le bien existe déjà. Il n'est pas à faire, mais à respecter. Il s'agit, non de l'inventer, mais de s'y soumettre ; non de le créer mais de « l'accueillir »[8]. « La loi morale en moi, le ciel étoilé au-dessus de moi... »[9] Mais la loi est un ciel aussi, qui me précède et m'engendre. En la raison, rien n'advient, rien ne commence, rien ne change. Tout le bien a déjà lieu, parce qu'il a *son* lieu (le règne des fins, le monde intelligible). Espérance d'un retour, retour de l'espérance... Il ne s'agit que de « rétablir, écrit Kant, l'ordre moral primitif dans les motifs, et par suite en sa pureté la disposition au

1. Cf. *Fondements...*, II, p. 158, et la note 145 de Delbos.
2. *Théorie et pratique*, III, p. 53 de la trad. Guillermit (Vrin, 1980).
3. *Théorie et pratique*, III, p. 54-55.
4. *Le conflit des facultés*, II, 10, p. 110 de la trad. Gibelin (Paris, Vrin, 1973).
5. *Ibid.*, p. 111. Voir aussi *Théorie et pratique*, p. 55-56.
6. *Religion...*, II, 1, p. 85.
7. *Religion...*, II, 1, p. 85-86. C'est Kant qui souligne.
8. *Ibid.*, p. 85. En ce sens, observe Krüger, l'acte moral, bien que libre, est « *réceptif* » (*op. cit.*, p. 267).
9. *CR Pratique*, Conclusion, p. 173.

bien dans le cœur humain »[1]. Religion *dans les limites de la simple raison*, mais religion. Le salut est derrière nous ; la vertu est une restauration[2]. Et « la raison pure pratique légiférant par elle-même »[3] débouche pour finir, et ne peut pas ne pas déboucher, sur « le besoin d'admettre un être moral extramondain législateur », c'est-à-dire Dieu[4]. Le sens du monde doit se trouver en dehors du monde... L'esprit, dit Kant, « ne fait ici que penser volontairement un objet, qui n'est pas dans le monde, afin de remplir, si possible, son devoir envers celui-ci »[5]. La morale débouche sur l'espérance, l'espérance sur la foi – et la foi, pour finir, sur la morale. Adieu Icare ! Adieu Prométhée ! Revoilà les prêtres et les censeurs.

V

J'ai été, sur Kant, plus long que je ne le voulais d'abord. Mais pas en vain, peut-être, si j'ai pu éclairer quelque peu, malgré l'aridité de la matière, les jeux, dans la morale, de l'espérance et de la foi. Ce que Kant apporte de décisif ici, me semble-t-il, et par quoi il nous est précieux, c'est l'idée que l'espérance est, pour la morale, une dimension *extrinsèque* ; mais, pour la religion, *intrinsèque*. Où Platon trouve à la fois sa limite (dans la morale) et sa confirmation (dans la religion). Un athée peut être vertueux : l'expérience le prouve, et Kant le reconnaît[6] ; mais point alors échapper au désespoir :

> « Le mensonge, la violence, la jalousie ne cesseront de l'accompagner, bien qu'il soit lui-même honnête, pacifique et bienveillant ; et les personnes honnêtes qu'il rencontre, en dépit de leur dignité à être heu-

1. *Religion*..., I, remarque, p. 74.
2. *Ibid.*, p. 69 (« la *restauration* en nous de la disposition primitive au bien... »).
3. *CFJ*, § 86, Remarque, p. 253.
4. *Ibid.*, p. 253, et § 87, p. 259.
5. *Ibid.*, p. 253.
6. En prenant Spinoza comme exemple : « Nous pouvons donc supposer un honnête homme (ainsi Spinoza), qui se tient pour fermement persuadé que Dieu n'existe pas... » (*CFJ*, § 87, p. 258).

reuses, seront cependant soumises, tout de même que les autres animaux sur cette terre, par la nature qui n'y prête point attention, à tous les maux de la misère, des maladies et d'une mort prématurée, et le demeureront toujours, jusqu'à ce qu'une vaste tombe les engloutisse tous (honnêtes ou malhonnêtes, peu importe) et les rejette, eux qui pouvaient croire être le but final de la création, dans l'abîme du chaos sans fin de la matière, dont ils ont été tirés... » [1]

Labyrinthe de la nature. L'athée qui ne croit qu'en elle (et c'est bien, Kant n'a pas tort, le contenu du panthéisme de Spinoza) ne peut que constater qu'elle est amorale. Mais qu'en est-il alors, puisqu'il en fait partie, de sa morale à lui ? Comment peut-il la penser ? Et s'il peut être vertueux – tel « l'honnête » Spinoza, tel « le vertueux Epicure » [2] –, peut-il être cohérent ? Kant répondrait que non, puisque la moralité pratique de l'athée suppose, pour être telle, un libre arbitre que sa philosophie théorique (le matérialisme ou le naturalisme : l'idée qu'il n'existe qu'un seul monde ou qu'une seule substance) refuse. La liberté est « la condition de la loi morale » [3], et cette liberté est inintelligible dans notre monde : l'athée peut certes être moral (puisqu'il le doit), mais point rendre raison de sa moralité. Il est absurdement vertueux. Sa vertu n'étant pas choisie, ou le choix qu'il en fait étant à ses propres yeux inintelligible, il ne peut considérer sa propre moralité que comme un fait, réel certes comme tous les faits, mais aussi indifférent, comme ils sont tous, et moralement sans valeur. Sa vertu ne vaut rien : elle est théoriquement absurde et pratiquement indifférente. Mais alors à quoi bon ? Et pourquoi résister au pire ? Absurdement vertueux ou logiquement méchant, l'athée n'a le choix, semble-t-il, qu'entre une morale sans raison ou une raison sans morale. Epicure ou Sade : la vertu, dirait Kant, est du côté du premier ; mais la logique, du second. Et sans doute le matérialiste peut-il choisir. Mais faute de pouvoir penser le choix qu'il a fait de lui-

1. *Ibid.*

2. Sur Spinoza, voir *CFJ, ibid.* Sur Epicure : *Critique de la raison pratique*, p. 124-125, et *Doctrine de la vertu*, II, § 53 (p. 163 de la trad. Philonenko, Paris, Vrin, 1968).

3. *CR Pratique*, p. 2, note 2.

même, il doit, à chaque instant, se subir comme un destin et, vertu ou faute, s'accepter. Le voilà fait parmi les faits. Incapable de se juger, il n'a plus qu'à vivre.

On dira que ce ne serait pas si grave. Sans doute, pour l'honnête homme. Mais le méchant est alors justifié aussi de l'être ; et, personne n'étant responsable de soi ni de ses actes, toute morale est impossible, en droit, ou illusoire, en fait.

On n'en sortira pas. Qui dit morale dit responsabilité, qui dit responsabilité dit liberté, qui dit liberté dit choix, par chacun, de soi-même. Sartre lui-même, et Dieu sait que la religion n'était pas son fort, sera pourtant contraint d'assumer la chose, en son commencement : « *Chaque personne est un choix absolu de soi*[1] ». Pas de liberté autrement, et, partant, pas de morale : tout serait soumis au déterminisme (qu'il soit, comme dit Sartre, horizontal ou vertical)[2], et personne ne serait responsable de rien. Le lâche ne choisirait plus d'être lâche, ni le héros d'être un héros. On ne pourrait plus « engager l'humanité entière » dans chacun de ses actes, ni inventer sa morale, ni choisir son essence (et l'homme avec, par-dessus le marché), ni se projeter allègrement vers l'avenir[3]. Il faudrait renoncer au bel optimisme sartrien (pas de morale, pour lui non plus, sans espérance), et accepter simplement le réel, et d'abord, s'agissant de morale, les autres et soi. Mais alors, selon le mot célèbre, comprenant tout, on ne pourrait rien juger, et il n'y aurait plus ni coupables ni valeurs. Je ne pourrais plus, comme dit plaisamment Sartre, « porter le poids du

---

1. *L'être et le néant*, IV, I, 3, p. 640 (Paris, Gallimard, rééd. 1969). Ce choix se fait certes *en situation*, mais la situation elle-même « est *mienne* parce qu'elle est l'image de mon libre choix de moi-même » (*ibid.*, p. 639).

2. C'est-à-dire successif (comme chez les psychologues classiques) ou symbolique (comme chez Freud, mais Sartre voit bien que « le déterminisme vertical de Freud demeure axé sur un déterminisme horizontal » : au fond, pour Freud comme pour Marx, il n'y a que l'histoire). Voir *L'être et le néant*, IV, I, 1, p. 535. Sartre oppose à ce déterminisme « mon projet originel, c'est-à-dire mon être-dans-le-monde, en tant que cet être est choix » (*ibid.*, p. 534).

3. Voir *L'existentialisme est un humanisme*, *passim*, spécialement les p. 23-27 et 73-78.

monde à moi tout seul »[1], ni décider de son sens[2]. Il faudrait se contenter de vivre, et vivre, c'est le plus difficile, *pour rien* : il n'y aurait plus ni existentialisme, ni humanisme, ni morale – mais seulement le désespoir et la miséricorde.

Or cette liberté, sans laquelle il n'est point de morale, elle ne peut jamais, par définition, être repérée, ni même pensée, dans le monde : dans le monde il n'y a que des faits, déterminés ou indéterminés, c'est une autre histoire, mais qui n'ont jamais le choix d'être, ou non, ce qu'ils sont. Ils le sont, dit Sartre, ils n'ont pas à l'être, ni ne peuvent ne l'être pas. C'est le monde de l'en-soi, où le principe d'identité impose sa loi par laquelle chaque être est condamné, non certes à être libre, mais (puisqu'il ne peut, en un même instant, qu'être ce qu'il est) à ne l'être pas. Cette identité de l'être à soi-même (son *opacité*, comme dit Sartre, sa *massivité*), et fût-il en lui-même contingent (« *de trop* »), suffit à imposer partout une stricte nécessité, par quoi le monde est réel, et la science, possible. C'est pourquoi la liberté ne peut jamais, en toute rigueur, appartenir à l'être : elle n'*est* pas (car il lui faudrait alors être ce qu'elle est, et elle ne serait plus libre), et elle n'existe, pour qui y croit, que par ce *n'être-pas* qui la creuse au sein de l'être comme un « trou d'être »[3], un « néant d'être »[4], qui ne peut se définir (ou plutôt s'évoquer) que comme néant et pouvoir de néantisation[5]. « Je suis en plein exercice de ma liberté, écrit Sartre, lorsque, vide et néant moi-même, je *néantis* tout ce qui existe. »[6] Encore faut-il, pour que cette liberté existe, que ce néant ne soit pas rien. C'est pourquoi il faut deux mondes toujours (ou deux régions de l'être, dont l'une, « délicate et exquise », porte en elle le néant

---

1. *L'être et le néant*, p. 641. Voir aussi *L'existentialisme est un humanisme*, p. 26-27.
2. *L'être et le néant*, p. 642.
3. *L'être et le néant*, p. 566.
4. *Ibid.*
5. *L'être et le néant*, *passim*, par ex. p. 61 ou 543. Voir aussi *supra*, t. I, note 4 de la p. 200.
6. La liberté cartésienne, *Situations I*, « Idées »-NRF (*Critiques littéraires*, rééd. 1975), p. 397.

« comme un ver ») [1], quels que soient les noms qu'on leur
donne (monde sensible et monde intelligible, phénomènes
et noumènes, en-soi et pour-soi...) ou les relations qu'on
leur prête. Pas de libre arbitre sans ce dualisme, sans cet
abîme qui coupe le monde en deux ou en invente un autre ;
et Sartre a bien vu, relisant Descartes, combien il était
proche en cela du Bon Dieu de toujours [2]. Si la liberté, que
ce soit en l'homme ou en Dieu, est le fondement de l'être
et du vrai [3], alors on peut tout croire en effet (puisque toute
vérité serait création) et tout espérer (puisque toute création serait libre). On comprend le bel optimisme de Sartre,
maintes fois réaffirmé [4], et qu'on eut bien tort, impres-
sionné qu'on était par les aspects les plus sombres de sa
sensibilité, de ne pas prendre philosophiquement au
sérieux. Il avait raison au moins sur ce point : « l'existentialisme est un optimisme » [5], parce qu'il est une philosophie de la liberté et (donc) de l'avenir. « Nous choisir, c'est
nous néantiser, c'est-à-dire faire qu'un futur vienne nous
annoncer ce que nous sommes en conférant un sens à notre
passé. » [6] L'espérance, vertu *téléologale* ! Il n'est sens en
effet, avec ou sans Dieu, que par l'avenir : « ce ne saurait
être ce qui est qui éclaire ce qui n'est pas encore ; car ce
qui est est *manque* et, par suite, ne peut être connu comme
tel qu'à partir de ce dont il manque. *C'est la fin qui éclaire
ce qui est*. » [7] Le libre arbitre n'est en cela qu'une forme de
finalisme : c'est le finalisme à la première personne.
L'homme n'est libre que parce qu'il est « un être qui est
originellement pro-jet, c'est-à-dire qui se définit par sa

---

1. *L'être et le néant*, p. 57 et 59.
2. Voir *La liberté cartésienne*, *op. cit.*, p. 382-408.
3. *Ibid.*, p. 405-408.
4. Voir par exemple, dans *L'existentialisme est un humanisme* (nous écrirons
désormais *Humanisme...*), Paris, Ed. Nagel, rééd. 1968, les p. 15, 58, 62, 95...
5. *Humanisme*, p. 95. Optimisme amer et nauséeux, certes : c'est le goût de la
déception.
6. *L'être et le néant*, p. 543. De là le grand reproche que Sartre fait à Freud et, en
général, au matérialisme déterministe : « la dimension du futur n'existe pas pour la
psychanalyse » (*ibid.*, p. 536), si ce n'est, ajouterions-nous, comme illusion (fantasmes, rêveries...). La psychanalyse est en cela, contre l'optimisme sartrien, une
leçon de désespoir.
7. *L'être et le néant*, p. 578.

fin » [1]. La liberté « s'échappe vers le futur » : « elle se définit par la fin qu'elle pro-jette, c'est-à-dire par le futur
qu'elle a à être... » [2] Il est vrai dès lors que, « même si Dieu
existait, cela ne changerait rien » [3] ; c'est qu'on n'en a plus
besoin, l'ayant depuis longtemps remplacé : « Si j'ai
supprimé Dieu le père, il faut bien quelqu'un pour inventer les valeurs » [4], et chacun (puisque « la liberté est le
fondement de toutes les valeurs » [5]) sera pour soi-même
ce dieu solitaire et libre. Ce n'est pas Dieu qui crée
l'homme, c'est l'homme qui « se fait » lui-même [6], et qui se
fait « en choisissant sa morale » [7], c'est-à-dire l'espérance
à laquelle il décide – librement ! – de se soumettre. L'existentialisme est bien un humanisme (il rend à l'homme, dit
Sartre, ce que Descartes avait donné à Dieu) [8], et l'humanisme, une espérance. « L'homme, dit Sartre après Ponge,
est l'avenir de l'homme. » [9] Cela ne va pas sans foi. Il s'agit
de croire, non à cela que je suis (une telle croyance, où
l'homme voudrait coïncider à soi, ne pourrait être, pour
Sartre, que de mauvaise foi), mais *à ceci que je ne suis
pas*, qui est ma liberté, mon projet, ou, comme dit Sartre,
ma transcendance – laquelle, par définition, n'est jamais
donnée. Le contraire de la mauvaise foi, ce n'est pas la
bonne foi (qui n'en est qu'une forme plus subtile peut-
être) [10], c'est la foi tout court : il s'agit toujours de croire
que cela, qui n'est pas là (Dieu, la liberté, la transcendance...), fait être ceci, qui y est (le monde, l'action). La
liberté, pour Sartre comme pour Descartes, « est le fondement de l'être » [11] ; et si c'est l'homme – et non plus Dieu –
qui est « l'unique source de la valeur, et le néant par qui

1. *Ibid.*, p. 530. Voir aussi p. 535-536.
2. *Ibid.*, p. 577.
3. *Humanisme*, p. 95.
4. *Ibid.*, p. 89.
5. *Ibid.*, p. 82.
6. *Ibid.*, p. 78.
7. *Ibid.*
8. La liberté cartésienne, *op. cit.*, p. 407.
9. *Humanisme*, p. 38.
10. *L'être et le néant*, p. 103.
11. La liberté cartésienne, *op. cit.*, p. 407.

le monde existe »[1], on peut reconnaître avec Sartre que cela ne change pas grand-chose. A chacun, au fond, sa révolution copernicienne. Dieu avait pris la place de l'homme ; l'homme prend la place de Dieu... Mais c'est toujours la même place (celle du sujet), la même croyance (en sa liberté) et la même espérance (en son triomphe ultime). Humanisme : religion de l'homme. Il ne suffit pas d'être athée pour le devenir.

La morale a décidément partie liée avec la religion : elle en vient (Platon), elle y mène (Kant) ou (Sartre et quelques autres) elle en tient lieu. C'est l'église de l'esprit, disais-je ; elle subsiste quand elle est vide.

De là la tristesse, bien sûr, de là le remords et la haine. Si « le lâche est coupable d'être lâche »[2], s'il « se fait lâche »[3], comment ne pas le mépriser ? Si le méchant se choisit tel, comment ne pas le haïr ? Ceux qui se croient déterminés sont des lâches, dit Sartre, ceux qui se croient nécessaires, des salauds[4]. Et celui qui, se croyant libre, juge ainsi de la vertu des autres, et décide *librement* de ce qui est bien ou mal ? Cela s'appelle un moraliste.

On sait que Sartre, qui n'avait pas vraiment la vocation (celui-là n'était pas assez méchant pour faire un juge), laissera finalement sa morale en plan. Mais un problème qu'on abandonne n'est pas résolu pour autant : c'était laisser la place à d'autres, qui n'auront ni sa générosité ni sa délicatesse. On trouve toujours un juge ou un pape pour expliquer que l'homosexualité, la pilule, le communisme ou l'euthanasie – mais non le capitalisme et la souffrance ! – sont intrinsèquement pervers et doivent être combattus. Or il faut que quelqu'un juge, homme ou Dieu, pour que la morale soit possible, et juge librement un être libre. La

---

1. *L'être et le néant*, p. 722.
2. *Humanisme*, p. 60.
3. *Humanisme*, p. 61.
4. *Ibid.*, p. 84-85. Ce jugement, s'il est subjectif (puisqu'il est libre), prétend pourtant à la vérité (*ibid.*, p. 81-85).

morale n'a de sens que par la culpabilité qu'elle dénonce. C'est pourquoi, et Spinoza l'avait bien vu, les moralistes sont tristes toujours. Le mal, non le bien, les obsède et les fait vivre. Où l'on retrouve Pascal : « Il faut que nous naissions coupables, ou Dieu serait injuste... » Il y a pis. Il faut que nous soyons libres, ou (puisque nous serions autrement innocents de tout) Dieu serait coupable. Le mal seul, en l'homme, peut sauver le bien, en Dieu. La confession n'absout pas seulement celui qu'on croit. S'accuser, c'est innocenter Dieu, et il le faut pour y croire. Seul le remords peut nous sauver du désespoir ; seule la morale peut sauver la religion.

VI

Faut-il alors – pour qui refuse la religion et le libre arbitre, la tristesse et la haine – renoncer à la morale ? La tentation existe, où quelques-uns sont tombés. S'il n'y a qu'un seul monde et pas de Dieu qui légifère, au nom de quoi juger ou blâmer ? Et juger *qui*, ou *quoi*, si la volonté n'est pas libre ? Qu'on interdise, qu'on empêche, qu'on sanctionne, c'est entendu. La police fait son travail, et les magistrats le leur, sans se préoccuper du libre arbitre ou (ce qui est une manière de ne pas s'en préoccuper) en le présupposant. Ils ont raison ; la loi est là, qui leur suffit. Il y a ce qui est autorisé (légal), ce qui est interdit (illégal), et, entre les deux, une frontière point trop indécise que l'histoire suffisamment explique et impose. Le meurtre, le vol, le viol... sont interdits ; le mensonge, la méchanceté... sont mal vus ; l'obscénité est vulgaire... C'est assez pour que la société tourne rond, et que chacun, à peu près, marche droit. Mais cela ne fait pas une morale. S'il n'y a que des faits, ils se valent tous. Le criminel est aussi réel que l'honnête homme, aussi vrai ; et l'honnête homme, aussi déterminé à être honnête que le criminel à ne l'être pas – innocent de son innocence comme l'autre de sa culpabilité. Mais alors tout se vaut, semble-t-il, et ne vaut rien. De là un nihilisme moral, qui fait partie du charme quelque peu fatigué de notre époque. « Si nous ne sommes pas libres, disent-ils, il n'y a plus ni faute ni vertu ; si tout s'explique, tout s'excuse... » Troupeau bêlant des petits nietzschéens (Nietzsche réveille-toi : ils sont devenus fous !), joyeuse et triste cohorte des immoralistes de tous poils... Voilà nos chevaliers du frivole [1] tout cuirassés, telle une armure, de leur propre veulerie. De quel droit leur reprocherait-on, à eux qui l'avouent de si bonne grâce, d'être ce qu'ils sont ? A-t-on le choix ? « Je ne suis pas un héros », soupire le lâche ; « je ne suis pas un saint », sourit le méchant... Mais qui prétendrait les juger, et du haut de quelle suffisance ou prétention ? « Un peu de tolérance, que diable ! » Et de savourer quiètement leurs petites infamies...

Nous connaissons cela, et les arguments qui y mènent, et la tentation qui y pousse. « Le principal danger qui menace l'Europe, disait Husserl, c'est la fatigue. » Et quoi de plus reposant que cet *indifférentisme* moral, qui annule tout, valeur et faute, et qui – quoi de plus démocratique ? – met tout le monde au même niveau, dans la tiède convivialité des égoïsmes ? « Je paye mes impôts, je ne vais pas en plus faire la charité... » Mais la veulerie n'explique pas tout. Ce qui fait la force de ce genre d'idées, et leur danger, c'est qu'elles s'appuient sur une vérité. Une erreur ne serait pas si grave ; un mensonge serait plus facile à combattre. Mais il est vrai, très vrai, tristement vrai que le lâche n'est pas un héros ou que le méchant n'est pas un saint ; et dans la mesure même où c'est une vérité, ils n'en sont pas plus responsables que de 2 + 2 = 4. Le vrai est à prendre ou à laisser, et qui le laisse ne l'abolit pas. La liberté supposerait au contraire, Sartre a raison, que nulle vérité ne soit ici possible : que le méchant ne soit pas *vraiment* méchant, ni bon, et ne soit rien – un néant, strictement, par quoi l'avenir viendrait au monde. Mais alors inconnaissable (puis-

---

1. Selon l'heureuse expression de Robert Maggiori, *De la convivance*, Paris, Fayard, 1985 (spécialement p. 15-31).

que indéterminé) et inintelligible (puisque échappant même au principe d'identité). C'est pourquoi les sciences humaines ne peuvent que postuler l'inexistence – ou en tout cas l'inefficience, dans leur ordre – du libre arbitre. Freud, Durkheim, Marx ou de Saussure s'accordent ici, et se complètent : les faits psychiques, sociaux, historiques ou linguistiques ne sont connaissables scientifiquement – et ils le sont – qu'autant qu'ils sont déterminés (soumis à des causes ou à des lois), c'est-à-dire qu'autant qu'ils échappent – en tout cas, précise chacun de ces théoriciens, dans le domaine qui est le mien – au libre arbitre ou à la contingence. « La croyance profondément enracinée à la liberté et à la spontanéité psychiques, écrit par exemple Freud, est tout à fait antiscientifique et doit s'effacer devant la revendication d'un déterminisme psychique. »[1] Et sans doute chacun de ces déterminismes n'est-il, comme dirait Bachelard, que « régional »[2] : il n'y a pas de *démon de Laplace* des sciences humaines. Mais il n'en reste pas moins que « la pensée scientifique pose le déterminisme dans toutes les régions de ses études »[3], et que cela vaut pour l'homme comme pour le monde – et d'autant plus que l'homme est *dans le monde*, c'est-à-dire que les différents déterminismes qui lui sont spécifiques (sociaux, historiques, linguistiques...) ne sont rendus possibles que par d'autres déterminismes (physiques, chimiques, biologiques...), qu'ils complexifient, certes, mais n'annulent pas : un cerveau est un cerveau avant d'être une intelligence. Si tout déterminisme est lui-même topologiquement déterminé (s'il n'y a que des déterminismes locaux ou régionaux), ces différents déterminismes, loin donc de s'exclure, se complètent, et l'homme ne pourrait échapper à leur ensemble (cet ensemble fût-il, et il l'est sans doute, intotalisable et irréductible à quelque « détermination en dernière instance » que ce soit) qu'à la condition de n'être

1. *Introduction à la psychanalyse*, p. 92. Voir aussi p. 37.
2. Voir par exemple *L'activité rationaliste de la physique contemporaine*, Conclusion, spécialement p. 217 (rééd. 1965).
3. Bachelard, *ibid.*, p. 217.

nulle part (en aucune région du monde : on retrouve le *topos atopos* de Platon ou le suprasensible de Kant), ce qui ne serait à nouveau possible (on retrouve le *néant* de Sartre) qu'à la condition qu'il ne soit rien. Il s'agit donc de savoir – c'était au fond la grande question de Spinoza – si l'homme est dans la nature ou hors d'elle, dans le monde ou hors du monde. Mais hors du monde, il n'y a rien. Le matérialisme ne pourrait faire au libre arbitre sa place qu'en renonçant au matérialisme.

Il importe ici fort peu, notons-le en passant, de savoir si le fond de la matière est déterminé (comme le pensait Einstein : « Dieu ne joue pas aux dés ») ou pas (comme tend à le montrer la mécanique quantique). D'abord, je l'ai déjà évoqué, parce que, déterminisme ou pas, le principe d'identité suffit à imposer partout une stricte nécessité, que j'appellerais volontiers *mégarique*, que l'on retrouve par exemple dans l'*être* de Sartre (qui est toujours ce qu'il est et rien d'autre) ou le *monde* de Wittgenstein (dans lequel « toutes choses sont comme elles sont et se produisent comme elles se produisent »)[1], mais qu'on trouvait déjà, aussi bien, chez Lucrèce ou Spinoza : le réel, qu'il soit (Spinoza) ou non (Lucrèce) totalement déterminé, ne saurait échapper à la nécessité absolue – qui est le réel même – d'être ce qu'il est. Le hasard jamais n'abolira un coup de dés. Ensuite parce que l'indétermination éventuelle des particules, considérées individuellement, se conjugue comme on sait avec une stricte détermination, d'ordre statistique, de leurs mouvements d'ensemble, détermination à la fois repérable (par l'expérimentation) et prévisible (par le calcul des probabilités) – or il est clair que la volonté n'a jamais à faire, par définition, avec une particule isolée. Enfin, et cela suffirait, parce que l'indéterminisme microphysique, aussi radical qu'on le suppose, n'a rien à voir avec le libre arbitre. On plaisante quand on prétend que les électrons, ou telle ou telle particule, sont *libres*. Indéterminables, c'est vraisemblable (Heisenberg et

---

1. Sartre, *L'être et le néant*, p. 30-34 ; Wittgenstein, *Tractatus*..., 6.41.

les relations d'incertitude) ; indéterminés, c'est possible (la mécanique quantique semble s'orienter de plus en plus dans cette direction) ; mais cette *indétermination*, loin d'être une forme de liberté (laquelle suppose la représentation et l'élection d'une fin), en serait bien plutôt, en toute rigueur, le contraire. Nul n'est libre de gagner à la loterie, ni responsable du hasard. Lucrèce se faisait là-dessus moins d'illusions que certains de nos savants ou épistémologues : l'indétermination des particules (le *clinamen* chez Lucrèce), si elle existe, ne saurait être un libre arbitre mais seulement une forme atomisée (multiple, discontinue, aléatoire et intotalisable) de la nécessité, à quoi la volonté reste soumise. Les atomes déclinent, que je le veuille ou non. Simplement il n'y a pas de destin, et le présent n'est pas prisonnier du passé : je suis libre de faire ce que je fais, selon Lucrèce, non parce que ma volonté serait indéterminée, mais parce qu'elle n'est déterminée, à chaque instant, que par l'état *présent* de mon corps (désir, clinamen) et du monde (simulacres). Loin d'introduire un libre arbitre, Lucrèce fonde ainsi, en matérialiste, la détermination, à la fois nécessaire (dans l'instant) et aléatoire (dans le temps), de la volonté[1]. Il reste vrai dès lors, et chez Lucrèce autant que chez nos physiciens, que l'indéterminisme « ne parvient pas à faire une place à la liberté humaine »[2], si l'on entend par là un libre arbitre. Mais tel n'est pas le propos de Lucrèce, ni, à notre sens, de la physique contemporaine. Le hasard n'est pas une contingence : il abolit le destin, pas la nécessité. L'indéterminisme n'est pas un libre arbitre : nul fait du monde, aussi aléatoire qu'il soit ou qu'il semble, ne se choisit lui-même, ni son ordre. La nature est aveugle (la science contemporaine reste en cela fidèle à l'inspiration de Lucrèce), et les atomes sont sans désir ni volonté. La nature, libérée du destin, reste soumise à soi : elle est ce qu'elle est, désespé-

---

1. Voir Lucrèce, II, 216-293.
2. Comme le constate Karl Popper, dans *L'univers irrésolu* (trad. franç., Hermann, 1984), p. 103-104.

rément, et ne choisit pas. Le hasard est aveugle : les dés ne jouent pas à Dieu.

Quoi qu'il en soit donc de l'ordre – ou du désordre – intime de l'univers, cela ne change rien au fait que nous lui appartenons. L'homme, dit Spinoza, n'est pas « un empire dans un empire »[1] : nous faisons partie de la nature, dont nous suivons l'ordre, et nul n'échappe à soi, ni au monde, ni au vrai. « L'âme et le corps sont une seule et même chose »[2], que l'on ne choisit pas, et les hommes ne se croient libres (conscients qu'ils sont de leurs actions) qu'autant qu'ils ignorent les causes qui les font désirer ou vouloir : ils appellent *libre* cet effet – leur volonté – dont ils ignorent les causes[3] ! Car ils sont ignorants de presque tout, et d'abord d'eux-mêmes, de leur corps, de leur histoire. On ne sait pas « ce que peut le corps »[4], ni le poids sur chacun, et bien avant l'enfance, du passé – ou plutôt de ce qu'il en reste, c'est-à-dire du présent. Le moi est fini toujours, et actuel, mais infinie la chaîne des causes. « L'âme, écrit Spinoza, est déterminée à vouloir ceci ou cela par une cause qui est aussi déterminée par une autre, et cette autre l'est à son tour par une autre, et ainsi à l'infini. »[5] Non pourtant que le passé nous tienne (car alors, prisonniers de causes toujours hors d'atteinte, nous ne pourrions que subir), mais en ceci que le présent – lui seul agit, lui seul est réel – n'agit jamais que selon l'ordre des causes qui le constitue et le fait être. C'est pourquoi « il n'y a dans l'âme aucune volonté absolue ou libre »[6], mais seulement une volonté nécessaire (réelle), qui est l'effet fini et déterminé, à chaque fois, d'une chaîne infinie (et quand bien même elle serait partiellement indéterminée) de causes. Et certes on peut bien appeler *volonté* le résultat ultime, en un instant donné, de ces causes que nous

---

1. *Ethique* III, Préface (p. 133 de l'éd. Appuhn, chez Garnier-Flammarion).
2. *Ethique* III, scolie de la prop. 2 (qui renvoie à II, 7, scolie).
3. Voir *Ethique* I, Appendice, *Ethique* II, scolie de la prop. 35, et *Ethique* III, scolie de la prop. 2 (p. 139).
4. *Ethique* III, scolie de la prop. 2.
5. *Ethique* II, prop. 48.
6. *Ibid.*

ignorons presque toutes ; mais ce résultat (le « dernier appétit ou la dernière aversion » de Hobbes, les « volitions singulières » de Spinoza) [1], *parce qu'il est résultat*, ne saurait être libre ou autre qu'il n'est. La volonté, disait Spinoza, « ne peut être appelée cause libre, mais seulement cause nécessaire » [2]. Le moi n'est sujet de ses actes qu'autant qu'il est *assujetti* [3] à ses causes.

On demandera : comment est-ce possible, si le moi n'est rien ? Mais c'est précisément parce que le moi n'existe pas (comme substance) qu'il ne peut qu'être *déterminé* (comme effet). Le libre arbitre supposerait au contraire qu'un même individu puisse, en un même instant, vouloir deux actions contradictoires, entre lesquelles il choisirait, par hypothèse, librement. Mais cela implique que le moi existe indépendamment de ses choix, en deçà d'eux (les précédant comme leur sujet ou leur cause), et reste identique à soi par-delà leurs fluctuations. Le libre arbitre relève en cela d'une vision substantialiste du moi, qui culmine dans la notion d'âme. Inversement, si le moi n'est rien (si l'âme n'existe pas), on conçoit que le sujet se réduit à la succession de ses actes, désirs ou volitions : identique à eux toujours, fluctuant comme eux, il est alors aussi déterminé et nécessaire qu'ils le sont. L'âme n'a pas le choix, parce qu'elle n'existe pas. C'est donc précisément parce que le moi « n'est rien d'autre que l'ensemble de ses actes, rien d'autre que sa vie » [4], qu'il ne saurait *se* choisir ni *les* choisir : puisqu'il n'existe pas avant eux, ni avant soi, et que nul choix n'est possible sans quelqu'un (un sujet) qui choisit. Le libre arbitre supposerait (puisque seul l'avenir peut être objet de choix) l'antériorité du sujet sur ses actes, et son indépendance, au moins relative, vis-à-vis d'eux. Si la réalité de l'homme se réduit à ce qu'il fait (s'il est, donc, un

---

1. Voir Hobbes, *Léviathan*, chap. VI, p. 56 (voir aussi le *De homine*, chap. XI, § 2), et Spinoza, *Éthique* II, 49, démonstration et scolie du corollaire.

2. *Éthique* I, prop. 32. La démonstration indique que cela vaut pour toute volonté, qu'elle soit « finie ou infinie ».

3. Selon l'expression de Louis Althusser, qui y voit la fonction principale de l'idéologie (*Positions*, p. 110-122).

4. Sartre, *L'existentialisme est un humanisme*, p. 55.

effet sans sujet), il est une cause parmi les causes, déterminante certes souvent (volonté, action), mais déterminée
toujours : cause parmi les causes, effet parmi les effets. Le
moi n'est pas un être, mais une histoire. Il est ce qu'il fait,
et ce qu'il fait le fait. Mais cela – le faire qui le fait –, il ne
saurait ni le choisir (puisqu'il en résulte) ni lui échapper
(puisque c'est sa vie même, et son unique réalité : un suicide serait encore *son* suicide). Le moi nous tient par son
absence même, et nous enferme dans son néant. Et sans
doute est-il vrai souvent que, comme disent les enfants, *je
fais ce que je veux* ; mais ce que je veux résulte de ce que
je suis, qui résulte de ce que je fus ou fis... En quoi le moi
est esclave, toujours, et prisonnier de soi – prisonnier,
puisqu'il n'existe pas, de son corps, de son histoire, de ses
fantômes, de ses plaies... Le vrai destin finalement, le seul,
c'est d'être soi. Destin ? Pas même. Car rien n'était écrit
qui le précède ou le justifie, rien ne l'annonce, rien n'y
mène, que la grande loterie des naissances. « Ah ! si j'étais
un autre... » Mais cela ne se peut. Sac de peau, sac de
temps... Et sans raison aucune. Chacun n'est pour soi-
même qu'une coïncidence, mais ultime, qu'un coup de dés
unique et vain sur le tapis de vivre. J'admire la satisfaction
qu'ils en tirent, ou la honte, pour le peu de mérite qui nous
en revient. Il faut s'accepter pourtant, faute de mieux... On
ne se choisit pas ; on se subit.

J'entends bien qu'on peut changer, et *se* changer. S'accepter, ce n'est pas se résigner à soi, ni cultiver ses bassesses. Puisque le moi n'existe pas, il n'est que la somme
de ses actions, de ses désirs et de ses volontés ; et cette
somme est changeante, toujours : autant que ce soit en
bien. Après tout, cela ne dépend que de toi ; et les stoïciens
n'avaient pas tort, pour un rôle qu'on n'a pas choisi, d'exiger au moins, comme de tout acteur qui se respecte, l'effort
et le courage. Encore la comparaison n'est-elle qu'à demi
satisfaisante : tu n'as pas choisi le rôle, mais tu l'écris, pour
une bonne part. Change donc, si tu veux ; et en bien, si tu
le peux. Mais cela ne te sauvera pas de toi : puisque c'est
toi qui changes. Un autre ne changerait pas, ou changerait

différemment... Labyrinthe du moi. Si c'est moi qui *me* change, je reste autant moi, c'est l'évidence, qu'en ne changeant pas. Et si je ne change que du fait des circonstances (et le moi en vérité en est une), c'est une nécessité encore que je subis. « Puis-je n'être pas moi ? Et étant moi, puis-je faire autrement que moi ?... » [1] Le moi est une prison, s'il existe, ou un labyrinthe, s'il n'existe pas. Mais aux murs infranchissables, toujours : ils se déplacent en même temps que moi.

Donc le sujet est effet, voilà le point, et nulle volonté n'est déterminante qui ne soit d'abord déterminée. C'est la chaîne des causes [2] ou, si l'on préfère, le labyrinthe des faits (la *production conditionnée* des bouddhistes) [3]. Pourtant il est vrai, en un certain sens, que le lâche choisit d'être lâche, ou le héros d'être un héros. La vertu, c'est assez clair, est affaire de volonté : on ne ment pas, on ne vole pas, on ne fuit pas sans le vouloir ; est sincère donc qui le veut, honnête qui le veut, courageux qui le veut [4]. Mais volonté n'est pas libre arbitre. On ment, on vole, on fuit..., volontairement, certes, mais aussi déterminé par ce qu'on est, qui est le résultat de ce qu'on fut, fit ou subit. La volonté est ainsi l'effet, non la cause, de mon être, tel qu'il résulte, à chaque instant, de la totalité de mon histoire consciente ou inconsciente. Je suis ce que je suis donc (sincère, honnête, cou-

---

1. Comme disait le *Jacques* de Diderot, dont le capitaine « savait par cœur son Spinoza » (*Jacques le fataliste*, Ed. G.-F., p. 30 et 205). Le refus du libre arbitre est une constante du matérialisme français du XVIIIe siècle : voir par exemple Diderot, *Le rêve de d'Alembert* (p. 363-364 de l'éd. Vernière, Garnier, rééd. 1972) ; La Mettrie, *L'homme machine (passim)* ou d'Holbach, *Système de la nature*, I, chap. XI.

2. La chaîne infinie des causes finies (*Éthique* I, prop. 28). Voir aussi Hobbes, *Léviathan*, chap. XXI (p. 223 de la trad. Tricaud).

3. Voir par exemple Walpola Rahula, *L'enseignement du Bouddha d'après les textes les plus anciens*, chap. VI, p. 77-79. Il en résulte que, pour un bouddhiste, le libre arbitre ne saurait exister (*ibid.*, p. 79).

4. Je prends des exemples traditionnels, dont je n'ignore pas l'excessive et presque caricaturale simplicité : il peut être légitime parfois, n'en déplaise à Kant, de mentir, de fuir ou de voler. Mais je n'écris pas ici un traité des vertus, et laisse la morale pratique, comme il se doit, aux exigences de chacun. « Il n'y a jamais d'autre difficulté dans le devoir, disait Alain, que de le faire » ; et l'on n'a point besoin de livres pour cela. Chacun sent bien, quand il ment, s'il le fait par vertu (par exemple, pendant l'occupation nazie, pour protéger des juifs ou des résistants) ou, simplement, banalement, par lâcheté.

rageux, ou menteur, voleur, lâche...), parce que je *veux*
l'être. Mais pourquoi est-ce que je le veux ? Parce que je le
suis – c'est-à-dire, et quelles que soient les circonstances
physiques, psychiques ou historiques qui m'ont fait tel,
parce que je le suis devenu ou resté. Schopenhauer a raison
ici : l'individu « *est* comme il *veut*, et il *veut* comme il *est* » [1].
Ainsi le salaud veut être un salaud (il fait le mal, par définition, volontairement), mais ne peut vouloir autre chose
(puisqu'il est un salaud). C'est le cercle du moi : je fais ce
que je veux, je veux ce que je suis, je suis ce que je fais...
Comme le sujet n'est pas autre chose que son acte, ce cercle
se résout, comme toujours, dans l'identité où il nous tient :
je suis ce que je suis parce que je fais ce que je fais ; je fais
ce que je fais parce que je suis ce que je suis... Mais l'être
est antérieur à l'agir (on ne choisit pas son corps), et l'on
est *fait*, toujours, avant de *faire* (on ne choisit pas son
enfance). Chacun est ainsi coupable de ses actes (dans la
mesure où ils sont volontaires), mais innocent de soi.

Pourtant l'imagination résiste. Il semble bien, après
coup, que *j'aurais pu* agir différemment ; comme il semblait, avant l'action, que je *pouvais encore* faire cela (que
je n'ai pas fait) plutôt que ceci (que j'ai fait). La croyance
au libre arbitre repose sur ce sentiment d'un décalage, au
cœur même de l'action, entre sa réalité et sa potentialité,
entre ce que je fais et ce que je *pourrais* faire. Mais ce
décalage, s'il peut être vécu ou ressenti durant l'action,
n'existe pas *en* elle (une action est ce qu'elle est, point ce
qu'elle aurait pu être), mais *devant* elle : c'est le décalage
entre l'action effective, quand elle a lieu, et l'imagination
de cette action *avant* qu'elle ait eu lieu, que cet « avant »
désigne une antériorité réelle (si l'on imagine ce que l'on
va faire) ou reconstruite (si l'on repense après coup à ce
que l'on *aurait pu* faire). On voit que ce mouvement pro-
jectif (du présent vers l'avenir) ou rétro-projectif (du pré-

---

1. Schopenhauer, *Essai sur le libre arbitre*, II, trad. S. Reinach, rééd. 1976, p. 40.
Mais Schopenhauer, fidèle à Kant, attribue à un prétendu caractère intelligible
(nouménal) cet *être* qui, pour un matérialiste, n'est jamais que le résultat (illusoirement hypostasié comme sujet) d'une *histoire*.

sent vers le passé imaginaire de ce présent comme avenir) consiste toujours à donner ou redonner *un futur* – c'est en quoi tout libre arbitre est d'espérance – au présent qui est nôtre. Le libre arbitre a toujours partie liée avec l'avenir, ou plutôt (c'est pourquoi l'on n'en parle légitimement qu'au conditionnel, qui est le futur du passé ou l'irréel du présent) avec *l'imagination* de l'avenir. Il est la *dimension d'espérance*[1] de notre action, son halo de rêve et d'irréel (« je pourrais, j'aurais pu... ») par quoi l'individu se donne, dans l'imaginaire, un avenir déjà disponible (puisque je le choisis dès maintenant) et pourtant ouvert (puisqu'il n'est pas encore réel). « J'aurais pu faire autre chose », cela signifie qu'alors j'avais le choix entre plusieurs avenirs, et que c'est moi, les précédant comme leur cause, qui ai fait venir tel ou tel d'entre eux à l'effectivité du présent. Mais cela suppose que ces différents avenirs, avant même d'avoir lieu (dans l'espace, si l'on veut), étaient déjà et paradoxalement *présents* (dans le temps, en quelque sorte) *en tant qu'avenirs*. Soit : que le possible – ou l'à-venir – est une dimension effective du réel. Or cela reviendrait à dire que ce qui n'existe pas (encore) existe déjà (comme possible), et qu'ainsi l'avenir précède le présent, et l'engendre. Cette illusion (qui est l'espérance même peut-être) est au cœur du finalisme : si l'on a des yeux *pour* voir, c'est que la vue (comme possibilité parmi d'autres : nous aurions pu aussi bien être aveugles) précède les yeux mêmes qui la rendent effective. Mais cela ne se conçoit que du point de vue d'une volonté : il faut que quelqu'un (un Dieu par exemple, ou, faute de mieux, « la nature » comme sujet) ait conçu et voulu la vue, avant qu'elle existe, et l'ait fait passer du possible au réel. C'est ainsi que Dieu nous donna des fesses, dit à peu près Bernardin de Saint-Pierre, pour que nous puissions nous asseoir et méditer plus confortablement sur les merveilles de la création... Le finalisme n'est pas autre

---

1. J'emprunte cette expression à P. Ricœur, qui l'utilise à propos de Kant et des postulats de la raison pratique (La liberté selon l'espérance, dans *Le conflit des interprétations*, p. 411).

chose que la supposition, appliquée à la nature, d'un libre arbitre divin ou cosmique. Réciproquement, la croyance au libre arbitre est un finalisme appliqué à nos actions. Si l'assassin était libre de tuer ou non, c'est que le meurtre précédait (comme possibilité parmi d'autres : il aurait pu aussi bien ne pas tuer) l'acte même qui l'effectue. Aussi a-t-il frappé, dira-t-on, *pour* tuer (la mort est la *cause finale* de son acte). Et sans doute est-ce bien ainsi que nous imaginons la chose, et donc la vivons. Le finalisme est l'idéologie spontanée, pourrait-on dire, de l'homme agissant. Mais il n'en reste pas moins que le mouvement réel est à l'inverse : ce n'est pas la mort possible qui précède le meurtre comme sa cause finale, c'est le meurtre qui précède ou accompagne la mort réelle comme sa cause efficiente – et ce meurtre lui-même s'explique, non par la possibilité de la mort, mais par la réalité d'un *désir* de mort. On ne sort pas du réel. La cause finale, qu'on imagine, n'est que le double fantasmé de la cause efficiente, qu'on méconnaît [1] – et cela est l'espérance même. Le possible n'est ici qu'une reconstruction après coup du réel, son fantôme rétrospectif [2]. Car, sauf à jouer sur les mots ou les idées, la mort, pour garder cet exemple, ne devient effectivement possible, pour chacun, qu'à l'instant même où elle advient. Toute autre possibilité est abstraite, imaginaire ou verbale. Ce qui n'est pas réel est irréel, voilà tout, et le possible (si l'on entend par là autre chose que le réel) n'existe pas. Mais alors, si rien n'existe que le présent (matérialisme, désespoir), il est clair que tous ces allers-retours de la conscience entre l'avenir et le passé (projection, rétro-projection...), se ramènent à un pur jeu de langage, dont la grammaire épuise à peu près le sérieux et la réalité. L'assassin n'aurait pu ne pas tuer qu'à la condition (sauf à renoncer à toute intelligibilité) qu'il eût été, à l'instant de son acte et fût-ce de manière infime, *autre* qu'il n'était. Mais cela ne se peut :

1. Il faut renvoyer, une nouvelle fois, à Spinoza, *Ethique* IV, Préface, et définition 7.

2. Comme Bergson l'a bien montré (*La pensée et le mouvant*, III, p. 109-113 ; p. 1339-1342 de l'éd. du Centenaire).

nul n'échappe au principe d'identité, qui est la loi du réel, et dont Bergson a bien vu qu'il instaure une nécessité d'autant plus absolue qu'elle ne lie pas l'avenir au présent mais seulement – et c'est assez – le présent à lui-même[1]. Ce qui *aurait pu* avoir lieu (si l'individu avait été autre : s'il avait été moins en colère, ou plus intelligent, ou simplement s'il avait pensé à autre chose...) *n'a pas pu* avoir lieu (puisque l'individu était précisément ce qu'il était). On dira : « Mais *avant* de tuer, l'assassin *pouvait* ne pas tuer... » Sans doute, et de fait il ne tuait pas ; mais cet *avant* n'existe plus, quand il tue. Si une action n'est libre *qu'avant* d'avoir lieu, les actions réelles ne le sont jamais. Le libre arbitre n'est qu'un rêve que nous forgeons, pour des actions qui n'existent pas.

Descartes au fond l'avait pressenti. « La liberté, écrit-il dans une lettre, peut être considérée dans les actions de la volonté *avant* leur accomplissement, ou *pendant* leur accomplissement. »[2] Mais elle ne relève du libre arbitre (de la liberté de la volonté) qu'*avant*. Si l'on considère en effet l'action *pendant* qu'elle s'accomplit, alors il est clair qu'elle n'implique aucun libre arbitre (aucune faculté positive de choix : « faire une chose ou ne la faire pas »)[3] puisque, écrit lumineusement Descartes, « ce qui est fait ne peut pas

---

1. Voir l'*Essai sur les données immédiates de la conscience*, III, p. 156 (p. 136 de l'éd. du Centenaire). Bergson a compris, après Kant, que tout le débat sur le libre arbitre tourne autour du temps. « L'argumentation des déterministes, écrit-il, revêt cette forme puérile : "L'acte, une fois accompli, est accompli" ; et leurs adversaires répondent : "L'acte, avant d'être accompli, ne l'était pas encore" » (*ibid.*, p. 137/120). Mais Bergson omet ici la seule dimension qui compte, qui est le présent de l'action : *l'acte, quand il s'accomplit, s'accomplit*. Dès lors, s'il est vrai que la liberté est « le rapport du moi concret à l'acte qu'il accomplit » (p. 165/143), on ne voit pas en quoi ce rapport est « indéfinissable » (*ibid.*) : puisqu'il est un rapport, simplement, d'identité. Mais cette liberté *définie* (qui est la seule liberté réelle, selon nous), pour Bergson qui pourtant s'en est approché, n'en serait plus une : « toute définition de la liberté donnera raison au déterminisme », écrit-il (p. 165/144). Nous ajouterons : et toute liberté *indéfinie*, à la religion.

2. *Lettre au Père Mesland du 9 février 1645* (éd. et trad. Alquié, t. III, p. 552). C'est moi qui souligne.

3. *Méditations*, IV (éd. Alquié, t. II, p. 461).

demeurer non fait, étant donné qu'on le fait »[1]. Frapper ou non, le choix n'existe plus quand on frappe. On dira qu'on peut retenir son coup ; mais on ne retient jamais qu'un coup qu'on *va* donner, et dès lors ce coup qu'on retient, on n'a pas le choix de le retenir ou non (mais seulement, pour l'instant qui suit, de donner ou pas un *autre* coup). Le choix, par définition, ne porte que sur l'avenir – et le réel n'existe qu'au présent. C'est pourquoi, observe Descartes, *pendant* l'action, la liberté ne consiste que « dans la seule facilité d'exécution » (une action est libre, en ce sens, quand rien ne l'empêche ni ne la contraint), « et alors libre, spontané et volontaire ne sont qu'une même chose »[2]. En bref, Descartes n'est cartésien (il ne croit au libre arbitre) qu'*avant* l'action ; *pendant*, il est bien plutôt – *horresco referens* – hobbesien : il ne croit alors qu'à la liberté d'agir (la liberté de faire ce qu'on fait, sans empêchements ni contraintes), et point du tout à la liberté de vouloir (le libre arbitre, qui serait « la faculté positive de se déterminer pour l'un ou l'autre de deux contraires »[3], ce qui suppose qu'ils n'ont pas encore lieu). Descartes n'est cartésien, autrement dit, que *pour l'avenir*. Sa *générosité* (la conscience de son libre arbitre, et la ferme résolution d'en bien user)[4] est vertu, tout entière, de foi et d'espérance. C'est ce qu'Alain avait si bien compris, qui le fit cartésien pour toujours. Et sans doute ce sont de bons maîtres ; mais peut-on les suivre ? Si la volonté n'est libre que pour les actions qu'elle n'a pas encore accomplies (ce qu'on appelle la *délibération*, qui suppose, remarquait Hobbes, que l'action « soit future, (et) qu'il y ait espérance de la faire ou possibilité de ne la pas faire »)[5], il est clair qu'elle n'est jamais libre vis-à-vis d'elle-même (c'est-à-dire jamais libre

1. *Lettre au Père Mesland, ibid.*, p. 553.
2. *Ibid.*
3. *Ibid.*, p. 551. C'est ce que Descartes appelle aussi, d'un terme dont il reconnaît lui-même l'équivoque, la *liberté d'indifférence*.
4. Voir le *Traité des passions*, art. 153 (éd. Alquié, t. III, p. 1067).
5. *De la nature humaine*, trad. du baron d'Holbach, XII, 2 (réed. Paris, Vrin, 1981, p. 145). L'idée remonte bien sûr à Aristote, *Éthique à Nicomaque*, III, 5 (1112 *a*) et VI 2 (1139 *b*).

de vouloir ou de ne pas vouloir), mais seulement vis-à-vis de ses suites éventuelles. Vouloir en effet, pour la volonté, c'est son acte ; de même qu'elle n'est libre d'agir ou non que tant qu'elle n'agit pas, elle ne pourrait donc être libre de vouloir ou non que *tant qu'elle ne veut pas*. De deux choses l'une, donc : ou bien la volonté est réelle et soumise comme telle au principe d'identité (dès lors que je veux ceci, je ne peux pas ne pas le vouloir, et n'ai donc pas le choix) ; ou bien elle n'est pas encore réelle, mais alors elle n'est pas non plus une volonté – mais un rêve, un projet, une espérance... C'est pourquoi, comme disait Hobbes, on ne peut pas *vouloir vouloir*, ni *vouloir vouloir vouloir* ; et la volonté, en ce sens, « n'est point une action volontaire » [1]. D'ailleurs le serait-elle (quand bien même on pourrait vouloir vouloir), le problème n'en serait que déplacé : chacune de ces volontés antécédentes serait elle-même soumise à la loi du réel, qui est d'être ce qu'il est, et, dès lors que je *voudrais* vouloir je ne pourrais pas ne pas le vouloir et ne serais donc pas plus libre pour autant. Si la liberté n'existe qu'en espérance (pour une action ou une volonté qui ne sont encore qu'à venir), elle ne sera jamais réelle et, donc, n'existe pas : si la liberté ne porte que sur le possible, elle est l'impossible même. La nécessité, comme disaient Hobbes et Spinoza, loin d'être la prédétermination de l'avenir (un destin), n'est que la réalité (et nécessaire *parce que réelle*) du présent. C'est un autre nom du désespoir.

Précisons un peu ce point. Tout tient ici, comme on le voit, à la conception que l'on se fait du temps et (donc) de la causalité. Le libre arbitre suppose – puisqu'il doit les choisir – l'indépendance et l'antériorité du sujet par rapport aux actes dont il serait, avant qu'ils n'existent, la cause. De fait, pour tout acte se produisant en un instant t_1, on peut toujours imaginer que le sujet aurait pu, en t_0, décider de ne pas l'accomplir. Mais cette possibilité, purement abstraite, reste vide : le vrai est que cela n'eut pas lieu, et que l'imagination après coup qu'on s'en fait est sans objet réel.

---

1. Hobbes, *De la nature humaine*, XII, 5 (p. 147).

Mais l'illusion est inévitable, dès lors qu'on détache ainsi l'acte de sa cause supposée, en leur attribuant deux moments différents du temps. Si le sujet décide, en t_0, d'un acte qu'il accomplit en t_1, alors il est vrai qu'il était libre (en t_0) de l'accomplir ou non, puisque t_1 n'existait pas encore. Mais ce qu'on ne remarque pas, c'est que, dans ce cas, l'acte n'aurait jamais lieu, faute, en t_1, d'une cause effective (puisque alors t_0 n'existerait plus). L'acte et sa cause ne pourraient pas davantage se rencontrer (ni l'une, par conséquent, produire l'autre) qu'un adulte ne peut se rencontrer lui-même enfant. Pour qu'une volonté soit efficace (et même *pour qu'elle soit une volonté*, et non simplement une inclination, un projet ou une espérance), il faut qu'elle soit agissante – qu'elle soit, exactement, une volonté *en acte*. Or elle ne peut l'être, puisque le passé n'existe plus et l'avenir pas encore, qu'à la condition d'être *simultanée* à l'action (ou l'action, si l'on préfère, simultanée à la volonté). Mieux, l'action et la volonté sont une seule et même chose, « un seul et même fait », comme dit Schopenhauer[1]. *Vouloir* tendre le bras, c'est tendre le bras ou, car il peut y avoir des obstacles, *s'efforcer* de le tendre. La cause et l'effet, si l'on veut garder ces expressions, sont ici rigoureusement simultanées (dans le temps), voire identiques (dans l'espace). Mais alors la *cause* de la gifle que je donne en t_1, ce n'est pas ma volonté de t_0 (quand je projetais de la donner), mais bien ma volonté de t_1, c'est-à-dire, finalement, la gifle elle-même.

On pourrait en dire autant, me semble-t-il, de tout processus causal : la cause et l'effet, aussi éloignés l'un de l'autre qu'on puisse les imaginer, doivent bien avoir un point de contact ou, dans le temps, de simultanéité. On cite couramment, parmi les causes de l'arrivée de Hitler au pouvoir par exemple, le traité de Versailles et la crise économique de 1929 ou (en Europe) de 1930. Mais il est clair que, si cela était, Hitler aurait pris le pouvoir en 1919 (traité de Versailles) ou, en tout cas, en 1930. En vérité,

---

1. *Le Monde...*, II, 18, p. 141 de l'éd. Burdeau-Ross (PUF).

chacun voit bien que la cause de l'arrivée au pouvoir de Hitler, ce n'est pas le traité de Versailles, en 1919, mais ses effets (ou le traité lui-même) en 1933 ; ce n'est pas la crise de 1929 ou 1930, mais la crise, bien évidemment, de 1933. En bref, la cause de l'arrivée de Hitler au pouvoir, le 30 janvier 1933, c'est la situation de l'Allemagne (et du monde)... le 30 janvier 1933. La cause peut bien être antérieure à son effet, c'est-à-dire avoir commencé d'exister ou d'agir avant lui (ainsi la crise économique ou le traité de Versailles par rapport au nazisme, ou moi-même par rapport à tel ou tel de mes actes) ; mais elle ne le produit qu'en tant qu'elle lui est simultanée. Car seul le réel agit (matérialisme), et seul le présent est réel (désespoir). C'est ainsi, pour reprendre un exemple traditionnel, que la cause de ma vision, quand je regarde une étoile, ce n'est pas l'étoile là-bas (elle est peut-être éteinte depuis des millénaires ou, telle qu'elle est, je ne la vois pas encore), mais *sa lumière*, ici et maintenant. Et la cause de la pluie, ce n'est pas l'évaporation de l'eau sur l'océan (car alors il ne pleuvait pas), mais sa condensation dans les nuages ou plutôt (car ce n'est pas dans les nuages qu'il pleut, mais ici et maintenant) la chute de cette eau : la cause de la pluie, pour finir, c'est qu'il pleut ! Le réel n'a pas d'autre cause que lui-même (il est *causa sui*, en ce sens), et n'existe qu'au présent (en ce sens, il est éternel).

Mais alors on n'agite que du vent quand on imagine, pour un acte donné, un état antérieur du sujet, qui serait sa cause, et qui aurait pu faire que cet acte n'ait pas lieu. Car le sujet n'est cause de son acte qu'à l'instant même où il l'accomplit, et, à cet instant, il ne peut pas – puisqu'il l'accomplit – ne pas l'accomplir. Nul n'agit qui ne soit le contemporain de son acte, et cet acte même. Sans doute m'est-il possible, et ce n'est pas seulement une apparence, d'anticiper sur telle ou telle de mes actions : je peux décider de donner une gifle dans cinq minutes, et croire ainsi que je suis libre. Mais la cause de cette gifle, si je la donne effectivement cinq minutes plus tard (mettons à midi), ce ne sera pas cette « volonté » antécédente de midi moins cinq (qui n'était en vérité que projet de vouloir) mais, exclusivement, la volonté réitérée, et seule effective, de midi. Mais alors, je ne suis plus libre de la donner ou non : n'étant pas autre chose que mon acte (ou mon acte n'étant que moi-même en acte), il m'est aussi impossible de ne pas l'accomplir, pendant que je l'accomplis, qu'il m'est impossible d'être quelqu'un d'autre. Contemporain de son acte, donc, et identique à soi, le sujet « colle » à sa volonté, à chaque instant, et ne peut pas plus la « choisir » qu'il ne pourrait, si cela avait un sens, la refuser. C'est en quoi la volonté est autre chose que le désir, ou plutôt une de ses formes, mais singulière. Car nos désirs sont multiples toujours, et contradictoires le plus souvent : je peux désirer à la fois parler et me taire, la solitude et la foule, la gloire et l'anonymat... Et j'en connais plusieurs qui désirent à la fois fumer et cesser de fumer... Pourtant cela ne dépend que d'eux : s'ils le *voulaient*, ils ne fumeraient plus. C'est ici qu'il faut choisir : non entre plusieurs volontés possibles, mais entre plusieurs désirs réels ! La volonté est une, en effet, ou elle n'est pas. Elle est, disait Hobbes, « l'acte (non la faculté) de vouloir », c'est-à-dire, pour un acte donné, le désir ultime qui, « en contact immédiat » avec lui, le cause instantanément[1].Toute volonté est donc désir, mais point tout désir, volonté. La volonté est le désir lui-même certes (« *voluntas ipsa est appetitus* »)[2], mais *en tant qu'il agit*. C'est pourquoi on ne peut vouloir, en un même instant, une chose et son contraire : si l'on peut *désirer* à la fois fumer et ne pas fumer, nul ne peut fumer sans fumer ni cesser de fumer en fumant... Le désir le plus fort l'emporte, à chaque instant, et c'est ce que nous appelons volonté. Vouloir c'est désirer en acte, et cet acte même.

Or, « Pour ceux qui désirent, l'acte sans doute peut être dit libre » (puisqu'ils font alors ce qu'ils désirent) ; mais

1. *Léviathan*, I, 6, p. 56. Voir aussi le *Traité de l'homme*, XI, 2, et *De la nature humaine*, XII, 2.
2. *Traité de l'homme*, XI, 2. Même idée chez Spinoza : « Les décrets de l'âme ne sont rien d'autre que les appétits eux-mêmes et varient en conséquence selon la disposition variable du corps » (*Éthique* III, scolie de la prop. 2). Spinoza précise « qu'aussi bien le décret que l'appétit de l'âme, et la détermination du corps sont de leur nature choses simultanées, ou plutôt sont une seule et même chose » (*ibid.*).

« le fait même de désirer ne peut l'être »[1]. Je suis libre, certes, le plus souvent, d'agir : je peux faire, autrement dit, ce que je veux. Mais je ne suis pas libre de le *vouloir* ou non. Nul ne peut décider de désirer, ni vouloir vouloir. De là, notait La Mettrie, « la honteuse impuissance » ou « le fâcheux priapisme »[2] ; mais cela vaut aussi bien pour toutes nos actions. Le corps commande, et d'autant plus absolument qu'il ne commande qu'à soi. Essayez un peu de faire autre chose que ce que vous voulez, ou de vouloir autre chose que ce que vous désirez ! *Quand je pense à Fernande*... Et sans doute peut-il renoncer à la posséder ; mais c'est qu'un autre désir s'y oppose, et l'emporte. Il est toujours possible d'être chaste, pour qui le veut ; et toujours possible de le vouloir, pour qui le désire... davantage que le reste. Mais qui commande ses désirs ? La peur de l'enfer dut bien faire, parmi beaucoup d'impuissants, quelques ascètes réels. Mais l'impossible était pour eux de désirer quoi que ce soit plus fort que la sainteté. *Quand je pense au Bon Dieu*... Et d'autres renoncèrent à Fernande, ou épousèrent Lulu, parce qu'ils préféraient l'argent ou la tranquillité... Tout se réduit ici à une petite mécanique de fantasmes, fort complexe sans doute, mais qui ferait rire si l'on cessait d'y croire. Imaginez un juge omniscient, comme il aurait pitié de tout cela, et comme il punirait, s'il fallait punir, sans haine ni colère... Hélas ! cela ne se peut. Chacun est prisonnier de soi et de son ignorance, prisonnier (puisque le « soi » n'est pas autre chose) de son désir et de son acte. Celui-ci s'impose à moi, toujours, non comme un destin (qui serait écrit à l'avance ou qui s'imposerait de l'extérieur), mais comme la stricte – et très simple – nécessité du présent. On ne sort pas du désir ; on ne sort pas du réel ; on ne sort pas du présent. Mais alors il n'y a plus de libre arbitre ni, dès lors, de culpabilité : à l'impossible nul n'est tenu, et nul ne peut vouloir autre

---

1. Hobbes, *Traité de l'homme*, XI, 2 (p. 154 de la trad. P.-M. Maurin, Paris, Blanchard, 1974). Voir aussi *De la nature humaine*, XII, 5.
2. Voir *L'homme machine*, p. 140 de l'éd. Assoun (Médiations, 1981).

chose que ce qu'il veut. Le présent de l'action est en cela, comme le présent même du réel, un pur présent d'innocence.

On ne devient coupable qu'après.

VII

Résumons-nous. Le libre arbitre est inintelligible selon l'ordre des causes, inintelligible selon l'ordre du temps, inintelligible selon l'ordre du vouloir. Et ces trois inintelligibilités bien sûr n'en font qu'une : le libre arbitre est inintelligible selon l'ordre du réel. Il n'est qu'une volonté reconnue (dans ses effets) mais méconnue (dans ses causes). Car certes la volonté existe bien, mais nécessaire toujours autant que réelle. C'est même parce que la volonté existe (non certes comme substance ou comme faculté, mais, à chaque volition, comme acte) que le libre arbitre, lui, n'existe pas. La volonté ne pourrait en effet vouloir deux choses différentes, au même instant, et donc avoir le choix, qu'à la condition de n'être pas ce qu'elle est, c'est-à-dire de n'être rien [1]. Inversement, dès lors que la volonté est quelque chose (ou plutôt *quelqu'un*, car la volonté n'est pas autre chose que l'individu voulant et agissant : la volonté c'est le moi, c'est-à-dire – puisqu'il n'y a rien d'autre – l'ensemble successif de ses actes), le libre arbitre n'est plus qu'un pur rien (le *néant* de Sartre, s'il ne lui avait paradoxalement prêté l'existence, en serait une assez exacte formulation) ou, dans la mesure où l'on y croit, une illusion. Le libre arbitre n'est en cela qu'une liberté imaginaire, qui n'a d'autre réalité que l'aliénation où il nous tient : « les hommes se trompent en ce qu'ils se croient libres » [2], et

---

1. Ce qu'avait bien vu Schopenhauer, qui réfute à l'avance l'existentialisme sartrien (*Essai sur le libre arbitre*, III, spécialement p. 116-118). Mais la notion de *motif* impose à Schopenhauer une problématique à la fois psychologisante et transcendantale qu'il vaut mieux éviter. Spinoza (qui parle, non de *motifs*, mais de *causes*) est ici autrement radical et profond.

2. *Éthique* II, scolie de la prop. 35. Voir aussi I, Appendice, et III, scolie de la prop. 2, ainsi que la *Lettre 58*, à Schuller.

cette erreur est cela même, peut-être, qui les empêche de le devenir. Nul ne deviendra libre – mais en un tout autre sens – qui ne comprendra d'abord qu'il ne l'est pas. Le libre arbitre n'est pas l'essence de la liberté mais son illusion, non son synonyme mais son fantôme, non sa condition mais son obstacle. Critiquer les illusions du libre arbitre sera le premier pas vers la libération.

Mais une idée juste peut avoir des effets néfastes. C'est ainsi que la négation du libre arbitre, chez Hobbes, Spinoza, La Mettrie, d'Holbach, Diderot, Marx, Nietzsche ou Freud (qui n'était chez eux que lucidité et courage), sert aujourd'hui de caution théorique – si tant est qu'elle en ait besoin – à la généralisation de la veulerie et de la lâcheté. Chacun voit dans son corps, la société, son enfance ou son inconscient, les excuses toutes prêtes dont il a besoin pour supporter ses bassesses. « *Je suis un lâche, mais ce n'est pas ma faute ; quand j'étais petit...* » Ce narcissisme honteux et misérabiliste se nourrit de la démagogie ambiante, et tend à remplacer l'hypocrisie de naguère. Il fut un temps où le salaud moyen se prenait pour un type bien, ou voulait le paraître. Nos salauds d'aujourd'hui se reconnaissent volontiers tels, mais facilement se pardonnent. « *Dans cette société..., avec l'enfance que j'ai eue..., ma névrose...* » La mauvaise conscience remplace la mauvaise foi, mais, excusant tout, revient au même : faute avouée est d'autant mieux pardonnée que je n'étais pas libre de ne pas la commettre. S'il n'y a pas de libre arbitre, je ne suis pas responsable de mes actes – donc : innocent. Il semble alors que la négation du libre arbitre détruise purement et simplement la morale (« si je ne suis pas libre, tout est permis... »), et abolisse jusqu'à l'idée d'une hiérarchie éthique (« si nous ne sommes pas libres, nous nous valons tous... »). Il faut montrer maintenant qu'il n'en est rien.

Exemples :

Un tel est un lâche. Est-ce sa faute ? Non. Mais il n'en est pas moins lâche pour autant. Tel autre est méchant. Est-ce sa faute ? Non. Mais cela ne le rend pas meilleur. Ainsi l'aveugle : ce n'est pas sa faute s'il ne voit pas ; mais il est aveugle. Et l'imbécile : il n'a pas choisi de l'être ; mais cela, qui l'excuse, ne le rend pas plus intelligent. Et celui qui est laid : il ne l'est pas non plus par sa faute ; cela ne veut pas dire qu'il soit beau. J'appelle veulerie la laideur qui se sourit dans la glace.

Innocent ou coupable, chacun reste prisonnier de soi et, « à l'instant considéré », comme dit Spinoza [1], ne saurait être autre qu'il n'est ni valoir davantage qu'il ne vaut. Chacun l'accorde pour la beauté, la vue ou l'intelligence. Pourquoi en irait-il autrement de nos actions ? Parce qu'elles sont volontaires, dira-t-on ; on choisit d'être méchant, pas d'être laid... Admettons. Mais la volonté, on l'a vu, est aussi déterminée que le reste. Le méchant qui choisit de l'être n'a pas choisi (librement) de le choisir : il faudrait pour cela qu'il se fût choisi lui-même. Sa volonté s'impose à lui, au contraire, parce qu'elle *est* lui, comme sa laideur ou sa beauté. D'ailleurs, si le corps et l'âme sont une seule et même chose, toute méchanceté est du corps, comme toute vertu, et nécessaire autant que beauté ou laideur. Or qui irait, sans ridicule, se vanter d'être beau ? Non qu'il n'y ait là une supériorité, pour relative qu'elle soit, bien plaisante et réelle. Mais j'accepte qu'elle soit donnée, point choisie ou méritée. Le difficile est d'accepter qu'il en soit ainsi de la volonté même : que je puisse être méchant comme je suis laid, ou, si l'on préfère, que je puisse vouloir ceci ou cela comme j'aime le sel, comme je respire ou comme je tremble... Et certes c'est volontairement que je sale mes plats, volontairement que je fuis, volontairement même, du moins cela se peut, que je respire... Est-ce moins nécessaire pour autant ? Je ne vois pas de différence ici, et je ne dis pas cela par provocation, entre un chien et moi. Il mord volontairement comme je frappe ou fuis volontairement, pour des raisons certes différentes, mais réelles tout autant, et que ni lui ni moi n'avons choisies. Il est chien et

---

1. A propos de l'aveugle (à qui il serait contradictoire que la vue appartînt) et du méchant (qui ne saurait être bon) : *Lettre 21*, à Blyenbergh (p. 206). Sans doute l'aveugle peut-il recouvrer la vue et le méchant devenir bon ; mais cela ne peut se faire (car alors il ne serait ni aveugle ni méchant) « à ce moment-là » *(ibid.)*.

ce chien ; je suis homme, et *cet* homme. Il aurait peut-être préféré être plus grand, plus gros, plus fort... Et moi, je vous l'avoue, si j'avais eu le choix, j'aurais préféré être Mozart, c'est sûr, ou Spinoza... Ou peut-être, si je suis différent du chien, c'est par cette question absurde que je me pose. Car on ne choisit pas le réel ; c'est le réel qui nous choisit. Miséricorde, miséricorde à tous, hommes et bêtes.

Je reviens au méchant. Il est méchant volontairement, sans doute, mais pour des raisons qu'il n'a ni choisies ni voulues. Qui ne préférerait être bon ? Mais on ne peut pas vouloir vouloir, ni choisir le sujet qui choisit. Le méchant est donc méchant de fait, voilà tout, comme (même si l'enchaînement causal est d'un autre ordre) le laid est laid. Et pas plus qu'on n'en veut au laid de sa laideur, il n'y a lieu d'en vouloir au méchant de sa méchanceté : miséricorde, donc, pour lui aussi. Mais pas lieu non plus, c'est où je voulais en venir, de nier cette méchanceté, ou de l'abolir. Etre méchant de fait, c'est aussi être méchant *réellement*. L'innocence n'a jamais sauvé personne. Le laid, pour innocent qu'il soit de sa laideur, n'en est pas moins laid ; l'imbécile, pour innocent qu'il soit de sa bêtise, n'en est pas plus intelligent ; le méchant, pour innocent qu'il soit (en dernière analyse) de sa méchanceté, n'en devient pas meilleur. Et certes j'avoue préférer les belles femmes, surtout quand elles sont intelligentes, et les hommes bons. Miséricorde n'est pas faute de goût, ni laxisme ou indifférence. Je ne vois pas là de difficulté. L'innocence est la même (je veux dire la simplicité du réel : la pure et simple adéquation à soi), mais pas la valeur. Ma raison peut tout comprendre, mais point mon désir tout aimer. Je ne reviens pas sur ce que nous avons déjà vu, parlant de politique ou d'art. Le désir fait le tri, sans autre raison ultime que lui-même, sans autre sanction que sa propre historicité. Il y a un *goût* éthique, ou pas d'éthique ; un *goût* moral, ou pas de morale. J'entends par goût le désir lui-même, dans l'historicité de ses déterminations : le goût moral c'est le désir, historiquement déterminé, du bien ou de la vertu. Qui pourrait autrement juger et vouloir ? Ce désir n'a d'ailleurs rien de surprenant ni de mystérieux : toute l'éducation nous y pousse, c'est assez clair, nos parents nous y forment, la société nous y contraint, nos amis nous y encouragent... Epicure et Spinoza, Freud et Marx là-dessus s'accordent et se complètent. Au reste l'expérience, pour chacun, devrait suffire : nous aimons la vertu, voilà ce qu'il faut enfin avouer contre le cynisme à la mode (qui est tout le contraire du cynisme historique : celui de Diogène). Entre un salaud et un type bien, lequel hésiterait – toutes qualités supposées par ailleurs égales – pour choisir un ami ? On peut bien relire Nietzsche ou Sade à longueur de journées, cela n'y changera rien. Tous (ou s'il y a des exceptions elles ne retirent rien à ma règle) nous aimons mieux les honnêtes gens que les coquins, les véridiques que les menteurs, les bons que les méchants... Faudrait-il y renoncer ? Qui le pourrait ? Le désir impose sa loi, ici aussi, qui est d'amour et de joie. Et certes le corps suffit à expliquer, je ne dirais pas l'universalité (qui n'est qu'un rêve), mais la rencontre, ici bien générale, des désirs. Le bien c'est le plaisir, et ce qui *fait* plaisir ; le mal c'est la douleur, et ce qui *fait* mal... L'éducation et la société font le reste. Je vous renvoie aux historiens. La morale n'a pas à être fondée, parce qu'elle est un fait, elle aussi, que le désir suffisamment sanctionne et valorise. Que dire devant nos jugements, si ce n'est ce que Hegel (pour une fois lucide, et point grandiloquent) disait devant les Alpes : « *C'est ainsi.* » La morale n'a pas plus à être fondée que la musique ou le Mont Blanc. Car *c'est ainsi*, en effet : nous préférons la générosité à l'égoïsme, le courage à la lâcheté, la douceur à la cruauté, la sincérité au mensonge, la probité à la fourberie, la grandeur d'âme à la petitesse... Vertus bien traditionnelles, sans doute, et qui ne satisferont guère nos modernistes ; mais je ne vois rien là à « renverser », fût-ce pour faire moderne, ni même à « dépasser », fût-ce pour faire joli. La vertu de Socrate ou de Jésus, pour l'essentiel, est encore la nôtre. Et pour une vertu qu'on abandonne (la chasteté ? la tempérance ?), combien demeurent qui nous font vivre ? Si la morale est démodée ou peut passer pour telle, c'est peut-être qu'il est décidément difficile d'y être original. Le voisinage de saint Jean ne me gêne pas, ici, ni le mépris de Nietzsche. Je n'aime pas plus les « superbes brutes blondes »[1] ou les « monstres triomphants »[2] que je ne crois aux surhommes. Un homme me suffit, s'il est bon.

« Où est son mérite, demandera-t-on, s'il n'est pas libre ?... » Mais peu importe le mérite. Une valeur immé-ritée (les « qualités empruntées » de Pascal, et sans doute elles le sont toutes) reste une valeur. Ce n'est pas la faute de Mozart s'il n'était pas Salieri ; sa supériorité, pour qui préfère Mozart, n'en est pas moins réelle. Allez-vous, parce qu'il n'a pas eu le choix, cesser de l'aimer ? Allez-vous, *du fait même de son génie* (dont on peut légitimement penser qu'il diminuait son mérite), cesser de l'admirer ? Le para-doxe serait singulier. Et de même : qu'un homme fasse le bien sans effort, joyeusement, et comme par une pente naturelle (la « sainteté de l'innocence » dont parle Ravais-son[3], et qui peut jurer que cela ne lui est jamais arrivé ?), cela le rend-il moins digne d'estime que la brute qui, pre-nant sur soi, fait pour une fois un peu moins de mal qu'elle n'en a l'habitude ? En vérité le mérite n'est qu'un nom illu-soire pour une valeur qui serait choisie, et qui donc (puisqu'on ne choisit que l'avenir) n'existerait pas. C'est une illusion seconde, qui résulte de l'illusion première du libre arbitre. Une valeur, dès lors qu'elle est réelle (pour un désir donné), est toujours sans mérite, et innocente à sa façon ; mais elle n'en est pas moins réelle pour autant. Les méchants ne sont pas moins méchants, répétons-le, ni les bons moins bons, ni les génies moins géniaux, pour l'être nécessairement – c'est-à-dire, car cela revient au même, pour l'être réellement. Il faudrait une curieuse tournure d'esprit (celle même de Sade et, peut-être, de notre époque) pour prétendre annuler un vice du seul fait de sa réalité.

---

1. Voir Nietzsche, *Généalogie de la morale*, I, 11 (trad. H. Albert, « Idées »-NRF, p. 51).
2. *Ibid.*
3. Ravaison, *De l'habitude*, rééd. Paris, Vrin, 1984, p. 30. Il y a là, inspirée d'Aris-tote, une analyse remarquable du rôle, dans la morale, de l'éducation et du désir.

Que nous ayons tous des excuses, c'est entendu (exister est à vrai dire une excuse suffisante) ; mais les excuses n'annulent rien. Le pardon supprime la haine, pas la faute. Qui le pourrait ? Cet acte que tu accomplis, éternellement cela restera vrai. Sa valeur sans doute, selon les normes en usage, pourra changer. Toute morale est historique. Mais que t'importe ? Toi seul es juge, et nulle vertu n'est rétroactive. Il te faut juger maintenant, pour l'éternité. « *Tout seul*, disait Alain, *universellement*... » [1] Et certes l'universalité est illusoire, mais pas la solitude. Ta faute est tienne, à jamais, et te ressemble. Il est vrai que le principe de causalité (ou simplement la nécessité du réel) vaut aussi pour soi : pas d'acte sans causes, et à l'infini, pas de volonté sans histoire. Je suis *effet*, moi aussi, et *fait* avant de faire. Réel enfin. Mais cela ne justifie rien. Le réel n'est pas une excuse. « Mais puisque tout s'explique... » Tout s'explique, rien ne s'excuse. Ou plutôt : une faute explicable (excusable aussi en cela) reste une faute. Comprendre n'est pas approuver ; pardonner n'est pas effacer.

Le racisme aussi s'explique, et la guerre, et la barbarie... Allez-vous pour cela cesser de les combattre ?

Miséricorde à tous donc (c'est la paix de la vérité), mais point indifférence : amour au contraire pour la beauté, admiration pour le génie ou la force, sympathie pour la sympathie... Et respect, estime, approbation, pour la vertu seule.

Miséricorde n'est pas absolution.

« Mais si l'assassin n'était pas libre de ne pas tuer, objectera-t-on, je ne peux pas lui en vouloir, ni le punir... » Lui en vouloir, non ; ce pourquoi aucune haine au fond n'est justifiée [2]. Tout châtiment de même est illusoire, qui prétendrait rétablir une justice mythique (il a tué, il est juste de le tuer...), et abolir une faute par une peine. Ni haine

---

1. Alain, *Esquisses*, II, *La conscience morale*, Paris, PUF, 1964, p. 7, 11 et *passim*.
2. Voir Spinoza, *Éthique* III, prop. 48 et 49, et IV, scolie de la prop. 73.

donc ni, à proprement parler, châtiment. Comme la vertu n'a pas d'autre récompense qu'elle-même, le méchant est assez puni, moralement parlant, par sa méchanceté. C'est la vérité de l'insulte : quand nous traitons quelqu'un de salaud, nous sentons bien que l'essentiel est dit, moralement parlant, et même n'était pas nécessaire ; le salaud est à soi seul une insulte suffisante. Mais la morale n'est pas tout : il ne suffit pas de juger, il faut empêcher. C'est où la société intervient : elle a le droit de se défendre, et, pour ce faire, les moyens de punir. La sanction n'annule pas la faute, ni ne rétablit la justice. La loi du talion, quelles qu'en soient les formes ou les subtilités, est toujours barbarie et justification de la barbarie. La sanction, en vérité, est sans pouvoir sur le passé – sans pouvoir donc sur la faute –, et serait contre lui sans dignité. Toute vengeance est indigne. Mais la sanction porte tout entière sur le présent et (en tant que ce présent dure, et doit durer) sur l'avenir. C'est à quoi peut-être les adversaires de la peine de mort, pour généreux que soit leur combat, n'ont pas assez réfléchi. Je me résignerais mal à voir Hitler, ou tel de ses pareils, en prison. Elles sont trop mal gardées, et les armées trop peu sûres. Mais passons. Un lecteur de Spinoza lui objectait déjà, dans une lettre, que, si l'on admet la nécessité universelle, « il n'est pas de mauvaise action qui ne devienne excusable » [1]. A quoi Spinoza répondit : « Et pourquoi donc ? Les hommes méchants ne sont pas moins à craindre, ni moins pernicieux, quand ils sont [ce qui est toujours le cas] méchants nécessairement. » [2] Au reste, le problème est moins d'excuser ou pas, que de laisser faire ou non. Spinoza a là-dessus la clarté froide de l'évidence : « Qui devient enragé par la morsure d'un chien, doit être excusé à la vérité, et cependant on a le droit de l'étrangler. » [3] J'en reviens à Hitler. Le nationalisme, le racisme, le militarisme... sont des espèces de rages, si l'on veut, et je ne doute

---

1. *Lettre 57* (de Tschirnhaus à Spinoza), p. 302.
2. *Lettre 58* (de Spinoza à Schuller, qui avait transmis la lettre de Tschirnhaus), p. 306.
3. *Lettre 78*, à Oldenburg (p. 347).

pas que le petit Adolf, à bien y regarder, n'ait eu toutes
sortes d'excuses. Mais je ne vois pas là ce que ça change.
Qui devient enragé par la morsure d'un chien... Spinoza est
plus radical que nos belles âmes, et peut-être aussi plus
miséricordieux. Un criminel, pour l'être nécessairement,
n'en est pas moins criminel ; mais aussi, pour être coupable (de ses actes), il n'en est pas moins innocent (de soi).
Le difficile est de combattre sans haïr, et de pardonner
sans accepter. Mais ce n'est pas impossible. Le Christ est
ici, Spinoza ne cesse de le répéter, un exemple qu'on peut
suivre [1]. Mais le désir et la raison devraient suffire. La
vertu de l'âme comme la santé du corps, pour imméritées
qu'elles soient toutes deux, n'en continuent pas moins de
faire, entre le salaud et l'homme de bien comme entre
l'homme sain et le malade, toute la différence, qui est
aussi réelle qu'involontaire. « Il n'est pas plus en notre
pouvoir, écrit Spinoza, de posséder la santé du corps que
celle de l'âme » [2] ; mais cela ne change rien à leur réalité :
« cette nécessité inévitable des choses ne supprime ni la
loi divine ni les lois humaines (...), et le bien qu'engendre
la vertu n'en sera ni plus ni moins désirable » [3]. Qui
mépriserait la santé, sous prétexte qu'elle n'est pas libre ?
Qui prétendrait abolir la maladie, sous prétexte qu'elle a
ses causes ? Au demeurant peu importe : qu'il prétende
être libre ou qu'il sache ne l'être pas, chacun cherche son
bien, toujours, et l'imagine. Le reste n'est qu'affaire
d'interprétation. Le désir, dans tous les cas, nous gouverne et nous fait vivre. Où l'on retrouve notre labyrinthe,
et mon commencement : « Que nos actions soient nécessaires ou qu'il y ait en elles de la contingence, *c'est toujours l'espérance et la crainte qui nous conduisent* » [4]. Soit :
le désir même, dans le temps. Et qui n'espérerait (hormis

1. Sur le rapport de Spinoza à Jésus-Christ, voir l'étonnant et admirable livre
d'Alexandre Matheron, *Le Christ et le salut des ignorants chez Spinoza*, Paris, Aubier-
Montaigne, 1971.

2. *Lettre 78*, à Oldenburg (p. 347).

3. *Lettre 75*, à Oldenburg (p. 338).

4. *Ibid.*, p. 339. Voir aussi la *Lettre 43*, à J. Osten (p. 274) et le *Traité politique*,
III, 3 (p. 26).

le sage qui ne vit qu'au présent) la santé et la vertu ? Qui se voudrait malade et méchant ?

On dira que la vertu n'est pas une santé : on ne meurt pas d'être méchant. Soit. Mais il n'en reste pas moins, et cela justifie les expressions de Spinoza, que la vertu tient, elle aussi, au fonctionnement du corps (à quoi d'autre, grand dieu, pourrait-elle tenir ?), jugé selon des normes dont il importe peu qu'elles soient surtout biologiques (la santé) ou surtout culturelles (la vertu). L'homme n'est pas un empire dans un empire, ni la culture moins réelle que la nature (dont elle fait partie). Toute norme est de fait, voilà ce qu'il faut comprendre, comme tout réel, et relative toujours, comme toute valeur. La santé ne vaut que pour un vivant, et tel vivant déterminé (le microbe qui nous tue n'est ni malade ni mort), comme la vertu pour un sujet, et tel sujet déterminé (la vertu de l'un, Montaigne en donne des exemples, peut être le vice d'un autre). Mais qu'est-ce que cela change ? Le réel demeure, face au désir qui en juge. Et le mérite dans tous les cas n'y est pour rien : la méchanceté, pas plus que la maladie, n'est méritée ; ce n'est pas une raison pour ne pas les combattre. Comme la maladie, la méchanceté a des causes, qui l'expliquent ou l'excusent ; ce n'est pas une raison pour s'y résigner. Il est vrai que les méchants, pour qui comprend ce qui les a faits tels, sont moins haïssables : tout comprendre, on le sait, c'est tout pardonner. Mais pardonner, ce n'est pas laisser faire. On extermine « les serpents venimeux », remarque Spinoza, bien qu'ils le soient « en vertu de leur nature propre » et ne puissent cesser de l'être[1]. Et l'on a raison, bien sûr, quand c'est utile : il faut vivre, et lutter, et vaincre. Mais à quoi bon la haine ? Les serpents sont des serpents, voilà tout, et venimeux parfois. Ce n'est pas une raison pour cesser de s'en méfier ou les laisser pulluler. Miséricorde n'est pas renoncement, compréhension n'est pas faiblesse. Les ennemis que tu comprends, tu cesses de les haïr ; tu ne cesses pas de les

---

1. *Pensées métaphysiques*, II, 8 (p. 374).

combattre[1]. Heureux es-tu simplement de pouvoir les combattre, à proportion de la connaissance que tu en as, sans les haïr – c'est-à-dire (puisque « la haine est une tristesse »)[2] sans être *triste* qu'ils existent et qu'il faille les combattre. Combien n'aimeraient le monde que purgé de tels ou tels ? Combien de militants ne seraient heureux qu'entre eux, et tous adversaires exterminés ou convertis ? Je me méfie de ces militants sombres, qui attendent le bonheur pour demain. Têtes d'inquisiteurs ou de bourreaux. Le fanatisme et l'atrocité commencent là, dans cette tristesse guerrière. « Mais un combat peut-il être joyeux ? » Pourquoi non, s'il est sans haine ? Les marins le savent, qui n'affrontent que la mer ou le vent ; peut-être aussi, et tant pis si je choque, peut-être aussi parfois les militaires ou les héros. « *Je meurs sans haine en moi pour le peuple allemand...* » On ne déteste que ce qu'on croit libre, et parce qu'on le croit libre. Pas moyen de haïr vraiment la pluie ou l'avalanche, et l'on n'en veut à un homme que par l'illusion où l'on est de sa liberté. De là la cruauté, qui est vengeance, presque toujours, ou punition. La croyance au libre arbitre engendre la haine, et la nourrit. C'est superstition et barbarie. Qui ne voit que la connaissance de la nécessité, au contraire, impose le pardon ? Allez juger la vague ou haïr l'océan ! Miséricorde et paix. Mais pour l'âme seulement, et armées s'il le faut, et guerrières même parfois. Cesser de haïr, Timbaud ou Manouchian le savaient, et l'ont montré, ce n'est pas cesser de combattre. « L'amour est une joie », dit Spinoza[3], point un abandon. Aimer ses ennemis, et certes il le faudrait, ce n'est pas cesser de les combattre ; c'est les combattre joyeusement.

Ce que Spinoza opère ici, après Epicure et avant Nietzsche, c'est un changement complet de perspective : nous

---

1. Sauf quand la haine, cela arrive, était la seule raison du conflit.
2. Spinoza, *Ethique* III, définition 7 des affections.
3. *Ibid.*, définition 6 des affections.

passons d'un point de vue *moral* (dominé par les notions de libre arbitre, de devoir et de faute) à un point de vue *éthique* (dominé par les notions de désir, de puissance et de joie). Il n'y a plus de bien et de mal (comme valeurs universelles et absolues) mais seulement du bon et du mauvais pour nous (comme valeurs toujours particulières et relatives). Mais alors plus de devoirs, semble-t-il, plus de loi, mais les simples variations du désir. « En tant que nous percevons qu'une chose nous affecte de joie ou de tristesse, nous l'appelons bonne ou mauvaise », écrit Spinoza[1], et c'est le désespoir même : il n'y a que des faits, dont nos jugements, loin d'en décider librement, font partie. De là ce qu'on a appelé – à tort selon moi mais non sans raisons – *l'immoralisme* de Spinoza[2]. La critique qu'il fait de la morale est en effet radicale : la morale, pour Spinoza, est sans contenu positif, sans vérité, sans fondement. Rien n'est positif en effet que le réel, lequel, étant toujours identique à soi, exclut toute norme et tout jugement : il n'y a rien à quoi on puisse comparer la nature, pour l'évaluer, rien à quoi on puisse la soumettre, pour la juger. Le réel est ce qu'il est, c'est là sa seule vérité, sa seule valeur ou, comme dit Spinoza, son unique perfection. Aussi n'y a-t-il « dans la nature ni bien ni mal »[3], et rien d'autre que la nature. Dieu ne juge pas : il est. Et parce que tout est réel en lui, en lui tout se vaut, et ne vaut rien. « Le bon et le mauvais n'indiquent rien de positif dans les choses »[4], et rien, pour Dieu, n'est préférable à rien. Dieu n'a pas d'amour, fût-ce pour les saints ; pas de haine, fût-ce pour les méchants[5]. Voilà le gouffre qui effraya tant le XVIIe siècle, et qui ne nous fascine aujourd'hui, peut-être,

---

1. *Ethique* IV, prop. 8, démonstration.

2. Voir par exemple le beau livre de Gilles Deleuze, *Spinoza, philosophie pratique*, p. 27 et 33. Dans un livre précédent (*Spinoza et le problème de l'expression*, p. 225-233), le même auteur parlait plutôt d'*amoralisme*, expression en effet préférable mais pourtant, elle aussi, insuffisante.

3. *Court traité*, II, IV, 5 (p. 96).

4. *Ethique* IV, Préface (p. 219) ; voir aussi la *Lettre 19*, à Blyenbergh (p. 182).

5. Voir par exemple *Ethique* V, corollaire de la prop. 17, ainsi que l'extraordinaire *Lettre 23*, à Blyenbergh (p. 220-221).

que par l'incapacité où nous sommes d'en toucher le fond :
Dieu n'a pas de morale. Et Kant a bien vu, pour le refuser,
ce qui se jouait là de désespoir[1]. De fait, Spinoza n'a pas
de temps à perdre, il l'écrit tranquillement à ses correspondants, avec quiconque n'a d'autre désir que de « persévérer
dans la foi et l'espérance »[2] ; il sait bien qu'ils auront trop
peur pour le suivre, trop besoin d'espérer pour le comprendre. Car la leçon est amère, d'abord et longtemps : nul
commandement divin, nulle valeur absolue, nulle récompense, nul réconfort, nul secours. Il n'y a pas de monde
intelligible moral, pas de jugement dernier, pas de jugement du tout. Les méchants resteront impunis, et les bons,
inconsolés. « En ces noires et obscures régions », comme
dira Hume[3], le réel se contente du réel, et l'être est sans
remords comme il est sans espérances.

La morale est donc sans vérité : « l'âme humaine, si elle
n'avait que des idées adéquates, ne formerait aucune
notion de chose mauvaise »[4], ni « conséquemment (bien et
mal étant corrélatifs) de chose bonne »[5]. Le bien et le mal,
le bon et le mauvais, le parfait et l'imparfait... ne sont « que
des modes de penser ou des notions que nous formons
parce que nous comparons les choses entre elles »[6], et
n'expriment que le rapport imaginaire que nous entre-
tenons avec elles. La morale est sans vérité, parce que la
vérité (toujours singulière, toujours concrète) est sans
morale. Les méchants ne sont pas moins vrais que les bons,
et le réel est « parfait » (si nous voulons, comme Spinoza
nous y autorise, « conserver ces vocables »)[7], non parce
qu'il serait le meilleur possible, mais parce qu'il est, à chaque instant, tout ce qu'il peut être : le seul possible donc
(et parfait pour cela) parce que le seul réel. Puissance de

1. *CFJ*, § 87 (p. 258 de l'éd. Vrin). C'est une des pages émouvantes de Kant, où
peut-être il se montre le mieux.
2. Comme c'est le cas, par exemple, de Blyenbergh : *Lettre 23* (p. 218).
3. A propos de Spinoza, « le fameux athée », *Traité*, I, IV, 5.
4. *Ethique* IV, corollaire de la prop. 64.
5. *Ibid.*, prop. 68, démonstration.
6. *Ethique* IV, Préface (p. 219). Voir aussi *Court traité*, I, VI, 9 (p. 75).
7. *Ethique* IV, Préface (p. 219).

Dieu, à quoi rien ne manque. *Deus sive natura* : le réel, c'est-à-dire le réel. Et point de sens nulle part, en aucun sens du mot « sens » : ni signification, ni valeur, ni finalité[1]. La vérité suffit, et se suffit : *veritas sive veritas*. De là, comme un pardon ultime, cette grande paix du sage. Jadis, raconte Spinoza, il est arrivé que « certaines choses existant dans la nature, et dont je n'ai qu'une perception incomplète et mutilée, m'ont paru, parce qu'elles s'accordent mal avec les désirs d'une âme philosophique, vaines, sans ordre, absurdes... »[2] Ainsi la méchanceté ou la guerre ; et l'on devine la tristesse pendant longtemps de Spinoza, et ses colères, et ses haines... Mais c'étaient effets de l'ignorance qui, faute de connaître, nous amène à juger. Maintenant, continue Spinoza, et nulle part je ne reconnais mieux sa voix, « maintenant je laisse chacun vivre selon sa complexion, et je consens que ceux qui le veulent meurent pour ce qu'ils croient être leur bien, pourvu qu'il me soit permis à moi de vivre pour la vérité »[3]. C'est qu'il a compris entre temps, tel « l'homme à l'âme forte » qu'il évoque et qu'il est, que « tout ce qui lui paraît immoral, digne d'horreur, injuste et vilain, cela provient de ce qu'il conçoit les choses d'une façon troublée, mutilée et confuse »[4]. Le méchant n'est pas plus horrible, objectivement parlant, que le crapaud, ni plus immoral que le tigre ou l'araignée ; mais la connaissance en est plus difficile. C'est pourquoi l'homme à l'âme forte s'efforce avant tout « de concevoir les choses comme elles sont en elles-mêmes »[5], et d'écarter de lui, par cette connaissance, toute haine, toute colère, tout mépris. Cela suppose d'abord qu'on renonce au libre arbitre, qui joue ici le rôle, comme on dira plus tard, d'obstacle épistémologique. La paix est à ce prix. Qui, sauf l'enfant ou le sauvage, pourrait en vouloir au crapaud de

---

1. Sur le problème du *sens*, chez Spinoza, cf. mon article « Spinoza contre les herméneutes », *Une éducation philosophique*, PUF, 1989, p. 245-264.
2. *Lettre 30*, à Oldenburg (p. 232). Voir aussi *Traité politique*, II, 8 (p. 19).
3. *Lettre 30* (p. 232).
4. *Ethique* IV, scolie de la prop. 73.
5. *Ibid.*

sa laideur ou au tigre de sa cruauté ? Qui pourrait, sauf l'imbécile – et certes nous le sommes souvent –, reprocher à la pluie de tomber, ou s'en prendre aux nuages, ou accuser le vent ? Connaître, c'est pardonner : miséricorde et vérité vont de pair. En quoi toute morale est d'ignorance : juger, c'est méconnaître.

Dès lors, puisque tout est nécessaire dans la nature (puisque Dieu n'a pas de volonté, ni l'homme de libre arbitre), la morale est sans fondement, et perd sa légitimité (du point de vue du vrai) en même temps que son objet. Comment exiger quoi que ce soit d'un individu qui n'est pas libre de le vouloir ? Pourquoi juger un méchant qui n'a pas pu être bon ? Pourquoi condamner une action nécessaire ? Autant punir la pluie qui tombe... Mais les hommes se figurent être libres, on l'a vu, parce qu'ils ignorent les causes qui les font agir ; et ils se jugent pour cela, et se détestent : la haine comme le remords (et ce sont là, pour Spinoza, « les deux ennemis principaux du genre humain »)[1] sont d'autant plus vifs que les hommes se croient davantage libres[2]. C'est pourquoi toute morale est triste, haineuse, et source d'intolérance. Les moralistes, écrit Spinoza, « aiment mieux détester ou railler les affections et les actions des hommes que les connaître »[3] ; ce sont des « superstitieux, qui savent flétrir les vices plutôt qu'enseigner les vertus, et qui (...) ne tendent à rien d'autre qu'à rendre les autres aussi misérables qu'eux-mêmes »[4]. Avant Nietzsche, mieux que Nietzsche me semble-t-il, Spinoza avait démasqué les pièges de la tristesse et du ressentiment qui sont au cœur de la morale. Ainsi ceux qui condamnent l'amour de la gloire, de l'argent ou des femmes par « impuissance intérieure » (« *animo impo-*

1. Du moins si l'on en croit le curieux *dialogue* qu'on trouve dans le *Court traité* (« Dialogue entre l'entendement, l'amour, la raison et la concupiscence »), qui est une œuvre de jeunesse, et singulière, mais déjà pour l'essentiel, à n'en pas douter, spinoziste.
2. Voir par ex. *Ethique* III, prop. 49, et scolie de la prop. 51.
3. *Ethique* III, Préface (p. 133).
4. *Ethique* IV, scolie de la prop. 63. Voir aussi, *ibid.*, Appendice, chap. 13.

tentes sunt ») de les atteindre ou de s'en libérer[1]. Tristesse des misanthropes, des avares et des misogynes : tristesse des moralistes. Bigots, dévots, censeurs... Tristes sires. Mais plus bêtes, Spinoza le laisse entendre, ou plus ignorants, que méchants. Car on ne juge, en soi comme en autrui, que ce qu'on ne comprend pas : « Il suffit de ne pas comprendre pour moraliser »[2]. Juger, c'est se méprendre.

Mais alors, demandera-t-on, pourquoi refuser à Spinoza le qualificatif, aujourd'hui si bien porté, d'*immoraliste* ? Pour une seule raison, mais décisive : *la critique que fait Spinoza de la morale, si elle interdit d'y croire, ne dispense pas de la pratiquer.* Si « immoralisme » on veut qu'il y ait, donc, c'est un immoralisme purement théorique (un peu au sens où l'on a pu parler, chez Marx, d'un anti-humanisme théorique)[3] et qui, n'étant à ce titre ni moral ni immoral (il n'a affaire qu'au vrai), ne mérite pas davantage ce nom, quant à son contenu effectif, que la théorie spinozienne de la beauté, pour radicale qu'elle soit[4], ne mérite le nom d'inesthétisme ou d'anti-art. Dieu n'est pas artiste ; cela n'interdit pas de l'être. Dieu n'a pas de morale ; cela ne dispense pas d'en avoir une.

Regardons-y de plus près. Il y a bien chez Spinoza, on vient d'en esquisser les contours, une critique sans concessions de la morale. Mais le problème est alors de savoir comment concilier cette critique avec les multiples règles que Spinoza ne cesse d'énoncer – « *certa vitae dogmata* », comme il dit[5] –, règles qui doivent gouverner notre vie (elles constituent une *recta ratio vivendi*)[6], et dont la plu-

1. *Ethique* V, scolie de la prop. 10.
2. Gilles Deleuze, *Spinoza philosophie pratique*, p. 36.
3. Cf. Louis Althusser, *Pour Marx*, VII, spécialement p. 236-238, et (sur son rapport à Spinoza) *Eléments d'autocritique*, p. 65 sq. On relira aussi avec profit, de ce double point de vue, la *Soutenance d'Amiens* (*Positions*, p. 127 sq.).
4. Voir *supra*, t. I, chap. 3, p. 246-250.
5. *Ethique* V, scolie de la prop. 10. Appuhn traduit par « des principes assurés de conduite », et Caillois par « de sûrs principes de vie ».
6. C'est-à-dire *(ibid.)* « une conduite droite de la vie » (Appuhn) ou « une droite méthode de vivre » (Caillois).

part ne s'opposent guère, c'est le moins que l'on puisse dire, aux commandements traditionnels de la morale. Par exemple : que « la haine doit être vaincue par l'amour et la générosité, et non compensée par une haine réciproque »[1], que la fermeté d'âme doit triompher de la crainte[2], que la paix vaut mieux que la guerre[3], qu'il faut respecter « la justice et la charité, c'est-à-dire l'amour du prochain »[4], qu'il ne faut pas mentir[5] mais être au contraire « juste, de bonne foi et honnête »[6], et qu'il faut en général conformer sa conduite à un « modèle de la nature humaine »[7] dont le Christ est sans doute, aux yeux de Spinoza, le type le plus accompli...[8] Si l'on ajoute que l'amour sensuel inspire à Spinoza d'expresses réserves[9] (comme Epicure il préférait l'amitié)[10], qu'il condamne la lubricité[11] et n'approuve le mariage que « si le désir de l'union des corps n'est pas engendré seulement par la beauté (...) mais par la liberté de l'âme, le désir de faire des enfants et de les élever sagement »[12] ..., on concédera que l'*immoralisme* de Spinoza, si l'on tient au mot, est en tout cas d'un genre bien particulier, et qu'il ne remet guère en cause, tant s'en faut, les principes moraux de notre civilisation... Il est vrai que ce n'était pas son but : Spinoza n'est pas Sade, et c'est tant mieux. Mais alors – pourquoi critiquer la morale ?

Pour une raison bien simple, à nouveau : parce qu'elle est illusoire. Soit, on l'a vu, sans contenu positif, sans vérité, sans fondement. D'où ce paradoxe, qui est au cœur

---

1. *Ibid.* Cf. aussi IV, Appendice, chap. II, 14 et 15.
2. *Ethique* V, 10, scolie.
3. Cf. par ex. *Ethique* IV, App., chap. 14-15.
4. *TThP*, XIV (p. 244) : il s'agit toujours d'une *ratio vivendi*, qui est en même temps un « dogme de la foi universelle » (dont le spinozisme n'est pas la récusation, mais la vérité).
5. Voir par ex. *Ethique* IV, prop. 72, démonstration et scolie.
6. *Ethique* IV, scolie de la prop. 18.
7. *Ethique* IV, Préface.
8. Cf., outre le *TThP*, la correspondance de Spinoza avec Oldenburg, notamment les *Lettres 73, 75 et 78*. Voir aussi le livre déjà cité d'Alexandre Matheron (*Le Christ et le salut des ignorants*) qui fait le tour – et au-delà même peut-être... – de la question.
9. *TRE*, § 1 et 2 (1-6 dans la Pléiade), et *Ethique* IV, Appendice, chap. 19.
10. Voir la *Lettre 19*, à Blyenbergh (p. 181-182).
11. *Ethique* III, scolie de la prop. 56, et déf. 48 avec son explication.
12. *Ethique* IV, Appendice, chap. 20 (j'abrège le texte).

du spinozisme et de notre problème : *Spinoza nous recommande, et point par hypocrisie*[1], *de suivre une morale à laquelle il ne croit pas*. Nous retrouvons là un terrain connu : la position de Spinoza, concernant la morale, est la même, mais appliquée à un autre domaine, que celle du militant matérialiste, concernant la politique. Celui-ci, pour rester matérialiste, est obligé de critiquer des illusions qui, parce qu'elles sont au cœur de toute pratique, gouvernent aussi, au moins partiellement, la sienne. Obligé, donc, de se désillusionner perpétuellement de sa propre croyance, non certes pour annuler la pratique qui en découle (que serait un militant qui ne ferait plus de politique ? que serait un philosophe qui renoncerait à la vertu ?), mais pour la *démystifier*, c'est-à-dire pour la libérer, autant que faire se peut, des illusions qu'elle se fait sur elle-même et d'abord sur ses propres illusions. Pour le militant matérialiste, disais-je, il s'agit de penser sa propre illusion, mais sans l'annuler (il ne lui survivrait pas), c'est-à-dire de se désillusionner perpétuellement de soi sans s'abolir. Rester lucide, donc, et continuer d'agir[2]. Même chose pourrait se dire de l'artiste matérialiste : va-t-il, parce qu'il n'ignore pas les illusions du beau, renoncer à le créer ? C'est au contraire, on l'a vu, parce que la beauté n'*est* pas (comme vérité ou comme essence) que l'art est nécessaire (comme pratique) : il s'agit de créer ce qui n'est pas, et qui nous manque. Le beau n'est pas à contempler, disais-je, mais à faire[3]. Il en va de même, me semble-t-il, de la morale. Elle est illusoire toujours, comme la politique ou l'art : il n'y a pas de morale vraie, ni de vérité morale. Pas plus qu'il n'est artiste ou militant, Dieu n'est législateur ou juge : la nature n'a « ni principe ni fin »[4], et il n'existe rien d'autre que la nature. Mais cela, qui peut en décourager certains, nous serait plutôt une justification. « En morale, disait Nietzsche, je suis inexorable », et sur cela au moins

1. Laquelle est incompatible avec la doctrine (A. Matheron, *op. cit.*, p. 97 et 224).
2. Cf. *supra*, t. I, chap. 2, notamment p. 127-154.
3. Cf. *supra*, t. I, chap. 3.
4. Comme dit Spinoza, *Éthique* IV, Préface (p. 218).

on peut le suivre. Si Dieu existait en effet (je parle du *Bon* Dieu : pas celui de Spinoza), ce ne serait pas si grave : le bien finirait toujours par l'emporter, tôt ou tard (pas de religion qui ne soit finalement, et malgré tous les détours qu'elle se donne, un optimisme : cela en dit long sur la religion, et sur l'optimisme...), tout aurait sa récompense ou son châtiment, et chacun pourrait d'ici là, librement, prendre ses risques. Tout serait, sinon permis, du moins tolérable : l'enfer, s'il existait, donnerait au pire des salauds des allures de héros (Sade, s'il croyait en Dieu, serait comme un Prométhée du vice) et au brave homme des prudences de marchand. Donnant donnant, chacun pour soi et Dieu pour tous : tout irait pour le mieux dans le meilleur des mondes possibles, et la morale se dissoudrait, peut-être, dans les calculs de la prudence. La vertu ne serait plus un devoir mais un marché ; la faute, plus une faute, mais un risque. C'est au contraire parce que Dieu n'existe pas, et qu'il n'y a donc aucun risque à rien (ou le même exactement dans toutes les hypothèses, ce qui n'est plus un risque mais une certitude), que je ne peux pas me permettre n'importe quoi. On a sa fierté. Bref, c'est parce que nous n'avons plus de religion qu'il nous faut absolument une morale. C'est parce que le bien n'existe pas, disais-je, qu'il faut le faire. La morale est cela même : non la révélation du bien (religion, descente), mais son effectuation réglée ; non son imposition (comme devoir) mais sa production (comme vertu). Non son espérance (comme récompense ou sainteté) mais son plaisir (comme action). Non sa contemplation (comme respect ou crainte) mais sa création (comme joie). Icare : le bien n'est pas à reproduire mais à inventer, non à suivre mais à faire, non à contempler mais à créer ! La morale est cette création.

Encore faut-il ne pas être dupe. Combien d'Icares se sont brûlé les ailes au soleil qu'ils ont créé ? Combien en ont torturé d'autres au nom d'un ciel imaginaire ? Mais comment vivre aussi sans ce ciel qu'on s'invente et qui nous porte ? Comment renoncer à la vertu, et pourquoi le devrait-on ? Où l'on retrouve notre paradoxe et, peut-être, sa solution : ce que Spinoza nous apprend et nous recommande, c'est de suivre une morale *à laquelle il ne croit pas* (comme vérité) *mais qu'il approuve* (comme valeur effectivement désirable). C'est en quoi sa position est précieuse : il enseigne à la fois la nécessité de l'illusion (nous ne sommes pas Dieu) et les moyens, non certes d'en sortir (puisqu'elle est et reste nécessaire : je ne peux ni tout connaître ni cesser de pâtir), mais de s'en libérer – fût-ce, comme c'est le cas, en lui restant fidèle. Concernant la morale, cela signifie que, du fait de notre histoire (parce que nous ne naissons pas raisonnables ni ne pouvons totalement le devenir, ce pourquoi, comme disait Delbos, « il faut vivre sa vie avant de la comprendre »)[1], nous sommes condamnés à certaines idées ou représentations, toujours en quelque chose imaginaires, au premier rang desquelles les idées de bien et de mal, de bon et de mauvais, dont nous n'aurons jamais une connaissance adéquate (celle-ci d'ailleurs les annulerait)[2], mais dont nous ne pouvons et ne devons pas plus nous passer que le marin, aussi averti qu'il soit des mouvements réels des planètes, ne peut cesser de voir le soleil se lever à l'est ni ne doit renoncer à trouver là, pour autant qu'il le désire, la route de l'Orient ou de l'Occident. Mieux, parce qu'il connaît la vérité de ces mouvements apparents du soleil, il n'en est que mieux à même de comprendre aussi la nécessité de son illusion, et d'utiliser en elle, en toute confiance et certitude, ce qu'elle contient de réalité. Lui seul sait, en vérité, que le soleil ne le trompera jamais. De même le sage, libéré qu'il est de l'illusion morale (il sait qu'elle n'a de valeur qu'humaine, historique et subjective, voire, en tant qu'elle suppose le libre arbitre, illusoire), ne cesse pas pour autant de la vivre et de fonder sur elle – puisque la vérité n'y peut suffire – la démarche ordinaire de sa vie. Il sait par exemple que toute action a ses causes, qui l'expliquent, et que tout juge-

---

1. Victor Delbos, *Le problème moral dans la philosophie de Spinoza*, Paris, Alcan, 1893, p. 134. Voir aussi, dans *Ethique* IV, la préface, la prop. 4, avec sa démonstration et son corollaire, enfin la prop. 68 et son scolie.
2. *Ethique* IV, prop. 64 et corollaire.

ment en un sens est vain. Mais il sait aussi que la possession d'idées adéquates ne supprime pas les idées inadéquates[1], et que, dans la mesure où nous n'aurons jamais une maîtrise parfaite de toutes nos affections (car alors nous cesserions absolument de pâtir et serions Dieu), il nous sera toujours utile de concevoir, d'imaginer et de retenir des « principes assurés de conduite »[2], des « règles de vie » *(vitae dogmata)*[3], qui certes sont des préceptes de la raison *(rationis praecepta)*[4], des commandements de la raison *(rationis dictamina)*[5], mais qui n'agissent en nous que par la médiation de la mémoire et de l'imaginaire, et qui tirent leur force, non de la raison elle-même (laquelle est sans pouvoir sur les affections)[6], mais, encore et toujours, *du désir*[7], tel qu'il résulte à la fois de notre être (notre puissance d'exister et d'agir : notre corps) et de notre histoire (à commencer par l'éducation)[8]. On ne peut pour cela ni vivre ni bien vivre sans morale : la morale est une illusion nécessaire et bienfaisante.

Il n'y a rien là d'étonnant ni de providentiel. En tant qu'elle est réelle (si la nature n'a pas de morale, il est clair que la morale fait partie de la nature : le réel ne s'y soumet pas mais la contient), la morale s'impose d'abord par des causes, non par des exigences. Et en tant qu'elle est humaine, elle reste soumise à l'efficace du désir. Le sage et le fou, le bon et le méchant obéissent tous à la même loi : chacun désire nécessairement ce qu'il juge être bon[9], et chacun juge être bon, nécessairement, ce qu'il désire[10]. Labyrinthe. Mais cette loi commune produira des effets différents selon que le bien désiré oppose les hommes entre

1. *Ethique* V, scolie de la prop. 20.
2. *Ethique* V, scolie de la prop. 10.
3. *Ibid*.
4. *Ibid*. (voir aussi IV, scolie de la prop. 18).
5. *Ethique* IV, scolie de la prop. 18.
6. *Ethique* IV, scolie 2 de la prop. 37 ; voir aussi prop. 14 et démonstration.
7. *Ethique* IV, prop. 14 à 25
8. *Ethique* III, prop. 6 à 9 (pour le désir comme puissance) et explication de la définition 27 des affections (pour l'éducation).
9. *Ethique* IV, prop. 19.
10. *Ethique* III, scolie de la prop. 9 (c'est bien sûr ce mouvement qui est premier)

eux (parce qu'ils ne peuvent le posséder tous : ainsi l'argent ou la gloire) ou au contraire les rassemble (parce qu'il « peut être possédé pareillement par tous les hommes » [1], et d'autant mieux qu'ils sont unis : ainsi la raison ou la vertu). Dès lors, si chacun désire nécessairement, c'est un fait de notre nature, que « les autres vivent selon sa propre complexion » [2], ce même désir, qui produit la discorde et la haine (parce que les ambitieux se font obstacle l'un à l'autre), produit aussi la moralité, c'est-à-dire la vertu généreuse [3]. La générosité et l'égoïsme s'expliquent donc par le même désir (et par le désir même : le conatus), et par le même rapport (imaginaire) *entre* les désirs. Vertus et vices naissent tous deux, comme nous dirions aujourd'hui, dans l'intersubjectivité désirante.

Il faut s'arrêter là, un instant. Il y a une *fonction mimétique*, chez Spinoza, ou une « imitation des affections » [4], par quoi chacun ressent ce que l'autre ressent [5], désire ce dont l'autre jouit [6], et « fait effort pour que tous aiment ce qu'il aime » et haïssent ce qu'il déteste [7] : de là la pitié (qui est une tristesse mimétique) [8], l'envie (qui est un désir mimétique) [9], et l'ambition (qui est le désir d'être envié ou

1. *Ethique* IV, démonstration de la prop. 36 ; voir aussi le scolie.
2. *Ethique* III, prop. 31, corollaire et scolie, et V, scolie de la prop. 4
3. Voir *Ethique* IV, prop. 37 et scolie 1, ainsi que le scolie de la prop. 4 du livre V.
4. *Ethique* III, prop. 27, démonstration et scolie. Il vaudrait peut-être mieux traduire « *affectuum imitatio* », comme Caillois et Guérinot, par « imitation des sentiments » (afin de distinguer l'*affectus*, de l'*affectio*, affection). Mais « sentiment » a quelque chose de trop... sentimental. Peut-être faudrait-il, comme Robert Misrahi (voir par ex. *Le désir et la réflexion...*, p. 53-54), traduire *affectus* par *affect* ? Par ailleurs, sur la notion de *fonction mimétique*, on se reportera bien sûr à René Girard, par exemple *La violence et le sacré*, chap. VI et *Des choses cachées depuis la fondation du monde*, liv. III. La problématique est pourtant différente : chez Spinoza, loin que le désir soit en lui-même mimétique, c'est l'imitation qui est un effet second (par la médiation de l'imaginaire) du désir.
5. *Ethique* III, prop. 27.
6. *Ethique* III, corollaire 1 de la prop. 27, et prop. 32 et démonstration.
7. *Ethique* III, prop. 31, corollaire.
8. *Ethique* III, scolie de la prop. 27. Comme Guérinot et Caillois (et malgré Appuhn qui préfère *commisération*), je traduis *commiseratio* par *pitié*.
9. Voir *Ethique* III, prop. 32, démonstration et scolie. En vérité (mais je ne veux pas entrer ici dans les détails) il faudrait distinguer l'*aemulatio* (« le désir d'une chose qui naît en nous de ce que nous imaginons que d'autres ont le même désir », déf. 33) et l'*invidia* (qui est la haine qui en résulte, et l'envie proprement dite : prop. 32, scolie, et déf. 23).

imité) [1]. Or Spinoza a bien vu, avant Rousseau et Schopenhauer, qu'il y avait là, non certes le fondement, mais l'origine de la moralité commune. Par la pitié en effet nous
devenons bienveillants : « Une chose dont nous avons pitié,
nous nous efforcerons autant que nous le pouvons de la
délivrer de sa misère » [2] (ce qui est la bienveillance même :
« le désir de faire du bien à celui dont nous avons pitié ») [3].
Par l'envie nous sommes, surtout pendant l'enfance,
« excités à la vertu » [4] : l'enfant, qui ne sait guère qu'imiter,
désire spontanément « tout ce à quoi il imagine que
d'autres prennent plaisir » [5], et devient ainsi, pour des
raisons amorales (émulation, imitation, dressage...), un
être pour qui « tous les actes coutumièrement appelés
mauvais (seront) suivis de tristesse, et ceux qu'on dit *droits*
de joie » [6] – c'est-à-dire, exactement, un être moral. Cela,
observe Spinoza, « dépend au plus haut point de l'éducation » [7]. Enfin, par l'ambition, nous serons (pour des
raisons tout égoïstes) poussés à « faire tout ce que nous
imaginons que les hommes regardent avec joie » et à éviter
« ce que nous imaginons qu'ils ont en aversion » [8] : nous
serons ainsi, par amour de la gloire, poussés à la modestie [9],
et, par crainte de la honte, au courage et à l'honnêteté [10].
Bref, nous deviendrons moraux, c'est-à-dire *humains* [11],
non certes par vertu (librement), mais par crainte, tristesse
et espérance (par passion et dressage). Mais c'est ainsi qu'il
faut commencer. On ne devient bon que pour de mauvaises
raisons, et cette moralité commune, pour triste qu'elle soit,
est pourtant supérieure (non pas *en soi*, ce qui n'a pas de

1. *Ethique* III, corollaire et scolie de la prop. 31. Voir aussi le scolie de la prop. 32
et la définition 44. des affections.
2. *Ethique* III, corollaire 3 de la prop. 27 (trad. A. Guérinot, Paris, Pelletan, 1930).
3. *Ethique* III, définition 35 des affections (trad. Guérinot).
4. Cf. *Ethique* III, scolie de la prop. 55. Voir aussi le scolie de la prop. 32.
5. *Ethique* III, scolie de la prop. 32.
6. *Ethique* III, explication de la définition 27 des affections.
7. *Ibid*.
8. *Ethique* III, prop. 29.
9. Voir *Ethique* III, définition 44 des affections et explication de la définition 48.
La modestie est en cela « une sorte d'ambition ».
10. Voir par exemple *Ethique* IV, scolie de la prop. 58.
11. *Ethique* III, scolie de la prop. 29 et définition 43.

sens, mais pour qui la partage, et même pour « les désirs d'une âme philosophique »[1] : pour l'homme, donc, et pour le sage) à la bestialité et à la barbarie. Cette moralité n'est pas la sagesse, c'est entendu ; mais elle en rapproche davantage qu'elle n'en éloigne[2]. Tant pis pour nos immoralistes. Il n'est de sagesse qu'humaine, et d'humanité que morale.

Il y a plus. Chez l'homme libre lui-même (le sage), la moralité vraie et joyeuse (le libre désir de faire du bien)[3] résulte d'un désir amoral et, en l'occurrence, du même désir qui, chez l'homme ordinaire (soumis aux passions), produit l'ambition – à savoir « l'appétit de voir vivre les autres selon sa propre complexion »[4]. L'homme vertueux est donc généreux pour la même raison (l'imitation des affections) qui fait que l'ambitieux est envieux et égoïste, mais inversée, quant à ses effets, par l'intervention de la raison : l'imitation des affections, d'où naissent la pitié et l'émulation, l'ambition et l'envie (et donc, indirectement, la moralité commune : les bonnes mœurs), produit aussi le désir raisonnable de faire du bien (la moralité vraie : la vertu généreuse)[5]. Le sage, parce qu'il est sage, désire la sagesse pour autrui, et, parce qu'il est heureux, le bonheur (autant que faire se peut) pour tous. Aussi agit-il en conséquence, et cela est la moralité même[6]. La moralité naît donc bien d'un désir en lui-même amoral (la recherche par chacun de *son* bien, c'est-à-dire de « l'utile propre »)[7], mais qui devient moral, et la moralité même, dans la mesure où, pour pouvoir se satisfaire (individuellement) et se renforcer (par imitation)[8], il se soumet aux exigences bienfaisantes (pour chacun) et communes (à tous) de la

---

1. *Lettre 30*, à Oldenburg (p. 232).
2. Voir par exemple *Ethique* IV, scolies des propositions 54 et 58.
3. Voir *Ethique* IV, scolie 1 de la prop. 37.
4. *Ethique* V, scolie de la prop. 4. Voir aussi, dans le livre III, le scolie de la prop. 31.
5. Voir notamment *Ethique* V, scolie de la prop. 4.
6. Voir *Ethique* IV, scolie 1 de la prop. 37.
7. Voir par exemple *Ethique* IV, prop. 24.
8. Voir *Ethique* IV, démonstration 2 de la prop. 37.

raison [1]. Et comment la raison – qui n'a affaire qu'au vrai –
ne serait-elle pas généreuse ? Ce qui est vrai est vrai pour
tous, et également pour tous. Le sage, qui n'obéit qu'à sa
raison, est libre, d'abord parce qu'il n'obéit qu'à soi (la raison n'est jamais étrangère), mais aussi parce qu'il est *libéré
de soi* (la raison n'appartient à personne, et surtout pas au
« cher moi »). Ma raison n'a aucune raison de me préférer
à autrui : elle est généreuse parce qu'elle est universelle
(c'est la seule universalité qui ne soit pas illusoire : l'universalité, non de la valeur, mais du vrai), et libère le désir, par
la vérité qu'elle y met, des illusions de Narcisse. C'est pourquoi les philosophes qui croient que « ce principe : chacun
est tenu de chercher ce qui lui est utile, est l'origine de
l'immoralité, non de la vertu et de la moralité » [2], se trompent du tout au tout : « c'est tout le contraire », écrit Spinoza [3]. Et en effet : puisque c'est en cherchant « ce qui leur
est utile *sous la conduite de la raison* » que les hommes vertueux « n'appètent rien pour eux-mêmes qu'ils ne désirent
aussi pour les autres hommes, et sont ainsi justes, de bonne
foi et honnêtes » [4]. On ne trouve le bien qu'en cherchant *son*
bien – mais on le trouve. Ou plutôt (puisqu'il n'y a pas de
bien dans la nature) [5] on le *fait*. L'immoralisme théorique
débouche sur une moralité pratique.

   Ascension, donc, ici aussi : de même que le désir de
raison, en politique, n'est qu'un effet de masse du désir
égoïste [6], de même, en morale, le désir de vertu n'est qu'un
effet conséquent (du point de vue de la raison), efficace
(du point de vue de l'action) et généreux (du point de vue
de la communauté) du désir tout court. « L'effort pour se
conserver est la première et unique origine de la vertu » [7],

---

1. A nouveau, je ne veux pas entrer dans les détails. Voir *Ethique* IV, prop. 35 à
37 avec les démonstrations, corollaires et scolies.
2. *Ethique* IV, scolie de la prop. 18.
3. *Ibid*.
4. *Ibid*.
5. Voir par exemple *Ethique* IV, Préface, *Pensées métaphysiques*, I, 6 (p. 353), et
Court traité, I, 10 (p. 83-84) et II, 4, § 5 (p. 96).
6. Voir *supra*, t. I, chap. 2, p. 188-195.
7. *Ethique* IV, corollaire de la prop. 22.

et la vertu (la vie raisonnable et généreuse) est l'unique moyen de se conserver activement ou, ce qui revient au même, joyeusement. Primat du désir donc, ici aussi, et primauté de la raison. Ce n'est pas parce que la raison est bonne (en soi ou pour soi) qu'elle est désirable, c'est au contraire parce que nous la désirons que nous la jugeons bonne : les désirs raisonnables ne sont supérieurs aux autres que *du point de vue du désir*, dans l'historicité inter-subjective de sa constitution (imitation des affections, vie sociale, éducation...). Personne ne désire la folie, tout est là, ni, pour les mêmes raisons, la méchanceté. Le méchant n'est pourtant pas moins rationnel que l'homme vertueux, et, s'il est moins raisonnable, la raison s'en moque. Mais il est moins désirable, c'est-à-dire moins aimable (aussi bien pour autrui que, par là même, pour soi) et moins aimant (et pour cela, à nouveau, moins aimable). De là ce qu'on peut bien appeler un *désir de raison* (non ce que la raison désire, puisqu'elle ne désire rien, mais ce *qui* désire la raison) et, aussi bien, de vertu. L'homme n'est ainsi soumis qu'au désir, qui est l'homme même[1] ; mais, dans la vertu, ce désir se soumet à la raison, et ce, non *par devoir* mais, joyeusement, *par désir*. Cette soumission, qui est en vérité une libération (puisque la raison seule, en l'homme, n'est pas déterminée par autre chose qu'elle-même), élève donc l'homme à son maximum de puissance – et cela est la vertu même. « Par vertu et puissance, écrit en effet Spinoza, j'entends la même chose »[2], ce qui ne veut pas dire que les forts sont bons[3], mais que les méchants sont faibles (puisque soumis toujours aux passions, c'est-à-dire à autre chose qu'à eux-mêmes) et pour cela, sinon toujours malheureux, du moins toujours insatisfaits parce que incapables d'accéder à la béatitude et à la paix. Il n'y a pas

---

1. *Ethique* III, définition 1 des affections.
2. *Ethique* IV, définition 8.
3. Comme l'a bien vu Robert Misrahi, ce « réalisme de la force et de la suprématie », tel qu'on peut le trouver « chez les Sophistes, les Nietzschéens ou certains Hégéliens », n'est ni spinoziste ni compatible avec le spinozisme. Voir *Le désir et la réflexion*..., p. 296-297.

d'égoïste heureux. Comment le serait-il ? Il n'aime que soi,
et il va mourir : la mort est son destin ; la peur, sa compa-
gne. D'où sa faiblesse toujours : « L'ignorant, conduit par
le seul appétit sensuel, est ballotté par les causes extérieures..., et sitôt qu'il cesse de pâtir, il cesse aussi d'être »[1].
Et malheureux pour cela, par peur, et méchant, par
égoïsme... Car il n'y a pas d'autre méchanceté : nul ne fait
le mal pour le mal, mais seulement *pour un bien*, (ainsi le
médecin qui fait souffrir ou le terroriste qui tue). Le
méchant est celui qui veut le mal d'autrui pour son bien à
soi : méchanceté, toujours, c'est égoïsme. Et certes c'est la
logique du désir (la guerre), que la raison seule (parce
qu'elle n'est soumise qu'au vrai, qui est « commun à
tous »)[2] apaise et ordonne. Les désirs, quand ils ne sont
soumis qu'à eux-mêmes, opposent les hommes entre eux,
et font qu'ils se nuisent[3]. De là l'envie, la haine et la discorde. Et de là aussi les moralistes qui, par mépris et
crainte, ajoutent misère sur misère, remords sur fautes, et
hontes sur tristesses...[4] La raison au contraire, parce
qu'elle est la même en moi et en l'autre, nous unit, et donne
à nos désirs la loi commune qui leur permettra, au lieu de
s'opposer, de s'unir et de se renforcer. Qui vit selon la raison
– c'est-à-dire selon la vérité[5] – s'accorde en cela avec tout
homme raisonnable[6] ; et s'il sait se protéger de ceux qui
ne le sont pas, c'est toujours sans haine ni colère. Spinoza
n'y va pas par quatre chemins : « La haine ne peut *jamais*
être bonne », ni l'envie, la raillerie, le mépris ou la vengeance, qui « se ramènent à la haine ou en naissent »[7]. Ce

---

1. *Ethique* V, scolie de la prop. 42. Voir aussi la *Lettre 23*, à Blyenbergh (p. 220).
2. *Ethique* IV, prop. 36 et démonstration. Voir aussi les deux démonstrations de
la prop. 37.
3. Voir *Ethique* IV, prop. 32 et 34 (avec la démonstration et le scolie). Voir aussi
le scolie de la prop. 35.
4. Voir par exemple *Ethique* III, Préface, *Ethique* IV, prop. 45, corollaires et
scolies, prop. 63 et scolie, enfin, dans l'appendice de cette même partie, les chapitres 13 et 31.
5. Puisque « l'essence de la raison n'est rien d'autre que notre âme en tant qu'elle
connaît clairement et distinctement » (*Ethique* IV, démonstration de la prop. 26).
6. *Ethique* IV, prop. 35. Voir aussi les corollaires.
7. *Ethique* IV, prop. 45 et corollaire 1. Spinoza précise que, si la raillerie est
mauvaise (parce qu'elle est haineuse), le rire, lui, est « une pure joie » et par suite

pourquoi, ajoute Spinoza, « Qui vit sous la conduite de la raison s'efforce, autant qu'il peut, de compenser par l'amour ou la générosité, la haine, la colère, le mépris qu'un autre a pour lui »[1]. Vous avez dit immoraliste ?... Oui, en un sens, puisque les moralistes sont de tristes sires, haineux et misérables. Mais immoralisme purement *théorique*, on le voit, et qui n'est certes ni immoral ni, même, amoral ! Toute sagesse est force d'âme, c'est-à-dire fermeté, pour soi, et générosité, pour autrui[2]. C'est que toute joie est bonne, et la joie seule ; et toute tristesse mauvaise, donc aussi toute haine[3]. Le sage ne fait que suivre jusqu'au bout la logique du désir, qui est de joie, mais doit pour cela le soumettre à la logique de la raison, qui est de paix. Et qu'est-ce qu'une joie paisible (une paix joyeuse), si ce n'est la *concorde*, laquelle suppose justice, équité et honnêteté[4] ? Qui vit en vérité vit en paix (autant que cela dépend de lui) et, parce que la raison ne fait aucune acception de personne, selon la justice seule. Le sage, comme le saint, est guéri d'égoïsme – mais par raison, non par foi : libéré de tout, et même de la sainteté ! La raison n'a pas d'*ego*, tout est là, ni le vrai d'intérêts : Dieu même ne saurait justifier quelque injustice ou privilège que ce soit. On n'est pas très loin de Kant ici, et de ce qu'il y a de meilleur chez Kant, à ceci près que l'universel change de statut. Ce n'est plus l'universel d'une loi ou d'un commandement (universel pratique : impératif catégorique) mais celui d'une vérité, et la vérité même (universel théorique : raison). L'impératif subsiste, sans doute, mais c'est un impératif toujours hypothétique (le désir est et reste son hypothèse), et pour cela toujours relatif et intéressé. Le bien, au fond, c'est le désirable – mais, par la raison, *libéré du sujet* : le désir se soumet alors non au moi mais au vrai, lequel certes est tou-

---

« est bon par lui-même ». Voir aussi, à ce sujet, le joli texte du *Court traité*, II, 11 (p. 114).

1. *Ethique* IV, prop. 46.
2. *Ethique* III, scolie de la prop. 59.
3. *Ethique* IV, prop. 41 et 45. Voir aussi III, déf. 7.
4. *Ethique* IV, Appendice, chap. 15. Voir aussi le chap. 16.

jours singulier (il n'y a pas de « vérités générales ») mais
aussi, étant vrai pour tous, toujours universel. *Exit* le « cher
moi ». Si bien que « non par accident, mais par une conséquence de la nature même de la raison, il advient que le
bien suprême de l'homme est commun à tous, cela se
déduisant de l'essence même de l'homme en tant qu'elle
est définie par la raison » [1]. Il n'y a pas de valeurs universelles (tout désir est historique, y compris le désir de
vérité) ; mais il y a une universalisation, par la raison, des
valeurs (le désir de vérité, en tant que désir singulier, désire
l'universel : la vérité l'est toujours). On passe alors de
l'égoïsme (le désir sans raison, enfermé dans sa particularité) à la vertu (le désir raisonnable, ouvert à l'universel).
L'intérêt devient, sinon désintéressé, du moins généreux et
juste. « Le bien qu'appète pour lui-même quiconque est un
suivant de la vertu, il le désirera aussi pour les autres
hommes » [2], et *tous* les autres hommes. Justice, donc, et
justice *pour tous*. Mais aimante toujours : puisqu'elle est
joyeuse. Nulle tristesse n'est bonne, nulle haine n'est vertueuse. Et sans doute justice et miséricorde, moralement,
suffisent : l'amour n'est jamais dû. « Humanité et douceur », dit simplement Spinoza [3] ; cela suffit, et doit suffire.
Mais la joie naît, dans ce pardon, et le renforce. Connaissance et joie, c'est où culmine le spinozisme, se nourrissent
l'un l'autre : amour et vérité vont de pair [4]. Car la pitié est
une tristesse sans doute, mais la miséricorde, une joie [5]. Et
comment serait-elle possible, si les hommes étaient libres
et choisissaient *librement* le mal ? Au contraire, écrit Spinoza, « Qui sait droitement que tout suit de la nécessité de
la nature divine et arrive suivant les lois et règles éternelles
de la nature, ne trouvera certes rien qui soit digne de haine,
de raillerie ou de mépris, et il n'aura pitié de personne ;

1. *Ethique* IV, scolie de la prop. 36.
2. *Ibid.*, prop. 37.
3. *Ibid.*, scolie 1 de la prop. 37.
4. Voir par exemple *Ethique* IV, scolie 1 de la prop. 37 et scolie de la prop. 73.
Voir aussi, et surtout, *Ethique* V, en entier...
5. Voir *Ethique* III, définition 24 des affections. Cette *misericordia*, même si cela
apparaît peu ici, est bien liée au pardon : voir *Ethique* IV, Appendice, chap. 13.

mais autant que le permet l'humaine vertu, il s'efforcera de *bien faire*, comme on dit, *et de se tenir en joie.* »[1] La vertu est un désir réussi.

Cette vertu du sage n'est pas autre chose que la sagesse même, et pas autre chose non plus que la liberté, au sens où Spinoza l'entend. « *L'homme libre, c'est-à-dire qui vit suivant le seul commandement de la raison...* »[2] Car la raison en moi est libre, non certes de vouloir ou de choisir (ce n'est pas un libre arbitre : la raison ne saurait choisir le faux ni, par conséquent, le vrai), mais de penser : elle n'est soumise qu'au vrai, c'est-à-dire qu'à soi. Chacun sent bien que si la vérité était – en tant que vérité – déterminée socialement (s'il y avait une vérité bourgeoise et une vérité prolétarienne...), psychologiquement (s'il y avait une vérité pour le névrosé, une autre pour le psychotique...) ou même physiologiquement (s'il y avait une vérité pour l'homme et une autre pour le singe ou le martien...), bref si la vérité était soumise à autre chose qu'à elle-même (*veritas norma sui...*)[3], *il n'y aurait plus de vérité du tout.* Si les mathématiques n'étaient pas vraies pour tous (hommes ou martiens peu importe), elles ne seraient pas vraies – et chacun resterait, à jamais, prisonnier de son cerveau. Mais alors il n'y aurait plus de pensée ni, en effet, de liberté. Car seule la vérité est libre : penser en vérité, c'est penser librement, et la raison n'est pas autre chose, en moi ou dans le monde, que la libre effectuation du vrai.

On voit que cela ne supprime nullement la nécessité (les mathématiciens en savent quelque chose), ni même ne la « dépasse » (la « nécessité comprise » des hégéliens ou des marxistes !). Comprise ou non, la nécessité reste la nécessité. Et quoi de plus nécessaire qu'une pensée vraie ? Mais libre pourtant : puisque *sans autre nécessité que la sienne*

---

1. *Ethique* IV, scolie de la prop. 50. Voir aussi le scolie de la prop. 73.
2. Par exemple dans la démonstration de la prop. 67 d'*Ethique* IV.
3. Voir *Ethique* II, en entier, et spécialement les prop. 5, 6 et 7 (avec son corollaire et le scolie), ainsi que le scolie de la prop. 43.

propre [1]. Et généreuse répétons-le : puisque sans autre intérêt que le vrai, qui est commun à tous, et sans réserve ni
exclusive. La raison nous libère ainsi de l'esclavage narcissique du moi. L'avare est prisonnier toujours, comme aussi
l'ambitieux ou l'égoïste : prisonniers d'eux-mêmes, chacun
faisant de soi sa geôle et son geôlier... La raison seule, parce
qu'elle n'appartient à personne (elle est, exactement, *sans
sujet ni fin*), peut être fidèle à tous ; et, parce qu'elle ne
possède rien, peut tout donner.

Il y a là un rigorisme spinoziste, et comme un extré-
misme de la vertu. Qu'on en juge. Il s'agit de savoir, c'est un
problème traditionnel, si l'on peut mentir, sous certaines
conditions, et spécialement « si, en cas qu'un homme pût se
délivrer par la mauvaise foi d'un péril de mort imminent, la
règle de la conservation de l'être propre ne commanderait
pas nettement la mauvaise foi » [2]. La réponse de Spinoza,
difficile, est sans ambiguïté : « Je réponds (que) si la raison
commande cela, elle le commande donc à tous les hommes,
et ainsi la raison commande d'une manière générale à tous
les hommes de ne conclure entre eux pour l'union de leurs
forces et l'établissement des droits communs que des
accords trompeurs, c'est-à-dire commande de n'avoir pas
en réalité de droits communs, mais cela est absurde. » [3]
La proposition est donc à prendre au pied de la lettre :
« L'homme libre n'agit *jamais* en trompeur, mais *toujours*
de bonne foi. » [4] Et j'avoue que cela me fut, et pendant longtemps, un abîme singulier. Je n'y reconnaissais plus mon
Spinoza, ni son relativisme (« bon et mauvais se disent en
un sens purement relatif... ») [5], ni son sens, pourtant si aigu,
de la prudence et de l'opportunité. Comment concilier cette
proposition, si intransigeante, avec cette autre, par exemple, qui me fit rire si bonnement : « Dans un homme libre,
la fuite opportune et le combat témoignent d'une égale fer-

1. Voir *Ethique* I, définition 7, et *Lettre 58*, à Schuller (p. 303-304).
2. *Ethique* IV, scolie de la prop. 72.
3. *Ibid.* Voir aussi la démonstration.
4. *Ibid.*, proposition 72.
5. *Traité de la réforme de l'entendement*, § 5 (§ 12 dans la Pléiade).

meté d'âme » [1] ? Et de le trouver soudain si près de Kant...
Mais quoi, les grands esprits ont bien le droit d'être honnêtes, et Spinoza autant que Kant. « *Oui, mais s'il faut mourir...* » Chacun jugera, pour son compte, et je sais bien, moi,
ce que je ferais. Mais ce que Spinoza nous dit, en cet
endroit, et bien clairement, ce n'est pas que la bonne foi soit
due (comme un impératif catégorique ou un commandement divin), ni que le mensonge soit un mal absolu (il n'est
de mal, pour Spinoza, que relatif), mais simplement que le
mensonge n'est jamais libre, c'est-à-dire que ce n'est jamais
la raison qui l'impose ou le justifie. Et l'exemple donné,
bien sûr, le confirme. « Se délivrer d'un péril de mort imminent... » Mais qu'importe à la raison ? Imagine-t-on le vrai
effrayé soudain de périr ? La raison est héroïque, toujours,
parce qu'elle n'a pas à l'être : libérée de peur et d'intérêt, elle
n'obéit qu'au vrai, qui n'obéit qu'à soi. Cela est la liberté
même : le sujet n'est libre que *libéré* du sujet. Et sans doute
nul de nous n'est libre tout entier. Le sujet résiste au vrai,
qui lui résiste. Mens donc, si tu veux ; mais n'en fais pas
vertu. Tout mensonge est peur, contrainte, esclavage. Faiblesse, donc, et aveu de faiblesse : on ne ment que par
impuissance. Si la vertu est une force, elle est véridique ; et
personne, c'est tout ce que dit Spinoza, ne ment *librement
(quatenus liber)* [2]. Seule la vérité est libre, et la liberté
même ; le mensonge ne l'est jamais. J'ai retrouvé alors mon
Spinoza, et aussi grand que toujours. Mais depuis je parle
de Kant – sans rien céder sur le fond – moins légèrement.

Où l'on voit à nouveau, et bien nettement, que la vertu
du sage, si elle diffère de la vertu ordinaire par son contenu
éthique (elle comporte davantage de joie et de puissance,
moins de peur et de contrainte), la rejoint pourtant d'un
point de vue moral : sa vertu est joyeuse, mais c'est bien
une vertu. Le sage, contrairement à ce qu'on a dit, ne vit
pas par-delà le bien et le mal, ni ne récuse la morale ordinaire des braves gens (celle de Kant ou du savetier). Il fait

---

1. *Ethique* IV, corollaire de la prop. 69.
2. *Ethique* IV, démonstration de la prop. 72.

librement, c'est toute la différence – et certes elle est considérable d'un point de vue éthique, mais guère d'un point de vue moral –, ce que ceux-là font tristement, par devoir ou par habitude. Spinoza ne combat donc pas la moralité (les enseignements moraux, écrit-il, « demeurent salutaires »)[1], mais les moralistes ; non la morale (on a tort d'affirmer, écrit-il, « que je ne laisse aucune place aux préceptes et aux commandements »)[2], mais l'exploitation religieuse – ou, comme il dirait, superstitieuse et triste[3] – qui en est faite. « J'appelle moralité, écrit-il tranquillement, le désir de faire du bien qui tire son origine de ce que nous vivons sous la conduite de la raison. »[4] Et chacun connaît, ou reconnaît, les vertus qui en découlent : la générosité, la justice, l'équité, la douceur, la paix, la miséricorde... Nous voilà bien loin des « monstres triomphants » ou de « la superbe brute blonde »[5], bien loin du « renversement de toutes les valeurs » et de l'apologie de la barbarie...[6] Et bien loin aussi de nos *immoralistes* d'aujourd'hui. Spinoza, pour le dire d'un mot, ou de deux, n'est ni un jeune nietzschéen ni un vieux soixante-huitard. Il ne renverse pas la morale ; il ne vit pas par-delà le bien et le mal ; il n'interdit pas d'interdire. Ce n'est pas un immoraliste ; c'est un théoricien de la morale (comme illusion nécessaire et bienfaisante) et un praticien de la vertu (comme moralité désillusionnée et libre). Son amoralisme théorique (qui est réel : la vérité n'a pas de morale) débouche, non sur une simple *éthologie* (une théorie objective des comportements humains), mais sur une *éthique* (une théorie normative du bien-vivre : une « *rectam vivendi rationem seu certa vitae dogmata* »)[7], laquelle n'exclut pas, mais inclut au contraire, une morale. Les braves gens ne

---

1. *Lettre 43*, à J. Osten (p. 273).
2. *Ibid.* (p. 274).
3. *Ethique* IV, Appendice, chap. 31.
4. *Ethique* IV, scolie 1 de la prop. 37.
5. Voir Nietzsche, *Généalogie de la morale*, I, 11.
6. Voir par exemple *Par-delà le bien et le mal*, en entier...
7. *Ethique* V, scolie de la proposition 10 (« une conduite droite de la vie, autrement dit des principes assurés de conduite... »).

sont pas toujours sages, ni souvent ; mais les sages, toujours, sont gens de bien.

On se trompe donc, à force d'être unilatéral, quand on
n'insiste que sur la critique, par Spinoza, de telle ou telle
« vertu » traditionnelle, par exemple (mais on ne pourrait
guère les multiplier) la pitié, le repentir ou l'humilité. Sans
doute ne sont-ce pas là, pour Spinoza, des vertus véritables : « La pitié, chez l'homme qui vit sous la conduite
de la raison, est par elle-même mauvaise et inutile »[1], et le
sage, autant qu'il peut, s'en protège[2] ; le repentir « n'est pas
une vertu (...), mais celui qui se repent de ce qu'il a fait est
deux fois misérable ou impuissant »[3] ; l'humilité enfin
« n'est pas une vertu »[4], mais « une tristesse née de ce que
l'homme considère sa propre impuissance... »[5] Et toutes
ces tristesses, qui sont autant de fautes (seule la joie est
bonne), doivent être combattues : le sage, autant qu'il le
peut (autant qu'il est sage), ignore toute pitié, tout repentir,
toute humilité. Mais lui seul aussi peut le faire légitimement : pour tous les autres, et c'est ce qu'on oublie trop
souvent, ces trois tristesses valent mieux que leur absence.
« Les hommes ne vivant guère sous le commandement de
la raison, observe Spinoza, l'humilité et le repentir, et en
outre l'espoir et la crainte, *sont plus utiles que domma-
geables* »[6] ; ils nous protègent en effet de la barbarie (où
chacun serait victime de tous) et de l'orgueil (où chacun
resterait prisonnier de soi)[7]. Le désespoir n'est pas à la
portée de n'importe qui ; mieux vaut se repentir du mal
qu'on a fait que s'y installer benoîtement. De même « la

1. *Ethique* IV, prop. 50 (trad. Caillois).
2. *Ibid.*, corollaire.
3. *Ethique* IV, prop. 54.
4. *Ibid.*, prop. 53.
5. *Ibid.*, démonstration ; voir aussi *Ethique* III, définition 26 des affections.
6. *Ethique* IV, scolie de la prop. 54.
7. *Ibid.* Le repentir joue ici un rôle particulier, que Spinoza évoque aussi dans le
TThP (chap. XIV, p. 244) et dont Alexandre Matheron a bien souligné la singularité :
« tristesse unique entre toutes, le repentir crée les conditions de sa propre disparition en nous obligeant à nous engager dans une recherche au terme de laquelle
toute raison de se manifester lui sera ôtée » (*Le Christ et le salut des ignorants...*,
p. 113).

honte, qui n'est pas une vertu, *est bonne cependant*, en tant qu'elle dénote dans l'homme rougissant de honte un désir de vivre honnêtement... Bien qu'il soit triste, l'homme qui a honte de ce qu'il a fait est cependant *plus parfait* que l'impudent qui n'a aucun désir de vivre honnêtement. »[1] Enfin la pitié est certes une tristesse, et le sage « s'efforce autant qu'il peut de ne pas (en) être touché »[2]. A quoi bon amasser tristesse sur tristesse, et bâtir, tel un enfer imaginaire et vain, malheur sur malheur ? Attendra-t-il, pour être heureux, que tous le soient ? Qu'en serait-il alors de sa sagesse ? Et à quoi bon ? Souffrir pour quelqu'un, ou *avec* quelqu'un (com-passion), cela n'a jamais empêché ce quelqu'un de souffrir... Mieux vaut agir joyeusement (générosité) que pâtir (pitié) et même qu'agir (bienveillance)[3] tristement. Mais si cela se peut sans égoïsme, c'est que le sage n'a pas besoin, pour être généreux, de souffrir, ni, pour agir, d'être triste : il combattra la souffrance des autres, non parce qu'il en souffre (pitié), mais par pur amour de soi (il s'aime d'autant plus qu'il est plus généreux) et des autres (qu'il aime d'autant mieux qu'il en souffre moins). Pas de pitié, donc, mais pas non plus d'indifférence ou d'égoïsme : la pitié n'est pas une vertu mais est bonne pourtant[4], et vaut mieux que l'envie ou la haine. Au reste, précise Spinoza quand il rejette la pitié, « je parle ici expressément de l'homme qui vit sous la conduite de la raison. Pour celui qui n'est mû ni par la raison ni par la pitié à être secourable aux autres, *on l'appelle justement inhumain*, car il ne paraît pas ressembler à un homme. »[5]

1. *Ethique* IV, scolie de la prop. 58 (dans toutes ces citations, c'est moi qui souligne).
2. *Ethique* IV, corollaire de la prop. 50.
3. Sur les définitions spinozistes de ces notions, voir *Ethique* III, scolie de la prop. 59 (générosité), scolie de la prop. 22 et définition 18 (pitié, commisération), enfin scolie du corollaire 3 de la prop. 27 et définition 35 (bienveillance).
4. Voir *Ethique* IV, scolies des prop. 50 et 58 (où il est dit que la honte, « *comme la pitié* », est bonne).
5. *Ethique* IV, scolie de la prop. 50. « *Inhumanus* », dans la bouche de Spinoza, vaut bien sûr comme condamnation. L'homme n'a pas à être dépassé, ni ne peut l'être : s'il y a un *anti-humanisme théorique* chez Spinoza, ce que je crois, il y a aussi, incontestablement, un *humanisme pratique*. Voir à ce propos Sylvain Zac, *La morale de Spinoza*, Paris, puf, 1972, p. 45-47.

Soit : individuellement, un salaud ; et, collectivement, la barbarie.

Il y a donc, pour résumer, non pas deux (morale ou éthique !) mais quatre positions pratiques possibles : l'indifférence (le salaud) ou le refus (l'immoraliste, à supposer que ce puisse être autre chose qu'une position théorique) ; la soumission craintive et superstitieuse (le moraliste, le prêtre) ; le respect bienveillant et miséricordieux (le brave homme) ; enfin la générosité active et joyeuse (l'homme libre, le sage). Ils sont classés ici par ordre – pour Spinoza comme pour nous – de valeur croissante. Mieux vaut un brave homme qu'un (prétendu) surhomme, mieux vaut un prêtre qu'un salaud. Spinoza, loin de condamner la morale ou d'encourager l'immoralité, donne aux gens de bien les moyens, tant théoriques que pratiques, d'aller au bout de leur vertu, c'est-à-dire, joyeusement, de leur puissance. Pourquoi pleurer sur les cadavres quand on peut agir pour les vivants ? Et il le faut. Si rien n'a de valeur en soi (désespoir : « le bien et le mal n'existent pas dans la nature »)[1], tout, pour nous, ne se vaut pas (ascension : « bien faire et se tenir en joie »)[2]. Bien et mal « ne se disent que d'une façon relative »[3], mais, dans le cadre de cette relativité (pour l'homme)[4], se disent légitimement. « Par *bien* j'entends ici tout genre de joie et tout ce qui, en outre, y mène... Par *mal* j'entends tout genre de tristesse... »[5] Bon pour cela l'amour (qui est une joie, et source de joies), mauvaise la haine (qui est une tristesse, et cause de tristesses)...[6] J'aime le bien, exactement, par définition – et je le connais, par cet amour[7]. Et point pour moi seulement, mais (puisque le désir doit se soumettre à la raison) pour

1. *Court traité*, I, 10 (p. 84) ; voir aussi, *ibid.*, II, 4 (p. 96).
2. *Ethique* IV, scolie de la prop. 50.
3. « *Bonum et malum non, nisi respective, dicantur* » (*TRE*, § 5 (Appuhn) ou 12 (Koyré, dont je suis ici la traduction)). Voir aussi *Pensées métaphysiques*, I, 6 (p. 353).
4. Voir par exemple *Ethique* IV, scolie de la prop. 57.
5. *Ethique* III, scolie de la prop. 39.
6. *Ethique* III, définitions 6 et 7 des affections.
7. Voir, outre les définitions 1, 2, 3, 6 et 7 des affections (dans *Ethique* III), les prop. 8, 18 et 19 d'*Ethique* IV.

tous, et également pour tous. Le désir désire la joie, la joie (en tant qu'elle a conscience de sa cause) est amour, l'amour (en tant qu'il est raisonnable) est généreux... Spinoza est un philosophe difficile et très simple, comme la vie même.

VIII

Tout est-il dit ? Sans doute pas. Il reste à comprendre pourquoi la moralité, comme désir et effectuation du bien (comme *bien-faisance*, et qui devrait être joyeuse), est vécue le plus souvent comme contrainte et tristesse. Comment passe-t-on, si l'on me permet cette distinction, de la *moralité* (la pratique joyeuse du bien : amour, générosité...) à la *morale* (l'expérience douloureuse du mal qu'on a fait, qu'on désire ou qu'on se refuse : remords, tentation, interdits...) ? Comment passe-t-on, autrement dit, de la *vertu* au *devoir* ?

Car certes ce sont deux choses différentes. Le devoir suppose la possibilité tentante du mal (il est donc l'indice d'une faiblesse ou d'une perversion : point de devoir, note Kant, pour une volonté sainte) et prend pour cela la forme, non seulement d'un impératif, mais, pour tel désir concret, d'une interdiction (le « *non* » de Socrate et de chacun) ou, comme dit Kant, d'une « contrainte », d'une « soumission », d'une « coercition ». Il s'impose à la fois formellement (comme pure loi, indépendamment de tout objet ou but de la volonté), négativement (comme interdit ou coercition « exercée sur tous les penchants ») et impérativement (comme commandement qui ne contient en soi « aucun plaisir »)[1]. La vertu au contraire, au sens où je l'entends, est positive, affirmative, plaisante – et joyeuse dans son extrême. Car elle concerne, non la *loi* de l'action, mais sa *valeur* : elle est de l'ordre non d'un commandement

---

1. Sur tout cela, voir par exemple Kant, *Critique de la raison pratique*, I, I, chap. 1 et 3 (spécialement les p. 32 et 84-85 de la trad. Picavet, Paris, PUF, 1943, rééd. 1971).

mais d'un choix, non d'un impératif mais d'une excellence. Or, Aristote l'avait bien vu, ce n'est pas assez de bien faire pour être bon ; il faut encore le faire sans tristesse (de bon cœur), et même joyeusement[1]. Qui souffre du bien qu'il fait (l'avare qui donne, le lâche qui fait face, l'intempérant qui s'abstient...), c'est morale, parfois, mais ce n'est pas vertu. L'acte vertueux en effet, pour être vertueux, doit être « agréable ou tout au moins sans souffrance »[2]. Le vrai courage, s'il n'ignore pas la peur, la surmonte joyeusement. L'homme vraiment généreux est celui qui donne sans peine – au lieu que l'avare qui se force (par exemple parce que l'aumône est un devoir ou un commandement divin) fait acte moral, sans doute, mais n'en est pas plus généreux pour autant[3]. Et le lubrique, dit joliment Spinoza, « s'il est triste de ne pouvoir se satisfaire » (que ce soit devoir ou timidité), « ne cesse pas pour cela d'être lubrique »[4]. La chasteté n'est une vertu, si elle l'est, que joyeuse, c'est assez clair, et par excès de bonheur (non par tristesse et frustration)[5]. Seuls les purs peuvent être chastes ; les autres ne sont, s'ils le sont, que continents. Or le devoir n'a jamais purifié personne ; le plaisir, si. *Pura voluptas*, disait Lucrèce[6], et nous savons de quoi il parle. Il y a plus de pureté dans l'amour, même sensuel, que dans l'abstinence, même morale. La vertu est une force, pas une prison.

Ce qui réapparaît ici, contre Kant et deux mille ans de christianisme, c'est la belle vertu grecque, généreuse et fière toujours. Qu'on puisse opposer vertu et bonheur, que le devoir doive ne comporter rien d'agréable ni de séduisant, qu'une générosité forcée, par exemple, puisse valoir

---

1. *Ethique à Nicomaque*, II, 2, 1104 *b* (trad. Tricot, Paris, Vrin, 1979, p. 94). Voir aussi IV, 2, 1120 *a* (p. 172).

2. *Ibid.*, IV, 2, 1120 *a* (p. 172).

3. Aristote, *Ethique à Nicomaque*, IV, 2, 1120 *a* : « Pas davantage n'est libéral celui qui donne avec peine, car il semble ainsi faire passer l'argent avant la bonne action, ce qui n'est pas la marque d'une nature libérale. » (La *libéralité*, chez Aristote, est à peu près la générosité en matière d'argent, et le juste milieu entre la prodigalité et la parcimonie.)

4. *Ethique* III, explication de la définition 48 des affections.

5. Voir la souveraine proposition 42 (la dernière !) d'*Ethique* V.

6. IV, 1075 et 1081. Voir aussi III, 40.

mieux (parce qu'elle fait alors le bien « non par inclination mais *par devoir* ») que la générosité spontanée d'un tempérament bienveillant[1], voilà qui leur aurait paru scandaleux, à tous, et digne seulement d'âmes misérables. Platon lui-même n'y aurait pas reconnu son bien ni sa grandeur, et encore moins Aristote, Diogène ou Chrysippe... La vertu n'est-elle pas *excellence* (une ligne de crête, montrait Aristote, entre deux abîmes)[2], et bonne pour cela, et joyeuse ? Et quel bonheur, pour qui se méprise ? Quant à Epicure, « le vertueux Epicure », il ne cherchait les vertus, on le sait, que *pour le plaisir*[3] ; mais cela lui était une raison suffisante. Et quelle autre ? Le devoir ? La morale ? La loi ?... Epicure en rirait encore, et montrerait son ventre...

Mais l'Eglise vint (l'Eglise, non le Christ : l'une vint quand l'autre s'en alla), l'Eglise avec ses prêtres, ses philosophes et ses docteurs, qui, « sur le corps splendide et florissant de la Laïs grecque », comme dira Marx, jetèrent « la défroque d'une nonne chrétienne »[4]. La moralité devint alors un devoir, le plaisir un mal, le bien un ordre, et la vertu, pour finir, un esclavage ! Schopenhauer a bien montré[5] que cette morale, telle qu'elle culmine chez Kant, n'est pas autre chose que « la vieille morale des théologiens » et « par conséquent du Décalogue »[6]. Il s'agit, non de *faire* le bien, mais de s'y *soumettre* – non d'aimer, mais d'obéir ! Et l'on connaît les arguments de Kant : qui fait le bien spontanément, parce qu'il est « si porté à la sympathie que, même sans aucun autre motif de vanité ou d'intérêt, (il éprouve) une satisfaction intime à répandre la joie autour

---

1. Voir par exemple un texte effrayant de Kant, dans les *Fondements*..., I, p. 96-97 de la trad. Delbos. Kant se rapproche pourtant des Grecs dans la *Doctrine de la vertu*, II, § 53.

2. *Ethique à Nicomaque*, II, 5-6.

3. Voir par ex. Diogène Laërce, X, 138, et *Lettre à Ménécée*, 132.

4. Dans la *Thèse* de 1841 : *Différence*..., p. 207 de la trad. franç. (Bordeaux, Ducros, 1970).

5. Oui, je sais : Nietzsche aussi. Et sa critique, sur ce point, n'est pas sans pertinence ni vigueur. Mais celle de Schopenhauer, d'une autre portée, la précède et, pour mon goût, la dépasse (*Le fondement de la morale*, spécialement II et III, 19). Voir aussi *Le monde*..., liv. IV.

6. *Fondement de la morale*, p. 21-22 de la trad. franç. (Paris, Aubier, 1978).

de soi (et à) jouir du contentement d'autrui », celui-là est *moins bon*, moralement parlant, que cet autre qui, « froid par tempérament et indifférent aux souffrances d'autrui », fait le bien non par bienveillance ou inclination mais, uniquement, « par devoir » – non par amour (de l'autre) mais par respect (de la loi)[1] ! Contre quoi Schopenhauer, justement révolté, note : « Apothéose de l'insensibilité (...), idée de pédant sans délicatesse qui moralise... Il faut que l'acte soit *commandé* ! Morale d'esclaves ! »[2]

Mais passons. Ce qui apparaît maintenant clairement, me semble-t-il, c'est que la vertu (comme excellence et puissance : la vertu d'Aristote, de Diogène, d'Epicure ou de Spinoza) est à mille lieues de là, et même, en un sens, tout à l'opposé : elle n'est pas coercition ou contrainte mais puissance et liberté. Et loin d'être soumission au devoir, elle est bien plutôt ce qui l'abolit, non certes par immoralité, mais *du fait même de son excellence* (par moralité spontanée et libre). Qui est vraiment bon, qu'a-t-il besoin de la loi ? Qui est vraiment généreux, qu'a-t-il besoin du devoir ? Qui est vraiment *vertueux*, en un mot, qu'a-t-il besoin de *morale* ? « Ce que l'on fait par contrainte, disait Kant, on ne le fait pas par amour »[3], et c'est la vérité de la morale. La vérité de la vertu est à l'inverse : ce que l'on fait par amour, on ne le fait pas par contrainte, et c'est la vérité de l'éthique. Alors : « *Aime et fais ce que voudras...* » ? Ma foi, pourquoi non ? Qui aime, qu'a-t-il besoin d'impératifs ? Et qui pourrait ordonner d'aimer ? La vertu ne se commande pas, et n'en a pas besoin. Allons au bout du paradoxe : la morale n'est bonne que pour les méchants (la morale, non certes la moralité ou la vertu !) ou, en tout cas, n'est bonne à rien pour les bons. La vraie moralité, je ne reviens pas sur ce qu'a montré Spinoza, loin d'être obéissance ou soumission, est liberté ; et la morale – car Kant, c'est là le pire, n'a sans doute pas tort – est au contraire coercition,

---

1. *Fondements de la métaphysique des mœurs*, I, p. 96-97.
2. *Fondement de la morale*, II, 6, p. 31-32.
3. *Doctrine de la vertu*, Introd., XII, *c*, p. 73.

contrainte, interdits. Qu'en conclure, si ce n'est que la morale, par la contrainte qu'elle nous impose (devoirs, commandements, impératifs...), ne fait que mesurer notre éloignement de la vertu ? Je ne sais si c'est un paradoxe ou un truisme, mais cela me paraît clair : nous avons d'autant plus besoin de morale que nous avons moins de moralité – d'autant plus besoin de commandements que nous manquons davantage de vertu !

De là le devoir, bien sûr, et la tristesse : la morale naît, comme exigence ou impératif, dans l'écart même qui nous sépare de la vertu. Elle est un produit de notre faiblesse (et triste pour cela), une expression, non du bien ou de la vertu, mais du mal ou de l'imperfection. En un mot, et métaphoriquement : la morale est une création du malin.

Où l'on retrouve Platon et Kant, chez eux. La morale, au contraire de la vertu, suppose le mal (Kant : le mal radical) ou, et sans doute cela revient au même, l'absence du bien (Platon : la caverne, le monde « abandonné de Dieu »). En bref : la morale suppose la chute, et en naît. C'est en quoi elle est religieuse, dans son principe : pas de chute sans un Bien antécédent, dont elle s'éloigne. La morale naît, dans cet écart. Et l'on pourrait citer ici, à nouveau, Platon ou Plotin. Mais le serpent, dans la Genèse, n'est pas non plus sans profondeur : « *Le jour où vous mangerez de ce fruit, vous connaîtrez le bien et le mal...* » Autrement dit : ce n'est pas la morale d'abord qui permet la faute, c'est au contraire la faute qui permet la morale, en faisant passer de la moralité spontanée (l'innocence pure : la nudité sans honte) à la « connaissance du bien et du mal » (la morale proprement dite : honte et soumission). « *Alors ils virent qu'ils étaient nus...* » La morale commence là, dans cette honte. Mais il y faut le *souvenir* du bien, et l'énoncé, à défaut de morale, au moins d'une loi (l'*interdit*, non comme morale, mais comme la condition préalable qui la rend possible : « *Tu ne mangeras pas de ce fruit* » ; commandement moralement inintelligible, et qui doit l'être : puisqu'il précède la morale, elle ne saurait l'expliquer). Ce que Descartes avait vu, je crois, et que Freud, à sa façon, confirmera : la loi, dans son absoluité factuelle, *précède* la morale, et, par la médiation de la faute qu'elle rend possible, l'engendre. Dieu, en ce sens, n'a pas de morale (il n'est soumis à rien), mais il *crée* la loi, et l'énonce. La faute alors devient possible (la chute : « *elle prit le fruit et le mangea...* »), et la morale, nécessaire. C'est en quoi toute morale est religieuse, répétons-le : elle suppose le mal, qui suppose la chute, qui suppose le bien. Religion : descente. La faute (pour être une faute, et point seulement une faiblesse) a besoin de la loi, le mal du bien, le pécheur de Dieu. La vertu seule peut s'en passer.

« Le matérialisme, disais-je, s'il est plus difficile, est peut-être aussi plus moral... » Je me trompais. Il est seulement plus vertueux.

Cela ne résout pas encore notre problème : comment passe-t-on de la moralité à la morale, de la liberté à l'obligation, de la vertu au devoir ? Pourtant il se pourrait que la religion ici nous guide, et nous éclaire. Point de morale, on l'a vu, pour une volonté sainte : la morale suppose le mal, puisqu'elle l'interdit. Il y a ici quelque chose d'incontournable, comme on dit maintenant, et qui est la morale même : création du démon, encore une fois, effet du mal qu'elle sanctionne. Et cela, me semble-t-il, *religion ou pas*. Simplement la religion – c'est en quoi elle est religieuse – explique le mal par le bien : Satan lui-même est créature, et l'homme. Dieu existe d'abord, qui est le Bien, et ne peut pour cela créer que *moins bien* que soi : le meilleur des mondes possibles doit être imparfait, sinon il serait Dieu, et il n'y aurait pas de monde. La chute est inscrite dans la création, et la prolonge : le mal est nécessaire, dès lors que le Bien n'existe pas seul [1]. « La création n'est pas seulement un exode, c'est une descente. » [2] De là le mal, de là la

---

1. Voir les grandes pages de Plotin, dans *Ennéades*, I, 8 (spécialement le § 7). La même idée se retrouve, entre autres, chez saint Augustin et saint Thomas (comme aussi, plus tard, chez Simone Weil).
2. E. Gilson, *Le thomisme*, Paris, Vrin, 1979, p. 202. Voir aussi, du même auteur,

morale. Si Dieu est le bien, et tout le bien, l'homme ne peut plus faire que le mal – et ne le doit. La morale est le prix à payer de n'être pas Dieu.

Pour le matérialiste, au contraire, c'est le mal qui est premier. J'entends bien qu'il y a là quelque paradoxe : comment le mal pourrait-il précéder le bien, puisqu'il ne peut être mauvais que *relativement* à lui ? « *Bonum et malum*, disait Spinoza, *non nisi respective dicantur*. »[1] Et chacun le comprend : nul ne serait aveugle sans la vue, ni méchant sans la vertu, ni laid sans la beauté. Platon part de là, comme on sait, confondant *valeur* et *être*. Pour qui s'y refuse, il reste la relativité brute (le labyrinthe des valeurs) et la nudité du réel (le désespoir). Si « bien et mal ne se disent que relativement », il faut en conclure que le réel n'est ni bon ni mauvais, et ne le devient, localement, que pour l'esprit et par comparaison[2]. Objectivement, il n'y a pas de mal, puisqu'il n'y a pas de bien. Soit. Et Lucrèce disait aussi, ou il le laisse entendre, que la nature, étant le tout du réel, ne saurait être jugée par rien. Soit encore. Mais enfin il y a la souffrance. Qui ne voit qu'elle n'a pas besoin, pour exister, d'un plaisir préalable ? Le nouveau-né, dès le premier instant, est fin prêt pour souffrir. Pour jouir, c'est une autre histoire. Que saurait-il du plaisir, que pourrait-il en savoir, si n'existait d'abord en lui quelque mal – faim, douleur, frayeur... – à apaiser ? La douleur n'a besoin de rien, que de la sensation ; elle n'a besoin, donc, que de soi. Il se pourrait au contraire que le plaisir, du moins plusieurs l'ont pensé, ne soit possible que par quelque malaise préalable qu'il supprime, dont il ne serait, et pour cela toujours second, que l'agréable disparition... Les biologistes trancheront. Toujours est-il que, concernant l'action et la conduite de la vie, c'est bien la douleur

---

Introduction à l'étude de saint Augustin, Paris, Vrin, 1983, p 187 : « Dieu créant, le mal était inévitable. » Même idée, et avec quelle insistance, chez Simone Weil *(La Pesanteur et la grâce, passim)*.

1. *TRE*, § 5 (Appuhn) ou 12 (Koyré et Gaulois) : « Bien et mal ne se disent que d'une façon relative » (trad. Koyré).

2. *Éthique* IV, Préface (p. 219), et définitions 1, 2 et 7.

(au sens large : la *dukkha* des bouddhistes) qui, négativement, nous guide. A supposer qu'un plaisir soit possible
sans souffrance préalable (un plaisir absolument premier),
il n'en reste pas moins que nous fuyons la souffrance (ou
le malaise, l'angoisse, le manque...) davantage que nous ne
cherchons le plaisir. C'est pourquoi le principe de réalité
l'emporte : la peur nous tient davantage que le désir, ou
plutôt (car la peur n'est qu'un désir négatif temporellement
orienté : l'envers d'une espérance) le désir nous tient avant
tout par la peur, et si cela est imaginaire en un sens (l'avenir
l'est toujours), c'est aussi le réel même que nous vivons.
Rechercher, fuir, espérer, craindre... Mais nous fuyons
d'abord, et notre premier espoir est d'être rassuré. Tout
commence par la peur, et continue par elle. *Terreurs et
ténèbres*, dit Lucrèce[1]. C'est ainsi que nous vivons, et qu'il
faut vivre. « Ne voyez-vous pas ce que crie la nature ?
demandait Lucrèce. Réclame-t-elle autre chose que, pour
le corps, l'absence de douleur, et, pour l'esprit, un sentiment de bien-être, dépourvu d'inquiétude et de crainte ? »[2]
D'abord fuir. La prudence, disait Epicure, est « plus précieuse même que la philosophie »[3].

Non certes que la douleur, pour un épicurien, soit absolument première. Il n'est de douleur que pour un vivant,
et point de vie sans doute sans quelque plaisir, comme
disait Epicure, à la fois *connaturel* et *constitutif*. Si le plaisir
n'était que l'absence de souffrance, la mort serait la meilleure solution, toujours, et l'on ne voit guère, sauf à jouer
sur les mots, quel *plaisir en repos* serait possible. S'il existe
un plaisir qui n'est pas seulement la *disparition* d'une souffrance (plaisir en mouvement : boire quand on a soif) mais
son *absence* (plaisir en repos : être bien), cela suppose

---

1. II, 54-61. Voir aussi Epicure, *Lettre à Ménécée*, § 128.
2. Lucrèce, II, 16-19.
3. *Lettre à Ménécée*, 132. La « prudence » *(phronèsis)* a un sens plus large, chez
Epicure, que le simple évitement des dangers. Mais il reste qu'elle est un art, d'abord,
de la fuite : il s'agit avant tout, « pour le corps, de ne pas souffrir, pour l'âme, de
n'être pas troublée » (131). La prudence, comme sagesse pratique, est l'art d'y réussir.
Elle ne relève pas de la philosophie, mais la permet : la *sophia* n'est que la *phronèsis*
pensée et vécue en vérité.

– puisqu'une absence n'est rien – que le plaisir est bien autre chose que cette absence : une sensation en elle-même et immédiatement positive. Si le plaisir et la douleur se définissent réciproquement, et par exclusion, c'est comme la matière et le vide : du fait que l'absence de l'un soit toujours la présence de l'autre[1], il ne s'ensuit pas que cet autre se réduise, quant à son être, à cette absence. Au contraire, la somme des deux (le tout : matière et vide ; la vie : plaisir et douleur) n'est réelle que parce que chacun de ces deux termes l'est d'abord, indépendamment de l'autre et en soi[2]. Il n'y a pas d'impossibilité théorique à ce que le tout soit absolument plein (ou absolument vide), ni à ce que la vie soit absolument bonne (ou absolument mauvaise). Simplement l'expérience (le mouvement, le désir) montre que cela n'est pas. L'expérience prouve donc, par là même, que l'opposition des deux termes (la matière et le vide, le plaisir et la douleur), loin de se réduire au jeu d'exclusions réciproques qui les définit (pour le langage c'est-à-dire *dialectiquement*), est bien une opposition réelle entre termes réels : sans quoi le tout, n'opposant que des mots, n'opposerait rien. Le plaisir ne serait alors que l'absence de sa propre absence (la douleur), sans que rien jamais, entre ces deux néants, soit réellement vécu. Il n'y aurait rien que le rien ; la vie ne serait qu'un rêve du néant, et la sagesse, sa vérité : néant, et repos dans le néant. Et sans doute cela peut-il se penser ; peut-être même cela peut-il se vivre. Mais cette tentation, que j'appellerais volontiers *nihiliste* (plutôt que « bouddhiste » : il n'est pas sûr que le Bouddha y ait succombé), est précisément, me semble-t-il, ce qu'il s'agit d'éviter. Le modèle d'Epicure, on le pourrait montrer sans grandpeine, est l'atome plutôt que le néant, le plein plutôt que le vide. C'est pourquoi on ne se hâtera pas trop d'écrire que « le bien est d'essence négative »[3]. Le bien c'est le plaisir, qui est

---

1. Voir par exemple la *Maxime capitale* III, qu'on comparera à Lucrèce, I, 507-509.
2. Chacun d'eux, écrit Lucrèce à propos de la matière et du vide, « existe *par lui-même* » : « *esse sibi per se* » (I, 506).
3. Malgré Marcel Conche, que, pour une fois, on ne peut suivre absolument (*Epicure...*, p. 70).

positif (précisément parce qu'il existe en l'absence de toute douleur, c'est-à-dire de toute négativité), et la positivité même. Mais il n'en reste pas moins que le plaisir, s'il est toujours un bien, n'est *recherché* comme tel que parce que nous souffrons : « Alors en effet nous avons besoin du plaisir, quand, par suite de sa non-présence, nous souffrons ; mais quand nous ne souffrons pas, nous n'avons plus besoin du plaisir. »[1] Autrement dit, et le texte est très clair ici, tout plaisir est un bien[2], souffrance ou non, mais il n'est un *besoin* ou un *but* que pour celui qui souffre. La douleur ne crée pas le plaisir, ni même, absolument, ne le rend possible ; mais elle en fait, exactement, le sens de la vie (« le principe et la fin de la vie bienheureuse »)[3] et la norme (non plus simplement présente mais re-présentée) de nos actions : c'est dans le plaisir, écrit Epicure, que « nous trouvons le principe de tout choix et de tout refus, et c'est à lui que nous aboutissons en jugeant tout bien d'après l'affection comme critère »[4]. Or cela n'est vrai – c'est où l'on passe du *repos* à l'*action* – que parce que nous souffrons : « C'est pour cela que nous faisons tout : afin de ne pas souffrir et de n'être pas troublé. »[5] Ce n'est donc pas le bien réel (le plaisir vécu) qui est d'essence négative, mais seulement le bien représenté (en son absence) comme but : le plaisir n'est négatif, tout simplement, que quand il n'est pas là (parce que la douleur y est)[6], et qu'il nous manque. Alors nous agissons, non pour atteindre un bien en lui-même négatif, mais pour passer de la négativité de son absence (manque, douleur) à la positivité de sa présence (l'état équilibré de la chair : le bien-être, ou de l'âme : l'ataraxie). Négation de la négation, si l'on veut, mais qui, loin d'être une « synthèse » ou un « dépassement », revient à l'état originel – et plaisant –

1. *Lettre à Ménécée*, 128.
2. *Ibid.*, 129.
3. *Ibid.*, 128-129 ; voir aussi 131 (« le plaisir est la fin »).
4. *Ibid.*, 129
5. *Ibid.*, 128.
6. *Maxime capitale* III ; *Lettre à Ménécée*, 131-132.

d'équilibre qui, comme tel, est toujours et en lui-même positif. Quand Métrodore écrit : « Le bien est cela même : d'éviter le mal »[1], il a donc raison, mais uniquement pour le bien qu'on poursuit (le bien comme but : le plaisir-*telos*), et pas pour le bien qu'on a (ou qu'on vit : le plaisir-jouissance). Aussi ne peut-on le suivre quand il écrit aussitôt après : « Car il n'y a pas d'endroit où mettre le bien s'il n'y a plus rien de douloureux ou de pénible pour lui faire une place »[2]. Si cela était vrai, la sagesse (l'ataraxie) serait impossible ou ne serait pas un bien, et il faudrait renoncer à l'épicurisme : ce seraient Platon ou Schopenhauer qui auraient raison. Inversement, quand Epicure écrit que « la limite de la grandeur des plaisirs est l'élimination de toute douleur »[3], cela ne veut pas dire que le plaisir se réduit à cette élimination (car alors, supprimant ce qui le rend possible, il se détruirait lui-même : il n'y aurait plus que l'ennui ou le néant), mais, au contraire, qu'il est la positivité même de vivre (« le parfait état de la chair »[4] ou de l'âme), tellement positif – puisque rien ne lui manque ni ne le gêne – qu'il ne peut plus, en effet, être augmenté : il a donc bien atteint sa « limite », non par négativité mais, exactement, par *plénitude*. L'ataraxie est ce repos à quoi rien ne manque, et qui n'est négatif que pour le langage (lequel reste, et légitimement, fidèle à l'action et à la douleur) et point pour le plaisir (lequel est toujours, quant à son être, silencieux : *alogos*, dit Epicure, *muet*, dit Lucrèce). L'ataraxie n'est pas l'absence de trouble (ou du moins cette définition n'est encore que nominale) ; c'est le plaisir en repos de l'âme : la sagesse, la béatitude. Et quoi de plus positif ? Les dieux mêmes, s'ils vivent plus longtemps, ne vivent pas davantage.

Je signale ce problème en passant, parce que le destin de la sagesse peut-être bien s'y joue. Mais concernant la morale, c'est-à-dire l'action et la valeur de l'action, il reste

1. Cité par Marcel Conche, *Epicure...*, p. 70.
2. *Ibid*.
3. *Maxime capitale* III ; voir aussi la *Maxime* XVIII.
4. Comme dit Plutarque à propos d'Epicure (cité par Solovine. *op. cit.*, p. 156)

vrai – et décisif – que le bien qu'on cherche, par définition, est absent : cela est la valeur même. Si n'existait que le plaisir en repos, la vie n'aurait ni but ni sens : nul ne ferait rien, et toute morale serait inutile autant qu'impossible. C'est au contraire *parce que nous souffrons* que nous allons « comme vers quelque chose qui nous manque » [1], c'est-à-dire que nous agissons. En ce sens, il est vrai que « le bien est d'essence négative », mais cela n'est vrai que du bien qu'on *fait* : le bien n'est négatif qu'autant qu'il est absent et, pour cela, *à faire*. C'est sans doute, pour un épicurien, le seul impératif : *il faut combattre la douleur, pour que le plaisir soit*. La douleur, si elle n'est pas le fond de la vie, est donc bien le fond de l'action et, par là, de l'éthique. De l'existence du plaisir, en effet, nulle exigence ne naît, pas même (car le plaisir alors ne serait plus pur) celle de sa continuation. Jouir ne fait pas droit. J'écrirais volontiers : *souffrir, si*. Du moins c'est ce vers quoi il faut tendre : le premier droit, et certes rien ne le garantit, c'est de ne plus souffrir. De là la prudence ; de là (quand la souffrance de l'autre est prise en compte) la morale. La morale est fille du mal et du malheur, fille de la souffrance qu'on plaint et qu'on épargne – fille, dit à peu près Lucrèce, de la miséricorde ou de la compassion [2]. Et Lucrèce a bien vu que l'enfance, par sa faiblesse même, jouait ici un rôle particulier. Si la souffrance des enfants est le plus grand mal, les protéger est le premier devoir [3]. Mais cela vaut, en général, pour toute souffrance, et à proportion de son intensité. Il y a là comme une alchimie de la douleur : puisque souffrir est un mal (le corps le sait), ne plus souffrir est un bien (l'âme le veut). La valeur naît ainsi au creuset de l'horreur. La douleur, et elle seule, fait de sa propre absence une valeur, en transformant le plaisir (parce qu'il manque douloureusement) en *besoin* [4]. Jouir alors – et jouir d'abord

---

1. *Lettre à Ménécée*, 128.

2. V, 1023 *(misererier)*.

3. Marcel Conche (indépendamment de Lucrèce) a dit là-dessus l'essentiel : la souffrance des enfants comme mal absolu, in *Orientation philosophique*, p. 25-51. Voir aussi (à propos de Lucrèce) *Le fondement de la morale*, p. 21-22.

4. *Lettre à Ménécée*, 128.

de ne plus souffrir – n'est plus un fait mais un *but*, une *exigence*, un *télos* [1] : c'est parce que le mal existe (la douleur) que le bien (le plaisir : l'absence de douleur) *doit* exister. En moi, et c'est l'éthique ; en l'autre, et c'est la morale. La douleur est un mal ; la cruauté, une honte.

Ce dernier mot peut surprendre. Comment passe-t-on de la douleur (qui est un mal physique) à la honte (qui suppose un mal moral) ? La tristesse, cela se concevrait : ce n'est qu'un mal physique de l'âme. Mais la honte ? Que vient-elle faire dans le Jardin d'Epicure ? Si « rien n'est juste par nature » [2], si « l'action injuste n'est pas un mal en elle-même » [3], tout est permis ou devrait l'être, et l'on ne s'abstiendra de commettre des crimes que pour éviter la crainte d'être puni. Après tout, dirait Epicure, même Gygès peut parler dans son sommeil... [4] Prudence donc, et, pour cela, justice (légalité) [5]. Aussi croit-on généralement qu'il n'y a pas, à proprement parler, de *morale d'Epicure* [6], mais seulement une éthique (un art de vivre heureux) qui inclurait, par pure prudence, un légalisme de bon aloi. Mais alors : pourquoi la honte ? C'est que nous sommes dans le Jardin, justement, je veux dire entre amis. Aussi n'a-t-on guère à se préoccuper de la justice, qui n'est vertu que sociale : entre amis, la seule loi est d'amitié. Au reste les sages (ou leurs amis : les philosophes) n'ont nul besoin, pour être heureux, de violer la loi, ni, pour être moraux, de la respecter. La philosophie leur suffit, pour le bonheur, et, pour la morale, l'amitié. Mais il y a une contrainte de l'amitié, que chacun connaît : il faut rester *dignes* les uns des autres. De là la morale. S'il faut vivre honnêtement

---

1. *Ibid.*, 131 : *hèdonèn télos*. Il s'agit, précise Epicure, non des plaisirs des débauchés, mais « du fait, pour le corps, de ne pas souffrir, pour l'âme, de n'être pas troublée » *(ibid.)*.

2. Epicure, rapporté par Sénèque, cité par Solovine, *op. cit.*, p. 158.

3. Epicure, *Maxime capitale* XXXIV.

4. Voir à ce propos les *Maximes* XXXIV et XXXV, et Lucrèce, V, 1151-1160.

5. La justice n'est en effet, pour Epicure, que la légalité (fondée sur l'utilité commune) et le respect de la légalité : voir les *Maximes* XXXII à XXXVIII, et Marcel Conche, *Epicure...*, p. 76-77.

6. Le beau livre de Guyau, qui portait ce titre, n'avait qu'un seul défaut, qui était de n'y pas correspondre : car de morale, en vérité, il ne parlait guère...

(kalôs), c'est-à-dire dignement, ce n'est pas parce que la loi le commande, mais parce que le contraire serait honteux : indigne de moi et de mes amis. La loi permet en effet bien des choses que le sage s'interdit : le mensonge, l'avarice, la méchanceté... Et elle en interdit d'autres que le sage, sauf par prudence, pourrait s'autoriser : le vol, dans certaines circonstances, peut n'avoir rien de honteux. La *légalité* n'est donc pas la *moralité* : violer la loi n'est pas toujours indigne (il peut même être indigne, parfois, de la respecter), et ce qui est indigne n'est pas toujours illégal. C'est que la loi renvoie à la communauté civile : la justice est vertu publique, pour Épicure, et seulement publique. La dignité, au contraire, renvoie à la communauté intime des amis : vertu privée, et seulement privée. Or autant il serait injuste de ne respecter que des exigences intimes (l'amitié, pour la Cité, ne fait pas loi), autant il serait indigne de ne se soumettre qu'aux exigences publiques (la loi, pour les amis, ne fait pas vertu). Dignité et justice, si elles peuvent aller de pair, n'en sont pas moins, dans leur principe, radicalement disjointes. Par exemple le vol est injuste (illégal), et la cupidité est honteuse (indigne)[1]. La loi et la morale s'accordent ici, assez facilement : le sage, qui n'aime pas l'argent et ne cherche pas d'ennuis avec la Cité, n'a aucune raison (sauf circonstances très particulières) de voler. Mais aucune loi ne t'interdit l'avarice, aucune loi ne t'oblige à la générosité. Et la foule admire les riches et les puissants... Logique de Gygès. Mais tes amis te regardent : ils n'aimeraient pas que tu ne sois généreux qu'avec eux. Et même ce qu'ils ne peuvent voir : il serait indigne de le leur cacher. Ils te font confiance : il serait indigne de leur mentir. Et même dans la solitude : ton regard te suffit ; n'es-tu pas ton propre ami ? Le Jardin (la communauté amicale des sages et des philosophes) introduit ainsi, dans les jeux prudents du désir, une contrainte, qui est le désir de l'autre :

---

1. Voir la *sentence vaticane* 43. Voir aussi, sur le rapport entre la dignité et la justice, deux pages décisives de Marcel Conche, dont je reprends ici l'analyse (*Epicure...*, p. 76-77).

non certes de n'importe qui (il serait indigne de vouloir plaire à la foule), mais de cet autre que mon désir choisit (et de moi-même, le cas échéant, comme autre : comme juge). En quoi il y a cercle, bien sûr : je me soumets, dans la morale, au désir (de l'autre) que mon désir choisit (comme juge). On ne sort pas du désir, et chacun ne se soumet jamais qu'à soi. Le *clinamen* n'est pas un libre arbitre (qui supposerait le choix par chacun de soi-même), mais seulement une spontanéité du vouloir[1]. Tu fais ce que tu veux, et (précisément parce que tu ne peux pas, dans l'instant, vouloir autre chose) ce que tu veux te définit. A toi de jouer : tu es le jeu même.

On comprend ici qu'il n'y a pas de *fondement* de la morale (le désir, fondant tout, ne fonde rien), mais seulement, pour chacun, une histoire (l'éducation et l'habitude, disait Aristote[2], et Epicure sans doute en serait d'accord). De là le cercle : « les choses qu'il faut avoir apprises pour les faire, c'est en les faisant que nous les apprenons »[3]. Ainsi en va-t-il de la morale, qui pour cela se suppose toujours elle-même. C'est en faisant de bonnes actions qu'on devient bon ; c'est en choisissant des amis honnêtes qu'on devient digne d'eux. Dans ce cercle, qui est au fond le cercle de la culture, la morale se constitue, comme exigence *intra*-subjective, par le jeu des jugements *inter*-subjectifs. La douleur est un mal, et il est douloureux de décevoir ses amis. La morale, comme système d'exigences et d'interdits, résulte de ce double mal qu'elle veut éviter : fille de l'horreur et de la honte, elle naît du refus même qui l'engendre. « Il s'agit de dire au moins non » : le corps suffit, pour l'horreur, et l'amitié, pour la honte. Un mensonge peut bien ne faire de mal à personne, et sans doute est-il alors, moralement parlant, moins mauvais ; mais c'est un mensonge pourtant, et une faute. Il n'est pas cruel, soit ; mais il est indigne. Aux yeux de qui ? Tout est là. Sur la scène du

---

1. Cf. *supra*, t. 1, chap. 1, p. 65-68.
2. *Ethique à Nicomaque*, II, 1, 1103 *a-b*.
3. *Ibid.*, 1103 *a*.

monde, tous les regards ne se valent pas. Lequel choisiras-tu, pour te juger ? Le tien seul ? Ce ne serait pas assez. Il s'agit de vivre au mieux, et de trouver, pour cela, le meilleur juge : si tu l'étais, tu n'en aurais plus besoin... C'est pourquoi, disait Epicure, « il faut faire choix d'un homme de bien, et l'avoir constamment devant nos yeux, de manière à vivre comme sous son regard et à régler toutes nos actions comme s'il les voyait » [1]. Regard imaginaire, donc, et pour cela moral : l'intérêt ni la peur n'y ont aucune part, mais seulement l'*imagination* d'un bien (la dignité) ou d'un mal (la honte). On atteint l'essentiel ici. Si la nature n'a pas de morale, il est clair (puisque la nature est le tout du réel) que toute morale est imaginaire : elle est ce regard toujours supposé – à la fois omniscient et digne – auquel on se soumet. Les épicuriens diront plus tard, et c'est la même idée : « *Agis en tout comme si Epicure te regardait.* » [2] C'est l'impératif de la dignité [3].

Impératif, répétons-le, toujours imaginaire (il est de l'ordre du *comme si*), mais pourtant légitime, puisque la morale est cette imagination même : un pur jeu de l'esprit, comme on dit, où l'esprit se joue. Puisque la nature n'a pas de morale, l'homme n'a que celle qu'il s'invente – je dirais volontiers : qu'il se mérite – par cette médiation fantasmatique du regard de l'autre, et spécialement de l'autre érigé en modèle. La morale, fille de l'horreur et de la honte, a aussi partie liée, par là même, avec l'admiration. Vivre moralement, c'est-à-dire vivre dignement *(kalôs)*, c'est « vivre de façon à ne jamais ressentir la honte » [4], c'est-à-dire en s'interdisant tout ce qui pourrait entraîner, non pas le ridicule ou le mépris de la foule (il serait indigne de s'en préoccuper), mais le mépris de l'homme de bien qu'on s'est choisi comme juge (au moins imaginaire), comme ami ou comme modèle. La morale est en ce sens une question d'image, mais d'image véridique : il s'agit de ne rien

---

1. Selon Sénèque, cité par Marcel Conche, *Epicure*..., p. 76.
2. Selon Sénèque, *ibid.*, p. 76.
3. Ou de l'honnêteté (Marcel Conche, *ibid.*).
4. Marcel Conche, *Epicure*..., p. 76.

faire qui soit incompatible avec l'image de moi telle que je veux qu'elle puisse apparaître sous le regard (supposé omniscient) de tel de mes amis ou de mes maîtres. Aussi convient-il de respecter ses devoirs (*officia*, dit Lucrèce) et sa réputation *(fama)* [1]. Cette dernière, bien sûr, est toujours relative, qui dépend du regard auquel on se soumet. A toi de choisir, donc, et tes juges, et ta gloire. Librement ? Bien sûr que non : tu ne saurais te vouloir menteur ou méchant, ni être quelqu'un d'autre, ni échapper à ton histoire... Volontairement ? Bien sûr que oui : cela ne dépend que de toi, de ce que tu es et veux. Nul ne se choisit ; mais chacun, étant ce qu'il est, choisit ses valeurs (telles qu'elles résultent de son histoire) en choisissant son juge. Le regard du sage est le regard que le philosophe se choisit. Et certes il y en a d'autres qu'on peut estimer : celui du saint, celui du héros, celui de Dieu... Toujours est-il que vivre moralement, c'est refuser Gygès : l'homme moral, loin de se rêver invisible, se soumet en tout au plus exigeant regard. Mais quelle joie alors de se savoir approuvé ! On pense à cet ami d'Epicure qui reçut un jour dans une lettre, on devine avec quelle émotion joyeuse et pure, cette déclaration somptueuse : « Ceci n'est pas pour la foule mais pour toi, car nous sommes l'un à l'autre un théâtre assez grand » [2]. C'est ici (dans ce théâtre : l'intersubjectivité, historiquement déterminée, des regards et des jugements) qu'apparaît la morale. Aussi est-elle toujours particulière (même le point de vue de Dieu, s'il était possible, serait encore un point de vue) et relative : si toute morale est imaginaire, il n'y a pas de morale universelle ou absolue. A chacun son maître et son théâtre, à chacun son public élu. C'est pourquoi il faut choisir. On n'a pas le choix du spectacle (il faut être soi ou rien), mais bien celui des spectateurs – or cela transforme le spectacle, à la longue. C'est un choix circulaire (le public qu'on choisit dépend du spectacle qu'on est, et le modifie), mais point sans effet : on peut passer, si l'on veut,

1. Lucrèce, IV, 1124.
2. D'après Sénèque (*Epîtres*, 7, 11), cité par Solovine (*op. cit.*, p. 139).

du cercle platement répétitif de l'habitude à la spirale (ascensionnelle : Icare) de l'effort et du dépassement. Pour cela non plus, tous les publics ne se valent pas : choisis le tien *au-dessus* de toi. Mieux vaut Epicure ou tel de tes amis que celui-là que tu méprises. Mieux vaut l'estime que la honte, mieux vaut l'honnête homme que l'homme indigne. Au nom de quoi ? Au nom du désir toujours. *Declinamus item motus*[1] : fuis les fourbes et les méchants, et choisis les amis dont tu veux être digne. En ce sens (en ce sens seulement) on a bien la morale que l'on mérite.

Tel est le Jardin : il s'agit de vivre sous le regard les uns des autres, et d'en assumer jusqu'au bout les plus hautes exigences. Communauté éthique certes (il s'agit d'éviter le malheur), mais aussi communauté morale (il s'agit d'éviter la honte). C'est à ce prix que les amis jouissent, ensemble, de leur dignité commune, et la célèbrent : « L'amitié mène joyeusement sa ronde autour du monde. Comme un héraut, elle nous lance, à tous, l'appel : *Réveillez-vous pour vous féliciter les uns les autres !* »[2] Matérialisme et joie : il n'y a pas de Bien en soi ni de dieu qui juge ; mais, dans cet univers aveugle et mort, les amis s'aiment et se regardent. Ils sont, pour et par eux-mêmes, « les maîtres de la joie »[3] et de la dignité. Ils sont joyeux d'être fiers, et fiers d'être joyeux[4]. Leur vertu est inséparable de leur joie, leur joie, inséparable de leur vertu[5]. Et dignité suprême : eux qui s'interdisent le mensonge, ils n'en ont plus besoin.

Cela ne va pourtant pas sans efforts : la vertu est joyeuse, toujours, mais point toujours facile. Et sans doute y a-t-il, chacun le sait, une joie de l'effort et de la difficulté vaincue. Mais parfois aussi tristement l'on échoue, souvent tristement l'on s'efforce... Il ne faut pas rêver l'amitié. On passe ainsi de la vertu au devoir (de la moralité à la morale) par

---

1. Lucrèce, II, 259 : « nous dévions, nous aussi, dans nos mouvements... »
2. *Sentence vaticane* 52 (trad. Festugière, in *Epicure et ses dieux*, Paris, PUF, rééd. 1968, p. 57).
3. Marcel Couche, *Epicure...*, p. 260, note 1.
4. Voir la *Sentence vaticane* 45.
5. *Lettre à Ménécée* 132. Voir aussi Diogène Laërce, X, 138.

cette *soumission* que suppose et qu'exige le modèle qu'on s'est choisi. Soumission imaginaire, j'y insiste, mais contraignante : agir en tout « comme si Epicure nous regardait », c'est bien (pour un épicurien, et sauf pour le sage) une contrainte, et douloureuse souvent, c'est bien une obligation, et terrible parfois – c'est bien, en un mot, un *devoir*, qui, pour n'être que relatif (à tel individu, dans telle collectivité), hypothétique (fais cela, *si tu veux être digne*) et volontaire (puisqu'on choisit son modèle), n'en est pas moins exigeant. Qui renonce à son devoir – et certes chacun le peut –, il est indigne et lâche. Qui le voudrait ? La morale n'est pas tout, pour Epicure, mais elle n'est pas rien. Sans le plaisir, elle ne pourrait proposer que « vides, sottes et tracassantes espérances » [1] ; mais le plaisir, sans elle, serait indigne.

On comprend pourquoi Epicure terminait ses lettres, au lieu du « *Salut !* » traditionnel, tantôt par « *Soyez heureux !* » (c'est l'impératif de l'éthique), tantôt par « *Vivez d'une façon digne !* » [2] (c'est l'impératif de la morale). Il y a bien une *morale* d'Epicure, que l'éthique inclut (puisqu'elle inclut le tout de vivre) mais dont elle ne dispense pas (il serait indigne, à supposer que cela se puisse, d'être heureux méchamment). Tout n'est pas permis, tout ne se vaut pas : mes amis ont leurs préférences, et j'ai choisi mes modèles. La nature ne commande rien, ni la raison, ni les dieux – et la mort pardonnera pareillement à tous. Mais j'ai mes maîtres et ma maxime. Celle-ci tient en une phrase, qui est l'impératif de la dignité ou, comme on voudra (et il est beau que les deux se confondent), de l'amitié : *Agis de telle sorte que tu puisses rester l'ami de tes amis, des gens de bien et de toi-même.*

---

1. Epicure, à Anaxarque (116 Us., M. Conche, p. 76).
2. Diogène Laërce, X, 14.

IX

Comment passe-t-on, demandais-je, de la vertu à la morale ? Nous pouvons maintenant répondre : par l'expérience du mal et l'imagination du bien. Toute morale est en cela imaginaire, certes, mais aussi nécessaire : c'est une illusion inévitable (objectivement parlant) et utile (subjectivement parlant). On ne peut pas la refuser (elle ne dépend pas d'un libre décret), et on ne le doit (elle n'est ni mauvaise ni superflue). Morale vaut mieux que barbarie.

On retrouve ici, une fois de plus, la pensée-mère de Spinoza. Rien n'a de valeur en soi (la nature n'a pas de morale), mais tout, pour nous, ne se vaut pas (la nature n'a pas de morale, mais nous en avons une). Fou qui se prend pour la nature (religion : anthropomorphisme), mais fou aussi qui s'y perd (amoralisme pratique : inhumanité). L'homme n'est humain que par la culture, c'est-à-dire que par la loi – et la loi, en retour, n'est qu'humaine. Comment advient-elle ? Je ne veux pas entrer ici dans des détails qui nous renverraient à la politique, déjà évoquée ailleurs, ou, disons, à l'anthropologie sociale de Spinoza. La morale, pas plus qu'elle ne dépend d'un libre décret, n'est une création individuelle. Mais ce n'est pas ici ce qui m'importe. Disons seulement que les notions d'*idéologie*, de *surmoi*, ou d'*idéal du moi*, telles qu'on les trouve chez Marx et Freud, trouveraient là, facilement, leur place et leur usage. J'y renvoie. Concernant l'émergence de la morale (et non pas seulement de la culture ou de la loi), je voudrais simplement souligner que, chez Spinoza aussi, elle suppose à la fois l'expérience du mal et le détour par l'imaginaire. Ce n'est pas en effet le bien qui est premier (qui n'aurait aucune idée du mal, observe Spinoza, n'en aurait non plus aucune du bien)[1], mais le mal, c'est-à-dire la tristesse, du point de vue de l'âme, et la souffrance, du point de vue du corps. Et sans doute cela suppose l'exis-

---

1. *Ethique* IV, prop. 68, démonstration.

tence préalable d'une force (le *conatus*) qui résiste et se
bat. Le désir est premier, absolument parlant, et le reste.
Mais aussi il n'est jamais seul. L'univers nous contient et,
de toutes parts, nous dépasse[1] : de là les passions, le malheur, l'espérance et, pour finir, la morale. Le bien, écrit
Spinoza, c'est avant tout « ce qui comble l'attente », et le
mal, ce qui la « frustre »[2] ; or on n'attend que ce qu'on n'a
pas, et qui nous manque. C'est parce que nous souffrons,
parce que nous sommes tristes et malheureux, que nous
rêvons d'autre chose : du fond même du malheur sourd en
nous l'idée d'une autre vie, la « vraie vie », comme on dit,
espérée ou rêvée, et qui serait notre vie même, mais débarrassée de la souffrance et de la peur. Comment faire autrement ? L'âme imagine nécessairement tout ce qui mène à
la joie[3], et dès lors « nous faisons effort pour que cette
chose existe, c'est-à-dire (ce qui revient au même) nous en
avons l'appétit et y tendons »[4]. Le philosophe même n'y
échappe pas, lui qui désire « former une idée de l'homme
qui soit comme un modèle de la nature humaine placé
devant nos yeux »[5], et juge, en fonction de ce modèle, de
ce qu'il appelle *bon* ou *mauvais*, de ce qu'il faut rechercher
ou fuir...[6] Ces jugements, c'est là le détour que j'évoquais,
sont bien sûr en quelque chose imaginaires, eux aussi,
puisque soumis à un modèle, à une norme, à un idéal, qui
sont autant d'auxiliaires de l'imagination. Mais à nouveau,
comment s'en passer ? Si la nature n'a pas de morale,
l'homme (qui fait partie de la nature) ne peut avoir que
celle qu'il s'imagine. Pour Spinoza aussi toute morale est

---

1. *Ethique* IV, prop. 3 et 4. Voir aussi l'axiome.
2. *Ethique* III, 39, scolie. Appuhn a raison de traduire ici « *desiderium* » par
« *attente* », et de réserver « *désir* » pour rendre le « *cupiditas* » de Spinoza. Comme
le note Caillois (Pléiade, note 119, p. 1429), le *desiderium* est du côté du manque
ou de l'insatisfaction – soit, comme on voudra, du côté de l'espérance (quand le
desiderium porte sur l'avenir, auquel cas Appuhn traduit par *attente*) ou de la déception (quand il porte sur le présent, auquel cas Appuhn traduit par *souhait frustré*).
Nous y reviendrons.
3. Voir *Ethique* III, prop. 12 et 38, avec les démonstrations.
4. *Ethique* III, prop. 28, démonstration.
5. *Ethique* IV, Préface (p. 219).
6. *Ibid.*

imaginaire, mais au même titre que toute beauté ou, en général, que toute valeur. C'est peu dire qu'il ne faut pas y renoncer ; l'homme, sans elle et par définition, ne vaudrait rien. La morale est l'imagination d'un bien, qui rend ce bien possible. Création, donc, et, comme l'art ou la politique, création d'une valeur qui (objectivement ou du point de vue de Dieu) n'existe pas. La vertu n'est pas une science mais une œuvre : effort, travail et création.

Ce qu'il s'agit de penser ensemble, c'est donc à la fois un amoralisme théorique (la vérité n'a pas de morale, la morale n'est pas vraie : Dieu ne juge pas) et une moralité pratique (nous ne sommes pas Dieu, et ne saurions vivre sans distinguer le bon du mauvais ni les ériger, imaginairement, en bien et mal : l'homme juge, et doit juger). Cette distinction (entre le bien et le mal) est-elle absolument illusoire ? Oui, en tant qu'elle prétend valoir absolument, c'est-à-dire être universelle ou vraie ; mais non, en tant que différence subjective et humaine. Il n'y a pas de bien dans la nature, ni de mal en soi ; mais tout n'est pas également bon pour l'homme. « J'appelle mauvaises ces affections, écrit Spinoza, en tant que j'ai égard à la seule utilité de l'homme. »[1] Ce n'est pas tout sans doute (l'homme n'est qu'une partie dela nature), mais ce n'est pas rien, et, pour nous, c'est l'essentiel : hommes nous sommes, et c'est humains qu'il faut nous sauver[2]. Nier la différence entre le bien et le mal sous prétexte qu'elle n'existe que du point de vue de l'homme (*subjectivement*, si l'on veut, à ceci près que cette subjectivité existe objectivement : je ne suis pas Dieu, mais je ne suis pas rien) reviendrait à nier toute valeur, tout désir (lequel, lui aussi, est toujours individuel)[3], et à vivre – faute de pouvoir être Dieu – comme si l'on était mort. Mais qui le peut, sans mourir ? Et qui le

1. *Ethique* IV, scolie de la prop. 57.
2. Voir par exemple *Ethique* IV, Préface (p. 219).
3. *Ethique* III, prop. 57, démonstration et scolie.

voudrait, sans tristesse ? Autant nier la différence entre la
santé et la maladie (sous prétexte que la nature ne tousse
pas quand je m'enrhume) ou entre une belle femme et une
femme laide (sous prétexte que Dieu est insensible au
charme, pourtant bien réel, de Marlène Dietrich ou Marilyn Monroe...). Et certes la santé, la beauté ou la générosité
ne sont valeurs que pour un sujet : les cellules malignes, si
on leur demandait leur avis, trouveraient sans doute le
cancer une chose excellente, tel salaud jugera la vertu ridicule, et nul n'est tenu d'aimer Marlène ou Marilyn. Mais
cela ne retire rien à la réalité de nos goûts, ni même à la
réalité des différences entre lesquelles ils tranchent. Le
cancer, pour un organisme donné, n'est pas la santé, la
générosité n'est pas l'égoïsme, Marlène n'est pas telle ou
telle, qu'il serait indélicat de nommer. Subjectives en tant
que valeurs, ces différences n'en existent pas moins, en tant
que différences, objectivement. Aussi sont-elles, en tant
que valeurs, relatives, certes, mais réelles. La vie a ses équi-
libres, et le désir, ses exigences. Rien ne vaut, pour Dieu
ou en soi, mais tout, pour l'homme, ne se vaut pas. Concernant la morale, cela revient à dire, avec Spinoza, que si
« les œuvres des gens de bien » et « celles des méchants »
découlent pareillement des lois de la nature (les unes et les
autres existent à la fois objectivement et nécessairement),
il n'en reste pas moins qu'elles « diffèrent les unes des
autres non seulement en degré, mais par leur essence »[1].
Tout n'est pas égal, tout ne se vaut pas. Spinoza enfonce
le clou : « Bien qu'en effet un rat aussi bien qu'un ange, la
tristesse comme la joie, dépendent de Dieu, un rat ne peut
cependant pas être une espèce d'ange non plus que la tristesse une espèce de joie. »[2] Choisisse qui veut les rats ou
la tristesse, courtise qui veut les égoïstes ou les méchants.
Le sage a meilleur goût, et plus hautes exigences.

   Le désir, ici comme ailleurs, fait toute la différence, ou
plutôt (car la différence, répétons-le, existe objective-

_____

1. *Lettre 23*, à Blyenbergh (p. 220).
2. *Ibid.*

ment) *toute la valeur*. « Si quelque homme voit qu'il peut vivre plus commodément suspendu au gibet qu'assis à sa table, il agirait en insensé en ne se pendant pas. »[1] Mais qui le suivrait ? Il y a un « appétit de la vertu »[2], on l'a vu, sans lequel nulle vertu ne serait possible ni, du reste, concevable. Ce qui vaut pour l'art ou la politique vaut aussi pour la morale : toute valeur est humaine, relative, historique, et, en tant qu'elle se dénie comme telle (puisqu'on la vit, imaginairement, comme universelle et absolue), illusoire toujours. Mais cette illusion est réelle, elle aussi, et même – de son propre point de vue, mais c'est le seul qui vaille – utile et bonne. Désespoir et ascension : puisque Dieu n'a pas de morale, c'est à nous d'en avoir une. Il faut bien faire ce que Dieu ne fait pas... Que Dieu ne soit pas artiste ne condamne pas l'art, mais le justifie. Qu'il ne fasse pas de politique n'interdit pas de militer, mais le rend plus indispensable. Qu'il ne légifère pas, loin de nous empêcher de le faire, nous y contraint. Nous ne sommes pas Dieu, c'est entendu ; cela ne dispense pas d'être humain.

Anti-humanisme théorique, donc, et humanisme pratique : la notion d'homme n'explique rien (l'humanité n'est pas cause de soi, ni l'homme sujet libre de ses actes), mais, réfléchie, constitue un « modèle » qui vaut d'être défendu. Il ne s'agit pas de cesser d'être homme (en devenant cheval ou surhomme)[3], mais de le devenir au mieux. L'humanité n'est pas un fait biologique (ce qu'il y a de naturel en l'homme n'est pas humain) mais une valeur culturelle. « L'humanité, écrit Spinoza, est le désir de faire ce qui plaît aux hommes, et de renoncer à ce qui leur déplaît. »[4] Or, l'expérience le prouve, rien ne leur plaît autant qu'un homme, quand il est bon. Nul ne s'y trompe que les misanthropes, les moralistes et les méchants. Pour tous les

---

1. *Ibid.* (p. 221-222).
2. *Lettre 21*, à Blyenbergh (p. 206).
3. Voir *Ethique* IV, Préface, p. 219-220.
4. *Ethique* III, définition 43 des affections. Sur l'idée d'homme comme être de raison et comme modèle, voir aussi *Court traité*, II, 4, § 5 à 8.

autres, et ils ont raison, « *homo homini deus* »[1]. L'homme est un dieu pour l'homme.

Si éthique et morale s'opposent, comme on l'a vu, c'est donc sans contradiction ni extériorité. L'éthique n'est pas le contraire de la morale, mais sa vérité ; la morale n'est pas le contraire de l'éthique, mais son illusion. L'éthique est une morale désillusionnée et libre ; la morale, une éthique illusoire et contrainte (aliénée). Entre les deux, loin qu'il y ait toujours conflit, il y a complémentarité et progression : la morale rapproche de la sagesse, la sagesse accomplit la morale[2].

Il n'y a là, dans cette convergence, rien de surprenant ni de miraculeux. Au fond, pour la morale comme pour l'éthique, il ne s'agit que du désir et, donc, que de la joie. « La connaissance du bon et du mauvais n'est rien d'autre que l'affection de la joie ou de la tristesse, en tant que nous en avons conscience »[3] ; cela vaut pour le sage aussi bien que pour nous tous, pour la vertu libérée aussi bien (ou plutôt : mieux) que pour la vertu aliénée. Or cette joie, en tant qu'elle est réelle, a toujours et nécessairement une cause[4]. Toute joie est donc, pour qui la connaît en vérité, non seulement joyeuse mais *aimante*. Dans la mesure en effet où l'amour, selon la définition fameuse de Spinoza, « est une joie qu'accompagne l'idée de sa cause »[5], il est clair qu'une joie sans amour n'est qu'une joie ignorante (donc tronquée), de même qu'un amour sans joie n'est qu'un amour vaincu – que ce soit jalousie, envie, angoisse ou deuil – par le néant de ce qu'il n'a pas, ou plus, ou qu'il craint de perdre. En bref, il ne s'agit, dans la morale comme

---

1. *Ethique* IV, scolie du corollaire 2 de la prop. 35. Sans la morale au contraire (ou, en général, sans la culture) les hommes sont « par nature ennemis les uns des autres » (*Traité politique*, II, 14). *Homo homini lupus :* c'est la vérité de la nature (dont bien sûr on ne sort jamais) ; *homo homini deus :* c'est la vérité de la culture (dont hélas on sort trop souvent). Auguste Comte n'était pas si fou, ni Alain si naïf.

2. Voir par exemple, sur le premier point, *Ethique* IV, scolies des prop. 54 et 58, et, sur le second, scolies des prop. 37 (scolie 1) et 50.

3. *Ethique* IV, prop. 8.

4. *Ethique* I, prop. 28.

5. *Ethique* III, définition 6 des affections.

dans l'éthique (mais avec des degrés différents de clarté), que d'aimer. « *J'entends bien*, dira le nietzschéen, *comme l'aigle* aime *l'agneau, à la chair si savoureuse...* » Cervelle d'oiseau et de rapace. Spinoza dit tout le contraire. L'amour est généreux, par définition, et moral, par excellence. Lui seul réconcilie le désir et la loi. La seule vraie morale (« la justice et la charité », dit Spinoza, et il n'y a rien d'autre), c'est « *l'amour du prochain* »[1], amour certes aliéné ou imparfait (et *moral* pour cela : nul impératif ne saurait ordonner d'aimer, mais seulement d'agir *comme si* l'on aimait, c'est-à-dire de se soumettre volontairement à la contrainte d'un amour imaginaire), comme la seule éthique c'est l'amour tout court et tout entier (la joie pleine, consciente de soi et de sa cause : l'amour vrai). Spinoza retrouve ici l'évidence de Kant et de chacun : « Quelqu'un qui s'abstient du crime uniquement par peur du châtiment n'agit nullement par amour et ne possède pas du tout la vertu »[2]. L'amour n'est jamais dû ; mais seul l'amour va jusqu'au bout du devoir, et l'abolit. C'est pourquoi le sage, en un sens, n'a que faire de la morale, qu'il respecte pourtant davantage que quiconque. L'éthique libère de la morale en la libérant : elle ne va au-delà de ses contraintes qu'en allant au bout de ses exigences.

Car bien sûr, si l'éthique est première en droit et en vérité, l'ordre réel est à l'inverse : c'est la morale, pour chacun d'entre nous et nécessairement, qui est première. On imagine toujours avant de connaître, on vit avant de comprendre. Le passage de l'éthique à la morale (de la vertu au devoir, de la vérité à l'illusion) a pour cela toujours déjà eu lieu ; il ne s'agit jamais, pour tout homme, que de faire le chemin inverse, en se libérant des illusions qui, pendant l'enfance et au-delà, nous constituent. Si la vertu

1. *TThP*, chap. 14, p. 244. Voir aussi, par exemple, la *Lettre 23*, à Blyenbergh (p. 221) ou la *Lettre 76*, à Albert Burgh (p. 342), ainsi que le dernier scolie d'*Éthique* II (p. 131) et *Éthique* IV, en entier.

2. *Lettre 21*, à Blyenbergh (p. 209). Voir aussi *TThP*, chap. IV, p. 86-87. La morale de Spinoza (ou plutôt la morale telle que Spinoza la pense) est en cela, comme celle de Kant, « une morale de l'intention » (A. Matheron, *Le Christ et le salut des ignorants...*, p. 108). C'est la volonté (non le résultat) qui vaut.

est une moralité désillusionnée, comme je l'ai dit, c'est qu'elle est une moralité débarrassée de ses espérances (le paradis, la récompense...), de ses craintes (l'enfer, le châtiment...), de ses superstitions (le libre arbitre), de ses tristesses (le remords, la honte) et de ses contraintes (le devoir, l'interdit). En un mot : *une moralité libérée de la morale.* Mais cette moralité, répétons-le, loin de renverser la morale, l'accomplit ; et c'est pourquoi elle peut, légitimement, nous en libérer : elle réussit là où le vice échoue. La transgression en effet (c'est l'impasse où Bataille, bien plus tard, s'enfermera), loin de supprimer l'interdit, le reconnaît et y condamne : une éthique de la transgression ne saurait être qu'une morale inversée, et prisonnière toujours de l'interdit qu'elle transgresse[1]. La moralité au contraire, poussée à sa limite et à sa vérité, libère de la loi par l'amour même que la loi prescrit (imaginairement) et qui la rend inutile (en vérité). On peut dire de Spinoza, exactement, ce que lui-même dit du Christ enseignant ses disciples les plus éclairés : « *Il les libéra de la servitude de la loi et néanmoins la confirma et l'écrivit à jamais au fond des cœurs.* »[2] L'esprit du spinozisme se condense ici tout entier : seul l'amour libère de la loi ; seule la vertu nous libérera des moralistes.

Renverse qui veut la morale de l'amour. Spinoza n'est ni si bête, ni si triste, ni si méchant.

---

1. Comme l'a bien montré Robert Misrahi, *Traité du bonheur*, t. II, Paris, Seuil, 1983, p. 123-127 (« La transgression selon Georges Bataille : l'impasse »).

2. *TThP*, chap. 4, p. 93. C'est que le Christ, sur ce point, « donna un enseignement spinoziste » (A. Matheron, *Le Christ et le salut des ignorants...*, p. 138). Voir aussi Sylvain Zac, *Spinoza et l'interprétation de l'Ecriture* (Paris, PUF, 1965), p. 197 : « Spinoza a le sentiment qu'il y a une parenté spirituelle entre sa propre philosophie et le christianisme primitif. Ce qu'il y a de commun à ces deux doctrines, c'est le rejet du "moralisme". C'est l'amour et non la loi qui nous sauve. » Il n'en reste pas moins que si Spinoza se sent, moralement, proche du Christ (comme personnage historique), c'est sans aucune concession au christianisme (comme religion). Robert Misrahi a bien marqué les limites ici à ne pas dépasser (Spinoza face au christianisme, *Revue philosophique*, n° 2, 1977, p. 233-268). Le Christ, pour Spinoza, n'est ni Dieu ni fils de Dieu, mais simplement un homme qui, avant Spinoza, était parvenu aux mêmes conclusions, en tout cas morales, que lui.

L'éthique n'est pas le contraire de la morale ; c'est une morale libérée. La vertu n'est pas le contraire de l'amour ; c'est l'amour même.

X

La morale, disais-je en commençant, ne peut être dans le monde qu'en tant qu'elle n'y est pas. Restait à penser le statut de cette extériorité ou – puisque enfin c'est dans ce monde qu'il faut vivre – de cette présence-absence. Extériorité réelle (transcendance : Platon), transcendantale (Kant) ou imaginaire (Epicure, Spinoza, Marx, Freud) ? Chacun choisira, et l'on a compris que mon choix, depuis longtemps, est fait. Au reste, si l'enjeu *philosophique* est décisif (il en va de la vie même), ce choix, *moralement*, n'importe guère (la vie ne change rien à la morale). L'idéalisme n'est pas une faute, ni le matérialisme, en lui même, une bonne action. La pensée n'a affaire qu'au vrai, qui ne juge pas.

Kant ne s'y est pas trompé. Epicure (« le vertueux Epicure »)[1] aussi bien que Spinoza (« un honnête homme »)[2] sont moraux, l'un et l'autre, autant qu'on le peut être. Rien ne manque à leur vertu, j'entends rien de moral, mais l'espérance seule : leur vertu, montrait Kant, est *désespérée*, et le restera[3]. Mais le même montrait aussi, je n'y reviens pas, que ce n'est jamais par l'espérance qu'une action est morale, mais seulement par la volonté, telle qu'elle est en elle-même et dans l'instant, « indépendamment de toute intention ultérieure »[4], disait Kant, et même « du but »[5] qu'elle poursuit (la volonté, dirais-je, *désespérée*). La morale n'est vraiment morale, on l'a vu, qu'en tant qu'elle

---

1. *CR Pratique*, I, II, chap. 2, p. 125, et *Doctrine de la vertu*, § 53 (p. 163 de la trad. Philonenko).
2. *Critique de la faculté de juger*, § 87, p. 258.
3. *Ibid.* Voir aussi, *supra*, nos p. 396-422.
4. *Fondements...*, I, p. 94.
5. *Ibid.*, p. 99. Voir aussi *La religion...*, Préface de la première édition, p. 23.

échappe, dans son principe, à l'espérance et à la crainte : quand l'espérance manque, rien ne manque à la morale – ce pourquoi celle-ci, disait Kant, « n'a aucunement besoin de la religion »[1]. Qu'un athée soit honnête homme – ami loyal, esprit véridique, cœur généreux... – ne pose, de ce point de vue, aucun problème particulier. Comme tout être moral – et à défaut d'agir seulement par amour – il peut (il *doit*, dirait Kant) faire son devoir *parce que c'est son devoir*. Cela seul, moralement, importe : « Il n'y a jamais d'autre difficulté dans le devoir que de le faire. »[2] Et si c'est parfois plus difficile pour l'athée (puisque l'austérité du devoir n'est pas compensée chez lui par l'espérance, ni soutenue par la crainte), c'est aussi plus clairement moral : puisque l'esprit est seul alors, face au devoir et à lui-même. « Il ne réclame aucun avantage résultant de l'obéissance à la loi morale, ni en ce monde, ni en un autre... »[3] Mais c'est le propre, on l'a vu, de tout acte véritablement moral. Les bigots sont des marionnettes de l'espérance, qui gesticulent leur égoïsme[4]. Et tout croyant vertueux n'est tel qu'en tant qu'il met, dans la détermination de ses actes, l'espérance religieuse (et donc, pour Kant, la religion même) *entre parenthèses*. Solitude de la morale, solitude et désespoir. « Aucune récompense n'est jamais en vue, ni même aucune joie. »[5] Ou bien (Spinoza) la vertu seule[6]. L'athéisme, au sens où l'entend Kant, est moins l'exception ici que la règle ou, disons, l'hypothèse paradigmatique : il faut faire, croyant ou non, *comme si* Dieu n'existait pas, et opter pourtant pour le bien. Il faut nourrir qui a faim, non parce qu'un Dieu existe (qui pourrait m'en récompenser), non parce qu'un Dieu l'ordonne (qui pourrait me punir de ne pas le faire), mais parce que c'est un devoir – ce qui ne

---

1. *Religion...*, Préface de la première édition, p. 21.
2. Alain, *Définitions*, Pléiade *(Les arts et les dieux)*, p. 1050.
3. Kant, *CFJ*, § 87, p. 258.
4. Voir *CR Pratique*, I, II, chap. II, 9, p. 156-157.
5. Alain, *Définitions*, *op. cit.*, p. 1050 (définition du devoir).
6. Voir *Éthique* V, scolie de la prop. 41 et prop. 42, ainsi que la *Lettre 43*, à J. Osten (« La récompense de la vertu est la vertu même »)

veut rien dire d'autre, simplement, que ceci : le contraire (l'égoïsme) est une faute.

La morale est en cela la même pour tous, non que tous aient la même morale (il n'y a pas d'universalité pratique), mais parce que chacun s'imagine, nécessairement, que sa morale vaut – ou devrait valoir – pour chacun. « *Tout seul, universellement...* » Le matérialiste n'y échappe pas, et juge, en morale, comme n'importe qui. La morale n'est pas une question d'école : chacun juge, solitairement, pour tous (il n'y aurait pas de *devoir* autrement), bien que tous, en pratique, ne jugent pas toujours de la même façon. L'universalité n'est pas la vérité de la morale, mais son illusion spécifique – non son contenu, mais sa forme nécessaire. Le matérialisme, encore une fois, n'y change rien : que Dieu existe ou non, mentir est toujours mentir, et ne se doit. Mais s'il ne change rien à la morale (à ce qui est dû ou non), il change beaucoup à la *philosophie* morale et donc à la vie (à la justification de ce qui est dû et à l'état d'esprit de qui le doit). Le matérialiste doit aller ici au bout de sa rigueur et de son désespoir, rigueur et désespoir dont Kant, on l'a vu, finissait par s'écarter. Au fond, et c'est tout ce que je voulais montrer, être matérialiste, en morale, c'est être *désespérément vertueux*.

Que cela puisse se vivre joyeusement – par amour plus que par devoir, par vertu plutôt que par obéissance –, l'éthique, non la morale, nous l'apprend. La vertu, répétons-le, libère de la morale en l'accomplissant : la volonté sainte (comme dit Kant) ou sage (comme dit Spinoza) ne connaît ni devoirs ni interdits. Elle fait « librement ce qui est le meilleur »[1], sans contraintes ni servitude, sans espérance ni crainte. Car s'il est vrai que « c'est toujours l'espérance et la crainte qui nous mènent »[2], c'est à proportion seule-

---

1. Spinoza, *Ethique* II, scolie de la prop. 49 (Spinoza parle ici du citoyen, mais l'expression ne vaut absolument que pour le sage).
2. *Lettre 43* à J. Osten (p. 274) ; voir aussi la *Lettre 75*, à Oldenburg (p. 339 : « c'est toujours l'espérance et la crainte qui nous conduisent »). La même idée, dans un

ment de notre folie. Dans la mesure en effet où nous vivons sous la conduite de la raison, nous nous affranchissons de l'espoir et de la crainte[1], et, au lieu de poursuivre d'incertaines chimères, au lieu de craindre d'improbables fantômes, nous nous réjouissons, ici et maintenant, de ce que nous sommes, faisons et pensons : « La béatitude, écrit Spinoza, n'est pas le prix de la vertu, mais la vertu elle-même »[2]. Dès lors, s'il est vrai que la plupart des hommes, « *s'ils n'avaient pas cet espoir et cette crainte*[3] », vivraient dans l'immoralité, ce n'est en rien vrai du sage qui, sans rien espérer ni craindre (puisqu'il vit, non selon le possible et le contingent, mais selon l'éternel et le nécessaire), est toujours et librement – par vertu et non par contrainte, par amour et non par devoir – véridique, honnête et généreux.

On demandera : « Mais pour nous, qui ne sommes pas sages ?... » La réponse est bien claire : il faut faire *comme si* nous l'étions. Notre morale restera sans doute imaginaire et contraignante (ce sera toujours une morale, point une sagesse), mais elle sera la moins aliénée – et la moins aliénante – possible, puisque soumise, non à la superstition ou à la foi, mais à la raison seule, telle que, faute de pouvoir absolument la vivre, nous pouvons déjà, peu ou prou, la penser (comme vérité) et la désirer (comme valeur). Faute d'être sages, il nous incombe – c'est l'impératif de la philosophie – d'être au moins dignes de le devenir. Tel est – puisqu'il nous en faut encore un – l'espoir qui nous mène, espoir à la fois ultime (le dernier espoir, disais-je, c'est de n'avoir plus à espérer) et minimal (puisqu'il n'espère que sa propre disparition). La philosophie est une folie, si l'on veut, mais qui cultive en soi son propre remède, et une espérance encore, mais qui n'espère que le désespoir

---

registre plus politique, est énoncée dans le *Traité politique* (III, 3, p. 26) et, dans un registre plus religieux, dans le *Traité théologico-politique* (Préface, p. 19 et 20).

1. *Ethique* IV, prop. 47, démonstration et scolie. Voir aussi, dans *Ethique III*, les définitions 12 et 13 (avec l'explication) des affections.

2. *Ethique* V, prop. 42.

3. *Ethique* V, scolie de la prop. 41. Il s'agit ici de la croyance superstitieuse au paradis et à l'enfer, mais cela vaut aussi pour les récompenses ou les châtiments terrestres.

même. Au reste, le bonheur n'est pas pour nous la *récompense* de la moralité (ce qui supposerait, Kant l'a bien vu, un Dieu qui juge)[1], mais ce que la morale, en libérant partiellement le sujet de lui-même (par la médiation de l'imaginaire et de la loi), rend à la fois possible, d'un point de vue éthique, et admissible, d'un point de vue moral : la morale nous rend dignes du bonheur, non parce qu'elle le mérite (comme sa récompense), mais parce qu'elle le permet. C'est pourquoi la morale passe d'abord. Même si c'était possible (l'expérience montre que ce ne l'est guère), il serait indigne d'être heureux méchamment ; et, puisque le bonheur n'est jamais donné d'abord (car alors nous n'aurions plus besoin de philosopher), ni la vertu (car alors nous n'aurions plus besoin de morale), il importe, d'abord et sans attendre, de faire son devoir. Ici. Maintenant. Il s'agit, comme on l'a dit d'un héros (et qu'est-ce qu'un héros, si ce n'est celui qui n'attend pas, pour faire son devoir, d'être sage ou saint ?), il s'agit d'être « *un résolu sans optimisme* »[2] et, dirais-je, sans délai ni foi. « La vie se perd à force d'attendre », disait Epicure[3], et cela vaut aussi pour la vertu. Une morale du désespoir, c'est d'abord une morale de l'urgence et de l'immédiat. Le devoir n'attend pas. Au reste, l'espérance n'est pas une excuse, et n'en donne aucune. N'attends pas d'être heureux pour être juste ; n'attends pas d'être sage pour être bon ; n'attends pas d'être libéré de la morale pour t'y soumettre !

Il n'est pas suffisant d'*espérer* la vertu – et s'en contenter serait une faute.

N'attends pas d'aimer pour vouloir.

---

1. Kant, *CR Pratique*, I, II, chap. 2, 5 (p. 134-141).
2. Georges Canguilhem, à propos de Cavaillès, dans la belle et émouvante plaquette qu'il lui a consacrée, *Vie et Mort de Jean Cavaillès*, Les carnets de Baudasser, Pierre Lalure édit., 81430 Villefranche-d'Albigeois, 1984, p. 38 (Cavaillès, philosophe et résistant, fut torturé et fusillé par les Allemands, en février 1944).
3. *Sentence vaticane* 14 (Marcel Conche traduit : « la vie périt par le délai »).

XI

Je sais bien l'objection que l'on me fera, pour finir comme pour commencer : « *Qu'y puis-je ?... Et à quoi bon m'y exhorter, si je ne suis pas libre ?...* » C'est confondre libre arbitre et volonté. Il n'est pas besoin, pour vouloir, d'être *libre* de vouloir, ni de *vouloir vouloir*. Même, ce n'est pas possible. Car alors, toute volonté devant elle-même être voulue, tout choix devant d'abord être choisi, et à l'infini, on n'en aurait jamais fini de choisir sa volonté – et, tout occupé à vouloir, on ne commencerait jamais d'agir. C'est au contraire parce que toute volition est déterminée (par des causes) plutôt que voulue (par une autre volition) qu'on peut vouloir : la volonté n'est pas une faculté mais, à chaque fois, une action. Cela justifie l'effort, et l'exhortation à l'effort. La pensée est cause aussi, pour l'esprit, et la seule dont il dispose. Si « l'entendement et la volonté sont une seule et même chose », comme dit Spinoza[1], vouloir et penser ne font qu'un. Non qu'on ne puisse vouloir sans connaître[2] ni que la vérité puisse vouloir à notre place, mais en ceci que « la volonté et l'entendement ne sont rien en dehors des volitions et des idées singulières »[3], les-

---

1. *Ethique* II, corollaire de la prop. 49.

2. « J'accorde que la volonté s'étend plus loin que l'entendement, si par entendement on entend seulement les idées claires et distinctes » (*Ethique* II, dernier scolie, p. 128). A vrai dire, il faudrait distinguer ici entre une volonté affirmative (quant au vrai connu ou supposé) et une volonté désirante (quant au bon et au mauvais) (*Ethique* II, scolie de la prop. 48). Mais cette distinction est surtout polémique (contre Descartes), et Spinoza lui-même ne la respecte pas toujours. Voir aussi à ce sujet le *Court traité*, II, 16 (p. 124-126) et, surtout, *Ethique* III, scolie de la prop. 9. Sur le fond, comme l'observe Martial Gueroult (*Spinoza*, t. II, p. 493-494), « la volonté et le désir, bien que distincts l'un de l'autre en tant que la première se rapporte à l'âme seule et le second tout à la fois à l'âme et au corps, sont identifiés quant à leur nature tant dans le *Court traité* que dans l'*Ethique*. Ce qui vaut de la première vaut donc *ipso facto* du second ». C'est qu'il s'agit, dans les deux cas, du *conatus* : connaître (pour l'âme) et jouir (pour le corps), c'est puissance toujours. C'est pourquoi le spinozisme n'est en toute rigueur ni un volontarisme (puisque la volonté doit se soumettre au vrai, qui ne dépend pas d'elle) ni un intellectualisme (puisqu'il ne suffit pas de connaître pour vouloir). C'est la connaissance, non la volonté, qui est libre ; mais c'est le désir, non la vérité, qui juge.

3. *Ethique* II, démonstration du corollaire de la prop. 49.

quelles sont « une seule et même chose » [1] : pas d'idée qui ne s'affirme, pas de volition qui ne se pense. Or ces idées ou volitions singulières, loin d'être par nous choisies, nous constituent, et, loin d'être d'abord voulues, nous font d'abord vouloir. Cela ne veut pas dire qu'on ne choisit pas (argument paresseux de Chrysippe ou de Cicéron, *fatum mahometanum* de Leibniz) [2], mais au contraire qu'on choisit (je suis cause aussi) et qu'on le fait, à chaque fois, nécessairement : choisir ce n'est pas hésiter entre plusieurs possibles (tant qu'on hésite on ne choisit pas, et les possibles ne sont rien), c'est affirmer – et certes résolument – une réalité. La volonté est une grande chose, mais autant seulement qu'elle est *déterminée*. Chacun sait bien qu'il n'est pas difficile, en théorie, d'arrêter de fumer ou (je prends des exemples sans commune mesure) de se taire sous la torture : il suffit de le vouloir. Mais tous n'en sont pas capables, ni toujours. Tel choix, inévitable pour l'un, sera impossible pour l'autre – et un troisième, qui cessera de fumer sans peine, serait bien incapable de résister au bourreau... Miséricorde, miséricorde à tous. Nul ne choisit d'être lâche ou faible, ou plutôt nul ne le choisit qui ne le soit déjà. La liberté, disait Kant, est le pouvoir de commencer absolument [3]. Mais on ne commence jamais, tout est là, du moins jamais absolument : cela supposerait un autre monde, soustrait à l'ordre du temps – faute de quoi, reconnaît Kant, « il ne reste plus que le spinozisme » [4]. Nous y sommes. S'il n'existe qu'un seul monde, tout événement s'explique par un autre qui le précède, explique alors Kant, et « auquel il succède infailliblement » [5]. De fait, tout est

---

1. *Ibid.*

2. Voir Cicéron, *De fato*, XII-XIII, et Leibniz, *Essais de Théodicée*, Préface, et I, § 55 et 59. En vertu de ce genre de raisonnement, remarquait déjà Aristote, « il n'y aurait plus ni à délibérer ni à se donner de la peine » (*De l'interprétation*, 9, 18 *b*, p. 99 de la trad. Tricot, Paris, Vrin, 1969). Voir aussi, sur ces questions, l'article très dense d'Alain Petit, « Nécessité, destin, inclination : les équivoques du nécessitarisme », in *La liberté de l'esprit*, n° 11, mars 1986, p. 99-116.

3. Voir par exemple *CR Pure*, troisième antinomie, p. 349, et *CR Pratique*, examen critique de l'analytique, p. 100-110.

4. *CR Pratique*, p. 108.

5. *CR Pure*, p. 348.

soumis à l'enchaînement sans fin des causes, tout s'explique, et en cela (en cela seulement) tout s'excuse. On ne commence jamais : on continue. Chacun prolonge comme il peut l'histoire qui le fait être, dont il n'a pu choisir – puisqu'il n'existait pas – ni le commencement, d'ailleurs inassignable, ni la place qu'il y occupe. Désespoir : s'il n'y a qu'un seul monde, il n'y a que l'histoire.

Tombe-t-on alors dans le fatalisme ? Non pas. Car en vérité, lorsque Kant veut assimiler la nécessité au destin (il parle dans les deux cas de spinozisme), il s'appuie sur l'idée que, dans l'hypothèse moniste, l'action de l'individu serait déterminée, à chaque fois, par « ce qui était dans le temps qui a précédé »[1], ou, comme il l'écrit ailleurs, soumise « aux conditions nécessitantes du temps passé »[2]. Or, remarque-t-il à juste titre, « *le temps passé n'est plus en mon pouvoir* », si bien – et l'idée est forte – que les conditions nécessitantes de l'action « *ne sont plus au pouvoir du sujet, quand il doit agir* »[3]. D'où le fatalisme : si je n'agis jamais que « déterminé à agir par ce qui n'est pas en mon pouvoir »[4], mon action elle-même ne m'appartient plus, dans l'instant, et même je n'*agis* jamais ; je *suis agi* par ce qui me précède (fût-ce mon propre passé) et qui, dès lors, m'échappe. Fatalisme « à la turque », comme disait Leibniz : tout est écrit à l'avance, non seulement déterminé mais *pré*-déterminé, tout est joué, et, que je le veuille ou non, je ferai fatalement (tel « un tournebroche qui, lui aussi, quand il a été une fois remonté, accomplit de lui-même ses mouvements »)[5] ce à quoi le passé – sur lequel je ne peux rien – me détermine.

Mais c'est donner au passé un pouvoir qu'il ne saurait avoir. Kant fait ici la même erreur, mais inversée, que Descartes, en considérant que le temps passé, alors même qu'il n'est plus, agit encore. Simplement, là où Descartes se ser-

---

1. *CR Pratique*, p. 101.
2. *Ibid.*, p. 103.
3. *Ibid.*, p. 101 et 103.
4. *Ibid.*, p. 101.
5. *Ibid.*, p. 103.

vait de cette espèce d'hystérésis du passé pour justifier le libre arbitre (mon action est libre, disait-il en gros, tant qu'elle n'a pas eu lieu : elle est donc libre puisqu'elle l'était) [1], Kant, lui, s'en sert pour enfermer les matérialistes dans le fatalisme : s'il n'existe qu'un seul monde, soumis au temps, mon action n'est jamais en mon pouvoir, puisque le passé, qui la cause, ne l'est plus. C'est faire au passé, dans les deux cas, trop d'honneur. Le passé n'est rien puisqu'il n'est plus, et de rien rien ne peut naître. Le néant n'agit pas. Dès lors les causes de mon action ne lui sont jamais antérieures (car alors mon action aurait déjà eu lieu), et, loin d'être toujours « hors de mon pouvoir », elles en dépendent, le plus souvent, exclusivement. Frapper ou non, fuir ou non, mentir ou non, cela, dans l'instant, ne dépend que de moi – et non pas du moi que j'étais (qui n'est plus) mais du moi que je suis, c'est-à-dire (puisqu'il n'y a rien d'autre) de l'action que je fais. Ni libre arbitre, donc, ni fatalisme : le présent n'est pas cause anticipée de l'avenir (ce qui est l'illusion du libre arbitre), ni le passé cause rémanente du présent (ce qui est l'illusion du fatalisme). Il n'y a ni pré-décision de l'avenir, ni pré-détermination du présent. Puisque le présent seul existe (désespoir), lui seul agit, et sur lui seul. Rien n'est écrit ni promis. Il n'y a ni libre arbitre, ni destin, ni providence – mais seulement la nécessité, qui est le réel même.

Or ton action en fait partie. Aussi nécessaire que le reste, et, à son niveau, aussi déterminante : le présent seul agit, et tu es (pour ce qui te concerne) ce présent. La nécessité, loin de dispenser d'agir ou (c'est la même chose) de vouloir, est au contraire ce qui nous y conduit ; et la conscience de cette nécessité, quand conscience il y a, loin d'abolir la volonté (si parfois elle en change le cours : la pensée agit, elle aussi), la renforce, en en redoublant, comme on dit, la *détermination*. Les spinozistes n'ont pas moins de volonté

---

1. Voir *supra*, p. 439-441. Tout libre arbitre est ainsi d'espérance (puisqu'il ne vaut que pour une action à venir) ou, aussi bien, de nostalgie (puisque, concernant l'action présente, il est toujours derrière nous).

que les autres, et certains, on le sait, en eurent davantage. « *Je suis spinoziste* », dit un jour Cavaillès, à Raymond Aron[1]. C'était à Londres, en 1943. Cavaillès, après s'être évadé deux fois des geôles allemandes, s'apprêtait à retourner en France, pour y lutter et, s'il le fallait, pour y mourir. Et d'expliquer : « Je crois que nous saisissons partout du nécessaire. Nécessaires les enchaînements des mathématiciens, nécessaires même les étapes de la science mathématique, *nécessaire aussi cette lutte que nous menons*. »[2] Que dire de plus ? Cela n'empêchait pas Cavaillès d'agir, ni de méditer une *Morale*[3]. Et sans doute avait-il choisi, mais pas d'être Cavaillès. S'il n'y a qu'un seul monde, chacun doit y jouer son rôle, qui ne dépend que de lui. Lui-même n'en dépend pas : est-ce une raison pour ne pas agir ? On n'a pas choisi non plus de vivre : ce n'est pas une raison pour se tuer. Ni d'être soi : cela ne permet pas d'être quelqu'un d'autre. Ni de vouloir ce qu'on veut : ce n'est pas une raison pour y renoncer. Chacun adhère à soi, nécessairement, puisqu'il n'est (comme sujet) que par cette adhésion. Nul ne peut vouloir autre chose que ce qu'il veut, penser différemment qu'il ne pense, ni agir autrement qu'il n'agit. C'est en quoi tout est nécessaire, toujours : le réel reste le réel, et « nous sommes en tout menés », comme disait encore Cavaillès[4], non par quelque événement qui nous précède ou nous attend (prédéterminisme, fatalisme), mais par le présent même qui nous contient (nécessité). Le « spinoziste », comme disent Kant ou Cavaillès, ou le matérialiste, comme je préfère dire[5], ne saurait donc pertinemment ni renoncer à vouloir (fatalisme paresseux) ni s'illusionner sur sa volonté (en croyant qu'elle est libre : libre

---

1. Cité par Georges Canguilhem, *op. cit.*, p. 31.
2. *Ibid.* (c'est moi qui souligne).
3. D'après le témoignage de son ami, le Dr Pol Le Cœur (qui l'hébergea en 1943), cité par la sœur de Cavaillès, Gabrielle Ferrières, in *Jean Cavaillès, un philosophe dans la guerre* (rééd. Seuil, 1982, p. 186). Voir aussi mon article « Cavaillès ou l'héroïsme de la raison », *Une éducation philosophique*, p. 287-308.
4. Toujours cité par Canguilhem (*op. cit.*, p. 46)
5. Les deux mots, je m'en suis expliqué ailleurs, ne sont pas synonymes : voir « Qu'est-ce que le matérialisme ? », in *Une éducation philosophique*, p. 86 à 111, spécialement p. 97-98.

arbitre). On choisit tout ce qu'on veut, sauf le réel qui nous choisit. Et tout est affaire de volonté, sauf la volonté même.

Loin de dispenser d'agir, donc, la connaissance de la nécessité est au contraire, pour l'individu, connaissance de l'action même qui a lieu, et de la nécessité de cette action – non certes de l'action rêvée (*avant* qu'elle n'ait eu lieu, ou en l'attendant, ou à sa place...), mais de l'action réelle, telle qu'elle est, c'est-à-dire telle, exactement, que je l'accomplis. Il n'y a pas de *cogito* héroïque, ni de sujet transcendantal vertueux. Seule l'action importe, seule l'action est bonne, seule elle est réelle. Vouloir c'est agir, ou ce n'est pas vouloir.

Or cela bien sûr ne dépend que de moi. Il suffit de vouloir, je l'ai dit, et nul ne peut, c'est la vérité du stoïcisme, ni m'en empêcher ni m'en dispenser. « La morale est une solitude », disait Alain[1], et toute morale, et davantage sans doute qu'il ne le croyait. Dans la mesure en effet où il n'y a pas de morale vraie (de morale fondée en vérité), chacun ne juge que pour soi, et ne saurait dès lors juger légitimement autrui. « La morale n'est jamais pour le voisin »[2], non seulement faute d'une connaissance suffisante (concernant le détail des actions ou des volontés), mais faute d'une norme objective commune (universelle) qui permette d'en juger. Rien n'est universel que le vrai, qui ne juge pas : il n'y a pas de *point de vue de Dieu* en morale. C'est pourquoi l'exigence morale ne vaut légitimement qu'en première personne ; pour les autres, je l'ai dit ailleurs[3], la miséricorde suffit.

Mais si ma morale n'engage que moi, elle m'engage effectivement. La morale est solitude, et c'est pourquoi on n'en sort pas. Condamnés, non à être libres (comme si je pouvais décider librement que le viol est un bien, la générosité une faute ou le mensonge une vertu !), mais à juger,

---

1. *La conscience morale*, Paris, PUF, 1984, p. 12. Sur le rapport d'Alain au stoïcisme (et à l'épicurisme), voir mon étude « Alain entre Jardin et Portique », in *Une éducation philosophique*, p. 270-286.
2. Alain, *La conscience morale*, p. 8.
3. « Le bon, la brute et le militant », in *Une éducation philosphique*, p. 121-141.

nécessairement, et à vouloir. « *Tout seul, universellement...* » La morale est cela même : non une loi universelle
qui s'imposerait à un sujet (religion, descente : commandements et impératifs catégoriques), mais une solitude qui
s'érige – imaginairement et pour soi seul – en exigence
universelle (matérialisme et ascension : Icare). Œuvre, je
l'ai dit, et illusion ; mais grande œuvre, et illusion, à la
lettre, *bienfaisante*. La morale n'est pas vraie et n'a pas à
l'être (puisque la vérité n'est pas morale), mais elle est
bonne, et – dans l'action – le bien même. Ce n'est pas un
autre monde, existant réellement, ni un commandement
divin, ni même une loi de la raison. C'est le chef-d'œuvre
de vivre.

Et qui voudrait rater sa vie, faire le mal, être méchant,
égoïste, menteur ?... Pourtant, c'est la pente : le « *cher moi* »
nous tient, qui nous entraîne. Nul n'y échappe qu'à vouloir
le bien (non pour soi seul mais pour autrui), c'est-à-dire
qu'à le faire. Tout n'est pas permis (puisque je ne me
permets pas tout), tout ne se vaut pas (puisque je fais une
différence entre les salauds et les gens bien). Désespoir
et ascension : la vertu est l'effort pour se bien conduire,
qui définit le bien dans cet effort même. Dédale se trom-
pait, qui croyait n'inventer que ses ailes. Le ciel aussi est
création.

Ainsi pas d'illusions ou de faux-semblants. Ta vertu
dépend de toi, et (sous réserve de ce que tu es) de toi seul.
Elle n'est pas ton rêve mais ta volonté, non ton âme mais
ton action. Mieux, comme la volonté, l'âme ou le moi ne
sont que des abstractions (il n'existe que des idées, des
volitions ou des actions singulières), tu *es*, à chaque instant, ce que tu penses, veux ou fais. Cesse donc de rêver ta
vertu. Tu ne vaux pas plus que ta volonté, qui ne vaut pas
plus que ton action. Rien d'exigeant comme le désespoir :
tu *vaux*, exactement, ce que tu *veux*.

Et qu'as-tu besoin d'un Dieu pour en juger ? Toi seul sais
ce que tu dois faire, et nul ne peut juger, ni vouloir, ni agir

à ta place. Solitude et grandeur de la morale : tu ne vaux que le bien que tu fais.

« *Quoi, si peu ?...* » Si peu. L'humilité n'est pas une vertu, mais y conduit[1] : mieux vaut se mépriser que se méprendre. Narcisse (le « cher moi ») est l'ennemi toujours, dont seule la vérité guérit, qui nous guérira aussi du mépris.

Au reste, nul ne se résigne longtemps au mal, et c'est pourquoi la faute, presque toujours, est de mauvaise foi – au lieu que l'honnête homme, comme on l'a dit de Diogène, « fait de lucidité vertu »[2].

Car la morale, si elle n'est pas vraie, n'est pourtant pas sans rapport avec la vérité : elle commence où finit le mensonge.

Cesse de mentir ; la vertu viendra par surcroît.

1. Spinoza, *Ethique* IV, scolie de la prop. 54.
2. Marc Wetzel, *La méchanceté*, Paris, Editions Quintette, 1986, p. 108.

5

Les labyrinthes du sens :

d'un silence l'autre

> « *Nous sommes disposés de nature à croire facilement ce que nous espérons, difficilement ce dont nous avons peur, et à en faire respectivement trop ou trop peu de cas. De là sont nées les superstitions par lesquelles les hommes sont partout dominés.* »
>
> SPINOZA

> « *Rien n'est aussi puissant que le silence. Et si nous n'étions pas nés au cœur de la parole, il n'aurait pas été rompu.* »
>
> Rainer Maria RILKE

I

Il est paradoxal, c'est entendu, de parler du silence. Mais guère plus peut-être que d'énoncer sur un chien autre chose que des aboiements. Le concept de chien n'aboie pas ; le concept de silence n'est pas silencieux. Il s'agit de penser vrai, pas de faire ressemblant.

Ce serait d'ailleurs un autre paradoxe, et singulier, que de ne parler... que du discours. Où le sens se mord la queue, et s'exténue à se poursuivre. Bavardage métalinguistique : discours sur le discours, pensée sur la pensée... La philosophie commence là, je veux bien. Qu'elle s'y achève est une autre histoire, qu'il s'agit d'éviter.

Philosophie ou sophistique. L'amour de la sagesse, ou

l'amour du discours. Car la philosophie trouve dans le langage son moyen, certes, et, comme disent les textes zen, son *moyen subtil*. Mais point son objet (le réel) ni sa fin (la sagesse), silencieux l'un et l'autre, et l'un et l'autre *insensés*. Non qu'ils manquent de sens : le réel ne manque de rien, et la sagesse n'est pas autre chose, dans sa plénitude, que ce *ne-plus-manquer* du sens. C'est le réel de vivre. Le sens n'est pas ce qui leur manque, mais ce qui *les* manque. Le sens, c'est l'irréel et la folie (« cette folie du sens, comme dit Rosset, qui est la folie par excellence... »)[1]. L'opinion – et la philosophie, parfois... – est son discours normal, sa forme douce ou chronique. C'est un délire *a minima*. Mots sur mots, sens contre sens... C'est (comme la grammaire pour la métaphysique, selon Nietzsche) le métalangage du pauvre. L'opinion, c'est le dire du on-dit. Elle ne pense pas ; elle répète ou commente. Et que répéter, que commenter même, autre qu'un discours ? C'est le labyrinthe des bavards. On n'en finit pas de parler, parce que le sens fait toujours défaut dans la redondance même du discours qui le dit. C'est parce qu'il y a trop de sens qu'il faut chercher le meilleur – et celui qu'on trouve, comme dit Lévi-Strauss, « n'est jamais le bon »[2]. D'où la possibilité – ou la nécessité, croient-ils – d'un autre discours, pour commenter ou exhiber le vrai sens du premier... Et ainsi à l'infini. Le délire d'interprétation est sans limites, et pour cela invincible autant qu'insatisfait. Le sens, même dans ses excès, fait toujours défaut, et l'on n'en finit pas de combler ses manques. *Words, words, words*... Que de mots ils mettent entre l'angoisse et eux ! Contre quoi le sage *insensé* se réjouit en silence d'un réel *insignifiant*. La vérité n'a pas de sens. Le réel n'a rien à dire.

Opinion, c'est bavardage ; vérité, c'est silence. Les bavards n'y trouvent pas leur compte (leur compte de sens) : le silence, comme Pascal, les effraie. Mais leur peur

---

1. Clément Rosset, *Le réel*, *Traité de l'idiotie*, Paris, Ed. de Minuit, 1977 (rééd. 1980), p. 37.
2. Claude Lévi-Strauss, *La pensée sauvage*, Paris, Plon, 1962 (rééd. 1974), p. 336.

ne justifie rien. Toute parole est indigne qui ne tend au silence.

Reste à choisir le sien. Car il y a deux silences, voilà ce que je voudrais montrer, ou deux manières de le penser, antagonistes l'une de l'autre, et qui définissent à peu près (tant que nous sommes dans le discours) deux philosophies. En quoi toute vraie philosophie est paradoxale, sans doute : il s'agit, non de répéter un discours, mais de penser un silence. Philosophie ou philodoxie. Mais il faut d'abord – précisément parce que nous sommes nés, comme dit Rilke, « au cœur de la parole » – savoir ce qu'il en est du *sens*. C'est un paradoxe, à nouveau, mais point un détour. « La science des contraires est une », et le silence n'est pas autre chose d'abord que le *non-sens* de tout, et du sens même. C'est un autre nom du réel. Pour nous en effet, qui parlons, le silence est absence, non de bruit, mais de sens. Un son peut donc être silencieux (il l'est toujours quand personne ne l'écoute ou ne l'interprète), et il peut arriver qu'un silence soit sonore. Ainsi l'écho des vagues ou des renoncements.

II

« Sens » se dit en plusieurs sens : comme sensibilité (le sens de l'odorat), comme direction ou orientation (le sens d'un fleuve), comme signification (le sens d'une phrase)... Nous ne considérerons ici que le dernier, mais qui n'est pas sans rapports avec le second. Le sens d'une phrase, c'est ce qu'elle *veut dire* : sa signification est en même temps son but. Le sens de l'histoire (sa signification immanente) est inséparable de la *fin* qu'elle annonce ou prépare : sa théodicée, comme dit Hegel, est aussi une eschatologie. Et le sens d'un symptôme, chez Freud, ne va jamais sans un finalisme plus ou moins avoué... Téléologie et sémiologie vont de pair. *Signifier*, pour un signe, c'est sa *fonction* : son *sens* seul (sa signification) lui donne un *sens* (une utilité, une destination). Le sens d'un acte de même (ce qui permet de le comprendre), c'est le résultat qu'il vise. Un acte insensé, au contraire, serait un acte dont on ne verrait ni la signification ni le but ; et l'on ne conçoit guère qu'il puisse avoir l'une sans l'autre. Si les *actes manqués* ont un sens, et qui peut être interprété, c'est qu'ils visent (fût-ce de manière contradictoire : ce sont des formations de compromis) un certain résultat. Le « sens » d'un processus psychique, écrit Freud, « n'est autre chose que *l'intention* qu'il sert » [1]. Et si tout acte manqué, comme on l'a dit, est ainsi « un discours réussi » [2], c'est qu'il dit bien ce qu'il *veut* dire. « Qu'entendons-nous, demande Freud, par ces mots : *a un sens* ? Que l'effet du lapsus a peut-être le droit d'être considéré comme un acte psychique complet, ayant *son but propre*, comme une manifestation ayant *son contenu et sa signification propres*. » [3] En quoi l'interprétation ne va jamais sans une forme de téléologie ou, si l'on veut, de téléonomie. Dégager le sens d'un symptôme, c'est découvrir le *but* vers quoi il tend. « Elle révéla le *sens central* de son cérémonial, dit Freud d'une de ses patientes, un jour où elle eut la compréhension subite de la raison pour laquelle elle ne voulait pas que l'oreiller touchât au bois du lit... *Elle voulait ainsi*... » [4] Et de même, chez Hegel, les grands hommes sont ceux qui ont compris ou réalisé le *sens de l'histoire*, c'est-à-dire « ceux dont les fins particulières contiennent la substantialité que confère la *volonté* de l'Esprit du Monde » [5], ceux dont les buts « étaient conformes aux *buts* de l'Esprit en soi et pour soi » [6], ceux qui ont accompli, en un mot, « *ce que l'Esprit voulait* » [7].

Avoir un sens, c'est *vouloir dire* ou *vouloir faire*. Le finalisme est le même (c'est le finalisme de la volonté, qui prend

1. Freud, *Introduction à la psychanalyse*, chap. 3 (trad. franç., Payot, réed. 1976, p. 29).
2. J. Lacan, *Ecrits*, Paris, Seuil, 1966, p. 268.
3. Freud, *op. cit.*, chap. 2, p. 24.
4. *Ibid.*, chap. 17, p. 249.
5. Hegel, *Leçons sur la philosophie de l'histoire*, Introduction, trad. K. Papaioannou (« La raison dans l'histoire », Paris, 10-18, 1979), p. 113.
6. *Ibid.*, p. 122.
7. *Ibid.*, p. 128. Dans toutes ces citations, comme, en général, dans le reste du chapitre, c'est moi qui souligne.

les *buts* qu'elle poursuit pour les *causes* qui la font être),
et suppose dans les deux cas une méconnaissance, dont
Spinoza, avec la radicalité que l'on sait, avait su discerner,
au cœur même du vouloir, l'origine ou le principe. Le finalisme, c'est la volonté méconnue (dans ses causes), et mise
au cœur des choses (comme leur sens). Les hommes, dit
en substance Spinoza, ont en effet conscience de leurs
désirs (du moins de certains d'entre eux), et en ignorent
les causes. De là la croyance au libre arbitre : les hommes
se figurent être libres, parce que, ayant conscience de leurs
volontés ou désirs mais point des causes qui les font désirer
ou vouloir, ils s'imaginent vouloir *librement*. De là aussi la
croyance aux causes finales (qui ne sont jamais que les
effets supposés d'un libre arbitre divin, dont la nature
ferait, comme on dit, les quatre volontés), croyance qui,
prenant les effets pour les causes et les causes pour les
effets, « renverse totalement » l'ordre de la nature[1]. De là
enfin, pour ce qui nous occupe, le *sens*. Car le sens, qui est
l'illusion des illusions, est fondé sur le finalisme, qui est le
préjugé des préjugés[2]. Par exemple cette pierre qui est tombée d'un toit sur la tête de quelqu'un, et l'a tué...[3] Il y a là
des causes (efficientes) qui peuvent être connues, et
d'autres, en très grand nombre, qu'il est au moins possible
de supposer : le vent soufflait, le toit était ancien, un clou
rongé par l'humidité, et qui cède, l'attraction terrestre, la
chute des corps... Et cet homme qui se trouvait là, dont la
présence aussi a ses causes : l'invitation d'un ami, telle ou
telle occupation, tel retard, tel itinéraire habituel... Le réel,
simplement, et toutes les vérités qu'on voudra. Mais de
sens, point. On peut expliquer, aussi longtemps qu'on le
désire, et même (puisque la chaîne des causes est infinie)
indéfiniment. Mais comprendre, non. Parce qu'il n'y a rien
à comprendre. Ainsi cette mort n'a pas de sens, ce qui veut

---

1. Cf. Spinoza, *Ethique* I, Appendice, p. 61 sq.
2. Cf. *Ethique* I, *ibid.*, et IV, Préface. Ce préjugé est lui-même indissociable de la croyance (qui le fonde) au libre arbitre. L'illusion de la liberté est ainsi, chez Spinoza, *l'illusion mère*. Le *sens* est son rejeton, qui finit aujourd'hui par l'occulter.
3. L'exemple se trouve chez Spinoza, *Ethique* I, Appendice, p. 64-65.

dire à la fois qu'elle ne *signifie* rien, et que notre homme est mort *pour rien*. Ni signification ni but : sémiologie et téléologie se rejoignent ici dans leur commune nullité.

Est-ce satisfaisant ? Précisément non, cela *n'est pas* satisfaisant. Ni pour l'intelligence (qui veut expliquer : connaître les causes), ni pour l'esprit (qui veut comprendre : trouver un sens). Ce n'est pas satisfaisant pour l'intelligence : dans la mesure en effet où nous n'en aurons jamais fini d'enchaîner les causes (pourquoi le vent soufflait-il ? pourquoi cet ami l'avait-il invité ?...), nous serons toujours contraint d'admettre que cet homme est mort, finalement, *par hasard*, qui est l'ensemble indéfini des causes... que nous ne connaissons pas[1]. Et toute connaissance, qui est toujours finie, bute ici sur ses limites, qui sont infinies. De là l'insatisfaction, chez les uns, et la superstition, chez les autres, qui appellent *fantômes* ce qu'ils ignorent[2]. C'est par ses brèches que la vérité (pour nous) prend sens, comme un navire prend l'eau. L'imagination a horreur du vide ; comme un liquide, elle occupe toujours tout l'espace disponible : le sens s'engouffre dès que le savoir cesse. C'est comme une avarie du vrai. Ignorant les causes d'un fait, nous en cherchons le sens dans une volonté qui l'explique. « Ils continueront ainsi de vous interroger sans relâche sur les causes des événements, continue Spinoza, jusqu'à ce que vous vous soyez réfugié dans la volonté de Dieu, cet asile de l'ignorance. »[3] L'intelligence insatisfaite, pour finir, se satisfait de peu, je veux dire (car Dieu, ce n'est pas *peu*) à bon compte.

Mais la connaissance par les causes n'est pas non plus satisfaisante pour l'esprit : car s'il n'y a rien là à comprendre (rien à répondre, pour garder l'exemple de notre homme malchanceux, à sa femme qui pleure sur son cada-

---

1. Cf. par ex. *Lettre 37*, à J. Bouwmeester (t. IV, p. 251). Le problème du hasard et de son statut, chez Spinoza, demanderait bien des précisions et des explications mais qui seraient ici déplacées : dans ce livre, qui n'est pas d'histoire de la philosophie, ce n'est pas Spinoza qui nous occupe, mais ce qu'il peut nous aider, aujourd'hui, à penser. Cela soit rappelé une fois pour toutes.

2. Cf. *Lettre 52*, à Hugo Boxel (t. IV, p. 286).

3. *Ethique* I, Appendice, p. 65.

vre en hoquetant : « *Pourquoi ? pourquoi ? pourquoi ?...* »
Allez parler de la chute des corps à une jeune veuve !), cette
mort est absurde, et notre esprit, qui ne s'y reconnaît pas,
semble s'en affoler davantage. Un bon assassinat nous ras-
surerait, qui nous donnerait à haïr. Ou ne serait-ce qu'une
faute professionnelle patente des ouvriers-couvreurs... Le
sens ne ressuscite pas les morts, mais rassure les vivants.
C'est humain. Il semble plus facile d'échapper aux
assassins qu'au hasard ; et l'on préfère, quand le malheur
est là, accuser le laxisme des juges ou l'impéritie des
ouvriers, plutôt que les négligences de Dieu. Sans compter
que pour l'amour-propre, cela n'est pas pareil... L'indifférence, voilà l'affront suprême. Plutôt le sens, même (pour
un malheur donné) désagréable ou hostile, que le
non-sens : plutôt les faits divers que le hasard, plutôt le
destin ou la providence (qui sont les faits divers de Dieu)
que la nécessité insignifiante du réel. Car la nécessité, si
elle n'a pas de sens, n'est qu'un hasard comme un autre,
nécessaire simplement d'exister. La seule nécessité de la
mort, c'est le cadavre. Mais cela – cette mort insensée et
puante –, cela, c'est l'insupportable même.

Donc, la vérité nue (insensée, insignifiante, sans justification ni but) *n'est pas* satisfaisante. Et c'est pourquoi nous
l'interprétons : nous l'habillons de sens, pour pouvoir la
supporter. Les signes, c'est leur fonction, tiennent lieu
d'autre chose, qu'ils représentent, et devant quoi ils s'effa-
cent en se manifestant. Le sens les sauve d'eux-mêmes :
nul ne s'arrête aux mots, chacun court aux idées ; et un
caillou ne cesse d'être un caillou qu'autant qu'on lui fait
dire quelque chose. C'est tout le bonheur des jeux de piste.
Si la mort pouvait *signifier*, nous serions sauvés : il y aurait
autre chose, dont la mort tiendrait lieu ou qu'elle voudrait
dire, et devant quoi elle ne serait plus, à la lettre, que
l'ombre d'elle-même. La mort serait un acte manqué du
destin, et tout bon entendeur, comme dit l'autre, y trouverait son salut. C'est la voie de l'espérance et de la foi, par
quoi le sens se donne dans son manque et sa promesse. De
là tous ces discours, pour *dire* et *faire dire*. Nos mots sont

des habits que nous mettons sur les choses – « cachez ce sein... » –, pour pouvoir les reconnaître ou nous y retrouver. Pour pouvoir les supporter aussi, et les apprivoiser en les interprétant : dire ce qu'elles veulent dire, et d'abord leur nom. C'est le prêt-à-porter du sens. Mais ces mots nous ressemblent, plus qu'aux choses ; ils ont notre forme, nos plis, presque nos habitudes, et déjà notre odeur... Le sens n'est jamais neuf. Son prêt-à-porter est une friperie, où tout circule et se brade, où tout s'échange et se mélange. Marchand d'habits, marchand d'idées... Il s'agit de supporter l'insupportable, et tout est bon pour cela. On fait du neuf avec du vieux, du chic avec de l'ancien. Comment faire autrement ? Il n'est sens que d'emprunt. Et nos élégants se pavanent dans les loques du temps.

Il y a là davantage que des métaphores. Pour ne considérer le sens que dans son domaine roi, on voit bien que nul n'invente le langage, ni même tel usage possible (le langage, comme système, les contient déjà tous) ou réel (à quelques barbarismes près) des signes qu'il contient. Le langage, et les langues, sont donnés. Tout discours suppose la préexistence d'autres discours, toute parole continue d'autres paroles, tout style se nourrit d'autres styles. Il y a du pastiche dans toute création, et l'on n'invente jamais son sens qu'en bricolant celui des autres... Epicure l'avait bien vu, contre Platon ou Démocrite : c'est précisément parce qu'il n'y a pas de *logos* (pas de sens de l'être) que nul n'a pu *inventer* le langage. Le sens se précède toujours lui-même, mais dans l'historicité de son devenir (non dans l'éternité de son être ou de sa vérité), et nul n'aurait parlé si la nature d'abord (par les cris, issus directement des affections, par l'expressivité naturelle des corps vivants), puis la société (par convention et accumulation), n'avaient fourni les premiers rudiments du sens[1]. *Vouloir dire* suppose qu'on sache ce que c'est que *dire* ; et le sens n'est

---

1. Cf. Epicure, *Lettre à Hérodote*, § 75-76. Lucrèce apporte ici (notamment sur l'expressivité naturelle des corps vivants) des exemples éclairants (*De natura rerum*, V, 1028-1090).

accessible qu'à celui qui en possède déjà, comme dira Lucrèce, la *notion*... qui le suppose [1]. C'est le cercle du sens : le sens suppose le sens, qui le suppose. Où tout commence, comme toujours, dans le cercle de la nature (qui ne commence pas). Les premiers signes sont du corps, pour les vivants, et le corps même.

Qu'est-ce alors que le sens ? Répondre est difficile (le sens est peut-être, avec le temps et pour les mêmes raisons, l'indéfinissable par excellence) ; pourtant il me semble qu'on pourrait dire à peu près ceci :

Le sens n'est pas une chose, ni un être, mais un rapport. Quand je dis : « *il y a un bouquet de fleurs sur la table* », le sens n'est ni le fait (la présence de ce bouquet sur cette table) ni la phrase (considérée dans son existence matérielle, comme chaîne de sons ou de signifiants). Ce bouquet et cette table pourraient en effet ne pas exister (je pourrais mentir, ou forger librement un exemple), ma phrase n'en aurait pas moins de sens pour autant ; et elle ne se distingue en rien, matériellement parlant, d'une suite quelconque – mais insignifiante – de sons articulés, comme par exemple « *Rabumdamazoc elbatal rusteuquob porimac...* » Si bien que tout signifiant (et Saussure le reconnaissait, qui n'y voyait qu'une pure différence, sans contenu positif ni signification intrinsèque) [2] est en lui-même *insignifiant*. Un son, quel qu'il soit, c'est une chose comme une autre, ou un fait, qui n'a pas plus de sens que (sauf convention ou interprétation particulières) un caillou, une table ou un bouquet de fleurs... Les faits sont ce qu'ils sont, identiques simplement à eux-mêmes, et ne signifient rien.

Donc le sens n'est ni le fait (qui ne signifie rien) ni la phrase (qui est un autre fait). Mais il n'est pas davantage, ce qui est plus difficile à concevoir, l'ensemble d'idées, ou d'images mentales, que cette phrase contient (la chaîne des signifiés), si on veut les considérer *en elles-mêmes* (ce qui

---

532   *Les labyrinthes du sens*

serait un réalisme du sens, à la manière du réalisme platonicien), dans leur pure factualité d'idées. Quel sens aurait
l'idée de fleur, s'il n'y avait pas de fleurs, et pas d'autres
idées ? Si elle n'avait, donc, *ni référent* (comme disent les
linguistes) *ni définition* (puisqu'il est clair que l'idée de
fleur ne peut être définie, ouvrez votre dictionnaire, que
par d'autres idées) ? Les idées, prises en elles-mêmes (à
supposer qu'elles puissent exister), n'ont pas plus de sens
que les faits – d'ailleurs, si elles existaient en elles-mêmes,
elles seraient des faits comme les autres. Le *signifié*, c'est
là le point, ne *signifie* rien.

Mais si le sens n'est ni dans le fait désigné (le ou les
référents), ni dans les sons émis (la chaîne des signifiants),
ni même dans les idées énoncées (la chaîne des signifiés),
il est clair qu'il ne peut se trouver – puisque nos discours
ont un sens – que *dans leur(s) rapport(s)*. C'est déjà ce que
suggérait Saussure : ni les signifiants ni les signifiés, considérés séparément, ne sont d'ordre linguistique ; ils ne le
deviennent que par leur *association* seule [1]. Seuls les *signes*
sont réels, dans les langues, qui ne sont *signes* que par la
relation (qui les constitue) d'un signifiant *et* d'un signifié [2].
Et d'énoncer sa comparaison fameuse :

« On a souvent comparé cette unité à deux faces [le signe : signifiant
et signifié] avec l'unité de la personne humaine, composée du corps
et de l'âme. Le rapprochement est peu satisfaisant. On pourrait penser
plus justement à un composé chimique, l'eau par exemple ; c'est une
combinaison d'hydrogène et d'oxygène ; pris à part, chacun de ces
éléments n'a aucune des propriétés de l'eau. » [3]

On pourrait en dire autant, me semble-t-il, ou davantage, du *sens*. Il n'est ni dans le signifiant ni dans le signifié,
mais dans leur *rapport*. Il n'est pas une substance (comme
le corps et l'âme, dans la métaphysique classique) ; mais il
n'est pas non plus un fait, une « entité concrète » (comme
le signe ou l'eau) ; il est une *relation*.

1. *Ibid.*, p. 144-145.
2. *Ibid.*, p. 98 et 144-145 ; cf. aussi p. 166.
3. *Ibid.*, p. 145.

Il y a plus. Cette relation elle-même ne s'établit pas entre des faits (comme par exemple la relation « être plus grand que », quand on dit que Pierre est plus grand que Paul) ; *c'est une relation de relations*. En effet, si l'on ne considère que le rapport constitutif du signe (la relation, interne au signe, du signifiant et du signifié), on se rend compte que cette relation simple n'a pas de sens en elle-même. Le mot « fleur », par exemple, constitué par l'union indissoluble du signifiant [flœr] et du signifié (idée de fleur), n'a pas davantage de sens en lui-même, je veux dire considéré isolément, que le mot « *rabumdamazoc* », composé du signifiant [rabumdamazók] et du signifié (idée de rabum-damazoc). On objectera qu'il n'existe nulle part de *rabum-damazocs* réels (encore aurais-je beau jeu de demander qu'on me le prouve...), et qu'en conséquence l'idée de *rabumdamazoc*, faute d'objet, n'est pas une *idée* du tout : le mot « *rabumdamazoc* » n'aurait pas de signifié, et dès lors (n'étant pas un signe) ne serait pas un mot. Mais ce serait oublier que l'idée de Dieu n'a pas besoin, pour être une idée, que Dieu existe (sans quoi le Père Noël existerait aussi), ni même qu'on y croie (sans quoi l'athéisme serait impossible). Les mots « fée », « ange » ou « néant » (ou les expressions « cercle carré » ou « montagne sans vallée ») n'ont pas moins de sens, pour n'avoir pas d'objets réels, que les mots « fleur », « table » ou « bouquet ». Husserl a raison ici : il faut distinguer « le défaut d'objet *(Gegenstandslosigkeit)* et l'absence de signification *(Bedeutungslosigkeit)* »[1]. Une expression vide (parce qu'elle désigne des objets inexistants : « l'actuel roi de France », « le vingt-quatrième arrondissement de Paris »...) n'en a pas moins un sens : nous ne pourrions pas autrement savoir qu'elle est vide. De même, une expression absurde (parce qu'elle désigne des objets impossibles : « carré rond », « montagne sans vallée »...) n'est pas pour autant dénuée de sens[2] ; c'est

---

1. Husserl, *Recherches logiques*, II, 1 (trad. franç., PUF, 1969, p. 62-63).
2. Comme le note Gilles Deleuze (*Logique du sens*, Paris, Ed. de Minuit, 1969 ; rééd. 10-18, p. 49).

même *parce qu'elle a un sens* qu'elle *peut* être absurde. Non seulement « les deux notions d'absurde et de non-sens ne doivent pas être confondues »[1], mais elles sont, à la lettre, incompatibles.

Si le mot « *rabumdamazoc* » n'a pas de sens (s'il n'est en conséquence pas un signe et, en effet, pas un mot), ce n'est donc pas faute d'objet (car il ne serait alors qu'absurde ou vide), mais faute... de sens. Or le sens, il faut insister là-dessus, *n'est pas* l'objet. Personne, observe Wittgenstein, ne dira « j'ai brisé une partie du sens du mot *dalle* » (s'il a brisé une dalle), ni (s'il en a posé cent) « j'ai posé cent parties du sens du mot *dalle* aujourd'hui »...[2] Et personne, remarque de son côté Jakobson, « n'a jamais goûté ni humé le sens de "fromage" »[3]. Si le mot « *rabumdamazoc* » manque de sens, ce n'est donc pas faute d'objet (faute de *rabumdamazocs* réels ou possibles), mais *faute de sens*, en effet, c'est-à-dire – c'est ici sans doute que tout se joue – *faute de relations à d'autres signes*, et d'abord faute de définition (implicite ou explicite) ou, comme aurait dit Peirce, d'*interprétant*[4]. Qu'on prenne par exemple le mot « fleur » ; on se rendra compte que son sens ne dépend pas de l'existence réelle ou possible des fleurs (car alors le mot « fée » ne signifierait rien), ni même de l'existence de *l'idée de fleur* (car, sauf à retomber dans le platonisme, les mots « fée » ou « fleur » n'auraient alors de sens que *psychologique*, non linguistique, et qui s'abolirait à chaque fois que nul n'y songerait), mais bien de l'existence, dans un même système, *d'autres signes*, qui permettront, dans un jeu donné de relations possibles, de le *définir* (par un équivalent plus

1. G. Deleuze, *ibid.*

2. Wittgenstein, cité par J. J. Katz, *La philosophie du langage*, trad. franç., Payot, 1971, p. 70-71.

3. Jakobson, *Essais de linguistique générale*, t. 1, chap. 4 (trad. N. Ruwet, Ed. de Minuit, rééd. 1981, p. 79).

4. Sur la notion d'*interprétant*, chez Peirce, cf. Jakobson, *op. cit.*, p. 40 : « Comme le disait Peirce, pour être compris, le signe – et en particulier le signe linguistique – exige non seulement que deux protagonistes participent à l'acte de parole, mais il a besoin, en outre, d'un *interprétant*. D'après Peirce, la fonction de cet interprétant est remplie par un autre signe, ou un ensemble de signes, qui sont donnés concurremment au signe en question, ou qui pourraient lui être substitués. »

développé : « on appelle *fleur* la production colorée, souvent odorante, de certains végétaux, et spécialement
l'organe reproducteur des plantes phanérogames... ») et de
le *comprendre* (par sa définition, le plus souvent implicite,
et par son contexte : dans « il y a un bouquet de fleurs sur
la table », le mot « fleur » n'a pas le même sens que dans
l'expression « la fine fleur de la noblesse française »). Bref,
le sens d'un mot est la relation, interne à ce mot, entre le
signifiant et le signifié, en tant que cette *relation* est elle-
même *en relation* (qui la définit) avec d'autres relations,
c'est-à-dire avec d'autres mots, qui n'ont à leur tour un sens
(qui rend cette relation possible) qu'autant que leur propre
relation constitutive (signifiant/signifié) est en relation
avec d'autres mots, qui eux-mêmes... Et ainsi (dans le cadre
fini mais ouvert du système) à l'infini. C'est le labyrinthe
des signes : un mot n'a de sens que par d'autres mots, et
tous les mots ne font sens que par le jeu systématique (mais
toujours en quelque chose indéfini) de leurs relations. Le
sens est un effet de sens. « Le sens d'un mot n'est rien
d'autre que sa traduction par un autre signe »[1], et il n'y a
ni sens en soi (« dans tous les cas nous substituons des
signes à des signes »)[2], ni sens absolu (« le sens d'un signe
est un autre signe »)[3]. Rien dès lors ne m'interdit de donner
un sens au mot « *rabumdamazoc* », si je décide, à l'aide
d'autres mots, d'une définition quelconque. Par exemple,
« j'appelle *rabumdamazoc* tout son articulé qui ne signifie
rien » ; en ce sens, « *rabumdamazoc* », qui était jusqu'à présent un *rabumdamazoc*, cesserait désormais d'en être un...

   On objectera peut-être qu'au lieu de *définir*, on peut
montrer. Sans rentrer dans les apories que cela suscite (si,
pour définir le mot « fromage », je montre un fromage du
doigt, cela ne nous apprendra pas, remarque Jakobson, si
« fromage » signifie « camembert », « produit lacté »,
« bon », « rond », « nourriture » ou... « fromage »)[4], il faut

---

1. Jakobson, *op. cit.*, IV, p. 79.
2. *Ibid.*, I, p. 41.
3. *Ibid.*
4. Cf. Jakobson, *op. cit.*, IV, p. 79, et (pour un autre exemple) I, p. 41-42. De

souligner, pour ce qui nous intéresse, que cela ne change rien, au contraire, à ce fait essentiel : *le sens n'est sens qu'en tant qu'il renvoie à autre chose qu'à lui-même*. Et sans doute Russell n'a pas tort de voir dans le langage, malgré tout (c'est-à-dire *malgré le langage même*), une manière de parler, non des mots, mais du réel. « Si je me rends au restaurant et que je commande mon dîner, je ne désire pas que mes mots s'agencent en un système avec d'autres mots, mais qu'ils provoquent la présence de nourriture... »[1] Parler (fût-ce de nourriture) ne nourrit pas ; et tous les discours du monde ne feront pas... le monde. Les sophistes ont trop tendance à croire que le monde est un sophisme, un pur effet de langage. C'est bien sûr l'inverse qui est vrai (le langage est *dans le monde*, et effet du monde), et les mots, comme dit encore Russell, « sont destinés à traiter d'autre chose que de mots »[2]. Parler n'a de sens, au bout du compte, qu'à parler... du silence. Mais précisément, cela ne supprime pas – mais renforce – cette caractéristique du sens, de renvoyer toujours à *autre chose* qu'à soi. Le sens (dans le langage) est un rapport de rapports, qui a pour fonction de dire *autre chose* que ce rapport. Dire : « il y a un bouquet de fleurs sur la table », ce n'est pas dire : « je dis qu'il y a un bouquet de fleurs sur la table ». Ces deux phrases n'ont pas le même sens, ni d'ailleurs le même objet. Elles ont en commun, en revanche, de renvoyer chacune à autre chose qu'à elle-même, la première au bouquet de fleurs, la seconde à un propos que j'énonce (par exemple dans la première). C'est une loi générale. Une phrase peut certes *parler d'elle-même* (en tant qu'objet ; par exemple :

---

même, notait Wittgenstein dans le *Cahier bleu* (trad. franç., Gallimard, 1965, p. 26-27), si je montre un crayon du doigt, on ne peut savoir si cette « définition par présentation » signifie : « ceci un crayon », « ceci est rond », « ceci est en bois », « ceci est l'unité », « ceci est dur », ou quelque autre chose que ce soit. Dans tous les cas, on ne pourra en sortir qu'avec d'autres signes.

1. Russell, *Signification et vérité* (trad. franç., Flammarion, 1969, chap. 10, p. 166).

2. *Ibid*. Cf. aussi *Histoire de mes idées philosophiques*, trad. franç., Gallimard, 1961, p. 15 : « L'essentiel, au sujet du langage, c'est ce qu'il signifie – c'est-à-dire qu'*il est en relation avec quelque chose d'autre que lui-même, qui, en principe, est d'un autre ordre que le langage.* »

« Cette phrase que vous lisez comporte huit mots »)[1], mais non *se dire elle-même* (en tant que sens ; la phrase « Cette phrase que vous lisez dit qu'elle comporte onze mots » ne dit pas, contrairement aux apparences, son sens ; car ce qu'elle dit, ce n'est pas qu'elle comporte onze mots, mais *qu'elle le dit* ; or, pour dire cela, il faudrait une phrase du type « Cette phrase que vous lisez dit qu'elle dit qu'elle comporte onze mots », ce qui serait, en quatorze mots, une autre phrase). Il faut en prendre son parti : le sens n'est jamais *auto-référé* ; il n'est sens, à jamais, que de l'autre.

« Tout signe, disait Husserl, est signe de quelque chose. »[2] Il faut ajouter : tout signe est signe de quelque chose *d'autre* – cet *autre-chose* dont il tient lieu (ce qui le définit comme signe) en occupant, dans le creux de la parole et du temps, la place vide de son manque. Ce manque (« l'absente de tout bouquet », si l'on veut, mais qui n'est pas la « notion pure »[3], et absente aussi, puisqu'elle ne peut se dire elle-même, de toute phrase...), ce manque (déterminé, dans un jeu donné de relations, par son signe) est le sens même. « Ceci n'est pas une pipe », précisément parce que c'est un signe qui *représente* une pipe ; *ceci n'est pas le sens*, précisément parce que cela *signifie* ; et le monde n'est pas Dieu, parce que le monde *dit* Dieu[4]. « Le sens du monde doit se trouver en dehors du monde... »[5] Le sens est ce *dehors* du signe, présent pourtant en lui (en tant que son manque ou son autre) par son absence même. Merleau-Ponty n'avait sans doute pas tort, quand il caractérisait le sens, en général, par cette dimension (qui le constitue) de renvoyer à *autre chose* qu'à soi : « Sous toutes les

---

1. Encore n'est-ce pas sans entraîner, en logique, de redoutables antinomies, qui sont du type de celle du menteur. La phrase « Cette phrase que vous lisez est fausse » a certes un sens, mais elle est impossible à penser (puisqu'elle est fausse si elle est vraie, et vraie si elle est fausse). Cf. à ce propos Alfred Tarski, *Logique, sémantique, métamathématique*, t. II, chap. XXI, trad. franç., A. Colin, 1974, p. 276-279.

2. Husserl, *op. cit.*, p. 27. Cf. aussi p. 53.

3. Cf. Mallarmé, *Crise de vers* (Pléiade, p. 368).

4. Cf. par ex. saint Augustin, *Confessions*, X, 6.

5. Wittgenstein, *Tractatus logico-philosophicus*, 6.41, trad. franç., Gallimard, « Idées »-NRF (rééd. 1972), p. 170. Cf. aussi les *Carnets* (trad. franç., Gallimard, 1971), p. 139

acceptions du mot *sens*, nous retrouvons la même notion fondamentale d'un être orienté ou polarisé vers *ce qu'il n'est pas...* » [1] De fait, pour ne considérer ici que l'acception linguistique, nous pouvons dire maintenant que le sens d'un signe est, à l'intérieur d'un système de signes, un rapport (interne au signe) de rapports (internes au système), qui renvoie toujours à autre chose qu'à ce signe (le mot « *fleur* » ne signifie pas « *le mot fleur* ») et qu'à ce sens (le mot *désigne* [2] toujours autre chose que ce qu'il *signifie* : « fleur » ne désigne pas l'idée de fleur ni la définition de « fleur »...), et même, le plus souvent (toutes les fois qu'il ne s'agit pas de métalangage) à autre chose qu'à ce système. Le sens est un rapport de rapports, qui n'a de sens qu'en tant qu'il renvoie doublement (comme signification et comme désignation) à autre chose qu'à ce rapport. D'où une fuite du sens – comme on parle de la « fuite du temps ». Le sens est insaisissable (comme le temps, « il ne se montre que nié ») [3], parce qu'il est toujours ailleurs qu'en lui-même, et même ailleurs qu'en son signe – dans lequel il ne se trouve qu'en tant qu'il n'y est pas. C'est ce qu'on pourrait appeler son *extase* (au sens étymologique : son être hors de soi) ou, mieux et comme disait Plotin du temps, sa *diastase* (son être séparé, ou distendu, et passant toujours au travers de soi vers ce qu'il n'est pas) [4]. « Hors de soi, comme dit Lévinas, vers *l'autre que soi*. » [5] Le sens d'un mot n'est pas ce mot ; le sens d'une phrase n'est pas cette phrase ; le sens

---

1. Maurice Merleau-Ponty, *Phénoménologie de la perception*, III, 2, p. 491 (Gallimard, 1945, rééd. 1969). Mais cet être – phénoménologie oblige – est inséparable, pour Merleau-Ponty, du sujet et de sa « transcendance ».

2. Ou, comme disait Frege, « *dénote* » : cf. G. Frege, « Sens et dénotation », in *Ecrits logiques et philosophiques*, trad. franç., Paris, Seuil, 1971, p. 102 sq.

3. Cf. Marcel Conche, *Temps et destin*, Ed. de Mégare, 1980, p. 16-17.

4. Cf. Plotin, *Ennéades*, III, 7, 11. Cette *diástasis* aboutira bien sûr, chez saint Augustin (*Confessions*, XI, 26), à la célèbre théorie du temps comme « *distensio animi* » (distension de l'âme). Mais, pas plus pour le sens que pour le temps, on ne peut considérer comme allant de soi que cette *distension* ou *diastase* (ou cette *ek-stase*, comme dit aussi Merleau-Ponty, *op. cit.*, p. 491) soit le fait *du sujet*. Il se pourrait au contraire, et c'est ce que je pense, que le sujet soit le fait de cette *distension*.

5. Lévinas, « La signification et le sens » (*Revue de Métaphysique et de Morale*, 1964, n° 2), p. 139. Ce mouvement du sens débouche bien sûr, chez Lévinas, sur *Autrui*, qui « est sens primordialement » (p. 144).

d'un discours n'est pas ce discours. Et pourtant, nulle part ailleurs. Car le sens n'est pas non plus, comme on le croit trop facilement, « dans le sujet » : l'analphabète qui ne comprend pas un texte ne lui retire pas son sens (sans quoi il n'y aurait rien dont on puisse dire qu'il ne le comprend pas) ; et les livres que nul ne lit plus n'ont pas moins de sens que nos *best-sellers* d'aujourd'hui... Comme le remarque Derrida, « l'absence totale du sujet et de l'objet d'un énoncé – la mort de l'écrivain ou/et la disparition des objets qu'il a pu décrire – n'empêche pas un texte de "vouloir-dire" »[1]. Le sens n'est ni en lui-même, ni ailleurs (dans le sujet ou l'objet). Il est toujours *diastatique*, à côté de soi, ou, si l'on veut, à côté de ses traces (qui ne sont pas les siennes) et de ses objets (qu'il ne possède pas). Le sens dit ce qu'il n'est pas, et ne dit pas ce qu'il est. D'où son absence toujours au lieu même de son dire : le sens est ce qui manque ; « ce qui manque est le sens »[2].

Si l'on appelle « chose », « être » ou « fait » quelque chose qui ne renvoie qu'à soi (une portion quelconque du réel, qui se contente d'exister : ce bouquet, ce caillou, cette phrase...), alors il faut dire que le sens n'est pas une chose, ni un être, ni même un fait. Et si l'on appelle « réel » ou « monde » l'ensemble de tout ce qui existe à la manière des faits, des êtres ou des choses, alors il faut dire que le sens n'en fait pas partie : *le sens* (en tant que sens) *n'existe pas*[3]. Sens, c'est absence. Si pourtant il y a du sens dans le monde (nous parlons, nous agissons ; ces discours et ces actes ont un sens), alors il faut dire ceci, qui reste difficile à penser mais qu'il m'arrive parfois de concevoir clairement : *le sens n'a pas de sens*. Dans la mesure en effet où le sens (comme fait) *existe* (dans la mesure où il y a des *faits* de sens : tel comportement, tel discours, telle culture...), ce sens se

1. Jacques Derrida, *La voix et le phénomène*, Paris, PUF, 1967, rééd. 1983, p. 104.
2. Comme le dit, dans une autre perspective, Marcel Conche, *Orientation philo-sophique*, Villers-sur-Mer, Ed. de Mégare, 1974, p. 8. Le sens a ainsi partie liée avec l'échec : cf. J. Rolland de Renéville, *Itinéraire du sens*, Paris, PUF, 1982, notamment p. 109-121.
3. Cf. Gilles Deleuze, *op. cit.*, 3e série, p. 31.

contente d'exister (la culture est aussi réelle que la nature, dont elle fait partie ; un discours est un fait comme un autre...) et ne signifie rien. On approche de cette idée difficile par cette autre, qui est plus simple (mais, il est vrai, de moindre portée et de moindre extension) : le langage, par quoi tout se dit, ou telle ou telle langue, *ne veut rien dire*. Le langage (l'existence de fait de tous les discours possibles) *n'est pas* un discours. Et l'existence de fait de la phrase « il y a un bouquet de fleurs sur la table », pour sensé qu'en soit le propos, n'a pas plus de sens que le bouquet lui-même. Cette phrase veut dire quelque chose ; mais son existence, non. Or rien n'est réel, en elle, que son existence. Elle *a* du sens [1], et elle *est* un fait ; mais le fait qu'elle est *n'a pas* de sens. Labyrinthe des signes, désert du sens. Le sens n'a pas de sens, en aucun des sens du mot « sens » : il ne veut rien dire, il ne va nulle part ; il est sans signification et sans finalité. Il n'y a pas de *sens du sens* (pas de sens « derrière le sens »)[2], et pas non plus de sens (unificateur) *des* sens. Il n'y a pas de « Rome où mènent tous les chemins », pas de « symphonie où tous les sens deviennent chantants », pas de « cantique des cantiques »...[3] Désert du sens, labyrinthe des signes. Le sens est toujours *pluriel* et *insignifiant*. Où l'on retrouve le désespoir : il y a des faits qui ont du sens, mais le sens, comme fait, n'en a pas.

III

De là les *illusions* du sens. Elles se ramènent toutes en définitive à ceci : donner du sens à ce qui n'en a pas (superstition), et spécialement au sens même (religion). Contre quoi il s'agit bien en effet, comme le dira Wittgenstein, de « passer

---

1. L'usage du verbe *avoir* est ici, bien sûr, largement métaphorique ; mais, comme dit Frege (*op. cit.*, p. 191), « l'essence du langage interdit qu'il en soit autrement ».
2. Selon les expressions qu'utilise Claude Lévi-Strauss, dans sa discussion avec – et contre – Ricœur (*Esprit*, novembre 1963, p. 637).
3. Pour reprendre des expressions de Lévinas, art. cité, p. 138.

d'un non-sens latent à un non-sens manifeste »[1]. C'est là – bien avant Wittgenstein, et de manière peut-être plus *conséquente*, à tous les sens du mot – la leçon, depuis toujours, du matérialisme philosophique. Toutes les superstitions qui nous effraient ou nous torturent, toutes les religions qui nous écrasent, n'ont d'autre fondement que le sens imaginaire – effrayant ou effrayé – que nous donnons à tel ou tel événement, en lui-même insignifiant, du monde. Un éclair, une éclipse, une comète..., voilà les hommes, il y a peu, bouleversés et tremblants, terrorisés moins par le *fait* même que par le *sens* (imaginaire) qu'ils lui prêtaient[2]. A quoi le matérialisme oppose le silence de la nature – son « muet silence », comme dit Lucrèce, « *taciturna silentia* »[3] –, et sa propre sagesse, qui tient en une maxime : *n'interprète pas*. Mais cela n'est possible (car l'esprit veut comprendre) qu'à celui qui *connaît*. Qui craindrait une éclipse, aujourd'hui ? Le matérialisme joue la vérité contre le sens, le silence de la nature contre le bavardage des prêtres ou des herméneutes. Sa maxime est : *n'interprète pas* (n'interroge pas les signes) ; *applique-toi à connaître* (recherche les causes). Comment ne pas citer Lucrèce, à nouveau ?

> « Si tous les phénomènes que sur terre et dans le ciel voient s'accomplir les mortels, tiennent souvent leurs esprits suspendus dans l'effroi, les font s'humilier dans la crainte des dieux, les abattent et les courbent vers la terre, c'est que *leur ignorance des causes les contraint de tout remettre à l'autorité des dieux*, et de leur accorder le royaume du monde... Dans leur ignorance de ce qui peut être, de ce qui ne le peut, et des lois qui délimitent le pouvoir de chaque chose suivant des bornes inébranlables, (les hommes) errent en aveugles, égarés par de fausses doctrines... » (VI, 50-67).

---

1. *Recherches philosophiques*, § 464, cité par Vincent Descombes, *Grammaire d'objets en tous genres*, Ed. de Minuit, 1983, p. 14.

2. On peut aussi avoir peur, non de l'éclair (comme signe), mais de la foudre (comme fait dangereux). Mais, précisément, il ne s'agit plus alors de superstition.

3. Lucrèce, *De natura rerum*, IV, 583. Sur le silence de la nature, chez Lucrèce, il faut lire les pages saisissantes (même si elles sont parfois discutables dans le détail) de Clément Rosset, *Logique du pire*, Paris, PUF, 1971, Appendice I, p. 123-144. Rosset conclut (p. 144) : « Lucrèce apparaît ainsi comme le philosophe par excellence, l'un des rares anti-idéologues *sans restrictions mentales* : penseur d'aucune idée – pas même celle de "nature" –, visionnaire du rien, *auditeur du silence*. »

Ainsi craignent-ils les éclairs, le vol d'un oiseau, ou, les malheureux, leur propre écho... C'est que, dans leur ignorance des causes (« *nec poterant quibus id fieret cognoscere causis* » : V, 1185), ils n'ont « d'autre recours que de tout remettre aux dieux, et de faire tout tourner sur un signe de leur tête... » (V, 1186-1187). D'où la peur et l'angoisse, par quoi la superstition nous tient, et nous écrase. C'est ce qui fait, comme disait déjà Epicure, qu'il « n'est pas possible, sans la science de la nature, d'avoir des plaisirs purs »[1]. Non que la vérité soit bonne ou belle en elle-même : la vérité, comme le reste, ne vaut que par le plaisir qu'elle procure ou permet (ici le plaisir de ne plus avoir peur). C'est d'ailleurs pourquoi, dans le détail, elle est indifférente : qui a compris ce qu'est la vérité (qui a compris qu'il n'y a rien à comprendre), il n'a plus besoin en détail de la connaître. De là l'usage, qui en choqua plus d'un, de la pluralité des hypothèses. Dans la physique épicurienne, et dès lors qu'il ne s'agit pas des principes fondamentaux de l'atomisme (qui sont les principes mêmes de la vérité c'est-à-dire du non-sens), plusieurs explications sont proposées, pour un même fait, entre lesquelles il est vain de vouloir choisir. Une seule sans doute, dans notre monde, est la bonne. Mais la connaître n'apporterait rien : à quoi bon la chercher ? C'est ce que Marx appellera la « nonchalance sans bornes » d'Epicure[2], en matière d'explication physique. « On voit qu'il n'y a aucun intérêt à rechercher les causes réelles des objets, écrit-il. Il ne s'agit que d'un apaisement du sujet qui explique. »[3] De fait, toutes les vérités se valent, puisqu'elles ne valent rien. Mais la vérité seule (l'atomisme), en annulant le sens (matérialisme), rassure et libère. « Si nous sommes attentifs à ces choses, écrit Epicure, ce de quoi le trouble et la crainte naissent, nous

1. Epicure, *Maxime capitale* XII.
2. Dans la thèse de 1841, *Différence de la philosophie de la nature chez Démocrite et Epicure*, trad. J. Ponnier, Bordeaux, Ed. Ducros, 1970, p. 232.
3. *Ibid.* Sur cette thèse et, en général, sur le rapport Marx-Epicure, voir J.-M. Gabaude, *Le jeune Marx et le matérialisme antique*, Toulouse, Ed. Privat, 1970, ainsi que F. Markovits, *Marx dans le jardin d'Epicure*, Paris, Ed. de Minuit, 1974.

en déterminerons exactement la cause, et nous nous en délivrerons en expliquant les causes des phénomènes célestes et des autres qui surviennent sans cesse, tous tant qu'ils sont qui épouvantent à l'extrême les autres hommes. »[1] *Vera ratio* et *vera voluptas*[2], la vraie raison et le vrai plaisir, vont de pair : l'ataraxie (*pax*, dit Lucrèce), c'est le plaisir en repos de l'âme – mais l'âme ne se repose que dans le vrai.

On voit qu'on n'est guère loin de Spinoza. Il s'agit toujours d'opposer la vérité des causes aux illusions du sens. Les superstitieux *interprètent*, c'est leur malheur. « Ayant forgé ainsi d'innombrables fictions, écrit Spinoza, ils interprètent la nature en termes extravagants, comme si elle délirait avec eux. »[3] C'est qu'ils sont « ballottés misérablement entre l'espoir et la crainte »[4], cherchant où ils peuvent – et d'autant plus qu'ils sont plus effrayés[5] – quelque « signe »[6] ou « présage »[7] qui puisse les rassurer ou justifier leur peur... De là la superstition, qui n'est qu'une croyance délirante en des signes... qui n'en sont pas. Car la nature ne parle pas, et d'ailleurs n'a rien à dire. Il n'y a pas de Verbe : la parole de Dieu n'en est pas une, et la vérité ne fait pas signe[8]. Dieu se tait. Mais nous ne cessons d'interpréter ses silences, c'est-à-dire « d'appeler mystères d'absurdes erreurs, et de confondre piteusement l'inconnu, le non encore connu, avec des croyances (ou des) secrets »[9], tantôt terribles, tantôt rassurants, mais toujours

1. Epicure, *Lettre à Hérodote*, § 82 ; cf. aussi la *Maxime capitale* XI.
2. Cf. par ex. Lucrèce, I, 51, 498, 513, 623, 637, 880 (pour la *vera ratio*), et V, 1433 (pour la *vera voluptas*).
3. Spinoza, *Traité théologico-politique*, Préface (je cite ici d'après la traduction de M. Francès, dans l'édition de la Pléiade, p. 663, qui correspond à la p. 20 de l'édition G.-F.).
4. *Ibid.*, p. 662 (p. 19 de l'éd. Appuhn).
5. Cf. *ibid.*, p. 664 (Pléiade) ou 20 (G.-F.).
6. *Ibid.*, trad. de M. Francès, pour « *obnunciare* » (p. 663).
7. *Ibid.*, p. 663 ou 19 (« *omen* »).
8. Cf. par ex. *Court traité*, II, 24, § 9 et 10 (qui est un texte majeur), et *TThP*, XII, p. 221 ; cf. aussi mon article, « Spinoza contre les herméneutes », *Une éducation philosophique*, p. 245-264.
9. Spinoza, *Lettre 76*, à Albert Burgh, p. 344.

absurdes et funestes[1]. La superstition, c'est l'ignorance qui veut faire sens, et qui prend le réel qu'elle ne connaît pas pour le signe mystérieux d'un *quelque chose* qu'elle ignore tout autant – par exemple et surtout l'avenir : la superstition est une maladie de l'espérance[2] – mais qu'elle imagine, interroge ou redoute, et qui serait la réponse, toujours incertaine ou différée, qui satisferait enfin notre appétit de sens. La superstition, c'est le sens de l'inconnu – c'est-à-dire, exactement, le contraire de la vérité (qui est le non-sens que l'on connaît). Qui *interpréterait*, aujourd'hui, une éclipse ?

Reste alors à savoir ce qu'il en est du sens, quand il s'agit, non plus du monde, mais de nous-mêmes. La pierre qui tombe d'un toit, passe encore ; mais mes propres gestes, mes propres actes, ma propre vie ? Comment renoncer au sens, quand il s'agit de soi ? C'est tout le problème des sciences humaines : si l'homme veut se *connaître* (en tant qu'objet), il semble qu'il doive renoncer à se *comprendre* (en tant que sujet) ; s'il veut accéder à la connaissance des *causes*, il semble qu'il doive renoncer à l'interprétation du *sens*. « Le but dernier des sciences humaines, écrit Lévi-Strauss, n'est pas de constituer l'homme, mais de le dissoudre. »[3] « Réintégrer la culture dans la nature, et finalement, la vie dans l'ensemble de ses conditions physico-chimiques »[4], c'est en effet ramener le *sens* au *fait*, et le « pourquoi », finalement, au « c'est ainsi »[5]. Si le sens « n'est jamais le bon »[6], c'est qu'il n'y a pas de sens *vrai* :

---

1. *Ibid.*
2. Donc aussi de la crainte, puisque « il n'y a pas d'espoir sans crainte ni de crainte sans espoir » (*Ethique*, III, explication de la déf. 13 des affections). Spinoza insiste surtout, concernant la superstition, sur la crainte (cf. par ex. *TThP*, Préface) ; mais, c'est qu'il vivait à une autre époque, encore dominée, comme il le dit (*Lettre 76*, p. 344), par « la peur de l'enfer ». Notre temps, qui ne croit plus guère à l'enfer, a des superstitions plus souriantes, et semble croire ce qu'il espère davantage que ce qu'il craint – en quoi il reste d'ailleurs fidèle à Spinoza : *Eth.* III, scolie de la prop. 50.
3. Cl. Lévi-Strauss, *La pensée sauvage*, Paris, Plon, 1962, rééd. 1974, p. 326.
4. *Ibid.*, p. 327.
5. Cf. *ibid.*, p. 338.
6. *Ibid.*, p. 336.

tout sens est illusoire, parce que la vérité n'a pas de sens. La vérité, c'est à cela peut-être qu'on la reconnaît, ne veut rien dire.

Pourtant nous parlons, nous agissons ; et nos discours, nos actes ont (puisque nous sommes des sujets) un sens, qui est de *vouloir dire*, précisément, ce que nous *voulons* – et davantage, souvent. Je *m'*exprime, tout est là. N'y a-t-il pas au moins, dans cette expression, un sens ? Et quel autre sens que moi-même ? Narcisse trouve ici sa planche de salut. « Il se pourrait que rien n'ait de sens, murmure-t-il dans un sourire, rien – sauf *moi* ! Après tout, ce ne serait pas si grave... »

Que Narcisse rêve, c'est sa fonction. Il fait son travail de Narcisse, tout bonnement. L'étrange n'est pas là, mais dans le rôle qu'on veut faire jouer, dans cette entreprise de récupération du sens, aux sciences humaines en général (voyez ce frétillement aryen derrière – et malgré – Dumézil, ou ce goût suspect pour la sociobiologie...), et à la psychanalyse en particulier. Pourquoi « *en particulier* » ? C'est qu'il s'agit du sens, et que la psychanalyse, de toutes les sciences humaines, est la seule, à ma connaissance, qui ait fait de *l'interprétation* le cœur de sa doctrine et de sa technique[1]. Or *interpréter* (et certes ce n'est pas sans rapport avec le « cher moi » : le divan n'est souvent, parmi d'autres, qu'un miroir de Narcisse...), c'est dégager un sens. Le problème se pose alors de savoir quel est son statut. Soit cette question : la psychanalyse est-elle la superstition de notre temps ?

Freud avait bien vu le problème. Les superstitieux, comme les philosophes, les paranoïaques ou les psychanalystes, sont des virtuoses de l'interprétation. Et la pierre de touche, en matière de superstition, est bien la question du sens. « *Si j'étais superstitieux*, dit Freud qui l'était terriblement[2], j'aurais aperçu dans ce fait [une erreur de son

---

1. Cf. le *Vocabulaire de la psychanalyse*, de Laplanche et Pontalis (Paris, PUF, 1967, rééd. 1981), art. « Interprétation » : « L'interprétation est au cœur de la doctrine et de la technique freudiennes. On pourrait caractériser la psychanalyse par l'interprétation, c'est-à-dire la mise en évidence du sens latent d'un matériel. »

2. Cf. par ex. le *Freud* de Roland Jaccard (Paris, PUF, 1983), p. 39-40. Freud

546 Les labyrinthes du sens

cocher, qui s'est trompé de rue] un avertissement, une indication, un *signe* m'annonçant que la vieille dame ne dépasserait pas cette année... » [1] Au contraire, ce qui prouve qu'il ne l'est pas, superstitieux, c'est qu'ici, loin d'interpréter, il renonce d'emblée au sens : « Je me dis qu'il s'agit d'un incident *sans aucune signification* » [2]. Il n'en reste pas moins que le superstitieux et moi, observe Freud, « nous avons en commun la tendance à ne pas laisser subsister le hasard comme tel, mais à l'interpréter » [3].

Qu'est-ce alors qui distingue l'interprétation analytique de l'interprétation superstitieuse ? C'est qu'elles distribuent différemment (et, en l'occurrence, symétriquement) le hasard et le sens :

> « Ce qui me distingue d'un homme superstitieux, c'est donc ceci : (...) Je crois au hasard extérieur (réel), mais pas au hasard intérieur (psychique). C'est le contraire du superstitieux : il ne sait rien de la motivation de ses actes accidentels et actes manqués, il croit par conséquent au hasard psychique ; en revanche, il est porté à attribuer au hasard extérieur une importance qui se manifestera dans la réalité à venir, et à voir dans le hasard un moyen par lequel s'expriment certaines choses extérieures qui lui sont cachées. » [4]

Il y a donc bien « deux différences » [5] entre le superstitieux et le psychanalyste : ils interprètent tous les deux, mais leurs interprétations n'ont pas le même objet, et ne débouchent pas sur le même sens. Le superstitieux interprète le monde (« le hasard extérieur »), le psychanalyste interprète la vie psychique (« le hasard intérieur »). Et ces deux interprétations débouchent sur deux sens différents, puisque le sens du superstitieux, c'est « un événement », ou, en général, « la réalité à venir » [6], alors que le sens du psychanalyste, c'est « une idée » ou, en général, « ce qui est

confesse d'ailleurs cette « tendance à la superstition » (*Psychopathologie de la vie quotidienne*, XII, trad. S. Jankélévitch, Paris, Payot, rééd. 1976, p. 269).
1. Freud, *Psychopathologie...*, XII, p. 275.
2. *Ibid.*
3. *Ibid.*, XII, p. 276.
4. *Ibid.*, XII, p. 275-276.
5. *Ibid.*, p. 276.
6. *Ibid.*

inconscient » [1], qui renvoie comme on sait au passé (spécialement à la petite enfance) plutôt qu'à l'avenir. Mais force est de constater que, du point de vue qui nous occupe, cela ne change pas grand-chose : la psychanalyse, s'il fallait en rester là, ne serait qu'une superstition parmi d'autres, disons une superstition de la vie intérieure, à forte composante nostalgique ou régressive, et rien de plus. Et c'est bien à peu près ce qu'Alain, non parfois sans à-propos, lui reprochait [2]. De fait, pour ne prendre qu'un exemple, les pages qui précèdent le texte que nous venons de citer, dans lesquelles Freud jongle, plus ou moins adroitement, avec des interprétations de nombres (il s'agit de découvrir le « sens caché » d'un nombre lancé au hasard, par exemple 983, qui, dans un contexte psychique donné, peut signifier, en gros, « un fort complexe de masturbation ») [3], ne sont pas sans laisser parfois ce sentiment. On peut interpréter n'importe quoi, et Freud d'ailleurs le reconnaît [4]. Mais l'important n'est pas là. Ce qui compte, c'est moins la validité (toujours possible et toujours discutable) de telle ou telle interprétation particulière, que les principes et la portée de toutes. Or, de ce point de vue, il est clair que la psychanalyse se distingue – ou *peut* se distinguer – de la superstition par un fait essentiel : le sens qu'elle dégage (par exemple un désir inconscient) est uni au signe qui l'exprime (qui peut toujours pour cette raison, même quand il s'agit d'un rêve ou d'un acte manqué, être considéré comme *symptôme*) par un rapport qui est dans son fond – déterminisme psychique oblige – un rapport *causal*. Sémiologie et téléologie vont de pair, disais-je ; mais chez Freud, et c'est toute la différence, sémiologie et téléologie ne vont jamais sans une étiologie radicale qui les permet et qui les détermine : le *sens* d'un symptôme, c'est aussi et d'abord sa *cause*.

---

1. *Ibid.*
2. Cf. par exemple la Note sur l'inconscient (*Eléments de philosophie*, réed. « Idées »-NRF, 1969, p. 149-151), et, dans les recueils de *Propos* de la Pléiade, les p. 298-300 et 422-423 (t. 1), et les propos n°s 365 et 522 (t. 2).
3. Freud, *Psychopathologie...*, p. 260-269.
4. Cf. *ibid.*, note 1 de la p. 269.

C'est où passe la ligne de démarcation. Le superstitieux qui renonce à un projet parce qu'il a vu passer un chat noir, ce n'est pas la *cause* d'un malheur à venir qu'il y a vue, mais bien son *signe*. Et même lorsqu'il interprète après coup un malheur effectif par tel ou tel fait qui l'a précédé (« nous étions treize à table... », « on m'avait offert des œillets... »), s'il y voit une *cause* de l'événement (les œillets portent malheur, c'est connu), ce n'est pas selon un enchaînement rationnel de faits (un déterminisme), mais parce qu'il s'est installé d'emblée dans le sens : si les œillets portent malheur, ce n'est pas par le jeu de tel ou tel déterminisme causal, mais parce qu'ils sont des œillets, voilà tout, et que les œillets... portent malheur. Où l'on retrouve la précession du sens : la superstition suppose la superstition, comme le sens toujours se suppose lui-même. Et l'explication causale éventuellement prétendue (tel malheur est arrivé *parce que* nous étions treize à table) n'est que l'expression de ce *sens* qui la précède et la justifie. Chez le superstitieux, l'étiologie (l'étude des causes) est soumise, en fait et en droit, à la sémiologie (l'étude des signes), quand ce n'est pas à la téléologie (l'étude des fins : providence, destin ou bonne étoile...). La superstition est un impérialisme du sens, un *pan-sémiologisme*. Tout est signe pour le superstitieux, et les causes elles-mêmes ne sont causes que par l'efficace de ce qu'elles *signifient*.

Il m'a toujours paru clair, et malgré parfois telle ou telle apparence contraire, que, chez Freud, c'était l'inverse qui était vrai. La sémiologie et la téléologie sont chez lui soumises, en fait et en droit, à l'étiologie. Je ne veux pas rentrer dans les détails, ni développer ici *une théorie non herméneutique* (matérialiste) *de l'interprétation*, qui reste à faire [1]. Mais chacun voit bien que, chez Freud, ce n'est pas *parce qu'il a un sens* que le symptôme advient ; c'est au contraire *parce qu'il advient* (dans les conditions déterminées du travail psychique) qu'il a un sens. Ce n'est pas sa signification

---

1. Même si Spinoza – encore lui – en donne des éléments : cf. « Spinoza contre les herméneutes », *Une éducation philosophique*, notamment pp. 257 à 263.

qui le cause ; c'est au contraire sa cause (l'inconscient) qui lui donne sa signification. Le symptôme n'exprime l'inconscient que parce qu'il est son produit, et, en quelque chose (symbolisme), lui ressemble. En d'autres termes, ce n'est pas d'abord le symptôme qui *signifie* l'inconscient (ce qui nous entraînerait dans une herméneutique infinie, qui ne pourrait déboucher, comme chez Jung ou Breton, que sur une religion de l'inconscient) ; c'est au contraire l'inconscient (pour faire bref) qui *explique* le symptôme. Et ce symptôme lui-même ne « signifie » l'inconscient (par exemple tel désir refoulé) qu'autant qu'il est produit par lui, et soumis, à travers les déformations de la résistance, à son efficace *déterminante*. Le sens est *effet*, voilà l'essentiel, et non principe ou cause [1]. Et c'est pourquoi précisément l'interprétation (sous réserve toutefois du symbolisme et des associations) est toujours possible : le déterminisme psychique, pris dans sa radicalité, donne au sens le principe (matériel ou causal, comme on voudra) qui le sauve de la superstition en le sauvant... de lui-même. Du moins on peut lire Freud ainsi, et c'est ainsi – pour un matérialiste – qu'il faut le lire.

Ce qui rend cela possible, c'est que la soumission du *sens* aux *causes* (de la sémiologie à l'étiologie) s'accompagne chez Freud de la soumission, qui en résulte, des *fins* au *désir* (de la téléologie au pansexualisme et au principe de plaisir). La détermination par l'inconscient n'est en effet d'ordre téléologique (soumise à la recherche inconsciente d'un but, d'un « *télos* ») que secondairement, parce que l'inconscient c'est d'abord le désir, et que le désir, en effet, désire ceci ou cela, qu'il imagine comme sa fin (sa cause finale), alors qu'il est au contraire, lui, le désir, sa cause *efficiente*. Pour le dire autrement, ce n'est pas la pulsion qui est soumise à des buts pulsionnels qui lui préexisteraient, ce sont au contraire les buts pulsionnels

---

1. Sur ce point décisif, et qui déborde le cadre de la psychanalyse, cf. Gilles Deleuze, *op. cit.*, onzième série, notamment p. 96-99, ainsi que la Préface que J.-P. Osier a faite pour son édition de *L'essence du christianisme* de Feuerbach (Maspero, 1968, rééd. 1982), p. 7-18.

qui sont produits et gouvernés *par* la pulsion. Mais (et il y a là un renversement bien caractéristique de la vie psychique ou imaginaire) le caractère « *poussant* », comme dit Freud, de la pulsion n'est jamais vécu, par le sujet, que sous la forme d'une *attraction* par tel ou tel but ou objet de pulsion[1]. « Bien que le fait d'être issu de la source somatique soit *l'élément absolument déterminant* pour la pulsion, écrit Freud, elle ne nous est connue, dans la vie psychique, que *par ses buts*. »[2] Et nous nous sentons *attirés* par une femme vers laquelle notre corps, en vérité, nous *pousse*...[3]

Où l'on retrouve Spinoza, à nouveau : « Ce qu'on appelle cause finale n'est d'ailleurs rien que l'appétit humain en tant qu'il est considéré comme le principe ou la cause primitive d'une chose... » (Par exemple, explique-t-il, ce n'est pas l'habitation qui est la cause finale de telle maison qu'on construit ; c'est *le désir d'habiter* qui est sa cause *efficiente*.) « Et cet appétit est en réalité une cause efficiente, considérée comme première parce que les hommes ignorent communément les causes de leurs appétits. »[4] Refuser la superstition et le finalisme en psychologie (et être ainsi fidèle, dans une autre problématique, à l'esprit de Spinoza), c'est donc considérer que la téléologie du psychisme conscient ou inconscient (« elle voulait ainsi... », « un acte psychique complet, ayant son but propre... », etc.) n'est pas autre chose que l'expression – inversée, dans l'imaginaire, du fait même de sa méconnaissance – de *l'efficience* du désir. Et c'est cela, ce désir, que l'interprétation analytique, depuis Freud, vise à atteindre : « L'interprétation met à jour les modalités du conflit défensif et vise en dernier ressort le désir qui se formule dans toute production de l'inconscient... La visée dernière de l'interprétation est le

---

1. Cf. Freud, *Métapsychologie*, trad. Laplanche et Pontalis, rééd. « Idées »-NRF, 1976, p. 18-20. L'objet de la pulsion est « ce en quoi ou par quoi la pulsion peut atteindre son but » (*ibid.*, p. 19).
2. *Ibid.*, p. 20.
3. Ce renversement est spécialement remarquable dans la sublimation (cf. *ibid.*, p. 24-25). C'est le bas toujours qui nous pousse ; mais le haut, parfois, nous attire...
4. Spinoza, *Ethique* IV, Préface, p. 218.

désir inconscient et le fantasme dans lequel celui-ci prend corps. »[1]

Les herméneutes, certes, ne l'entendent pas de cette oreille ; mais il faut tenir bon, ici, sur le matérialisme de Freud. La vérité de la psychanalyse, ce n'est pas le *sens*, c'est *le désir* (ou l'inconscient, si l'on veut, mais l'inconscient en tant qu'il est le lieu du désir, et d'abord, comme on sait, du désir sexuel). La psychanalyse n'est pas un pansémiologisme (ni une pan-herméneutique !) ; c'est un pansexualisme. Freud n'a cessé – notamment contre Jung ou Adler, et peut-être contre lui-même – de le rappeler : la théorie sexuelle est bien « *le plus essentiel* » de ce qu'il a découvert, et le seul « bastion », précisément, contre l'occultisme ou la superstition[2]. La sexualité est le *roc de granit* de la psychanalyse. Tous les signes y renvoient, toutes les interprétations y convergent. De là, comme dit Freud, leur « monotonie »[3], qui déplaît à tous, dit-il, et dont on sent bien que lui-même resta déçu ou blessé. « Mais qu'y faire ? », demande-t-il[4]. A quoi il n'y a pas de réponse, que l'humilité devant le vrai. On pouvait souhaiter autre chose, mais c'est ainsi : *il n'est sens, à jamais, que du désir*. Or ce désir, si l'on peut bien dire qu'il est *signifié* par le rêve, l'acte manqué ou, en général, le symptôme (un symptôme n'étant pas autre chose qu'un effet qui *signifie* sa cause)[5], ce désir, lui, et c'est là où je voulais en venir, ce

1. Laplanche et Pontalis, *op. cit.*, p. 206-207.
2. Selon les propos de Freud que Jung rapporte (et, bien sûr, condamne !) dans *Ma vie*, V, trad. fr. (Gallimard, 1973, rééd. 1983), p. 177. Sur l'occultisme et la superstition, cf. aussi Freud, *Nouvelles conférences sur la psychanalyse*, trad. A. Berman, « Idées »-NRF, « Rêve et occultisme », notamment p. 46-48.
3. Freud, *Introduction à la psychanalyse*, X, p. 138-139.
4. *Ibid.*, p. 139.
5. Si tant est que le verbe *signifier* soit autre chose ici qu'un abus de langage : dans quelle mesure la fièvre, les courbatures, les maux de tête... *signifient*-ils le virus de la grippe ? La signification n'est-elle pas ici plutôt le *nom* que nous donnons, parce que nous en connaissons mal le mécanisme, au processus causal qui fait passer de l'un (le virus) à l'autre (la grippe), puis, pour nous, de l'autre à l'un ? Et n'en va-t-il pas de même pour les productions de l'inconscient ? Le modèle linguistique, en renforçant une ambiguïté déjà présente chez Freud, a peut-être obscurci, autant qu'éclairé, le problème. Cf. à ce propos les remarques pertinentes, dans des registres différents, de Benveniste (*Problèmes de linguistique générale*, t. I, Paris, Gallimard, 1966, rééd. 1982, chap. 7, p. 75-87) et Georges Mounin (*Introduction à*

désir *ne signifie rien*. Le « sens caché »[1], que l'interprétation vise à atteindre, n'est pas lui-même un *signe* (qui renverrait à un autre sens, et, dans le jeu d'une herméneutique
infinie, ne pourrait alors que déboucher, tôt ou tard, sur
une épiphanie : Jung, Lévinas ou Teilhard de Chardin...),
mais un *fait*, matériel comme tous les faits, *psychique* si
l'on veut[2] comme certains d'entre eux, mais objectif, indépendant de la conscience ou de l'esprit, insensé (sans justification ni but) et insignifiant (sans message) : un morceau simplement du réel, *idiot*[3] comme ils sont tous, et
guère plus intéressant, ni moins, que la plupart. Bref, ce
qu'il s'agit de découvrir, de comprendre, d'affronter – et
d'aimer, si l'on peut –, ce n'est pas un *sens* (qu'il soit d'ailleurs ultime ou indéfiniment absent : qu'il vienne ou non,
comme dit Lévinas, « s'éteindre dans un bonheur »)[4], mais,
simplement, *une vérité*. C'est là la seule éthique de l'analyse,
et le seul courage : « *Truth and again truth* »[5]. Matérialisme
et rationalisme : seule la connaissance guérit[6], seule la
vérité libère. Tout le reste est illusion ou duperie[7]. La psychanalyse n'est pas là pour consoler, ni pour rassurer ; et
le monde, dit Freud, n'est pas une « *nursery* »[8]. Tant pis
pour ceux qu'effraie le silence. La seule vérité du sens, c'est

---

la sémiologie, Paris, Ed. de Minuit, 1970, « Quelques traits du style de Jacques
Lacan », p. 181-188).

1. Cf. par ex, Freud, *Psychopathologie*..., p. 286.

2. « Si l'on veut », car, dans la mesure où l'on pense avec Spinoza que « le corps
et l'âme sont une seule et même chose » (*Eth.* III, 2, scolie, p. 137), la distinction
entre le *psychique* et le *somatique* n'a plus lieu d'être, si ce n'est comme indice d'un
problème non résolu, et qui renvoie chacun de ces deux mots à la méconnaissance
de ce qu'ils prétendent désigner.

3. Au sens premier du terme (comme singularité brute), tel que Clément Rosset
(*Le réel, Traité de l'idiotie*) nous le restitue.

4. Lévinas, art. cité, p. 156.

5. Freud, *Lettre à J. J. Putnam*, du 30 mars 1914, citée par A. de Mijolla, *Les mots
de Freud*, Paris, Hachette, 1982, p. 147 (« la vérité et encore la vérité »).

6. Cf. Nachwort zur Frage der Laienanalyse, *G.W.*, XIV, cité par A. de Mijolla,
op. cit., p. 164.

7. « La situation psychanalytique est fondée sur l'amour de la vérité, c'est-à-dire
sur la reconnaissance de celle-ci, ce qui doit en exclure toute illusion et toute duperie » (Freud, *Analyse terminée et analyse interminable*, cité par A. de Mijolla, *op. cit.*,
p. 177).

8. Freud, *Nouvelles conférences sur la psychanalyse*, VII, trad. franc.,
« Idées »-NRF, rééd. 1981, p. 222.

que le sens n'est jamais vrai (étant toujours, comme l'illusion même[1], fondé sur nos désirs), et que la connaissance,
loin de *révéler* un sens, ne fait, quand parfois elle l'atteint,
que l'abolir. Le sens est ainsi l'objet, non la fin, de l'analyse :
il est ce qu'il s'agit de traverser ou de comprendre (de
comprendre, donc de traverser), pour atteindre cette vérité
qui l'annule.

La cure analytique, fondée sur un certain usage de la
parole et du transfert, débouche alors – ou *peut* déboucher –
sur le silence et sur la solitude. Car de la vérité, tout est là,
il n'y a rien à dire. Non certes, comme on le croit, qu'elle soit
ineffable ou indicible (pourquoi le serait-elle ?) ; mais de
cela même qui est dit – le réel, le silence –, sauf, mais à quoi
bon, à le redire, de cela même qui est dit, et c'est la vérité
ultime de nos discours, de cela même qui est dit, il n'y a rien
à dire. Connaître, c'est une *catharsis* du sens. La vérité
qu'on dit ne dit rien, et (en tant qu'elle est la vérité) ne veut
rien dire. Elle ne *signifie* pas. Elle n'est pas indicible ; elle
est muette. Elle n'est pas ineffable ; elle est *enfant* (*infans* :
qui ne parle pas). Elle n'est pas mystérieuse ou sacrée ; elle
est *taciturne* (de *taceo*, se taire) – non pas triste ou morose,
comme le comprend notre langue de bavards, mais, tels les
muets déserts de Lucrère, indifférente au sens (qui n'est
rien) et à elle-même (qui est tout). Paix, grande paix du
silence. Ce dont on peut parler, et cela seul, on peut aussi le
taire. La parole alors, parce qu'elle n'a plus rien à prouver,
à cacher ou à défendre, est rendue à sa liberté, d'être vraie.
Et la cure analytique – « ce silence, écrit Winnicott, constitue en fait pour le patient un aboutissement »[2] –, si cure il
y eut, est finie. Car la cure est de paroles (c'est une « *talking
cure* »)[3] ; mais la santé, de silence.

N'écoute pas les herméneutes. L'inconscient parle, peut-
être ; mais il n'a rien à dire.

---

1. Cf. *L'avenir d'une illusion*, VI, trad. franc., PUF, rééd. 1976, p. 44-45.
2. D. W. Winnicott, *De la pédiatrie à la psychanalyse*, trad. franc., Payot, rééd.
1980, XVI, p. 205.
3. Cf. par exemple Freud, *Cinq leçons sur la psychanalyse*, I, trad. franc., Payot,
rééd. 1975, p. 11.

IV

Les illusions du sens, disais-je, se ramènent toutes en définitive à ceci : donner du sens à ce qui n'en a pas (superstition), et spécialement au sens même (religion). Où l'on voit que la religion n'est qu'un cas particulier, à la fois minimal et maximal, de superstition. Il s'agit d'interpréter (théologie), ou de contempler (mysticisme), cela même qu'exhibe l'interprétation : non la lettre mais l'esprit, non le *signe* mais le *sens*. Comme la superstition est une religion des signes, la religion est une superstition du sens. Superstition au carré si l'on veut (Dieu est le sens du sens), et qui ne semble s'abolir que dans l'absoluité de sa victoire. Une religion, ce n'est jamais qu'une superstition qui a réussi, et qui, forte de son sens, peut se passer enfin – encore que jamais complètement – du bric-à-brac de ses débuts, de tout ce fatras des signes. Les miracles, les symboles, les prophéties... ne servent qu'aux incrédules ou aux néophytes ; les vrais croyants n'en ont cure. Qui possède l'Esprit, qu'a-t-il besoin de la lettre ? Qui a compris le sens, qu'a-t-il besoin des signes ? Qui connaît Dieu, qu'a-t-il besoin d'interprètes ? D'où la tentation souvent, pour les théologiens, de mépriser les herméneutes, et, pour les mystiques, de mépriser les théologiens. On est toujours le superstitieux de quelqu'un, par ce respect exagéré des signes. « Malheur, disait saint Augustin, malheur à ceux qui abandonnent ta conduite, qui s'égarent parmi tes traces, *qui aiment tes signes à ta place...* »[1] Mais tout respect pour les signes est exagéré (s'il existe un sens), ou ridicule (s'il n'en existe pas). Les religions, qui prennent le sens au sérieux, disputent surtout sur les signes ; de là ces guerres sans fin, et ces massacres pour un mot... Mais c'est le sens qui est en jeu. La superstition est une exagération de la lettre, pour les croyants ; et la foi, pour les athées, un ridicule de l'esprit.

---

1. Saint Augustin, *Du libre arbitre*, II, XVI, 43 (je cite ici d'après la trad. de J.-C. Fraisse, dans *Saint Augustin, la lumière intérieure*, Paris, PUF, 1965).

Mais que vaudrait la superstition, sans la foi ? Et quel mal ferait cette *exagération*, sans ce *sérieux* d'y croire ? On ne se tue pas pour un porte-bonheur. Seul le sens tue, parce que seul il fait vivre. « Le fanatisme, disait l'*Encyclopédie*, n'est que la superstition mise en action »[1] ; mais rien ne met la superstition en action que la foi. Les fanatiques sont des croyants toujours ; et les croyants, des fanatiques le plus souvent. « Tolérance », disent-ils parfois. Mais comme on tolère l'erreur quand on connaît la vérité, comme on tolère les fous ou les malades quand on est dans son bon sens ou la santé... Avec ou sans inquisition, toute foi est dogmatique, dans son principe même : si mon sens est le bon (fût-ce quand je le proclame inaccessible ou caché), il faut le suivre – ou se tromper. « Avec moi, disent-ils, ou contre moi. » Le bouddhisme seul fait exception, qui ne croit qu'au non-sens. Toutes les autres religions sont terroristes, au moins virtuellement, et couvertes de sang. C'est le terrorisme du sens, quand il prétend à la vérité. Si le sens est vrai (si c'est la vérité elle-même qui fait sens), il doit s'imposer à tous : la vérité ne se vote pas, ne se négocie pas, ne s'accommode pas. Et ils s'entretuent, ou se méprisent, ou « dialoguent », les chères âmes, pour la plus grande gloire de Dieu...

C'est qu'ils ne sont d'accord sur rien, sauf sur cela même qui les sépare : la vérité a quelque chose à dire, un message à révéler, des leçons à donner, des règles à défendre... Ils ne peuvent accepter ce silence terrible du vrai, cette paix sans jugement ni pardon. Et ils le font parler, ou parlent à sa place, dans toutes les langues, et se disputent, et s'invectivent, et guerroient... C'est la Babel du sens, que la glossolalie des apôtres à la fois entérine et dépasse. La Pentecôte, c'est le Sens lui-même qui descend, dans la paix de sa vérité : toutes les langues se mêlent alors, et tous les discours convergent, par-delà leur affrontement, vers un même silence, saturé de sens (« le silence de votre Verbe éternel », dira saint Augustin)[2], silence qui les contient

---

1. *Encyclopédie* de Diderot et d'Alembert, art. « Fanatisme ».
2. *Confessions*, XI, 6 (trad. J. Trabucco, G.-F., p. 257).

tous, vers quoi ils tendent, et, s'ils pouvaient l'atteindre (si la Pentecôte pouvait être autre chose qu'un miracle), où ils se réconcilieraient en s'abolissant. C'est le premier silence, celui du Verbe et de la foi, ce « *silence dense* », comme disait Simone Weil, « qui est la parole secrète, la parole de l'Amour »[1], au-delà de tous nos mots, et à quoi répond, en l'homme, le silence recueilli de qui l'écoute. Silence, donc, non par défaut, mais par excès de sens : c'est le silence des mystiques, surtout occidentaux, plein d'amour et de sens – indicible à force d'être signifiant.

Pourtant il faut parler : le sens doit être dit, qui ne peut l'être. Il excède tout discours, toute interprétation, et transcende jusqu'à ses signes ; mais toute foi le suppose. Superstitieux, herméneutes, prêtres... Il y a bien des demeures dans la maison du Père, bien des signes reçus, bien des paroles légitimes. Mais un seul Père, un seul Sens, un seul Verbe. Et déjà, chez les Grecs, malgré le polythéisme, ce *logos* unique (ou le *Noûs* d'Anaxagore ou de Socrate, ou le *destin* des stoïciens...), à quoi même les dieux devaient se soumettre. La religion est cela même : la croyance en un *sens du sens*, au-delà des signes, au-delà des paroles, et les légitimant de sa vérité. Dieu, quel que soit le nom qu'on lui donne ou qu'on lui prête (et dût-il s'appeler l'Histoire, la Nature, la Science ou l'Inconscient...), est ce *sens* et cette *vérité*, réconciliés dans la foi. C'était déjà la « merveilleuse espérance » de Platon, son « beau risque » à courir : que la vérité veuille dire quelque chose, qu'elle ne soit pas vraie en vain, comme un laissé-pour-compte du néant. Et la mort pour cela devait se faire promesse, et commencement...[2] Mais le christianisme aussi se joue là tout entier, dans cette vérité du sens, en tous les sens du mot « sens » : comme signification (la foi : « comprendre pour croire, croire pour comprendre... »)[3], comme finalité (l'espérance : « Je suis le

---

1. Cité par G. Kempfner, *La philosophie mystique de S. Weil*, La Colombe, 1960, p. 60.
2. Cf. le *Phédon*, notamment 64-67 et 97-114.
3. « *Ergo intellige, ut credas ; crede, ut intelligas.* » Saint Augustin, *Sermo 43*, cité par E. Gilson, *Introduction à l'étude de saint Augustin*, Paris, Vrin, 1982, p. 36. Saint

Chemin, la Vérité et la Vie... Qui croit en moi vivra... ») [1], et comme valeur (la charité, qui « met sa joie dans la vérité », dit saint Paul, et sans laquelle toute parole d'homme ou d'ange n'est « qu'airain qui sonne ou cymbale qui retentit ») [2]. Si le sens n'était pas vrai (si la vérité n'avait pas de sens), toute foi serait illusoire, toute espérance vaine, et toute charité désespérée. Il n'y aurait que la morale, et (ce qui est le désespoir même) il faudrait être bon ou méchant *pour rien*. Au contraire c'est parce qu'il existe un *Sens* ultime (une Parole : *davar, logos, Verbe...*) que nous pouvons aller au bout de notre espérance, qui est la foi, et au bout de notre foi, qui est la charité. Si ces trois vertus, et elles seules, sont dites légitimement *théologales*, c'est qu'elles ont Dieu en effet pour objet, puisque Dieu est précisément ce *sens vrai* (la Parole de Dieu, c'est une partie du mystère de la Trinité, est Dieu lui-même) [3] qu'elles aiment, annoncent ou reconnaissent... Dieu, c'est la vérité du sens et le sens de la vérité. Qui pourrait s'en passer sans désespérer de tout, et de sa vie, et de l'espérance même ? Il en va, en effet, « de l'existence du sens, et du sens de l'existence » [4] : il faut y croire (c'est tout l'enjeu, pour Kant, des postulats de la raison pratique), ou désespérer. De là, comme on sait, toutes sortes de religions (avec ou sans dieux explicites : Platon, saint Jean, Kant, Hegel bien sûr, une bonne partie de Marx...) – et bien peu d'athéismes.

C'est que le sens, encore une fois, n'est jamais là, jamais présent, jamais donné, si ce n'est dans son absence même. Le signe, on l'a vu, ne le révèle que comme son autre ou son manque : il l'annonce ou le promet, plutôt qu'il ne le livre ; il en tient lieu, plutôt qu'il ne le montre. Ainsi les

---

Augustin cite souvent, d'après la traduction des Septante, Isaïe, VII, 9 : « *Nisi credideritis, non intelligetis* », « si vous ne croyez pas, vous ne comprendrez pas ».

1. Jn, XIV, 6, et XI, 25 (je cite d'après la *Bible de Jérusalem*, Paris, 1973, dont j'utilise aussi les abréviations, d'ailleurs traditionnelles).

2. Saint Paul, 1 Co, XIII, 1.

3. Cf. par ex. le *Prologue* de Jn, I, 1-18, et saint Thomas, *Somme théologique, La Trinité* (Paris, Desclée, 1962), quest. 34, art. 1 et 2.

4. Comme dit à peu près Eric Weil, à propos de Kant (*Problèmes kantiens*, Paris, Vrin, 1963 (rééd. 1970), p. 8).

miracles, pour garder cet exemple bien gros, n'ont de valeur qu'autant qu'ils annoncent autre chose que des miracles. Le Christ n'est pas un magicien, ni un guérisseur. Ses prodiges sont des *signes*[1], ses actes, même silencieux, des discours. C'est pourquoi il faut y croire : l'essentiel n'est pas ce que l'on voit (un paralytique qui se lève, de l'eau changée en vin...), mais ce que cela veut dire, et qu'on ne voit pas. Et le monde entier est un signe, si l'on veut, par ce sens qui l'habite et lui manque, et toute l'histoire. C'est le grand poème de Dieu[2], où le Verbe s'incarne et se dit, comme le Sens ultime et premier de tous les signes, comme la vérité de tous les sens et le sens de toutes les vérités. Car tout est signe, ici, tout est symbole ou parabole. Le monde de la foi est un monde plein de sens, et pour cela (sens, disions-nous, c'est absence...) plein de vide – hanté de la plénitude qu'il n'est pas, plein du Dieu transcendant qu'il *signifie* (comme son sens) en le *désignant* (comme sa cause) et en le *désirant* (comme sa fin). Sémiologie et téléologie, ici encore, vont de pair : le sens du monde (sa signification) est aussi l'origine d'où il procède et la fin vers quoi il tend. C'est l'*alpha* et l'*oméga* du sens, le *grand cercle cosmique*[3] des bavards : tous les signes convergent vers le sens d'où ils procèdent, et qu'ils ne signifient, pourtant, qu'autant qu'il leur manque. Point de sens sans cet échec[4], sans cette présence-absence, dans le signe (ou *entre* les signes), qui est le sens même. Le sens, tel l'Un de Plotin, n'est chez lui partout que parce qu'il n'est donné nulle part : « présent sans être présent (...), il y est et il n'y est pas... »[5] Cercle, donc : le sens n'est là qu'en tant qu'il manque ; mais s'il manque, c'est qu'il est là. C'est la Bonne Nouvelle du sens : « Voilà une grande merveille, certes ! Il

---

1. Cf. par ex. Jn, II, 1-11 ; IV, 47-54 ; VI, 5-14 ; Ac, II, 19 et 22. De même, les apôtres font de nombreux « signes et prodiges » (Ac, II, 43 ; IV, 30 ; V, 12 ; VI, 8 ; XIV, 3 ; XV, 12 ; He, II, 4 ; Rm, XV, 19...).

2. Cf. saint Augustin, *De la Cité de Dieu*, XI, 18.

3. Comme disait Ravaisson (*Testament*, rééd. Vrin, 1983, p. 110). Sur l'*alpha* et l'*oméga*, cf. par ex. *L'Apocalypse*, 1, 8 et 17.

4. Cf. J. Rolland de Renéville, *Itinéraire du sens*, Paris, PUF, 1982, p. 118-124 et 204.

5. Plotin, *Ennéades*, V, 5, 9, et VI, 9, 4 (trad. Bréhier).

n'est pas venu, et il est là ! Il n'est nulle part, et il n'y a rien
où il ne soit ! » [1] Mais point *Un*, pourtant : s'il est vrai qu'il
n'est sens que de l'autre, l'*Un* ne *signifie* pas. Il faut être au
moins deux pour signifier, et le sens, entre les deux, en fait
un troisième... Où l'on retrouve la Trinité : Le Verbe était
avec Dieu, dit saint Jean, et s'est fait chair [2]. Le Christ est le
Signe (Signe du Père : sa Parole, son Verbe, son Image) [3], par
quoi le Sens, éternellement, advient.

C'est là le grand paradoxe de la religion, son ciel et son
abîme : il y a *dans le monde* quelque chose qui n'est pas *du
monde*, dans le monde quelque chose qui est extérieur au
monde. « Il y a quelque chose en lui de problématique, que
nous appelons son sens... Ce sens ne lui est pas intérieur
mais extérieur... » [4] Dieu est ce sens [5], *présent-absent*, dans le
monde, par son absence même. « Dieu, dit à juste titre
Simone Weil, ne peut être présent dans la création que sous
la forme de l'absence » [6] : autrement il n'y aurait que Dieu,
et pas de monde. Dieu, étant l'être absolu et infiniment parfait, ne saurait en effet se rajouter quelque perfection que
ce soit. Aussi ne peut-il créer – c'est la *diminution divine*
qu'évoquait Valéry – que par soustraction : « Dieu et toutes
les créatures, cela est moins que Dieu seul » [7]. Religion : descente. Parce qu'il est tout le bien, Dieu ne peut créer, non
certes que le mal (qui n'est rien) [8], mais que le *moins bien*.

1. Plotin, V, 5, 8. Il n'est pas tout à fait illégitime, semble-t-il, de parler des *hypostases* de Plotin en termes de *sens* : chacune est en effet « le verbe *(logos)* et l'acte » de celle dont elle procède (V, 1, 6). C'est d'ailleurs pourquoi l'Un ne peut être dit (V, 3, 13) : il est nécessairement *au-delà du sens*, puisque tous les sens en pro-cèdent. « Supérieur au verbe et à l'intelligence », dit Plotin (V, 3, 14), « puisqu'il nous les a donnés. »

2. Jn, I, 1 et 14.

3. Cf. par ex. Jn, I, 1-14 ; He, I, 2 ; Lc, II, 34..., ainsi que saint Thomas d'Aquin, *Somme théologique, La Trinité*, quest. 34 et 35. Sur le problème du Saint-Esprit, cf. aussi la question 36, art. 2 et 3, ainsi que la « note doctrinale » des Ed. du Cerf (Desclée, 1962, t. 2), p. 383-393.

4. Wittgenstein, *Carnets*, Paris, Gallimard, 1971, p. 139.

5. « Le sens de la vie, c'est-à-dire le sens du monde, nous pouvons lui donner le nom de Dieu. Et lui associer la métaphore d'un Dieu père » (Wittgenstein, *ibid.*).

6. *La pesanteur et la grâce*, 10-18, rééd. 1979, p. 112.

7. S. Weil, *Attente de Dieu*, Fayard, 1966, rééd. 1977, p. 131.

8. Cf. par ex. saint Augustin, *Confessions*, VII, 12 et 16, ou Leibniz, *Théodicée*, § 153 et 378.

Le monde, aussi beau soit-il, est ce *moins bien* que le Bien, et pourtant son image [1], et pour cela *moins bien* que lui (si l'image était égale au modèle, elle ne serait plus son image), et le désignant comme sa cause et sa promesse. « Je ne suis pas Dieu, je suis son œuvre. » [2] Le monde porte en creux la marque du Dieu absent. Il est pour cela condamné au mal et au sens : le seul mal, c'est de n'être pas Dieu, et tout ce qui n'est pas Dieu *dit* Dieu par ce vide en soi de sa présence. Dieu n'y est qu'en tant qu'il n'y est pas, qu'en tant qu'il nous laisse (pour le reconnaître ou nous y retrouver) ses traces ou ses vestiges [3]. « L'être, disait déjà Plotin, n'est que la trace de l'Un » [4], et c'est cette trace qui fait naître l'essence et le sens : le sens vient à l'être dans le même mouvement par quoi l'être vient au sens. Le monde est l'absence de Dieu, sa cicatrice, son membre fantôme – son *signe* et son *manque*. Il y a là comme une castration du sens, qui est le sens même. « Mon Dieu, mon Dieu, pourquoi m'as-tu abandonné ?... » [5] C'est que c'est le destin des signes – le prix à payer du sens. On pense au Christ de Nerval : « Abîme ! abîme ! abîme ! Le dieu manque à l'autel où je suis la victime... » Ce ne serait pas un autel autrement. Le signe n'est signe que par ce vide en lui de son sens. « Ceci n'est pas une pipe » : si *c'était* une pipe, il n'y aurait pas de tableau. Le monde n'est pas Dieu : s'il *était* Dieu, il n'y aurait pas de monde. Le Fils (crucifié) *n'est pas* le Père : s'il l'était, il ne serait pas son *signe*.

Ainsi le monde est bien « abandonné » de Dieu [6], et même insensé si l'on veut, mais point pour cela insignifiant : c'est au contraire cet abandon qui lui donne son sens

---

1. Ce thème, qui vient de Platon (*Timée*, 27-31), se retrouve aussi bien chez Plotin (par ex. V, 2, 1 ; cf. aussi I, 8, 3) que chez saint Augustin (nombreuses références dans le livre de Gilson, déjà cité, p. 275-285). Dans la tradition chrétienne, ce rapport d'image à modèle culmine bien sûr en l'homme (qui est l'image imparfaite de Dieu comme le Fils est l'image parfaite du Père) (saint Thomas, *Somme théologique*, quest. 35).

2. Saint Augustin, *Confessions*, X, 6 (c'est l'univers qui parle). Cf. aussi *Sermon sur les psaumes*, 85, 12.

3. Cf. E. Gilson, *op. cit.*, III, 3 (« Les vestiges de Dieu »), p. 275-285.

4. *Ennéades*, V, 5, 5.

5. Mt, XXVII, 46.

6. Cf. par ex. Platon, *Politique*, 269-270. Même idée chez S. Weil, *Attente de Dieu*, p. 107 ; *La pesanteur et la grâce*, p. 112-115.

en même temps que son être. Si Dieu était présent, « il n'y aurait que lui » [1] et pas de monde. Si le sens n'était absent, il n'y aurait pas de signes – et pas de sens. Le sens, tout est là, doit être *absent* pour *être*. C'est le tour de force des religions : le sens se confirme par son propre manque (« Tu ne me chercherais pas si tu ne m'avais déjà trouvé... »), se révèle dans son absence. *Deus absconditus.* S'il nous manque, c'est qu'il est *caché*, ou *ailleurs*. Si le monde est vide de Dieu, c'est que « Dieu s'est vidé » [2]. Et le monde est ce vide, et le sens en lui cet appel d'air ou de néant, ce grand souffle, telle une folle espérance, du départ ou du manque... La transcendance même de Dieu (son être-ailleurs) est le gage de sa divinité : « Vous, vous êtes d'en bas ; moi, je suis d'en haut. Vous, vous êtes de ce monde ; moi, je ne suis pas de ce monde... » [3] C'est pourquoi il faut y croire, et espérer, et l'aimer, toute la religion se joue là, *dans son absence même*. Labyrinthe des signes, désert du sens... Le monde est ce désert, pour la foi, où tout est signe, partout, d'un sens toujours absent. Les ermites savaient ce qu'ils faisaient. « Il faut être dans un désert, écrit Simone Weil, car celui qu'il faut aimer est absent. » [4] Le monde est en exil de Dieu, comme un retrait du sens [5], comme sa trace laissée, son vide signifiant. Ainsi sur le sable, à marée basse, fait un pied qui s'en va...

« Le sens du monde doit se trouver en dehors du monde... » [6] Dieu est ce *dehors* – s'il existe –, par quoi le sens, littéralement, *vient au monde* (qui en vient) *en s'en retirant*.

De là la prière : il faut bien *dire* cette absence, pour qu'elle *soit*. Car si le sens est toujours absent, toute

---

1. S. Weil, *La pesanteur et la grâce*, p. 46.

2. S. Weil, *La connaissance surnaturelle*, Paris, Gallimard, 1950, p. 68. Cf. aussi *La pesanteur...*, p. 43 : « Il s'est vidé de sa divinité. » D'où le mal toujours : « Il faut une représentation du monde où il y ait du vide, afin que le monde ait besoin de Dieu. Cela suppose le mal. » (*Pesanteur*, p. 21).

3. Jn, VIII, 23.

4. *Pesanteur...*, p. 112.

5. Cf. S. Weil, *Attente de Dieu*, p. 131 : « La création est de la part de Dieu un acte non pas d'expansion de soi, mais de retrait, de renoncement... »

6. Wittgenstein, *Tractatus...*, 6.41.

absence, c'est assez clair, ne fait pas sens. Une page blanche ne signifie rien (sauf à la vivre comme le manque déterminé, ou l'exigence, de tel ou tel texte à venir), ni le vide d'Epicure, ni le chaos « sans raison ni mesure » [1] de Platon. Sens, c'est absence ; mais point *toute* absence. L'absence de Dieu ne devient ainsi signifiante, c'est le cercle du sens, qu'à partir d'une mise en ordre, qui la signifie : le monde, non la matière ou le chaos, *manque* de Dieu, précisément parce qu'il lui ressemble, et que toute image ne tire son sens que de l'absence déterminée, en elle et par elle, de son modèle [2]. Un tableau, tel celui de Magritte, qui *représente* une pipe, *n'est pas* une pipe, certes ; mais la pipe seule (précisément parce qu'il la représente) lui manque : nul n'y chercherait une poire ou un violon. On l'a déjà vu à propos du langage : le sens est une absence déterminée, dans un jeu donné de relations, par son signe. Le mot « fleur » n'est pas une fleur, mais pas non plus un éléphant ou un crayon ; il n'en reste pas moins que seule la fleur (ou l'idée de fleur) manque en lui à l'appel de son nom : le mot « fleur », qui pourrait en lui-même être considéré comme l'absence indéterminée de tout et de n'importe quoi (un oiseau, un éléphant, un crayon...), n'est l'absence déterminée, pour qui comprend le français, *que* d'une fleur. Mallarmé l'a bien vu : « Je dis : une fleur ! et, hors de l'oubli où ma voix relègue aucun contour, en tant que quelque chose d'autre que les calices sus, musicalement se lève, idée même et suave, l'absente de tous bouquets. » [3] C'est où le platonisme commence, dans le langage, et recommence : cette fleur idéale et absente, cette « notion pure » [4] qui semble fleurir au creux de la parole, il est tentant d'y voir aussi le sens – et l'essence – de toutes les fleurs réelles ou pensées, vers quoi elles tendent et d'où, peut-être, elles procèdent. On n'échappe à cette tentation du sens que par un long travail sur les signes. La fleur manque (la fleur, non l'oiseau ou le

---

1. *Timée*, 53 *a* ; cf. aussi 29 *e*-31 *b*.
2. Sur tout cela, qui demanderait bien des précisions, cf. *Timée*, 27-53.
3. Mallarmé, *Crise de vers*, coll. de la Pléiade, p. 368.
4. *Ibid.*

crayon) au lieu où je la désigne, *parce que* je la désigne.
Renversement, donc : ce n'est pas le sens qui engendre son
signe comme son image dégradée, c'est le signe qui produit
le sens comme sa limite ou son horizon. Ce n'est pas le
sens qui manque d'abord, c'est le signe qui est de trop – et
le sens ne manque que par cet excès du signe, toujours,
sur le réel. Il s'agit, ici encore (« *determinatio negatio
est...* »)[1], de déterminer un vide, de délimiter un néant. Le
sens est cette détermination (comme manque effectif)
d'une absence, qui bien sûr « n'est rien par elle-même »[2],
mais qui *signifie* par cette détermination (matérielle : ici le
jeu différencié des signifiants) qui la fait être en la délimi-
tant. De même cette trace de pas sur le sable : un pied (non
un pneu ou une pierre) manque ici, dans ce vide qu'il a
laissé, dans cette absence délimitée par sa trace. Et l'on
dit : « quelqu'un a marché là », légitimement. Mais il est
dur de se tenir à cette pure historicité des signes : comme
la cause se fait sens, par son absence, tout sens, à l'inverse,
se prétend cause, pour l'esprit, du signe où il manque.

Le problème est plus difficile quand il s'agit de Dieu – et
difficile surtout si Dieu n'existe pas. Une absence, on l'a
vu, ne fait sens qu'à la condition d'être *déterminée*. Dire
que Dieu manque à l'appel, qu'il ne brille que par son
absence, etc., ne suffit donc pas à en faire le sens du monde,
ni à expliquer qu'il puisse y prétendre. Car, à ce compte, le
Père Noël, ou les montagnes-sans-vallées, ou les *dahuts* de
notre enfance... mériteraient ce titre tout autant. Question,
donc : les dahuts sont-ils le sens du monde ? Ou si l'on
préfère : Dieu est-il un dahut ? Ou plus sérieusement :
qu'est-ce qui peut faire d'une absence (qui n'est rien) un
sens, si cette absence n'est pas *présence-ailleurs* (transcendance), mais absence totale, pure et absolue *inexistence* ?
Qu'est-ce que Dieu, s'il n'existe pas ? Qu'est-ce qui vient
déterminer son inexistence pour en faire le sens de tout ce

1. « La détermination est une négation » (Spinoza, *Lettre 50*, à Jarig Jelles). Sur
les notions de *manque* et de détermination, chez Spinoza, cf. mon art. « Spinoza
contre les herméneutes », *Une éducation philosophique*, notamment p. 245 à 252.

2. Spinoza, *Lettre 21*, à G. de Blyenbergh.

qui existe ? Ou encore : qu'est-ce qui peut *donner sens* au néant ?

Deux choses, me semble-t-il : le désir, le discours.

Le désir. Je l'ai déjà montré[1] : c'est le désir, comme puissance finie *(déterminée)*, qui donne au néant (qui n'est rien) l'existence fantomatique – mais bien réelle, dans l'imaginaire – d'un *manque*. Ainsi la vue est absente pareillement en l'aveugle et en la pierre[2] ; mais à l'aveugle seul, elle manque. Aussi a-t-elle un sens, pour lui, étant à la fois, dans son absence même, ce qui le définit (comme aveugle), ce qui le hante (comme son regret), et peut-être (comme espérance, s'il croit pouvoir, à l'occasion d'un miracle ou d'une opération, la recouvrer) ce qui le fait vivre. Le désir, dans sa finitude, vient ainsi déterminer ce qui n'est pas (et qui, dès lors, nous manque) pour en faire le sens même de ce désir et, croit-on, sa cause. Il donne au réel le sens qui lui manque ; et au manque, la réalité (imaginaire) qui fait sens.

Le même phénomène pourrait sans doute s'observer dans le langage : il y a un désir du sens, sans quoi le sens n'émergerait pas. Saint Augustin l'avait pressenti : « Si quelqu'un entend un signe inconnu, comme le son de quelque mot dont il ignore la signification, il désire savoir ce sens, c'est-à-dire à l'évocation de quoi ce mot est destiné. »[3] Il faut pour cela que le mot « manifeste qu'il est un signe, et fasse naître *le désir de savoir de quoi il est le signe* »[4]. Celui qui cherche son sens, demande saint Augustin, peut-on alors « le dire dépourvu d'amour » ? Certes pas. Mais peut-il aimer ce qu'il ignore tout à fait ? Non plus[5]. Qu'aime-t-il donc ? Il aime ce *sens*, qu'il ne comprend pas encore, mais qu'il connaît déjà, comme sens (c'est-à-dire comme l'objet et le moyen d'une communication possible),

---

1. A la suite de Spinoza ; voir *supra*, t. 1, chap. I, p. 69-77, ainsi que « Spinoza contre les herméneutes », p. 245-252.
2. Spinoza, *Lettre 21*, à Blyenbergh.
3. Saint Augustin, *De Trinitate*, X, I, 2, cité par J.-C. Fraisse, *op. cit.*, p. 61.
4. *Ibid.*
5. *Ibid.*, p. 62.

dans la mesure même où il lui manque. Aucun enfant n'apprendrait à parler, sans ce désir du sens, et il n'y aurait partout que cris ou silence. Le sens est aussi nécessairement antérieur aux signes (dans l'imaginaire), et se les soumettant, qu'il leur est postérieur (dans la réalité), et soumis à eux. Primat des signes, primauté du sens. Les cris sont poussés d'abord, on les interprète après ; les poings sont une arme avant d'être une menace ; et les mots, comme signes, précèdent toute parole. Le corps commande, puis la langue. Mais nous ne parlons tous que pour l'amour du sens, et, dans cet amour, lui donnons l'être, précisément, qui lui – et nous – manque. Car le sens est aimable, certes, mais à proportion de son absence. « Ce qu'on n'a pas, ce qu'on n'est pas, ce dont on manque... »[1] Pas de sens sans ce désir du sens, pas de parole sans cet amour de la parole.

Mais le processus est plus net encore (parce qu'il y joue presque seul, et à une autre échelle) quand il s'agit de Dieu. L'absence de Dieu (qui n'est rien) n'est déterminée comme sens que parce qu'elle est, par le désir, déterminée comme manque : Dieu est le sens du monde ou de la vie, parce qu'il est ce qui manque, souverainement. Si Dieu n'est pas un dahut, c'est que le dahut n'est pas un objet plausible de désir : le dahut manque de sens, précisément, parce qu'il ne nous manque pas. Il est vrai que bien des choses nous manquent, qui ne sont pas Dieu. Par exemple si j'ai soif (j'écris ceci par une chaude journée d'été), la bière que j'imagine, bien fraîche, et que je désire... Voilà que l'absence jusqu'alors indéterminée, dans la pièce où je me trouve, de tout ce qui ne s'y trouve pas (un éléphant, une bière, un dahut...), devient, par l'efficience du désir et de l'imaginaire, absence déterminée (manque), non d'un éléphant ou d'un dahut, mais *d'une bière*. Et cela fait sens : la bière devient, et d'autant plus qu'elle me manque davantage, à la fois le *but* et la *signification* de tel ou tel de mes actes (par exemple si je me dirige vers le réfrigérateur...),

1. Planton, *Banquet*, 200 *e*.

ou de telle image en moi, ou impatience, ou gêne... Cet énervement de la gorge ou du palais, ce vide indistinct, et ce pressentiment déjà de bien-être, comme un plaisir anticipé... Je connais ces signes ; ce qu'ils signifient, c'est que j'ai envie de bière, ou que la bière me manque. Ainsi le fumeur, prisonnier de son manque, n'imagine de sens, à la limite, que _fumé_[1]. Et l'amant enfiévré, dont tout le corps n'est plus que désir d'amour ou de caresses, trouve là, pour un temps, dans le plaisir qui lui manque encore, un _sens_ suffisant, et d'ailleurs, par des signes ô combien manifestes, suffisamment _signifié_...

Dieu est-il alors une bière, une cigarette, une amante ?... Questions saugrenues, sans doute, mais point pourtant tout à fait. Car s'il est clair que Dieu n'est pas un verre de bière (ni une cigarette, ni une femme...), s'il est douteux même que le paradis offre ce genre de plaisirs, il est non moins clair que, Dieu présent (ce qui définirait le paradis comme tel), la bière ne saurait manquer. Non qu'au paradis la bière forcément surabonde, ni même peut-être qu'il y en ait ; mais la présence de Dieu, nous rassasiant de tout, abolirait aussi cette _soif_-là. Dieu n'est pas un verre de bière, certes ; mais nul ne manque de bière – ni de tabac, ni d'amour... –, qui voit Dieu face à face.

On comprend alors ce que c'est que Dieu. De même que la bière (absente) est un sens pour qui en manque, mais un sens, comme le désir qui l'inspire, partiel, limité, relatif..., de même Dieu est le Sens absolu, non seulement parce qu'il manque absolument (transcendance), mais parce qu'il est Celui, pour qui y croit, qui supprimera _tous_ les manques. On pense à cette publicité télévisée : « Le tabac vous manque ?... Nicoprive vous aide. » Dieu serait le _nicoprive_ de tous les manques, si l'on veut, mais en mieux : loin de les apaiser par un ersatz ou une drogue (ainsi l'opium du peuple, selon Marx, ou nicoprive, selon les publicitaires), il les abolirait de sa plénitude. C'était déjà, dans la Bible, le sens, à la fois littéral et symbolique,

---

1. Cf. J.-P. Sartre, _L'être et le néant_, rééd. 1969, p. 686-687.

de la *manne* céleste ou de la multiplication des pains. « Ils mangèrent et furent bien rassasiés ; il leur servit ce qu'ils désiraient... » [1] Mais c'est le sens surtout de la religion même, tel qu'il se condense dans l'Eucharistie : « Je suis le pain vivant, descendu du ciel, qui mangera ce pain vivra à jamais... » [2] La religion est bien une *logophagie* [3] : il s'agit d'absorber une parole (de *l'avaler*, au double sens du terme, comme on dit d'un bobard ou d'une hostie), de se gaver de sens, de se *rassasier* d'absence.

Qu'est-ce, en effet, que je désire ? Ne pas mourir, être aimé, ne pas perdre ceux que j'aime... Le sens, enfin. Et que m'annonce la religion ? Que les morts ressuscitent, que Dieu m'aime, et que rien n'existe, rien, qui n'ait sa (bonne) raison d'être ou sa justification... Que désirer de mieux ? Rien. Dieu est Dieu, parce qu'il est, exactement, ce qu'on peut *désirer* de mieux. C'est le *haut de gamme* du sens, et même, pour tout esprit lucide, trop beau pour être vrai. Au rebours de Descartes et des théologiens, la perfection de Dieu m'a toujours paru une raison forte de n'y *pas* croire. Ainsi certaines publicités, par ce qu'elles ont de manifestement exagéré, détournent du produit qu'elles vantent... Dieu serait en effet cet être, certes merveilleux, qui serait à tous mes désirs – purifiés seulement de ce qu'ils ont de mauvais ou de bas – ce que la bière, quand j'imagine sa fraîcheur amère et savoureuse, est à mon désir de bière. « Je suis le pain de vie. Qui vient à moi n'aura jamais faim ; qui croit en moi n'aura jamais soif... » [4] Mais comment y croire, justement ? Ce qui correspond si bien à nos désirs (au point de les annuler tous), comment n'en pas suspecter l'illusion ? La religion pourtant est à ce prix : *Dieu est le manque absolu et l'universel rassasiant.* Etre contradictoire, donc, et impossible. Comme on ne peut à la fois

---

1. Ps 76 (77), 29. Cf. aussi Mt, XIV, 20 et XV, 37 : « Tous mangèrent et furent rassasiés... »
2. Jn, VI, 31-58.
3. Selon l'heureuse expression d'André Neher, dans *L'essence du prophétisme*, Paris, Calmann-Lévy, rééd. 1983, p. 105.
4. Jn, VI, 35.

manquer et *rassasier*, il faut (pour que cette contradiction n'en soit pas vraiment une) *deux mondes*, dont l'un serait le *sens* de l'autre. D'où l'espérance, toujours : puisqu'il n'est sens que de l'autre, le présent (ce monde-ci) ne peut avoir un sens que *par l'avenir* (l'*autre*-monde), qui n'est pas, et qui lui manque. « Le sens du monde doit se trouver en dehors du monde... » Si le monde est l'ensemble de tout ce qui existe, il ne reste à Dieu, pour être un sens, que de n'exister pas.

C'est où intervient le discours. Car la bière, le tabac... existent ; et c'est leur existence réelle (ailleurs) qui, dans le désir ou l'imaginaire, donne au néant de leur absence (comme manque) la *figure* qui les détermine. Mais Dieu ? Qu'est-ce qui vient, s'il n'existe pas, donner forme à son absence ? Qu'est-ce qui vient offrir au désir qui le vise la figure déterminée (fût-elle invisible ou insondable) de *ce* qu'il vise ? Les mots, simplement, et d'abord son nom. « Dieu est absent ; il est dans les cieux. Son nom est la seule possibilité pour l'homme d'avoir accès à lui. »[1] Mais un nom ne suffit pas : il faut – ne serait-ce que pour savoir qu'il est bien le nom de Dieu : le labyrinthe des signes vaut aussi pour les noms propres – il faut une parole, pour dire et célébrer. Le désir crée le manque ; le discours le met en forme (le *dé-finit*), et le fait être en le nommant. Ainsi s'accomplit, par et dans la langue, le *devenir-sens* du désir. Dieu naît, dans cette rencontre. Un être qui désirerait sans parler (un animal), ou qui parlerait sans désirer (un ordinateur ?), ne saurait inventer Dieu. Mais un être qui parle et qui désire (l'homme), comment pourrait-il y échapper ? Dieu se situe à la croisée, exactement, entre *désir* et *discours*. *Eros* et *logos* : c'est la croisée du sens, et l'âme, et Dieu même.

Qu'est-ce qui fait *être* cette *croisée* ? Un discours, bien sûr, qui *dit* le désir. Qu'est-ce autre que la prière ? La prière, dit lumineusement saint Thomas, est « l'interprète du désir »[2].

---

1. S. Weil, *Attente de Dieu*, p. 216.
2. *Somme théologique*, quest. 83, art. 9 : « *oratio est quodammodo desiderii nostri interpres apud Deum* ». (Je cite d'après l'éd. Desclée de 1932, p. 107.) La même idée est reprise p. 111 : « La prière étant l'interprète du désir... »

Elle appartient à la fois au langage (« prier c'est dire ») et au désir (« la prière est une demande », laquelle « est l'effet du désir, qu'elle traduit en quelque sorte »)[1] ; et, dans cette rencontre qu'elle effectue, elle donne au manque (c'est sa fonction magique, ou poétique : elle *fait être* ce qui n'est pas) la figure déterminée de son objet. « Je crois en un seul Dieu, le Père tout-puissant, créateur du ciel et de la terre... J'attends la résurrection des morts et la vie du monde à venir... » Comment croire, sans savoir (fût-ce négativement) *ce* qu'on croit ? Et comment le savoir, sans le dire ? Il ne faut pas se laisser tromper ici par les mots : la prière, qui exprime une foi, en vérité la précède et l'engendre. Elle n'est son *expression* que parce qu'elle est d'abord son *effectuation*. C'est pourquoi les parents apprennent leurs prières aux enfants, comme le Christ ou les prophètes les apprirent aux hommes. Car, pour les croyants, la prière elle-même vient de Dieu : tout descend, y compris ce mouvement de montée. Il n'est prière que par la grâce : « Prier est un don de Dieu »[2]. Mais à la considérer sans y croire, la prière est au contraire cette ascension du désir – son devenir-sens –, qui crée le ciel de son envol. C'est Icare, déguisé en archange, et dupe lui-même de ses ailes. « Notre Père, qui êtes aux cieux... » Mais sans la prière, il n'y serait pas.

Renversement, donc, là encore : ce n'est pas Dieu qui crée la prière, qui la « donne » aux hommes, comme croient les prêtres ; c'est la prière qui crée Dieu en se donnant à lui. La prière existe d'abord. Elle n'est pas la reconnaissance ou la célébration d'un sens qui lui préexisterait ; elle est la création d'un sens qui n'existe pas. D'où son ambiguïté toujours, de dire ce qui n'est pas, de célébrer un manque. Si le Père est aux cieux, c'est qu'en effet il n'est

---

1. La première expression (« Prier c'est dire »), qui vient de saint Isidore, est reprise par saint Thomas, *S. th.*, quest. 83, art. 1 (p. 72). La seconde (« La prière est une demande »), qui est de saint Augustin, est citée et commentée par saint Thomas, *ibid.*, p. 74, où l'on trouvera aussi la dernière expression, qui est de saint Thomas lui-même.

2. Saint Augustin, cité par saint Thomas, *S. Th.*, quest. 83, art. 15 (p. 140).

jamais là ; si le Fils est « remonté aux cieux », c'est qu'il ne pouvait rester ici-bas : le sens doit manquer, toujours. Et c'est bien ce que dit la prière, à sa façon : demander à Dieu que son règne vienne, c'est à la fois constater qu'il manque (on ne demande pas ce qu'on a), et lui donner pourtant l'existence. Tous les théologiens l'ont constaté : le *Notre Père* demande cela même que la religion postule, et qu'elle tient pour acquis. Dans cette mesure, remarque saint Thomas, « il est vain de demander que le nom de Dieu soit sanctifié, que son règne arrive et que sa volonté soit accomplie »[1] : cela est déjà vrai, et le restera éternellement. Mais c'est pourtant la prière « absolument parfaite »[2], qui ne demande que ce qui est (pour qui y croit), parce qu'elle fait être ce qu'elle demande (pour qui n'y croit pas). La prière, tel un fétiche de paroles, avoue et dénie à la fois le manque de son objet : elle reconnaît son absence (si Dieu est aux cieux, c'est qu'il n'est pas là), tout en refusant d'y croire (s'il n'est pas là, c'est qu'il est aux cieux). On reconnaît là le double mouvement du *déni*, tel que Freud l'a caractérisé : affirmation et négation d'un manque[3]. Il y a, disais-je, comme une castration du sens, qui est le sens même. La prière est le fétiche de cette castration, qui la surmonte par son signe. Et sans doute prions-nous, en ce sens, plus souvent qu'on ne le croit : la prière est comme une quintessence de la parole, et toute parole est prière, peut-être, en quelque chose – il faut parler, pour que le sens advienne. Mais cela culmine dans la foi. La religion (et toute philosophie religieuse, c'est-à-dire presque toute philosophie) est un fétichisme du discours, une *logophilie* : les croyants sont des pervers de l'esprit, qui n'aiment la vérité que *sensée*. Et c'est pourquoi ils prient. La prière est le substitut, dans ce monde-ci, de l'autre monde : elle fait être son sens,

---

1. *Somme théologique*, quest. 83, art. 9 (p. 105).
2. *Ibid.*, p. 107. Même idée chez S. Weil, *Attente*..., p. 216 : « Demander ce qui est, ce qui est réellement, infailliblement, éternellement..., c'est la demande parfaite. »
3. Sur la notion de *déni*, et son ambiguïté essentielle, cf. Freud, Le fétichisme, in *La vie sexuelle*, trad. franç., Paris, PUF, 1977, p. 133-138.

en constatant qu'il n'est pas là. De là un *clivage du monde*
(comme on parle d'un clivage du moi), qui est la religion
même [1]. Puisqu'il n'est sens que de l'autre, le sens du monde
ne peut être qu'un *autre* monde – et le sens de la vie, qu'une
autre vie. Où l'on retrouve Platon, bien sûr, et Kant, et toute
la religion, et presque toute la métaphysique [2]. « Notre
Père, qui êtes aux cieux... » Comment serait-il *ici*, en effet,
puisqu'il doit *manquer* ? « Si nous croyons avoir un Père
ici-bas, commente Simone Weil, ce n'est pas lui, c'est un
faux dieu. » [3] La prière dit ainsi la vérité de la religion (la
vérité du sens : son absence toujours au lieu de son dire),
et le contraire de la vérité (qui ne signifie rien). « La prière,
disait Wittgenstein, est la pensée du sens de la vie. » [4] Mais
si la vie avait un sens, on n'aurait pas besoin de prier.

V

Le contraire du déni, c'est le deuil. Il s'agit d'accepter
l'absence, de la supporter – et joyeusement, si l'on peut.
On se trompe sur le deuil quand on y voit travail de la
tristesse. La tristesse est là, déjà, quand il y a deuil, et
passive toujours. Le *travail du deuil*, comme dit Freud, se
fait plutôt contre elle : il s'agit que la joie redevienne au
moins possible, mais sans mensonge, sans promesse ni
espérance. « Tuer le mort », disent les psychanalystes, non
le rêver vivant. Le contraire du déni, c'est l'acceptation
simple, le grand *oui* au réel. Travail du deuil, donc, travail
du désir : pour renoncer à ce qui manque (ce qui ne va
jamais sans désespoir ou désillusion) et se réjouir de ce
qui est. Mais comment faire son deuil du sens ? Comment
désespérer (ce qui revient au même : le sens n'est jamais là,
mais toujours promis ou attendu) *de l'espérance même* ?

1. Sur les notions de *substitut* et de *clivage*, cf. Freud, *ibid*.
2. Comme l'a bien vu Clément Rosset, *Le réel et son double*, Paris, Gallimard,
rééd. 1984, chap. II, spécialement p. 55 et 76.
3. *Attente de Dieu*, p. 215.
4. *Carnets*, en date du 11 juin 1916 (trad. franç., Gallimard, p. 139).

On dira que le courage devrait suffire, et sans doute il le faudrait. Mais le courage ne fait pas une philosophie, ni l'héroïsme un bonheur.

Je crois davantage à l'humour, qui fait rire de ce sens même dont il constate l'absence. Sans doute est-ce vrai, en quelque chose, de tout comique : je crois bien qu'on ne rit jamais que du non-sens, ou plutôt *du sens*, comme aurait dû dire Bergson, *plaqué sur du non-sens* (ce qui est toujours le cas, ce pourquoi tout sens, en droit, est risible), et « se volatilisant à son contact »[1] (ce qui est le propre du comique, ce pourquoi le rire, en fait, est si rare : le sens résiste, et cela est le sérieux même). L'absurde ne fait pas toujours rire, mais seulement par un sens attendu ou prétendu, et s'anéantissant soudain[2]. Ce qui fait rire, c'est ce qui fait *semblant* d'avoir un sens, *semblant* de valoir, *semblant* d'être sérieux : le risible, au fond, presque toujours, c'est le ridicule (la prétention indue au sens), qu'il soit authentique (dans la vie ou la satire) ou feint (dans le burlesque ou l'humour). Et le rire naît, Hobbes l'avait bien vu[3], quand cette prétention se laisse deviner ou démasquer : le rire, c'est le triomphe de l'esprit sur le ridicule qui le menace et, peut-être, le définit. On rit de cette grande *vacance* du sens, universelle (c'est la vérité même) et si rare (le ridicule est la règle). Or comment devient-on ridicule ? En se laissant tromper, plus que de raison, par les signes. Ainsi Orgon, dans *Le Tartuffe*, se laisse prendre aux signes de la dévotion, comme Monsieur Jourdain aux signes du beau monde, Philaminte aux signes de la culture, ou les Précieuses aux signes de l'esprit... Certes ces signes sont fictifs, et peuvent même (Bélise invente ainsi, de toutes pièces, les signes de l'amour) n'exister pas. Mais c'est pourquoi il y a

---

1. Comme dit Clément Rosset, *Logique du pire*, p. 179. Clément Rosset, qui reprend la formule fameuse de Bergson, dans *Le rire* (« Du mécanique plaqué sur du vivant », p. 405 et suiv. de l'éd. du Centenaire), a bien vu qu'il fallait en inverser les termes (*Logique du pire*, p. 178-179).

2. Kant l'avait déjà remarqué (*Critique de la faculté de juger*, § 54, p. 159 de la trad. Philonenko, Paris, Vrin, 1968).

3. Hobbes, *De la nature humaine*, IX, 13 (trad. de d'Holbach, rééd. Vrin, 1981, p. 95-98).

comique : tous ces personnages miment un sens (auquel ils croient, le plus souvent), dont le spectateur n'est pas dupe : le rire naît de ce contraste entre un sens prétendu et un non-sens avéré. C'est la comédie du sens, et le sens, dit à peu près Molière, de toute comédie : « entrer comme il faut dans le ridicule des hommes »[1], rire, et faire rire, des « vicieuses imitations »[2] de la vertu ou du sérieux... Et il est vrai que l'ironie est en cela « mortelle aux illusions »[3], mais mortelle surtout, il faut le dire, aux illusions *des autres*. Car l'ironie ne rit jamais de soi : elle cherche « à se faire valoir », comme dit Kierkegaard[4], et ne critique jamais un sens prétendu (pour en dévoiler la vanité ou le non-sens) qu'au nom d'un *autre* sens, donné pour supérieur ou le seul vrai. L'ironie, c'est le comique qui se prend au sérieux (ce serait le rire d'Alceste, s'il riait), et qui ne va jamais, comme la dérision selon Spinoza[5], sans une forme de mépris ou d'agressivité. C'est une arme, on l'a dit souvent, et dont on peut se servir. Mais cela, qui fait sa force, fait aussi sa limite : elle a besoin d'ennemis, et les suscite ; elle ne rit que *contre*.

Il en va tout autrement de l'humour. Celui-ci s'englobe toujours, on le sait, dans le rire qu'il produit, et non par générosité ou grandeur d'âme, mais parce que le non-sens qu'il dévoile ou instaure, étant non-sens radical, ne saurait se mettre à l'abri de soi. Ainsi ce condamné à mort dont parle Freud, qui, mené à la potence un lundi, murmure : « Voilà une semaine qui commence bien !... »[6] L'humour

---

1. Molière, *Critique de l'Ecole des femmes*, sc. 6.
2. Molière, Préface des *Précieuses ridicules*.
3. Selon une expression de Vladimir Jankélévitch, *L'ironie* (rééd. Paris, Champs-Flammarion, 1979, p. 181).
4. Dans le Post-scriptum aux *Miettes philosophiques*, II, 2, § 3. Pour le reste, la théorie kierkegaardienne de l'humour, qui est fameuse (l'humour assumant la transition entre le stade éthique et le stade religieux), m'a toujours paru tendancieuse et, pour l'essentiel, irrecevable.
5. « La dérision est une joie née de ce que nous imaginons qu'il se trouve quelque chose à mépriser dans une chose que nous haïssons » (*Ethique* III, déf. 11 des Affections). Cette joie, explique Spinoza, « n'est pas solide » (*ibid.*, explication).
6. Cf. *Le mot d'esprit et ses rapports avec l'inconscient*, C, VI, trad. franc., « Idées »-NRF, rééd. 1981, p. 385. Sur l'humour, cf. aussi, *ibid.*, p. 90-95, et l'Appendice, p. 399-408.

travaille sur le sens du sens, c'est-à-dire sur le non-sens. Au rebours de l'interprétation (qui va du non-sens au sens), au contraire de la prière (qui crée le sens, illusoirement, par le déni de son absence), à la différence même de l'ironie (qui n'annule un sens qu'au profit d'un autre sens), l'humour va du sens au non-sens, sans réserves ni restrictions, si bien qu'à la fin *il n'y a plus que le non-sens*. C'est pourquoi il est miséricordieux. L'humour, comme la philosophie selon Lucrèce ou Wittgenstein, nous mène d'un non-sens latent (recouvert, si l'on peut dire, ou masqué, par un sens illusoire) à un non-sens manifeste. Et le réel se donne alors – le réel, non le sens – dans un grand éclat de rire. C'est la supériorité de Woody Allen, par exemple, sur son analyste. Comme ce dernier, en apparence, il cherche un sens ; mais alors que l'herméneute reste prisonnier de ce qu'il cherche (d'où son sérieux toujours : on ne plaisante pas avec la psychanalyse, puisque l'humour lui-même doit avoir un sens), Woody Allen feint de chercher un sens (« La réponse est oui ; mais quelle peut bien être la question ?... »), et s'amuse de ne trouver – c'est pourquoi la réponse est *oui* – que le réel. Le comique naît du contraste entre les deux. « Non seulement Dieu n'existe pas, mais essayez d'avoir un plombier pendant le week-end !... » L'esprit apprend ainsi à rire – ou à sourire – de sa propre déception. « La seule chose que je regrette, dit Woody Allen, c'est de n'être pas quelqu'un d'autre... » L'humour est en cela, non seulement *la politesse du désespoir*, comme on l'a dit, mais son premier pas, sa première victoire, et joyeuse comme il convient. Il nous aide, lui aussi, à nous libérer de l'espérance. Il remplace un mensonge par un plaisir – amer parfois mais bien vif –, une illusion par une vérité. On comprend que les prêtres ne l'aiment guère, ni les prophètes, toujours si totalement (et le Christ lui-même) dépourvus d'humour. « Malheur à vous qui riez, car vous connaîtrez le deuil et les larmes... »[1] La religion, c'est le sérieux de l'esprit (saint Pierre l'oppose

1. Lc, VI, 25.

explicitement aux « railleurs pleins de raillerie » qui doutent de ses promesses) [1], le culte du sens. D'où sa tristesse toujours (puisque le sens n'est jamais là), en même temps que son optimisme (puisque le sens doit venir ou se manifester). Tristesse de l'espérance, qui ne cesse de *différer* la joie. « Que votre rire se change en deuil et votre joie en tristesse. Humiliez-vous devant le Seigneur, et il vous élèvera... » [2] L'humour dit exactement l'inverse : que votre deuil se change en rire, que votre tristesse se change en joie ! Et pourquoi non ? Pour qui n'espère rien ou n'aime que la vérité, tout est léger, ou peut l'être, et prétexte à rire : puisque toutes les vérités se valent, et ne valent rien, et qu'il n'y a rien d'autre... Seul le rire demeure, qui est « une pure joie » [3], comme un défi au sens ou au néant. Vertu, si l'on peut dire, *a-théologale* : « Rire tout en philosophant », disait Epicure, et point « différer de jouir » [4]. L'humour est de ce camp. C'est une anti-religion, et le comique légitimement de notre siècle [5]. Il brise toutes les idoles ; il se moque des dieux, des fétiches et de soi-même. En quoi il est destructeur, c'est vrai, mais salutaire aussi : il fait *place nette* pour la vérité. C'est le deuil du sens, par quoi la joie, face à l'absurde ou au réel, redevient possible. C'est le comique du désespoir. Le contraire de croire, c'est savoir ; le contraire de prier, c'est rire.

Tel est aussi l'esprit des *koan* [6], du grand rire *zen*, où la vérité s'affirme dans l'évidence illuminante de sa non-signification. Mais l'humour, il ne serait pas l'humour autre-

---

1. 2 P, III, 3.
2. Jc, IV, 9 et 10.
3. Spinoza, *Ethique* IV, scolie du cor. 2 de la prop. 45. Tout le texte serait à citer.
4. Epicure, *SV* 41 (je cite ici d'après Solovine ; M. Conche traduit : « Il faut rire et ensemble philosopher... ») et 14 : « Tu diffères de jouir » (Solovine), « tu ajournes la joie » (Conche). La conclusion est sans appel : « La vie périt par le délai, et chacun de nous meurt affairé. » C'est ce que j'appelle le labyrinthe de l'espérance.
5. Gilles Lipovetsky, qui l'a bien vu (*L'ère du vide*, Paris, Gallimard, 1983, chap. V), ne lui rend pourtant pas, me semble-t-il, suffisamment justice. Cf. aussi, sur la « modernité » de l'humour, Schopenhauer, *Le monde*..., Suppléments, chap. 8 (spécialement, dans l'éd. des PUF, p. 780-782).
6. Comme le remarque Gilles Deleuze, *Logique du sens*, 19ᵉ série (« De l'humour »), rééd. 10-18, 1973, p. 185.

ment, s'arrête en route, ou rebrousse chemin. C'est qu'il lui faut toujours un *sens* à détruire, toujours un *sérieux* à annuler. Il est réactif par définition, et ne saurait survivre, si elle était possible, à sa victoire. Comme l'érotisme[1], l'humour ne cesse de travailler sur sa limite, et finit par abolir ce qui le rend possible : ici le désir, là le sens. Aussi est-il condamné, lui aussi, à la répétition ou à la mort : c'est comme un érotisme du sens, qui doit renaître de ses cendres, toujours, pour que le rire reste possible. C'est en quoi l'habitude le menace : il arrive qu'il devienne un tic, comme un bégaiement de l'esprit. Rien de plus agaçant, à la longue, ni de plus *sérieux*, ni de plus triste, que cette volonté délibérée de rire, cet acharnement à être gai, cet effort opiniâtre vers la légèreté ! De l'humour considéré comme un des beaux arts ou comme règle de vie... Il est clair (puisqu'il se prend au sérieux) qu'il cesse alors d'être fidèle à soi. Mais c'est la tentation de notre époque, précisément parce qu'elle s'y reconnaît, que de faire de l'humour un sens comme un autre (et les remplaçant tous peut-être), une nouvelle norme éthique, point trop exigeante il est vrai, comme un ersatz de religion pour temps difficiles, avec son petit dieu bien propret et drôle qu'on porterait en soi... Le *sens de l'humour*, loin d'abolir les valeurs, en devient alors une autre (et même, si l'on en croit les annonces matrimoniales, fortement cotée), et un idéal à sa façon, qui vient, comme toujours, s'interposer entre la vie et le réel. Chacun connaît de ces amis qui ont toujours le mot pour rire, comme on dit, et rient de tout, en effet, et d'eux-mêmes... La vérité n'y trouve pas son compte, ni l'amitié. Un jour ils mourront, sans que nul ne sache, ni leurs amis, ni eux-mêmes, ce qu'ils ont vécu, vraiment, ou aimé, ou pensé... C'est qu'ils se sont comme emmurés vivants dans le rire, protégés, ou masqués, par une carapace somptueuse d'humour et de bons mots. Ils font semblant de ne pas mourir. L'humour, devenu systématique, change alors de nature : il devient un signe comme un autre, un

---

1. Cf. *supra*, t. I, chap. 3, p. 277-280.

emblème, mais qui finit par dénier (précisément parce qu'il est emblématique et prétend valoir) l'absence même qu'il constate ou indique. Le rire devient ainsi une nouvelle forme de fétichisme : le sens manque (c'est pourquoi l'on rit), mais ne manque pas vraiment (puisque l'on rit). Fétichisme *post-moderne*, si l'on veut, et qui ne va pas sans mauvaise foi. Il y a là comme une perversion de l'humour : au lieu de mener au vrai ou au silence, voilà qu'il ne cesse de *ramener au sens*, pour en rire à nouveau. Ce n'est plus le deuil du sens, c'est son substitut. Ce n'est plus un raccourci vers le réel, c'est un détour, toujours recommencé, par le discours. De là une nouvelle forme de bavardage, qui culmine – tristement – dans les jeux de mots : on rit du langage, certes, mais c'est pour éviter de se taire.

Chacun redoute, dans les soirées mondaines, ces longs moments de silence où, dit-on, un ange passe... C'est qu'il faudrait dire la vérité, et que l'on n'ose. Ou encore, et plus exactement, que chacun sent bien que la vérité n'a même pas besoin d'être dite, qu'elle est déjà là, présente dans ce silence, perçant à travers lui, et impudique à sa manière, et gênante assez, semble-t-il, pour que le rouge, si le silence durait, finisse par monter aux joues... Heureusement, il y a l'humour. C'est alors une ruse de l'esprit, le dernier avatar du bavardage ou du mensonge : ils ont mis le rire, une fois pour toutes, entre le vrai et eux.

Et alors, demandera-t-on, s'ils y trouvent leur plaisir ? Sans doute. Aussi dirais-je volontiers d'eux ce qu'Epicure disait des débauchés (d'ailleurs, ce sont les débauchés de l'esprit) : il n'y a rien à leur reprocher, s'ils sont heureux [1]. Mais s'ils l'étaient, auraient-ils besoin de tant plaisanter ? Il est vrai que ce n'est pas leur problème, et qu'ils pourraient reprendre, en la complétant, la maxime d'Oscar Wilde : « *Pas le bonheur, le plaisir* » ; *pas la vérité, l'humour*. Cela peut se défendre. « Il faut rire tout en philosophant », disait Epicure ; ceux-là ont choisi de rire pour n'avoir pas à philosopher.

---

1. Epicure, *Maxime capitale* X.

Le philosophe, on s'en doute, fait un autre choix, qu'à vrai dire il ne choisit pas. Ce n'est pas en effet parce qu'il est philosophe qu'il fait ce choix ; c'est parce qu'il fait ce choix qu'il est philosophe. Il est l'effet, plutôt que le sujet, de ce choix qui le définit. Mais choisit-on sa définition ?

Toujours est-il qu'il a « choisi », lui, doublement, la vérité et le bonheur. Comme le savant, il a ce souci du vrai ; et comme nous tous, cette exigence d'être heureux. Mais le vrai prime : s'il faut choisir entre une vérité et un bonheur, il choisit la vérité. Il ne serait pas philosophe autrement, et pourrait se contenter, comme tant d'autres, d'une drogue quelconque, espérance ou médication, d'un euphorisant, ce n'est pas cela qui manque, chimique ou psychique.

Et sans doute, s'il ne voulait qu'éviter le suicide ou le malheur, le plus simple serait de croire en Dieu. Mais son désir est autre. Ce qu'il vise (qui n'est encore, en ce moment dont je vous parle, qu'un idéal comme un autre), ce qu'il vise, et qui serait la sagesse même, c'est une vérité heureuse : non pas vraie parce qu'elle serait heureuse (tout pragmatisme ici lui paraîtrait indigne), mais heureuse, bien plutôt, *parce qu'elle serait vraie*. Primat du désir, donc, comme toujours, et primauté du vrai. La sagesse est l'amour joyeux de la vérité.

Mais cette vérité, elle, et cela la distingue de nos autres rêves, et du bonheur lui-même, et de la sagesse, cette vérité n'est pas pour lui une *valeur*, qu'on pourrait accepter ou non, un *idéal* vers quoi il faudrait tendre. Elle est la vérité, au contraire, parce qu'elle n'a pas besoin d'être choisie pour être vraie, ni connue, et que nul n'y tend qui n'y soit déjà. La vérité est ce qu'elle est, simplement (*silencieusement*, dirais-je, ou, ce qui revient au même, *désespérément*). Elle ne *vaut* rien (elle ne peut ni s'acheter ni se vendre, et il ne sert à rien de mourir pour elle). Elle ne tend à rien (puisque tout est vrai, déjà, rien n'a besoin de le devenir ; puisque le vrai est tout, rien ne lui manque vers quoi il puisse tendre). Ce qui est le désespoir même : la vérité est indifférente à tout, y compris – ou *c'est-à-dire* – à elle-même. Elle n'a rien à prouver, rien à demander, rien à défendre. Elle n'a pas besoin de *porteur*, comme dit Frege [1], et se moque bien qu'on l'ignore. Ce que vous pensez des chambres à gaz, c'est une autre histoire ; le vrai est qu'il y en eut [2]. Ce que vous pensez de la guerre de 1914, c'est votre affaire ; le vrai est qu'elle eut lieu. Ce que vous pensez, même, de ce que vous ignorez, n'y change rien (ne change rien à *cela* – la vérité – que vous ignorez). Les vérités qu'on ignore ne sont pas moins vraies que celles que l'on connaît, ni (en elles-mêmes) plus mystérieuses ou intéressantes. C'est où le sage, on l'a compris, se distingue du savant : celui-ci cherche la connaissance ; celui-là se *contente* (à tous les sens du terme) de la vérité. Et puisque tout est vrai, toujours, partout – ce caillou, cette fleur, et même cette erreur *vraiment fausse*, cette illusion *vraiment illusoire* –, le sage se contente, modestement, de tout, et tout le contente. La vérité n'est pas ce qu'il cherche, ni même ce qu'il connaît, mais, joyeusement, ce qu'il aime, et qui le contient. Lucrèce et Spinoza lui donnaient le même nom – *natura* –, qu'on traduirait assez bien, aujourd'hui, par : *le réel*. Qu'est-ce à dire ? demande le faux naïf. C'est-à-dire, simplement, tout. « Sans me vanter, dit un sage en mourant, sans me vanter, je laisse l'univers en l'état. » [3]

---

1. G. Frege, Recherches logiques, in *Écrits logiques et philosophiques*, trad. franç., Paris, Seuil, 1971, p. 184. Les p. 170-195 me paraissent décisives. Pour le reste, il est clair que tout ce que je viens d'écrire suppose qu'on accepte de distinguer entre la *vérité*, d'une part, et, d'autre part, la *connaissance*. Car la *connaissance*, elle, bien sûr, peut s'acheter ou se vendre, elle a besoin de porteurs (pas de connaissance sans sujet qui connaît), et l'on peut même, pourquoi pas, mourir pour elle. A qui trouverait cette distinction peu convaincante, je demanderai seulement ceci : était-il déjà *vrai* que la terre tournait autour du soleil avant que quiconque en ait *connaissance* ? Si oui, ce sont donc deux choses différentes. Sinon, il faut donc admettre, semble-t-il, ou bien que la terre s'est soudain *mise à tourner* autour du soleil (peut-être au XVIe ou XVIIe siècle ?), ou bien, ce qui serait assez piquant, *qu'elle ne tourne pas* autour du soleil. A chacun de choisir ses problèmes, et ses difficultés.

2. Ce que ne contestent guère, d'ailleurs, ceux qui contestent l'idée même de vérité. Jacques Bouveresse a su là-dessus, contre Paul Veyne et quelques autres, rappeler l'essentiel (*Le philosophe chez les autophages*, Paris, Ed. de Minuit, 1984, spécialement p. 108-129).

3. Voir le beau texte de Marc Wetzel, Mort d'un homme de non-connaissance, *La Liberté de l'Esprit*, n° 11, p. 52.

La vérité n'est donc pas un sens, mais le contraire du sens : elle ne signifie rien (le tout n'a rien à dire qu'il ne soit pas, et, puisqu'il n'est sens que de l'autre, ne saurait *dire* ce qu'il est), et – sauf à la confondre avec la connaissance qu'on en a ou pas – elle ne manque jamais. A un moine qui lui demandait : « Quel est le sens de la venue en Chine du premier Patriarche ? », Tchao-tcheou répondit : « Le cyprès dans la cour » [1]. A toutes les questions, on peut tenter de répondre ; mais la vraie réponse, c'est qu'il n'y a pas de question. Toute parole vraie a le silence pour objet, et, dans la mesure où elle est vraie, y conduit. Il faut répéter sans cesse les prières ; mais pour les vérités (sauf exigences *externes* : pédagogiques, politiques ou autres... On ne répétera jamais assez qu'il y eut des chambres à gaz ; et il est bon parfois, en un certain sens, de *prier le vrai*) – mais pour les vérités, disais-je, en tant qu'elles sont la vérité, une fois suffit.

Encore n'est-ce utile que pour nous, point pour elles : il y a un cyprès dans la cour, *que vous le disiez ou non*. J'entends bien que si nul ne le dit ou ne le pense, ce n'est plus un « cyprès », ni un « arbre », ni même « des atomes » : il n'est nom, en effet, que du général (même les noms propres sont des abstractions), et réel, je le sais bien, que du singulier. Aussi n'est-ce pas un *nom* qui est dans la cour, ni un « cyprès », ni un « arbre » : le silence rejoint ici le nominalisme, pour qui toute généralité est de second rang et, en quelque chose, imaginaire. Mais cela, qui est dans la cour (rien qu'un individu, comme dit l'autre, et autant d'individus qu'on voudra), y est effectivement. Le discours le dit, le silence le prouve. Un *noumène* ? Certes pas : rien ne vous interdit de le connaître. *Indicible ?* Non plus : puisque vous dites légitimement que c'est un cyprès (il est en effet conforme à la définition du mot), et qu'il est dans la cour... Vérité, c'est silence ; mais la parole – pour cette

---

1. Ce *koan*, qui est célèbre, est cité par exemple dans le recueil de textes bouddhistes publié chez Fayard, sous la direction de L. Silburn, *Le bouddhisme*, Paris, 1977, p. 490.

raison même – n'y change rien, et ne saurait pas plus l'annuler ou l'interdire qu'elle ne la crée. Sa limite (le silence) n'est autre, quand elle est vraie, que son objet, qui la définit. Aussi le sens, pour n'être pas vrai (le mot « cyprès », comme mot, n'est bien sûr ni vrai ni faux), n'interdit-il pas la vérité. Vérité c'est silence, mais point ineffable : rien n'empêche de parler de cela qui ne parle pas. Simplement le cyprès reste dans la cour, silencieusement : la parole le dit, mais ne le contient pas.

Ce silence n'est pas « mystique » (même si certains mystiques, surtout orientaux, ont pu le percevoir ou l'approcher), ni « mystérieux ». Il n'est que la simplicité du réel, *idiot*, comme dit Rosset, et insignifiant : parce qu'il n'est sens que de l'autre, et réel que du même. Le secret du monde, le seul, c'est le principe d'identité, qui n'est pas un secret, ni un principe, mais la chose même (qui n'est pas d'ailleurs une *chose*, mais plutôt sans doute un événement, un *fait*), telle qu'elle est (telle qu'elle advient), et telle, puisqu'elle l'est, qu'elle ne peut pas ne pas l'être. « *Le réel est cela même : l'événement.* » [1] Ce cyprès, ce cri d'oiseau dans le lointain, ce rayon de lune sur la rivière... Mais adéquat à soi, toujours : puisqu'il n'y a rien d'autre. La vérité est cette pure et silencieuse présence à soi du réel. « *Alogos* », disait Epicure ; « *nécessaire* », disait Spinoza. Le réel, *sans phrases*. Cela est le silence même.

Non pas, certes, le silence éternel du Verbe, ce silence plein de sens qui est la voix de Dieu, et l'origine, croient-ils, de la parole ; et pas non plus le silence attentif ou respectueux de qui *écoute* ou *contemple*. Le silence simplement du réel, qui n'a rien à dire, ni à entendre, et se contente d'être. Et cela, répétons-le, peut être dit (il n'y a pas d'ineffable en droit, ni d'absolu indicible), mais *n'en a pas besoin*. La vérité, disait Spinoza, « n'a besoin d'aucun signe » [2] : ce

---

1. Marcel Conche, *Temps et destin*. Ed. de Mégare, 1980, Appendice, p. 102.
2. Spinoza, *Traité de la réforme de l'entendement*, § 27 (chez Appuhn) ou 36 (chez Koyré, Vrin, 1964, dont je suis ici la traduction). Je fais dire à cette phrase plus, sans doute, que ce à quoi le contexte m'autorise ; mais je m'en suis explique, brièvement, ailleurs (Spinoza contre les herméneutes, *op. cit.*, p. 255-256).

sont les signes, pour être vrais, qui ont besoin de la vérité. Il y a un bouquet de fleurs sur la table, il y a un cyprès dans la cour... Qui ne voit que les mots n'y changent rien – n'y changent, plus exactement, que les mots ou le sens –, et ne sont vrais (comme discours) que par ce *ne-pas-changer* qui les distingue du faux. « Est vrai ce qui est comme on le dit être ; est faux ce qui n'est pas comme on le dit être... »[1] Le vrai, c'est ce qui est ; le faux, ce qui n'est pas. La vérité est du côté de l'être, pas du côté du discours. Epicure, nous dit Sextus, « ne faisait pas de différence entre dire que quelque chose est *vrai* et le dire *existant* »[2] : il n'y aurait pas de vérité dans nos discours, s'il n'y en avait d'abord dans le monde, si le monde n'était la vérité même. Les mots sont ainsi, comme dit le poète, *riverains du silence*, et fidèles si tu le veux. Toute parole vraie, et elle seule, garde en elle le silence de son objet (ainsi la plage, toujours exacte à chaque vague), qui la sauve de l'erreur, de l'interprétation ou du mensonge.

Il n'est donc ni nécessaire de se taire toujours, ni utile de tant parler. Le contraire du bavardage, chacun le sent, c'est une confidence ou un aveu. Le vrai seul mérite d'être dit, qui n'en a pas besoin. Mais cela doit l'être, dont l'omission serait mensonge.

D'un silence l'autre, annonçais-je. On voit maintenant de quoi il s'agit. Du silence de Dieu (qui n'est que le double fantasmé de son absence) au silence du réel (qui n'est que la simplicité de sa présence) : du Dieu indicible au monde muet, du Verbe ineffable à la vérité enfant. Deux silences, donc, qui sont le lieu, l'un de *recueillement* du sens, et l'autre, de sa *vacuité*. *Contemplation* ou *extinction* du sens : religion ou désespoir. Silence *dense*, ou silence *vide*. Mais l'étrange est que la vacuité, ici, est la plus pleine : puisque le sens manque toujours, qui n'est sens (dans son signe ou

---

1. Epicure, transmis par Sextus, cité par M. Conche (*Epicure...*, p. 29).
2. *Ibid.*, p. 28.

le monde) qu'en tant qu'il n'y est pas. Au lieu que le réel seul, dans son insignifiance ou sa plénitude (sa plénitude, donc son insignifiance), ne manque de rien : puisqu'il est tout entier ce qu'il est, et rien d'autre, et ne veut rien dire. Le vide du sens, c'est le plein de l'être. Ce que la joie seule (parce qu'il y a en elle même plénitude et même simplicité) sait célébrer comme il convient. Un sage bouddhiste, à la fin de sa vie, écrivit cet unique poème :

> Je coupe du bois,
> Je tire de l'eau :
> C'est merveilleux.

Un poème, certes, n'est qu'un poème : à chacun, solitairement, de l'aimer ou pas. Mais on a le droit de s'en expliquer. Si j'aime tant celui-ci, pour ma part, c'est qu'il me semble y reconnaître, contre le fétichisme des paroles ou du sens (la prière, la métaphysique, le bavardage...), le silence même de la vérité (la sagesse) : contre le monde *creux* de la religion, le monde *plein* du réel. Peut-on l'habiter ? Je ne sais. Mais il m'est arrivé deux ou trois fois d'être vivant, simplement.

Sens, c'est absence ; vérité, c'est présence.

VI

Cette présence, qui est la sagesse même peut-être, il est tentant de lui donner un contenu immédiatement temporel : est présent, dira-t-on, ce qui n'est ni passé ni futur, ce qui existe ici et maintenant, l'instantané du réel ou de vivre. La sagesse serait alors de *vivre au présent*, comme disaient les stoïciens[1], voire dans l'instant, sans projets ni souvenirs. Beaucoup en rêvèrent, et bien au-delà du stoïcisme. « *Carpe diem* », disait Horace, « cueille le jour », et c'était

---

1. C'est un point essentiel du stoïcisme, bien mis en valeur par V. Goldschmidt, *Le système stoïcien et l'idée de temps*, Paris, Vrin, 1953, rééd. 1985.

chez lui, prétend-on, un thème plutôt épicurien. De fait, si le plaisir est le souverain bien, on ne voit pas comment on pourrait échapper à cet actualisme de l'instant : jouir n'est réel qu'au présent, dont l'espérance nous sépare ; et les souvenirs de plaisir, chacun le sait, sont plus souvent amers que doux, et poignants parfois comme douleurs intimes... Au reste, il y a là quelque chose d'indépassable sans doute pour le matérialisme : la matière n'existe qu'au présent (*mens momentanea*, disait Leibniz), et cela suffit peut-être à la définir. L'atome d'Epicure, sans mémoire ni projets, est indissociable du perpétuel instant qu'il occupe ou qu'il définit, et dont il fait – de mouvements en mouvements, d'événements en événements – le temps. Etre c'est être présent, et c'est la matière même ; qui dure (qui continue d'être présente), et c'est le temps. « Tout s'anéantit, songeait Diderot devant des ruines, tout périt, tout passe. Il n'y a que le monde qui reste, il n'y a que le temps qui dure... »[1] Mais la *durée* du temps n'est pas autre chose que le *rester* du monde, et c'est pourquoi le présent seul est réel, qui s'abolit, comme temps, dans l'instant même qui le constitue. « Je marche entre deux éternités », continuait Diderot[2]. Non pas. Je marche, et c'est l'éternité même.

On dira que la théorie de la Relativité bouleverse tout cela : le temps ne serait plus qu'une question de point de vue (il n'y aurait plus ni *avant* ni *après*), et l'instant même s'évanouirait. Il n'en est évidemment rien. La relativité du temps, loin de le dissoudre ou de le supprimer (l'astrophysique actuelle, toute relativiste qu'elle soit, est au contraire éminemment chronologique : ce n'est jamais qu'une histoire de l'univers), lui donne sa portée maximale en l'enracinant, si l'on peut dire, dans le réel[3]. Pour n'exister que

---

1. Diderot, Salon de 1767, dans *Œuvres esthétiques*, Garnier, rééd. 1976, p. 644.
2. *Ibid.*
3. Ce processus conjoint de relativisation et d'objectivisation du temps n'est nullement remis en cause – mais plutôt accru semble-t-il – par la physique actuelle des particules élémentaires, laquelle permet à certains physiciens d'envisager une théorie unitaire de *la matière-espace-temps*, théorie fondée sur la thèse « d'un espace-temps conçu comme un milieu matériel » et donc tendant vers « l'unification de la matière et de l'espace-temps » : voir *La matière-espace-temps* de G. Cohen-Tannoudji

relativement (à l'espace, aux mouvements), le temps n'en existe pas moins, mais plutôt davantage. Il n'est plus absolu, comme le croyait Newton, c'est-à-dire séparé, mais il reste objectif, et l'objectivité même : l'espace-temps, qui contient tous les points de vue, *n'est pas* un point de vue, et s'impose (c'est en quoi la théorie de la Relativité est vraie, ou peut l'être) absolument. Surtout, pour ce qui nous occupe, la théorie d'Einstein ne change rien, au contraire, au privilège de l'instant présent, dès lors qu'on entend ce dernier, non comme un universel maintenant (ce qui supposerait une simultanéité de tout à tout, ce que la Relativité précisément récuse), mais comme un point, toujours particulier, de l'espace-temps. Le présent n'est pas présent partout (ou ce n'est pas partout le même présent) ; mais là où il est présent – ici et maintenant –, il l'est absolument. C'est en quoi, explique Bachelard, « l'instant, bien précisé, reste, dans la doctrine d'Einstein, un absolu » ; l'être demeure « au point de concours du lieu et du présent : *hic et nunc*, non pas ici et demain, non pas là-bas et aujourd'hui... (mais) dans ce lieu même et dans ce moment même »[1]. La voie reste donc ouverte à un actualisme physique, que Bachelard revendique, contre Bergson[2], et où le matérialisme d'aujourd'hui reconnaît sans peine son intuition de toujours. Seul le présent existe, lui seul est réel, et, dès lors, le réel même. Si le temps s'abolit, en un sens, ce n'est pas faute d'exister objectivement, mais du fait même de son objectivité. C'est parce que le temps passe, comme on dit, et passe vraiment, que le passé n'est plus et l'avenir pas encore : c'est parce que le temps passe qu'il n'y a que du présent, lequel, restant toujours présent, « ne passe pas »[3]. On dira qu'alors il n'y a plus de temps, ce qui n'est pas tout

---

et Michel Spiro, Paris, Fayard, 1986 (p. 81 et 342 pour les expressions citées). Sur l'aspect « historique » de l'astrophysique contemporaine, voir le beau livre de vulgarisation d'Hubert Reeves, *Patience dans l'azur*, Paris, Seuil, 1981. Voir aussi, du même auteur, *L'heure de s'enivrer*, Paris, Seuil, 1986, spécialement p. 66 à 140.

1. Bachelard, *L'intuition de l'instant*, rééd. Paris, Denoël, « Médiations », 1985, p. 30-31.

2. Voir Bachelard, *op. cit.*, p. 48-53.

3. *Ibid.*, p. 49.

à fait vrai (puisque le changement demeure, qui le suppose). Mais ce temps réel, parce qu'il est réel, ne saurait se
composer, comme on l'imagine, de passé et d'avenir : si le
temps existe, et parce qu'il existe, il n'existe qu'au présent.
Il revient au même dès lors de dire qu'il n'y a plus de temps
(puisque ni le passé ni l'avenir n'existent qui, pour l'imagination, le constituent) ou que le temps n'est que ce toujours-présent du devenir, par quoi chaque état du monde
s'abolit, à tout instant, dans l'état qui le suit ou le prolonge.
Ce temps évanescent (puisqu'il s'évanouit dans l'instant) et
insaisissable (puisqu'il « ne se montre que nié »)[1], les stoïciens – pour qui « il n'existe que des corps », c'est en quoi
ils sont matérialistes[2] – l'appelaient assez bien un incor-
porel, c'est-à-dire, non un être strictement, mais ce quasi-
être (le présent) ou ce quasi-néant (le temps infini : passé
et avenir)[3] qui, sans exister en soi ni par soi, accompagne
ou contient tous les corps et résulte, comme présent, de
leur présence.

Les épicuriens au fond ne disaient guère autre chose :
« le temps n'existe pas par lui-même » (Lucrèce, I, 459),
mais seulement en ce qu'il accompagne les événements,
lesquels à leur tour « n'ont pas d'existence propre, comme
la matière » (I, 478-479), mais ne sont que « des accidents
de la matière et de l'espace, dans lequel chaque chose
s'accomplit » (I, 481-482). Le temps est ainsi, disait Epi-

---

1. M. Conche, *Temps et destin*, p. 16 et 17. Voir aussi p. 50.
2. Voir par ex. le recueil de J. Brun, *Les stoïciens*, Paris, PUF, rééd. 1980, p. 45-46.
Sur le problème (qui justifierait à lui seul toute une étude) du « matérialisme »
stoïcien, voir aussi O. Bloch, *Le matérialisme*, Paris, PUF, coll. « Que sais-je ? », 1985,
p. 48-52.
3. Pour les stoïciens en effet « le temps se prend dans deux acceptions » (Chrysippe, selon Arius Didyme, cité par V. Goldschmidt, p. 31). Il y a d'un côté ce que
Marc-Aurèle appellera le temps-*aión*, qui n'est que la somme (bien sûr infinie
puisqu'elle n'additionne que deux néants) d'un passé et d'un avenir, et, de l'autre, le
temps-*chronos*, lequel se compose exclusivement de la continuité toujours pleine
du présent. Voir à ce propos V. Goldschmidt, *Le système stoïcien...*, p. 30 à 45, dont
l'analyse est reprise, sous un éclairage différent, par G. Deleuze, *Logique du sens*,
10ᵉ série, p. 85-90 de la rééd. 10-18. L'opposition entre ces deux *acceptions* n'est pas
sans évoquer l'opposition, chez Spinoza, entre le *temps* (qui n'a d'existence qu'abstraite et imaginaire) et la *durée* (qui est une continuation indéfinie de l'existence).
Nous y reviendrons.

cure, « l'accident des accidents »[1], c'est-à-dire non pas un être (« *tempus item per se non est...* », I, 459), ni même une propriété des êtres (les atomes, étant sans accidents, sont en eux-mêmes atemporels : si le *clinamen* apparaît *incerto tempore*, en un temps indéterminé, c'est que le temps en résulte et ne le gouverne pas), mais ce qui accompagne les mouvements de l'être et résulte, comme temps, des événements *(symptôma, eventa)* qui en résultent.

Le temps, s'il n'est pas un être ni même une propriété de l'être, n'est donc pas rien : il y a des événements, dont découle « le sentiment de ce qui s'est accompli dans le passé, de ce qui est présent et de ce qui viendra par la suite » (Lucrèce, I, 459-461), sentiment justifié en vérité et qu'on ne saurait ni supprimer d'un trait de plume ni renvoyer, en bloc, à l'imaginaire. Ce qui a eu lieu et qui n'est plus, éternellement cela restera vrai (« il n'est pas possible de rendre non accompli ce qui est arrivé », disait Epicure, et c'est en quoi, ajoute Lucrèce, « le passé est irrévocable »)[2] ; et même l'avenir, en tant qu'il est prévisible (il l'est partiellement), peut faire l'objet d'une connaissance vraie. Tu es né, et tu vas mourir : ces deux vérités sont aussi vraies l'une que l'autre, pour un épicurien, et définitives toutes deux. D'ailleurs le système comporte une histoire du monde (le livre V de Lucrèce), qui inclut l'annonce certaine de sa mort. Mais comment peut-on connaître le passé et l'avenir, demandera-t-on, si le présent seul existe ou est réel ? C'est que la connaissance du passé ou de l'avenir ne porte pas sur le passé ou l'avenir en tant que tels (car, faute d'objets réels, il ne s'agirait plus alors d'une connaissance vraie), mais sur ce qui fut ou qui sera présent. Le présent seul existe, et rien d'autre n'est à connaître, même après coup ou à l'avance, que cette actualité de l'être. Il se trouve simplement que la vérité, par nature, échappe à la temporalité de ce qu'elle connaît, et que ce qui fut présent reste vrai, quand il n'existe plus, comme ce qui sera présent est

1. Selon Sextus Empiricus, *Adv. Math.*, X, 219.
2. Epicure, *Sentence vaticane* 55, et Lucrèce, I, 468.

vrai déjà (quand il ne s'agit pas d'un futur contingent) avant même d'exister. Tu es né et tu vas mourir : ces deux vérités, présentes comme vérités l'une et l'autre (elles sont vraies ici et maintenant), ne portent pas l'une sur le passé et l'autre sur l'avenir, mais toutes deux sur le présent, en tant qu'il fut ou sera réel, et la réalité même. Le passé et l'avenir n'ont jamais existé, objectivement parlant, que comme présents ; ils ne sont, dans nos rêves ou nos discours, que l'ombre portée, sur le présent de tout, de l'éternité du vrai – qui est ce présent même peut-être.

Au fond, ce qu'il s'agit de comprendre, et qui vaut pour l'épicurisme autant que pour le stoïcisme, c'est que le passé ou l'avenir, par définition, ne sont jamais là : hier ni demain n'existent ; tous les jours, et tous les instants de tous les jours ne sont, en tout lieu et à jamais, qu'un perpétuel et pourtant multiple aujourd'hui, qu'un long, infiniment long (« *ex infinito tempore* », écrit Lucrèce, V, 423) et pourtant instantané présent. Le seul temps réel (ou la seule réalité du temps), c'est l'éternité du présent, non certes parce que rien n'arrive ou ne change (ce qui serait l'éternité de Platon ou de saint Augustin), mais parce que tout ce qui arrive ou change ne le fait – c'est le présent de l'histoire – qu'ici et maintenant. L'éternité, pour un matérialiste, n'est pas autre chose que le temps, comme un autre monde ou une autre dimension de l'être, mais sa vérité : le toujours-présent du devenir (c'est en quoi l'éphémère est l'éternité même), le toujours-présent du réel, le toujours-présent de la présence ! Seul le présent existe, et tout ce qui existe est présent : l'éternité n'est pas autre chose que cette perpétuelle présence à soi du réel, que les stoïciens appelaient le Monde ou Dieu, et qu'Epicure, plus justement, appelait le Tout – puisqu'il n'y a rien d'autre.

De là bien sûr le thème fameux du « vivre au présent », sans doute inséparable du matérialisme, et pour l'évocation duquel Sénèque trouvera de si remarquables accents :

« Pour pouvoir vivre mieux, ils (les affairés : les *occupati*) édifient leur vie aux dépens de la vie ; ils règlent leurs pensées à long terme ; or le plus grand dommage dans la vie, c'est de remettre à plus tard. C'est là un défaut qui nous arrache chaque jour nouveau, et nous enlève le présent en nous donnant à espérer l'avenir. Le plus grand obstacle à la vie, c'est l'attente, qui se suspend au lendemain et ruine l'aujourd'hui... Tout ce qui arrivera plus tard est du domaine de l'incertain : vis dès maintenant. » [1]

Et Sénèque, ce n'était pas si fréquent chez les stoïciens, de citer Epicure : « *La vie de l'insensé est ingrate et inquiète : elle se porte tout entière vers l'avenir...* » [2] C'est qu'il y a là un thème commun aux deux sagesses, celle du Jardin et celle du Portique, et peut-être à toutes. Montaigne (tellement marqué par Sénèque, et qui le cite d'ailleurs citant Epicure) [3] dira-t-il au fond autre chose ? « Toujours béant après les choses futures (...), nous ne sommes jamais chez nous, nous sommes toujours au-delà. La crainte, le désir, l'espérance nous élancent vers l'avenir » [4], et nous perdons finalement « le présent par la crainte du futur... » [5] Montaigne approuve aussi Epicure, qui « dispense son sage de la prévoyance et sollicitude de l'avenir », et cite à nouveau Sénèque ou tel passage stoïcien des *Tusculanes*... [6] La sagesse n'est pas une question d'Ecole, ou les contient toutes. L'avenir n'est jamais là, voilà le point, et vivre au présent c'est simplement vivre.

Il reste pourtant à savoir ce qu'il en est de ce présent : instant ou durée ?

Instant, cela ne se peut. Si le temps est continu et indéfiniment divisible, comme le pensaient les stoïciens, l'instant n'est rien (une simple limite, montrait Aristote, entre deux durées), et toute durée se subdivisant sans reste en futur et passé, « rien n'en subsiste comme pré-

---

1. *De brevitate vitae*, IX, 1, Pléiade (« Les Stoïciens »), p. 704. Voir aussi, *ibid.*, XVII, 5-6, p. 716.
2. *Lettre à Lucilius*, XV, 10 ; voir aussi Epicure, *Sent. vat.* 14.
3. *Essais*, III, 13 (édition Villey, p. 1111).
4. *Essais*, I, 3 (Villey, p. 15).
5. *Essais*, III, 12 (Villey, p. 1050).
6. *Essais*, I, 3 (Villey, p. 15-16).

sent »[1]. Il y avait ce qui fut, il y aura ce qui sera, et entre les deux une limite sans durée, l'instant, qui n'est pas du temps (car il serait alors divisible en un passé et un futur, et ne serait pas présent) et où nul ne peut penser ni vivre. Les stoïciens anticipent ici de quelque vingt-deux siècles sur la critique bergsonienne de l'idée d'instant : du fait de la divisibilité à l'infini des continus, il résulte « qu'aucun temps n'est entièrement présent », mais seulement selon une certaine durée ou étendue[2]. L'instant mathématique, comme dira Bergson, c'est-à-dire l'instant, n'est qu'une abstraction ou n'est en tout cas saisissable que par abstraction : nul ne l'habite, nul ne le perçoit, nul ne peut y vivre. S'il est vrai que « chacun ne vit que dans l'instant présent »[3] (puisqu'on ne peut vivre, par définition, ni dans le passé ni dans l'avenir), il est vrai aussi, pour les stoïciens, que cet instant n'a de réalité que par l'action qui le détermine ou le remplit, et qu'il est à ce titre une durée (« un *plenum* temporel »)[4], laquelle, chez l'affairé, se disperse dans l'attente, mais qui, chez le sage, réunissant « tous les temps en un seul »[5], se condense dans l'éternité. Il y a donc deux sortes d'instant, si l'on veut, ou deux acceptions du mot : l'instant comme limite (l'instant abstrait, mathématique, sans durée ni contenu de pensée : ce que j'appellerais l'instant vrai) et l'instant comme totalité (l'instant concret, comme unité existentielle d'action et de durée : l'instant vécu)[6]. Les deux, certes, ont leur légitimité, et le premier,

---

1. Plutarque, *Des notions communes...*, XLI, Pléiade (« Les Stoïciens »), p. 174-175. La pensée des stoïciens est ici fortement dépendante des analyses d'Aristote, dans *Physique*, IV, 10-14.

2. Chrysippe, selon Arius Didyme, cité et traduit par V. Goldschmidt, *Le système stoïcien...*, p. 31.

3. Marc-Aurèle, *Pensées*, III, 10 (Pléiade, p. 1156).

4. V. Goldschmidt (*Le système stoïcien...*, p. 210), qui remarque ici une « inspiration commune » au stoïcisme et au bergsonisme.

5. Sénèque, *De brevitate...*, XV, 5 (Pléiade, p. 714). Comparer ce présent du sage (présent de plénitude et d'éternité) avec le présent vide et fuyant des affairés (*ibid.*, X, 6, p. 706).

6. Cette dualité prolonge bien sûr celle des « deux acceptions » du temps (cf. *supra*, note 3 de la p. 586) ; mais V. Goldschmidt a montré que ces deux conceptions de l'instant se trouvaient déjà chez Aristote, et qu'il y a là, sans doute, une « source » de la pensée stoïcienne (*Temps physique et temps tragique chez Aristote*, Paris, Vrin, 1982, p. 147 sq., spécialement, concernant le stoïcisme, p. 151 et 184).

pour abstrait qu'il soit, est sans doute plus près de l'objectivité. Mais du sujet, non. C'est tout le paradoxe de l'instant : il n'est réel, pour le vivant, qu'en tant qu'il dure. Le
choix se fait donc, pour les stoïciens, non entre ces deux
types d'instant (l'un est à jamais hors de notre expérience),
mais entre, d'un côté, la vanité de l'avenir ou du passé (les
passions) et, de l'autre, la plénitude du présent (l'action).
Si l'on entend par *instant* l'infiniment petit (le *rien* de
temps) que l'analyse dégage, il n'y a pas *pour nous* d'instantané.

On peut certes (Bachelard nous y invite et c'était aussi,
semble-t-il, la position d'Epicure) [1] remettre en cause la
continuité du temps et, en conséquence, sa divisibilité à
l'infini. Mais même alors, si l'on peut concevoir quelque
chose comme un instant réel (un minimum objectif de
temps : le *punctum temporis* de Lucrèce, et il faut entendre
par là une durée minimale mais non nulle), cela ne change
pas grand-chose à notre problème. Ce *quantum* de temps
n'a en effet d'existence qu'objective (au niveau des mouvements atomiques) ; pour nous, il est insensible et, dès lors,
sans durée. Aucun acte, aucune pensée, aucune sensation
même ne peut s'y glisser ; et pas plus que l'instant abstrait
des stoïciens, il n'offre à la vie de quoi s'épandre ou se
déployer. Il n'est pas rien, soit ; mais pour nous il est
comme rien.

Que le temps soit continu ou discontinu, indéfiniment
divisible ou non (ce sur quoi épicuriens et stoïciens s'opposent et que les physiciens peut-être, quelque jour, trancheront), la conclusion, pour ce qui nous concerne, est donc
la même : à parler strictement (en considérant l'instant
pour ce qu'il est : une limite ou un point de temps), l'instant
n'a d'existence qu'objective. Pour le sujet il n'est qu'une
abstraction ou, au mieux, une nostalgie (laquelle, en tant

---

1. Bachelard, *L'intuition de l'instant, passim* ; sur Epicure, voir la communication
de M. Conche, « Epicure et l'analyse quantique de la réalité », dans *Raison et culture*,
Actes du colloque international franco-soviétique, Presses Universitaires de Lille,
1980 (signalons que ce texte comporte une critique pertinente du livre de Michel
Serres sur Lucrèce).

que telle, ne saurait être instantanée). Qu'est-ce à dire, si
ce n'est que le sujet n'est pas la vérité même ? Sans doute,
puisque la vérité n'est pas un sujet. Mais il faut vivre, et
vivre ne se peut dans l'instant. Si l'on veut *vivre au présent*
(et comment y renoncer ?), ce présent doit être autre chose
que *l'instant* présent.

Une durée, donc. Le présent n'est dit présent, observait
Chrysippe, que « selon une certaine étendue »[1], d'ailleurs
variable (puisque définie, comme toujours les incorporels,
par l'action de tel ou tel corps qui l'occupe : le présent du
monde n'a pas la même durée que le présent de ma promenade, lequel peut lui-même durer plus ou moins longtemps). On dira qu'il y a là un cercle (une durée ne pouvant
être plus ou moins longue que par rapport à un temps,
supposé immuable, qui la contient), et qu'une action,
quelle qu'elle soit, suppose d'abord un temps pour l'accueillir, lequel dès lors, logiquement, la précède et qu'elle
ne saurait définir. Rien ne pourrait advenir, semble-t-il, si
le temps toujours n'était déjà là : le temps semble la condition de tout, et le conditionné de rien – un absolu, donc,
et c'est ce que la Relativité interdit. Mais, indépendamment
même de la physique contemporaine, il est clair que penser
ainsi le temps comme la condition inconditionnée de tout,
c'est confondre l'ordre réel des choses avec l'imagination
après coup que l'on s'en fait[2]. A le penser dans sa vérité,
c'est-à-dire dans son objectivité seulement présente, on ne
voit pas comment le temps pourrait *précéder* ce qu'il

---

1. Chrysippe, selon Arius Didyme, cité par V. Goldschmidt, *Le système stoïcien*...,
p. 31.
2. Selon une illusion rétrospective qu'analysera Bergson (voir par ex. « Le possible et le réel », dans *La pensée et le mouvant*), mais dont on trouve aussi l'idée
dans le stoïcisme : « Peut-être faut-il voir là, souligne V. Goldschmidt, une intuition
impossible à formuler : le primat absolu de l'actuel sur le virtuel, celui-ci n'étant
jamais considéré comme préparant ou comme conditionnant celui-là. C'est grâce à
l'actuel que le virtuel existe ou, si l'on préfère, c'est ce qui semble conditionné qui
fait passer à l'acte ses conditions » (*op. cit.*, p. 28). Cela, qui est dit à propos du vide,
peut être dit à propos du temps. Et Goldschmidt d'ajouter : « Il y a là quelque chose
de comparable au *mouvement rétrograde* chez Bergson. » Sans doute. Mais ce *primat
absolu de l'actuel sur le virtuel* est aussi, dans une autre problématique, une intuition
fondamentale du matérialisme (notamment, mais pas seulement, stoïcien), et qui
n'est peut-être qu'un autre nom du désespoir.

contient. Aussi n'est-il pas la condition des corps ou des événements, mais bien plutôt leur conséquence, au sens latin du mot (*consequitur*, écrit Lucrèce, I, 460), leur *suite*, si l'on veut, c'est-à-dire à la fois leur succession réelle (ceci, puis cela, puis encore cela...) et la durée que cette succession occupe, mesure ou définit (dès lors qu'il existe ceci, il y a du présent, dès lors qu'il existe ceci puis cela, il y a ce présent perdurant que nous appelons le temps). La durée qu'un événement remplit en vérité ne le précède pas (et c'est pourquoi en vérité il ne la *remplit* pas) mais en résulte. Un temps totalement vide d'événements ne serait pas du temps, ni autre chose : il n'y aurait rien, voilà tout, et *rien* (sauf à le comparer à autre chose, ce qui serait contraire à l'hypothèse), cela ne *dure* pas. Le temps n'a d'être que dérivé. Il n'est pas la condition des corps ou des événements, mais leur suite ; il n'est pas leur principe, mais leur consécution.

Considérer le présent comme durée, c'est donc le soumettre à l'action qui le remplit. C'est sur quoi épicuriens et stoïciens s'accordent, pour une fois, et s'ils divergent sur le statut de l'instant, cela n'entame guère l'évidence qui leur est commune, au moins concernant la vie et la conscience, que toute action déborde de toute part l'instant, comme limite ou comme minimum objectif de temps, pour s'accomplir dans la durée – laquelle, en tant qu'elle est réelle, reste pourtant (c'est en quoi elle ne s'oppose qu'apparemment à l'instant) toujours et tout entière présente. Du fait que « seul le présent existe »[1], il résulte aussi et paradoxalement que « le temps dans son ensemble est présent »[2], n'étant pas autre chose, pour les stoïciens, que la perpétuelle – quoique rythmée – présence à soi du monde ou, entre deux périodes cosmiques, de Dieu. Et les épicuriens, s'ils affirment aussi, on l'a vu, que « le temps n'existe pas par lui-même », n'en perçoivent pas moins,

1. Chrysippe, *ibid.*, p. 31.
2. Apollodore, cité par V. Goldschmidt, *op. cit.*, p. 43. Voir aussi Sénèque, *De brevitate*..., XV, 5, p. 714.

c'est peut-être ce qui les distingue le plus fortement des cyrénaïques, que le présent *dure*, toujours, par la perduration en lui des corps qu'il ne contient qu'autant qu'ils le font être, comme présent, par leur présence toujours présente (en elle-même atemporelle donc, mais, si l'on veut, temporalisante) qui n'est pas autre chose que leur être même (pour les atomes) ou leur devenir (pour les corps composés, le monde et nous). De là cette évidence que la vie se déroule dans le temps : nous *durons*, tout est là, et chacun en connaît le goût et la fatigue. Point de salut, ici, dans la fuite. Loin qu'il suffise de cueillir l'instant (Aristippe), il s'agit bien plutôt pour Epicure, et l'on verra comment, « d'élargir le temps de la présence »[1], ce qui est vivre et, aussi, philosopher. Le plaisir en repos de l'âme, s'il ne dépend pas de sa durée plus ou moins longue[2], en suppose toujours une, qu'il habite ou qu'il remplit, et sans laquelle la notion même de repos n'aurait (comme celle, symétrique, de mouvement) aucun sens. Le bonheur est un art, non de l'instant, mais du temps.

C'est un point où un esprit moderne ne peut guère éviter les analyses, justement fameuses, de Bergson, lesquelles (si on les limite à la vie consciente, qui est notre vie) peuvent être reprises à peu près[3]. Pas de conscience, montre Bergson, sans mémoire ni sans anticipation de l'avenir. La conscience est un souvenir, l'attention une attente, et vivre n'est jamais que le rappel ou l'anticipation de vivre. Il n'y a pas de présent qui soit vécu si ce n'est dans l'épaisseur de cette durée qui est la vérité pour nous (et, prétend Bergson, en soi) du temps. Matière et mémoire : de même que la matière est toujours présente, et ce présent même, l'esprit est toujours passé, et présent dans ce passé. Il n'est

---

1. Comme l'écrit joliment Geneviève Rodis-Lewis, *Epicure et son école*, Paris, Gallimard, coll. « Idées », 1975, p. 282. Sur le rapport Epicure-Aristippe, concernant le temps, voir aussi, *ibid.*, les p. 269-284 (spécialement p. 275-276). On lira aussi avec profit les remarques toujours éclairantes de Guyau (*op. cit.*, p. 38-40).

2. Voir par ex. *Maximes capitales* XIX et XX, et *Lettre à Ménécée*, 126.

3. Voir par ex. l'*Essai*..., chap. II, *Matière et mémoire*, chap. III (qui est un très grand texte), et, sous une forme plus ramassée, « La conscience et la vie », dans *L'énergie spirituelle*, p. 4-6 ou 818-819.

esprit que de mémoire, il n'est mémoire que de l'esprit. Au reste chacun le sait, et mille poètes l'ont dit. *Mémoire, sœur obscure...* L'esprit est cela même. Un amnésique complet, qui non seulement aurait tout oublié de son passé mais qui, d'instant en instant, continuerait d'oublier tout (un être absolument sans mémoire), il n'aurait ni pensée ni conscience : toute idée (à supposer qu'une idée pût exister sans langage), toute émotion, toute sensation s'évanouiraient dans l'instant ; inconscient de son passé, inconscient donc aussi de soi, il serait incapable d'imaginer l'avenir, et le présent même lui ferait défaut. « Notre vie est si vaine, disait Chateaubriand, qu'elle n'est qu'un reflet de notre mémoire » : vouloir c'est se souvenir qu'on veut, aimer c'est se souvenir qu'on aime, penser c'est se souvenir de ses idées... [1] Du moins nul ne pourrait vouloir, aimer ou penser sans ce souvenir en lui de soi, de ses désirs, de ses émotions, de ses doutes ou de ses certitudes. C'est où la mémoire joue un rôle plus profond encore que l'attente, car nul ne pourrait sans mémoire anticiper quoi que ce soit, quand la mémoire peut-être, sans l'anticipation, serait encore possible. L'espérance, répétons-le, n'existe jamais sans une nostalgie préalable, qu'elle prolonge ou transforme, mais sans l'abolir, et dont elle est moins le contraire que l'écho, si l'on peut dire, prospectif. C'est le profond de l'homme et de la religion. Les *vastes palais de la mémoire*, comme dit saint Augustin, sont l'abîme même qui nous constitue [2] et par quoi seul nous sommes présents au monde et à nous-mêmes. « L'esprit c'est la mémoire elle-même », écrit aussi saint Augustin [3], et Bergson ne dira pas autre chose, ni Proust, et ils ont raison tous trois, et il n'y a rien d'autre peut-être à dire. Mais c'est vérité de l'esprit, et pour l'esprit. La religion commence quand on en fait la vérité même du réel ou de l'être, ce que le matérialisme

---

1. *Mémoires d'outre-tombe*, première partie, II, 3 (p. 69 de l'éd. Levaillant, G.-F., 1982).
2. *Confessions*, X, 2 et surtout 8 à 14. Sur le rapport entre l'espérance et la mémoire, voir aussi, *ibid.*, 20-24.
3. *Confessions*, X, 14.

refuse (car il faudrait alors, de nostalgie en nostalgie, supposer une mémoire originelle, ce qui est Dieu) et récuse (puisque les corps n'existent qu'au présent). « Mon présent est, par essence, sensori-moteur », écrit Bergson, il est « la matérialité même de (mon) existence »[1], et certes nous en sommes d'accord. Le douteux est qu'il y ait autre chose, et que le passé se conserve autrement, en nous ou pour nous, que dans l'inscription cérébrale – bien sûr toujours présente – dont les biologistes un jour nous expliqueront le mécanisme et dont il nous suffit, pour l'instant, de poser l'exhaustive et suffisante réalité. Mon corps est présent, voilà ce que je sais, et, en tant que le présent seul existe, je ne suis qu'un corps. Se souvenir, c'est se souvenir ici et maintenant, ou ce n'est pas se souvenir (un souvenir *dont on ne se souvient plus*, c'est la définition même de l'oubli). Espérer, c'est espérer ici et maintenant, ou ce n'est pas espérer. Même la mémoire et l'imagination n'ont de réalité que présente, et relèvent toujours, à ce titre, de ce que Bergson, fort judicieusement, appelle la matérialité de l'existence, qui est, au présent, l'existence même : mon corps, tel qu'il vit, se souvient ou espère. « *C'est moi qui me souviens*, écrit saint Augustin, *et moi, c'est mon esprit.* »[2] Non. C'est mon corps qui se souvient, ici et maintenant, et c'est pourquoi il n'y a pas de moi.

La difficulté, pour le matérialisme, est de penser ensemble ces deux thèses, que seul le présent existe, et qu'il n'est de vie consciente que dans la durée, mieux, que dans la mémoire et l'attente. Les stoïciens allèrent très loin ici, et Marc Aurèle s'y montre d'une grandeur sombre qui fascine. Mais l'école est trop diverse et trop soumise à la religion pour que je puisse, sans beaucoup de détours, en rendre accessible le noyau, à mes yeux, de vérité ou de sagesse. Epicure me paraît, ici comme ailleurs, un maître plus

---

1. *Matière et mémoire*, II, p. 153-154 (280-281).
2. *Confessions*, X, 16 : « *ego sum, qui memini, ego animus.* »

direct et plus sûr. Or, que dit-il ? Non, du tout, qu'il faut vivre dans l'instant. C'était même, je l'ai rappelé en passant, l'un des points qui l'opposaient à Aristippe, et sur lequel il fondait la primauté des plaisirs spirituels :

> « Epicure diffère des cyrénaïques, explique Diogène Laërce, en ce que ceux-ci soutiennent que les souffrances du corps sont plus pénibles que celles de l'âme... Epicure, au contraire, affirme que ce sont les souffrances de l'âme qui sont plus pénibles. *La chair, en effet, ne souffre que du présent tandis que l'âme souffre du passé, du présent et de l'avenir. Il suit de là que les plaisirs de l'âme sont aussi plus grands que ceux du corps.* » [1]

Il y a plus. Non seulement l'âme vit ainsi dans la durée (une durée bien sûr toujours présente : le passé et l'avenir ne m'affectent qu'ici et maintenant), mais le sage, loin de tendre vers une impossible instantanéité, doit cultiver cette capacité qu'a l'esprit de dilater ainsi, par la mémoire et l'anticipation, le présent instantané du corps, jusqu'à soustraire ses plaisirs à la fuite du temps [2] en leur donnant la continuité et la solidité qui leur manquent. Car il est vrai, certes, que le présent seul est réel ; mais vrai aussi que ce présent, en tant qu'il est conscient, inclut une dimension d'avenir et de passé qui est, pour nous, la temporalité même, et sans laquelle toute pensée, toute volonté – donc aussi toute philosophie – serait impossible. « Le présent seul est nôtre », disait Aristippe [3], et cela est très vrai ; mais mon souvenir présent, mon espérance présente même ne sont pas moins présents en moi que ma sensation ou mon action présentes : *je me souviens*, le verbe est au présent et la chose l'est aussi. Et quoi de plus *mien* que ma mémoire ? Surtout, Aristippe ne s'aperçoit pas « qu'en voulant se rendre indépendant de l'avenir il se rend esclave du présent » [4] – et, loin d'échapper au temps, qu'il s'y livre tout entier !

1. Diogène Laërce, X, 137 (Solovine, p. 163).
2. Comme l'avait montré Brochard dans son étude, ancienne mais toujours utile, sur « La théorie du plaisir d'après Epicure » (*Etudes de philosophie ancienne*, rééd. Paris, Vrin, 1966, p. 280-281).
3. D'après Elien, cité par Guyau, p. 37.
4. Guyau, p. 38 (voir aussi les p. 37-40).

Epicure n'est pas si sot. Il sait bien que toute vie, et *a fortiori* toute vie philosophante, suppose le souvenir du passé et l'anticipation de l'avenir (la *distensio animi* de saint Augustin, la rétention-protention de Husserl...), et qu'il s'agit, non de nier ou de réduire, mais d'utiliser au mieux cette puissance de l'âme par quoi le temps, cessant d'être simplement présent (objectif), se donne dans la continuité (subjective) d'une durée.

Cela est vrai de l'avenir. Pour qui ne saurait jouir que dans l'instant (à supposer qu'on le pût), tous les plaisirs peut-être, comme le voulait Aristippe, seraient équivalents [1], et tous, en tout cas, seraient désirables. Mais, d'une part, on ne pourrait les désirer que quand ils seraient effectivement présents (sauf à ne plus vivre dans l'instant, on ne pourrait désirer manger qu'en mangeant, et tout sage serait condamné à mourir de faim... ou d'indigestion), et, d'autre part, on ne pourrait les choisir, comme le conseillent pourtant la prudence et la philosophie, « par la comparaison et l'examen des avantages et des désavantages » [2], ce qui ne peut bien sûr se faire, pour un plaisir donné, que de manière anticipée (le passé ni le présent ne sont objets de choix) et en fonction de conséquences ultérieures (puisqu'un plaisir quelconque, étant en lui-même toujours un bien, ne peut être désavantageux que par ses suites) [3]. Bref, sans la représentation anticipée (présente) de l'avenir, toute éthique – et spécialement l'éthique épicurienne – serait impossible. Mais au vrai c'est la pensée même qui s'écroulerait. Les idées ne pouvant, dans l'instant, ni s'enchaîner ni tendre vers la vérité, toute démonstration et toute recherche seraient impossibles, et l'on ne pourrait plus, comme Epicure montre pourtant que c'est nécessaire, « procéder à partir de signes à des inférences au sujet de ce qui *attend* confirmation » [4]. Une pensée instantanée ne serait plus une pensée. Le refus de l'avenir ne serait pas

1. Voir Diogène Laërce, II, 87.
2. Epicure, *Lettre à Ménécée*, 130.
3. *Ibid.*, 129-130.
4. *Lettre à Hérodote*, 38. Voir aussi *MC* XXIV.

autre chose, pour l'esprit, qu'une forme extrême de la bêtise.

On évitera donc de confondre le désespoir du sage, ou ce que j'ai appelé tel, avec l'espèce d'hébétude instantanée qu'un trop facile – et dangereux – abandon au présent (le *no future* des punks ou des idiots) ne tarderait pas à susciter. Epicure le dit d'ailleurs explicitement : « Il faut se rappeler que l'avenir n'est ni tout à fait nôtre ni tout à fait non nôtre, afin que nous ne l'attendions pas à coup sûr comme devant être, ni n'en désespérions comme devant absolument ne pas être. »[1] Le désespoir du sage n'est ni la désespérance du suicidaire (qui n'est en vérité qu'un espoir d'avance déçu, qui ne supporte plus l'avenir) ni l'abandon versatile et veule au charme, par définition inconstant, de l'instant (qui n'est le plus souvent qu'un miroitement indéfini d'espoirs à très court terme). Ni désespérance ni caprice. Le sage sait ce que c'est que vouloir, et qu'il y faut du temps, et que nul présent n'est sien qui ne soit aussi, ici et maintenant, une anticipation de l'avenir (une prévision, dit Lucrèce : *providet*, IV, 884 et 885).

Le sage, certes, n'espère rien qui lui manque – et c'est en ce sens que je l'ai dit désespéré[2]. Mais il est aussi sans crainte concernant l'avenir : il n'y a rien à craindre dans la vie, disait Epicure, pour qui a compris qu'il n'y a rien à craindre dans la mort, et c'est en quoi « la droite connaissance que la mort n'est rien pour nous rend joyeuse la condition mortelle de la vie, non en ajoutant un temps infini, mais en ôtant le désir de l'immortalité »[3]. Et cela – qui est le désespoir même – ne fait qu'un avec la sagesse. Mais il est vrai aussi que cette sagesse inclut par là même, vis-à-vis de l'avenir, un sentiment positif (« l'absence de crainte », mais qui est plus qu'une absence)[4], que Spinoza

1. *Lettre à Ménécée*, 127.
2. Voir *supra*, t. 1, Introduction, p. 17-42.
3. *Lettre à Ménécée*, 124-125.
4. Voir par ex. Lucrèce, II, 16-19, et Epicure, *Lettre à Hérodote*, 82. Voir aussi M. Conche, *Epicure...*, p. 73-74.

appellera la *sécurité*[1], qu'Epicure nomme « l'espoir fondé », et que je désignerais plus volontiers – puisqu'il n'espère rien qu'il n'ait déjà – du beau nom de *confiance*. « La condition équilibrée de la chair, dit par exemple Epicure, et *l'espoir fondé de la conserver* contiennent, pour ceux qui sont capables de se rendre compte, la joie la plus haute et la plus solide. »[2] Et sans doute pourrait-on opposer cette phrase, et quelques autres, à ce que j'ai pu écrire sur le désespoir joyeux du sage. Mais, outre qu'il ne m'importe guère d'être un épicurien orthodoxe, ce serait ne pas voir que l'espérance, chez Epicure, se prend en deux sens[3] : il y a l'espérance des fous, qui porte sur ce qu'on n'a pas et qui, mêlée toujours d'incertitude et de crainte, ne cesse de nous éloigner du présent, et l'espérance des sages (« l'espoir fondé », ce que j'appelle la confiance), qui ne manque de rien et qui, loin d'éloigner du présent, n'est que ce présent même, renforcé par la certitude (jusqu'à la mort, qui n'est rien) de sa joyeuse et sereine continuation. La première est un manque, qui projette dans l'avenir son illusoire (ou en tout cas aléatoire, et craintive pour cela) satisfaction ; la seconde est une plénitude (le sage ne manque de rien), sûre (précisément parce qu'elle est sans manque ni crainte) d'elle-même et de sa durée. Optimisme ? Guère. Car l'*espoir fondé* du sage n'est fondé que sur la sagesse et la nature, qui sont réelles toutes deux, et présentes. La confiance n'est pas un pari sur l'avenir ; c'est la paix *continuée* du présent.

Il y a donc deux erreurs à éviter, concernant l'avenir. La

---

1. *Mutatis mutandis* (*Ethique* III, déf. 14 des affections et explication de la déf. 15). Mais Spinoza, plus radicalement désespéré (au sens où je le prends), considère que la sécurité elle-même, bien que joyeuse, est encore (en tant qu'elle suppose « une tristesse antécédente, à savoir l'espoir et la crainte ») un signe « d'impuissance intérieure » et ne fait donc pas partie de la sagesse *(Ethique* IV, scolie de la prop. 47).

2. Selon Plutarque, 68 Us., cité par M. Conche, *Epicure...*, p. 73 ; voir aussi la *Sentence vaticane* 33, et Guyau, p. 38 sq. Notons que le mot de *confiance (pistis)* se trouve bien chez Epicure, et en un sens qui semble être celui que j'indique : voir *Lettre à Hérodote*, 63, *Lettre à Pythoclès*, 86, et les *Sentences vaticanes* 7 et 34. Devant la rareté des textes, il est cependant difficile d'en dire davantage. V. Goldschmidt, abordant la notion par son biais juridique, fait, avec la précision qu'on lui connaît, ce qu'il peut (*La doctrine d'Epicure et le droit*, Paris, Vrin, 1977, p. 105-110).

3. Ce qui n'a pas échappé à V. Goldschmidt, *La doctrine d'Epicure...*, p. 110.

première, bien rare, c'est de n'en tenir aucun compte ; la seconde, bien fréquente, c'est de lui sacrifier le présent. Cette seconde erreur n'est pas seulement la plus répandue, c'est aussi la plus grave. Contre la première, la vie se défend suffisamment, la rendant en vérité impossible à assumer jusqu'au bout (le *no future* des punks ne les empêche pas de prendre le métro, ce qui suppose toujours projet et foi) ; mais la vie se défend mal contre l'avenir, précisément parce qu'il n'est jamais là. « Il y a des gens, écrit Epicure, qui, pendant toute leur existence, se préparent pour la vie à venir, ne s'apercevant pas qu'un poison mortel a été versé dans la source de notre vie. » [1] Ce poison mortel c'est l'espérance (celle des fous), qui culmine dans la religion, et contre laquelle il faut réaffirmer, c'est l'esprit même du matérialisme [2], que la mort et la vérité ne laissent à l'espérance sa place, ici et maintenant, que *sur fond de désespoir*. On se souvient de la forte formule d'Epicure : « Nous sommes nés une fois, il n'est pas possible de naître deux fois, et il faut n'être plus pour l'éternité : toi pourtant, qui n'es pas de demain, tu ajournes la joie ; la vie périt par le délai, et chacun de nous meurt affairé. » [3] Vision du monde, a-t-on dit, « foncièrement pessimiste » [4], ce qui ne me semble qu'à moitié vrai (puisque cela supposerait une espérance déçue dont le sage, justement, fait l'économie : le « pessimisme » comme l'« optimisme » ne mesurent ici que notre refus du vrai) ; mais vision désillusionnée, ou désespérée (au sens où je le prends), cela est sûr, et c'est pourquoi le matérialisme – même quand il n'est pas athée – est le contraire de la religion.

Epicure, donc, fait sa place à l'avenir, non certes pour *différer* le présent, mais pour l'étendre, pour le dilater, pour lui donner davantage de force ou d'épaisseur. Le bon usage

---

1. *Sentence vaticane* 30 (trad. Solovine). Ce texte, que M. Conche ne retient pas, est peut-être bien, en vérité, de Métrodore, disciple et ami d'Epicure ; mais son orthodoxie épicurienne ne fait aucun doute.
2. Voir mon article « Qu'est-ce que le matérialisme ? », *Une éducation philosophique*, p. 86-111.
3. *Sentence vaticane* 14.
4. V. Goldschmidt, *Le système d'Epicure...*, Appendice III, p. 302.

de l'espérance, c'est son usage désespéré : l'espérance, pour qui la vit dans sa vérité, ne vaut qu'ici et maintenant. Ce n'est pas l'attente de l'avenir, c'est une dimension du présent. Ce n'est pas la satisfaction illusoire (toujours à venir) d'un manque, c'est la continuation, ici et maintenant, d'une plénitude. Et c'est pourquoi Epicure, au moment de mourir, pouvait se dire encore heureux pleinement [1] : il savait que la mort même ne le décevrait pas.

Au reste Epicure, s'il inclut ainsi l'avenir dans le présent (quand la religion inclut plutôt le présent dans l'avenir), n'en fait pas l'essentiel du rapport au temps. C'est que l'avenir, par définition, nous échappe : « De rien Epicure ne se moque autant que de la prédiction des événements futurs », rapporte Cicéron, qui rappelle aussi que les épicuriens critiquaient « l'habitude de penser d'avance à l'avenir » [2] (et il faut voir là un refus, non des projets, mais des craintes, des présages et du destin). S'il est vrai qu'on ne peut pas vivre dans l'instant ni, donc, sans anticiper quelque peu l'avenir, il est vrai aussi que « celui qui a le moins besoin du lendemain y va avec le plus de plaisir » [3], et que « l'heure qui survient en plus, sans avoir été espérée, est grâce » [4]. Le plus important, pour un épicurien, ce n'est jamais l'avenir. Le présent ? Bien sûr, mais dans sa durée. Et c'est ici qu'apparaît la mémoire : l'essentiel, concernant l'art de vivre et de durer, se joue dans un travail systématique, non sur l'avenir, mais sur le passé.

La mémoire joue en effet, dans l'épicurisme, un rôle décisif. D'abord, bien sûr, parce que la sagesse suppose le souvenir des vérités qui l'ont rendu possible : « L'ataraxie est d'être délivré de toutes ces craintes (portant sur les dieux ou la mort) et d'avoir *la mémoire constante* des doctrines générales et principales » [5] – d'où cet aide-mémoire

1. Voir sa lettre à Idoménée, citée par Diogène Laërce, X, 22.
2. *De la nature des dieux*, II, 65 (162) et *Tusculanes*, III, 16 (34).
3. Plutarque, 490 Us., cité par M. Conche, *Epicure*..., p. 53, n. 1.
4. Horace, *Epitres*, I, 4, 13-14, cité par G. Rodis-Lewis, *Epicure*..., p. 284.
5. Epicure, *Lettre à Hérodote*, 82.

qu'est la *Lettre à Hérodote* [1]. Mais aussi et surtout parce que
le passé, beaucoup plus que l'avenir (qui, du fait du clinamen, est le plus souvent imprévisible et, du fait de notre
folie, le plus souvent effrayant), laisse à notre disposition
un lot de sentiments à la fois sereins et vrais qui, bien
utilisés, peuvent triompher des souffrances ou des mal-
heurs présents. La chose est bien connue, et je n'y insiste
pas. Autant l'insensé ne vit que pour l'avenir (et vit ainsi
en pure perte : ne gardant rien de ce qu'il a vécu, il mourra
comme s'il venait de naître) [2], autant le sage se réjouit
– bien sûr ici et maintenant – de ce qu'il a vécu. L'âme de
l'insensé est *ingrate* (quant au passé) et *inquiète* (quant à
l'avenir) [3]. Celle du sage, au contraire, confiante (quant à
l'avenir) et pleine de gratitude (quant au passé). Qui a été
heureux une fois, disait Epicure, peut l'être toujours : puisque le souvenir de son bonheur lui reste disponible, et qu'il
peut, par la mémoire, et même dans les pires souffrances,
continuer d'en jouir. Je sais que bien souvent c'est l'inverse
qui se produit : pas de pire tristesse, dira Dante, que le
souvenir des jours heureux dans le malheur... Mais c'est
qu'il y a, du passé aussi, deux usages, l'un bon (joyeux) et
l'autre mauvais (triste). Le mauvais, qu'on peut appeler la
nostalgie, c'est de regretter l'absence du passé, son ne-plus-
être-présent, c'est-à-dire regretter cela même qui le définit !
Sentiment toujours vain, bien sûr, et sans issue autre que
d'espérer, là encore en pure perte, son retour. C'est le temps
perdu, qui se perd tout entier à attendre et à regretter...
Mais on peut aussi vivre le passé, non comme absence,
comme manque, mais comme présence en soi de ce qui
fut (comme souvenir, et comme souvenir présent). Ce sentiment, que Proust appellera le temps retrouvé, Epicure lui
donne le beau nom de *gratitude (charis)*, qui est le « souvenir reconnaissant » de ce qui n'est plus mais qui, en tant

---

1. *Lettre à Hérodote*, 35-37 et 45. Voir aussi la *Lettre à Pythoclès*, 84-85.
2. *Sentences vaticanes* 19 et 60, et Lucrèce, III, 935-943. Voir aussi M. Conche,
Epicure..., p. 52-53.
3. Sénèque, 491, Us., cité par M. Conche, *Epicure...*, p. 52. Voir aussi la *Sentence
vaticane* 69 et Lucrèce, III, 1003-1010 (*ingratam*, 1003).

que vérité et par le souvenir, demeure – et demeure présent[1]. La gratitude est en ce sens une expérience d'éternité. Elle correspond exactement, pour le passé, à ce qu'est la confiance, pour l'avenir, c'est-à-dire un sentiment de plénitude joyeuse et sereine, et s'oppose ainsi (si l'on accepte cette terminologie, qui n'est pas d'Epicure) à la nostalgie (qui est le manque du passé) comme la confiance s'oppose à l'espoir (qui est le manque de l'avenir). Par elle le passé, loin de nous manquer, nous comble ; et c'est pourquoi il n'est pas vrai en effet que la jeunesse soit le plus bel âge de la vie (ce n'est que le plus bel âge des vies ratées) :

> « Ce n'est pas le jeune qui est bienheureux, mais le vieux qui a bien vécu : car le jeune, plein de vigueur, erre, l'esprit égaré par le sort ; tandis que le vieux, dans la vieillesse comme dans un port, a ancré ceux des biens qu'il avait auparavant espérés dans l'incertitude, les ayant mis à l'abri par le moyen sûr de la gratitude. »[2]

On remarquera qu'il s'agit bien, toujours, de vivre au présent : la gratitude, si elle porte sur le passé, est un plaisir actuel et, pour le sage, à jamais actuel. C'est aimer le passé, mais l'aimer présent et disponible. La gratitude s'oppose en cela, répétons-le, non seulement à l'ingratitude (par quoi le passé n'a été vécu qu'en pure perte) mais à la nostalgie (par quoi le passé manque toujours). Au reste la nostalgie n'est qu'une forme d'ingratitude, comme l'espérance (quand ce n'est pas *l'espoir fondé* du sage) n'est qu'une forme de crainte (disons : un manque de confiance). Nul n'espère ce dont il se sait capable, et c'est la confiance ; ni ne regrette ce dont il jouit encore, et c'est la gratitude.

Confiance et gratitude : telle est la *durée* du sage, tout entière présente et pourtant incluant, comme son horizon, tout le passé et tout l'avenir dont elle est capable, qu'elle contient, et qui ne la contiennent pas.

Mais la gratitude l'emporte. L'avenir, je l'ai dit, non seulement nous échappe mais, tant que nous ne sommes pas

---

1. *Sentences vaticanes* 17 et 55, et *Lettre à Ménécée*, 122.
2. *Sentence vaticane* 17 (et Nizan, *Aden Arabie*, I).

sages, nous fascine et nous affole. Qui peut se vanter d'avoir supprimé toute peur ? L'avenir est une mer, effrayant comme elle, comme elle sans maître ni mesure. Le passé est un havre plus sûr. Chacun, peu ou prou, connaît du sien les limites, les passages, les flux et reflux, le lot approximatif de plaisirs (mais invincibles) et de peines (mais apaisées). *Suave mari magno*... La gratitude, pour nous, est à la fois plus facile et plus vraie que la confiance. Libérée de peur, elle n'a plus affaire qu'au vrai, dans l'éternité de sa présence [1]. C'est la joie de la mémoire. Et puisqu'on ne peut pas vivre dans l'instant, puisque nous sommes si peu capables de confiance, tout l'art du temps, tel qu'Epicure l'enseigne, consiste à jouer, au maximum, le passé contre l'avenir (la mémoire contre l'imagination : la gratitude sereine contre l'espérance anxieuse), et même, à la limite, à ne se servir du futur qu'au passé, à n'espérer que cela qui a déjà eu lieu. « Il ne faut pas gâter les choses présentes par le désir des absentes, écrit Epicure, mais considérer que celles-là mêmes (avant d'être présentes) étaient appelées de nos vœux. » [2] Soit : ne gâche pas ton plaisir actuel par l'espérance, mais souviens-toi qu'il *était* espéré... Ce ne sont, certes, que ruses de pédagogue ou, comme on voudra, de philosophe. Mais le sage seul peut s'en passer, qui sait vivre le passé et l'avenir, non dans l'imagination de leur manque (espérance, nostalgie),

---

1. Alors que l'avenir est partiellement inconnaissable (non seulement en fait mais en droit) et échappe même au principe de bivalence : les propositions portant sur des futurs contingents ne sont, pour Epicure comme pour Aristote, ni vraies ni fausses (voir par ex. Cicéron, *De fato*, X, 21-23, Pléiade, p. 481, et *Premiers académiques*, II, XXX, 97, p. 231-232). Mais cette asymétrie *logique* du passé et de l'avenir se double, et c'est ce qui nous intéresse ici, d'un privilège *éthique* : « le souvenir des biens du passé contribue puissamment à la vie heureuse », pour Epicure (selon Plutarque, cité par Solovine, p. 155), alors que l'imagination des biens à venir reste toujours – sauf pour le sage – empreinte d'angoisse et d'inquiétude. C'est en quoi, notons-le en passant, la gratitude s'oppose exactement au *souci* heideggérien, comme la primauté éthique du passé (qu'on retrouve d'ailleurs dans le stoïcisme : Sénèque, *De brevitate*..., X, 2-6) s'oppose à la primauté existentiale de l'avenir, dans lequel Heidegger verra « le phénomène primaire de la temporalité originaire et authentique » (*Etre et temps*, p. 329, trad. Martineau, 1985, p. 231). Epicure dirait qu'en effet l'homme du souci est *authentiquement* malheureux – à quoi j'ajouterais que le souci est le nom *authentique* de l'espérance.

2. *Sentence vaticane* 35.

mais dans la vérité en lui de leur présence (confiance et gratitude).

Il s'agit donc bien « d'élargir le temps de la présence », et ce, non par une fuite hors du temps ou du présent, mais par l'approfondissement de tout ce qui, outre l'instant du corps, nous est donné de durée, et qui est l'esprit même. Le corps en effet ne jouit du plaisir « qu'aussi longtemps qu'il le sent présent »[1], et c'est ce qu'Aristippe avait vu ; « mais l'âme, outre qu'elle perçoit sa présence en même temps que le corps, en prévoit la venue, et ne le laisse pas partir une fois qu'il est passé. Ainsi, il y aura toujours chez le sage des plaisirs continuels qui s'enchaînent... »[2] On passe ainsi de la discontinuité des instants et des plaisirs à la continuité de la vie et du bonheur. Une hirondelle ne fait pas le printemps, ni une sensation, la sagesse[3]. Et s'il est vrai que tous les plaisirs, même ceux de l'âme, sont toujours corporels (ne serait-ce que parce que l'âme n'est qu'une partie du corps), il n'en reste pas moins, non seulement qu'il y a des plaisirs de l'âme, dont certains sont spécifiques (l'amitié, la philosophie...), mais aussi, comme l'avait bien vu Brochard, que « tout plaisir, en tant qu'il a quelque durée, c'est-à-dire quelque existence, est un plaisir de l'âme »[4]. Un plaisir de l'âme, en effet, c'est d'abord « un plaisir corporel remémoré ou anticipé »[5], et nul ne saurait, sans cette dimension du temps, ce que c'est même que le plaisir. Jouir sans se réjouir, serait-ce encore jouir ? La chair n'est triste que par manque de gratitude.

---

1. Cicéron (à propos d'Epicure), *Tusculanes*, V, 33 (96) (Pléiade, « Les Stoïciens », p. 396).

2. *Ibid.*

3. Epicure est ici, contre Platon et les cyrénaïques, fidèle à l'inspiration d'Aristote (chez qui l'on trouve, comme on sait, l'expression proverbiale citée : (*Eth. à Nicomaque*, I, 6, 1098 a). Voir à ce propos l'étude de Brochard, *op. cit.*, spécialement p. 260 et 266-280.

4. *Op. cit.*, p. 281-282 ; voir aussi p. 297.

5. *Ibid.*, p. 281. Mais Brochard va sans doute trop loin en disant que c'est « toujours » le cas, ce qui revient à nier l'existence de plaisirs propres à l'âme, comme sont l'amitié et la philosophie. Que l'âme soit matérielle (qu'elle soit une partie du corps) n'empêche pas, mais rend pensable selon Epicure, sa spécificité.

Le présent seul est réel, et c'est pourquoi nous ne sommes qu'un corps ; mais ce corps se souvient (donc aussi : attend), et c'est pourquoi nous sommes esprit. « La question est embarrassante, disait Aristote, de savoir si, sans l'âme, le temps existerait ou non. »[1] C'est qu'il n'y aurait que le pur présent, qui est l'éternité même. Mais l'âme aussi est réelle, elle aussi est présente, et c'est elle qu'il s'agit, ici et maintenant, de sauver. La santé suffit au corps, mais point le corps à l'esprit ni l'instant au bonheur. *Le dur désir de durer...* C'est le désir même, auquel nul n'est fidèle que dans le temps.

Le présent seul est nôtre ; encore faut-il l'habiter. Le temps est cette demeure que l'homme se fait, à force d'esprit et de courage, au creux insaisissable du devenir. Vérité, disais-je, c'est présence ; mais elle n'est présence (ou plutôt nous ne lui sommes présents) qu'en tant qu'elle dure (qu'en tant, plutôt, que nous durons en elle). Nul instant n'est une demeure pour l'homme, mais l'esprit seul. Patience et mémoire sont tout.

VII

Quel rapport avec le sens ? Aucun, pour le sage. Le présent, même vécu, se donne à lui dans la simplicité toujours pleine du réel. Passé, présent, avenir... Tout est présent pour lui comme pour l'univers. « Souviens-toi, disait Métrodore à son maître bien-aimé (Epicure), souviens-toi qu'étant d'essence mortelle et ayant en partage une durée limitée, tu as, grâce aux raisonnements sur la nature, monté vers l'infini et l'éternité, et contemplé *ce qui est, ce qui sera et ce qui fut*. »[2] Non, bien sûr, qu'il soit devin ou que l'avenir soit déjà écrit – ce à quoi Epicure ne croit aucunement. Mais qui a compris ce qu'est la vérité, il a

---

1. *Physique*, IV, 14, 223 *a*.
2. *Sentence vaticane* 10, fragment attribué à Métrodore (trad. Solovine). L'expression soulignée par nous est empruntée à Homère, *Iliade*, I, 70. Comparer avec Sénèque, *De brevitate*..., XV, 5 (Pléiade, p. 714).

compris aussi (même sans la connaître dans le détail) ce qu'elle sera : « le tout a toujours été tel qu'il est maintenant et sera toujours tel »[1]. Au reste, il n'y a rien à comprendre : le réel, le présent et la vérité suffisent à tout, et ne veulent rien dire.

Au moins le présent, objectera-t-on, va-t-il quelque part : vers l'avenir... S'il n'a pas de signification, n'a-t-il pas dès lors, du moins, une direction ? Un *sens* donc, malgré tout ?

Non pas. D'abord parce qu'une direction ne fait sens que par l'existence d'un but, à quoi elle mène et qui la justifie. Prendre l'autoroute A1 dans le sens Paris-Marseille n'a de sens (et n'est un sens) que parce que Marseille existe déjà, ailleurs, et que tel ou tel désire s'y rendre. Une autoroute infinie, à supposer même qu'on l'imagine orientée, elle n'irait nulle part (l'infini n'est pas un but plausible ni même concevable) et n'aurait aucun sens. C'est le réel même. Surtout, c'est une illusion de croire que le présent se dirige *vers* l'avenir, comme c'en est une (et peut-être est-ce la même) de croire qu'il en vient. Le présent seul est réel. L'avenir n'a d'existence (subjectivement : comme attente ou projet) qu'en tant qu'il est présent, et de vérité (objectivement : comme fait) qu'en tant qu'il le sera. Comme attente, il est actuel ; comme vérité, il est éternel. On ne sort pas du présent ; on ne sort pas du réel. Et loin d'avancer vers l'avenir (comme l'automobiliste vers Lyon ou Marseille !), loin d'en venir (comme la route qui m'y conduit !), le présent le contient au contraire tout entier, non certes physiquement (puisque l'avenir, par définition, n'existe pas), mais imaginairement (comme attente) et logique-

---

1. Epicure, *Lettre à Hérodote*, 39. On dira que cela est infirmé par l'histoire de l'univers, telle que les astrophysiciens la décrivent aujourd'hui. Mais ce que nos physiciens appellent l'univers, c'est ce qu'Epicure appelait le monde *(kosmos)*, dont il n'a jamais contesté, au contraire, l'historicité et le devenir. En revanche, s'il y a des changements dans le tout (des univers qui naissent, qui changent ou qui meurent...), le tout, explique Epicure, ne change pas, car il n'est rien qui puisse le changer ni en quoi il puisse se changer (Hér., 39). Le tout reste le tout, quoi qu'il arrive, et si tout change en lui, lui-même ne change pas. On comparera cette immutabilité du tout, telle que la pense Epicure, à ce qu'écrit Spinoza du « *facies totius universi* », qui « demeure toujours le même, bien qu'il varie selon une infinité de modes » (*Lettre 64*, à Schuller, trad. Misrahi) ; voir aussi *Ethique* II, scolie du lemme VII (p. 90).

ment (comme vérité). Je vais mourir : cela est vrai dès maintenant. Le plus tard possible : cette espérance est présente. Et de même bien sûr pour le passé : ce que je sais de lui est présent, présent aussi ce que j'en imagine, présent même (comme vérité) ce que j'en ignore... Qu'il y eut des chambres à gaz, cela est vrai ici et maintenant. Et vrai aussi le nombre exact – que nous ignorons – d'individus qui y moururent. Et vrais toujours – oui : vrais ici et maintenant, c'est-à-dire vrais – chacune de leurs sensations disparues, chaque seconde de leur peur, chaque coup, chaque larme, chaque cri, chaque instant passé – passé mais vrai toujours – de cette insupportable horreur. Chacun peut l'oublier, et la terre même s'anéantir, cela n'y changera rien. Nul ne peut, disait Epicure, « rendre non accompli ce qui est arrivé »[1], et c'est l'éternité même. Toute cette atrocité, qu'on s'en souvienne ou non, toute cette souffrance, et l'oubli lui-même : éternellement, cela restera vrai. Quant à celui qui s'en souvient ou l'imagine : il ne le fait, il ne peut le faire, qu'ici et maintenant. Et sans doute y a-t-il loin, souvent, de l'imagination au vrai. Mais l'imagination comme la vérité sont *présentes*, toujours : la vérité parce qu'elle est éternelle, l'imagination parce qu'elle ne l'est pas.

Au fond, c'est ce que Spinoza avait vu, et par quoi il est incomparable. Toute vérité est éternelle, et la vérité seule. Mais tout est vrai, y compris ce qui passe : que cela passe (le devenir), éternellement, c'est la vérité même. Il n'y a donc pas lieu d'opposer, comme deux mondes ou deux régions de l'être, ce qui serait éternel (Dieu) et ce qui ne le serait pas (les choses, le devenir). Il n'y a qu'une seule substance, qui contient tout (et qui contient, dans tous les attributs, « *les mêmes choses* »)[2], qui est Dieu ou la nature – laquelle, en tant qu'elle est nécessaire, est éternelle par définition[3]. Non,

---

1. *Sentence vaticane* 55 ; c'est en quoi le passé, dira Lucrèce, est « irrévocable » (*inrevocabilis*, I, 468).
2. *Ethique* II, scolie de la prop. 7.
3. *Ethique* I, déf. 8, et prop. 19, démonstration et scolie. Voir aussi *Ethique* II, corollaire 2 de la prop. 44 et démonstration, ainsi que M. Gueroult, *Spinoza*, t. II, p. 612.

certes, que rien ne change ou passe. Mais ce qui change ou passe (le devenir : le *facies totius universi*)[1], en tant qu'il est vrai, est aussi éternel que Dieu même, dont il n'est d'ailleurs, par la médiation de ses attributs, qu'une *modification* infinie. Connaître le devenir en vérité, c'est toujours le connaître *sub specie aeternitatis*[2], c'est-à-dire non selon tel ou tel moment du temps (lesquels, puisqu'il n'y a que du présent, ne se distinguent que pour l'imagination : *sub specie temporis*), mais en ce présent même du vrai qu'est l'éternité. Existe-t-il autre chose ? Oui, en un sens, puisque le réel passe et change, ce qu'aucune vérité ne fait. Mais ce qui change et passe (le réel, le devenir) ne change et passe qu'au présent. Ce toujours-présent du devenir (en tant qu'il se distingue du toujours-présent du vrai qu'est l'éternité), c'est ce que Spinoza appelle la durée. Le *temps*, donc ? Pas vraiment. Car cette durée, dans ce qu'elle a de réel, n'est jamais la somme (ni l'unité dialectique ou ekstatique !) d'un passé et d'un avenir. Cette somme, qui n'additionne en vérité que deux néants (puisque le passé n'est plus et l'avenir pas encore), n'a d'existence qu'imaginaire, et c'est cette imagination que nous appelons le temps. Non, répétons-le, que rien ne dure, au contraire : non seulement la durée est réelle, pour Spinoza, mais elle est le réel même en tant qu'il existe et continue d'exister. La durée est « une continuation indéfinie de l'existence »[3], dont on ne peut la distinguer que par abstraction[4]. A ce titre, elle est bien sûr toujours présente (comme existence) et éternelle (comme vérité)[5]. Mais ce n'est jamais à ce titre seulement que nous la vivons. Il faut bien imaginer et mesurer le temps (et comment pourrait-on mesurer le présent ?), anticiper et se souvenir, espérer et craindre... Vivre,

---

1. Voir la *Lettre 64*, à Schuller.
2. *Ethique* II, corollaire 2 de la prop. 44 et démonstration. Voir aussi les remarques de M. Gueroult, *Spinoza*, t. II, chap. XIII, § 4 sq. et Appendice n° 17.
3. *Ethique* II, déf. 5.
4. *Pensées métaphysiques*, I, 4 (p. 349).
5. Une vérité est éternelle, en effet, même quand elle porte sur un fait qui ne l'est pas. Voir par ex. la *Lettre* 10, à Simon de Vries (p. 152), ainsi que M. Gueroult, *op. cit.*, t. II, Appendice 17, p. 610-611.

en un mot. Et si cela ne se fait en vérité que dans le présent (dans la durée), nous n'en prenons conscience (imaginairement) que dans le temps : « Pour déterminer la durée, nous la comparons à la durée des choses qui ont un mouvement invariable et déterminé, et cette comparaison s'appelle le temps. Ainsi le temps n'est pas une affection des choses, mais seulement un simple mode de penser ou un être de raison : c'est un mode de penser servant à l'explication de la durée... »[1] Et ailleurs : « Le temps sert à délimiter la durée, (...) de telle sorte que nous l'imaginions facilement, autant que la chose est possible... Le temps n'est rien qu'une manière de penser ou plutôt d'imaginer... »[2] Le temps n'est pas la durée, mais l'imagination (ou l'abstraction, mais toute abstraction est imaginaire) de la durée. Il n'y a que du présent (la durée), et nous ne saisissons, imaginairement ou abstraitement, que du passé et de l'avenir (le temps). De là le fatalisme (qui soumet le présent au passé) et le finalisme (qui soumet le présent à l'avenir). De là donc aussi le libre arbitre (qui n'est qu'un finalisme à la première personne), la providence (qui n'est qu'un finalisme cosmique), l'utopie (finalisme politique), l'inspiration et la postérité (finalisme esthétique), la morale (finalisme éthique)... L'imagination du temps – c'est-à-dire le temps – est la matrice de toutes nos illusions.

Mais cette imagination, encore une fois, est pour nous inévitable : vivre, c'est toujours rêver sa vie (le *vivant* ne nous est jamais donné, hors quelques moments de grâce ou d'éternité, que comme *vécu* ou *à vivre*), et l'instant, non seulement n'est qu'une abstraction[3], mais ne peut être pensé que dans l'imagination d'une succession d'instants, dont la somme serait le temps. D'abord le passé, puis le présent, puis l'avenir... Du fait qu'il n'y ait en vérité que du présent – la durée, comme perduration continue et indivisible de l'existence (le toujours-présent du réel, et chacun

1. *Pensées métaphysiques*, I, 4 (p. 350).
2. *Lettre 12*, à Louis Meyer (p. 159).
3. *Ibid.*, p. 160.

conçoit que la notion d'un demi-présent est absurde : le présent l'est toujours tout entier) –, on ne peut conclure que le temps n'est qu'un pur *rien*. Il est vrai sans doute, pour Spinoza comme pour Hobbes, que « dans la nature, seul le *présent* existe »[1]. Mais de cette durée toujours présente (le réel), nous sommes séparés, nécessairement, par l'imagination du passé et de l'avenir – et cette séparation, pour nous, est le temps même. Je ne reviens pas sur la folie qu'il y aurait à vouloir l'annuler. Spinoza sait mieux que personne que toute vie – et *a fortiori* toute vie philosophante – suppose la mémoire du passé (« *l'expérience m'avait, appris...* », dit-il) et l'anticipation de l'avenir (« *je résolus enfin de chercher...* »)[2]. Ce serait bien sûr une erreur, d'ailleurs impossible à réaliser pleinement, que de vouloir vivre, tel l'animal, attaché « au piquet de l'instant »[3], et Spinoza, pas plus qu'Epicure, ne le recommande. Mais c'est une autre erreur, et plus répandue, que de prendre cet auxiliaire de l'imagination qu'est le temps (comme passé et avenir, comme mesure ou limite...) pour la réalité même. Cette erreur, c'est le sens : le sens du temps (l'irréversibilité orientée) et le temps comme sens.

Sens, disais-je, c'est absence. Aussi vivons-nous dans le sens, inévitablement, parce que nous vivons dans l'absence : prisonniers du manque et du néant, c'est notre lot, et soumis toujours à des fantômes qui sont d'autant plus à craindre – et d'autant plus invincibles peut-être – qu'ils n'existent pas. Le néant nous tient parce que nous tenons à lui. Sous trois formes principales : le désir, le langage, le temps. Je ne reviens pas sur les deux premiers. On a vu suffisamment comment le désir, se soumettant toujours, pour le sujet, à l'imagination de cela qu'il désire (sa « fin »), renversait complètement l'ordre des choses – ce renverse-

---

1. *Léviathan*, chap. III, p. 24 de la trad. Tricaud.
2. *Traité de la réforme de l'entendement*, § 1 (p. 181).
3. Selon la belle formule de Nietzsche, *Considérations intempestives*, II, 1.

ment définissant l'imaginaire comme tel et le sujet comme imaginaire [1] –, et prenait ainsi pour sa cause (à proportion de son absence !) cela même qu'il désire et qui lui manque. On a vu aussi comment le langage (ou en général l'univers des signes : ce qu'on appelle, par synecdoque, le symbolique) donnait à cette absence le statut même de sens, qui est d'être présent-absent pour un sujet dans un signe, mais présent sans être jamais là (le sens est ce qui manque) et présent pourtant dans cette absence même (déterminée qu'elle est, dans un jeu donné de relations, par son signe : ce qui manque est le sens). Mais il y a plus. Le sens n'est pas seulement la dimension en nous du manque (le désir) ou du signe (le langage), auquel cas nous pourrions à tout le moins espérer quelques moments de plénitude vraie (il suffirait de jouir en silence voilà tout), mais la dimension en nous de nous-même, notre âme (ou le déchirement, *diastasis*, *distensio*, qui en tient lieu) [2], notre orientation de toujours, notre destin, notre vocation, notre univers. On appelle cela : le temps.

Eros et *logos*, disais-je : c'est la croisée du sens, et l'âme, et Dieu même... Ajoutez le temps, vous avez l'homme. L'homme est un désir qui parle et qui dure, un dieu dans le temps, une âme qui espère, qui vieillit et qui meurt... *Eros*, *logos*, *chronos*. Nous sommes cette étoffe de songes et de signes, dont l'usure même est la trame. Ici et maintenant, où déjà nous ne sommes plus, et toujours courant « ailleurs ou à l'avenir », comme dit Montaigne [3], hantés à jamais d'absence, béants de désir, d'incompréhension et d'attente, et voués pour cela à la prière ou au rire. Le temps fait du sens non plus l'exception mais la règle, à quoi rien n'échappe. Il est le sens, exactement, de ce qui n'a pas de sens, le sens de la vie donc, Claudel a raison, et en tous les sens du mot sens. Non que le temps certes, en lui-même, veuille dire quelque chose. Il est bien plutôt, comme on l'a

---

1. *Ethique* I, Appendice.
2. Voir bien sûr, concernant le temps et l'âme, les deux textes magistraux de Plotin et saint Augustin : *Ennéades*, III, 7, et *Confessions*, XI.
3. *Essais*, III, 12.

dit, « le *sens* qui n'a pas de signification »[1], et à ce titre l'absurdité même (le temps-enfant d'Héraclite : l'innocence du devenir)[2]. Mais à ce temps insignifiant qui passe, à ce pur flux irréversible (le *sens* du temps, comme on parle du sens d'un fleuve), nous donnons d'abord, par l'espérance, un *but* : les fleuves ne vont-ils pas *vers la mer* ? C'est bien sûr une illusion (les fleuves ne font jamais, ici et mainte-nant, que suivre la pente...), mais inévitable dès lors que désir et langage prêtent au futur, comme Hobbes l'avait vu[3], une existence qu'il n'a pas. L'avenir nous attend, croyons-nous, et nous appelle. C'est l'Orient de vivre. Le temps devient alors non seulement irréversible mais *orienté*. Ce n'est plus un enfant qui joue, c'est un homme – ou un Dieu – qui marche. Il ne passe plus, il avance. Il n'est plus absurde mais sensé, et le *sens* même (comme on parle du sens, non d'un fleuve, mais d'une action). La chro-nologie devient une téléologie, le devenir une providence, l'histoire une théodicée... Et le présent, une parousie. « L'avenir, disait Hegel, est l'essence du présent »[4] ; c'est en quoi l'instant hégélien est toujours « un instant dirigé »[5], et dirigé « vers l'avenir »[6] : le temps est le sens même de l'être, son orientation, sa direction, son but. Le présent n'est présent qu'en tant qu'il se supprime, explique Hegel, « de telle façon que c'est plutôt l'avenir qui s'engendre en lui, (qu'il) est lui-même cet avenir »[7]. Chez Hegel comme

1. François George, *Sillages*, Paris, Hachette, 1986, p. 61.
2. Qui ne paraît absurde que parce qu'il ne nous donne pas le *sens* que nous cherchons : voir Héraclite, fragment 130 (DK 52) et les commentaires de Marcel Conche (Héraclite, *Fragments*, éd. M. Conche, Paris, PUF, 1986, p. 446-449).
3. Voir R. Polin, *Politique et philosophie chez Thomas Hobbes*, p. 7-9. C'est là, selon Hobbes, l'origine des religions (*Léviathan*, chap. XII).
4. Dans les textes, d'ailleurs saisissants, écrits à Iéna : voir Koyré, « Hegel à Iéna », dans *Etudes d'histoire de la pensée philosophique*, Gallimard, rééd. Tel, p. 168. L'ave-nir est en cela, pour Hegel comme pour Heidegger, « la dimension prévalante du temps » (*ibid.*, p. 177), celle à laquelle il faut accorder « la primauté ». Mais de cette communauté d'inspiration, relevée par Koyré (« L'évolution de Heidegger », *op. cit.*, p. 280, n. 1), Heidegger fait mine de ne pas s'apercevoir (*Etre et temps*, § 82, p. 294-295 de la trad. Martineau), et n'aime pas qu'on la lui rappelle (Heidegger, *La « Phénoménologie de l'esprit » de Hegel*, § 13 *b*, p. 216-235 de la trad. Martineau).
5. Koyré, *op. cit.*, p. 176.
6. *Ibid.*
7. Hegel, cité et traduit par Koyré, *op. cit.*, p. 168.

plus tard chez Heidegger (quoiqu'en un autre sens : plutôt historique qu'historial), l'événement est un avènement : le venir à l'être de l'à-venir, dont le présent n'est que la révélation, et le passé, le repos. « Le phénomène essentiel du temps est l'avenir », dira Heidegger, « l'être-pour-l'avenir donne le temps, parce qu'il est le temps lui-même... La *futurité (die Zukunftigkeit)* est vraiment le temps... » [1] De là le *sens* de l'histoire : « La possibilité d'accès à l'histoire se fonde sur la possibilité selon laquelle un présent sait toujours être-pour-l'avenir. Tel est le premier principe de toute herméneutique. » [2] Progressisme ? Pas nécessairement (et, Hegel vieillissant, de moins en moins ! et moins encore, comme on sait, chez Heidegger...). L'important, philosophiquement, n'est pas là. Il se pourrait que l'avenir ait déjà eu lieu *(« Belle lurette qu'il a eu lieu, l'avenir, pour eux ce ne sera plus qu'un recommencement... »)* et que l'histoire, pour l'essentiel, soit finie. Mais le temps, non. L'histoire, même finie, doit continuer, et ne peut le faire, par définition, que *vers l'avenir*. De là cette « *inquiétude* » de l'être ou de la vie (son être hors de soi, en avant de soi, et toujours en quête, dans son être, de l'autre qui lui manque) qu'est, pour Hegel, le temps. C'est le temps de l'homme ou de l'esprit, et l'esprit même. « Le temps, disait Hegel, est le concept même étant-là » [3], et c'est pourquoi « l'esprit se manifeste nécessairement dans le temps » [4], voire *est* le temps *(« Geist ist Zeit »)* [5]. Telle est l'histoire (le temps de l'esprit et l'esprit du temps : le devenir-sens et le sens du devenir), par quoi l'esprit s'aliène et se trouve [6] : « Le *but*, le savoir absolu, ou l'esprit se sachant lui-même comme esprit, a pour voie d'accès la récollection des esprits » [7], dont l'histoire (« l'extério-

---

1. Heidegger, « Le concept de temps » (1924), dans le volume *Heidegger* des *Cahiers de l'Herne*, 1983 (p. 45-46 de la rééd. en livre de poche).
2. Heidegger, *ibid.*, p. 51.
3. *Phénoménologie de l'esprit*, Préface, t. I, p. 39-40 de la trad. Hyppolite.
4. *Ibid.*, t. 2, p. 305. Voir aussi les *Leçons sur la philosophie de l'histoire*, Introduction, p. 62 de la trad. Gibelin (Paris, Vrin, 1963, rééd. 1979).
5. Ecrits de Iéna, cité par Koyré, *op. cit.*, p. 179.
6. *Phénoménologie...*, t. 2, p. 311.
7. *Ibid.*, p. 312.

risation de l'esprit dans le temps »)[1] est le chemin, le calvaire, la vérité et le trône[2]. L'histoire n'est pas seulement rationnelle (connaissable en vérité) mais raisonnable : tout cela a un « *but* » (le « véritable but final du monde », « la pure fin dernière de l'histoire »...), qui en est la « *justification* »[3]. De là, chez Hegel comme chez Leibniz ou saint Augustin, la providence[4], la théodicée[5], le finalisme[6] et, en général, la religion : « Dieu gouverne le monde : le contenu de sa direction, l'exécution de son plan, c'est l'histoire universelle »[7]. C'est peu dire que cette histoire a un sens : elle est le sens même (l'esprit, présent dès son commencement comme sa fin) se réalisant dans le temps.

J'entends bien, et chacun le sait, qu'il y a des échecs, des écarts, dès à-peu-près. Mais qu'importe, pour Hegel ? Ce n'est que la *facticité* de l'histoire, dont le sens seul est réel[8]. Il faudrait insister, mais le temps nous manque, sur ce renversement commun, croyons-nous, à tous les herméneutes : à force de montrer que le réel a un sens, on en vient à se persuader que le sens seul est réel (ou, comme dit Hegel, « effectif », *wirklich*, c'est-à-dire réel en vérité) ; il est alors d'autant plus facile de montrer que le réel a un sens... Sans doute y a-t-il dans l'histoire passablement de massacres, d'horreurs, d'absurdités... Mais les herméneutes ne s'en font pas pour si peu : « une existence contingente », écrit Hegel (il faut entendre par là : vous, moi, les événements, tout ce qui pouvait ne pas être, c'est-à-dire

---

1. *Leçons sur la philosophie de l'histoire*, p. 62.
2. *Phénoménologie*..., t. 2, p. 311-313 de la trad. Hyppolite.
3. *Leçons sur la philosophie de l'histoire*, p. 26-29 et 39 de la trad. Gibelin. Voir aussi la *Phénoménologie*..., t. 2, p. 312-313.
4. *Leçons sur la philosophie de l'histoire*, p. 24-25 et 59.
5. *Ibid.*, p. 26 ; voir aussi p. 39.
6. *Ibid.*, p. 26-29. Ce finalisme n'est pas le propre seulement de l'histoire mais – à supposer que ce ne soit pas la même chose – de la raison elle-même, laquelle est « l'opération conforme à un but » (*Phénoménologie*..., t. 1, p. 20). C'est en quoi Hegel s'oppose à Spinoza, et tomberait sous le coup de sa critique (voir à ce propos P. Macherey, *Hegel ou Spinoza*, p. 248 sq.).
7. *Leçons sur la philosophie de l'histoire*, p. 39 de la trad. Gibelin. Il y a bien là, comme on l'a dit, un panthéisme de l'histoire, qui est comme la dégénération romantique (et anthropocentrique) de l'autre. *Deus sive historia*...
8. Voir les *Leçons sur la philosophie de l'histoire*, p. 39 de la trad. Gibelin.

n'importe qui et n'importe quoi, ce que nous appelons le réel...), « ne va pas mériter le nom emphatique de quelque chose d'effectif », alors qu'au contraire tout esprit philosophiquement cultivé (c'est-à-dire, pour Hegel, tout hégélien) doit savoir « que Dieu est effectif, qu'il est ce qu'il y a de plus effectif, que lui seul est véritablement effectif... »[1] Et voilà pourquoi le réel est rationnel : c'est « qu'il n'y a rien de réel que l'Idée »[2], et que tout le reste (toute réalité ne correspondant pas au concept) « est seulement phénomène, c'est-à-dire le subjectif, le contingent, l'arbitraire, tout ce qui n'est pas la vérité... »[3] Autrement dit : la vérité a forcément un sens... puisque le sens seul est vrai ! Tant pis pour les massacrés, les torturés et autres phénomènes contingents de l'histoire... Ils jouent d'ailleurs leur rôle, même insignifiant, dans l'avancée signifiante de l'ensemble. Tous les théologiens, de saint Augustin à Hegel, l'ont répété : la Providence se réalise en nous bernant ; nos passions sont ses ruses, nos défaites, ses victoires[4]. Mais elle se réalise. « Les blessures de l'esprit se guérissent sans laisser de cicatrices », écrit tranquillement Hegel[5], et Dieu se manifeste au milieu de ceux qui savent[6].

Mais le sens du temps n'est pas seulement cette théo-téléologie (ou cette téléo-théologie) de l'histoire. Le temps fait sens, non seulement par son irréversibilité (comme un fleuve), non seulement par son but (comme une action), mais bien par sa signification (comme une phrase ou un discours). Il n'est pas seulement l'orientation de l'être, mais son secret. Du moins c'est l'imagination que, nécessairement, nous en avons.

---

1. Hegel, *Encyclopédie...*, Introduction, § 6 (p. 169 de la trad. Bourgeois, Paris, Vrin, 1979), qui commente le texte fameux de la Préface des *Principes de la philosophie du droit*.

2. *Principes de la philosophie du droit*, Préface, p. 55-56 de la trad. Derathé (Paris, Vrin, rééd. 1982).

3. Hegel, *Logique*, III (cité par Derathé, trad. citée, p. 56, n. 14).

4. Voir bien sûr les *Leçons sur la philosophie de l'histoire*, p. 29-39 de la trad. Gibelin. Mais saint Augustin, avant Hegel, avait dit l'essentiel (*Cité de Dieu*, XVIII, 2).

5. *Phénoménologie...*, t. 2, p. 197 de la trad. Hyppolite.

6. *Ibid.*, p. 200. Voir aussi les *Leçons sur la philosophie de l'histoire*, p. 39.

Le passé n'est plus et l'avenir n'est pas encore : dans cette double absence (qui est, pour nous, le temps même) se creuse, au cœur du présent, le néant qui le fait signe. Je ne reviens pas sur les signes proprement religieux (miracles, révélations, prophéties...), sur l'absence divine qu'ils supposent et révèlent, ni même sur l'interprétation religieuse de l'histoire. Il est clair que la philosophie de l'histoire (la leur !) n'est une théodicée que si l'histoire (l'histoire réelle, ou plutôt *effective*) est une théophanie : l'histoire n'a de sens que par cette présence-absence en elle de ce qu'elle révèle en le masquant (Dieu, la Providence, l'Idée...), qui permet et impose à la fois son interprétation. Un sens immédiatement donné, si c'était possible, cela n'aurait aucun sens. Quoi de plus bête qu'un panneau de signalisation ? Et devant cela même (un carrefour, un virage...) qu'il annonce ou signifie ? Cela décourage l'interprétation, et c'est pourquoi le code de la route, pour vital qu'il soit, n'a ni prêtres ni fanatiques. Chaque signe s'épuise dans l'évidence insignifiante de ce qu'il désigne (le panneau annonce le virage, qui n'annonce rien) ou prescrit (le feu rouge impose l'arrêt, qui n'impose rien). Le sens s'abolit pour ainsi dire (pour ainsi dire seulement, c'est pourquoi il y a signe) dans la présence de ce dont il est le signe. L'histoire y échappe, par l'impossibilité de cette rencontre. Chaque événement annonce non seulement autre chose que lui-même (cela est vrai aussi des panneaux de signalisation : aucun ne se signifie lui-même comme panneau), mais autre chose qui ne peut jamais lui être présenté ou juxtaposé : le temps les sépare, qui interdit que l'événement jamais coïncide avec son sens. D'ailleurs, les événements n'ont vraiment de sens que si l'histoire en a un, lequel ne peut être, cela va de soi, un événement : si le sens était *dans* l'histoire, il ne serait pas sens *de* l'histoire. Mais laissons. Le sens est lié au temps de manière à la fois plus intime et plus simple. Pas besoin d'un prêtre ou d'un philosophe pour l'interpréter. Dans la vie la plus quotidienne, et sans y chercher de révélation historique ou surnaturelle, chacun se fait pour lui-même, et qu'il le veuille ou non, l'hermé-

neute du temps. Nul, en effet, ne peut s'empêcher d'interpréter le présent (qui devient dès lors un signe) pour y lire
(comme son sens : comme l'absence qu'il contient et définit) tantôt le passé, tantôt l'avenir.

Le passé. C'est la méthode qu'a immortalisée Sherlock
Holmes. Tout objet, aussi insignifiant qu'il paraisse ou qu'il
soit, peut relever d'une interprétation qui en dégage, et
légitimement, le sens. Comment est-ce possible ? Comment peut-on interpréter *légitimement* l'insignifiant ? Bien
sûr en le rattachant à autre chose que lui-même. Mais à
quel prix ? De quel droit ? Tout joue ici sur le temps. L'objet
est insignifiant, certes, en tant qu'il est ce qu'il est : un
mégot est un mégot, et ne veut rien dire. Mais tout l'art du
détective est de le rattacher, non à ce qu'il est (sa présence
idiote), mais à ce qu'il n'est plus (son passé : s'il y a un
mégot, c'est qu'il y *avait* un cigare, s'il y a une trace, c'est
qu'il y *avait* un pied...) et qui lui donne son sens. Un mégot,
des traces de pas, des cendres... Cela *signifie* que quelqu'un
a fumé là. Elémentaire mon cher Watson. Sherlock
Holmes, dans ses enquêtes, ne se contente pas d'observer
les traces ; il les « *lit* »[1]. Et que lit-il ? A même le sol, le
portrait du meurtrier (qu'il n'a jamais vu) : « C'est un
homme de grande taille, gaucher, qui boite de la jambe
droite. Il porte des chaussures de chasse et un grand manteau, fume des cigares indiens avec un fume-cigare et promène dans sa poche un canif émoussé... »[2] Il n'y a là aucun
miracle. Tout fait, pour qui sait l'interpréter, peut ainsi
devenir un *indice*, par l'absence en lui (mais déterminée
par ce qu'il est) de ce qu'il fut. « Vous connaissez ma
méthode, explique Sherlock Holmes : *elle est fondée sur
l'observation des riens*. »[3] C'est un peu exagéré. Il devrait
dire : sur l'observation des *restes* (dans le cas présent, des
traces de pas, des cendres, un mégot...), et c'est en quoi il
a raison de se comparer à Cuvier[4]. Or, qu'est-ce qu'un

---

1. Voir « Le mystère du Val Boscombe », dans *Les aventures de Sherlock Holmes*.
2. *Ibid*.
3. *Ibid*.
4. Dans « Les cinq pépins d'orange », *op. cit*.

reste ? Du présent, mais rattaché (par l'interprétation) à son passé. Tel est l'indice. Le présent fait sens, ici et maintenant, par la présence-absence (présent dans sa trace, absent dans sa présence) du passé qu'il n'est plus. On sait l'usage que Freud ou Proust en feront ; mais chacun, même sans les avoir lus, en fait autant. Le passé *manque* toujours, et pour cela ne fait jamais défaut. C'est le trésor enfoui du sens. Tout présent, peu ou prou, est fossile ; et la nostalgie est ainsi pour chacun – *odeur du temps, brin de bruyère...* – comme un champ inépuisable de significations.

Mais on peut lire aussi, dans le présent, l'avenir. Sherlock Holmes, à l'occasion, ne s'en prive pas, et cela impressionne davantage encore le bon Watson : « il discernait non seulement ce qui s'était passé, mais encore ce qui pouvait survenir »[1] ! Devin ? Point du tout. Sa méthode, là encore, est toute positive : observation, induction, déduction... C'est le Laplace des faits divers. « Le logicien idéal, explique-t-il, une fois qu'il lui a été montré un simple fait sous tous les angles, devrait en déduire non seulement tout l'enchaînement des événements qui l'ont enfanté, mais encore tous les effets qu'il enfantera lui-même, (...) tous les incidents qui lui succéderont... »[2] Simplement l'esprit humain bute vite sur ses limites, et c'est pourquoi les policiers doivent le plus souvent attendre, pour arrêter l'assassin, que le crime ait été commis... Il reste que l'avenir est présent, en quelque chose, dans son absence même – et cette absence de l'avenir est précisément ce qu'on appelle le présent, à tort certes (puisque cette absence n'est rien) mais non sans raison (puisqu'elle est son sens). Tel est le postulat qui guide, plutôt que les détectives, les météorologues et les prophètes. Saint Augustin en avait bien vu le principe : l'avenir n'est pas, puisqu'il n'est pas encore, et « s'il n'est pas, il ne peut absolument pas se voir ; mais on peut le prédire d'après les réalités présentes (*ex praesen-*

---

1. « La ligue des rouquins », toujours dans *Les aventures de Sherlock Holmes*.
2. « Les cinq pépins d'orange ». Il reste que ce n'est peut-être pas un hasard si Conan Doyle, à la fin de sa vie, s'intéressa tant aux sciences occultes, au point de publier une *Histoire du spiritisme...*

tibus) qui *sont* déjà et qui se voient... » [1] Nul par conséquent ne voit l'avenir, ni l'homme (puisque l'avenir n'est jamais là), ni Dieu (puisque l'avenir pour lui est présent). Mais on peut le prédire, en interprétant les signes qui, tout présents qu'ils sont, annoncent quelque chose qui ne l'est pas. L'aube annonce l'aurore, l'aurore, le jour... Qui s'y tromperait ? « Lorsqu'on déclare voir l'avenir, ce que l'on voit, ce ne sont pas les événements eux-mêmes, qui ne sont pas encore, autrement dit qui sont futurs, ce sont leurs causes ou peut-être les signes qui les annoncent et qui les uns et les autres existent déjà : ils ne sont pas futurs mais déjà présents aux voyants. » [2] Or l'avenir comme le passé (et davantage que le passé) *manque* toujours. Tout présent contient en cela le vide de son avenir, l'absence (mais déterminée par le présent : signes et causes) de cela qui n'est pas et qui sera. Ces gros nuages qui s'accumulent, cette chaleur étouffante et moite, ce vol bas des hirondelles, cette lumière sombre, ce silence, cette inquiétude immobile dans l'air... Cela *signifie* qu'il va y avoir de l'orage, et chacun s'y prépare, le redoute ou l'espère...

Encore une fois ces interprétations, qu'elles soient prospectives ou rétrospectives, sont légitimes : le détective et le météorologue non seulement font œuvre utile – du moins cela arrive – mais peuvent dévoiler des vérités. Le détour par le sens peut être un raccourci (comme d'ailleurs dans la cure analytique) pour ramener au réel. Pourtant chacun voit bien le piège ici qui nous est tendu : le passé ou l'avenir ne sont sens, pour le présent, que *par leur absence* (c'est-à-dire, exactement, comme passé ou comme avenir) ; or, ils n'ont jamais été et ne seront jamais réels que *comme présents*. L'interprétation, aussi légitime qu'elle soit dans la vérité qu'elle exhibe (l'assassin a effectivement fumé là, il y aura effectivement un orage...), reste en cela génératrice d'illusions par le sentiment qu'elle donne d'un sens (le présent *signifiant* le passé ou l'avenir) là où, en vérité,

1. *Confessions*, XI, 18.
2. *Ibid*.

il n'existe que du réel (soumis simplement au principe de causalité ou vérifiant certaines régularités observables). Le passé certes, pour une interprétation donnée, peut être le *sens* du présent ; mais ce passé n'a jamais existé comme passé (donc comme sens), mais seulement comme présent (comme réel). L'avenir certes peut être considéré comme le *sens* du présent ; mais cet avenir n'existera jamais comme avenir (comme sens), mais seulement comme présent (comme réel). Le réel, même quand il signifie quelque chose (pour une interprétation donnée, dans le temps) ne signifie rien de réel – rien de présent –, mais seulement la disparition ou l'attente (le n'être-plus, le n'être-pas-encore) de quelque chose qui le fut ou qui le sera. Si la nature est « *la toute-présente* »[1], il n'y a pas de sens dans la nature (ni de sens *de* la nature), et (puisque « être, c'est être maintenant »)[2] il n'y a rien d'autre que la nature. Désespoir. Le réel n'a pas de sens, et le sens n'est réel qu'en tant qu'il ne l'est pas (c'est-à-dire plus ou pas encore). Mais cela c'est le temps même, qui est ainsi – non dans sa réalité (le présent) mais dans le néant qu'il y creuse (le passé ou l'avenir) – le lieu et l'essence du sens, ce que le présent veut dire, non de lui-même mais (pour nous) de son absence. « Le temps, disait Hegel, est l'être qui, en tant qu'il *est*, n'est pas, et en tant qu'il *n'est pas, est* »[3], c'est-à-dire le devenir lui-même (le passage de l'être au néant et du néant à l'être) comme objet d'intuition[4]. C'est pourquoi le temps fait sens : il est, on l'a vu, cette *inquiétude* de l'être (son être-autre, son être-hors-de-soi : sa poursuite et sa fuite) par quoi le néant l'habite et le hante. Mais cela n'est vrai qu'à la condition qu'il existe autre chose que le présent (autre chose que le réel : « le souvenir, la crainte ou l'espérance », dit Hegel)[5], autrement dit cela n'est vrai que *pour nous* : le temps n'est

---

1. Comme dit joliment Marcel Conche, *Temps et destin*, p. 50.
2. *Ibid.*
3. *Encyclopédie...*, § 258 (trad. Koyré).
4. *Ibid.*
5. *Encyclopédie*, § 259, Remarque (trad. Gibelin, p. 145). Dans la nature au contraire « le temps est le *maintenant* » *(ibid.)*, et c'est pourquoi il n'y a que l'espace, qui est « le temps nié » *(ibid.)*.

esprit que pour l'esprit. L'être-autre du temps, son inquiétude, sa distension ou sa déchirure (*distensio, diastasis*), n'est pas son être (le présent) mais le nôtre (en tant que nous imaginons le temps : passé et avenir), non ce qu'il est mais ce qu'il n'est plus ou pas encore, non sa *réalité* mais son *sens*. Il n'est sens que de l'autre, et le temps, pour nous, est cette présence-absence de l'autre du présent (le passé, l'avenir : espérance et nostalgie) dans ce présent même. Insaisissable pour cela (puisque passé ni avenir ne sont jamais là), et ce qu'on croit en saisir – c'est le sens.

Le sens est ainsi, quant au temps, fils de nostalgie et d'espérance. Il est le désir même, dans le temps, le manque, ici et maintenant, du passé et de l'avenir. *Passent les jours et passent les semaines...* Le sens du temps c'est aussi le temps du sens : hier manque toujours *(ni temps passé ni les amours reviennent...)*, et demain n'est jamais là *(l'amour s'en va, comme la vie est lente...)*. Le sens naît, dans cette *lenteur* sans retour. Il est le manque en nous de ce qui nous manque, la présence, ici et maintenant, de ce qui fut *(l'amour s'en va comme cette eau courante...)* ou qui sera *(et comme l'espérance est violente...)*. Présence de l'absence donc (présence, plus exactement, dans un présent donné, de l'absence d'une présence), et déchirante pour cela. *Passent les jours et passent les semaines...* C'est la vie même, et le *sens* de la vie, et il n'y en a pas d'autre. Toujours absent, répétons-le (on pourrait l'appeler : *l'ab-sens de la vie* !), et présent seulement dans cette absence (l'espérance, la nostalgie). C'est en quoi il est vrai que « chercher le sens de la vie, c'est faire un contresens sur la vie »[1], mais ce *contresens* est notre vie même, qui ne signifie que dans le mouvement de sa perte (« vivre, c'est perdre »[2]), que dans l'écart qui la sépare – ici et maintenant – de ce qu'elle est. Le sens est cet écart et ce contresens (c'est l'écartèlement

---

1. François George, *Sillages*, p. 54.
2. *Ibid.*, p. 59 : « Vivre, c'est perdre... A peine la charge d'exister m'est-elle donnée, je m'éloigne d'une coïncidence avec moi-même qui n'a jamais eu lieu et vais le grand train vers ma ruine... »

ou le tiraillement de vivre), et voué pour cela à l'échec ou
au manque.

« Il y a sens, a-t-on pu dire, lorsqu'il y a échec. »[1] Le sens
en effet n'est jamais là, on l'a vu, qu'en tant qu'il n'y est
pas, qu'en tant qu'il échoue à combler ce vide même qui
le hante et qui le définit. Cet *échec* du sens (qui est le sens
même comme échec), c'est aussi l'échec du temps, ou plutôt l'échec de l'homme en tant qu'il s'oppose au temps (en
tant que le temps est *son* échec), en tant qu'il veut retenir
ce qui passe (nostalgie) et vivre ce qui n'est pas (espérance).
L'homme, en tant qu'il regrette et espère (au lieu de simplement se souvenir et vivre : confiance et gratitude), est
« l'être qui, en son être, est voué à l'échec »[2] (et cet échec
pour lui est le temps) et au sens (qui n'est jamais que le
sens de son échec, et cet échec comme sens). Claudel avait
décidément raison : le temps (mais tel que nous l'imaginons : passé et avenir) est bien le sens de la vie ; mais ce
sens est un *contresens* : non la vérité de vivre (le présent),
mais son manque et son échec. *Vivre, c'est perdre...* Le sens
est une défaite qui dure (ou la durée même comme défaite),
mais qui ne cesse de se dénier comme telle (prière) et, par
là, de se reproduire. C'est le labyrinthe du sens et du temps.
L'espérance débouche sur la nostalgie, la nostalgie sur
l'espérance, et sans repos ni cesse... Il y a une fuite du sens
comme il y a une fuite du temps, et c'est la même. Jacques
Derrida a raison sur ce point : « *le sens, avant même d'être
exprimé, est temporel de part en part* »[3], et pour cela « jamais
simplement présent », toujours absent au lieu de sa visée
(toujours *différé*), et c'est pourquoi on n'en a jamais fini de
parler (c'est le « phénomène du labyrinthe » : « faire réson-
ner la voix dans les couloirs pour suppléer l'éclat de la
présence »), jamais fini de s'élever « vers le soleil de la présence » – et c'est la « *voie d'Icare* », en effet[4]. Est-ce à dire

1. J. Rolland de Renéville, *Itinéraire du sens*, p. 118.
2. M. Conche, *Temps et destin*, p. 51.
3. J. Derrida, *La voix et le phénomène*, p. 93.
4. *La voix et le phénomène*, p. 95-117.

que « la chose même se dérobe toujours » ?[1] Non pas. Car
la chose n'est pas le sens, ni le sens, la chose. Le contresens
sur la vie (qui est son sens) ne s'oppose pas à un autre sens,
qui serait le vrai, mais au vrai même, qui n'a pas de sens.
C'est pourquoi Icare (le sens) n'atteint jamais le soleil : non
parce qu'il n'y en a pas, mais parce qu'il y en a un. Réel.
Insensé. Incandescent de présence et de plénitude. Soleil,
non du sens, mais de l'être. Icare échoue (et le sens est cet
échec : non le soleil, mais le vol qui y tend et s'y consume)
du fait, non de l'absence, mais de la présence : l'être est
l'échec du sens (qui signifie dans cet échec), non le sens
l'échec de l'être (qui, réussissant toujours à être ce qu'il est,
et rien d'autre, ne signifie pas). Ce n'est pas la chose qui
se dérobe, c'est le sens qui échoue. La quête du sens débouche sur l'être – où il n'y a pas de sens –, et s'y brise. La
légende est bien claire ici : ce n'est pas à l'absence qu'Icare
se brûle, mais à la présence. C'est en quoi le mythe est
profond, dans sa simplicité, et beau, et vrai : le réel l'emporte sur l'espérance, et c'est ce que chacun comprend, et
que Bruegel, à sa façon, a génialement montré. Le dernier
mot (qui n'est pas un *mot* justement) est au soleil – et le
monde est d'autant plus beau qu'il ne veut rien dire. Icare
cherchait un sens présent (un Idéal, un Dieu...) et ne trouve
que le présent insensé (le réel). Il faudrait aimer beaucoup
le sens – et bien peu le réel – pour voir dans la chute d'Icare
l'échec (ou le retrait !) du soleil... C'est bien sûr le contraire
qui est vrai. Le sens échoue dans l'être, non l'être dans le
sens. A la fin, il n'y a plus que la lumière. Icare n'atteint ni
n'éteint le soleil.

Cet être que le sens dit et n'atteint pas, et contre quoi
toujours il se brûle ou se brise, on peut l'appeler l'absolu,
si l'on veut (quoique à la vérité cela n'apporte guère que
quelques risques de confusion ou de religiosité vague), à
condition de bien voir que cet absolu n'est pas de l'ordre

1. *Ibid.*, p. 117.

du discours ou du sens *(Davar, Logos, Verbe...)*, mais de l'ordre de l'être ou du réel, dont il n'est que la pure et silencieuse *présence*.

Tant pis pour les bavards et les sophistes. L'être n'est pas un discours, et le discours n'est pas l'être. C'est pourquoi, si l'on n'en a jamais fini de parler, l'on n'est pas tenu pour autant de parler sans fin. Le silence est possible aussi – et, plus que le discours, nécessaire. Nul ne pourrait parler si le silence d'abord ne le contenait, s'il n'était, au cœur de nos discours et les enveloppant de toutes parts, la possibilité toujours présente du vrai ou, mieux (car la vérité n'est jamais possible qu'en tant qu'elle est déjà réelle), la vérité même. C'est le point où Spinoza s'oppose à Hobbes[1], et où le matérialisme – pour être autre chose et plus qu'un empirisme – doit suivre Spinoza. Le matérialisme prétend dire la vérité de l'être ; cela suppose d'abord que l'être soit la vérité même. Si la vérité n'était que dans nos discours, elle n'y serait pas. Si l'être n'était pas vrai, il n'y aurait pas de vérité. Non certes qu'il ne puisse y avoir de vérité *aussi* dans nos discours : l'évidente fausseté de certains suffit à prouver la véracité d'autres (ne serait-ce que de ceux qui énoncent la fausseté des premiers). Mais la vérité des discours suppose d'abord la vérité antécédente de l'être : l'*adaequatio rei et intellectus* n'est vraie, dans l'*intellectus*, qu'à la condition qu'elle le soit aussi et d'abord dans la *res* – c'est-à-dire dans le réel. La proposition suivant laquelle « la terre tourne autour du soleil » n'est vraie (comme proposition) que si la terre (comme réalité) tourne *vraiment* autour du soleil. Pour parler comme les Anciens ou, une fois n'est pas coutume, comme Heidegger (comme les Anciens lus par Heidegger)[2], nous pouvons dire que la

---

1. Pour Hobbes en effet il n'y a de vérité que dans le discours, et par le discours (*De corpore*, III, 7 et 8, *Léviathan*, chap. IV), alors que, pour Spinoza, toute vérité est éternelle (voir par ex. *Pensées métaphysiques*, II, 1, et *Éthique* I, scolie 2 de la prop. 8), ce qu'aucun discours ne saurait être. Cela suppose que l'idée, en tant qu'elle est vraie, « ne consiste ni dans l'image de quelque chose ni dans des mots » (*Éthique* II, scolie de la prop. 49, p. 127) – ce que j'appelle le silence.

2. Voir par ex. *Être et temps*, § 44 (p. 159 sq. de la trad. Martineau) et « L'essence de la vérité » (*Questions*, I, Paris, Gallimard, 1968, p. 161 sq., voir aussi, *ibid.*, p. 28).

veritas n'est possible (comme adéquation du discours et de l'être) qu'à la condition que l'*alètheia* (le se-dévoiler de l'être de l'étant, ce que j'appellerais plutôt la présence à soi du réel) soit d'abord réelle (d'abord signifiant ici, non un passé, mais un toujours-déjà-présent) et (car sinon la *veritas* ne serait plus vraie) la réalité même. La vérité du discours *(veritas)* suppose la vérité de l'être *(alètheia)*, et c'est pourquoi le discours, en tant que discours vrai, suppose le silence. La vérité du discours (ce qu'il y a en lui de silence : ce que le discours découvre mais n'invente pas) échappe au discours, et le sens n'est vrai qu'en tant qu'il s'abolit, comme sens, dans le silence de son objet. *Il y a un bouquet de fleurs sur la table, il y a trois arbres dans le champ...* Cela peut être dit, et à l'infini (on peut décrire indéfiniment chaque fleur, chaque pétale de chaque fleur...), mais n'en a pas besoin. La description n'est vraie qu'en ceci qu'elle ne crée pas la vérité qui la fait vraie : la *veritas* a besoin de l'*alètheia* (si les fleurs n'étaient *vraiment* ce que je dis qu'elles sont, ma description ne serait pas vraie), non l'*alètheia* de la *veritas* (les fleurs sont ce qu'elles

---

Heidegger a-t-il raison dans sa lecture des Grecs ? Cela est certes douteux, mais n'importe guère : nous occupe, non ce qui a été effectivement pensé, mais ce qui doit l'être. Un mot encore, sur Heidegger. Il est remarquable que ce grand *liseur* de philosophes ne parle pour ainsi dire jamais des philosophes matérialistes (rien, ou presque rien, sur Démocrite, sur Epicure, sur Hobbes, sur Marx...) ; remarquable, mais pas surprenant : outre d'évidentes raisons idéologiques (c'est-à-dire ici politiques), on peut dire que le matérialisme, en termes heideggériens, se définit par le refus de cela même que veut penser Heidegger, à savoir la *différence ontologique*, comme différence entre l'être et l'étant. Le matérialisme est une pensée, bien plutôt, de l'*in-différence* ontologique : l'être (de l'étant) n'est pas autre chose que l'étant (qu'il est). Même à le considérer comme verbe, l'*être* ne se distingue pas plus de l'étant, pour un matérialiste, que la promenade (le *se-promener*) ne se distingue du promeneur (le *se-promenant*), Ce pourquoi les stoïciens, matérialistes en cela, disaient que la promenade est un corps : c'est qu'elle est le corps même, se promenant. En clair, Heidegger, pour un matérialiste, ne parle finalement que d'un *mot*, quand il faudrait parler de la chose même : l'être, en tant qu'il est ce qu'il est, c'est-à-dire comme l'*étant* qu'il est. Les matérialistes appellent cela la matière ou (comme dit Engels !) l'être, qu'on ne saurait séparer qu'abusivement, dirait Diderot, de *cela* (un étant) qu'il est. A quoi les heideggériens répondront que les matérialistes, se faisant, passent à côté de la *question* de l'être ; c'est qu'en effet, pour un matérialiste, l'être n'est pas une *question* (pas même une réponse : un silence). Les heideggériens en concluront que les matérialistes, décidément, ratent le *sens* de l'être ; c'est qu'en effet, pour un matérialiste, l'être n'a pas de sens, et n'en est pas un. Etre sans secret et sans appel, sans question ni réponse : l'être même. Désespoir : il n'y a que des étants.

sont que je les décrive ou non). On rencontre ici la belle
formule d'Angélus Silesius, que cite Heidegger :

> *La rose est sans pourquoi, fleurit parce qu'elle fleurit,*
> *N'a souci d'elle-même, ne désire être vue*[1].

Silence et vérité. Rien ne manque à la rose qui serait son
sens, et surtout pas le sens. La rose est ce qu'elle est, sans
pourquoi ni souci, sans espérance ni nostalgie. Elle ne veut
rien dire : elle est ce qu'elle est, c'est-à-dire, ici et maintenant, la vérité même. Et toute vérité est comme cette rose,
simple, silencieuse et présente. Désespoir et simplicité. Nos
phrases ne sont vraies *(veritas)* qu'en tant qu'elles imitent
ce silence du vrai *(alèthéia)*.

C'est d'ailleurs pourquoi on peut garder, pour la *veritas*
comme pour l'*alèthéia*, le même mot français de vérité,
comme faisait Descartes (qui écrit aussi bien que « la vérité
consiste en l'être » et qu'elle « dénote la conformité de la
pensée avec l'objet »)[2], comme faisaient, avant lui et en
latin, les scolastiques (qui distinguaient, mais donc aussi
pensaient ensemble, la *veritas rei* et la *veritas intellectus*, la
vérité de la chose et la vérité de la connaissance) – et
comme sans doute, même en Grèce, on l'a toujours fait.
Alèthéia (qui est son nom grec) et *veritas* (qui est son nom
latin), c'est *vérité* toujours. S'il est bon de les distinguer, ce
n'est qu'à la condition de comprendre aussi ce qu'elles ont
en commun, qui est la vérité même. Car la vérité, c'est bien
l'adéquation au réel *(veritas)* ; mais rien ne serait adéquat
au réel, si le réel d'abord n'était adéquat à soi *(alèthéia)*.
Héraclite et Parménide s'accordent ici, comme aussi, malgré les apparences, Epicure et Spinoza. « *Même chose se
donne à penser et à être* » : l'être même (Parménide)[3]. Et

---

1. Angélus Silesius, cité par Heidegger, *Le principe de raison*, chap. 5, p. 103 sq.
de la trad. Préau (Gallimard, 1962, rééd. Tel, 1983).
2. Comparer par ex. les lettres du 16 octobre 1639, à Mersenne, et du 23 avril
1649, à Clerselier.
3. Que je cite d'après la traduction de Y. Battistini, *Trois présocratiques*, Paris,
Gallimard, coll. « Idées », 1968, p. 112. Le texte grec, dans sa simplicité équivoque,
permet plusieurs traductions : voir par ex. C. Ramnoux, *Parménide*, Ed. du Rocher,
1979, p. 116 sq.

c'est le *logos*, et c'est la *phusis* (Héraclite). Héraclite et Parménide s'opposent sur tout, sauf sur la vérité... qui les oppose. Plutôt, ils s'opposent sur le contenu de la vérité (qu'est-ce qui est vrai ?), mais non sur sa définition (qu'est-ce que le vrai ?). Même chose se donne à penser et à être... Quelle chose ? C'est ce dont on discute. Mais toute la définition de la vérité tient dans le *même*. La vérité : cela même qui est comme cela est (l'identité à soi du réel : le *même* de l'être) et comme on le dit être (l'adéquation du discours au réel : le *même* du dire). Non, certes, que l'être soit un discours. Dire que *même chose se donne à penser et à être*, ce n'est pas prendre parti sur la nature de ce qui est (sur la *chose* : par exemple être ou devenir ? pensée ou matière ?...), ce qui supposerait qu'on l'ait déjà trouvée, mais seulement sur ce qu'on cherche (le *même* : la vérité). Le discours n'est vrai (comme *logos*), même pour Héraclite, qu'en tant qu'il dit la vérité de l'être : qu'il n'est pas un *être*, par exemple, mais un *devenir*. Dire le vrai *(alèthéa légein)* [1], c'est dire ce qui est *comme* cela est, c'est-à-dire, selon Héraclite, ce qui devient (la nature) *comme* cela devient (par l'unité des contraires et l'impermanence de tout). « *Nous entrons et nous n'entrons pas dans les mêmes fleuves, nous sommes et nous ne sommes pas...* » [2] C'est, pour Héraclite, la vérité même. Le discours n'est vrai (comme *logos*) qu'en tant qu'il dit la vérité de l'être (comme *phusis*). Il n'y aurait pas autrement, entre Héraclite et Parménide, possibilité même d'une dispute (d'une *éris*) ! Toute querelle suppose un *terrain* de querelle, qui, nécessairement, doit être commun. La vérité, pour les philosophes, est ce terrain : « penser est commun à tous » [3], parce que les *mêmes* choses, par tous, sont à penser. Quoi ? La vérité. Vérité du discours (dire le vrai), et vérité de l'être (le vrai qu'on dit). Même chose : la chose même. Le devenir (Héraclite) ou l'être (Parménide) – ou les deux (Démocrite et Epicure). Car il n'est pas besoin

1. Voir le fragment 62 (D. K. 112) d'Héraclite (p. 234 de l'éd. M. Conche, aux PUF).
2. Héraclite, fragment 133 (D. K. 49 *a*), *op. cit.*, p. 455.
3. Héraclite, fragment 6 (D. K. 113), *op. cit.*, p. 55.

de remonter aux présocratiques. « Epicure, nous dit Sextus, ne faisait pas de différence entre dire que quelque chose est *vrai (alèthés)* et le dire *existant (uparchon)* »[1], et cette non-différence est la vérité même : « est vrai ce qui est comme on le dit être, est faux ce qui n'est pas comme on le dit être »[2]. Cela suppose que la vérité est aussi bien dans la chose (ce qui *est*) que dans le discours (qui le *dit* être). On ne pourrait autrement ni penser ni connaître. Même chose se donne à penser et à être : l'identité à soi du réel et du vrai est la *vérité* même – et la *même* vérité. Même chose : le même.

C'est aussi ce que dira Spinoza. Il n'y a pas deux mondes, l'un pour l'étendue et l'autre pour la pensée (les deux attributs ne sont qu'une seule substance : l'âme, qui est l'idée du corps, est aussi le corps même)[3], ni une infinité (autant que d'attributs !), mais un seul[4]. Cette unicité (une *seule* substance), et cette identité à soi de tout et du tout (une seule et *même* substance, *una eademque substantia*, qu'elle s'exprime selon l'étendue ou selon la pensée), n'est pas une propriété de l'être ou du vrai (comme si le principe d'identité n'était qu'un caprice de la nature ou de l'entendement), mais leur être même : l'être du vrai, c'est la vérité de l'être. Le réel *est* le rationnel. On trouve dans tous les attributs, et Spinoza l'écrit en toutes lettres, « *les mêmes choses* » *(easdem res)*, qui sont *les choses mêmes* (« comme elles sont en elles-mêmes » : *ut in se sunt*). Les attributs ne sont parallèles – comme on dit, mais l'expression ne se trouve pas chez Spinoza – que parce qu'ils sont

---

1. Sextus Empiricus, *Adv. Math.*, VIII, 9, cité par M. Conche, *Epicure...*, p. 29. Sur le problème de la vérité dans l'épicurisme, voir aussi mon article, repris dans *Une éducation philosophique* (voir spécialement les p. 219-221). « Lucrèce et les images de l'invisible », *Philosophique*, 1987, n° 3, repris dans *Une éducation philosophique* (voir spécialement les p. 219-221).

2. Sextus Empiricus, *ibid.*

3. Le texte décisif, et bien rarement compris (mais peut-on le comprendre tout à fait ?), est ici le scolie de la prop. 7 d'*Ethique* II. Sur l'âme et le corps, voir aussi *Ethique* III, prop. 2 et scolie.

4. Voir la *Lettre 64*, à Schuller. Schuller avait demandé à Spinoza *(Lettre 63)* s'il n'existait pas « autant de mondes que d'attributs de Dieu ». A quoi Spinoza répond (p. 315) en le renvoyant simplement au scolie de la prop. 7 d'*Ethique* II, qui prouve en effet suffisamment qu'il n'existe pas deux mondes, ni une infinité, mais un seul (et le même).

confondus [1]. « Un mode de l'étendue et l'idée de ce mode,
c'est *une seule et même chose* » *(una eademque est res)* [2], et
c'est pourquoi même chose se donne à penser et à être.
Même chose : la chose même. Il n'y a qu'une seule substance, et l'on trouve, dans tous les attributs, « les *mêmes*
choses » *(easdem res)* [3], qui sont les *seules* choses (le réel :
« *infinita infinitis modis, hoc est omnia* ») [4]. Dieu : tout. La
vérité : la nature. La vérité n'est pas un nom de l'être (l'être
n'a pas de noms, et c'est ce que j'appelle le silence), mais
l'être même. *Deus sive natura, Deus sive veritas...* [5] La vérité
ne manque de rien, et, donc, n'a pas de sens. Elle ne veut
rien dire (puisqu'elle ne *veut* rien), et n'a rien à dire
(puisqu'il n'existe rien d'autre qu'elle-même, qu'elle puisse
signifier ou désigner). Dieu se tait, et ce silence (où les
choses n'ont pas besoin d'être *dites* puisqu'elles *sont*) est la
vérité même. Les mots ne sont que des auxiliaires de l'imagination [6], dont les hommes – mais non Dieu – ont besoin [7].
La vérité divine (c'est-à-dire Dieu en tant qu'il est la vérité)
n'est pas un discours : elle ne se fait connaître « en aucun
cas par des mots », écrit Spinoza, et n'utilise aucun signe [8].
L'être n'est pas ce qu'elle dit (la parole de Dieu, dit Spinoza,
n'est parole que « par métaphore »), mais ce qu'elle est :
silencieusement, l'être même.

Ce n'est donc pas la parole qui permet la vérité ; c'est au
contraire la vérité qui permet la parole (donc aussi, par là,
le mensonge). Parler vrai c'est parler du silence, et cela seul
est parler en vérité. Toute vérité est bonne à taire (le silence
ne l'abolit pas mais la constitue) et, dans cette mesure

1. Voir mon article « Spinoza contre les herméneutes », *Une éducation philosophique*, p. 253-254 et note 56.
2. *Ethique* II, scolie de la prop. 7.
3. *Ibid.*
4. *Ethique* I, scolie de la prop. 17 (« une infinité de choses en une infinité de
modes, c'est-à-dire tout »). Voir aussi la prop. 16.
5. La seconde formule ne se trouve pas chez Spinoza (du moins pas littéralement), mais découle de la prop. 1 d'*Ethique* II. Voir aussi le *Court traité*, II, 5, p. 99
(« *Dieu, ou ce que nous prenons pour une seule et même chose, la vérité...* ») et II, 15,
p. 121 (« *Dieu est la vérité, ou la vérité est Dieu même* »).
6. *TRE*, § 47 (88-89). Voir aussi *Ethique* II, scolie de la prop. 49.
7. Cf. par ex. *TThP*, XII (p. 221-222) et *Court traité*, II, XXIV, 9-10 (p. 150-151).
8. *Court traité, ibid.*

seule, bonne à dire. Seule la vérité (comme *veritas*) n'offense pas le silence (comme *alèthéia*), et seule elle mérite d'être dite.

Tout le reste est bavardage.

« *Le silence*, dit le poète, *est la plus haute forme de la pensée, et c'est en développant en nous cette attention muette au jour, que nous trouverons notre place dans l'absolu qui nous entoure.* »[1] Ainsi faut-il vivre, et c'est sagesse, ainsi faut-il écrire ou parler, et c'est poésie. « *Par l'extrême solitude, toucher à l'extrême présence...* » Les mots mènent au silence, ou ne mènent à rien. Mais ce silence n'est pas un ailleurs : il est l'ici et maintenant de l'être. Plénitude et silence. Le sens est le chemin de l'être, mais l'être est sans chemin. Le sens n'y mène que par l'abandon du sens (la vérité), et c'est le désespoir même : « *Il n'y a pas d'issue au chemin, puisqu'il n'y a pas de chemin.* » Tel est le dire du poète, que le vrai habite, fait parler (« *vérité et poésie, comme nous savons, étant synonymes...* »)[2] et fait taire.

On l'a compris : le choix n'est pas entre le discours et son absence (le sage n'est pas aphasique, et même le bavard ne peut parler toujours), mais entre la vérité – ce silence au cœur des mots qui les remplit – et le sens – ces mots au cœur du silence et qui le vident. Parler pour se taire ou parler pour parler. Vérité ou bavardage.

Le sage comme le poète (du moins ce poète dont je rêve, qui serait aux faiseurs de poèmes comme le sage est aux philosophes), même quand ils parlent ou écrivent, sont donc silencieux toujours : ils n'ajoutent rien à l'être, aucun sens, mais le rendent à son silence et à sa vérité. D'eux peut se dire ce que Nâgârjuna disait du Bouddha : « *Il ne prêche aucune doctrine, nulle part ni à personne ; même quand il parle, il ne dit rien : ne pas parler, c'est la parole du*

---

1. Christian Bobin, *Le huitième jour de la semaine*, Paris, Lettres Vives, 1986. Même référence pour les deux citations qui suivent.
2. René Char.

Bouddha... »[1] C'est qu'il n'y a rien à dire en vérité que ce rien même : rien à dire que le silence. Le sage et le poète, s'ils prennent des chemins différents (ces chemins, en tant qu'ils sont différents, sont la poésie et la philosophie mêmes), se retrouvent là même où ils se perdent (dans cette solitude dont parle le poète, « où nul ne pénètre, pas même le solitaire »)[2], là où plus personne n'est à sauver – et c'est le salut même –, là où plus rien n'est à dire – et c'est la vérité. Les mots leur sont, non un costume, mais une nudité. Ils parlent à même le silence, au cœur de la présence qu'ils habitent – « dans l'immensité lumineuse d'un silence que les mots effleurent sans le troubler »[3].

Narcisse bien sûr n'y trouve pas son compte. A quoi bon vivre, si ma vie n'a pas de sens ? A quoi bon exister, si cela ne veut rien dire ? Cette simplicité insignifiante du réel, voilà qui lui semble insupportable (c'est en effet la mort du narcissisme : aimer son image, c'est s'aimer soi-même comme signe et comme sens), et d'autant plus aujourd'hui, en ce monde tout entier *médiatisé*, où les simulacres (le réel *représenté* : photos, films, télévision...) de plus en plus tiennent lieu de réalité ! Monde du *look*, des *clips* et de la *pub*... Comme il serait doux, pensent-ils, et excitant, d'être soi-même signe et sens, de se *signifier* soi, comme un film ou une affiche qui serait son propre message ! Et toute la vie qui se déroulerait, pleine de sens et de paillettes, comme un long et vivant *spot* publicitaire... Que cela soit impossible, c'est l'évidence, et le *look* n'y change rien. La *star* elle-même n'est *star* que pour les autres – et vivante, que pour soi. Le réel n'est pas une image, voilà tout, et les images, en tant qu'elles sont réelles, sont aussi insignifiantes que le reste.

Mais pourquoi faudrait-il signifier ? Pourquoi se vouloir signe ou emblème, et comme le symptôme de cette maladie

---

1. Voir par ex. le recueil de L. Silburn, *Le bouddhisme*, p. 200 et 494.
2. Christian Bobin, *op. cit.*, p. 55.
3. *Ibid.*, p. 54.

– moi-même – qui est moi ? Pourquoi cultiver en soi ce vide et cette vanité ? C'est trop sacrifier aux idoles, et trop sacrifier à soi comme idole. En pure perte, puisque le sens n'est jamais là ; et pour notre malheur, puisque la vie se perd dans cette perte. Le sens de la vie nous sépare de la vie, comme le passé et l'avenir (sauf à les aimer présents : confiance et gratitude) nous séparent du présent – et comme la vie parfois, en tel moment de grâce, d'horreur ou de paix, nous sépare de son sens. Matérialisme et désespoir : vivre ne signifie rien. Le sens n'est pas la vérité de notre vie mais son échec, non sa réalité mais son manque (non son acte mais son acte manqué), – non sa santé mais son symptôme. « La vraie vie est absente », disait Rimbaud ; c'est qu'il cherchait un sens, et ne le trouvait pas... De fait, il n'y a rien à trouver, et c'est le désespoir même. La vérité de vivre, c'est vivre. Désespoir et plénitude : la vraie vie est présente.

Cette fuite du sens qui est le sens, cette fuite du temps qui est le temps, ne nous séparent pourtant de la vie – la seule vie réelle, qui est la vie présente – qu'autant que nous en sommes dupes. Et c'est l'espoir, et c'est la nostalgie. Le sage, lui, alors même qu'il assume la temporalité qui est la nôtre (notre rapport nécessaire au passé et à l'avenir), reste au cœur de la présence et de la vérité. Le passé et l'avenir ne sont réels pour lui qu'en tant que présents (non comme sens mais comme vérités), et le présent, ne cessant jamais de l'être, ne manque de rien et ne veut rien dire. Désespoir et paix. Le sage est sans pourquoi, vit parce qu'il vit, n'a souci de lui-même, ne désire être vu... On dira qu'à la différence de la rose, il est *conscient*, et que cela change tout. Oui et non. Car la conscience, quand elle n'est pas victime de ses fantômes, loin d'abolir cette simplicité de l'être, la dilate au contraire aux dimensions de tout. La simplicité de la rose n'est simplicité que de la rose ; la simplicité du sage est simplicité de l'univers. Il n'est plus le sujet d'une pensée (« il n'y a pas de moi à chercher ici... »), mais le lieu vide d'une vérité qui le remplit. Sagesse : pure présence à la présence. C'est la vérité de vivre, qui se reconnaît (comme vérité) à sa simplicité même. La sagesse n'est pas la solution du problème, mais sa disparition. Non une réponse, mais un silence. Non un sens, mais une vérité. La vraie vie, c'est la vie réelle, et il n'y en a pas d'autre. Vérité, réel : le même. *Je coupe du bois, je tire de l'eau...* Plénitude. Et, dans sa présence même, capable d'occuper le tout de la durée. *Je coupais du bois, je tirerai de l'eau...* Confiance et gratitude. Il n'est sens que de l'autre, et présence que du même. Ici et maintenant, mais aussi bien hier ou tout à l'heure. Rien ne sera jamais présent que la présence, rien ne passe que cela – le présent – qui ne passe pas. La sagesse est cette ouverture au présent, à ce toujours présent de la présence et du devenir qu'est le monde ou le réel. *Ce qui est, ce qui sera, ce qui fut...* C'est le présent toujours, et il n'y a rien d'autre. Rien à comprendre donc, aucun sens (aucun *autre* du réel), rien à interpréter, ni messages ni présages, rien à chercher, rien à trouver – que cela même : qu'il n'y a rien à trouver, puisque tout est là. « La clef de l'énigme, disait Wittgenstein, c'est qu'il n'y a pas d'énigme. » La vie n'est pas à interpréter mais à vivre ; le réel, pas à comprendre mais à connaître. Et l'un et l'autre, joyeusement, à aimer. C'est la sagesse même : amour et simplicité.

La sagesse est en cela le contraire de la superstition, qui n'est tout entière qu'interprétation égoïste, dans le temps, de signes qui n'en sont pas. « *C'était écrit, cela sera...* » Prédictions et fatalisme. Spinoza a dit ici l'essentiel, qu'il est inutile de répéter[1]. La superstition s'explique tout entière par la crainte et l'espérance, y compris rétrospectives. On peut en effet interpréter le passé, pour se rassurer ou se justifier, et le fatalisme (« *c'était écrit* ») n'est ici qu'une prédiction à rebours. Le passé, en tant qu'il est superstitieusement appréhendé ou reconstitué, relève donc aussi de l'espérance ou de la crainte. Car il n'est pas vrai qu'elles portent l'une et l'autre, toujours et par définition, sur l'avenir. D'un ami dont je suis sans nouvelles, je peux dire légitimement : « J'espère qu'il ne lui est rien arrivé, qu'il a été

---

1. Voir le *TThP*, Préface et *passim*, et *supra*, p. 543-544.

reçu à son examen, qu'il est heureux... » Ou aussi bien : « Je crains qu'il n'ait eu un accident, qu'il ne soit malade, mort peut-être depuis des mois... » Et l'on voit que l'espérance et la crainte, sans changer de nature, portent ici, non sur l'avenir, mais sur le présent ou le passé. L'important, en l'occurrence, est moins l'orientation temporelle que l'ignorance. Espérer, c'est désirer sans savoir. Et si l'ignorance ou la crainte portent le plus souvent sur l'avenir, c'est simplement que l'avenir, davantage que le passé ou le présent, est pour moi inconnu ou incertain. La superstition, fille de l'ignorance (Lucrèce), est aussi pour cela fille de l'espoir et de la crainte (Spinoza). C'est que ceux-ci ne vont pas sans celle-là, ni celle-là (dès lors qu'il y a désir et discours) sans ceux-ci. Désir sans savoir, c'est espérance ; qui interprète le peu qu'elle sait, et c'est superstition ; qui croit ce qu'elle désire, et c'est foi.

« Nous sommes disposés de nature, écrit Spinoza, à croire facilement ce que nous espérons, difficilement ce dont nous avons peur, et à en faire respectivement trop ou trop peu de cas. De là sont nées les superstitions par lesquelles les hommes sont partout dominés. » [1] Si toute chose peut ainsi être interprétée (le vol d'un oiseau, la couleur d'un chat, un rêve ou un lapsus...), c'est que « n'importe quelle chose peut être par accident cause d'espoir ou de crainte » [2], et devenir ainsi pour nous un bon ou un mauvais présage [3] (s'il s'agit de l'avenir), un bon ou un mauvais signe (s'il s'agit du passé ou du présent). Bref, tout réel peut faire sens, à proportion non de son être (ce qu'il est est la seule chose en lui qui ne signifie rien, et le réel est aussi *idiot* en ce sens-là : qu'il ne veut rien dire) mais de notre désir et de notre ignorance – c'est-à-dire de nos espoirs et de nos craintes. Telle est la superstition, telle est la religion. C'est donner au manque plus de réalité qu'au réel, au sens plus d'importance qu'à la vérité, à ce qu'on

---

1. *Ethique* III, scolie de la prop. 50.
2. *Ethique* III, prop. 50 (trad. Caillois).
3. *Ibid.*, scolie.

ignore plus de place qu'à ce qu'on sait, au passé ou à l'avenir (en tant qu'ils manquent : espérance et nostalgie) plus
de force qu'au présent (y compris comme présence connue
du passé et de l'avenir : confiance et gratitude). Le superst-
titieux est la dupe du temps et de lui-même (de lui-même
dans le temps), et c'est pourquoi le sens toujours le sépare
du réel. Le sage, au contraire, qui a renoncé au sens et au
moi, aime le réel, l'accepte et s'en contente. Libéré de soi,
guéri de peur et d'espérance, insoucieux des signes et du
sens, il n'habite plus le temps que dans la paix – ici, maintenant et toujours – de la présence. Il n'attend rien, mais
il est attentif. Il ne cherche rien, mais il est disponible. Il
n'espère rien, mais il aime. Tous les sages l'ont dit, et dans
toutes les langues : « *Infinite love, infinite patience...* » [1]
Sagesse, non de recueillement, mais d'accueil. Le sage a le
temps (puisqu'il n'attend rien), et tout le temps (puisqu'il
n'y en a pas d'autre). Patience non de l'attente mais de la
vie, non pour l'avenir mais pour le présent. Les affairés se
précipitent vers cela qui leur manque, ou attendent
(*patiemment*, disent-ils !) qu'il leur tombe des nues. Le sage
fait, tranquillement, ce qu'il a à faire. Il n'attend rien, et
c'est pourquoi il est sans impatience. Rien ne lui manque,
et c'est pourquoi il ne se précipite pas. Lenteur du temps,
lenteur de la présence... Tous les jours sont aujourd'hui
(c'est là « le huitième jour de la semaine, qui ne commence
et ne s'épuise en aucun temps ») [2], et cette présence est cela
même à quoi le sage est présent. Vit-il encore dans le
temps ? Bien sûr, mais dans la vérité du temps. Présent au
présent de la présence, il est, ici et maintenant, le contemporain de l'éternel.

C'est là le plus difficile, dont je ne parle jamais, tant la
chose aujourd'hui semble saugrenue, sans quelque gêne ou
hésitation. Comment parler simplement de l'éternité ? Les
prêtres en ont fait comme un bibelot de sacristie, et les

---

1. Swâmi Prajnânpad, cité par Arnaud Desjardins, *A la recherche du soi*, Paris,
Table Ronde, 1977, p. 315. Sur Swami Prajnanpad, qui est un penseur important,
voir aussi le livre de S. Prakash, *L'expérience de l'unité*, Paris, L'Originel, 1986.
2. Christian Bobin, *op. cit.*, p. 51.

sophistes, un ridicule. Pourtant il le faut. Cette *difficulté*
est absolument simple (et difficile pour cela), et au-delà de
la foi comme du ridicule. L'éternité, loin d'appartenir à la
religion, la contient au contraire et, à ce que je crois,
l'annule. Les prêtres, lisant Spinoza, ne s'y sont pas
trompés ; les sophistes, si. Mais peu importent les uns et
les autres. L'éternité n'est pas un autre monde, dont on
pourrait se réclamer ou non ; elle est la vérité de celui-ci.

C'est ce qu'il faut montrer, pour finir.

VIII

On accède à l'idée d'éternité par celle, plus familière, de
vérité. Soit une idée vraie donnée : la question est de savoir
depuis quand, et jusqu'à quand, elle est vraie.

Depuis quand par exemple est-il vrai que les trois angles
d'un triangle sont égaux à deux angles droits ? On peut
certes répondre : « depuis le premier géomètre qui l'a
découvert » ; mais, outre qu'il ne s'agirait plus alors d'une
découverte (mais bien d'une invention) et que cela ne correspond guère au vécu de la recherche, ce serait rendre
inintelligible le statut de cette vérité et son universalité. Si
la vérité d'une idée résulte de sa conception, ou ne
commence qu'avec elle, on ne comprend plus ni en quoi
elle est vraie (ni même ce que c'est qu'une vérité) ni pourquoi elle l'est pour tous, y compris – car il n'y aurait rien
autrement dont on puisse dire qu'ils l'ignorent – pour ceux
qui l'ignorent. Tous les cancres le savent, comme aussi tous
les chercheurs : ne pas comprendre une démonstration
mathématique, ou l'ignorer, n'a jamais suffi à la réfuter.
L'ignorance, l'apprentissage ou la recherche ont au
contraire en commun de supposer toujours la vérité de cela
même qu'on ignore, apprend ou cherche : si la vérité se
réduisait à la connaissance que l'on en a, on ne pourrait
ni la chercher, ni la découvrir, ni même l'ignorer. Si la
vérité n'était que la connaissance, il n'y aurait rien à

connaître ; si la vérité n'était que la connaissance, il n'y aurait ni connaissance ni vérité.

Pour garder notre exemple, la possibilité de *démontrer* (en tant que toute démonstration suppose une vérité nécessaire, indépendante des sujets qui la mettent en œuvre) que les trois angles d'un triangle sont égaux à deux angles droits suppose que cela était déjà vrai avant toute démonstration – fût-ce la première.

Je choisis cet exemple, quelque peu obsolète, délibérément : comme étant pour moi le plus difficile et, par là, le plus convaincant. On m'objectera en effet que, justement, les trois angles d'un triangle *ne sont pas* égaux à deux angles droits, ou pas dans l'absolu, mais seulement dans le cadre d'une axiomatique déterminée, incluant le postulat d'Euclide. On sait en effet que si l'on postule que, par un point extérieur à une droite, il passe, non pas une et une seule, mais une *infinité* de parallèles à cette droite (Gauss, Lobatchevski et Bolyai : géométrie hyperbolique), il en découle que la somme des angles d'un triangle est alors *inférieure* à deux angles droits ; et inversement, si l'on postule que, par un point extérieur à une droite, il ne passe *aucune* parallèle à cette droite (Riemann : géométrie elliptique), il en découle que la somme des angles d'un triangle est alors *supérieure* à deux angles droits. Et l'on en conclut, au café du commerce des idées, qu'il n'y a décidément rien d'absolu en ce bas monde, qu'il n'est de vérité que relative, et que tout, voyez-vous, est affaire de point de vue ou de conventions... C'est bien sûr aller trop vite en besogne, et ériger bizarrement en relativisme une théorie mathématique (les géométries non euclidiennes) qui constituait au contraire un progrès vers l'absolu, et qui, loin de n'être affaire que de conventions, présente bien plutôt le système rationnel des différentes conventions possibles (les différentes axiomatiques, euclidiennes ou non), qui montre les conséquences nécessaires (non conventionnelles) de chacune d'elles. La *pangéométrie*, comme dit Bachelard, laissant le nombre de parallèles en suspens, n'est pas plus relative, mais *plus absolue* (parce que plus générale) que celle d'Euclide, laquelle en constitue comme on sait un cas particulier (et relatif pour cela à sa particularité)[1]. D'ailleurs, même au sein de chacune des géométries particulières, la vérité, loin d'être abolie, n'est que déplacée. Si les axiomes ne sont plus que des hypothèses ou des conventions (et non, comme on le croyait au XVIIᵉ siècle, des vérités absolues), si les théorèmes dès lors n'ont de vérité que relative (ils ne sont vrais que par rapport au système d'axiomes utilisé), il n'en va pas de même des démonstrations, c'est-à-dire des rapports d'implication qui mènent – et qui mènent nécessairement – de tel système d'axiomes à tel ensemble de théorèmes[2]. Par exemple, s'il n'est plus absolument vrai – et donc s'il ne l'a jamais été – que les trois angles d'un triangle sont égaux à deux droits (cela n'est vrai que si l'on pose le postulat d'Euclide), il reste absolument vrai que, ce postulat étant posé, avec d'autres, il en suit nécessairement que la somme des angles d'un triangle est égale à deux angles droits, comme il est absolument vrai qu'elle est inférieure dans les géométries hyperboliques, et supérieure dans les géométries elliptiques.

Dès lors, la question reste posée : si cela est vrai, et absolument vrai, *depuis quand* l'est-ce ?

A cette question, Spinoza – dans le cadre bien sûr de la science de son temps – répond : cela est vrai *depuis toujours* et *pour toujours* ; ou plus exactement : cela est vrai *de tout temps* parce que *indépendamment du temps*. Une vérité en effet, pour Spinoza, ne commence pas d'être vraie, car il faudrait alors admettre « qu'une idée fausse est devenue vraie, et rien de plus absurde ne peut se concevoir »[3]. Pour garder l'exemple de la géométrie, « personne ne dira jamais, observe Spinoza, que l'essence du cercle ou du triangle, en tant qu'elle est une vérité éternelle, a duré un

---

1. Voir *Le nouvel esprit scientifique*, Paris, PUF, rééd. 1968, p. 24-27. L'expression de *pangéométrie* est empruntée à Lobatchevski. Bolyai, lui, utilisait l'expression, bien révélatrice, de *géométrie absolue*.

2. Voir par ex. Blanché, *L'axiomatique*, Paris, PUF, 1955, p. 5 sq.

3. *Ethique* I, scolie 2 de la prop. 8. Voir aussi *Ethique* V, démonstration de la prop. 37.

temps plus long maintenant qu'au temps d'Adam » [1]. Dire qu'une idée vraie est vraie depuis toujours et pour toujours n'est donc qu'une approximation, qui dit en termes indûment temporels quelque chose (l'éternité du vrai) qui n'est pas temporel. Une vérité éternelle en effet, c'est-à-dire une vérité [2], « ne peut être expliquée par la durée ou le temps, alors même que la durée est conçue comme n'ayant ni commencement ni fin » [3]. Si la vérité est antérieure à la connaissance, ce n'est donc pas dans le temps (ce pourquoi il ne s'agit pas vraiment d'une « antériorité ») mais, si l'on peut dire, dans l'éternité. Une vérité ne *dure* pas [4], et, pas plus qu'elle ne commence ou cesse, elle ne saurait suivre ou précéder quoi que ce soit. Mais cette atemporalité du vrai est aussi ce qui lui permet d'être vrai en tout temps : l'éternité n'est pas dans le temps, mais le temps dans l'éternité.

Les exemples dont se sert Spinoza ne sont ici que des exemples. Certes il est éternellement vrai que, dans le cadre de la géométrie euclidienne, les trois angles d'un triangle sont égaux à deux droits. Mais les idées mathématiques ne jouissent ici d'aucun privilège (si les mathématiques sont un cas privilégié, pour Spinoza, ce n'est pas par leur vérité, mais par leur mode de connaissance) ; cette éternité du vrai vaut aussi bien pour toute vérité, quelle qu'elle soit. Est-il vrai, par exemple, que la terre tourne autour du soleil ? C'était donc vrai aussi avant que quiconque ne le sût, et même (en tant qu'idée vraie, et bien sûr indépendamment des mots qui nous servent à la penser) avant que la terre et le soleil n'existassent – comme cela sera toujours vrai quand la terre et le soleil n'existeront plus.

La chose nous surprend. Qu'est-ce qu'une vérité qui n'est soutenue par rien ? Et si l'être et la vérité (le réel et le vrai) sont une seule et même chose, et la chose même, que reste-t-il de la vérité quand l'être n'est plus, ou pas encore, quand le réel a changé, quand la chose a disparu ? A ces deux

1. *Pensées métaphysiques*, II, 1 (p. 358).
2. Voir M. Gueroult, *Spinoza*, t. I, p. 79-83.
3. *Ethique* I, définition 8, explication.
4. Voir M. Gueroult, *op. cit.*, t. I, p. 80.

questions, je n'ai jamais pu répondre, comme Spinoza, que : la vérité.

D'abord pour des raisons logiques. Si la vérité changeait avec le réel, l'histoire serait l'unique science, mais aussi serait impossible. Quand je dis : « *L'archiduc François-Ferdinand fut assassiné à Sarajevo, le 28 juin 1914* », cette proposition n'est vraie que si l'on admet (et bien sûr il faut l'admettre pour que l'histoire, comme connaissance, soit possible) qu'une vérité subsiste quand bien même le fait qu'elle désigne ne fait plus partie, et ne fera plus jamais partie, du réel. On dira qu'ici la vérité de la proposition reste portée par des documents et des représentations qui peuvent servir de réel de référence : la proposition serait vraie parce qu'elle serait adéquate, non certes à l'assassinat lui-même, qui n'est plus, mais à ce qu'il en reste aujourd'hui dans les archives (comme documents) ou les esprits (comme représentations). Mais il y aurait là un bien étrange paradoxe : loin que nous puissions connaître un fait parce qu'il serait vrai, il ne serait vrai que *parce que nous le connaîtrions !* Comment distinguer alors la vérité de l'erreur ? Comment penser la recherche ou l'ignorance ? On retombe dans les apories précédemment évoquées, qu'on peut formuler de cette nouvelle manière : si toute vérité est historique (temporellement déterminée, donc variable et provisoire), il n'y a pas de vérité, et l'histoire même, comme connaissance, est impossible. Car soit donné un document : il ne « parle » qu'à la condition d'être lu et interprété (le document n'est rien sans la représentation, en tout cas rien d'historique : ce n'est qu'un morceau du présent). Toute vérité, en tant qu'elle serait toujours historique, se réduirait donc à la représentation vraie qu'on en pourrait avoir. Mais si c'était le cas, remarque Frege, « la psychologie contiendrait en elle toutes les sciences, ou du moins aurait juridiction suprême sur toutes » [1]. Si tout était historique, l'histoire elle-même ne serait, comme

---

1. G. Frege, *Recherches logiques*, trad. franç., dans *Ecrits logiques et philosophiques*, Paris, Seuil, 1971, p. 191.

toutes les autres sciences, qu'une sous-discipline de la psychologie. Qui peut l'admettre ? Ce serait méconnaître les mathématiques et la logique, dit Frege [1]. Ce serait méconnaître aussi l'histoire, et, sans doute, la psychologie elle-même. Si la vérité n'était que dans la représentation, comment la psychologie pourrait-elle échapper au mobilisme évanescent de la vie intérieure ? Et quelle différence y aurait-il entre un fantasme et une vérité ? Pour qu'on puisse *connaître*, fût-ce le psychisme, il faut qu'il existe des faits (du réel indépendant des représentations que l'on en a ou pas) et que ces faits restent vrais quand bien même ils n'existent plus *réellement*. Seraient-ce d'ailleurs autrement des faits ? « Qu'est-ce qu'un fait ? » demande Frege ; et il répond : « Un fait est une pensée qui est vraie » [2], et qui est vraie non parce que je la pense (la vérité, pour Frege comme pour Spinoza, existe indépendamment de toute représentation), mais parce que le fait, soit est lui-même une vérité atemporelle (le théorème de Pythagore), soit a lieu, a eu lieu ou aura lieu en un moment quelconque du temps (« cet arbre est couvert de feuillage vert ») et dès lors est vrai, lui aussi, atemporellement ou éternellement [3]. Car « l'être vrai d'une pensée est indépendant du temps », écrit Frege [4], quand bien même cette pensée porte sur un fait qui, dans sa réalité, est temporel ou historique. « Cet arbre est couvert de feuillage vert » : cette proposition n'est vraie qu'en tant qu'elle inclut le moment où l'on parle (cet arbre est vert, non toujours ou n'importe quand, mais en ce moment que je dis), et elle est *par là même* (en tant que vérité historique) une vérité éternelle. « Si elle est vraie, elle n'est pas vraie seulement aujourd'hui ou demain, elle est vraie indépendamment du temps. » [5] L'arbre perdra ses feuilles, mais point la proposition sa vérité : qu'ici et maintenant l'arbre soit vert, éternellement cela restera vrai. La

---

1. *Ibid.*
2. *Ibid.*
3. Voir *ibid.*, p. 193
4. *Ibid.*, p. 191
5. *Ibid.*, p. 193

vérité reste toujours présente, quand bien même elle est la vérité d'un présent qui n'est plus. « Etre vrai » n'a de sens qu'au présent (la phrase « c'était vrai » est contradictoire : si c'était vrai, cela l'est toujours ; si cela ne l'est plus, cela ne l'était pas), et ce toujours-présent du vrai est, pour la pensée, l'éternité même. « Le *praesens* dans "est vrai" n'indique pas le présent de celui qui parle, mais, si l'on permet l'expression, un *tempus* de l'intemporalité. »[1] Et de même en géométrie : « La pensée que nous énonçons dans le théorème de Pythagore est bien indépendante du temps, éternelle, inaltérable »[2], quand bien même plus personne jamais n'aurait l'occasion de se la représenter. La vérité, écrit Frege, « n'a besoin d'aucun porteur » ; elle est vraie « indépendamment du fait que quelqu'un la tienne pour vraie ou non », et c'est pourquoi « le travail de la science ne consiste pas en une création mais en une découverte de pensées vraies »[3]. Bref, on ne peut penser (je veux dire *penser vrai*, ce qui seul est penser véritablement) qu'à la condition qu'il y ait *quelque chose* à penser. La vérité (en tant qu'elle est éternelle) est cet objet de la pensée par quoi la pensée (en tant qu'elle est historique) est possible.

Mais l'enjeu n'est pas seulement logique ; il est aussi moral. Comment juger un acte passé si, étant passé, il cessait d'être vrai ? Qu'il y eut des chambres à gaz, quel sens y aurait-il à le dire, et à le condamner, si cela n'était vrai indépendamment du discours qui le dit ? Il faudrait alors juger, non le fait, mais le discours, et c'est bien ce que voudraient nos révisionnistes. La vérité serait à celui qui crie le plus fort, ou le plus longtemps, et tout à terme s'abolirait dans l'indifférence ou l'oubli. L'historicisme ou le perspectivisme mettraient sur le même plan les différentes thèses en présence, et, tout n'étant question que d'opinions (non seulement les valeurs mais les faits eux-mêmes !), il n'y aurait plus rien à juger. S'il n'y a pas de

1. *Ibid.*, p. 193.
2. *Ibid.*, p. 193.
3. *Ibid.*, p. 184 sq.

faits, comme disent nos sophistes, mais seulement des interprétations, à quoi bon une morale ? L'herméneutique et la généalogie devraient suffire... Labyrinthes du sens et des bavards, où l'héroïsme même, et l'horreur, s'aboliraient ! La morale s'y oppose (un crime oublié n'en est pas moins criminel pour autant), mais ne peut s'y opposer qu'aussi longtemps qu'il y a une vérité. Sans doute l'oubli aura-t-il au bout du compte le dernier mot contre la mémoire, et l'indifférence contre l'horreur. Mais contre la vérité, non. L'éternité du vrai est ce qu'il y a d'éternel dans la fugacité du souvenir ; c'est ce qui sauve la morale du nihilisme et la fidélité du dérisoire. Jankélévitch avait raison, qui parlait d'un *devoir de mémoire* ; mais ce devoir, sans l'éternité du vrai, ne serait qu'une lubie de l'esprit. Tout souvenir vrai est souvenir d'éternité, et, en tant qu'il est vrai, éternel lui-même. Toute morale est historique, donc, mais point tout dans la morale : la vérité est là aussi, qui est, non certes le fondement, mais la condition anhistorique de toute morale, et qui la rend historiquement possible. La vérité n'a pas de morale (le méchant n'est pas moins vrai que l'honnête homme) ; mais il n'est point de morale sans la vérité.

La question se pose pourtant de savoir si cette éternité du vrai vaut seulement après coup (concernant le passé), ou bien aussi à l'avance (concernant l'avenir).

C'est un point où Epicure et Spinoza divergent. Pour Epicure, certes, toute vérité portant sur le passé ou le présent est définitive, et éternelle en ce sens : rien ne peut « rendre non accompli ce qui est arrivé », on l'a vu, et c'est en quoi le passé (donc aussi le présent) est « irrévocable »[1]. Mais il n'en va pas de même concernant l'avenir. Non que celui-ci soit toujours hors du champ de la vérité : quand je dis « je mourrai », j'énonce bien une proposition vraie. Mais c'est qu'il s'agit d'un futur nécessaire, et, comme tel,

---

1. Epicure, *Sentence vaticane* 55, et Lucrèce, I, 468.

actuellement nécessaire : ici et maintenant il est vrai que je mourrai comme il est vrai que je suis né. Un futur nécessaire a en cela, logiquement, même statut que le passé, et il est connaissable au même titre. C'est ce que verra aussi Laplace, et à quoi se résume son *démon* fameux :

> « Une intelligence qui, pour un instant donné, connaîtrait toutes les forces dont la nature est animée et la situation respective des êtres qui la composent, si, d'ailleurs, elle était assez vaste pour soumettre ces données à l'analyse, embrasserait dans la même formule le mouvement des plus grands corps de l'univers et ceux du plus léger atome ; rien ne serait incertain pour elle et l'avenir comme le passé seraient présents à ses yeux. »[1]

Mais cela suppose un déterminisme absolu, qui seul assure cette équivalence, dans le temps, du passé et de l'avenir : l'avenir, toujours prévisible exactement (au moins en droit), est alors contenu dans le présent comme le présent dans le passé, et c'est en quoi le pan-déterminisme est toujours un *pré*-déterminisme. Si tout est déterminé, tout est toujours déjà joué ; tout fait, passé, présent ou à venir, trouve sa raison dans un autre, qui le précède. Mais alors, on l'a vu à propos de la morale, toute action s'expliquant par le passé (qui n'est plus en mon pouvoir), je suis hors d'état d'agir par moi-même ou, en tout cas, de changer quoi que ce soit à ce qui, avant mon action, était déjà écrit ou prédéterminé (y compris mon action elle-même). Ce déterminisme-là (celui de Laplace ou des stoïciens : le pan-pré-déterminisme) est ainsi un fatalisme qui, comme tout fatalisme, soumet le présent et l'avenir au passé, et – sauf à en faire une providence – décourage d'agir. C'est pourquoi Epicure refusait « le destin des physiciens », lequel, ne comportant qu'une « inflexible nécessité », condamne l'action, la pensée et la morale[2]. Le hasard ou le clinamen, au contraire, brisant la chaîne des causes, rendent au présent ses droits, et à l'avenir, son ouverture. Tout n'est pas

---

1. Laplace, *Essai philosophique sur les probabilités*, chap. 1.
2. Voir Epicure, *Lettre à Ménécée*, 133-134 ; voir aussi M. Conche, *Epicure...*, p. 79-90.

joué (« l'avenir n'est ni tout à fait nôtre ni tout à fait non nôtre ») [1], et rien n'est écrit. Il n'y a pas de destin : « certaines choses sont produites par la nécessité, d'autres par le hasard, d'autres enfin par nous-mêmes » [2], et c'est en quoi la volonté est possible.

Mais alors l'avenir est inconnaissable, non seulement en fait (parce que nous manquerions de données ou d'intelligence), mais en droit (parce qu'il est indéterminé : il n'existe pas encore, *fût-ce comme avenir*), et il faut par conséquent renoncer – au moins pour ce qui concerne les futurs contingents – à la fois à la symétrie logique du temps (de part et d'autre du présent) et au principe de bivalence (concernant l'avenir). Sauf quand elle porte sur un futur nécessaire (« je mourrai »), une proposition portant sur l'avenir n'est ni vraie ni fausse [3], et c'est ce qui, pour Epicure comme pour Aristote [4], permet seul d'échapper au fatalisme logique. Il y a des futurs contingents, qui ne sont soumis ni à la chaîne des causes (ce qu'Epicure appelle le destin des physiciens) ni au principe de bivalence (ce qu'on peut appeler le destin des logiciens). Si en effet toute proposition, même portant sur l'avenir, est vraie ou fausse (ce que postule le principe de bivalence), alors il était déjà vrai ou faux, hier, il y a dix mille ans et de toute éternité, que j'accomplirais tel acte aujourd'hui. Mais alors tout est toujours déjà écrit (où ? *dans la vérité*, si l'on peut dire, même si celle-ci n'est connue de personne : le démon de Chrysippe, pas plus que celui de Laplace, n'a besoin, pour jouer son rôle, d'exister effectivement) [5], et l'on retombe dans le fatalisme. Admettons par exemple qu'il était déjà vrai, en 1913 et de toute éternité, qu'il y aurait une guerre mondiale

---

1. Epicure, *Lettre à Ménécée*, 127.
2. *Ibid.*, 133. Voir aussi Lucrèce, II, 251-293.
3. Voir les exposés de Cicéron dans les *Premiers Académiques*, II, 30, et dans le *De fato*, IX-X, ainsi que les commentaires très savants (même si, concernant Epicure, ils sont parfois discutables) de J. Vuillemin, dans *Nécessité ou contingence*, Paris, Minuit, 1984, chap. VII.
4. Voir Cicéron, *ibid.*, et Aristote, *De l'interprétation*, IX (18 a-19 b).
5. Sur Chrysippe et l'usage qu'il fait du principe de bivalence, voir Cicéron, *De fato*, X.

en 1914 : à quoi bon essayer de l'empêcher ? S'il est vrai qu'elle aura lieu, les pacifistes s'agitent en vain (puisqu'ils ne pourront l'empêcher) ; et si c'est faux, ils s'agitent inutilement (puisque, de toute façon, la guerre n'aura pas lieu). Or c'est nécessairement l'un ou l'autre (principe de bivalence), et cela ne peut être ni les deux (principe de non-contradiction) ni un troisième (principe du tiers exclu). A quoi bon dès lors agir ou vouloir ? On songe au Jacques de Diderot, se disant à lui-même : « S'il est écrit là-haut que tu seras cocu, Jacques, tu auras beau faire, tu le seras ; s'il est écrit au contraire que tu ne le seras pas, ils auront beau faire, tu ne le seras pas ; dors donc mon ami... » Imagine-t-on Jaurès ou Clara Zetkin tenant en 1913, sur la guerre de 1914, un discours de ce type ? L'auraient-ils dû ? Et que resterait-il alors de l'action et du vouloir ?

Autre exemple, qui nous est plus familier. S'il est déjà vrai, en septembre et de toute éternité, que je serai reçu à tel examen de juin, à quoi bon le préparer ? Et à quoi bon, si c'est déjà faux ? Et sans doute ne sais-je pas à l'avance ce qu'il en est, mais je sais – si la vérité est éternelle aussi concernant l'avenir – que ce ne peut être (et que c'est déjà !) que l'un ou l'autre, et qu'il est donc de toute façon inutile de préparer mon examen, puisque tout travail est superflu (s'il est déjà vrai que je serai reçu) ou vain (si c'est déjà faux)... On comprend que les Anciens aient parlé à ce propos d'*argument paresseux* ! « En vertu de ce raisonnement, disait Aristote, il n'y aurait plus à délibérer ni à se donner de la peine »[1], et Epicure en serait d'accord qui, selon le témoignage de Cicéron, refusait le destin des logiciens au même titre, et pour les mêmes raisons, que celui des physiciens[2]. La vérité, même inconnue, me contient, et, si elle me précède, me gouverne. L'éternité du vrai, si on l'entend aussi *a parte ante* (une vérité donnée étant vraie

---

1. *De l'interprétation*, IX, 18 *b* (trad. Tricot, p. 99).
2. *De fato*, X, 21. Ces deux destins bien sûr, pour Epicure (qui les refuse) comme pour Chrysippe (qui les accepte), n'en font qu'un.

non seulement pour toujours mais depuis toujours), nous enfermerait, selon Epicure, dans le fatalisme.

A chacun, entre Epicure et Spinoza, de faire son choix. L'enjeu peut-être n'est pas si grand puisque l'éternité du vrai, au moins *a parte post* (et en un sens c'est la seule qui nous concerne), est acquise. Disons pourtant que, pour ce qui me concerne, c'est un des rares points où je n'ai jamais réussi à suivre Epicure. Que la guerre de 1914 soit encore, en 1913, physiquement évitable (ce qu'on peut bien sûr admettre), en quoi cela change-t-il quelque chose au fait que la proposition « *Il y aura une guerre mondiale en 1914* » était déjà vraie en 1913 (donc aussi en 1912, en 1911 et de toute éternité) ? On dira que dès lors la guerre de 1914 était fatale, et qu'il était donc vain, par exemple en 1913, d'essayer de s'y opposer. Mais c'est confondre l'éternité du vrai (qui m'a toujours paru, comme à Spinoza, la vérité même) avec la prédétermination physique des faits (qui m'a toujours paru, comme à Epicure, douteuse). Les deux positions d'Epicure et de Spinoza sont-elles ici absolument inconciliables ? Dans leur lettre et dans la systématicité des énoncés (pour un historien de la philosophie), sans doute ; en esprit et en vérité (pour un philosophe), c'est ce que je ne crois pas, et c'est peut-être, dès l'Antiquité, ce qu'avait compris Carnéade[1]. Qu'un fait indéterminé, à supposer qu'il en existe de tels, se produise ici et maintenant, en quoi serait-ce lui retirer son indétermination objective que de constater qu'elle est une vérité éternelle ? L'éternité n'est pas un destin, qui prédéterminerait les faits : ce n'est pas parce qu'une proposition est vraie qu'un événement se produit, c'est au contraire parce que cet événement se produit (ici et maintenant) que la proposition qui le dit est (éternellement) vraie. Gardons notre exemple : ce n'est pas parce qu'elle était déjà vraie en 1913 que la guerre se produisit, en 1914 ; c'est au contraire parce qu'elle se produisit en 1914 qu'elle était (étant vraie éternellement) déjà vraie en 1913. Le réel commande, et d'ailleurs il n'y a rien

---

1. Voir Cicéron, *De fato*, XI-XII, spécialement 26-28.

d'autre. L'éternité n'est pas la cause du devenir mais sa vérité (comme telle atemporelle).

Or, précisément, les objections, par exemple épicuriennes, que l'on peut faire à l'éternité *a parte ante* du vrai, comme aussi la position du problème et, peut-être, le problème lui-même, tiennent au fait que l'on raisonne dans le temps et non dans l'éternité. S'il était déjà vrai, avant que j'agisse, que j'agirai, dit-on, je n'étais donc pas libre d'agir ou non : l'éternité du vrai débouche sur un destin implacable (le *fatum mahometanum* de Leibniz) qui décourage l'action. Et de même s'il était déjà vrai, en 1913, qu'il y aurait une guerre mondiale en 1914. Ou déjà vrai, en septembre, que je serai reçu à mon examen de juin... Tous ces raisonnements, on le voit, reposent entièrement sur le temps (si c'était déjà vrai *avant*, c'est donc hors de notre pouvoir *pendant*), c'est-à-dire *sur la négation même de l'éternité que l'on prétend ainsi critiquer !* Après quoi il n'est en effet pas difficile de montrer que l'éternité (qui n'est plus une éternité mais un temps infini) débouche sur le fatalisme... L'idée que – avec Spinoza et parfois peut-être contre lui – j'essaie de penser est bien sûr tout autre. Loin que mon action soit soumise à la vérité antécédente (dans le temps) de l'idée qui la décrit, cette idée n'est vraie (non pas avant, pendant ou après, mais éternellement ou atemporellement) que parce que mon action est ce qu'elle est (en l'occurrence *mon* action, et bien sûr dépendant largement de moi). Tout de même, objectera-t-on, la gifle que vous avez donnée à midi, s'il était déjà vrai à midi moins cinq que vous la donneriez, elle était donc bien (à midi moins cinq ou il y a cent milliards d'années) inévitable. Non pas : car il n'y a pas d'*avant* pour la vérité, et la nécessité, loin d'être la prédétermination de tout, n'est pas autre chose que la réalité présente, telle qu'elle est et, fût-ce pour cette seule raison, telle qu'elle ne peut pas ne pas être. La gifle de midi, c'est à midi qu'elle est inévitable (c'est pourquoi, on l'a vu, il n'y a pas de libre arbitre), et c'est parce qu'elle est inévitable (réelle) à midi qu'elle est vraie déjà (quoique « déjà » soit encore une expression fallacieusement temporelle, mais c'est que les mots, dirait Spinoza, sont toujours prisonniers de l'imagination) à midi moins cinq, il y a cent milliards d'années et à jamais. La nécessité n'est pas un destin ; l'éternité n'est pas une prédestination. Loin de soumettre le présent au passé (fatalisme) ou à l'avenir (providence), l'éternité du vrai, *a parte ante* comme *a parte post*, ne soumet le présent qu'à lui-même (nécessité).

Il reste que, pour Spinoza, toute chose singulière est rigoureusement et intégralement déterminée, à la fois par la nature, considérée comme un tout[1], et par telle ou telle cause particulière, elle-même déterminée par une autre, et ainsi à l'infini[2]. L'opposition avec Epicure, et sans doute avec la physique contemporaine, est ici indéniable. Mais quand bien même on renoncerait – et j'y renoncerais pour ma part sans difficulté – à cette idée d'une chaîne des causes, c'est-à-dire d'un déterminisme strict, continu et universel (cela même que le clinamen, chez Lucrèce, vient briser), cela ne changerait rien à la nécessité du présent (qui, même indéterminé, est nécessairement ce qu'il est, et ne saurait être autre chose) ni, donc, à l'éternité du vrai. Les deux thèses, d'une part, du déterminisme, et, d'autre part, de la nécessité et de l'éternité du vrai, si elles sont bien sûr liées dans l'esprit de Spinoza, n'en sont pas moins logiquement indépendantes, et c'est pourquoi l'on peut renoncer à l'une (le déterminisme intégral) sans renoncer à l'autre (l'éternité du vrai et la nécessité du présent). Spinoza, même déterministe comme il est, n'est pas Laplace : l'éternité n'est pas la prédétermination de l'avenir mais la vérité (comme telle atemporelle) du présent ; et loin qu'elle nous enferme dans le passé, elle nous permet au contraire, le cas échéant, de nous en libérer. Chacun en effet, même sans aller aussi loin que Laplace, admettra que nous sommes pour une part le résultat de notre hérédité ou de notre enfance, et prisonniers en cela, au moins partiellement, du passé : qu'on se souvienne du *tournebroche* de

---

1. *Ethique* I, prop. 16, 26 et 27.
2. C'est la chaîne infinie des causes finies (*Ethique* I, prop. 28).

Kant... Mais la vérité, en tant qu'elle est éternelle, et la connaissance, en tant qu'elle est vraie, sont libres toutes deux (si la vérité était héréditaire ou socialement déterminée, il n'y aurait pas de vérité), et, spécialement, *libres du passé* : il n'y a pas de fatalité ou de prédestination du vrai (toute pensée vraie est une pensée libre), et c'est pourquoi la raison est libre, en tout homme, à proportion de sa nécessité (en tant qu'elle est une nécessité *interne*, ce qui est la définition même, chez Spinoza, de la liberté)[1]. « *Autonomie*, disait Cavaillès, *donc nécessité.* »[2] La pensée est nécessaire quand elle n'obéit qu'au vrai, et c'est alors qu'elle est libre.

Mais ne pourrait-on pas, demandera-t-on, renoncer à la fois au déterminisme et à la nécessité ? En aucun cas. Car si le présent n'était pas nécessairement ce qu'il est (s'il n'était pas soumis au principe d'identité, ou à ce que les logiciens considèrent comme un principe, mais qui n'est en vérité que l'identité du réel : le réel en tant qu'il est le réel même), il n'y aurait rien en lui à connaître, et penser serait impossible. Etre c'est être nécessaire (que cette nécessité soit interne ou externe : qu'il y ait liberté ou contrainte)[3] ou ce n'est pas être. Or, en tant qu'elle est vraie, cette nécessité est aussi éternelle, et c'est pourquoi, quoi qu'on pense par ailleurs du déterminisme (question qui est aujourd'hui d'ordre plutôt scientifique que philosophique), on peut maintenir la stricte – et spinoziste ! – équivalence de la nécessité et de l'éternité. L'éternité en effet, pour Spinoza, n'est pas autre chose que la nécessité de l'existence[4], et les deux mots d'éternité et de nécessité sont en vérité synonymes (« *aeternitas seu necessitas* », écrit Spinoza)[5], non parce que tout est prédéterminé (fatalisme) mais parce que *tout est vrai* (rationalisme). L'éternité du vrai résulte,

1. *Ethique* I, déf. 7. Voir aussi la *Lettre 58*, à Schuller (p. 303-304).
2. La pensée mathématique, *Bulletin de la Société française de Philosophie*, séance du 4 février 1939 (t. 40, 1946, p. 9).
3. *Ethique* I, déf. 7. Voir aussi les prop. 16 et 17, avec les corollaires et scolie.
4. *Ethique* I, déf. 8, et II, corollaire 2 de la prop. 44 et démonstration.
5. *Ethique* IV, prop. 62, démonstration.

non de la chaîne passée des causes, mais de la nécessité du présent.

On dira qu'ici j'interprète, et certes je ne m'en cache pas. Mais Spinoza dit bien, et explicitement, que toute vérité est éternelle, et ce, même quand elle est vérité de l'éphémère [1]. Que je sois actuellement en train d'écrire, c'est à la fois absolument nécessaire (le contraire, tant que j'écris, est impossible) et éternellement vrai (le contraire, concernant cet instant que je dis, est éternellement faux). Une idée peut être vraie, en effet, même quand elle est l'idée d'une chose inexistante [2] (ce que la géométrie confirme : le théorème de Pythagore n'a pas besoin, pour être vrai, qu'il existe effectivement des triangles) ; elle est éternelle, pour la même raison, même quand elle est l'idée d'une chose provisoire. L'idée vraie de mon corps, tout périssable qu'il soit, est une vérité éternelle [3] ; et chacun peut ainsi dire de soi, comme fit un jour Jankélévitch : « Je vous présente cette chose surprenante : *une vérité éternelle qui va mourir...* » Que je vive en effet, et que je meure, c'est la vérité même ; en tant que j'en ai conscience (en tant que je vis *en vérité*), je vis donc, et meurs, non certes éternellement (ma vie et ma mort supposent la durée), mais *sub quadam specie aeternitatis* [4], comme dit Spinoza, sous une certaine forme d'éternité ou, si l'on préfère, du point de vue de l'éternité. L'éternité est le toujours présent du vrai, et ce toujours présent (l'éternité) est la vérité même.

Bien sûr tout cela n'est intelligible que si l'on accepte de distinguer la *vérité* (toujours concrète, singulière et éternelle) de la *connaissance* (toujours en quelque chose abstraite, approximative, imaginaire et historique) que l'on

---

1. Voir par ex. la *Lettre 10*, à Simon de Vries (p. 152), *Éthique* II, corollaire 2 de la prop. 44 et démonstration, et IV, démonstration de la prop. 62.

2. *Éthique* I, scolie 2 de la prop. 8.

3. *Éthique* V, prop. 23, 29 et 30, avec les démonstrations et scolies. C'est en quoi l'âme (l'idée du corps) est éternelle : prop. 23 et scolie de la prop. 34.

4. Voir par ex. *Éthique* IV, corollaire 2 de la prop. 44, et V, prop. 29 et démonstration. Voir aussi les remarques de Gueroult, t. II, appendice 17 (p. 609 sq.).

en a. La vérité n'a pas d'histoire (l'éternité ne pouvant « se définir par le temps ni avoir aucune relation au temps »)[1], et c'est pourquoi on ne peut parler, à la lettre, de *vérité scientifique*. En tant qu'elle est vraie, en effet, une idée n'est ni scientifique ni non scientifique (la scientificité est inséparable d'un certain mode, toujours historiquement déterminé, de connaissance, et c'est en quoi une idée n'est scientifique, pourrait-on dire, qu'en tant qu'elle n'est pas absolument vraie mais relative toujours aux conditions historiques qui l'ont rendue possible), et Spinoza dirait pour cela qu'elle est vraie *du point de vue de Dieu* (qui n'est pas un point de vue) ou *en Dieu* (qui n'est pas un sujet). Or toute vérité en Dieu – toute vérité en tant qu'elle est vraie – est silencieuse (les mots ne sont que des auxiliaires de l'imagination : Dieu ne parle pas)[2], singulière (Dieu « ne connaît pas les choses abstraitement, ni ne forme d'elles des définitions générales »)[3] et concrète (indépendamment du temps, des nombres et de la mesure, qui n'en sont que des délimitations abstraites)[4]. Pas plus qu'il n'est artiste ou militant, Dieu n'est mathématicien, biologiste ou astro-physicien. Ce n'est pas un super-savant (le démon de Laplace), ni la vérité, une super-science. Est-ce à dire que les sciences ne sont pas vraies ? Non pas ; c'est la vérité qui n'est pas scientifique (ce pourquoi les sciences ne peuvent jamais être vraies que partiellement). J'oserais volontiers le paradoxe : ce qu'il y a de vrai dans les sciences n'est pas scientifique, et ce qu'il y a de scientifique en elles n'est pas vrai. Au reste, les savants aujourd'hui le reconnaissent presque tous : les sciences ne sont pas plus la vérité que le filet – quelque étroites qu'en soient les mailles, et elles le sont bien sûr de plus en plus – n'est le poisson. Toute vérité est éternelle, en effet, et aucune science ne l'est, ni ne peut l'être :

---

1. *Ethique* V, scolie de la prop. 23.
2. Voir par ex. *TRE*, § 47 (Appuhn) ou 88-89 (Koyré-Caillois). Voir aussi *Court traité*, II, 24, § 10 (p. 150).
3. *Lettre 19*, à Blyenbergh (p. 184).
4. *Lettre 12*, à Meyer (p. 159).

toute vérité est éternelle, toute connaissance (sauf *en tant qu'elle est vraie*) est historique.

Mais de quelle historicité peut-il s'agir, si la connaissance est vraie (si elle ne l'était aucunement elle ne serait pas une connaissance), et si la vérité, elle, n'a pas d'histoire ? La réponse coule de source : l'histoire des connaissances, et spécialement l'histoire des sciences, est l'histoire, non de la vérité, mais de nos erreurs, de nos approximations et rectifications (le progrès « *par approfondissement et rature* » de Cavaillès) [1]. L'histoire des mathématiques en est un exemple : il y a bien un devenir, à la fois nécessaire et imprévisible, qui débouche sur de nouveaux problèmes et de nouvelles notions, lesquelles constituent bien « une nouveauté complète » [2]. Car il est faux qu'on ne se pose que les problèmes qu'on sait résoudre, mais vrai qu'on ne résout (scientifiquement) que les problèmes qu'on sait poser – ce qui ne va pas sans innovations, rectifications ou bouleversements. C'est que rien n'est jamais sûr, scientifiquement, que le faux (une théorie tenue pour vraie n'est jamais qu'une théorie qu'on n'a pas, ou pas encore, réussi à réfuter) [3], et c'est pourquoi aucune connaissance scientifique ne saurait, en elle-même, être absolue. Penser, c'est aller du vrai au vrai (du moins vrai au plus vrai) par l'élimination du faux. Et il est sûr qu'on rêve souvent, avant de penser, et qu'on se trompe toujours (l'histoire de nos connaissances n'est ainsi que l'histoire de nos erreurs corrigées : Einstein corrige Newton, qui corrige Galilée...) ; mais il reste qu'il y a des connaissances, et que celles-ci, loin de créer la vérité, la supposent. Ce n'est pas parce qu'une idée est connue qu'elle est vraie, c'est au contraire parce qu'elle est (éternellement) vraie qu'elle peut être (historiquement) connue. Nul ne pourrait connaître en effet, ni corriger une connaissance, sans cette présence au vrai (la pensée), qui est présence du vrai à lui-même (l'éternité).

---

1. *Sur la logique et la théorie de la science*, rééd., Paris, Vrin, 1976, p. 78.
2. *La pensée mathématique*, *Bulletin* cité, p. 8-9.
3. Voir K. Popper, *La logique de la découverte scientifique*, trad. franç., Payot, 1978, sections 6, 19-24 et *passim*.

La vérité, écrit Spinoza, « se fait connaître elle-même et fait aussi connaître la fausseté, mais jamais la fausseté n'est reconnue et démontrée par elle-même »[1]. Savoir qu'on s'est trompé, c'est une vérité. Et si nulle connaissance en elle-même n'est absolue, ni ne peut l'être, chacune se distingue absolument de l'erreur qu'elle critique ou dépasse. Copernic a raison, absolument, contre Ptolémée, comme Newton contre Copernic et Einstein contre Newton... L'historicité des connaissances, et spécialement le fait qu'il y ait une histoire des sciences, ne saurait donc justifier ni l'historicisme ni le scepticisme. Si tout était historique, il n'y aurait pas de vérité (puisque celle-ci, changeant avec le temps, s'abolirait comme vérité : l'historicisme est un scepticisme) ; mais s'il n'y avait pas de vérité, il n'y aurait pas de connaissance ni, donc, d'*histoire* des connaissances. Les sciences ne seraient que des vues de l'esprit, comme des modes théoriques, dont l'historicité, dans la nécessité propre de leur développement, deviendrait pour le coup inintelligible. L'histoire des sciences serait une histoire sans progrès et, donc, sans récurrence[2] (Einstein n'aurait pas raison contre Newton, ni Newton contre Ptolémée...), et il n'y aurait ni science ni histoire des sciences. C'est donc parce que la vérité n'a pas d'histoire que les sciences, elles, peuvent en avoir une : loin d'invalider la notion de vérité éternelle, l'histoire des sciences, dans son principe, la suppose et, à sa façon, la vérifie. Elle n'avance, certes, que par correction ou dépassement d'erreurs, par approximations et rectifications successives ; mais elle avance, et ce progrès (progrès *démontré*, dit Bachelard, et *démontrable*)[3] suppose, quand bien même il ne l'atteindrait jamais complè-

---

1. *Court traité*, II, 15, § 3 (p. 121). C'est pourquoi, explique Spinoza, « Celui qui a la vérité ne peut douter qu'il l'a ; celui, en revanche, qui est plongé dans la fausseté ou l'erreur peut bien imaginer qu'il est dans la vérité. » Voir aussi *Éthique* II, prop. 43 et scolie.

2. Sur la notion de *récurrence*, dans l'histoire des sciences, voir par ex. Bachelard, *L'activité rationaliste...*, chap. 1, spécialement p. 24-28 (rééd. PUF, 1965).

3. *Ibid.*, p. 24. C'est bien sûr la grande différence avec l'histoire de l'art (où le progrès est pour le moins douteux) et l'histoire des sociétés (où le progrès, s'il peut bien être affirmé, et légitimement, ne saurait être démontré).

tement, la vérité dont, par définition, il se rapproche. S'il y a progrès, et progrès *de connaissance*, c'est qu'il y a vérité : la relativité (ou, mieux, l'historicité) même des connaissances suppose, comme son objet et sa condition, l'absoluité (ou, mieux, l'éternité) du vrai. Il n'y a pas de vérité scientifique (il n'y a que des *connaissances* scientifiques) ; mais il n'y aurait pas de sciences sans l'existence d'abord (« d'abord » signifiant ici, non une préexistence temporelle, mais l'éternité même, en tant qu'elle est atemporelle) du vrai. Il n'y a pas de vérité scientifique ; mais il n'y aurait pas de sciences, sans la vérité.

Cette vérité, répétons-le, nous ne la connaissons jamais qu'approximativement (et ce pour des raisons qui ne sont pas seulement de fait mais de droit, et dans lesquelles la structure même du langage joue un rôle décisif), historiquement (« par approfondissement et rature ») et relativement (à tel contexte technique et théorique). Mais nous n'avons aucun titre à imposer à la vérité des limites qui sont celles de nos connaissances. Qu'une connaissance soit approximative, historique ou relative n'a au contraire de sens que par rapport à une vérité qui, elle, ne l'est pas. En particulier, qu'on ne connaisse le plus souvent la vérité qu'indirectement (par la réfutation du faux) ne change rien à sa présence immédiate, qui est le réel même, dans l'éternité de sa vérité. Ce n'est pas parce que Ptolémée a tort que la terre tourne autour du soleil ; c'est au contraire parce que la terre tourne autour du soleil que Ptolémée a tort. Ce n'est pas parce qu'il est faux qu'il n'y eût pas de chambres à gaz, dans les camps nazis, qu'il est vrai qu'il y en eut ; c'est au contraire parce qu'il est vrai qu'il y en eut qu'il est faux qu'il n'y en eût pas. « *Verum index sui, et falsi* [1], et c'est pourquoi il n'y a pas d'autre méthode, pour penser vrai, que la vérité même (celle que nous connaissons : si nous n'en connaissions aucune, nous ne pourrions pas penser du tout), laquelle, fondant tout, ne saurait elle-

---

1. Spinoza, *Lettre 76*, à Burgh (p. 343) : « le vrai est à lui-même sa marque, et il est aussi celle du faux ».

même être fondée. « Pour bien raisonner et prouver la vérité, écrit tranquillement Spinoza, nous n'avons besoin d'aucun autre instrument que de la vérité elle-même et du bon raisonnement. »[1] La seule méthode, pour connaître, c'est donc la connaissance elle-même, en tant qu'elle se connaît aussi soi (« la connaissance réflexive ou l'idée de l'idée »)[2], ce qui revient à dire qu'il faut diriger son esprit « selon la norme de l'idée vraie donnée »[3]. La connaissance en effet n'est pas la même chose que la vérité (les deux mots ne sont pas synonymes) mais, en tant qu'elle est connaissance, la suppose et, au moins partiellement, la contient. Nous ne pouvons donc connaître qu'en tant que la vérité nous est donnée, qu'en tant que nous sommes déjà, en quelque chose, *dans* la vérité. *Habemus enim ideam veram*[4], et c'est en quoi nous pouvons penser et connaître. La vérité est norme d'elle-même, donc aussi du faux[5], et il n'y en a pas d'autre. On ne peut réfuter le faux – donc penser et connaître – qu'à la condition d'être déjà, au moins partiellement, dans le vrai, et c'est ce que Spinoza appelle la raison[6].

Reste alors l'objection que j'évoquais plus haut : si l'être et la vérité sont une seule et même chose, et la chose même, comment concilier l'éternité du vrai et la fugacité du réel ? Comment penser à la fois l'éternité et le devenir, si l'une et l'autre doivent qualifier un seul et même être (*una eademque res*, comme dit Spinoza)[7], lequel doit pourtant être simultanément éternel (en tant que vérité) et transitoire (en tant qu'affection ou mode de l'étendue : en tant que réel) ?

---

1. *TRE*, § 29 (Appuhn) ou 44 (Caillois et Koyré, dont je suis ici la traduction).
2. *Ibid.*, § 27 ou 38.
3. *Ibid.*
4. *TRE*, § 27 ou 33 : « nous avons en effet une idée vraie ».
5. « *Veritas norma sui et falsi est* » (*Ethique* II, scolie de la prop. 43).
6. *Ethique* II, scolie 2 de la prop. 40 ; voir aussi *Ethique* IV, démonstration de la prop. 26.
7. *Ethique* II, scolie de la prop. 7.

Je ne veux pas entrer dans les difficultés techniques de la pensée spinozienne, dans le jeu, ici singulièrement ardu et elliptique, des propositions et des scolies. Il n'y a guère que vingt pages à affronter (les vingt dernières propositions de l'*Ethique*), que chacun peut lire, que beaucoup ont commentées [1], et qu'il m'arrive parfois de comprendre à peu près. Mais mon propos, répétons-le, n'est ni d'historien ni de commentateur. Ce n'est pas Spinoza que j'essaie de comprendre mais le réel ; Spinoza ne m'intéresse qu'autant qu'il y mène.

Or, de quoi s'agit-il ? Il s'agit de savoir s'il y a une différence, et laquelle, entre le réel et le vrai. Il devrait sembler que non, puisque le vrai n'est vrai, c'est en tout cas ce que j'ai essayé de montrer, que par son identité avec le réel, dont il est, beaucoup mieux que le reflet ou l'image, le dévoilement ou l'existence. Mais pourtant le réel passe (le bouquet de fleurs que j'évoquais à l'ouverture de ce livre est depuis bien longtemps fané, et si j'écris sur la même table où il se trouvait, celle-ci disparaîtra à son tour, et moi, et le monde...), quand la vérité, elle, ne passe pas (qu'il y eut alors un bouquet de fleurs sur cette table, ce n'est pas moins vrai aujourd'hui qu'il y a sept ans : la vérité ne fane pas). Il faut donc bien que le réel et le vrai se distinguent en quelque chose, ou que quelque chose, dans le temps, les distingue. Quoi ? Le temps même.

Il y a bien une différence entre le réel et le vrai : le réel est la vérité *sub specie temporis* ; et le vrai : le réel *sub specie aeternitatis*.

Toute vérité est éternelle, en effet, et aucun réel (en tout cas aucun réel particulier : aucun mode fini) ne l'est. L'éternité est ainsi ce qui distingue le vrai du réel – ou le temps, ce qui distingue le réel du vrai. Le réel change, dans le temps : un bouquet, une table, puis plus de bouquet, puis

---

1. Voir spécialement (et comparer !), outre les textes déjà cités de M. Gueroult, B. Rousset, *La perspective finale de « l'Ethique » et le problème de la cohérence du spinozisme*, Paris, Vrin, 1968 ; R. Misrahi, *Le désir et la réflexion...*, XI, 4 (p. 303 sq.) et A. Matheron, Remarques sur l'immortalité de l'âme chez Spinoza, dans *Anthropologie et politique au XVIIe siècle (études sur Spinoza)*, Paris, Vrin, 1986 (p. 7-16).

plus de table... On ne se baigne jamais deux fois dans le
même fleuve réel. Mais qui une fois s'y est baigné : éternellement, cela restera vrai. Les hommes passent, et les
fleuves, et le réel... La vérité ne passe pas. Le vrai est ainsi
l'éternité du réel (le réel *sub specie aeternitatis*), et c'est
pourquoi ils coïncident dans le présent.

Précisons. Ce présent n'est pas le *lieu* de l'éternité : il est
l'éternité même, laquelle peut se dire légitimement de deux
façons – selon le réel ou selon la vérité.

Selon le réel, ou dans le réel, tout passe, certes, mais ne
passe qu'au présent – qui ne passe pas. Le toujours présent
du réel fait ainsi comme une éternité instantanée (c'est
l'éternité de l'éphémère), dont certains *haiku* japonais tendent à fixer la fulgurance, et dont chacun, au détour d'un
chemin ou d'une pensée, peut ressentir l'absolue et bouleversante simplicité :

> Dans la forêt obscure
> Une baie tombe :
> Le bruit de l'eau.

Ou bien :

> Je coupe du bois,
> Je tire de l'eau :
> C'est merveilleux.

Moments d'extase, d'émotion ou de paix, mais sereines
toujours. On est ici aux limites de la poésie et de la pensée,
parce qu'on est aux limites de la conscience (en tant qu'elle
est toujours distendue entre le souvenir et l'attente) et du
sens (en tant qu'il est « temporel de part en part »). Ce qu'il
s'agit d'exprimer, ce n'est plus l'espoir ou la crainte, l'attente ou le souvenir, ce n'est même plus le sens (l'*haiku* certes
veut dire quelque chose, mais cela qu'il dit ne veut rien
dire : son sens n'est pas un sens), c'est « la vie sans but »[1],

----

1. Alan W. Watts, *Le bouddhisme zen*, trad. franç., Payot, rééd. 1978, p. 200.

la simplicité d'un « instant intemporel »[1], sa vacuité (quant au sens) et sa plénitude (quant au réel). Eternité : silence. « Là où nous sommes – dans l'instant éternel – il n'y a pas de mots, puisque tout est là. »[2] Merveille et simplicité. Cela est comme cela est, advient comme cela advient, miraculeusement simple et présent (mais le miracle c'est qu'il n'y a pas de miracle), parfait, non parce qu'adéquat à une norme ou à une fin, mais parce qu'identique à soi. *La rose est sans pourquoi, fleurit parce qu'elle fleurit...* Qui n'a vécu, peu ou prou, de tels moments ? Et qu'avons-nous vécu de plus beau ? C'est pourtant le tout-venant du réel, mais pour une fois accueilli ou accepté, et dans sa présence même. Présence, non du sens, mais du réel. « Tout est langage », dit une psychanalyste célèbre, et c'est aussi ce que disent les prêtres, et du monde même. Labyrinthes du sens et de la foi, pour qui tout présent n'est présence que d'un autre... Le sage dirait plutôt : *tout est silence* (tout, jusqu'au langage !), et ce silence, ici et maintenant, c'est le monde. Cette lumière sur un mur, ce cri d'oiseau dans le matin, cette fraîcheur, l'ombre d'un arbre, un caillou, une brindille... Silence et paix. Ni le passé ni l'avenir n'existent, et cela – cette pure présence du présent – est l'éternité même. Quand Fach'ang fut sur le point de mourir, rappelle Alan Watts, un écureuil sur le toit jeta un cri perçant : « ce n'est que cela, dit-il, et rien d'autre »[3]. Il n'y a que le réel, et le réel est tout, et présent toujours, et ne signifie rien. « Le sens étant de nature temporelle, remarque Derrida après Husserl, *il n'est jamais simplement présent* »[4], et c'est pourquoi dans le présent (dans le réel) il n'est jamais là – ni ailleurs (puisqu'il n'y a pas d'ailleurs). Seul le présent existe, seul le réel est réel, et c'est ce que j'appelle le désespoir. Pour le dire autrement : tout sens est subjectif, et tout réel (y compris le sujet lui-même, dans sa vérité) est objec-

1. *Ibid.*

2. Christian Bobin, *Le huitième jour de la semaine* (Paris, Lettres Vives, 1986), p. 34.

3. Cité par A. W. Watts, *op. cit.*, p. 221.

4. *La voix et le phénomène*, p. 95-96.

tif. La vérité du sens c'est donc qu'il n'y a pas de sens, et c'est ce que j'appelle le silence. Ce silence (non le manque d'une parole mais le plein d'un réel) est au sens ce que le présent est au temps. La vérité du temps, en effet, c'est qu'il n'y a pas de temps (si l'on entend par là la somme d'un passé et d'un avenir) mais le présent seul, l'éternel présent du devenir : la vérité du temps, concernant le réel, c'est qu'il n'y a que du présent, et c'est ce qu'on appelle l'éternité.

Mais l'éternité, on l'a vu et je n'y reviens pas, peut aussi se dire selon la vérité. Toute vérité est éternelle en ce que, étant dans son principe atemporelle, elle est toujours vraie, toujours *présentement* vraie. C'est bien sûr davantage qu'une manière de dire. De même que la présence du réel n'est pas un point de vue sur le réel mais le réel lui-même, de même l'éternité du vrai n'est pas un point de vue sur le vrai, ni l'un parmi d'autres de ses prédicats, mais sa vérité même. Un réel qui ne serait pas présent ne serait pas non plus réel ; une vérité qui ne serait pas éternelle ne serait pas non plus une vérité. Le toujours présent du réel (disons : son éternité en mouvement) et le toujours présent du vrai (disons : son éternité en repos) font partie, non de leurs propriétés, mais de leur définition.

Ces deux éternités, je l'ai signalé en passant, coïncident dans le présent. Que je sois actuellement en train d'écrire, c'est à la fois réel, ici et maintenant, et vrai. Mais le temps passe, et pour le lecteur qui me lira cela, qui sera toujours vrai, ne sera plus réel. « Il est vrai qu'il écrivit, pourra se dire chacun, mais le réel, c'est que je le lis… » Bien sûr. La vérité est éternelle ; le réel, non. Plutôt : si le réel en lui-même est éternel, étant toujours présent, aucun réel particulier (les modes finis de Spinoza) ne l'est, étant toujours en devenir. La question se pose alors de savoir si l'on ne retombe pas dans une espèce de dualisme dénié, si le réel et le vrai (ou les deux attributs de Spinoza) ne constituent pas comme deux mondes différents, qui nous enfermeraient, à nouveau, dans le platonisme.

En vérité c'est une lecture possible, que certains, et non

des moindres, ont tentée. Deux points pourtant me paraissent, sinon l'interdire, du moins en dispenser.

Le premier, c'est que si le réel et le vrai coïncident dans le présent, ils coïncident donc *toujours*, j'entends pour tout réel donné. La vérité certes reste vraie quand le réel dont elle est la vérité n'existe plus (il est vrai toujours qu'il y eut un bouquet de fleurs sur cette table), et c'est en quoi la vérité peut sembler en quelque chose disjointe du réel (puisque le bouquet, lui, n'existe plus) ; mais elle n'est disjointe précisément que du réel qui n'existe plus (ou pas encore) et qui, donc, *n'est pas* réel. Inversement, pour tout réel donné (pour tout réel présent, si l'on m'autorise ce pléonasme), la vérité l'accompagne, ici et maintenant, ou, mieux, il est, ici et maintenant, la vérité même (qui lui survivra). Le présent, qui les contient tous deux, est le lieu de jonction du réel et du vrai – lesquels ne sauraient donc jamais être *réellement* disjoints. A ce titre le présent est bien, si l'on veut, ce qui sépare le passé et l'avenir ; mais comme le passé et l'avenir ne sont rien, *rien* ne les sépare. Il n'y a plus que l'éternité, qui est le présent même. Entre rien et rien : tout.

D'où le second point. Si le présent est le lieu de jonction (ou, mieux, d'identité) du réel et du vrai, il est le lieu de tout (puisque ni l'irréel ni le faux n'existent), considéré dans sa présence actuelle (comme réel) et éternelle (comme vérité). Les deux, répétons-le, ne sont qu'une seule et même chose (il n'y a pas d'un côté le bouquet et, de l'autre, la vérité du bouquet), toujours identique à soi (réelle et vraie), et qui n'est éternelle, comme vérité, que parce qu'elle est (ou fut, ou sera) réelle. Le réel commande, et se suffit ; mais, *parce qu'il est réel*, il est vrai aussi et, comme tel, éternel. Notre monde n'est ni une copie ni un songe : il est le *vrai* monde, et c'est pourquoi il est éternel. Il n'y a pas de monde intelligible : la vérité est l'éternité du réel (Spinoza), et non le réel l'image mobile de l'éternité (Platon).

C'est que la vérité, encore une fois, n'est pas une réduplication du réel, son double idéel ou discursif, mais bien le réel lui-même (les *res*, ce qu'Alain appellera, parlant de Spinoza, « le vrai sans paroles »)[1], et, dans tous les attributs, le *même* réel (*easdem res*)[2]. Ce qu'il faut comprendre ici, qui nous sauve du platonisme mais qui est aussi la grande difficulté (le platonisme est une philosophie incomparablement plus facile), c'est que le réel et le vrai, bien que temporellement disjoints, sont en vérité une seule et même chose : parce que le temps n'est rien que le présent, qui est l'éternité même. Eternité de la pensée (le toujours présent du vrai), éternité de l'existence (le toujours présent du réel), à la fois disjointes (dans le temps) et identiques (dans l'éternité)... Dans quelle mesure cela peut se penser jusqu'au bout, c'est ce que je n'ai jamais pu totalement élucider, et il n'est pas sûr que la pensée discursive, prisonnière qu'elle est des mots et de l'imagination, puisse un jour y parvenir. Ce que je sais, en revanche, c'est que la vérité ne se distingue du réel que quand celui-ci ne l'est plus ou pas encore ; elle ne s'en distingue donc jamais réellement, mais pour l'esprit seul, qui se souvient, anticipe et compare. L'esprit, ce qu'on appelle l'esprit, tient peut-être tout entier dans cette déchirure, dans cet abîme qu'il creuse, au cœur du présent, entre deux éternités... qui n'en font qu'une. « *Tout homme*, dit Gœthe après avoir lu longuement Spinoza, *est éternel à sa place* »[3] ; c'est qu'il est toujours simultanément réel et vrai, et cette simultanéité, qui est le présent même, est aussi, ici et maintenant, ce qu'on appelle l'éternité. « Vous me demandez, écrit Spinoza à l'un de ses correspondants, si les choses réelles et leurs affections sont des vérités éternelles. Je réponds qu'elles en sont. »[4] Tout homme est éternel à sa place, et toute chose, et tout état de toute chose, et c'est en quoi l'éternité n'est en aucun cas à attendre ou à espérer. Si l'éternité était pour demain, elle ne serait pas l'éternité : l'éternité est présente, par définition, ou n'est pas l'éternité.

1. Alain, *Spinoza*, édition augmentée, Paris, Gallimard, 1986, p. 170.
2. *Ethique* II, scolie de la prop. 7.
3. Cité par Alain, *op. cit.*, p. 170 et 171.
4. *Lettre 10*, à Simon de Vries (p. 152).

Or de cette éternité présente (qui est le présent même, en tant qu'il est éternel), Spinoza nous dit, c'est peut-être le plus étonnant, qu'elle est une vérité d'expérience. « *Nous sentons*, écrit-il, *et expérimentons que nous sommes éternels* »[1] ; et chacun, remarque Alain, « a l'expérience de ce bonheur soudain, étranger à la durée, qui fait que l'on aime cette vie passagère »[2]. Expérience bien rare, sans doute, pour presque tous, mais réelle, et qui justifie ce beau titre qu'un auteur contemporain donna à tel volume de son journal intime : *L'éternité parfois*... Et Proust parlait aussi de ces « fragments d'existence soustraits au temps », qui ne sont jamais, au-delà de tel phénomène de mémoire affective, que des moments de vérité. S'ils sont pour nous si rares, c'est que nous vivons le plus souvent hors du vrai – que ce soit mensonge, ignorance ou divertissement – et comme étrangers à nous-mêmes, c'est-à-dire non certes au cher moi (qui n'est au contraire tout entier que ce mensonge, cette ignorance et ce divertissement) mais à la vérité en nous qui n'est pas nous – et que nous sommes. « Dieu, disait saint Augustin, plus intime en moi que moi-même... » Spinoza en serait d'accord, tout en précisant que ce Dieu n'est pas un sujet, ni une personne, ni un juge, mais la vérité même[3]. La pensée est cette intimité en nous, éternelle, du vrai à lui-même.

L'éternité n'est donc pas un autre monde, ni un autre temps, ni même une partie de ce monde ou de notre durée. En tant que nous durons, certes, nous ne sommes pas éternels (nous ne sommes pas éternels, dirait Spinoza, au sens où Dieu l'est, et chacun sait bien que l'univers lui survivra) ; mais en tant que nous durons *en vérité*, cette durée elle-même est une vérité éternelle (qui ne dure pas). D'où les expressions qu'utilise Spinoza, bien connues et bien difficiles, pour désigner cette éternité seconde (l'éter-

---

1. *Ethique* V, scolie de la prop. 23.
2. *Op. cit.*, p. 170.
3. Voir par ex. le *Court traité*, II, 5, § 2 (« *Dieu, ou ce que nous prenons pour une seule et même chose, la Vérité...* ») et II, 15, § 3 (« *Dieu est la Vérité, ou la Vérité est Dieu même* »).

nité, exactement, d'une chose qui n'est pas éternelle : une vérité éternelle qui va mourir...), laquelle, n'étant pas le propre d'une existence absolument nécessaire (comme est celle de Dieu, en tant qu'il est *causa sui*, ce que nous ne saurions être), ne peut être sentie et expérimentée que comme « *quadam specie aeternitatis* », une certaine sorte (ou aspect, ou espèce...) d'éternité [1]. Non qu'il ne s'agisse que d'une éternité apparente, mais parce que cette éternité est éternité non de l'existence actuelle (nous durons, et nous ne durerons pas toujours), ni pourtant d'autre chose (il n'y a rien à espérer de la mort), mais seulement de la *vérité* de cette existence, c'est-à-dire, non certes d'un discours sur elle (tout discours au contraire est historique), mais de cette existence même, non en tant qu'elle dure, répétons-le, mais en tant qu'elle est vraie ou nécessaire, c'est-à-dire en tant qu'elle échappe, comme vérité, à la durée qui la constitue, comme existence. La chose certes est difficile à penser, mais il n'y a rien là, pour Spinoza, de mystérieux ni de surnaturel. Connaître les choses, ou se connaître soi, du point de vue de l'éternité, c'est simplement les connaître en vérité (« comme elles sont en elles-mêmes », dit Spinoza) [2], c'est-à-dire dans la nécessité (*aeternitas seu necessitas*...) de leur existence [3]. S'il est « de la nature de la raison de percevoir les choses comme possédant une certaine sorte d'éternité » [4], c'est simplement

---

1. *Ethique* II, corollaire 2 de la prop. 44, et V, prop. 22, 23, 29, 30 et 31, avec les démonstrations et scolies.

2. *Ethique* II, prop. 44, démonstration.

3. *Ethique* I, déf. 8, et II, démonstration du corollaire 2 de la prop. 44. Comme le remarque M. Gueroult (*Spinoza*, t. II, p. 612), « il n'y a donc pas plusieurs *sortes* de nécessité ou d'éternité dans les choses, mais une seule : celle de Dieu. En revanche, il y a pour l'homme plusieurs *aspects* des choses, selon qu'il les connaît, soit par l'imagination, auquel cas il les connaît sous l'aspect de la contingence et du temps (II, coroll. 1 de la prop. 44), soit par l'entendement, auquel cas il les connaît sous l'aspect de la nécessité ou de l'éternité (*ibid.*, coroll. 2). *Species*, en l'occurrence, veut donc dire aspect ou point de vue, et non espèce ou sorte. » Précisons toutefois que cet aspect n'est pas une apparence, ni ce point de vue un point de vue (au sens subjectif du terme). Ce n'est pas moi qui vois les choses *sub specie aeternitatis* : ce sont elles qui sont éternelles, en vérité, et le « species aeternitatis », loin d'être un point de vue, est bien plutôt l'objectivité même (*Ethique* II, démonstrations de la prop. 44 et du corollaire 2).

4. *Ethique* II, corollaire 2 de la prop. 44.

qu'il est « de la nature de la raison de considérer les choses comme nécessaires et non comme contingentes »[1], et ce, non dans le temps (prédéterminisme, fatalisme ou providence), mais dans l'éternité (le toujours présent) de l'existence divine, comme dit Spinoza, c'est-à-dire naturelle. L'éternité n'est pas un autre monde mais « l'existence elle-même »[2], dans sa nécessité absolue (la substance) ou dérivée (les modes), c'est-à-dire, dans le langage que Spinoza emprunte à la religion, en tant qu'elle est Dieu (la nature) ou en Dieu (les modes). Cette éternité nous contient, et toutes choses[3], et c'est pourquoi chacun y accède – en découvrant qu'il y est déjà – à proportion de ce qu'il connaît[4].

L'éternité n'est donc pas une promesse, mais pas non plus un leurre. C'est la vérité de vivre (pour tout le monde, y compris pour ceux qui l'ignorent) et la vie en vérité (pour le sage, qui la connaît). On peut parler d'intellectualisme, si l'on veut, mais le mot est court ; ou de mysticisme, mais le mot est équivoque. Ce qui est sûr, c'est que c'est bien la vérité qui sauve, et qui sauve, en tant que telle, éternellement. C'est en quoi notre âme, dans la mesure où elle connaît, « ne peut être entièrement détruite avec le corps », écrit Spinoza, ni « se définir par le temps ou s'expliquer par la durée »[5]. Mais cette éternité de l'âme, loin d'être un quelconque paradis, exclut au contraire toute immortalité personnelle ou subjective : « L'âme ne peut rien imaginer et il ne lui souvient des choses passées que pendant la durée du corps »[6], lequel ne saurait échapper à la mort ou ressusciter[7]. Les hommes se trompent donc qui, conscients de l'éternité de leur âme, « la confondent avec la durée et l'attribuent à l'imagination ou à la mémoire, qu'ils croient

---

1. *Ibid.*, démonstration, qui renvoie à la prop. 44.
2. *Ethique* I, déf. 8. Voir A. Matheron, *op. cit.*, p. 7 sq.
3. *Ethique* I, prop. 15.
4. *Ethique* V, prop. 24, 33, 38, 39 et 40, avec les démonstrations et scolies.
5. *Ethique* V, prop. 23 et scolie.
6. *Ethique* V, prop. 21.
7. Voir *Ethique* IV, axiome et *Ethique* V, scolie de la prop. 37 ; voir aussi les *Lettres* 75 et 78, à Oldenburg (p. 339-340 et 348).

subsister après la mort » [1]. Spinoza, a-t-on remarqué légitimement, fait ici « peu de cas de nos illusions et de nos
espérances » [2] : ce qu'il y a d'éternel en moi ce n'est pas moi
mais la vérité que je suis – laquelle, dans la mesure même
où elle est vraie, n'est pas un sujet (n'est pas « moi »). Elle
me constitue pourtant, et je la puis connaître ; mais plus
je la connais – et plus je me connais –, plus je m'oublie. La
vérité du moi ce n'est pas moi (connaître le moi c'est le
dissoudre) mais ce qui m'en libère. C'est le bon usage, non
narcissique, du *connais-toi toi-même*. Apprendre à se
déprendre : l'éternité est à ce prix. En tant que le moi n'est
que la somme des illusions qu'il se fait sur lui-même, il est
voué à la mort et au temps ; en tant qu'il est vrai (en tant
qu'il n'est pas un sujet mais une histoire), il est éternel et
la mort même ne peut rien lui prendre. Désespoir : le moi
n'est pas éternel, et ce qui est éternel en moi (la vérité) n'est
pas moi. Mais ce désespoir n'est triste que pour Narcisse,
qui se préfère au vrai ; pour le sage au contraire, qui n'aime
que la vérité (le sage, délivré de toute appartenance !), ce
désespoir *est* la béatitude, qui n'est pas autre chose que
l'amour, lui-même éternel (vrai) et se sachant tel, de la
vérité [3].

L'éternité ne saurait donc consister en une quelconque
survie ou immortalité du sujet ou de l'individu : le sujet ne
vit pas plus après la mort qu'il ne vivait avant la naissance [4],
et il n'y a rien, de ce côté-là non plus, à espérer. Si nous
sommes éternels, ce n'est pas après ni avant notre existence
(s'il s'agissait d'après ou d'avant, il ne s'agirait plus d'éternité), mais *pendant* si l'on veut (le présent étant, on l'a vu,
le lieu de coïncidence du réel et du vrai), à ceci près que
ce *pendant* n'est pas de l'ordre de la durée mais, ici et
maintenant, de l'éternité. « Tout homme est éternel à sa

---

1. *Ethique* V, scolie de la prop. 34.
2. B. Rousset, *op. cit.*, p. 37. Voir aussi A. Matheron, *op. cit.*, p. 15 (« Inutile
d'espérer que notre âme, après la disparition du corps, accédera à des connaissances
nouvelles »).
3. *Ethique* V, prop. 33 et scolie. Voir aussi le scolie de la prop. 36.
4. *Ethique* V, prop. 21, 23 et 34, avec les scolies.

place », et c'est là son salut en vérité. On pense à la belle formule d'Eluard : « *Il y a un autre monde, mais il est dans celui-ci.* » Il est, exactement, la vérité de celui-ci, et chacun n'est éternel en ce sens, ou n'a conscience de l'être, qu'à proportion de ce qu'il *peut* de vérité. Vertu c'est puissance, et puissance, pour l'esprit, c'est éternité[1]. « Plus l'âme connaît de choses par le deuxième et le troisième genres de connaissance, moins elle pâtit des affections qui sont mauvaises, écrit Spinoza, et moins elle craint la mort. »[2] Non certes que l'individu cesse pour autant de mourir (dans le temps cela ne se peut)[3] ; mais parce que cela en lui qui meurt (« tout ce qui se rapporte à sa mémoire et à son imagination » : le moi)[4] est devenu « sans importance »[5] par rapport à la partie en lui qui connaît (« la meilleure partie de nous-mêmes » : l'entendement ou l'esprit, en tant qu'il est éternel)[6] et, dans cette connaissance, se réjouit. Et sans doute nul n'est sage tout entier (nul n'est tout entier vérité) ; mais tout est vrai pourtant (l'erreur n'est rien), et nous ne sommes séparés du salut qu'à proportion de nos mensonges et de nos illusions.

Désespoir et béatitude. Je mourrai, et mes mensonges passeront, et mes illusions. La vérité est la seule chose en moi qui ne passera pas.

IX

La sagesse, disais-je, est l'amour joyeux de la vérité. En tant que cette vérité est éternelle et contient jusqu'à l'amour qu'on lui porte (on ne peut aimer Dieu qu'en Dieu, ou la vérité qu'en vérité), la sagesse peut s'appeler béatitude. Est-ce la même sagesse que nous évoquons depuis le

---

1. *Ethique* IV, déf. 8, et V, prop. 42 et scolie.
2. *Ethique* V, prop. 38.
3. *Ethique* IV, Axiome, et V, scolie de la prop. 37.
4. *Ethique* V, scolie de la prop. 39.
5. *Ethique* V, scolies des prop. 38 et 39 (que je retraduis).
6. *Ethique* IV, Appendice, chap. 32, et V, corollaire de la prop. 40.

début ? Sans doute, mais considérée d'un autre point de vue. La sagesse est l'amour joyeux de la vérité, mais « en relation, dirait Spinoza, à un temps et à un lieu déterminés »[1] (toute sagesse, dirions-nous, est historique : la sagesse d'Epicure n'est pas celle de Spinoza, ni la nôtre, et c'est pourquoi l'histoire de la philosophie ne saurait tenir lieu de philosophie) ; la béatitude est cet amour même, mais *sub specie aeternitatis* : toute sagesse est historique, toute béatitude est éternelle. Non qu'il faille ici choisir. « Les choses, écrit Spinoza, sont conçues par nous comme actuelles de deux manières » (selon le temps ou selon l'éternité)[2], mais ce sont bien les *mêmes* choses. La béatitude n'est pas une autre sagesse, qui serait éternelle, mais la sagesse même, en tant qu'elle est vécue – ici et maintenant (comme sagesse) et éternellement (comme béatitude) – en vérité.

Cette éternité, en tant que nous en avons conscience (non pas abstraitement mais singulièrement : non en imagination ou en discours mais en esprit et en vérité), c'est ce que Spinoza, comme tout un chacun, appelle aussi le *salut*, dont il nous dit qu'il est « difficile autant que rare », et d'ailleurs « négligé par presque tous »[3]. Il est pourtant moins loin de nous que, dans notre malheur, nous le pourrions croire. Le salut n'est pas une autre vie (ce n'est ni un paradis ni une récompense) mais la vérité de celle-ci. Or cette vérité, si je ne vis pas spontanément en elle (nous ne naissons pas libres, dit Spinoza, ni ne pouvons totalement le devenir)[4], du moins je la puis connaître, peu ou prou[5], et accéder par là, consciemment et joyeusement, à l'éternité qui me contient. Il y a une histoire, pour chacun, non de la vérité, mais de sa découverte : c'est dans la durée que nous cheminons, si l'on peut dire (mais comment dire autrement ?), vers l'éternité où nous sommes. Spinoza lui-

---

1. Cf. *Ethique* V, scolies des prop. 29 et 37.
2. *Ethique* V, scolie de la prop. 29.
3. *Ethique* V, dernier scolie.
4. *Ethique* IV, prop. 68, démonstration et scolie.
5. *Ethique* V, prop. 24 et *passim*.

même, pour ce qui le concerne, en a ébauché le récit : « Au début, à la vérité, ces relâches furent rares et de très courte durée, mais, à mesure que le vrai bien me fut connu de mieux en mieux, ils devinrent plus fréquents et durèrent davantage... »[1] Il y a une joie à connaître, joie toujours généreuse et pleine (« une joie pure, écrit Spinoza, une joie exempte de toute tristesse... »)[2], et c'est ce qu'on appelle l'amour de la vérité (« l'amour intellectuel de Dieu », dit Spinoza)[3], qui n'est pas autre chose que la connaissance elle-même en tant qu'elle est en nous cause de plaisir ou de joie[4]. Qui n'en a jamais fait l'expérience *(sentimus experimurque...)*, que sait-il de la pensée ? Le salut n'est pas « sous la main »[5], certes, en ceci qu'il est difficile ; mais il n'est pas non plus ailleurs, comme croit le vulgaire, ni en nous, comme croient les spiritualistes : c'est nous qui sommes en lui. Mais nous préférons rêver une impossible félicité (Narcisse comblé ! et c'est ce qu'on appelle le paradis...), plutôt que d'affronter cet abîme – celui-là même qu'évoquait Démocrite – qui ne nous sauve qu'au prix de nos illusions.

Plusieurs lecteurs m'ont écrit, après avoir lu le tome I de ce livre, qu'ils attendaient avec impatience le second pour accéder enfin, après tant de désespoir disaient-ils, à la vie heureuse. « A quand, me demanda l'un d'eux, votre *Traité de la béatitude ?* » C'était bien sûr se méprendre. La béatitude n'est pas *autre chose* que le désespoir, et je l'avais dit en commençant ; ni pourtant, avouons-le, *tout à fait* la même chose : elle est le désespoir *sub specie aeternitatis*, si l'on veut, c'est-à-dire la vie elle-même, cette vie, la vraie vie, la seule vie, avec ses tristesses et sa finitude, mais

---

1. *TRE*, § 4 (Appuhn) ou 11. Voir aussi la *Lettre 21*, à Blyenbergh (p. 204) : « Le fruit que j'ai retiré de mon pouvoir naturel de connaître, sans l'avoir trouvé une seule fois en défaut, a fait de moi un homme heureux. J'en jouis, en effet, et tâche à traverser la vie non dans la tristesse et les pleurs, mais dans la tranquillité d'âme, la joie et la gaieté, et m'élève ainsi d'un degré... »
2. *TRE*, § 3 (Appuhn) ou 10.
3. *Ethique* V, corollaire de la prop. 32.
4. *Ibid.*, qui renvoie à *Ethique* III, déf. 6 des affections, qu'il faut rappeler une dernière fois : « *L'amour est une joie qu'accompagne l'idée d'une cause extérieure.* »
5. *Ethique* V, dernier scolie.

délivrée enfin de l'attente, du manque et du sens – la vraie vie, donc, mais vécue enfin en vérité. Il ne s'agit donc pas de « changer la vie » (c'est l'œuvre plutôt, pour autant que l'expression ait un sens, de la politique ou de la morale), ni de l'interpréter, mais de la vivre comme elle est, sans mensonge et sans illusion, c'est-à-dire de l'accepter, dans sa vérité, et de l'aimer. Travail du deuil : travail du désespoir. J'entends bien que cela produirait des effets, qu'il ne faut pas non plus sous-estimer : la sagesse n'est pas une autre vie mais bien une vie autre. C'est la vérité de vivre, et différente par là des mensonges et des illusions qui, chez presque tous, la masquent ou la recouvrent. La vie demeure pourtant, avec ce qu'elle suppose de petitesse ou d'à-peu-près, et qu'il faut accepter. Ne rêvons pas la sagesse ! On raconte qu'un moine bouddhiste, parvenu bien près de l'illumination, apprit un jour que son maître, sage parmi les sages, avait été victime d'une bande de brigands, armés de gourdins, et qu'il avait, avant de mourir sous les coups de bâtons, crié très fort... Et notre moine cheminait en silence, pensif : pourquoi diable le Maître avait-il crié, lui qui était parvenu à l'illumination ?... Survint une bande de brigands, qui l'attaquent. Notre moine est frappé à coups de bâtons et, avant de mourir, raconte-t-on, cria atrocement. En criant, il connut l'illumination.

Pourquoi faire semblant ? La sagesse n'est pas un but (plutôt : elle n'est un but que pour les fous), ni un idéal (elle n'est un idéal que pour les niais). C'est la vérité de vivre, disais-je, laquelle, en tant qu'elle est vraie ou éternelle, n'attend rien, ne vaut rien, et ne veut rien dire. Si le sens est « temporel de part en part », l'éternité est toujours insensée ou insignifiante, et c'est à cela peut-être qu'on la reconnaît. Laisse donc tes niaiseries philosophiques. Moins tu t'occupes de la sagesse, plus tu t'en approches, et tu ne l'atteindras peut-être qu'en en désespérant tout à fait. Désespérer du désespoir même : la sagesse au fond n'a aucune importance, du moins pour le sage, et ne justifie en rien, par exemple, qu'on s'empêche de crier. Vivre en vérité ce n'est pas vivre une autre vie, c'est vivre autrement la même vie que tous. Un jeune étudiant zen, raconte-t-on aussi, vint un jour, plein de sérieux et d'assurance, trouver un maître dont il sollicitait l'enseignement. Comme preuve de ses connaissances, voilà notre étudiant qui récite doctement : « L'esprit, Bouddha, et tous les êtres vivants, en définitive, n'existent pas. La vraie nature des phénomènes est le vide. Il n'y a ni réalisation, ni illusion, ni sage, ni médiocrité. Il n'y a rien à donner et rien qui puisse être reçu... » Le maître, qui fumait tranquillement, ne dit rien. Soudain, il frappe violemment l'étudiant avec sa pipe de bambou, et notre jeune homme se met très en colère. « Si rien n'existe, interroge le maître, d'où vient cette colère ? »

On retrouve ici le radeau du Bouddha, qu'il est non seulement inutile de porter sur son dos, une fois la rivière franchie, mais qui ne sert qu'à joindre deux rives... en réalité confondues. « Il n'existe en vérité ni royaume de vie et de mort, ni royaume de délivrance »[1], ou plutôt ils n'en font qu'un, et c'est pourquoi il n'y a pas de bouddhisme : « pas de bateau, car il n'existe ni rives ni eau entre les rives », et pas de Bouddha : « il n'y a pas de bateau et il n'y a pas de passeur »[2]. Tant que tu ne désespéreras pas de la sagesse *aussi*, elle te sera interdite : tant que tu l'attends, tu l'ignores ; tant que tu la rêves, tu l'empêches. La sagesse n'est pas une religion, ou bien n'est accessible qu'à celui qui n'y croit plus. « Tant que tu fais une différence entre le nirvâna et le samsâra, expliquait Nâgârjuna, tu es dans le samsâra... » Je dirais de même : tant que tu fais une différence entre la vie éternelle et la vie de tous les jours, tu n'es pas dans la vie éternelle... Cessons de rêver la sagesse ; cessons même de la vouloir. Vas-tu te donner longtemps ce ridicule, *d'attendre l'éternité* ? Le but n'est pas d'être sage mais de vivre, et c'est pourquoi il n'y a pas de but. Cesse donc d'espérer, fût-ce le désespoir, et *contente-toi* de vivre : la sagesse est ce contentement, pour autant qu'il est vrai, et cette vie, pour autant qu'on s'en contente. Le vrai conten-

1. Voir Zimmer, *Les philosophies de l'Inde*, Payot, p. 378.
2. *Ibid.*

tement de l'âme *(vera animi acquiescentia)* [1] est contentement du vrai *(in veris acquiescere)* [2], et c'est ce que Spinoza
appelle la béatitude. Rien donc de plus simple – ni, sans
doute, de plus difficile – que la sagesse. C'est bête, exactement, comme deux et deux font quatre, et éternel pareillement. Rien ne t'en sépare que tes mensonges et tes illusions (rien ne t'en sépare, Narcisse, que toi-même !), rien
ne t'y mène que la vérité et le désespoir. La sagesse, pour
le dire d'un mot, c'est la *vraie vie* (« la vie enfin découverte
et éclaircie, la seule vie, par conséquent, réellement
vécue... »), éternelle à sa place, comme disait Gœthe, et
sans promesse ni sens. Et sans doute les chemins divergent, qui ne passent pas tous par la philosophie (en tout
cas par ce que nous appelons en Occident la philosophie :
la quête conceptuelle de la sagesse). Beaucoup s'égareront
dans les démonstrations de Spinoza, qui sauront vivre,
mieux que nos philosophes, l'éternité d'une sensation,
d'une émotion ou d'un souvenir. « L'éternité périssable de
chaque jour », qui, mieux que le poète, saurait la dire ?
« *Cette allure de printemps, soudain. Il semblerait que quelque chose ne puisse jamais finir...* » [3] Et comment ne pas
penser à Proust, à Mozart, à Vermeer ?... « Une minute
affranchie de l'ordre du temps, écrit le premier, a recréé en
nous pour la sentir l'homme affranchi de l'ordre du temps.
Et celui-là on comprend qu'il soit confiant dans sa joie,
même si le simple goût d'une madeleine ne semble pas
contenir logiquement les raisons de cette joie, on
comprend que le mot de "mort" n'ait pas de sens pour lui ;
situé hors du temps, que pourrait-il craindre de l'avenir ?... » [4] « Contemplation d'éternité », dit Proust, mais
« fugitive » [5], et que l'art a pour but de maîtriser : ce que
Proust appelle aussi « la vraie vie » [6], qui n'est pas la litté-

1. *Ethique* V, dernier scolie.
2. *Ethique* IV, Appendice, chap. 32.
3. Christian Bobin, *Souveraineté du vide*, p. 23.
4. Proust, *La recherche*..., Pléiade (1954), t. III, p. 873.
5. *Ibid.*, p. 875.
6. *Ibid.*, p. 895.

rature (comme si écrire seulement était vivre !), mais ce que la littérature, quand elle est vraie, dévoile ou restitue (« la vraie vie, dit Bobin, celle qui n'est pas dans les livres mais dont les livres témoignent »)[1]. Et qui ne voit la même chose en Vermeer, dans ce silence merveilleux de l'instant, ou en Mozart, dans cette extase tranquille ? Douceur et paix. L'éternité n'est pas une autre vie, mais la vie vraie.

On pourrait multiplier les références, les exemples et les développements, mais en vain. Ce qu'il s'agit de vivre et de penser, il n'est pas sûr qu'un livre puisse le dire (l'*Ethique* même, dirait Spinoza, n'est écrite que du point de vue du deuxième genre de connaissance, quand c'est le troisième qui nous sauve) ; et y parviendrait-il que cela, bien sûr, ne suffirait pas. Les mots jamais n'aboliront le silence[2], et aucun livre ne saurait nous dispenser de vivre.

Du moins savons-nous maintenant ce que nous cherchons, où nous sommes déjà – ce pourquoi il n'y a rien à chercher –, et qui nous contient.

L'éternité n'est pas un autre monde, la sagesse n'est pas une autre vie, ni la béatitude un autre bonheur. C'est ce qu'il y a de plus désespérant peut-être (que rien d'autre ne nous soit promis que cela même que nous vivons !), et c'est pourquoi sans doute nous ne cessons d'en repousser l'idée. « Nous ne savons renoncer à rien », disait Freud, et pourtant il le faut. Comment accepteras-tu de grandir, si tu ne renonces à l'enfance ? Comment accepteras-tu de rester enfant, si tu ne renonces à grandir ? Comment accepteras-tu de mourir, si tu ne renonces à la vie ? Comment accepteras-tu de vivre, si tu n'acceptes de mourir ? « Si tu veux pouvoir supporter la vie, disait Freud, sois prêt à accepter la mort. »[3] Renoncer, accepter : le même. Icare : le monde *est* le ciel ; le vol *est* la chute. « Le chemin mon-

1. Christian Bobin, *Souveraineté du vide*, Paris, Fata Morgana, 1985, p. 14.
2. Voir Marcel Conche, *Pyrrhon ou l'apparence*, Ed. de Mégare, 1973, p. 58.
3. *Considérations actuelles sur la guerre et sur la mort*, dans *Essais de psychanalyse*, trad. franç., Payot, rééd. 1980, p. 267. Le thème est épicurien et stoïcien.

tant descendant, disait Héraclite, est un et le même »[1] ; et
sans doute peut-on monter ou descendre, mais point monter *sans* descendre. Démocrite : la vérité est au fond de
l'abîme, et c'est le soleil même. La vérité : le réel. La vie :
la mort. L'accepter. Non que tout se vaille, mais parce que
rien ne vaut absolument que le tout (qui ne vaut rien).
Désespoir et paix. L'accepter. Cela même que tu refuses ou
combats : l'accepter. Qui t'a dit de rendre les armes ? Mais
cesse de haïr tes ennemis, cesse de leur reprocher ta souffrance et ta haine ! Travail du deuil : accepter la souffrance,
renoncer à la haine[2]. Et comment y renoncer sans l'accepter ? Tant que tu la refuses, elle te dévore ; accepte-la : elle
s'apaise. Plus tu l'acceptes en effet (plus tu l'acceptes
comme tienne), moins tu la reproches aux autres, et c'est
le commencement de la paix. La haine n'est pas vaincue
par la haine, disait Spinoza, mais par l'amour seul[3], d'autant plus solide qu'il est sans illusions. Désespoir et miséricorde. « *Lorsque le désespoir est à son comble*, écrit Mela-
nie Klein, *l'amour se fait jour* »[4], et c'est à ce prix seulement
que l'on parvient « à l'harmonie véritable et à la paix »[5].
Désespoir et béatitude : le deuil *est* le bonheur. « Le moi,
après avoir achevé le travail du deuil, redevient libre et
sans inhibitions »[6], et c'est ce qu'on appelle la santé. Mais
il ne suffit pas de restaurer le narcissisme ; il faut encore
en sortir ou le surmonter, et c'est ce qu'on appelle la
sagesse : faire son deuil aussi de soi. « Je ne me rebelle pas
contre l'ordre universel », expliquait Freud, près de mourir,
à Lou Andréas-Salomé. « Je n'aspire pas à la gloire posthume. Je suis bien plus intéressé par la fleur sur cet arbre
que par n'importe quoi d'autre qui pourrait se produire

1. Héraclite, fragment 118 (D. K. 60).
2. Voir A. Juranville, *Lacan et la philosophie*, Paris, PUF, 1984, p. 419-420.
3. *Éthique* III, prop. 43 ; voir aussi IV, prop. 46 avec le scolie.
4. Le deuil et ses rapports avec les états maniaco-dépressifs, dans *Essais de psychanalyse*, trad. franç., Payot, 1982, p. 359 (p. 328 de l'éd. originale anglaise). Il va
de soi qu'il s'agit ici d'un deuil réussi, et non pathologique.
5. *Ibid.*, p. 369 (338).
6. Freud, Deuil et mélancolie, *Métapsychologie*, trad. franç., « Idées »-NRF, rééd.
1976, p. 150.

après ma mort... » [1] Et à Marie Bonaparte : « Pourquoi triste ?... C'est précisément sa nature éternellement fugitive qui fait la beauté de la vie... » [2] Il appelait cela « tout ressentir *sub specie aeternitatis* » [3], et si l'on peut douter qu'il y donnât le même sens que Spinoza, on ne peut pas non plus ne pas relever la rencontre.

Mais écoutons surtout le poète. « *Le désespoir allège le regard, brûle le sang, purifie. Il suffit dès lors de regarder. Sans choisir, regarder. Où que se portent les yeux, c'est toujours la même lumière, noire, celle du plein jour...* » [4] Le silence, le désespoir, la solitude. « *Ne plus rien posséder, pas même soi. Accéder à cet ultime noyau de silence autour duquel gravite la poussière du corps...* » [5] « Dans la mesure où nous sommes seuls, disait Rilke, l'amour et la mort se rapprochent. » [6] Et celui-ci : « *C'est à la mort et c'est à l'enfance que je pense. Celui qui se tait, celui qui ne peut répondre, il va dans le bois d'une chanson où l'enfance est morte, où les lauriers sont fanés : si la cigale y dort, ne faut pas la blesser. Il marche lentement dans la force éternelle, il s'éloigne de toute maîtrise comme de toute servitude. Il n'obéit plus qu'au flux des étoiles dans le sang, et c'est d'un pas léger qu'il marche : comme si l'évidence de la perte se doublait de l'évidence d'un salut. Comme si les deux silences – celui de la mort enrobée dans la vie et celui de la vie dérobée à la mort – n'en avaient jamais fait qu'un seul : celui de l'enfance en son deuil infini, en son rire éternel...* » [7] La sagesse *est* le désespoir. Mais ce désespoir, à le vivre dans sa vérité, est aussi une joie pleine. Rien d'autre ne nous est promis (il n'y a ni autre monde ni autre vie), mais rien d'autre non plus ne nous manque. « *Le même savoir – mais ce n'est pas un savoir – contient la perte et*

1. Cité par Roland Jaccard, *Freud*, Paris, PUF, « Que sais-je ? », 1983, p. 103.
2. Cité par A. de Mijolla, *Les mots de Freud*, Paris, Hachette, 1982, p. 229.
3. Lettre à Lou Andréas-Salomé, du 10 mai 1925, cité par R. Jaccard, *op. cit.*, p. 101.
4. Christian Bobin, *Souveraineté du vide*, p. 39.
5. Christian Bobin, *L'homme du désastre*, Fata Morgana, 1986, p. 16.
6. *Lettres à un jeune poète* (Lettre 7).
7. Christian Bobin, *Le huitième jour*..., p. 43.

le salut. »[1] Travail du deuil, travail du réel : le désespoir *est* la sagesse. Il n'y a rien à attendre, rien à espérer, rien à regretter. Matérialisme et désespoir : tout est vrai, tout est réel, et il n'y a ni haut ni bas nulle part. Renoncer, accepter : le même. Deuil infini : rire éternel. La béatitude ne commence pas, disait Spinoza[2], et c'est pourquoi il est vain de l'attendre.

Optimisme ? Pessimisme ? Ni l'un ni l'autre, mais l'éternité du vrai. Il ne s'agit ni de fuir dans un autre monde (religion ou utopie), ni de fuir dans celui-ci (divertissement : le *carpe diem* d'Horace ou de Don Juan), mais d'y vivre en vérité, et c'est ce qu'on appelle – ici et maintenant – la vie éternelle.

Confiance, attention et gratitude : tout est vrai, tout est présent, tout est éternel. Quand un inconnu lui demanda pourquoi ses disciples, à la vie si frugale, avaient l'air à ce point radieux, le Bouddha répondit : « Ils ne se repentent pas du passé, ils ne se préoccupent pas de l'avenir, mais ils vivent dans le présent. C'est pourquoi ils sont radieux... »[3] Nirvâna : pure présence de la présence, et c'est pourquoi « il est atteint de toute éternité »[4]. Ce n'est pas la vérité qui sauve, du moins elle n'est pas l'instrument du salut : la vérité est le salut lui-même. « *Cette demeurée toujours présente*, disent les textes du Madhyamaka, *l'Ainsité, la réalité, la vérité...* »[5] Il n'y a pas de doctrine : il n'y a que le réel, et c'est la seule doctrine en vérité. Accepter. Aller au fond de la souffrance : là où plus personne ne souffre. Au fond du désespoir : là où plus personne ne désespère. Au fond de la vérité : là où plus personne ne connaît. « Il n'y a pas la moindre distinction entre *nirvâna* et *samsâra*. Il n'y a pas la moindre distinction entre *samsâra* et *nirvâna*. »[6] Désespoir et béatitude : un et le même.

---

1. Ch. Bobin, *L'homme du désastre*, p. 30.
2. Voir *Ethique* V, scolie de la prop. 33.
3. Cité par W. Rahula, *L'enseignement du Bouddha...*, p. 100. Voir aussi A. Watts, *Le bouddhisme zen*, p. 220-221.
4. Çandrakirti (à propos de Nâgârjuna), cité par L. Silburn, *Le bouddhisme*, Paris, Fayard, 1977, p. 200.
5. *Lankavatarasutra*, cité par L. Silburn, *op. cit.*, p. 494.
6. Nâgârjuna, cité par L. Silburn, *op. cit.*, p. 199. Çandrakirti commente en ces termes : « ainsi il n'y a pas la moindre différence entre le monde ordinaire et l'absolu » *(ibid.)*.

Tout se tient ici : l'éthique (se désillusionner de soi, de l'avenir et de tout), la morale (cesser de mentir), la métaphysique ou l'ontologie (l'éternité du réel et du vrai)... Et ce *tout* est la sagesse : la vraie vie c'est la vie vraie. Qu'est-ce à dire ? Rien que de très simple, et que chacun connaît ou peut expérimenter. Vivre en vérité, c'est vivre sa vie – et jusqu'à ses rêves – au lieu de la rêver ; c'est agir au lieu de prier, rire au lieu d'espérer, connaître au lieu d'interpréter... Aimer, surtout, au lieu de juger : aimer et accepter, au lieu de juger et détester. Et crier quand on a mal, et rêver quand on rêve... *Infinite love, infinite patience*... L'éternité c'est maintenant, et il n'y en a pas d'autre. Le salut ne consiste pas à *devenir* éternel (expression bien sûr contradictoire, et c'est pourquoi la béatitude ne peut être dite commencer que « fictivement »)[1], mais à comprendre que nous le sommes.

Carpe aeternitatem.

Telle est la bonne nouvelle du désespoir, dont je crains – parce qu'elle est désespérée, justement, et désespérante – qu'elle ne satisfasse personne (ni Narcisse en effet, ni Prométhée, ni Orphée n'y trouvent leur compte...), mais qui est une bonne nouvelle pourtant, et d'autant plus qu'elle est désespérante, et qu'il est bon d'annoncer pour finir, précisément parce qu'elle n'*annonce* rien.

De quoi as-tu peur ? Qu'attends-tu ? Qu'espères-tu ?

Tu es déjà sauvé.

1. *Ethique* V, scolie de la prop. 33.

CONCLUSION

La vie difficile

> « *Nous devons nous tenir au difficile. Tout ce qui vit s'y tient... Il est bon d'être seul, parce que la solitude est difficile. Il est bon aussi d'aimer, car l'amour est difficile...* »
>
> Rainer Maria RILKE.

> « *La vie n'est pas absurde ; elle est seulement difficile, très difficile.* »
>
> Arthur ADAMOV.

Le salut, disais-je[1], n'est ni psychologique, ni politique, ni esthétique. Nous pouvons ajouter : il n'est pas non plus moral. La sainteté n'a jamais sauvé personne, et si le sage est vertueux, c'est plus par vertu, on l'a vu, que par devoir. L'amour et la joie lui suffisent, qui n'ont besoin de règles.

Non, certes, que la sagesse soit immorale : c'est plutôt la morale qui n'est pas sage, qui ne mesure, plus exactement, que notre écart à la sagesse. Incapables que nous sommes d'aimer assez le bien, ou de le faire – incapables d'aimer, simplement –, nous avons besoin sans cesse de ces

---

1. Voir *supra*, t. I, Conclusion provisoire, p. 345-346. Il est inutile de répéter ici tout ce qui fut dit alors, que je dirais de même aujourd'hui, pour l'essentiel, et à quoi le lecteur pourra, s'il le juge utile, se reporter. Si certains points alors annoncés n'ont finalement pas été traités, c'est que je ne m'y suis pas cru tenu. Un livre avance comme il peut, avec sa nécessité propre, en quelque chose imprévisible : à quoi bon, autrement, l'écrire ? Je ne renonce pourtant à aucune des thèses que j'évoquais ; mais certaines m'ont entre-temps paru trop évidentes pour être davantage défendues, d'autres ont été traitées ailleurs, dans tel ou tel article, d'autres enfin, peut-être, le seront...

commandements qui nous enjoignent surtout d'éviter le
pire... La morale est moins un salut que la contrepartie de
notre perdition, moins une sagesse que le prix à payer de
notre folie. Nous n'avons besoin de morale que *faute
d'amour*, et c'est en quoi surtout la morale nous ressemble
ou, peut-être, nous définit. Misère de l'homme : avoir
besoin d'une morale ! Grandeur de l'homme : en être capable ! La morale est un ciel aussi, pour Icare, non sans doute
le plus beau (qui ne préférerait la musique ou le silence ?),
mais le plus exigeant, pour chacun, et, pour tous, le plus
inexorable. On peut vivre sans musique ; sans morale, non :
on ne le peut, on ne le doit. La morale est le ciel obligé :
non le plus haut vol d'Icare mais le plus grave, et le seul
qu'il soit indigne de refuser. « Nul n'est tenu de faire un
livre », dit-on, et c'est très vrai ; la morale est au contraire
ce à quoi chacun est tenu : c'est l'œuvre minimale (il faut
être *au moins* moral) et maximale (nul ne saurait valoir
plus que sa conscience, Diogène, devant Alexandre, ne s'y
est pas trompé). On peut aller plus haut sans doute, mais
point trouver valeur plus grande : plus haut que la morale
il n'y a que la vérité seule (à quoi la morale en effet est
soumise, et non la vérité à la morale), mais qui ne vaut
rien, et où toute valeur trouve le soleil qui l'éclaire, certes,
mais aussi qui l'abolit.

Matérialisme et désespoir : le soleil n'est pas le Bien,
comme le voulait Platon, mais le vrai seul, qui ne laisse
aucune ombre [1], qui éclaire tout, indistinctement (le soleil
ne choisit pas, ni ne refuse), et où tout désir s'apaise ou se
consume dans l'évidence qui le contient. Le vrai sans valeur
et la valeur sans vérité : c'est où Icare culmine, dans le plein
jour, et tombe.

Mourir ? Ce n'est que la chute ultime, dont le sage n'a
que faire : connaître lui suffit. Non que la vérité soit du
côté de la mort (la mort n'est rien, la vérité est tout) ; c'est
la mort plutôt – parce qu'elle n'est rien, et ne fait écran à
rien – qui est du côté de la vérité. A la considérer comme

---

1. Voir M. Conche, *Héraclite, fragments*, p. 240.

événement, la mort est ce moment où tout s'abolit, hors le vrai, où rien ne demeure, que la vérité seule. « *La mort ? Quelle mort ? Il n'y a plus que la lumière...* » [1] La vérité, parce qu'elle les contient toutes deux, abolit jusqu'à l'opposition de la vie et de la mort – elles n'existent absolument ni l'une ni l'autre [2] –, pour ne plus laisser que l'indistincte et lumineuse réalité de tout. La mort n'est rien que cette transparence ultime qui, faute d'y être déjà parvenus, nous libérera de nous-mêmes – et nous guérira, dit à peu près Lucrèce, du désir de l'immortalité [3].

La mort n'est pas un salut (c'est bien sûr la vie qui vaut), mais tout salut, pour Narcisse, a goût de mort. Comment faire son deuil de soi ? Pourtant il le faut (et c'est ce que la mort, au moins, nous donne), non pour mourir mais pour vivre – les sages ont raison, en Orient, qui s'appellent eux-mêmes des *délivrés vivants*, quand la mort ne libère que des cadavres –, et pour vivre, non à l'ombre de la mort (comme des enfants qui tremblent dans la nuit, dit Lucrèce) [4], mais dans la lumière de la vérité. « *Tam clarum lumen..., tam clara luce...* » [5] Pourquoi crains-tu de mourir ? demande Lucrèce ; Epicure lui-même est mort [6], et cela n'importe pas. La chute d'Icare n'est une chute que pour ceux qui le regardent.

Donc la morale ne nous sauve pas (Kant a bien vu qu'elle ne le pourrait qu'à la condition de l'immortalité) [7], mais la

---

1. Tolstoï, cité par V. Jankélévitch (que je cite moi-même librement) : *La mort*, rééd. Flammarion, « Champs », 1977, p. 466.

2. Puisque rien n'existe absolument que la matière, qui est la même (et soumise aux mêmes lois) dans les corps vivants et dans les autres : voir E. Kahane, *La vie n'existe pas*, Paris, Editions Rationalistes, 1962, ainsi que mon article « Qu'est-ce que le matérialisme ? » *Une éducation philosophique*, p. 109-110 et note 76.

3. Lucrèce, III, *passim*.

4. II, 55-56, III, 87-88, et VI, 35-36.

5. III, 1 et V, 12 ; voir aussi I, 144. C'est la lumière de la vérité, qui n'est pas autre chose que la nature elle-même *(« naturae species ratioque »)*, et Lucrèce, par 4 fois, y revient (I, 146-148 ; II, 59-61 ; III, 91-93, et VI, 39-41).

6. III, 1042.

7. *Critique de la raison pratique*, « L'immortalité de l'âme comme postulat de la raison pure pratique », p. 131-133 de la trad. Picavet.

vérité seule : l'*inespérable* vérité, comme disait Héraclite[1], où chacun se perd (la vérité n'est pas un sujet) et se sauve (les sujets seuls étant susceptibles de perdition). Ce salut n'est pas à attendre (tout est déjà vrai), ni à créer (nul ne saurait créer une vérité), mais à vivre, et c'est ce qu'on appelle la sagesse. Faire de sa vie une œuvre d'art ? Non pas. Renoncer à ce rêve aussi, et vivre, simplement vivre. L'action ou la création (la politique, l'art, la morale...) ne sauraient nous sauver de notre vie, ni la valeur nous sauver de la vérité. Point de salut, donc, à la force du rêve : la sagesse n'est pas un ciel, ni la vie un poème. Adieu Narcisse, adieu Orphée, adieu Prométhée... Adieu, même, Icare ! Le sujet n'est pas ce qu'il convient de sauver, ni ses œuvres, mais ce dont le salut nous libère. Icare se sauve en se perdant : le monde *est* le ciel, et il n'y en a pas d'autre.

Mais ce salut, s'il n'est ni psychologique, ni politique, ni esthétique, ni moral, comment le qualifier ?

Salut *intellectuel* ? En un sens on le pourrait puisque c'est la vérité qui sauve, on l'a vu, puisque le salut, mieux, est la vérité même. Mais le mot est court, je l'ai dit, et surtout laisserait croire qu'il ne s'agit que de penser – quand il s'agit de vivre. Pas plus qu'elle n'est une œuvre d'art (sauf pour les hystériques, dirait Freud)[2] ou une religion (sauf pour les obsessionnels...)[3], la vie – sauf pour les paranoïaques[4] – n'est un système philosophique. Il ne s'agit pas d'enchaîner indéfiniment les concepts ou les démonstrations mais d'accéder enfin au réel qui les justifie, les contient, et, quand il est atteint, en dispense. Il ne s'agit pas de philosopher toujours, comme croient nos sophistes ou nos professeurs, mais de n'avoir plus besoin de philosopher : le but n'est pas la philosophie mais la sagesse, non le discours mais le silence. Le salut n'est pas plus « intellectuel », en ce sens, qu'il n'est « physique » : il s'agit là tout au plus de deux voies, d'ailleurs légitimes toutes deux

---

1. Fragment 66 (D. K. 18), et les commentaires de M. Couche, *ad loc.*
2. Voir *Totem et tabou*, II, 4, trad. franç., Paris, Payot, rééd. 1980, p. 88.
3. *Ibid.*
4. *Ibid.*

(ainsi, en Orient, les *jhâin* et les *dhammayoga*)[1], mais qui ne sont pas plus le salut que les chemins ne sont la montagne. La vérité qui sauve n'est pas une abstraction, répétons-le, ni un discours, mais la réalité même (la *nature* de Lucrèce, les *choses singulières* de Spinoza, l'*ainsité* des bouddhistes...), telle qu'elle est (le sage « voit cela comme cela est »)[2], et telle – c'est pourquoi il y a salut – qu'on la connaît et qu'on l'accepte. Connaître le malheur en vérité c'est n'être plus malheureux (du moins la partie de nous qui connaît la vérité du malheur n'est pas celle qui en souffre, c'est pourquoi, plus on le connaît, moins on en pâtit)[3], et la philosophie, précisément parce qu'elle tend au bonheur, a ainsi partie liée avec l'expérience de la douleur. Optimisme ? Pessimisme ? C'est un faux débat. La vérité suffit, qui rend l'optimisme dérisoire et le pessimisme superflu. Il ne s'agit pas de juger l'avenir, ni de parier pour ou contre lui, mais de connaître le présent. « L'expérience m'avait appris, écrit Spinoza, que toutes les occurrences les plus fréquentes de la vie ordinaire sont vaines et futiles », et que l'espérance ne mène, qu'elle soit d'ailleurs satisfaite ou non, qu'à la tristesse ou au manque[4]. Pas besoin d'aller chercher Schopenhauer ; Lucrèce, depuis longtemps, avait dit l'essentiel : « Tant que demeure éloigné l'objet de nos désirs, il nous semble supérieur à tout le reste ; est-il à nous que nous désirons autre chose, et la même soif de la vie nous tient toujours en haleine... »[5] *Méditation de la vie*, écrit Spinoza, et chacun en connaît le goût d'abord amer ou âcre. C'est le goût même de la vérité, et ce n'est pas trop de la poésie, constatait Lucrèce, pour

---

1. C'est-à-dire les « expérimentateurs » et les « spéculatifs » (Mircea Eliade, *Le yoga*, Paris, Payot, rééd. 1983, p. 178). Cette dualité, traditionnelle en Inde, joue « un rôle fondamental dans l'histoire du bouddhisme » (*ibid.*).
2. Cité par W. Rahula, *L'enseignement du Bouddha...*, p. 27.
3. Voir par ex. Spinoza, *Éthique* V, scolie de la prop. 18 et *passim*.
4. *TRE*, § 1 (Appuhn) ou 1-5 (Koyré, Caillois).
5. III, 1082-1084 ; voir aussi, *ibid.*, les vers 957-958 (qui montrent que l'ingratitude, *ingrata vita*, résulte de l'espérance, *quia semper aves quod abest*) et, surtout, les fabuleux vers 1053-1094, où Lucrèce, poète existentiel, trouve des accents qu'on ne reverra plus, peut-être, avant Pascal.

la faire passer [1]. « *Ratio tristior videtur*, disait-il, notre doctrine semble trop triste à qui ne l'a point pratiquée, et la foule recule avec horreur devant elle »...[2] Mais à la vérité nul remède – sauf à se bercer d'illusions – que la vérité même. La philosophie n'est pas là pour consoler, ni pour réconforter, ni pour promettre. La sagesse n'est pas une autre vie, répétons-le, ni la vérité un autre monde. « *Il n'y a pas la moindre distinction entre nirvâna et samsâra, il n'y a pas la moindre différence entre le monde ordinaire et l'absolu...* »[3] La sagesse n'est pas une autre vie mais la vie même, telle qu'elle est : c'est le réel de vivre, connu et accepté en vérité. Que cela n'aille pas sans désespoir, et sans le désespoir d'abord le plus sombre, c'est ce qu'il faut accepter. La vie telle qu'elle est, telle qu'elle ne peut pas ne pas être, c'est la vie souffrante, solitaire, mortelle... *Sarvam dukkham*, disait le Bouddha, *sarvam anityam* : tout est douleur, tout est éphémère... Que ce désespoir puisse être lumineux, oui paisible et lumineux comme un ciel de printemps, c'est ce que j'ai essayé de montrer, et que l'Orient, dans quelques-unes de ses strates les plus profondes (le sâmkhya, le Mahâbhârata, le bouddhisme...)[4], avait su, depuis longtemps, discerner. « *Seul est heureux celui qui a perdu tout espoir ; car l'espoir est la plus grande torture qui soit, et le désespoir le plus grand bonheur...* »[5] Sagesse et désespoir : un et le même. Qu'on puisse y accéder par l'intelligence ou la pensée discursive, c'est entendu (il ne servirait à rien autrement de philosopher) ; que le discours n'y suffise pas, c'est ce dont chacun pourtant fait l'expé-

---

1. I, 931-950 et IV, 6-25.
2. I, 943-944 et IV, 18-19 (Ernout traduit *tristior* par « trop amère », ce que justifie l'opposition avec « le doux miel poétique »).
3. *Madhyamakakârikâ*, XXV, cité par L. Silburn, *Le bouddhisme*, p. 199.
4. Sur les rapports entre ces trois courants (le Sâmkhya passe pour l'une des sources du bouddhisme), voir M. Eliade, *Le yoga*, note I, 8 (p. 370-372) et p. 15 sq. et 154 sq.
5. *Sâmkhya-Sûtra*, IV, 11 (qui cite lui-même le *Mahâbhârata*), cité par M. Eliade, *Le yoga*, p. 40. Ce texte, à ma connaissance (et la citation de M. Eliade mise à part), n'est pas traduit en français. Richard Garbe, dans son édition du *Anirrudha's commentary...* (Calcutta, 1892, p. 164), donne la traduction suivante : « *The hopeless is happy... For hope is the greatest pain, hopelessness the greatest bliss...* »

rience et que ce livre, à sa façon (je veux dire : dans ses limites mêmes), confirme.

Le salut n'est pas intellectuel car la vérité ne sauve qu'en tant qu'elle n'est pas seulement comprise, par l'intelligence, mais vécue : le salut n'est pas la connaissance vraie de la vie (la philosophie) mais la vie vraie (la sagesse).

Si l'on tient à un qualificatif, et sans doute il en faut un, parlons plutôt d'un salut *éthique*, puisque aussi bien c'est l'intitulé sur quoi Epicure et Spinoza se rencontrent. Le mot est vague, sans doute, mais à dessein : puisqu'il désigne le tout de vivre et de penser, et que c'est bien cela – la vie réelle, dans sa totalité – qu'il s'agit de sauver. Salut éthique, donc, et c'est ce qu'on appelle la sagesse. Sans Dieu ni foi, et c'est ce qu'on appelle le matérialisme. Nous voilà au point d'où nous étions partis, et où il convient de finir.

Cette sagesse matérialiste que nous cherchions, essayons, pour conclure, d'en résumer les orientations.

Elle est une sagesse désespérée, au sens où je l'ai dit, et bienheureuse, au sens où Epicure et Spinoza l'entendent. Rien, pour le sage, n'est à espérer, et tout est à vivre : la sagesse est cette vie même, vécue en paix et en vérité. Il s'agit de « pouvoir tout regarder d'un esprit que rien ne trouble »[1], et de trouver, dans cette paix de l'âme, « *quaedam divina voluptas* », comme dit Lucrèce[2], une certaine volupté divine, qui est le plaisir en repos de l'âme (l'ataraxie) ou, comme on voudra, la béatitude. « En philosophie, écrit Epicure, le plaisir va du même pas que la connaissance : apprendre et jouir vont ensemble. »[3] Vient pourtant un moment où l'on n'a plus rien à apprendre : non que l'on sache tout – à quoi bon ? –, mais parce qu'on s'est installé une fois pour toutes dans la vérité, c'est-à-dire

---

1. Lucrèce, V, 1203 (*pacata mente*).
2. III, 28.
3. Epicure, *Sentence vaticane* 27.

(naturae species ratioque...) dans le réel. Qui connaît cette paix, il possède, tout mortel qu'il soit, « un bien immortel » [1] (je dirais : éternel) qui est la sagesse même. Epicure appelait cela (puisque aussi bien la vérité est la même pour eux et pour nous) « vivre comme un dieu parmi les hommes » [2], et c'est peut-être – chez Epicure qui n'était pas athée – l'idée la plus *irréligieuse* qui soit.

Loin d'être « négative », comme on l'a dit de celle d'Epicure, ou « nihiliste », comme l'a cru Nietzsche, la sagesse matérialiste se veut donc – et est, à proportion de sa sagesse – résolument affirmative ou positive. Il s'agit d'aller au bout de cette idée que seuls le réel (matérialisme) ou le présent (désespoir) existent, et d'en tirer les ultimes conséquences. Idée simple, ô combien, mais bouleversante. Car le sujet – c'est en quoi il est sujet – est prisonnier toujours, on l'a vu, de l'absence ou du néant : absence de l'objet de son désir (le manque) ou de sa crainte (l'angoisse), absence de l'objet de son discours (le sens), absence du passé et de l'avenir (le temps), absence enfin du sujet lui-même (qui n'est sujet que par défaut ou méconnaissance : le *moi*)... Et ces absences, déniées comme telles, dans l'imaginaire, engendrent ces illusions sans nombre qui toujours expliquent le réel par l'irréel (idéalisme, finalisme, libre arbitre...) et culminent – tristement – dans la religion. Nous vivons surtout pour ce qui n'existe pas (ce que j'appelle l'espérance), et sommes victimes d'abord de nos fantômes : le néant nous tient, disais-je, parce que nous tenons à lui. Contre quoi le matérialisme, ne niant que le néant lui-même, instaure – ou réinstaure, ou dévoile, comme la vérité qui nous contient et loin de laquelle pourtant nous vivons – la positivité de vivre : la plénitude (plus de manque : le plaisir), la paix (plus d'angoisse : le désespoir), le silence (plus de sens : le réel), l'éternité (plus de temps : le présent), enfin ce que, faute d'un mot suffisant – pour dire

---

1. Epicure, *Sentence vaticane* 78. Voir aussi, *ibid.*, la note 2 de M. Conche, et la *Lettre à Ménécée*, 135.
2. *Lettre à Ménécée*, 135.

l'*anatta* des bouddhistes –, je désignerai triplement comme la solitude, la grande solitude, à perte d'âme et d'égoïsme (plus de moi : la vérité), l'amour (plus de moi : la joie) et la compassion (plus de moi : la souffrance). Oui, tels sont les *biens immortels* [1] du sage : la plénitude, la paix, le silence, l'éternité, la solitude, l'amour et la compassion. Soit, en deux mots comme en cent : le désespoir et la béatitude.

Plusieurs – et ceux souvent dont je me sens le plus proche – me reprocheront ici ce qu'ils appelleront, avec plus ou moins d'ironie ou de dédain, mon *mysticisme*. Le mot est équivoque, je l'ai dit, et ne fait guère partie de mon vocabulaire. Mais si l'on entend par là certaines des possibilités extrêmes de l'esprit humain – et d'abord celles qui échappent au manque, au discours et au temps : la plénitude, le silence et l'éternité –, je n'ai aucune raison non plus de le refuser. L'esprit n'appartient à personne, et ce serait une faute que de l'abandonner aux prêtres ou aux spiritualistes. Le matérialisme se doit au contraire de l'assumer tout entier, et jusque dans ces dimensions ultimes où il cesse, en quelque chose, de s'appartenir. La sagesse n'est pas une autre vie mais bien une vie autre, et même, dans certaines de ses expériences (le *troisième genre* de Spinoza, la *divina voluptas* de Lucrèce, l'*illumination* du Bouddha...), *tout autre*. Pourquoi y renoncer ? Pourquoi s'émasculer l'âme ? Pourquoi n'aimer son esprit qu'intime ou familier ? Là où il n'y a plus de moi, pourquoi s'étonner que quelque chose de bouleversant se montre ? « *Mais à qui, s'il n'y a plus de moi ?...* » L'objection est surtout verbale, et prouve seulement qu'on n'a pas atteint ce dont il est question. Chacun connaît pourtant de ces états de paix – oui : de simplicité et de paix –, qui sont autant d'absences, pour Narcisse, mais aussi, pour l'esprit, d'absolue présence et d'ouverture à la présence. Je ne me promène jamais mieux que lorsque ce n'est plus *moi* qui me promène (quand il n'y a plus que la promenade) ; je n'écoute jamais mieux Mozart ou Schubert que lorsque ce n'est plus *moi* qui les écoute (quand il n'y a

---

1. Voir la *Lettre à Ménécée*, 135.

plus que la musique) ; je ne comprends jamais mieux une vérité que lorsque ce n'est plus *moi* qui la comprends (quand il n'y a plus que la vérité) ; je n'aime jamais mieux que lorsque ce n'est plus *moi* qui aime (quand il n'y a plus que l'amour)... « *Par l'extrême solitude* (cette solitude où nul ne pénètre, pas même le solitaire), *toucher à l'extrême présence...* » [1] La sagesse est de cet ordre. Le sage vit d'autant mieux, connaît d'autant mieux, aime d'autant mieux, que ce n'est plus *lui* qui vit, connaît ou aime : il n'y a plus que la vie, la vérité et l'amour, et c'est pourquoi il est sauvé – parce qu'il n'y a plus rien à sauver. Mysticisme ? Si vous voulez ; mais il s'agit alors, comme chez Spinoza, d'un *mysticisme sans mystère* [2] et, bien sûr, sans religion. Je dirai plus : le sage matérialiste est d'autant plus athée [3] que Dieu – c'est à quoi peut-être la plénitude se reconnaît – a cessé de lui manquer. Il n'a plus besoin de croire, puisque tout est là. Ni d'espérer, puisque tout est présent. Ni de prier, puisque tout est vrai. Une religion ? À quoi bon ? L'amour et la vérité lui suffisent. Là où il n'y a plus de moi, à quoi bon un Dieu, un culte ou des prêtres ? À quoi bon, même, une philosophie ? « L'Ainsité n'enseigne pas la Doctrine, et il n'y a pas de Doctrine qui puisse être enseignée... » [4] N'y voyez ni nihilisme ni scepticisme, au contraire : le vide n'est vide que d'illusions, et, par là, absolument plein [5]. Quand il n'y a plus personne pour connaître ou pour ignorer, il n'y a plus que la vérité ; quand il n'y a plus personne pour souffrir ou pour être triste, il n'y a plus que la joie (oui : une joie sans sujet !) ; quand il n'y a plus personne pour haïr ou pour craindre, il n'y a plus que l'amour. Présence et ouverture à la présence : silence, amour et paix. Qu'il y ait là quelque chose qui dépasse nos possibilités ordinaires, c'est ce que je reconnais bien volontiers, et

---

1. C. Bobin, *Le huitième jour...*, p. 62 et 55.
2. Selon une expression particulièrement heureuse de Martial Gueroult, *Spinoza*, t. I, p. 9 (« une mystique sans mystère »).
3. Au point d'en faire exploser la notion, en elle-même négative ou privative : l'athéisme, dans son principe, est réactif, et ce n'est peut-être pas un hasard si ni Epicure ni Spinoza (ni, d'ailleurs, le Bouddha) ne s'en sont réclamés.
4. Cité par L. Silburn, *Le bouddhisme*, p. 211.
5. Comme l'a bien vu L. Silburn (op. cit., p. 180 sq.).

dont le mot de *mystique* peut souligner, si l'on veut, la force ou la radicalité. Quand il n'y a plus ni discours ni manque ni temps (quand il n'y a plus que le silence, la plénitude et l'éternité !), il revient au même sans doute – et Leibniz, lisant Spinoza, ne s'y est pas trompé – de dire que tout est Dieu ou (puisque ce Dieu dès lors ne saurait être un sujet ou une personne) qu'il n'y a plus de Dieu. Plus de Dieu, plus que Dieu : un et le même. Il n'y a plus que tout, simplement, dans l'éternité de sa présence, et peu importe alors le nom (Dieu, nature, réel ou absolu...) que tel ou tel, quand il faut en parler, choisit – et plus souvent par habitude que par réflexion ! – de lui donner. A qui est parvenu au bout du chemin, qu'importe le chemin ? Je ne sais, et renvoie chacun aux textes et au silence. Ce qui est sûr (et l'Eglise bien des fois l'a confirmé !), c'est que ce mysticisme, qui est le maximum d'évidence, est en cela le contraire de la religion, qui est le maximum de mystère.

Nous voilà pourtant bien loin, dira-t-on, de notre vie, de notre pauvre vie souffrante et philosophante... Sans doute. C'est que la béatitude est éternelle, répétons-le, ou vraie, et la vie, comme chacun sait, le plus souvent tristement temporelle ou imaginaire... « *Eh quoi, le bonheur n'est-il pas dans le temps ?...* » Si l'on veut, et c'est pourquoi peut-être il n'est jamais là.

Qu'est-ce en effet que le bonheur ? On voudrait répondre : une joie pleine, constante, et qui dure. Mais la notion en est contradictoire (la joie étant « *passage* à une plus grande perfection », comme dit Spinoza [1], ce bonheur serait un passage qui ne passerait pas), et l'on apprend bien vite, hélas ! que la chose est impossible aussi à vivre. Appelons *félicité*, pour n'y plus revenir, cet état merveilleux et imaginaire... qui n'existe pas. C'est le bonheur de Kant (idéal, non de la raison, en effet, mais de l'imagination) [2], à quoi le paradis même – s'il y avait un paradis – ne suffirait pas.

---

1. *Ethique* III, définition 2 des affections.
2. Voir les *Fondements de la métaphysique des mœurs*, II, p. 131-132 de la trad. Delbos.

Faut-il alors penser que le bonheur est impossible ? On le pourrait, mais l'évidence du malheur, pour qui l'a vécue, suffit à prouver l'inverse, je veux dire qu'il existe un état réel, à quoi le malheur succède, qu'on appelle alors le bonheur, et dont chacun (même s'il ne s'en rend compte qu'après coup !) a plus ou moins l'expérience. C'est pour une part une question de définitions, mais elles ont leur importance : plutôt que d'appeler malheur l'absence du bonheur – ce qui est le plus sûr moyen de n'être heureux jamais –, convenons d'appeler bonheur l'absence du malheur. Or du malheur, qui n'est pas non plus une souffrance continue, il me semble que l'on peut dire ceci : est malheureux tout individu à qui la joie apparaît, fût-ce à tort, comme immédiatement impossible. Et heureux donc, au contraire, tout individu à qui la joie apparaît comme immédiatement possible. Qu'il ne s'agisse que de *possibilité* laisse place à l'espérance et à la crainte, au doute, au manque, à l'à-peu-près... qui distinguent le bonheur de la félicité, certes, mais aussi de la béatitude. C'est que le bonheur appartient au temps : c'est un état de la vie quotidienne (vécue *sub specie temporis*), état imaginaire bien sûr (c'est l'imagination de la joie possible), tout entier prisonnier du relatif (on est *plus ou moins* heureux), et dont on peut pour cela contester jusqu'à l'existence. Mais qui a connu le malheur n'a plus de ces naïvetés, et sait, au moins par différence, que le bonheur aussi existe. Réalité de l'imaginaire, réalité du bonheur. C'est que le bonheur, expliquait Epicure, « se prend en deux acceptions » : « le bonheur suprême, qui n'admet pas de degrés » (c'est le bonheur des dieux et des sages : ce que j'appelle la béatitude), et l'autre bonheur (celui de n'importe qui : le vôtre, le mien, ce que j'appelle *bonheur* strictement), qui « s'entend selon l'addition et la soustraction des plaisirs » [1]. Et Spinoza, pour qui la béatitude est éternelle et parfaite (non une joie constante

---

1. Transmis par Diogène Laërce, X, 121 (trad. V. Goldschmidt, *La doctrine d'Epicure...*, p. 109). V. Goldschmidt note, à juste titre, que ce bonheur appartient *aussi* au sage (*ibid.*).

et qui dure, mais une joie éternelle, qui ne *dure* pas), notait aussi que nous vivons pourtant « dans un changement continuel, et qu'on nous dit heureux ou malheureux suivant que nous changeons en mieux ou en pire... » [1] Il y a donc deux bonheurs, si l'on veut, ou plutôt deux manières de considérer la vie heureuse, l'une selon l'imaginaire et le temps (c'est ce que j'appelle le bonheur), l'autre selon la vérité et l'éternité (c'est ce que j'appelle la béatitude). Qu'il s'agisse de la même vie – et même, en un sens, du même bonheur –, j'y ai assez insisté pour n'y pas revenir ; mais ce n'est ni le même point de vue ni la même expérience, et il serait fou d'espérer vivre dans le temps (sous la forme d'une impossible félicité : le paradis des prêtres ou des romans à l'eau de rose) quelque chose – la béatitude – que l'éternité seule peut contenir. Ici aussi le désespoir (renoncer à la félicité) fait place nette pour le bonheur (accepter qu'il ne soit, à jamais, que ce *plus ou moins* de plaisirs !) et à la béatitude (accepter qu'elle ne soit que l'éternité de *cette* vie !). Tant pis pour les prêtres et les amateurs de contes de fées. Le salut n'est pas affaire de midinettes.

« *Le bonheur est une pauvre chose*, dit le poète, *un manteau jeté sur le corps maigre d'un lépreux. Au moindre geste, il glisse à terre. Un peu de confort, un peu de faiblesses, voilà donc tout ce en quoi l'on peut espérer...* » [2] Oui, et même il vaut mieux ne l'espérer pas. Mais cela suffit, qui donne aussi (*l'éternité parfois*...) « l'enchantement indifférencié de vivre » [3], de connaître ou d'aimer : ici et maintenant – et pourtant « avec une sorte d'éternité » [4] –, la béatitude.

L'erreur ultime serait de croire qu'il faut choisir : le bonheur ou la béatitude, la vie réelle ou la vie vraie... Il n'y a qu'une vie, répétons-le, et c'est la même qui dure et qui est éternelle, qu'on imagine et qu'on connaît, qu'on perd et qu'on sauve... Pourquoi s'amputer vivant du plaisir ou du bonheur ? Pourquoi ne vivre qu'à demi ? Les ascètes ne

1. *Ethique* V, scolie de la prop. 39.
2. C. Bobin, *L'homme du désastre*, p. 23.
3. C. Bobin, *Souveraineté du vide*, p. 27.
4. Spinoza, *Ethique* V, scolie de la prop. 29 et *passim*.

valent pas mieux que les moralistes – c'est toujours tristesse et éloge de la tristesse –, et le sage sait trouver, entre
débauches et mortifications, la *voie du milieu* qui le libère
du double esclavage des plaisirs et des douleurs[1]. La
sagesse n'est pas affaire de volonté (c'est en quoi surtout
l'éthique se distingue de la morale) mais de connaissance,
et il ne sert à rien de *vouloir* le salut. Pis : cette volonté
même nous en éloigne. Il s'agit d'accepter la vie comme
elle est, imparfaite ou manquée, et point de la rêver autre.
Inutile par exemple de *vouloir désespérer*, quand l'espérance est la plus forte, ou de *vouloir être joyeux* quand la
tristesse est là. La sagesse ne se décrète pas, et aucun décret
n'est sage. Espère plutôt, tranquillement, et pleure...

Accepter le réel, accepter sa folie : c'est un premier pas
vers la sagesse. Chacun sait bien qu'à l'homme en colère,
les remontrances ne servent à rien. « Calme-toi », lui dit-
on, et cela l'énerve davantage... Laisse plutôt ta colère tranquille, considère-la dans sa vérité, dans sa petite vérité de
comédien ou d'enfant, et accepte-la : la voici qui s'apaise...
De même si le désespoir est possible, si la joie est possible,
ce n'est pas contre l'espérance, ce n'est pas contre la tristesse, mais à côté d'elles d'abord, puis en elles, puis au-delà
d'elles – et pourtant à leur place, comme leur vérité. Au
fond du malheur, il y a quelque chose (mais ce n'est pas
une chose) qui ne souffre pas ; et au fond de l'espérance,
quelque chose qui n'est pas dupe C'est à quoi il faut accéder, et non par fuite mais par silence et vérité. Au reste
chacun le sait, et le poète le dit : « *Il existe un point dans
l'ennui où l'on ne s'ennuie plus... Cela n'a pas de nom. Cela
pourrait indifféremment porter le nom d'une sagesse, d'une
démence ou d'un effondrement de l'âme...* »[2] Aller au bout.
Traverser. De l'autre côté de l'ennui : le désespoir. De l'autre
côté de l'angoisse : le repos. De l'autre côté du malheur : la

---

1. C'est bien sûr l'esprit même d'Epicure (voir par ex. la *Lettre à Ménécée*,
128-132), mais cette sagesse humaine et douce se retrouve aussi bien chez le
Bouddha (voir par ex. L. Silburn, *op. cit.*, p. 49 sq.) que chez Spinoza (voir par ex.
Ethique IV, scolie du corollaire 2 de la prop. 45, et V, prop. 42 et scolie).
2. C. Bobin, *L'enchantement simple*, p. 68-69 (qu'il faudrait recopier en entier).

sérénité. Non choisir, mais supporter. Non vouloir, mais accueillir. « Le sage est sage, disait Alain, non par moins de folie, mais par plus de sagesse. » Et sa sagesse est d'abord de connaître sa folie, et de l'accepter. Sagesse de Montaigne : de s'accepter non sage ! Paix à tous – et à toi-même.

Il n'y a pas non plus à choisir, surtout pas à choisir, entre l'ascension d'Icare (la politique, l'art, la morale : la valeur et le sens) et le point de celle-ci (la vérité) où elle culmine et s'abolit. Il est sûr que, d'un certain point de vue (le point de vue de Dieu, dirait Spinoza), le beau et le laid, le juste et l'injuste, le bien et le mal... cessent de valoir, positivement ou négativement, et même, en quelque chose, de se distinguer. Il n'y a plus que le réel, et, sur toutes choses, la grande paix de la vérité, l'infinie miséricorde de tout... Un simple caillou vaut alors le *David* de Michel-Ange (les mystiques orientaux enseignent que tout objet, contemplé longtemps, peut déclencher l'extase : « une once de réel pur suffit à qui sait voir... »)[1], et le pire des salauds, autant qu'un saint, paraît digne d'amour – plutôt ce n'est plus une question de *dignité* justement – ou de pardon. Miséricorde infinie : amour infini. Mais ce point de vue, s'il abolit les autres (il est le point de vue de l'absence de point de vue), ne les annule pas. Il n'y a que le réel, certes ; mais l'art aussi est réel, et la politique, et la morale... La valeur n'est pas vraie sans doute (il n'y a pas de valeur objective), mais réelle pourtant en tant qu'illusion (la subjectivité existe objectivement) et vraie dès lors à ce titre. Et réelle, aussi, la philosophie... En tant que la vérité est une valeur – puisque nous l'aimons –, elle est un ciel encore que le désir s'invente : primat du désir, primauté de la vérité. Mais en tant qu'elle est la vérité même, elle contient jusqu'à l'amour que nous lui portons, et le porte : le désir de vérité n'est qu'une occurrence parmi d'autres de la vérité du désir, et c'est en quoi, dirait Spinoza, nous n'aimons Dieu qu'en Dieu ou la vérité qu'en vérité. Primat de la vérité, donc,

---

1. C. Bobin, *L'homme du désastre*, p. 16.

puisqu'il n'y a rien d'autre (primat, autrement dit, du réel
et, *pour nous*, du désir)[1], et primauté de la valeur ou du
sens (primauté, autrement dit, du *désiré*, et à ce titre, « pour
les désirs d'une âme philosophique », comme dit Spinoza[2],
de la vérité même). Vérité du désir, désir de vérité : un et
le même. Cela n'est vrai que du sage, peut-être, mais suffit
alors à le définir.

Pour les autres, pour tous les autres, reste la voie du
courage et de la philosophie : monter la pente plutôt que
la descendre, aimer plutôt que haïr, connaître plutôt que
juger, se taire plutôt que mentir... La philosophie, comme
la psychanalyse selon Freud, ne reconnaît qu'une seule
valeur, et ne dispose que d'une seule arme : *truth, and again
truth*...[3] Spinoza appelait cela « vivre pour la vérité[4] », et
c'est ce qu'on appelle la philosophie. Mais en tant que la
vérité est déjà là (si elle n'y était pas, nous ne pourrions la
chercher), en tant que nous n'existons qu'en elle, le *pour*
est de trop : vivre pour la vérité (la philosophie) n'est
encore qu'un chemin. Il s'agit de ne plus vivre *pour*, justement, mais de vivre : simplement, joyeusement et désespérément vivre ! *Vivre la vérité*, donc, et c'est la vérité de vivre
(la sagesse).

La sagesse inclut à ce titre les illusions mêmes dont elle
libère, et Icare, parvenu au terme de son vol – là où il n'y
a plus ni ascension ni chute – comprend que ce vol *vers* la
vérité était, depuis le début et à proportion de sa réalité,
la vérité même. « *L'illusion et l'absolu ne sont point différents*, explique un texte Tch'an. *Tant qu'on est dans l'erreur,
l'absolu est illusion ; pour qui s'est éveillé, l'illusion devient
l'absolu...* »[5]

Le but de vivre, disait Montaigne, c'est vivre, et c'est
pourquoi il n'y a pas de but.

1. Spinoza, *Ethique* III, définition 1 des affections et explication.
2. Lettre 30, à Oldenburg (p. 232).
3. Cf. *supra*, p. 552 et note 5.
4. Lettre 30 (p. 232).
5. Cité par L. Silburn, *op. cit.*, p. 184. (Le Tch'an est une école bouddhiste chinoise, influencée par le Tao, et qui influencera à son tour le Zen japonais.)

Et pas de but non plus à l'amour, à la joie ou au bonheur : pas de but à la sagesse, et c'est la sagesse même.

A quoi peuvent nous mener, non l'espérance ou la foi, mais le courage et le désespoir – ce désespoir dont Lagneau, dans une lettre, parla si bien : « Ma vie, pour la réussite de laquelle vous faites des vœux, sera ce qu'elle peut être. Je ne lui demande rien ; je n'attends rien d'elle. Il y a longtemps que je n'existe, que je ne pense et n'agis, que je ne vaux le peu que je vaux, que par le désespoir, qui est ma seule force et mon seul fond... »[1] Il y a là quelque chose qui est moins un point de doctrine (celle de Lagneau n'est pas la mienne) qu'une expérience et, en effet, une force.

Cela vaut-il la peine ? C'est à chacun d'en décider. Le suicide n'est pas toujours une faute, ni la vie, un devoir. Mais le désir suffisamment nous porte, à quoi (et dans le suicide même !) nous resterons fidèles. Parole de vivant : « Tant que la vie ne nous quittera pas, nous ne hurlerons pas à la mort. »[2]

Désespoir et courage, confiance et paix : le réel est à prendre ou à laisser.

Prends.

---

1. Lettre à Paul Desjardins, *Célèbres leçons et fragments*, Paris, PUF, 1964, p. 9. Lagneau, qui n'était pas matérialiste, avait beaucoup lu Spinoza (voir *ibid.*, les p. 50-86, ainsi que le beau livre d'Alain, *Souvenirs concernant Jules Lagneau*, spécialement le chap. III).
2. François George, *Histoire personnelle de la France*, Paris, Balland, 1983, p. 270.

Table analytique

Le mythe d'Icare

défi du matérialisme philosophique ; primat et
primauté ; matérialisme vulgaire et matérialisme
philosophique ; vivre debout ; perspectives d'avenir ; désespérer du désespoir ; silence et béati-

Vivre

COLLECTION « QUADRIGE »

CORVISIER A.	Histoire militaire de la France
	T. I : Des origines à 1715
	T. II : De 1715 à 1871
	T. III : De 1871 à 1940
	T. IV : De 1940 à nos jours
CROUZET M.	L'Époque contemporaine
CROZET R.	L'Art roman
DANDREY P.	Poétique de La Fontaine, I : La Fabrique des fables
DAUMAS M.	Histoire générale des techniques
DAUMAS M.	T. 1 : Des origines au XVIe siècle
	T. 2 : Les Premières Étapes du machinisme
	T. 3 : L'Expansion du machinisme
	T. 4 : Énergie et matériaux
	T. 5 : Transformation - Communication - Facteur humain
DE LAMARCK J.-B.	Système analytique des connaissances positives de l'homme
DELEUZE G.	La Philosophie critique de Kant
DELEUZE G.	Proust et les signes
DELEUZE G.	Nietzsche et la philosophie
DELEUZE G.	Le Bergsonisme
DENIS H.	Histoire de la pensée économique
DENIS P. et SCHEFFER J.	Devenir psychanalyste ?
DE ROMILLY J.	Dictionnaire de littérature grecque ancienne et moderne
DERRIDA J.	La Voix et le phénomène
DESCARTES R.	Méditations métaphysiques
DEUTSCH H.	La Psychologie des femmes, T. I
DEUTSCH H.	La Psychologie des femmes, T. II
DOUIN J.-L.	Dictionnaire de la censure au cinéma
DROZ J.	Histoire générale du socialisme
	T. 1 : Des origines à 1875
	T. 2 : De 1875 à 1918
	T. 3 : De 1918 à 1945
	T. 4 : De 1945 à nos jours
DUHAMEL O.	La Gauche et la Ve République
DUMÉZIL G.	Du mythe au roman
DUPÂQUIER J.	Histoire de la population française
	T. 1 : Des origines à la Renaissance
	T. 2 : De la Renaissance à 1789
	T. 3 : De 1789 à 1914
	T. 4 : De 1914 à nos jours
DURAND G.	L'Imagination symbolique
DURKHEIM É.	Les Règles de la méthode sociologique
DURKHEIM É.	Le Suicide
DURKHEIM É.	Les Formes élémentaires de la vie religieuse
DURKHEIM É.	Éducation et sociologie
DURKHEIM É.	De la division du travail social
DURKHEIM É.	L'Évolution pédagogique en France
DURKHEIM É.	Leçons de sociologie
DURKHEIM É.	Le Socialisme
DURKHEIM É.	L'Éducation morale
DURKHEIM É.	Sociologie et philosophie
DUVIGNAUD J.	Sociologie du théâtre
ECO U.	Sémiotique et philosophie du langage
EINAUDI	Un rêve algérien
ELLUL J.	Histoire des institutions. L'Antiquité
ELLUL J.	Histoire des institutions. Le Moyen Âge
ELLUL J.	Histoire des institutions. XVIe-XVIIIe siècle
ELLUL J.	Histoire des institutions. Le XIXe siècle
FEBVRE L.	Martin Luther, un destin
FERRY L.	Philosophie politique

LAFON R.   Vocabulaire de psychopédagogie et de psychiatrie de
                                  l'enfant
LAGACHE D.   La Jalousie amoureuse
LAGACHE D.   L'Unité de la psychologie
LALANDE A.   Vocabulaire technique et critique de la philosophie,
                                  vol. 1 et 2
LAPLANCHE J.   Hölderlin et la question du père
LAPLANCHE J.   Nouveaux fondements pour la psychanalyse
LAPLANCHE J.   Problématiques
                                     I : L'Angoisse
                                     II : Castration. Symbolisations
                                     III : La Sublimation
                                     IV : L'Inconscient et le Ça
                                     V : Le Baquet. Transcendance du transfert
LAPLANCHE J.   Vocabulaire de la psychanalyse
et PONTALIS J.-B.
LAPLANCHE J.   Entre séduction et inspiration : l'homme
LAURÉ, BABEAU et LOUIT   Les impôts gaspilleurs
LARTHOMAS P.   Le langage dramatique
LE BON G.   Psychologie des foules
LE BRETON D.   Anthropologie du corps et modernité
LE RIDER J.   Modernité viennoise et crises de l'identité
LEBOVICI S., DIATKINE R.,   Nouveau Traité de psychiatrie de l'enfant et de l'ado-
SOULÉ M.   lescent, T. 1
LEBOVICI S., DIATKINE R.,   Nouveau Traité de psychiatrie de l'enfant et de l'ado-
SOULÉ M.   lescent, T. 2
LEBOVICI S., DIATKINE R.,   Nouveau Traité de psychiatrie de l'enfant et de l'ado-
SOULÉ M.   lescent, T. 3
LEBOVICI S., DIATKINE R.,   Nouveau Traité de psychiatrie de l'enfant et de l'ado-
SOULÉ M.   lescent, T. 4
LECOURT D.   Lyssenko. Histoire réelle d'une « science proléta-
                                  rienne »
LECOURT D.   L'Amérique entre la Bible et Darwin
LECOURT D.   Contre la peur
LEFEBVRE H.   Le Matérialisme dialectique
LÉONARD E. G.   Histoire générale du protestantisme
                                  T. I : La Réformation
                                  T. II : L'Établissement
                                  T. III : Déclin et renouveau
LEROI-GOURHAN A.   Les religions de la préhistoire
LEROI-GOURHAN A.   Dictionnaire de la préhistoire
LEVINAS E.   Le Temps et l'autre
LÉVI-STRAUSS C.   L'Identité
LÉVY-BRUHL L.   L'Âme primitive
LÉVY-BRUHL L.   Carnets de note
LÉVY A., DIDIER B.   Dictionnaire de littérature chinoise
LIÉBERT G.   Nietzsche et la musique
LOCKE J.   Lettre sur la tolérance
LOVY R.-J.   Luther
MAÏMONIDE M.   Le Livre de la connaissance
MAISTRE J. DE   Écrits sur la Révolution
MÂLE P.   Psychothérapie de l'adolescent
MARÇAIS G.   L'Art musulman
MARION J.-L.   Dieu sans l'être
MARION J.-L.   Sur la théologie blanche de Descartes
MARX K.   Le Capital, livre I
MATTÉI J.-F.   Philosopher en français
MAUSS M.   Sociologie et anthropologie
MEILLASSOUX C.   L'Anthropologie de l'esclavage
MÉLÈZE-   Les Juifs d'Égypte de Ramsès II à Hadrien
MODRZEJEWSKI J.
MERLEAU-PONTY M.   La Structure du comportement

MEYER M.	Langage et littérature
MEYER M.	Le Questionnement
MEYER M.	Science et métaphysique chez Kant
MEYER M.	Pour une histoire de l'ontologie
MICHALET C.-A.	Le Capitalisme mondial
MICHAUD Y.	Hume et la fin de la philosophie
MICHAUD Y.	Locke
MILL J.	L'Utilitarisme. Essai sur Bentham
MINKOWSKI E.	Le Temps vécu
MONTAIGNE M. de	Les Essais, livre I
MONTAIGNE M. de	Les Essais, livre II
MONTAIGNE M. de	Les Essais, livre III
MORENO J.-L.	Psychothérapie de groupe et psychodrame
MOSCOVICI S.	Psychologie des minorités actives
MOUNIN G.	Dictionnaire de la linguistique
MOUNIN G.	Histoire de la linguistique, des origines au XXe siècle
MOUSNIER R.	Les XVIe et XVIIe siècles
MOUSNIER R. et LABROUSSE E.	Le XVIIIe siècle. L'époque des « Lumières » (1715-1815)
NÉRAUDAU J.-P.	Dictionnaire de l'histoire de l'art
NIETZSCHE, RÉE, SALOMÉ	Correspondance
NISBET R. A.	La Tradition sociologique
NIVEAU M. et CROZET Y.	Histoire des faits économiques contemporains
ORIGAS J.-J., DIDIER B.	Dictionnaire de littérature japonaise
PARISET F. G.	L'Art classique
PAUGAM S.	La Disqualification sociale
PERRIN M.	Les Praticiens du rêve
PERROY E.	Le Moyen Âge
PIAGET J.	Sagesse et illusions de la philosophie
PIÉRON H.	Vocabulaire de la psychologie
PIRENNE H.	Mahomet et Charlemagne
POULANTZAS N.	L'État, le pouvoir, le socialisme
PRIGENT M.	Le Héros et l'État dans la tragédie de Pierre Corneille
QUINODOZ J.-M.	La Solitude apprivoisée
RAVAISSON F.	De l'habitude
RAWLS J.	Libéralisme politique
RAYNAUD F.	Max Weber et les dilemmes de la raison moderne
RIALS S.	Villey et les idoles
RIEGEL, PELLAT, RIOUL	Grammaire méthodique du français
ROBIN L.	Platon
RODIS-LEWIS G.	La Morale de Descartes
ROMILLY J. DE	La Tragédie grecque
ROSSET C.	Schopenhauer, philosophe de l'absurde
ROSSET C.	L'Esthétique de Schopenhauer
ROSSET C.	L'Anti-Nature
ROSSET C.	La Philosophie tragique
ROSSET C.	Logique du pire
ROUSSILLON	Paradoxes et situations limites de la psychanalyse
SALAIS R., BAVEREZ N., REYNAUD B.	L'Invention du chômage
SARTRE J.-P.	L'Imagination
SAUVY A.	L'Opinion publique
SCHNERB R.	Le XIXe siècle
SCHOPENHAUER A.	Aphorismes sur la sagesse dans la vie
SCHOPENHAUER A.	De la volonté dans la nature
SEIGNOBOS C.	Histoire sincère de la nation française
SEN A.	Éthique et économie
SENGHOR L. Sedar	Anthologie de la nouvelle poésie nègre et malgache
SFEZ L.	La Politique symbolique
SIEYÈS E.	Qu'est-ce que le Tiers État ?
SIMMEL G.	Les Pauvres

SIMMEL G.	Philosophie de l'argent
SIRINELLI J.-F.	Génération intellectuelle, khâgneux et normaliens dans l'entre-deux-guerres
SOBOUL A.	La Révolution française
SOURIAU É.	Vocabulaire d'esthétique
STERN H.	L'Art byzantin
STRAUSS L.	Histoire de la philosophie politique
SUZUKI, FROMM, DE MARTINO	Bouddhisme zen et psychanalyse
TADIÉ J.-Y.	Le Roman d'aventures
TATON R.	La Science antique et médiévale, T. I
TATON R.	La Science moderne, histoire générale des sciences, T. II
TATON R.	La Science contemporaine. Le XIXᵉ siècle, T. 1
TATON R.	La Science contemporaine. Le XXᵉ siècle, années 1900-1960, T. II
TAZIEFF H.	Les Volcans et la dérive des continents
TEYSSIER P., DIDIER B.	Dictionnaire de littérature brésilienne
TORT P.	Darwin et le darwinisme
TOUCHARD	Histoire des idées politiques, T. I
TOUCHARD	Histoire des idées politiques, T. II
VAN TIEGHEM P.	Dictionnaire des littératures, vol. 1 : A-C
VAN TIEGHEM P.	Dictionnaire des littératures, vol. 2 : D-J
VAN TIEGHEM P.	Dictionnaire des littératures, vol. 3 : K-Q
VAN TIEGHEM P.	Dictionnaire des littératures, vol. 4 : R-Z
VAN TIEGHEM P.	Les Grandes Doctrines littéraires en France
VAX L.	La Séduction de l'étrange
VERGER J.	Les Universités au Moyen Âge
VERNANT J.-P.	Les Origines de la pensée grecque
VERNETTE, MONCELON	Dictionnaire des groupes religieux aujourd'hui
WALLON H.	Les Origines du caractère chez l'enfant
WALLON H.	L'Enfant turbulent
WALLON H.	Les Origines de la pensée chez l'enfant
WOLFF F.	L'Être, l'homme, le disciple
ZARKA Y. C.	Hobbes et la pensée politique moderne
ZARKA Y. C.	Comment écrire l'histoire de la philosophie ?
ZAZZO R.	Les Jumeaux, le couple et la personne
ZORGBIBE C.	La Méditerranée sans les Grands
ZWEIG S.	Montaigne

Achevé d'imprimer en septembre 2002
par Normandie Roto Impression s.a.s., 61250 Lonrai
N° d'impression : 02-2159 — Dépôt légal : octobre 2002

Imprimé en France